W9-CFV-363

...Ибо все, что происходит с человеком, — хрупко и неверно, и в конце все равно пустота, пустота дрожит и бликует, и человек навсегда один. Так?

Или не усложнять? Тогда так: Франсуаза Саган — голос поколения, которое вышло на улицы Парижа в 1968-м под лозунгами «Мостовые под пляжи» и «Мы не знаем, чего мы хотим; но мы точно знаем, чего мы не хотим», поколения, что так и не разобралось, чего же хочет, и разочарованно попряталось загорать в солярии. Или еще проще? Тогда так: Франсуаза Саган — благополучная девочка из благополучной семьи, рисковая, безрассудная и искренняя, и книги ее — слепки дерганых, растерянных, однако благополучных жизней, в которых самое страшное, что может случиться с человеком, — это любовь.

Или совсем просто? Тогда так: романы Франсуазы Саган — о любви. На этом, собственно, можно и умолкнуть. Потому что они о любви, про которую никто не знает, что она такое, которая дышит и живет по своим законам, непостижимая, как Вселенная, и первый взгляд — как «большой взрыв», и финал — как черная дыра. В них любовь — персонаж, а не обстоятельство образа действия, она — главный герой, и, как полагается в трагедийном каноне, главный герой обречен погибнуть — или сломаться. Или смириться. Быть может — выжить, но вряд ли — воскреснуть.

Ее книги — персонажи читательской жизни. Не обстоятельства, не попутчики, даже, пожалуй, и не книги уже, они — главные герои. Будем надеяться, жизнь вокруг них выстроена не по трагедийному канону.

Анастасия Грызунова,
координатор серии

Франсуаза Саган (Франсуаза Куарэ, 1935—2004) родилась в городе Карьяк в семье богатого провинциального промышленника; в начале Второй мировой войны ее семья переехала в Лион. Франсуаза провалила экзамены в Сорбонну (поскольку была чересчур увлечена парижской ночной жизнью, позже училась некоторое время), не защитив, впрочем, диплом.

Первый роман Франсуазы «Здравствуй, грусть» вышел в 1954 году; он принес известность Франсуазе (которая теперь звалась Франсуазой Саган, в честь княгини Саганской из «В поисках утраченного времени» Марселя Пруста). Сомнения в самостоятельности творчества столь юной особы были развеяны после публикации романов «Смутная улыбка», «Любите ли вы Брамса?», «Волшебные облака». Пьесы Саган «Сиреневое платье Валентины», «Пианино в траве» и т. д. по сей день идут в театрах; однако романы писательницы пользуются несравнимо большей популярностью, они переводились на десятки языков и активно экранизировались. Франсуаза Саган стала голосом поколения молодежи, которая вышла на улицы Парижа в 1968-м. Саган всегда отличалась независимостью и жаждой жизни, ее опьяняли скорость и игра с удачей. Всю жизнь она оставалась «неангажированным» автором, отказывалась от литературных премий, почетных титулов и членства в Академии.

Круг ее знакомых был весьма разнообразен, в США ее нередко видели в обществе Трумена Капоте. Саган дважды была замужем (оба раза развелась). С ее именем связано несколько крупных скандалов вокруг налоговых махинаций и употребления кокаина; в налоговом скандале фигурировал бывший президент Франции Франсуа Миттеран. В последние годы жизни французские налоговые власти обрекли ее на мучительное существование — если не помощь друзей, Саган осталась бы без крыши над головой. После смерти Саган французский президент Жак Ширак объявил ее самой блестящей писательницей в истории Франции.

FRANSUAZA
SAGAN

ВЕЛИКИЕ РОМАНЫ XX ВЕКА.

Я - женщина, любившая мужчину

ФРАНСУАЗА САГАН

ЭКСМО

Содержание

Здравствуй, грусть

Перевод Ю. Яхниной

Прощай же грусть
И здравствуй грусть
Ты вписана в квадраты потолка
Ты вписана в глаза которые люблю
Ты еще не совсем беда
Ведь даже на этих бледных губах
Тебя выдает улыбка
Так здравствуй грусть
Любовь любимых тел
Могущество любви
Чья нежность возникает
Как бестелесное чудовище
С отринутою головой
Прекрасноликой грусти.

Поль Элюар

ЧАСТЬ I

ГЛАВА 1

Это незнакомое чувство, преследующее меня своей вкрадчивой тоской, я не решаюсь назвать, дать ему прекрасное и торжественное имя — грусть. Это такое всепоглощающее, такое эгоистическое чувство, что я почти стыжусь его, а грусть всегда внушала мне уважение. Прежде я никогда не испытывала ее — я знала скуку, досаду, реже раскаяние. А теперь что-то раздражающее и мягкое как шелк обволакивает меня и отчуждает от других.

В то лето мне минуло семнадцать, и я была безоблачно счастлива. «Окружающий мир» составляли мой отец и Эльза, его любовница. Я хочу сразу же объяснить создавшееся положение, чтобы оно не показалось ложным. Моему отцу было сорок лет, вдовел он уже пятнадцать. Это был молодой еще человек, жизнерадостный и привлекательный, и, когда два года назад я вышла из пансиона, я сразу поняла, что у него есть любовница. Труднее мне было примириться с тем, что они у него меняются каждые полгода! Но вскоре его обаяние, новая для меня беззаботная жизнь, мои собственные наклонности приучили меня к этой мысли. Отец был беспечный, но ловкий в делах человек, он легко увлекался — и так же быстро остывал — и нравился женщинам. Я тотчас полюбила его, и притом всей душой, потому что он был добр, щедр, весел и нежно ко мне привязан.

Лучшего друга я не могла бы и пожелать — я никогда не скучала с ним. В самом начале лета он был настолько мил, что даже осведомился, не будет ли мне неприятно, если Эльза, его теперешняя любовница, проведет с нами летние каникулы. Само собой, я развеяла все его сомнения: во-первых, я знала, что он не может без женщин, во-вторых, была уверена, что Эльза нас не обременит. Рыжеволосая высокая Эльза, нечто среднее между продажной девицей и дамой полусвета, была статисткой в киностудиях и в барах на Елисейских Полях. Она была славная, довольно простая и без особых претензий. А кроме того, мы с отцом так хотели поскорее уехать из города, что смирились бы вообще с чем угодно. Отец снял на побережье Средиземного моря большую уединенную и восхитительную белую виллу, и мы стали мечтать о ней, едва настали первые жаркие дни июня. Вилла стояла на мысу, высоко над морем, скрытая от дороги сосновой рощицей; козья тропа сбегала вниз к маленькой золотистой бухте, где среди рыжих скал плескалось море.

Первые дни были ослепительны. Разомлевшие от жары, мы часами лежали на пляже и мало-помалу покрывались золотистым здоровым загаром— только у Эльзы кожа покраснела и облезла, причиняя ей ужасные мучения. Отец проделывал ногами какую-то сложную гимнастику, чтобы согнать намечающееся брюшко, несовместимое с его донжуанскими притязаниями. Я с раннего утра сидела в воде, в прохладной, прозрачной воде, окуналась в нее с головой, до изнеможения барахталась в ней, стараясь смыть с себя тени и пыль Парижа. Потом я растягивалась на берегу, зачерпывала целую горсть песка и, пропуская между пальцами желтоватую ласковую струйку, думала, что вот так же утекает время, что это нехитрая мысль и что нехитрые мысли приятны. Стояло лето.

На шестой день я в первый раз увидела Сирила. Он плыл на паруснике вдоль берега — у нашей бухточки парусник перевернулся. Я помогла ему выудить его пожитки, мы оба хохотали, и я узнала, что зовут его Сирил, он учится на юридическом факультете и проводит каникулы с матерью на соседней вилле. У него было лицо типичного южанина, смуглое, открытое, и в выражении что-то спокойное и покровительственное, что мне понравилось. Вообще-то я сторонилась студентов университета, грубых, поглощенных собой и еще более того — собственной молодостью: они видели в ней источник драматических переживаний или повод для скуки. Я не любила молодежь. Мне куда больше нравились приятели отца, сорокалетние мужчины, которые обращались ко мне с умиленной галантностью, в их обхождении сквозила нежность одновременно отца и любовника. Но Сирил мне понравился. Он был рослый, временами красивый, и его красота располагала к себе. Хотя я не разделяла отвращения моего отца к физическому уродству, отвращения, которое зачастую побуждало нас проводить время в обществе глупцов, все-таки в присутствии людей, лишенных всякой внешней привлекательности, я испытывала какую-то неловкость, отчужденность; их смирение перед тем, что они не могут нравиться, представлялось мне каким-то постыдным недугом. Ведь все мы добиваемся только одного — нравиться. Я по сей день не знаю, что кроется за этой жаждой побед — избыток жизненных сил или смутная, неосознанная потребность преодолеть неуверенность в себе и самоутвердиться.

На прощание Сирил предложил, что научит меня управлять парусником. Я вернулась к ужину, поглощенная мыслями о нем, и совсем или почти совсем не принимала участия в разговоре; я едва обратила внимание на то, что отец чем-то встревожен. После ужина, как всегда по вечерам, мы расположились в шезлонгах на террасе перед домом. Небо было усеяно звездами. Я смотрела на них в смутной надежде, что они до срока начнут, падая, бороздить небо. Но было еще только начало июля, и звезды были недвижны. На усыпанной гравием террасе пели цикады. Наверное, много тысяч цикад, опьяненных зноем и лунным светом, ночи напролет издавали этот странный звук. Мне когда-то объяснили, что они просто трут одно о другое свои надкрылья, но мне больше нравилось думать, что эта песня, такая же стихийная, как весенние вопли котов, рождается в их гортани. Мы блаженствовали; только маленькие песчинки, забившиеся под блузку, мешали мне уступить сладкой дремоте. И тут отец кашлянул и выпрямился в шезлонге.

— К нам собираются гости, — сказал он.

Я в отчаянии закрыла глаза. Так я и знала: слишком уж мирно мы жили — это не могло долго продолжаться.

— Скажите же скорее, кто? — воскликнула Эльза, падкая на светские развлечения.

— Анна Ларсен, — ответил отец и обернулся ко мне.

Я молча смотрела на него, я была слишком удивлена, чтобы отозваться на эту новость.

— Я предложил ей погостить у нас, когда ее утомит выставлять свои модели, и она... она приезжает.

Вот уж чего я меньше всего ждала. Анна Ларсен была давнишней подругой моей покойной матери и почти не поддерживала отношений с отцом. И однако, когда два года назад я вышла из пансиона, отец, не зная, что со мной делать, отправил меня к ней. В течение недели она научила меня одеваться со вкусом и вести себя в обществе. В ответ я прониклась к ней пылким восхищением, которое она умело обратила на молодого человека из числа своих знакомых. Словом, ей я была обязана первыми элегантными нарядами и первой влюбленностью и была преисполнена благодарности к ней. В свои сорок два года это была весьма привлекательная, изящная женщина с выражением какого-то равнодушия на красивом, гордом и усталом лице. Равнодушие — вот, пожалуй, единственное, в чем можно было ее упрекнуть. Держалась она приветливо, но отчужденно. Все в ней говорило о твердой воле и душевном спокойствии, а это внушало робость. Хотя она была разведена с мужем и свободна, молва не приписывала ей любовника. Впрочем, у нас был разный круг знакомых: она встречалась с людьми утонченными, умными, сдержанными; мы — с людьми шумными, неугомонными, от которых отец требовал одного — чтобы они были красивыми или забавными. Думаю, Анна слегка презирала нас с отцом за наше пристрастие к развлечениям, к мишуре, как презирала вообще все чрезмерное. Связывали нас только деловые обеды — она занималась моделированием, а отец рекламой, — память о моей матери да мои старания, потому что я, хоть и робела перед ней, неизменно ею восхищалась. Но, в общем, ее внезапный приезд был совсем некстати, принимая во внимание Эльзу и взгляды Анны на воспитание.

Эльза засыпала нас вопросами о положении Анны в свете, а потом ушла спать. Оставшись наедине с отцом, я уселась на ступеньки у его ног. Он наклонился и положил обе руки мне на плечи.

— Радость моя, почему ты такая худышка? Ты похожа на бездомного котенка. А мне хотелось бы, чтобы моя дочь была пышной белокурой красавицей с фарфоровыми глазками...

— Не о том сейчас речь, — перебила его я. — Ты мне лучше скажи, почему ты пригласил Анну? И почему она согласилась приехать?

— Как знать, быть может, просто захотела повидать твоего старика отца.

— Ты не из тех мужчин, которые могут интересовать Анну, — сказала я. — Она слишком умна и слишком себя уважает. А Эльза? Ты подумал об Эльзе? Ты представляешь себе, о чем будут беседовать Анна с Эльзой? Я — нет!

— Я об этом не подумал, — признался он. — Это и вправду ужасно. Сесиль, радость моя, а что, если мы вернемся в Париж?

Тихонько посмеиваясь, он трепал меня по затылку. Я обернулась и посмотрела на него. Его темные глаза в веселых морщинках блестели, губы чуть растянулись в улыбке, он был похож на фавна. Я рассмеялась вместе с ним, как всегда, когда он сам себе все осложнял.

— Милый мой сообщник! — сказал он. — Ну что бы я делал без тебя?

И голос его звучал с такой нежной убежденностью, что я поняла — без меня он был бы несчастлив. До поздней ночи мы проговорили о любви и ее сложностях. Он считал, что все они вымышленные. Он неизменно отрицал понятия верности, серьезности отношений, каких бы то ни было обязательств. Он объяснял мне, что все эти понятия условны и бесплодны. В устах любого другого человека меня бы это коробило. Но я знала, что при всем том сам он способен испытывать нежность и преданность — чувства, которыми он проникался с тем большей легкостью, что был уверен в их недолговечности и сознательно к этому стремился. Мне нравилось такое представление о любви: скоропалительная, бурная и мимолетная. Я была в том возрасте, когда верность не прельщает. Мой любовный опыт был весьма скуден — свидания, поцелуи и быстрое охлаждение.

ГЛАВА 2

Анна должна была приехать только через неделю. Я пользовалась последними днями настоящих каникул. Виллу мы сняли на два месяца, но я понимала, что с приездом Анны привольному житью придет конец. Присутствие Анны придавало вещам определенность, а словам смысл, которые мы с отцом склонны были не замечать. Она придерживалась строгих норм хорошего вкуса и деликатности, и это нельзя было не почувствовать в том, как она внезапно замыкалась в себе, в ее оскорбленном молчании, в манере выражаться. Это и подстегивало меня, и утомляло, а в конечном счете унижало — ведь я чувствовала, что она права.

В день ее приезда было решено, что отец с Эльзой поедут ее встречать на станцию Фрежюс. Я наотрез отказалась участвовать в этой затее. С горя отец оборвал в саду все гладиолусы, чтобы преподнести Анне букет, когда она сойдет с поезда. Я дала ему только один совет — не вручать цветы через Эльзу. В три часа, когда они уехали, я спустилась на пляж. Стояла изнурительная жара. Я растянулась на песке, задремала — меня разбудил голос Сирила. Я открыла глаза — небо было белое, в знойной дымке. Я не ответила Сирилу: мне не хотелось разговаривать с ним, да и вообще ни с кем. Раскаленное лето навалилось на меня, пригвоздило меня к пляжу: руки словно налились свинцом, во рту пересохло.

— Вы что, умерли? — спросил Сирил. — Издали вас можно принять за обломок крушения...

Я улыбнулась. Он сел рядом со мной, случайно коснувшись рукой моего плеча, и мое сердце стремительно и глухо заколотилось. За последнюю неделю, благодаря моим блистательным навигационным маневрам, мы десятки раз оказывались за бортом в обнимку друг с другом, и я не чувствовала при этом ни малейшего волнения. Но сегодня жара, полудрема, неловкое прикосновение сделали свое дело, и что-то сладко оборвалось во мне. Я повернулась к Сирилу. Он смотрел на меня. Я уже немного узнала его: он был сдержан и более целомудрен, чем обычно бывают в его возрасте. Наш образ жизни и наша необычная семейная троица его шокировали. Он был слишком добр, а может, слишком робок, чтобы высказать мне свое мнение напрямик, но я угадывала его по косым, неодобрительным взглядам, какие

Сирил бросал на отца. Ему было бы приятнее, если бы меня это смущало. Но этого не было, и смущал меня в данную минуту только взгляд Сирила и толчки моего собственного сердца. Он наклонился ко мне. Мне вспомнились последние дни минувшей недели, мое доверие к нему, безмятежный покой, который я испытывала в его присутствии, и я пожалела о том, что ко мне приближается этот большой рот с крупными губами.

— Сирил, — сказала я, — нам было так хорошо...

Он осторожно поцеловал меня. Я посмотрела на небо, потом больше уже ничего не видела, кроме огненных вспышек в зажмуренных глазах. Жара, дурман, вкус первых поцелуев, вздохи растянулись в долгие мгновения. Автомобильный гудок вспугнул нас, точно двух воришек. Я молча покинула Сирила и стала подниматься к дому. Меня удивило это раннее возвращение: поезд Анны еще не должен был прийти. И однако на террасе я увидела Анну — она выходила из своей машины.

— Да это просто замок Спящей красавицы! — сказала она. — Как вы загорели, Сесиль! Я очень рада вас видеть.

— Я тоже, — сказала я. — Но откуда же вы, из Парижа?

— Я решила приехать на машине и теперь чувствую себя совершенно разбитой.

Я отвела Анну в приготовленную для нее комнату. Потом открыла окно в надежде увидеть парусник Сирила, но он уже исчез. Анна села на кровать. Под глазами у нее пролегли легкие тени.

— Вилла прелестна, — сказала она со вздохом. — А где же хозяин дома?

— Он с Эльзой поехал встречать вас на станцию.

Я поставила ее чемодан на стул, обернулась и опешила. Анна внезапно изменилась в лице, губы у нее дрожали.

— С Эльзой Макенбур? Он привез сюда Эльзу Макенбур?

Я не нашлась что ответить. Я смотрела на нее в совершенной растерянности. Это лицо, всегда спокойное, невозмутимое, вдруг так обнажило себя передо мной, задав мне тысячу загадок... Она смотрела на меня невидящим взглядом сквозь образы, пробужденные в ней моими словами. Наконец заметила меня и отвернулась.

— Мне следовало вас предупредить, — сказала она. — Но я так торопилась, так устала...

— А теперь... — продолжала я машинально.

— Что — теперь? — спросила она.

Взгляд был недоуменный, презрительный. Что, собственно говоря, произошло?

— Теперь вы приехали, — тупо сказала я и потерла руки. — Знаете, я очень рада, что вы здесь. Я буду вас ждать внизу; если хотите чего-нибудь выпить, бар у нас отличный.

Я вышла, бормоча что-то бессвязное, и в полном смятении стала спускаться по лестнице. Что означает это выражение лица, этот дрогнувший голос, эта внезапная слабость? Я села в шезлонг и закрыла глаза. Я пыталась вспомнить обычные выражения строгого, волевого лица Анны: ироническое, непринужденное, властное. Оказалось, что оно бывает беззащитным, это и тронуло меня, и раздосадовало. Неужели она любит моего отца? Возможно ли, что она его любит? Он совсем не в ее вкусе. Он человек слабый, легкомысленный, порой безвольный. Но, может, все объясняется просто дорожной усталостью и оскорбленной нравственностью? Битый час я терялась в догадках.

В пять часов приехал отец с Эльзой. Я смотрела, как он выходит из машины, и пыталась понять, может ли Анна его любить. Он шел быстрым шагом, слегка откинув голову назад. И улыбался. Я подумала — вполне возможно, что Анна его любит, какая угодно женщина может его полюбить.

— Анна не приехала! — крикнул он. — Надеюсь, она не выпала из вагона.

— Она у себя в комнате, — сказала я. — Она приехала на машине.

— Вот как! Отлично. В таком случае передай ей этот букет.

— Вы принесли мне цветы? — раздался голос Анны. — Очень мило.

Она спускалась по лестнице навстречу ему, спокойная, улыбающаяся, в платье, которое будто и не лежало в дорожном чемодане. Я с огорчением подумала, что она сошла вниз, только когда услышала, что приехала машина, а могла бы это сделать немного раньше, чтобы поболтать со мной, хотя бы о моем экзамене, на котором я, кстати сказать, провалилась! Последнее соображение меня утешило.

Отец бросился к ней, поцеловал ей руку.

— Я четверть часа простоял на платформе с букетом в руках и с дурацкой улыбкой на лице. Слава богу, вы все-таки приехали! Вы знакомы с Эльзой Макенбур?

Я отвела глаза.

— Мы, кажется, встречались, — ответила Анна самым любезным тоном. — Моя комната великолепна. Как мило с вашей стороны, Реймон, что вы пригласили меня погостить — я очень устала.

Отец просто из кожи вон лез. Ему казалось, что все шло как нельзя лучше. Он ораторствовал, откупоривал бутылки. Но перед моим мысленным взором попеременно возникало то страстное лицо Сирила, то лицо Анны — два лица, искаженных бурным душевным порывом, и я сомневалась, протекут ли наши каникулы так безмятежно, как полагает отец.

Наш первый ужин прошел очень весело. Отец и Анна говорили

об общих знакомых, немногочисленных, но весьма колоритных. Я с удовольствием слушала их болтовню, пока Анна не объявила, что компаньон моего отца — микроцефал. Это был большой любитель выпить, но славный малый, и мы с отцом не однажды весело ужинали с ним втроем.

— Ламбар такой забавный, Анна, — возразила я. — С ним не соскучишься.

— Согласитесь, что он человек недалекий, и даже его юмор...

— Может, у него не совсем обычный склад ума, но...

— То, что вы называете складом ума, скорее можно назвать спадом, — снисходительно бросила она.

Краткость, законченность ее формулировки привели меня в восторг. Бывают фразы, от которых на меня веет духом изысканной интеллектуальности, и это покоряет меня, даже если я не до конца их понимаю. Услышав фразу Анны, я пожалела, что у меня нет записной книжки и карандаша. Я сказала ей об этом. Отец рассмеялся.

— Во всяком случае, ты у меня необидчива.

Мне не на что было обижаться, потому что в Анне не чувствовалось никакой недоброжелательности. Она была слишком равнодушна, и в ее суждениях отсутствовали категоричность и резкость, свойственные злости. Но от этого они становились лишь еще более меткими.

В этот первый вечер Анна, казалось, не заметила вольной или невольной рассеянности Эльзы, которая вошла прямо в спальню отца. Анна привезла мне в подарок свитер из своей коллекции моделей, но сразу пресекла поток моих благодарностей. Изъявления благодарности ей досаждали, а так как мне никогда не хватало красноречия для выражения восторга, я и не стала себя утруждать.

— По-моему, эта Эльза очень мила, — сказала Анна, когда я собралась уходить.

Она не улыбаясь смотрела мне прямо в глаза — она искала в них подозрение, которое во что бы то ни стало стремилась развеять. Она хотела заставить меня забыть, что в первую минуту не смогла сдержаться.

— Да-да, она очаровательная, гм, девушка... очень славная.

Я запнулась. Она рассмеялась, а я ушла спать раздосадованная. Засыпая, я думала о том, что Сирил, наверное, танцует в Каннах с девицами.

Я чувствую, что опускаю, вынуждена опускать главное — присутствие моря, его неумолкающий ритмичный гул, солнце. Точно так же я не могла бы описать четыре липы во дворе провинциального пансиона, их аромат и улыбку отца на вокзале два года назад, когда я вышла из пансиона, — улыбку смущенную, потому что у меня были косы и на мне было безобразное темное, почти черное платье. А потом в машине — внезапную вспышку торжествующей радости: он обнаружил, что у меня его глаза, его рот, и понял, что я могу стать для него самой любимой, самой восхитительной игрушкой. Я ничего не знала — он открыл мне Париж, роскошь, легкую жизнь. Наверное, большинством моих тогдашних удовольствий я обязана деньгам — наслаждением быстро мчаться в машине, надеть новое платье, покупать пластинки, книги, цветы. Я и по сей день не стыжусь этих легкомысленных удовольствий, да и называю их легкомысленными потому лишь, что их так называли при мне другие. Уж если я и стала бы о чем-то жалеть, от чего-то отрекаться — так скорее от своих огорчений, от приступов мистицизма. Жажда удовольствий, счастья составляет единственную постоянную черту моего характера. Может, я слишком мало читала? В пансионе читают только нравоучительные книги. А в Париже мне читать было некогда: после занятий друзья затаскивали меня в кино — я не знала имен актеров, это их удивляло, — или на залитые солнцем террасы кафе. Я упивалась радостью смешаться с толпой, потягивать вино, быть с кем-то, кто заглядывает тебе в глаза, берет тебя за руку, а потом уводит прочь от этой самой толпы. Мы бродили по улицам, доходили до моего дома. Там он увлекал меня в подъезд и целовал: мне открылась прелесть поцелуев. Неважно, как звались эти воспоминания: Жан, Юбер или Жак — эти имена одинаковы для всех молоденьких девушек. Вечером я взрослела, выезжала с отцом в общество, где мне было нечего делать, где собиралась довольно разношерстная компания и я развлекалась и развлекала других своей юностью. На обратном пути отец высаживал меня у дома, а потом чаще всего провожал свою даму. Я не слышала, как он возвращался.

Я не хочу, чтобы создалось впечатление, будто он афишировал свои связи. Он просто не скрывал их от меня, вернее, не искал фальшивых и благовидных предлогов, почему та или иная его приятельница так часто завтракает с нами или почему она водворяется у нас в доме — к счастью, временно! Так или иначе, я недолго пребывала в неведении насчет того, какого рода отношения связывают его с нашими «гостями», а он, без сомнения, дорожил моим доверием и к тому же избавлял себя таким образом от обременительной необходимости изощряться в выдумках. Расчет был превосходен. Одна беда — я на некоторое время усвоила трезвый цинизм во взглядах на любовь, что, принимая во внимание мой возраст и жизненный опыт, выглядело скорее смешным, чем страшным. Я охотно повторяла парадоксы вроде фразы Оскара Уайльда: «Грех — это единственный яркий мазок, сохранившийся на полотне современной жизни». Я уверовала в эти слова, думаю, куда более безоговорочно, чем если бы применяла их на практике. Я считала, что моя жизнь должна строиться на этом девизе, вдохновляться им, рождаться из него как некий штамп наизнанку. Я не хотела принимать в расчет пустоты существования, его переменчивость, повседневные добрые чувства. В идеале я рисовала себе жизнь как сплошную цепь низостей и подлостей.

Глава 3

На другое утро меня разбудил косой и жаркий луч солнца, которое затопило мою кровать и положило конец моим странным и сбивчивым сновидениям. Спросонок я пыталась отстранить этот назойливый луч рукой, потом сдалась. Было десять часов утра. Я в пижаме вышла на террасу — там сидела Анна и просматривала газеты. Я обратила внимание, что ее лицо едва заметно, безукоризненно подкрашено. Должно быть, она никогда не давала себе полного отдыха. Так как она не повернулась в мою сторону, я преспокойно уселась на ступеньки с чашкой кофе и апельсином в руке и приступила к утренним наслаждениям: я вонзала зубы в апельсин, сладкий сок брызгал мне в рот, и тотчас же — глоток обжигающего черного кофе, и опять освежающий апельсин. Утреннее солнце нагревало мои волосы, разглаживало на коже отпечатки простыни. Еще пять минут — и я пойду купаться. Голос Анны заставил меня вздрогнуть.

— Сесиль, почему вы ничего не едите?

— По утрам я только пью, потому что...

— Вам надо поправиться на три кило, тогда вы будете выглядеть прилично. У вас щеки впали и все ребра можно пересчитать. Принесите себе бутерброды.

Я стала ее умолять, чтобы она не заставляла меня есть бутерброды, а она начала мне втолковывать, почему это необходимо, когда появился отец в своем роскошном халате в горошек.

— Очаровательное зрелище, — сказал он. — Две девочки-смуглянки сидят на солнышке и беседуют о бутербродах.

— Увы, девочка здесь только одна, — сказала со смехом Анна. — Я ваша ровесница, бедный мой Реймон.

Отец склонился над ее рукой.

— Злюка, как и всегда, — сказал он нежно, и веки Анны задрожали, точно от неожиданной ласки.

Я воспользовалась удобным случаем, чтобы улизнуть. На лестнице я столкнулась с Эльзой. Она явно только что встала — веки у нее набрякли, губы казались совсем бледными на багровом от солнечных ожогов лице. Я едва удержалась, чтобы не остановить ее и не сказать, что там, внизу, сидит Анна, и лицо у нее ухоженное и свежее, и загорать она будет без всяких неприятностей, постепенно, соблюдая меру. Я едва удержалась, чтобы ее не предостеречь. Но вряд ли это пришлось бы ей по вкусу: ей было двадцать девять лет, то есть на тринадцать лет меньше, чем Анне, и она считала это своим главным козырем.

Я взяла купальник и побежала на пляж. К моему удивлению, Сирил был уже там со своей лодкой. Он пошел мне навстречу с очень серьезным видом и взял меня за руки.

— Я хотел попросить у вас прощения за вчерашнее, — сказал он.

— Я сама виновата, — ответила я.

Я не чувствовала ни малейшего смущения, и его торжественный вид меня удивил.

— Я очень зол на себя, — сказал он и столкнул лодку в воду.

— И зря, — беззаботно сказала я.

— Совсем не зря!

Я уже забралась в лодку, а он стоял рядом по колено в воде, опершись руками на планшир, точно на барьер в суде. Я поняла, что он не сядет в лодку, пока не выговорится, и всем своим видом показала, что вся обратилась в слух. Я хорошо изучила его лицо и без труда читала на нем. Я подумала — ему двадцать пять лет, наверное, он считает себя совратителем, и при этой мысли меня разобрал смех.

— Не смейтесь, — сказал он. — Вчера вечером я очень разозлился на себя. Ведь вы беззащитны передо мной — ваш отец, эта женщина, дурной пример... Будь я последним подлецом, вы все равно способны были бы мне довериться...

Он даже не был смешон. Я чувствовала, что он добрый и готов влюбиться в меня и я сама не прочь в него влюбиться. Я обвила руками его шею, прижалась щекой к его щеке. У него были широкие плечи, и я ощущала телом его сильное тело.

— Вы славный, Сирил, — шепнула я. — Вы будете мне братом.

С коротким гневным возгласом он обхватил меня руками и осторожно вытащил из лодки. Он держал меня на руках, прижав к себе, моя голова лежала у него на плече. В эту минуту я его любила. Он был такой же золотистый, милый и нежный, как я сама, и он меня оберегал. Когда его губы нашли мои, я, как и он, задрожала от наслаждения — в нашем поцелуе не было ни угрызений, ни стыда, было только жадное, прерываемое шепотом узнавание. Потом я вырвалась и поплыла к лодке, которую сносило течение. Я окунула лицо в воду, чтобы прийти в себя, освежиться... Вода была зеленая. Меня захлестнуло чувство беззаботного, безоблачного счастья.

В половине двенадцатого Сирил отправился домой, а на козьей тропе появился отец с двумя женщинами. Он шел посередине, поддерживая обеих, подавая руку то одной, то другой с присущей ему любезной непринужденностью. Анна была в халате — она спокойно сбросила его под нашими пристальными взглядами и вытянулась на нем. Тонкая талия, безукоризненные ноги — только кое-где кожа чуть заметно увядала. Конечно, тут сказывались годы постоянных, неукоснительных забот. Вздернув бровь, я с невольным одобрением посмотрела на отца. К моему великому удивлению, он не ответил на мой взгляд и закрыл глаза. Бедняжка Эльза имела самый жалкий вид — она обмазывала себя оливковым маслом. Я не сомневалась: еще неделя, и мой отец...

Анна обернулась ко мне.

— Сесиль, почему вы здесь так рано встаете? В Париже вы оставались в постели до полудня.

— Там мне приходилось заниматься. Это валило меня с ног.

Она не улыбнулась; она улыбалась, только если ей хотелось, а из вежливости, как все люди, — никогда.

— А ваш экзамен?

— Завалила, — бойко объявила я. — Завалила начисто.

— Вы должны непременно сдать его в октябре.

— Зачем? — вмешался отец. — У меня самого никогда не было диплома. А живу я припеваючи.

— У вас с самого начала было состояние, — напомнила Анна.

— А у моей дочери не будет недостатка в мужчинах, которые смогут ее прокормить, — благородно сказал отец.

Эльза засмеялась было, но осеклась, когда мы все трое посмотрели на нее.

— Надо ей позаниматься во время каникул, — сказала Анна и закрыла глаза, показывая, что разговор окончен.

Я с отчаянием посмотрела на отца. Он ответил мне смущенной улыбкой. Я представила себе, как сижу над страницами Бергсона, черные строчки мозолят мне глаза, а внизу смеется Сирил... Эта мысль привела меня в ужас. Я подползла к Анне и тихо окликнула ее. Она открыла глаза. Я склонилась над ней с встревоженным и умоляющим видом, нарочно втянув щеки так, чтобы походить на человека, изнуренного умственным трудом.

— Анна, неужели вы это сделаете — неужели заставите меня заниматься в такую жару... во время каникул, которые я могла бы так хорошо провести...

Секунду она внимательно вглядывалась в меня, потом с загадочной улыбкой отвернулась.

— Мне следовало бы «это» сделать... и даже в такую жару, как вы выражаетесь. Я вас знаю, вы будете дуться на меня два дня, но зато экзамен будет сдан.

— Есть вещи, с которыми нельзя примириться, — сказала я без улыбки.

Она посмотрела на меня с насмешливым вызовом, и я снова растянулась на песке, терзаемая беспокойством. Эльза что-то щебетала о курортных увеселениях. Но отец не слушал ее: сидя там, где находилась вершина треугольника, образуемого телами двух женщин, он бросал знакомые мне, замедленные, бесстрашные взгляды на опрокинутый профиль Анны, на ее плечи. Кисть его руки плавным, равномерным, непрерывным движением сгребала и выпускала песок. Я побежала к морю и окунулась, оплакивая каникулы, которые у нас могли быть и которых теперь не будет. Зато у нас есть все, что необходимо для драмы: соблазнитель, дама полусвета и женщина трезвого ума. На дне я заметила вдруг восхитительную раковину — розовую с голубым. Я нырнула за ней и до самого обеда не выпускала ее из рук, гладкую, обкатанную. Я решила, что это мой талисман и я буду хранить его до конца лета. Не знаю, как это вышло, что я ее не потеряла, хотя всегда все теряю. Сейчас я держу ее в руке, розовую, теплую, и мне хочется плакать.

Глава 4

В последующие дни меня больше всего удивляло, как мило держит себя Анна с Эльзой. Эльза так и сыпала глупостями, но Анна ни разу не ответила на них одной из тех коротких фраз, в которых она была так искусна и которые превратили бы бедняжку Эльзу в посмешище. Я мысленно восхваляла ее за терпение и великодушие, не понимая, что тут замешана изрядная доля женской хитрости. Мелкие жестокие уколы быстро надоели бы отцу. А так он был благодарен Анне и не знал, как выразить ей свою признательность. Впрочем, признательность была только предлогом. Само собой, он обращался с ней как с женщиной, к которой питает глубокое уважение, как со второй матерью своей дочери: он даже охотно подчеркивал это, то и дело всем своим видом показывая, что поручает меня ее покровительству, отчасти возлагает на нее ответственность за мое поведение, как бы стремясь таким образом приблизить ее к себе, покрепче привязать ее к нам. Но в то же время он смотрел на нее, он обходился с нею как с женщиной, которую не знают и хотят узнать — в наслаждении. Так иногда смотрел на меня Сирил, и тогда мне хотелось и убежать от него подальше, и раззадорить его. Наверное, я была в этом смысле впечатлительней Анны. Она выказывала моему отцу невозмутимую, ровную приветливость, и это меня успокаивало. Я даже начала думать, что ошиблась в первый день; я не замечала, что эта безмятежная приветливость до крайности распаляет отца. И в особенности ее молчание... такое непринужденное, такое тонкое. Оно составляло разительный контраст с неумолкающей трескотней Эльзы, как тень со светом. Бедняжка Эльза... Она совершенно ни о чем не подозревала, оставалась все такой же шумной, говорливой и — как бы слиняла на солнце.

Но в один прекрасный день она, видимо, кое-что поняла, перехватив взгляд отца; перед обедом она что-то шепнула ему на ухо, на мгновение он нахмурился, удивился, потом с улыбкой кивнул. Когда подали кофе, Эльза встала и, подойдя к двери, обернулась с томным видом, по-моему, явно взятым напрокат из голливудских фильмов, и, вложив в свою интонацию десятилетний опыт уже чисто французской игривости, сказала:

— Вы идете, Реймон?

Отец встал, только что не покраснел, и последовал за ней, толкуя что-то о пользе сиесты. Анна не шелохнулась. В кончиках ее пальцев дымилась сигарета. Я решила, что должна что-то сказать.

— Говорят, сиеста — хороший отдых, но, по-моему, это заблуждение...

Я осеклась, почувствовав двусмысленность моей реплики.

— Прошу вас, — сухо сказала Анна.

Она даже не заметила двусмыслицы. Она с первого мгновения определила шутку дурного тона. Я посмотрела на нее. У нее было нарочито спокойное, безмятежное выражение лица — оно меня тронуло. Как знать, может, в эту минуту она страстно завидовала Эльзе. Мне захотелось утешить ее, и у меня вдруг мелькнула циничная мысль, которая прельстила меня, как все циничные мысли, приходившие мне в голову: они давали какую-то уверенность в себе — опьяняющее чувство сообщничества с самой собой. Я не удержалась и сказала вслух:

— Между прочим, поскольку Эльза сожгла себе кожу, навряд ли он или она получат удовольствие от этой сиесты.

Уж лучше бы мне промолчать.

— Я ненавижу подобные разговоры, — сказала Анна. — А в вашем возрасте они не только глупы, но и невыносимы.

Я вдруг закусила удила.

— Извините, я пошутила. Уверена, что в конечном счете оба очень довольны.

Она обернула ко мне утомленное лицо. Я тотчас попросила прощения. Она закрыла глаза и заговорила тихим, терпеливым голосом:

— У вас несколько упрощенные представления о любви. Это не просто смена отдельных ощущений...

Я подумала, что все мои любовные переживания сводились именно к этому. Внезапное волнение при виде какого-то лица, от какого-то жеста, поцелуя... Упоительные, не связанные между собой мгновения — вот и все, что сохраняла моя память.

— Это нечто совсем иное, — говорила Анна. — Это постоянная нежность, привязанность, потребность в ком-то... Вам этого не понять.

Она сделала неопределенное движение рукой и взялась за газету. Я предпочла бы, чтоб она рассердилась, а не примирялась так равнодушно с моей эмоциональной несостоятельностью. Я подумала, что она права — я живу как животное, по чужой указке, я жалка и слаба. Я презирала себя, а это было на редкость неприятное чувство, потому что я к нему не привыкла, — я себя не судила, если можно так выразиться, ни ради хвалы, ни ради хулы. Я поднялась к себе, в голове бродили смутные мысли. Я ворочалась на теплых простынях, в ушах все еще звучали слова Анны: «Это нечто совсем иное, это постоянная потребность в ком-то». Испытала ли я хоть раз в жизни потребность в ком-нибудь?

Подробности этих трех недель изгладились из моей памяти. Я уже говорила, я не хотела замечать ничего определенного, никакой угрозы. Другое дело — дальнейшие события: они врезались мне в память, потому что поглотили все мое внимание, всю мою изобретательность. Но эти три недели, три первые, в общем счастливые недели... В какой именно день отец бросил откровенный взгляд на губы Анны и в какой громко упрекнул ее в равнодушии, притворяясь, будто шутит? Когда именно он уже без улыбки сопоставил изощренность ее ума с придурковатостью Эльзы? Мое спокойствие зиждилось на дурацкой уверенности, что они знакомы уже пятнадцать лет, и, уж если им суждено было влюбиться друг в друга, это давно бы случилось. «Впрочем, если этого не миновать, — убеждала я себя, — отец влюбится в Анну на три месяца, и из этого романа она вынесет кое-какие пылкие воспоминания и капельку унижения». Будто я не знала, что Анна не из тех женщин, кого бросают за здорово живешь. Но рядом был Сирил — и мои мысли были заняты им. Мы часто ходили по вечерам в кабачки Сен-Тропеза, танцевали под замирающие звуки кларнета и шептали друг другу слова любви, которые я наутро забывала, но которые так сладко звучали в миг, когда были произнесены. Днем мы плавали на паруснике вдоль берега. Иногда с нами плавал отец. Ему очень нравился Сирил, особенно с тех пор, как тот проиграл ему заплыв в кроле. Отец называл его «мой мальчик», Сирил называл отца «мсье», но я невольно задавалась вопросом, кто из них двоих взрослее.

Однажды нас пригласили на чай к матери Сирила. Это была спокойная, улыбчивая старая дама, она рассказывала нам о своих вдовьих и материнских заботах. Отец выражал ей сочувствие, бросал благодарные взгляды на Анну, рассыпался в любезностях перед старой дамой. Должна сказать, что ему вообще никогда не было жаль потерянного даром времени. Анна с милой улыбкой наблюдала эту сцену. Дома она заявила, что старушка очаровательна. Я стала бранить на чем свет стоит старых дам этого типа. Отец с Анной посмотрели на меня со снисходительной и насмешливой улыбкой, и это вывело меня из себя.

— Не видите вы, что ли, до чего она самодовольна! — крикнула я. — Она гордится своей жизнью, потому что воображает, будто исполнила свой долг и...

— Но это так и есть, — сказала Анна. — Она исполнила, как говорится, свой долг супруги и матери...

— А свой долг шлюхи? — спросила я.

— Я не люблю грубостей, — сказала Анна, — даже в парадоксах.

— Это вовсе не парадокс. Она вышла замуж, как все на свете, по страсти или просто потому, что так получилось. Родила ребенка — вам известно, откуда берутся дети?

— Конечно, не так хорошо, как вам, — отозвалась Анна с иронией, — но кое-какое представление об этом у меня есть.

— Так вот, она воспитала этого ребенка. Вполне возможно, что она не стала подвергать себя тревогам и неудобствам адюльтера. Но поймите — она жила, как живут тысячи женщин, а она этим гордится. Она смолоду была буржуазной дамой, женой и матерью и пальцем не шевельнула, чтобы изменить свое положение. И похваляется она не тем, что совершила нечто, а тем, что чего-то не сделала.

— Какая нелепица, — возразил отец.

— Да ведь это же приманка для дураков! — воскликнула я. — Твердить себе: «Я выполнила свой долг», только потому, что ты ничего не сделала. Вот если бы она, родившись в буржуазном кругу, стала уличной девкой, она была бы молодчина.

— Все это модные, но дешевые рассуждения, — сказала Анна.

Пожалуй, она была права. Я верила в то, что говорила, но повторяла я это с чужого голоса. Тем не менее моя жизнь, жизнь моего отца подкрепляли эту теорию, и, презирая ее, Анна меня унижала. К мишуре можно быть приверженным не меньше, чем ко всему прочему. Но Анна вообще не желала признавать во мне мыслящее существо. Я чувствовала, что должна немедленно, во что бы то ни стало доказать ей, что она ошибается. Однако мне и в голову не приходило, что для этого так скоро представится удобный случай и я им воспользуюсь. Впрочем, я готова была признать, что через месяц буду придерживаться совсем других взглядов на тот же предмет, что мои убеждения изменятся. Где уж мне было претендовать на величие души!

ГЛАВА 5

И вот в один прекрасный день все рухнуло. С утра отец решил, что мы проведем вечер в Каннах, поиграем и потанцуем. Помню, как обрадовалась Эльза. В привычной для нее атмосфере казино она надеялась вновь почувствовать себя роковой женщиной, чей образ несколько потускнел от палящего солнца и нашего полузатворнического образа жизни. Против моего ожидания, Анна не стала противиться этой светской затее и даже как будто была довольна. Поэтому сразу после ужина я со спокойной душой поднялась к себе в комнату, чтобы надеть вечернее платье — кстати сказать, единственное в моем гардеробе. Его выбрал для меня отец; оно было сшито из какой-то экзотической ткани, пожалуй, чересчур экзотической для меня, потому что отец, повинуясь то ли своим вкусам, то ли привычкам, любил одевать меня под роковую женщину. Я сошла вниз, где он ждал в ослепительном новом смокинге, и обвила руками его шею.

— Ты самый красивый мужчина из всех, кого я знаю.

— Не считая Сирила, — сказал он, сам не веря в то, что говорит. — А ты — ты самая хорошенькая девушка из всех, кого я знаю.

— После Эльзы и Анны, — сказала я, тоже не веря собственным словам.

— Но раз их здесь нет и они заставляют себя ждать, потанцуй со своим старым ревматиком отцом.

Меня охватило радостное возбуждение, как всегда, когда мы с ним куда-нибудь выезжали. Он и в самом деле ничем не напоминал старика отца. Танцуя, я вдыхала знакомый запах — его одеколона, тепла его тела, его табака. Он танцевал ритмично, полузакрыв глаза, как и я, слегка улыбаясь счастливой улыбкой, которая неудержимо рвалась с его губ.

— Ты должна научить меня танцевать би-боп, — сказал он, позабыв о своем ревматизме.

Он остановился, машинальным любезным бормотаньем приветствуя появление Эльзы. Она медленно спускалась по лестнице в зеленом платье, с рассеянной светской улыбкой на губах — улыбкой, какую она пускала в ход в казино. Она постаралась представить в наиболее выгодном свете свои выгоревшие на солнце волосы и облезшую кожу, но ее похвальные усилия увенчались сомнительным успехом. К счастью, она этого, по-видимому, не понимала.

— Ну как, мы едем?

— Анны еще нет, — сказала я.

— Пойди посмотри, готова ли она, — сказал отец. — Пока мы доберемся до Канн, будет полночь.

Я поднялась по ступенькам, путаясь в длинном платье, и постучалась к Анне. Она крикнула: «Войдите!» Я так и приросла к порогу. На ней было серое платье, удивительного серого цвета, почти белого, который, словно предрассветное небо, отливал какими-то оттенками морской волны. Казалось, в этот вечер в Анне воплотилось все очарование зрелой женственности.

— Изумительно, — сказала я. — О, Анна, какое платье!

Она улыбнулась своему отражению в зеркале, как улыбаются кому-то, с кем предстоит скорая разлука.

— Да, этот серый цвет в самом деле находка, — сказала она.

— Вы сами — находка, — сказала я.

Она взяла меня за ухо, заглянула мне в лицо. Глаза у нее были темно-голубые. Они просветлели, улыбнулись.

— Вы милая девочка. Хотя порой бываете несносной.

Она пропустила меня вперед, ничего не сказав о моем платье, что я отметила с облегчением, но и с обидой. По лестнице она спускалась первой, и я видела, как отец пошел ей навстречу. У подножия лестницы он остановился, поставив ногу на нижнюю ступеньку и подняв к Анне лицо. Эльза тоже следила, как Анна спускается по лестнице. Я очень четко помню эту картину: на первом плане прямо передо мной золотистый затылок, великолепные плечи Анны, чуть пониже ослепленное лицо отца, его протянутая рука и где-то вдали силуэт Эльзы.

— Анна, — сказал отец. — Вы несравненны.

Она мимоходом улыбнулась ему и надела поданное ей пальто.

— Встретимся на месте, — сказала она. — Сесиль, хотите поехать со мной?

Она уступила мне место за рулем. Ночная дорога была так хороша, что я вела машину не торопясь. Анна молчала. Казалось, она даже не слышала, как надрываются трубы в приемнике. Машина отца обогнала нас на крутом повороте, но она даже бровью не повела. Я чувствовала, что вышла из игры, что присутствую на спектакле, в который уже не могу вмешаться.

В казино благодаря ухищрениям отца мы очень скоро потеряли друг друга из виду. Я очутилась в баре с Эльзой и ее знакомым полупьяным южноамериканцем. Он занимался театром и, несмотря на винные пары, рассказывал очень интересно, как человек, увлеченный своим делом. Я довольно приятно провела в его обществе около часа, но Эльза скучала. Она была знакома с одной или двумя театральными знаменитостями, но вопросы ремесла ее ничуть не интересовали. Она вдруг спросила меня, где мой отец, будто я имела об этом хоть малейшее представление, и исчезла. Южноамериканец на мгновение, кажется, огорчился, но очередная порция виски поправила его настроение. Я ни о чем не думала, я была приятно возбуждена, так как из вежливости участвовала в его возлияниях. Все стало еще более забавным, когда он захотел танцевать. Мне пришлось обхватить его обеими руками и зорко следить, чтобы он не отдавил мне ноги, а это требовало немалых усилий. Мы оба хохотали до упаду, так что когда Эльза с видом Кассандры хлопнула меня по плечу, я готова была послать ее к черту.

— Я их не нашла, — сказала она.

Лицо у нее было удрученное, пудра с него уже осыпалась, стала видна сожженная кожа, черты заострились. Выглядела она довольно жалко. Я вдруг страшно рассердилась на отца. Он вел себя возмутительно невежливо.

— А-а! Я знаю, где они, — сказала я, улыбнувшись с таким видом, точно их отсутствие было самой естественной вещью на свете и беспокоиться не о чем. — Я мигом.

Лишившись моей поддержки, южноамериканец рухнул в объятия Эльзы и, кажется, был этим доволен. Я с грустью подумала, что у нее куда более роскошные формы, чем у меня, и что я не могу на него сердиться. Казино было большое, я обошла его дважды, но без толку. Я обшарила все террасы и наконец вспомнила о машине.

Я не сразу нашла ее в парке. Они сидели в ней. Я подошла сзади и увидела их в зеркале. Увидела два профиля, близко-близко друг от друга, очень серьезные и удивительно прекрасные в свете фонаря. Они смотрели друг на друга и, должно быть, о чем-то тихо разговаривали — я видела, как шевелятся их губы. Я хотела было уйти, но вспомнила об Эльзе и распахнула дверцу.

Рука отца лежала на запястье Анны. Они едва взглянули на меня.

— Вам весело? — вежливо спросила я.

— В чем дело? — раздраженно спросил отец. — Что тебе здесь надо?

— А вам? Эльза уже целый час ищет вас повсюду.

Анна медленно, будто нехотя, повернулась ко мне.

— Мы уезжаем. Скажите ей, что я устала и что ваш отец отвез меня домой. Когда вы вдоволь навеселитесь, вы вернетесь в моей машине.

Я задрожала от негодования, я не находила слов.

— Навеселимся вдоволь! Да вы понимаете, что говорите! Это отвратительно!

— Что отвратительно? — с удивлением спросил отец.

— Ты привозишь рыжую девушку к морю, под палящее солнце, которого она не переносит, а когда она вся облезла, ты ее бросаешь. Это слишком просто! А я — что я скажу Эльзе?

Анна с усталым видом опять обернулась к нему. Он улыбался ей, меня он не слушал. Я дошла до полного отчаяния:

— Ладно, я скажу... скажу ей, что отец хочет спать с другой дамой, а она пусть подождет удобного случая, так, что ли?

Возглас отца и звук пощечины, которую мне отвесила Анна, раздались одновременно. Я проворно отпрянула от открытой дверцы. Анна ударила меня очень больно.

— Проси прощения, — сказал отец.

В полном смятении я застыла у дверцы машины. Благородные позы всегда приходят мне на ум с запозданием.

— Подойдите сюда, — сказала Анна.

В ее голосе не было угрозы, и я подошла. Она коснулась рукой моей щеки и заговорила мягко, с расстановкой, как говорят с недоумками:

— Не будьте злюкой, мне очень жаль Эльзу. Но при вашей деликатности вы сумеете все уладить. А завтра мы все объясним. Я вам сделала больно?

— Нет, что вы, — вежливо ответила я.

Оттого что она вдруг стала такая ласковая, а я только что так необузданно вспылила, я едва не расплакалась. Они уехали — я смотрела им вслед, чувствуя себя опустошенной. Единственным моим утешением была мысль о моей собственной деликатности. Я неторопливо вернулась в казино, где меня ждала Эльза и повисший на ее руке южноамериканец.

— Анне стало плохо, — непринужденно объявила я. — Папе пришлось отвезти ее домой. Выпьем чего-нибудь?

Она смотрела на меня, не говоря ни слова. Я попыталась найти убедительную деталь.

— У нее началась рвота, — сказала я. — Ужас, она испортила себе все платье.

Мне казалось, что эта подробность потрясающе правдива, но Эльза вдруг заплакала, тихо и жалобно. Я в растерянности уставилась на нее.

— Сесиль, — сказала она. — Ах, Сесиль, мы были так счастливы...

И она зарыдала громче. Южноамериканец заплакал тоже и все повторял: «Мы были так счастливы, так счастливы». В эту минуту я ненавидела Анну и отца. Я готова была на все, что угодно, лишь бы Эльза перестала плакать, и тушь не стекала бы с ее ресниц, и американец не рыдал бы больше.

— Еще не все потеряно, Эльза. Поедемте со мной.

— Я приду на днях за своими вещами, — прорыдала она. — Прощайте, Сесиль, мы всегда ладили друг с другом.

Мы обычно говорили с ней только о погоде и модах, но сейчас мне казалось, что я теряю старого друга. Я круто повернулась и побежала к машине.

Глава 6

Утреннее пробуждение было мучительным — наверняка из-за того, что накануне я выпила много виски. Я проснулась, лежа поперек кровати, в темноте, с неприятным вкусом во рту, в отвратительной испарине. В щели ставен пробивался солнечный луч — в нем сомкнутым строем вздымались пылинки. Мне не хотелось ни вставать, ни оставаться в постели. У меня мелькнула мысль, каково будет отцу и

Анне, если Эльза вернется сегодня утром. Я старалась думать о них, чтобы заставить себя встать, но тщетно. Наконец я преодолела себя и, понурая, несчастная, оказалась на прохладных плитах пола. Зеркало являло мне унылое отражение — я внимательно вглядывалась в него: расширенные зрачки, опухший рот, это чужое лицо — мое... Неужели я могу чувствовать себя слабой и жалкой только из-за этих вот губ, искаженных черт, из за того, что я произвольно втиснута в эти ненавистные рамки? Но если я и в самом деле втиснута в эти рамки, почему мне дано убедиться в этом таким безжалостным и тягостным для меня образом? Я упивалась тем, что презираю себя, ненавижу свое злое лицо, помятое и подурневшее от разгула. Я стала глухо повторять слово «разгул», глядя себе в глаза, и вдруг заметила, что улыбаюсь. В самом деле, хорош разгул: несколько жалких рюмок, пощечина и слезы. Я почистила зубы и сошла вниз.

Отец с Анной уже сидели рядом на террасе, перед ними стоял поднос с утренним завтраком. Я невнятно пробормотала: «Доброе утро», — и села напротив. Из стыдливости я не решалась на них смотреть, но их молчание вынудило меня поднять глаза. Лицо Анны слегка осунулось — это был единственный след ночи любви. Оба улыбались счастливой улыбкой. Это произвело на меня впечатление — счастье всегда было в моих глазах залогом правоты и удачи.

— Хорошо спала? — спросил отец.

— Так себе, — ответила я. — Я выпила вчера слишком много виски.

Я налила себе кофе, жадно отхлебнула глоток, но тут же отставила чашку. Было в их молчании что-то такое — какое-то ожидание, от которого мне стало не по себе. Я слишком устала, чтобы долго его выдерживать.

— Что происходит? У вас обоих такой загадочный вид.

Отец зажег сигарету, стараясь казаться спокойным. Анна посмотрела на меня, против обыкновения, в явном замешательстве.

— Я хотела вас кое о чем попросить.

Я приготовилась к худшему.

— Опять что-нибудь передать Эльзе?

Она отвернулась, снова обратила взгляд к отцу.

— Ваш отец и я — мы хотели бы пожениться, — сказала она.

Я пристально посмотрела на нее, потом на отца. Я ждала от него знака, взгляда, который покоробил бы меня, но и успокоил. Он рассматривал свои руки. Я подумала: «Не может быть», но я уже знала, что это правда.

— Очень хорошая мысль, — сказала я, чтобы выиграть время.

У меня не укладывалось в голове: отец, который всегда так упорно противился браку, каким бы то ни было оковам, в одну ночь решился... Это переворачивало всю нашу жизнь. Мы лишались своей независимости. Я вдруг представила себе нашу жизнь втроем — жизнь, внезапно упорядоченную умом, изысканностью Анны, — ту жизнь, какую вела она на зависть мне. Умные, тактичные друзья, счастливые, спокойные вечера... Я вдруг почувствовала презрение к шумным застольям, к южноамериканцам и разным эльзам. Чувство превосходства и гордости ударило мне в голову.

— Очень, очень хорошая мысль, — повторила я и улыбнулась им.

— Я знал, что ты обрадуешься, котенок, — сказал отец.

Он успокоился, развеселился. Заново прорисованное любовной истомой лицо Анны было таким открытым и нежным, каким я его никогда не видела.

— Подойди сюда, котенок, — сказал отец.

Он протянул мне обе руки, привлек меня к себе, к ней. Я опустилась перед ними на колени, они оба смотрели на меня с ласковым волнением, гладили меня по голове. А я — я неотступно думала, что, может быть, в эту самую минуту меняется вся моя жизнь, но что я для них и в самом деле всего только котенок, маленький преданный зверек. Я чувствовала, что они где-то надо мной, что их соединяет прошлое, будущее, узы, которые мне неведомы и от которых я свободна. Я намеренно закрыла глаза, уткнулась головой в их колени, смеялась вместе с ними, вновь вошла в свою роль. Да и почему бы мне не быть счастливой? Анна — прелесть, ей чужды какие бы то ни было мелочные побуждения. Она будет руководить мною, снимет с меня бремя ответственности за мои поступки, что бы ни случилось, наставит на истинный путь. Я стану верхом совершенства, а заодно и мой отец.

Отец встал и вышел за бутылкой шампанского. Мне вдруг стало противно. Он счастлив — это, конечно, главное, но я уже столько раз видела его счастливым из-за женщины...

— Я немного побаивалась вас, — сказала Анна.

— Почему? — спросила я.

Послушать ее — я своим запретом могла помешать двум взрослым людям пожениться.

— Я опасалась, что вы меня боитесь, — сказала она и засмеялась.

Я тоже засмеялась, потому что я ведь и вправду ее побаивалась. Она давала мне понять, что она это знает и что мой страх напрасен.

— Вам не кажется смешным, что старики решили пожениться?

— Какие же вы старики? — возразила я с подобающим случаю убеждением, потому что в эту минуту, вальсируя, вошел отец с бутылкой.

Он сел рядом с Анной, обвил рукой ее плечи. Она вся подалась к нему движением, которое заставило меня потупиться. Вот почему она и согласилась выйти за него — из-за его смеха, из-за этой сильной, внушающей доверие руки, из-за его жизнелюбия, из-за тепла, которое он излучает. Сорок лет, страх перед одиночеством, быть может, последние всплески чувственности... Я привыкла смотреть на Анну не как на женщину, а как на некую абстракцию: я видела в ней уверенность в себе, элегантность, интеллект и ни тени чувственности или слабости... Я понимала, как гордится отец: надменная, равнодушная Анна Ларсен будет его женой. Любит ли он ее, способен ли любить долго? Есть ли разница между его чувством к ней и тем, что он питал к Эльзе? Я закрыла глаза, солнце меня сморило. Мы сидели на террасе в атмосфере недомолвок, тайных страхов и счастья.

Все эти дни Эльза не показывалась. Неделя пролетела быстро. Семь счастливых, ничем не омраченных дней — только семь. Мы строили замысловатые планы, как мы обставим квартиру, какой у нас будет распорядок дня. Мы с отцом развлекались, стараясь уплотнить его до отказа, усложняли с безответственностью тех, кто никогда не знал никакого распорядка. Но неужели мы верили в это всерьез? Неужели отец и впрямь собирался изо дня в день возвращаться в половине первого к обеду в одно и то же место, ужинать дома и потом никуда не уходить? И однако, соблюдая порядок, он с радостью отрекался от своих богемных привычек, восхвалял элегантную, размеренную жизнь буржуазного круга. Но наверняка для него, как и для меня, все это были лишь умозрительные построения.

Об этой неделе у меня сохранились воспоминания, в которых я теперь люблю копаться, чтобы себя помучить. Анна была безмятежной, доверчивой, удивительно мягкой, отец ее любил. По утрам они выходили рука об руку, дружно смеясь, с синими кругами вокруг глаз, и, клянусь, я хотела бы, чтобы так продолжалось всю жизнь. Вечерами мы часто отправлялись на побережье выпить аперитив на террасе какого-нибудь кафе. Нас повсюду принимали за обыкновенную дружную семью, а мне, привыкшей всегда появляться вдвоем с отцом и встречать лукавые или сострадательные улыбки и взгляды, нравилось выступать в роли, соответствующей моему возрасту. Свадьба должна была состояться в Париже по возвращении.

Бедняжка Сирил был несколько ошарашен нашими домашними преобразованиями. Но этот узаконенный конец пришелся ему по душе. Мы вдвоем плавали на паруснике, целовались, если приходила охота, и порой, когда он прижимался своими губами к моим, мне вспоминалось лицо Анны, чуть изможденное лицо, каким оно у нее бывало по утрам, вспоминалась та медлительность, та счастливая небрежность, какую любовь придавала ее движениям, и я завидовала ей. Поцелуи быстро выдыхаются, и, конечно, люби меня Сирил меньше, я бы в ту неделю стала его любовницей.

В шесть часов, возвращаясь из плавания к островам, Сирил втаскивал лодку на песчаный берег. Мы шли к дому через сосновую рощу и, чтобы согреться, затевали веселую возню, бегали взапуски. Он всегда нагонял меня неподалеку от дома, с победным кличем бросался на меня, валил на усыпанную хвойными иглами землю, скручивал руки и целовал. Я и сейчас еще помню вкус этих задыхающихся, бесплодных поцелуев и как стучало сердце Сирила у моего сердца в унисон с волной, плещущей о песок.... Раз, два, три, четыре — стучало сердце, и на песке тихо плескалось море — раз, два, три... Раз — он начинал дышать ровнее, поцелуи становились уверенней, настойчивей, я больше не слышала плеска моря, и в ушах отдавались только быстрые, непрерывные толчки моей собственной крови.

Однажды вечером нас разлучил голос Анны. В свете заката, где перемежались красноватые блики и тени, мы с Сирилом, полуголые, лежали рядом — понятно, что это могло ввести Анну в заблуждение. Она резко окликнула меня по имени.

Одним прыжком Сирил вскочил на ноги и, само собой, смутился. Я тоже встала, но не так поспешно, и поглядела на Анну. Она обернулась к Сирилу и тихо сказала, как бы не замечая его:

— Надеюсь, я вас больше не увижу.

Он не ответил, наклонился ко мне и, прежде чем уйти, поцеловал меня в плечо. Этот порыв удивил и растрогал меня, будто Сирил дал мне какой-то обет. Анна пристально смотрела на меня все с тем же серьезным отрешенным выражением, точно думала о чем-то другом. Меня это разозлило: если думает о другом, могла бы поменьше говорить. Я подошла к ней, притворяясь смущенной просто из вежливости. Она машинально сняла с моей шеи сосновую иголку и только тут как будто впервые увидела меня. И сразу на ее лице появилась та великолепная презрительная маска, то выражение усталости и неодобрения, которые так удивительно красили ее, а мне внушали робость.

— Вам бы следовало знать, что такого рода развлечения, как правило, кончаются клиникой, — сказала она.

Она говорила стоя и не сводя с меня взгляда, и мне было ужасно не по себе. Она принадлежала к числу тех женщин, которые могут разговаривать, держась прямо и неподвижно. Мне же нужно было развалиться в кресле, вертеть в руках какой-нибудь предмет, курить сигарету или покачивать ногой и смотреть, как она качается...

— Не стоит преувеличивать, — смеясь, сказала я. — Я только поцеловалась с Сирилом, вряд ли это приведет меня в клинику.

— Я прошу вас больше с ним не встречаться, — сказала она таким тоном, точно считала, что я лгу. — Не возражайте — вам семнадцать лет, я теперь в какой-то мере отвечаю за вас и не допущу, чтобы вы портили себе жизнь. Кстати, вам необходимо заниматься, это заполнит ваш дневной досуг.

Она повернулась ко мне спиной и пошла к дому своей непринужденной походкой. А я, потрясенная, словно приросла к месту. Она верит в то, что говорит, — все мои доводы, возражения она примет с тем равнодушием, которое хуже презрения, будто я и не существую вовсе, будто я — это не я, не та самая Сесиль, которую она знает с рождения, не я, которую, в конце концов, ей, должно быть, тяжело наказывать, а неодушевленный предмет, который надо водворить на место. Вся моя надежда была на отца. Наверное, он скажет, как всегда: «Что это за мальчуган, котенок? Надеюсь, он по крайней мере красив и здоров? Берегись распутников, детка». Он должен сказать именно это — не то прости-прощай мои каникулы.

Ужин прошел как в кошмарном сне. Анне и в голову не пришло предложить мне: «Я не стану ничего рассказывать отцу, я не доносчица, но дайте мне слово, что будете прилежно заниматься». Такого рода сделки были не в ее характере. Это и радовало, и злило меня — ведь в противном случае у меня был бы повод ее презирать. Но она избежала этого промаха, как и всех других, и, только когда подали второе, вдруг как будто вспомнила о происшествии.

— Реймон, я хотела бы, чтобы вы дали кое-какие благоразумные наставления вашей дочери. Сегодня вечером я застала ее в сосновой роще с Сирилом, и, судя по всему, отношения у них самые короткие.

Отец, бедняжка, попытался обратить все в шутку.

— Ай-ай-ай, что я слышу? Что же они делали?

— Я его целовала, — с жаром крикнула я. — А Анна подумала...

— Я ничего не подумала, — отрезала она. — Но полагаю, что ей лучше некоторое время не видеться с ним и заняться своей философией.

— Бедное мое дитя, — сказал отец. — Надеюсь, этот Сирил хоть славный мальчик?

— Сесиль тоже славная девочка, — сказала Анна. — Вот почему я была бы очень огорчена, если бы с ней случилась беда. А поскольку она здесь предоставлена самой себе, постоянно проводит время с этим мальчиком и оба они бездельничают, беды, по-моему, не избежать. А вы в этом сомневаетесь?

При словах: «А вы в этом сомневаетесь?» — я подняла глаза. Отец в полном смущении потупился.

— Вы, безусловно, правы, — сказал он. — Конечно, в общем-то, тебе надо немного позаниматься, Сесиль. Ты ведь не хочешь провалиться по философии?

— Мне все равно, — буркнула я.

Он посмотрел на меня и тут же отвел глаза. Я была сражена. Я понимала, что беззаботность — единственное чувство, которое было содержанием нашей жизни, — не располагала аргументами для самозащиты.

— Ну вот что, — сказала Анна, поймав под столом мою руку. — Вы откажетесь от роли лесной дикарки ради роли хорошей ученицы, но всего на один месяц, ведь это не страшно, верно?

Она и он смотрели на меня с улыбкой, в этих условиях спорить было бесполезно. Я осторожно отняла руку.

— Нет, — сказала я, — очень даже страшно.

Я сказала это так тихо, что они не расслышали, а может быть, не захотели расслышать. На другое утро я сидела над фразой Бергсона — я потратила несколько минут, чтобы ее понять: «Сколь различны ни казались бы на первый взгляд факты и их причины, и хотя по правилам поведения нельзя заключить о сути вещей, мы неизменно черпаем стимул для любви к человечеству только из неразрывной связи с исходным принципом человеческого рода». Я повторяла эту фразу сначала тихо, чтобы не растравлять себя, потом в полный голос. Я внимательно вглядывалась в нее, обхватив голову руками. Наконец я ее поняла, но чувствовала себя такой же холодной и бездарной, как когда прочла ее в первый раз. Продолжать я не могла: я вчитывалась в следующие строчки с прежним усердием и готовностью, как вдруг какой-то вихрь всколыхнулся во мне и швырнул меня на кровать. Я подумала о Сириле, который ждал меня в золотистой бухточке, о тихом покачивании лодки, о вкусе наших поцелуев и — об Анне. Подумала о ней так, что села на кровати с сильно бьющимся сердцем, твердя себе, что это глупо и чудовищно, что я просто ленивая, избалованная девчонка и не вправе позволять себе так думать. Но против воли мне лезли в голову мысли — мысли о том, что она зловредна и опасна и необходимо убрать ее с нашего пути. Я вспомнила о только что кончившемся завтраке, за которым я не разжимала губ. Уязвленная, осунувшаяся от обиды, чувствуя, что презираю себя, что мои переживания смешны... Да, именно в этом я и винила Анну: она мешала мне любить самое себя. От природы созданная для счастья, улыбок, беззаботной жизни, я из-за нее вступила в мир угрызений и нечистой совести и, совершенно не привыкшая к самоанализу, безнадежно погрязла в нем. А что она могла мне предложить взамен? Я взвешивала ее силу: захотела получить моего отца — и получила. Понемногу она превратит нас в мужа и падчерицу Анны Ларсен, то есть в цивилизованных, хорошо воспитанных и счастливых людей. Ведь она и вправду даст нам счастье. Я предвидела, с какой легкостью наши уступчивые натуры поддадутся соблазну заключить себя в рамки и сложить с себя всякую ответственность. Слишком велико ее влияние на нас. Я уже начала терять отца — его смущение, отвернувшееся от меня за столом лицо мучило, преследовало меня. Я едва ли не со слезами вспоминала о нашем былом сообщничестве, о том, как мы смеялись, возвращаясь под утро в машине по светлеющим улицам Парижа. Всему этому настал конец. Меня Анна тоже приберет к рукам, будет вертеть и распоряжаться мною. И я даже не почувствую себя несчастной, она будет действовать умно, с помощью

сопротивляться.

Нет, я должна во что бы то ни стало встряхнуться, вернуть отца и нашу былую жизнь. Какими пленительными показались мне вдруг два минувших года, веселых и суматошных, два года, от которых еще недавно я с такой легкостью готова была отречься... Иметь право думать что хочешь, думать дурно или вообще почти не думать, право жить как тебе нравится, быть такой, как тебе нравится. Не могу сказать «быть самой собой», потому что я всего только податливая глина, но иметь право отвергать навязанную тебе форму.

Я понимаю, что перемену моего настроения можно объяснить сложными мотивами, что мне можно приписать великолепнейшие комплексы: кровосмесительную любовь к отцу или болезненную страсть к Анне. Но я-то знаю подлинные причины: жара, Бергсон, Сирил или, во всяком случае, отсутствие Сирила. До самого вечера я размышляла об этом, пройдя все степени тяжелого настроения, вызванного одним открытием — что мы во власти Анны. Я не привыкла к долгим раздумьям и стала раздражительной. За столом, как и утром, я не открывала рта. Отец счел своим долгом пошутить:

— Люблю молодежь за живость и разговорчивость...

Я метнула в него пронзительный, жесткий взгляд. Что правда, то правда, он любил молодежь, и с кем же, как не с ним, я обычно болтала? Мы болтали обо всем: о любви, о смерти, о музыке. Но он бросил меня, он сам сделал меня безоружной. Я смотрела на него, я думала: «Ты больше не любишь меня так, как прежде, ты меня предаешь», — и старалась без слов внушить ему свои мысли. Я переживала самую настоящую трагедию. Он тоже взглянул на меня и вдруг встревожился, быть может поняв, что это не игра и наше согласие в опасности. Он застыл в немом вопросе. Анна обернулась ко мне:

— Вы плохо выглядите, я корю себя за то, что заставила вас заниматься.

Я не ответила, я слишком ненавидела самое себя за то, что раздуваю драматический конфликт, но остановиться уже не могла. Мы отужинали. На террасе, в светлом треугольнике, отбрасываемом окном столовой, я увидела, как рука Анны, длинная, трепетная рука, качнулась, нашла руку отца. Я подумала о Сириле, мне хотелось, чтобы он прижал меня к себе на этой террасе, полной цикад и лунного света. Мне хотелось, чтобы меня приласкали, утешили, примирили с самой собой. Отец и Анна молчали: у них впереди была ночь любви, у меня — Бергсон. Я попыталась заплакать, пожалеть самое себя, но тщетно. Я жалела не себя, а Анну, как будто уже заранее знала, что победу одержу я.

ЧАСТЬ II

ГЛАВА 1

Я сама удивляюсь, как отчетливо помню все, начиная с этой минуты. Я стала внимательней вглядываться в окружающих и в самое себя. До сих пор непосредственность, бездумный эгоизм составляли для меня привычную роскошь. Я всегда в ней жила. Но эти несколько дней так перевернули мою душу, что я начала задумываться, наблюдать себя со стороны. Я прошла через все муки самоанализа, но так и не примирилась с собой. «Питать такие чувства к Анне, — твердила я себе, — глупо и мелко, а желать разлучить ее с отцом жестоко». Но, впрочем, за что я себя осуждала? Я — это я, с какой стати мне насиловать свои чувства? Впервые в жизни мое «я» как бы раздвоилось, и я в полном изумлении обнаруживала в себе эту двойственность. Я находила для себя убедительные самооправдания, нашептывала их себе, считала себя искренней, как вдруг подавало голос мое второе «я», оно опровергало мои собственные доводы, кричало мне, что я нарочно предаюсь самообману, хотя у моих доводов есть видимость правдоподобия. Но как знать — может, именно мое второе «я» вводило меня в заблуждение? И эта прозорливость — не была ли она моей главной ошибкой? Целыми часами я просиживала в своей комнате, пытаясь понять, оправданны ли опасения и неприязнь, какие мне отныне внушала Анна, или я просто балованная, эгоистичная девчонка, жаждущая лженезависимости?

Тем временем я день ото дня худела, на пляже только спала, а за столом против воли хранила напряженное молчание, которое в конце концов стало их тяготить. Я приглядывалась к Анне, ловила каждое ее движение, за едой то и дело твердила себе: «Вот она потянулась к нему — да ведь это любовь, самая настоящая любовь, другой такой он никогда не встретит. А вот она улыбнулась мне, и в глазах затаенная тревога — да разве можно на нее за это сердиться?» Но вдруг она говорила: «Когда мы вернемся в город, Реймон...» И при мысли о том, что она войдет в нашу жизнь, будет делить ее с нами, я вся ощетинивалась. Анна начинала казаться мне просто ловкой и холодной женщиной. Я твердила себе: «У нее холодное сердце, у нас — пылкое, у нее властный характер, у нас — независимый, она равнодушна к людям, они ее не интересуют, нас страстно влечет к ним, она сдержанна, мы веселы. Только мы двое по-настоящему живые, а она проскользнет между нами с этим пресловутым спокойствием, будет отогреваться возле нас и мало-помалу завладеет ласковым теплом нашей беззаботности, она ограбит нас, точно прекрасная змея. Прекрасная змея, прекрасная змея!» — повторяла я. Анна протягивала мне хлеб, и я, вдруг очнувшись, восклицала про себя: «Да ведь это же безумие! Ведь это Анна, умница Анна, которая взяла на себя заботу о тебе. Холодность — это ее манера держаться, здесь нет никакой задней мысли; равнодушие служит ей защитой от тысячи житейских гнусностей, это залог благородства». Прекрасная змея... Побелев от стыда, я глядела на нее и мысленно молила о прощении. Иногда она подмечала мои взгляды, и удивление, неуверенность омрачали ее лицо, обрывали ее фразу на полуслове. Она инстинктивно искала взглядом отца, он смотрел на нее с восхищением или страстью, он не понимал причины ее тревоги. В конце концов обстановка по моей милости сделалась невыносимой, и я себя за это ненавидела.

Мой отец страдал от этого настолько, насколько вообще был способен страдать в его положении. Иными словами, мало, потому что был без ума от Анны, без ума от гордости и наслаждения, а он жил только ради них. Тем не менее в один прекрасный день, когда я дремала на пляже, он сел рядом со мной и стал на меня смотреть. Я почувствовала на себе его взгляд. Я хотела было встать и с наигранно веселым видом, который вошел у меня в привычку, предложить ему искупаться, но он положил руку мне на голову и заговорил жалобным тоном:

— Анна, посмотрите на эту пичужку, она совсем отощала. Если это результат занятий, надо их прекратить.

Он хотел все уладить, и, без сомнения, скажи он это десятью днями раньше, все и уладилось бы. Но теперь я запуталась в куда более сложных противоречиях, и дневные занятия меня больше не тяготили — ведь после Бергсона я не прочла ни строчки.

Подошла Анна. Я по-прежнему лежала ничком на песке, прислушиваясь к ее заглушенным шагам. Она села по другую сторону от меня и прошептала:

— И вправду, учение ей не впрок. Впрочем, было бы лучше, если бы она в самом деле занималась, а не кружила по комнате...

Я обернулась, посмотрела на них. Откуда она знает, что я не занимаюсь? Может, она вообще читает мои мысли, она способна на все. Это предположение меня напугало.

— Я вовсе не кружу по комнате, — возразила я.

— Может, ты скучаешь по этому мальчугану? — спросил отец.

— Нет!

Я была не вполне искренна. Впрочем, у меня не оставалось времени думать о Сириле.

— И однако ты, верно, плохо себя чувствуешь, — строго сказал отец. — Анна, вы видите? Форменный цыпленок, которого выпотрошили и поджаривают на солнце.

— Сесиль, девочка моя, — сказала Анна. — Сделайте над собой усилие. Позанимайтесь немного и побольше ешьте. Этот экзамен очень важен...

— Плюю я на этот экзамен! — крикнула я. — Понимаете, плюю!

Я в отчаянии посмотрела ей прямо в лицо, чтобы она поняла: тут речь о вещах поважнее экзамена. Мне надо было, чтобы она спросила: «Так в чем же дело?», чтобы она засыпала меня вопросами, вынудила все ей рассказать. Она переубедила бы меня, настояла бы на своем, но зато меня не отравляли бы больше эти разъедающие и гнетущие чувства. Анна внимательно смотрела на меня, берлинская лазурь ее глаз потемнела от ожидания, от укоризны. И я поняла, что она никогда не станет меня расспрашивать, не поможет мне облегчить душу, ей это и в голову не придет: по ее представлениям, так не делают. Она и вообразить себе не может, какие мысли меня снедают, а если бы вообразила, отнеслась бы к ним с презрением и равнодушием, чего они, впрочем, и заслуживали! Анна всегда знала подлинную цену вещам. Вот почему нам с ней никогда, никогда не найти общего языка.

Я снова рывком распласталась на животе, прижалась щекой к ласковому, горячему песку, вздохнула и чуть задрожала. Спокойная, уверенная рука Анны легла мне на затылок и мгновение удерживала меня в неподвижности, пока не унялась моя нервная дрожь.

— Не усложняйте себе жизнь, — сказала она. — Вы были такой довольной, оживленной, и вообще, вы всегда живете бездумно — и вдруг стали умствовать и хандрить. Это вам не идет.

— Знаю, — сказала я, — я молодое, здоровое и безмозглое существо, веселое и глупое.

— Идемте обедать, — сказала она.

Отец ушел вперед — он терпеть не мог подобного рода споры. По дороге он взял мою руку и задержал ее в своей. Это была сильная, надежная рука: она утирала мне слезы при первом любовном разочаровании, она держала мою руку, когда мы бывали спокойны и безмятежно счастливы, она украдкой пожимала ее, когда мы вместе дурачились и хохотали до упаду. Я привыкла видеть эту руку на руле или сжимающей ключи, когда по вечерам она неуверенно нащупывала замочную скважину, на плече женщины или с пачкой сигарет. Но теперь эта рука ничем не могла мне помочь. Я крепко стиснула ее. Отец посмотрел на меня и улыбнулся.

Глава 2

Прошло два дня: я все так же кружила по комнате, я вся извелась. Я не могла избавиться от навязчивой мысли: Анна перевернет всю нашу жизнь. Я не делала попыток увидеть Сирила — он успокоил бы меня, дал каплю радости, а я этого не хотела. Мне даже доставляло смутное удовольствие задаваться неразрешимыми вопросами, вспоминать минувшие дни и со страхом ждать будущего. Стояла сильная жара; в моей комнате с закрытыми ставнями царил сумрак, но и это не спасало от непереносимой, давящей и влажной духоты. Я валялась на постели, запрокинув голову, уставившись в потолок, и только изредка передвигалась, чтобы найти прохладный кусочек простыни. Спать мне не хотелось, я ставила на проигрыватель в ногах кровати одну за другой пластинки, лишенные мелодии, но с четким, замедленным ритмом. Я много курила, чувствовала себя декаденткой, и мне это нравилось. Впрочем, эта игра не могла меня обмануть: я грустила и была растерянна.

Однажды после полудня ко мне постучалась горничная и с таинственным видом сообщила, что «внизу кое-кто ждет». Я, конечно, решила, что это Сирил, и спустилась вниз. Но это был не Сирил, а Эльза. Она порывисто сжала мои руки. Я смотрела на нее, пораженная ее неожиданной красотой. Она наконец загорела — ровным светлым загаром, была тщательно подмазана и причесана и ослепительно молода.

— Я пришла за своими вещами, — сказала она. — Правда, Хуан купил мне на днях несколько платьев, но ими все равно не обойдешься.

На секунду я задумалась, кто такой Хуан, но выяснять не стала. Я была рада вновь увидеть Эльзу — от нее веяло миром содержанок, атмосферой баров, бездумных вечеринок, и это напомнило мне счастливые дни. Я сказала ей, что рада ее видеть, а она стала меня уверять, что мы всегда ладили друг с другом, потому что у нас много общего. Меня слегка передернуло, но я не подала виду и предложила ей подняться ко мне, чтобы избежать встречи с отцом и Анной. Когда я упомянула об отце, она невольно чуть заметно мотнула головой, и я подумала, что она, наверное, все еще любит его... несмотря на Хуана и его платья. И еще я подумала, что три недели назад я не заметила бы ее движения.

В моей комнате она стала восторженно расписывать, какую восхитительную светскую жизнь она ведет на взморье. А я слушала и смутно чувствовала, как во мне пробуждаются странные мысли, внушенные отчасти ее новым обликом. Наконец она замолчала, возможно потому, что я не поддерживала разговора, прошлась по комнате и, не оборачиваясь, небрежным тоном проронила: «Ну а как Реймон — он счастлив?» Мне смутно подумалось: «Очко в мою пользу», и я тотчас поняла почему. В моем мозгу роились замыслы, возникали планы, я чувствовала, что меня сокрушает бремя моих прежних доводов. Я сразу же сообразила, что нужно ей ответить.

— «Счастлив» — ну, это слишком сильно сказано! Просто Анна старается ему это внушить. Она очень ловкая женщина.

— Очень! — вздохнула Эльза.

— Вам ни за что не угадать, чего она от него добилась... Она выходит за него замуж...

Эльза обернулась ко мне с выражением ужаса на лице:

— Замуж? Реймон, Реймон хочет жениться?

— Да, — сказала я. — Реймон собирается жениться.

Безумный смех подступил мне к горлу. Руки у меня задрожали. Эльза так растерялась, будто я ее ударила. Нельзя было дать ей время поразмыслить и прийти к выводу, что, в конце концов, в его годы это естественно и не может же он всю свою жизнь прожить среди содержанок. Я подалась вперед и, для вящего впечатления резко понизив голос, сказала:

— Этого нельзя допустить, Эльза. Он уже страдает. Это совершенно невозможно, вы понимаете сами.

— Конечно, — сказала она.

Она была как зачарованная — меня разбирал смех и все сильнее била дрожь.

— Я вас ждала, — снова заговорила я. — Вам одной по плечу тягаться с Анной. Тут нужна женщина вашего класса.

Она явно жаждала мне поверить.

— Но если он собирается жениться, значит, он ее любит, — возразила она.

— Бросьте, — ласково сказала я. — Он любит вас, Эльза! Не пытайтесь уверить меня, будто вы этого не знаете.

Я видела, как она заморгала глазами, как отвернулась, чтобы скрыть радость, надежду, которую я в нее заронила. Я действовала словно по наитию, я совершенно точно угадывала, что надо ей говорить.

— Понимаете, — сказала я, — она поманила его прелестями семейного очага, добродетельной жизни, и он попался на эту удочку.

Мои слова угнетали меня... Ведь они, в конце концов, выражали то, что я и в самом деле чувствовала, пусть в грубой, примитивной форме, но все-таки они отвечали моим мыслям.

— Если этот брак состоится, мы все трое — погибшие люди, Эльза. Надо защитить моего отца, ведь это большое дитя, Эльза... Большое дитя...

«Большое дитя», — повторяла я убежденно. Пожалуй, это слишком отдавало мелодрамой, но прекрасные зеленые глаза Эльзы уже затуманились жалостью. И я закончила как заклинание:

— Помогите мне, Эльза. Ради вас, ради моего отца, ради вашей с ним любви.

И про себя добавила: «...и ради китайчат».

— Но что я могу сделать? — спросила Эльза. — По-моему, это невозможно.

— Ну если, по-вашему, это невозможно, тогда делать нечего, — произнесла я так называемым убитым голосом.

— Вот шлюха! — пробормотала Эльза.

— Именно, — сказала я и на сей раз сама отвернулась.

Эльза расцветала на глазах. Над ней посмеялись, но теперь она покажет этой интриганке, на что способна она, Эльза Макенбур. Мой отец ее любит, она это знала всегда. Да и она сама — Хуан не мог затмить в ее сердце обаяние Реймона. Само собой, она никогда не толковала ему о прелестях семейного очага, но зато она по крайней мере не докучала ему, не пыталась заставить его...

— Эльза, — сказала я, дольше я не могла ее вынести. — Пойдите к Сирилу и скажите ему, что я прошу его вас приютить. С матерью он договорится. Передайте, что завтра утром я зайду к нему. Мы втроем все обсудим.

Проводив ее до порога, я, смеха ради, добавила:

— Вы защищаете свое счастье, Эльза.

Она кивнула с самой серьезной миной, так, словно у нее не было полутора десятков вариантов этого самого счастья — по числу мужчин, которые будут ее содержать. Я глядела, как она идет по солнцу своей танцующей походкой. Я была уверена — не пройдет недели, как отец снова захочет ее.

Было половина четвертого: отец, наверное, спит в объятиях Анны. Она сама, упоенная, разметавшаяся в постели, разомлевшая от наслаждения и счастья, тоже, наверное, предалась сну... Быстро-быстро я начала строить планы, избегая даже мимолетной попытки разобраться в самой себе. Я как маятник слонялась по комнате, подходила к окну, смотрела на безмятежно-спокойное, распластавшееся у песчаного берега море, возвращалась к двери и опять шла к окну. Я высчитывала, прикидывала и одно за другим отметала все возражения; никогда прежде я не подозревала, как изворотлив и находчив человеческий ум. Я чувствовала себя опасной и удивительно ловкой, и к волне отвращения к самой себе, которая захлестнула меня с первых слов моего разговора с Эльзой, примешивалась гордость, ощущение сговора, в который я вступила с самой собой, и одиночества.

Надо ли говорить, что от всего этого не осталось и следа, когда настал час купания. Меня терзали угрызения совести, я не знала, что сделать, чтобы загладить свою вину перед Анной. Я несла на пляже ее сумку, бросилась подавать ей купальный халат, когда она вышла из воды, я была сама предупредительность, сама любезность; эта внезапная перемена, после того как я дулась столько дней подряд, удивила ее и даже обрадовала. Отец был в восторге. Анна благодарила меня улыбкой, веселым голосом отвечала мне, а в моих ушах звучало: «Вот шлюха!» — «Именно». Как я могла это сказать, как могла терпеть глупость Эльзы? Завтра же посоветую уехать, скажу, что ошиблась. Все останется по-прежнему, и, в конце концов, почему бы мне не сдать экзамен? Ведь получить степень бакалавра наверняка полезно.

— Правда ведь?

Я обращалась к Анне:

— Правда ведь получить степень бакалавра полезно?

Она посмотрела на меня и расхохоталась. Я — тоже, обрадованная тем, что ей так весело.

— Вы неподражаемы, — сказала она.

Я и в самом деле была неподражаема. А если бы она еще знала, какие планы я вынашивала утром! Я умирала от желания рассказать ей все, чтобы она поняла, до какой степени я неподражаема! «Представьте, что я получила Эльзу разыграть комедию: она должна была прикинуться влюбленной в Сирила, поселиться у него, мы видели бы, как они плавают в лодке, как прогуливаются в лесу и на берегу. Эльза снова стала красивой. О, конечно, ее красота не может сравниться с вашей, но все-таки есть в ней эта цветущая земная прелесть, которая заставляет мужчин оборачиваться. Отец не вынес бы этого долго: он никогда не примирился бы с тем, что красивая женщина, которая принадлежала ему, утешилась так быстро, да еще, можно сказать, у него на глазах. И вдобавок с мужчиной моложе его. Понимаете, Анна, хотя он любит вас, он снова очень быстро захотел бы ее, просто ради самоутверждения. Он очень тщеславен, а может, не уверен в себе — уж не знаю. Эльза по моей указке повела бы себя так, как надо. В один прекрасный день он бы вам изменил, а вы бы этого не стерпели, правда ведь? Вы не из тех женщин, которые умеют делиться. Вы бы уехали, а я этого и добивалась. Ну да, это глупо, но я злилась на вас из-за Бергсона, из-за жары, я воображала, что... Я даже не решаюсь рассказать вам что, настолько это надуманно и смехотворно. Из-за этого экзамена я готова была поссорить нас с вами, подругой моей матери, нашим другом. А между тем ведь сдать экзамен на бакалавра полезно».

— Правда ведь?

— Что правда? — переспросила Анна. — Что полезно сдать экзамен на бакалавра?

— Да, — сказала я.

А в общем, не стоит ей рассказывать, вряд ли она поймет. Есть вещи, которые Анна понять не может. Я бросилась в воду, поплыла вдогонку за отцом, стала с ним бороться, вновь обретая радость от игры, от воды, от спокойной совести. Завтра же переберусь в другую комнату, устроюсь на чердаке, прихвачу с собой учебники. Бергсона я, правда, с собой не возьму — незачем пересаливать! Два часа ежедневной работы в одиночестве, молчаливые усилия, запах чернил, бумаги. В октябре — успех, изумленный смех отца, одобрение Анны, диплом. Я стану умной, образованной, чуть равнодушной, как Анна Кто знает, может быть, у меня незаурядные способности... Смогла же я в пять минут разработать логический план — само собой, гнусный, но зато логичный же. А Эльза! Я сыграла на ее тщеславии, на ее чувствах, в мгновение ока я заставила ее плясать под свою дудку, а ведь она пришла забрать вещи. Удивительная штука: я взяла Эльзу на мушку, подметила ее уязвимое место и, прежде чем заговорить, точно рассчитала удар. Я впервые познала ни с чем не сравнимое наслаждение: разгадать человека, увидеть его насквозь, заглянуть ему в душу и поразить в больное место. Осторожно, точно прикасаясь пальцем к пружинке, я пыталась прощупать кого-то — и тотчас сработало. Я попала в цель! Прежде я никогда не испытывала ничего подобного, я была слишком импульсивна. Если я затрагивала чью-нибудь чувствительную струнку, то только по неосмотрительности. И вдруг мне приоткрылся удивительный механизм человеческих реакций, могущество слова... Как жаль, что я обнаружила это на путях обмана. Но в один прекрасный день я полюблю кого-нибудь всей душой, и вот так же осторожно, ласково, трепетной рукой нащупаю путь к его сердцу...

ГЛАВА 3

На другое утро я шла к вилле, где жил Сирил, уже куда менее уверенная в силе своего интеллекта. Накануне за ужином я много пила, чтобы отпраздновать свое выздоровление, и сильно захмелела. Я уверяла отца, что защищу диссертацию по литературе, буду вращаться среди эрудитов, стану знаменитой и нудной. А ему придется пустить в ход все средства рекламы и скандала, чтобы посодействовать моей карьере. Мы наперебой строили нелепые планы и покатывались со смеху. Анна тоже смеялась, хотя не так громко и несколько снисходительно. А по временам, когда мои честолюбивые планы выходили за рамки литературы и простого приличия, ее смех и вовсе умолкал. Но отец был так откровенно счастлив, оттого что наши дурацкие шуточки помогают нам вновь обрести друг друга, что она воздерживалась от замечаний. Наконец они уложили меня в постель, накрыли одеялом. Я горячо благодарила их, вопрошала: «Что бы я без вас делала?» Отец и в самом деле не знал, но у Анны, кажется, было на этот счет довольно суровое мнение. Я заклинала ее сказать какое, и она уже склонилась было надо мной, но тут меня сморил сон. Среди ночи мне стало плохо. А утреннее пробуждение еще ни разу не было для меня таким мучительным. С мутной головой, с тяжелым сердцем шла я к сосновой рощице, не замечая ни утреннего моря, ни возбужденных чаек.

Сирил встретил меня у калитки сада. Он кинулся ко мне, обнял, страстно прижал к себе, бормоча бессвязные слова:

— Родная моя, я так волновался... Так долго... Я не знал, что с тобой, может, эта женщина мучает тебя... Я не думал, что сам могу так мучиться... Каждый день после полудня я плавал вдоль бухты, взад и вперед... Я не думал, что так тебя люблю...

— Я тоже, — сказала я.

Я и вправду была удивлена и растрогана. Мне было досадно, что меня мутит и я не могу выразить ему своих чувств.

— Какая ты бледная, — сказал он. — Но теперь я сам о тебе позабочусь, я не позволю больше истязать тебя.

Я узнала разыгравшуюся фантазию Эльзы. Я спросила Сирила, как приняла Эльзу его мать.

— Я представил ее как свою приятельницу, сироту, — ответил Сирил. — Она вообще славная, Эльза. Она все рассказала мне об этой женщине. Удивительно: такое тонкое, породистое лицо — и повадки настоящей интриганки.

— Эльза сильно преувеличивает, — вяло возразила я. — Я как раз хотела сказать...

— Мне тоже надо тебе кое-что сказать, — оборвал Сирил. — Сесиль, я хочу на тебе жениться.

На секунду я перепугалась. Надо что-то сделать, что-то сказать. Ах, если бы не эта гнусная тошнота...

— Я люблю тебя, — говорил Сирил, дыша мне в волосы. — Я брошу юриспруденцию, мне предлагают выгодное место у дяди... мне двадцать шесть лет, я уже не мальчишка. Я говорю совершенно серьезно. А ты что скажешь?

Я тщетно подыскивала какую-нибудь красивую уклончивую фразу. Я не хотела за него замуж. Я любила его, но не хотела за него замуж. Я вообще не хотела ни за кого замуж, я устала.

— Это невозможно, — пробормотала я. — Мой отец...

— Твоего отца я беру на себя, — сказал Сирил.

— Анна не согласится, — сказала я. — Она считает, что я еще ребенок. А что скажет она, то скажет и отец. Я так устала, Сирил. От всех этих волнений я еле держусь на ногах. Сядем. А вот и Эльза.

Эльза спускалась по лестнице в халате, свежая и сияющая. Я чувствовала себя поблекшей и тощей. У них обоих был здоровый, цветущий, возбужденный вид, и это еще больше меня угнетало. Эльза уса-

дила меня, обхаживая так бережно, словно я только-только вышла
из тюрьмы.

— Как поживает Реймон? — спросила она. — Он знает, что я здесь?

Она улыбалась счастливой улыбкой женщины, которая простила и надеется. Я не могла сказать ей, что отец ее забыл, а Сирилу — что не хочу за него замуж. Я закрыла глаза, Сирил пошел за чашкой кофе. Эльза говорила, говорила без умолку, она явно смотрела на меня как на необычайно проницательное существо, она полностью на меня полагалась. Кофе был крепкий, ароматный, солнце немного подбодрило меня.

— Я без толку ломала себе голову, я не вижу выхода, — сказала Эльза.

— Выхода нет, — сказал Сирил. — Он под ее обаянием, под ее властью. Тут ничего не поделаешь.

— Почему же? — возразила я. — Одно средство есть. Вы начисто лишены воображения.

Мне льстило, что они с таким вниманием прислушиваются к моим словам — они на десять лет меня старше, а сообразительности ни на грош.

— Это чисто психологический вопрос, — заявила я небрежным тоном.

Я говорила долго, изложила им весь свой план. Они выдвигали те же возражения, какие накануне выдвигала я сама, и, опровергая их, я испытывала жгучее наслаждение. Я делала это без всякой цели, но, стараясь их убедить, я сама вошла в азарт. Я доказала им, что это возможно. Теперь мне осталось уговорить их, что этого делать не следует, но я не находила столь же убедительных доводов.

— Не нравятся мне все эти ухищрения, — сказал Сирил. — Но если другого способа жениться на тебе нет, я готов на все.

— Собственно, Анна в этом не виновата, — сказала я.

— Вы прекрасно понимаете, что, если она останется у вас, вы выйдете за того, за кого захочет она, — сказала Эльза.

Наверное, она была права. Я сразу вообразила, как мне исполняется двадцать лет и Анна представляет мне молодого человека — он тоже лиценциат, с блестящими видами на будущее, умный, уравновешенный и, конечно, неспособный на измену. Пожалуй, отчасти похожий на Сирила. Я рассмеялась.

— Прошу тебя, не смейся, — сказал Сирил. — Скажи, что будешь ревновать, когда я сделаю вид, будто влюблен в Эльзу. Как ты вообще могла на это пойти, ты любишь меня?

Он говорил шепотом, Эльза деликатно удалилась. Я всматривалась в загорелое, напряженное лицо Сирила, в его темные глаза. Он любил меня — странное чувство это будило во мне. Я смотрела на его алый рот — так близко от меня... Я больше не ощущала себя интеллектуалкой. Он слегка приблизил ко мне свое лицо, наши губы соприкоснулись и узнали друг друга. Я сидела с открытыми глазами, его неподвижные губы, горячие и жесткие, были прижаты к моим; вот они дрогнули, он крепче прижался к моим губам, чтобы унять дрожь, потом его губы раздвинулись, поцелуй ожил, сразу стал более властным, искусным, чересчур искусным... И я поняла, что куда больше подхожу для того, чтобы целоваться на солнце с юношей, чем для того, чтобы защищать диссертацию... Задохнувшись, я слегка отстранилась от него.

— Сесиль, мы должны жить вместе. Я согласен разыграть эту комедию с Эльзой.

А я думала: правильно ли я все рассчитала? Я — душа, режиссер этой комедии. Я смогу остановить ее в любую минуту.

— Забавные тебе приходят в голову выдумки, — сказал Сирил, улыбаясь одним уголком рта. При этом у него приподнималась верхняя губа и он становился похожим на разбойника, на красавца-разбойника...

— Поцелуй меня, — прошептала я. — Поцелуй скорее!

Так я заварила эту комедию. Против воли, из беспечности и любопытства. Иной раз мне кажется, было бы лучше, если бы я сделала это с умыслом, из ненависти, в исступлении. Тогда по крайней мере я могла бы винить себя, себя самое, а не лень, солнце и поцелуи Сирила.

Час спустя я рассталась с заговорщиками в довольно скверном настроении. Конечно, у меня не было недостатка в успокоительных доводах: мой план может оказаться неудачным, а страсть отца к Анне такой сильной, что он даже окажется способным хранить ей верность. К тому же ни Сирил, ни Эльза не сумеют обойтись без моей помощи. А у меня всегда найдется повод прекратить игру, если вдруг отец попадется на удочку. Но сделать попытку проверить, справедливы или нет мои психологические расчеты, все-таки забавно.

Вдобавок Сирил меня любит, он хочет на мне жениться — эта мысль поддерживала меня в радостном возбуждении. Если он согласится подождать год или два, пока я стану взрослой, я приму его предложение. Я уже представляла себе, как я живу с Сирилом, сплю рядом с ним, никогда с ним не разлучаюсь. По воскресеньям мы обедаем вместе с отцом и Анной — дружной четой, а может, и с матерью Сирила, что придаст нашим трапезам семейную атмосферу.

Я встретила Анну на террасе — она спускалась на пляж к отцу. Она посмотрела на меня тем ироническим взглядом, каким смотрят на людей, сильно выпивших накануне. Я спросила ее, что она собиралась мне сказать вечером, когда я заснула, но она, смеясь, отказалась ответить под предлогом, что я обижусь. Отец вышел из воды, широкоплечий, мускулистый — он показался мне великолепным. Я пошла купаться с Анной, она легко плыла, приподняв голову над водой, чтобы не замочить волос. Потом мы все трое растянулись рядом на песке, я посредине, они по обе стороны от меня, молчаливые и умиротворенные.

И вот тут-то у дальней оконечности бухты показалась лодка под всеми парусами. Отец заметил ее первый.

— Бедняжка Сирил больше не мог выдержать, — сказал он, смеясь. — Анна, простим ему? В общем, он славный малый.

Я подняла голову, я почуяла опасность.

— Что это он делает? — удивился отец. — Огибает бухту? Да он не один...

Теперь и Анна подняла голову. Лодка проплыла мимо нас, обогнув берег. Я уже различала лицо Сирила, я мысленно заклинала его поскорее уплыть отсюда.

Возглас отца заставил меня вздрогнуть. Между тем вот уже две минуты, как я его ждала:

— Да ведь это... это Эльза! Что она тут делает?

Он обернулся к Анне:

— Бесподобная девица! Она наверняка заарканила бедного мальчугана и убедила старую даму себя удочерить.

Но Анна его не слушала. Она смотрела на меня. Я встретилась с ней взглядом и, сгорая от стыда, уткнулась лицом в песок. Она протянула руку и положила ее мне на затылок.

— Поглядите на меня. Вы на меня сердитесь?

Я открыла глаза: она склонилась надо мной с тревогой, почти с мольбой. В первый раз она смотрела на меня как на существо, способное чувствовать и мыслить, и это в тот самый день... Я застонала и резко повернулась к отцу, чтобы стряхнуть с себя ее руку. Отец смотрел на парусник.

— Бедная моя девочка, — вновь раздался голос, тихий голос Анны. — Бедняжка Сесиль, тут есть доля моей вины, наверное, мне не следовало проявлять такую нетерпимость. Но я вовсе не хотела сделать вам больно, вы мне верите?

Она ласково поглаживала меня по волосам, по затылку. Я не шевелилась. У меня было такое чувство, как бывает при отливе, когда песок уходит из-под ног, — жажда поражения, нежности охватила меня, и никогда ни одно чувство — ни гнев, ни желание — не завладевало мной с такой силой. Прекратить комедию, вверить Анне мою жизнь, до конца дней предаться в ее руки. Никогда не испытывала я такой неодолимой, такой безграничной слабости. Я закрыла глаза. Мне чудилось, что мое сердце перестало биться.

Отец не выказал ничего, кроме удивления. Горничная рассказала ему, что Эльза приходила за своим чемоданом и тут же ушла. Уж не знаю, почему она молчала о нашей с ней встрече. Это была деревенская женщина, настроенная весьма романтически, наши взаимоотношения должны были рисоваться ей в довольно соблазнительном свете. Тем более что именно ей пришлось переносить вещи из комнаты в комнату.

Итак, отец и Анна, терзаясь угрызениями совести, проявляли ко мне внимание и доброту, которые сперва невыносимо тяготили меня, но вскоре начали нравиться. По правде говоря, хоть это и было делом моих рук, мне вовсе не доставляло удовольствия на каждом шагу встречать Сирила в обнимку с Эльзой, всем своим видом показывающих, что они вполне довольны друг другом. Плавать на лодке я больше не могла, но зато я могла видеть, что там сидит Эльза и ветер треплет ее волосы, как прежде мои. Мне не стоило никакого труда принимать замкнутый вид и держаться с напускным безразличием, когда мы сталкивались с ними. А сталкивались мы с ними повсюду: в сосновой роще, в поселке, на дороге. Анна смотрела на меня, заводила разговор о чем-нибудь постороннем и, чтобы ободрить меня, клала руку мне на плечо. Кажется, я назвала ее доброй? Быть может, ее доброта была утонченной формой ума, а то и просто равнодушия — не знаю, но она всегда находила единственно верное слово, движение, и, если бы я взаправду страдала, лучшей поддержки я не могла бы и желать.

Итак, я без особой тревоги предоставляла событиям идти своим чередом, потому что, как я уже сказала, отец не проявлял никаких признаков ревности. Это убеждало меня в том, что он привязан к Анне, но отчасти задевало, доказывая тщету моих построений. Однажды мы с ним шли вдвоем на почту и встретили Эльзу: она сделала вид, будто не заметила нас. Отец оглянулся на нее, как на незнакомку, и присвистнул.

— Погляди — правда, Эльза неслыханно похорошела!

— Счастлива в любви, — сказала я.

Он бросил на меня удивленный взгляд.

— Ты, по-моему, относишься к этому легче, чем...

— Что поделаешь, — сказала я. — Они ровесники, как видно, это перст судьбы.

— Если бы не Анна, перст судьбы был бы тут ни при чем... — Он был в бешенстве. — Уж не думаешь ли ты, что какой-то мальчишка может отбить у меня женщину против моей воли...

— И все-таки возраст играет роль, — серьезно сказала я.

Он пожал плечами. Домой он вернулся хмурый: очевидно, размышлял о том, что и в самом деле Эльза молода и Сирил тоже, а он, женившись на женщине своих лет, перестанет принадлежать к той категории мужчин без возраста, к какой относился до сих пор. Меня охватило чувство невольного торжества. Но потом я увидела морщинки в уголках Анниных глаз, едва заметную складку у рта и устыдилась. Но было так приятно подчиняться своим порывам, а потом раскаиваться в них...

Прошла неделя. Сирил и Эльза, не зная, как обстоят дела, наверное, каждый день ждали меня. Но я не решалась пойти к ним, они подстрекнули бы меня к новым выдумкам, а мне этого не хотелось. К тому же каждый день после полудня я уединялась в своей комнате якобы для занятий. На самом деле я бездельничала: я набрела на книгу о йоге и усердно ее изучала, изредка содрогаясь от безудержного, но беззвучного хохота, — я боялась, как бы меня не услышала Анна. Ведь я говорила ей, что работаю не разгибая спины, я разыгрывала перед ней разочарованную в любви девушку, которая черпает утешение в надежде написать когда-нибудь настоящий ученый труд. Мне казалось, что это внушает ей уважение, и я дошла до того, что несколько раз за обедом цитировала Канта, чем явно приводила в отчаяние отца.

Однажды днем, завернувшись в купальные полотенца, чтобы больше походить на индийцев, я поставила правую ступню на левое бедро и стала пристально созерцать себя в зеркале — не из желания полюбоваться собой, а в надежде достичь состояния нирваны, — когда вдруг в дверь постучали. Я решила, что это горничная, и, так как она ни на что не обращала внимания, крикнула: «Войдите!»

Это оказалась Анна. На мгновение она застыла на пороге, потом улыбнулась:

— Во что это вы играете?

— В йогу, — сказала я. — Но это не игра, а индийская философия.

Она подошла к столу и взяла книгу в руки. Меня охватила тревога. Книга была открыта на сотой странице и вся испещрена моими пометками вроде «неосуществимо» или «утомительно».

— Вы на редкость прилежны, — сказала она. — Но где же пресловутое сочинение о Паскале, о котором вы столько рассказывали?

И в самом деле, за столом я повадилась рассуждать об одной фразе Паскаля, делая вид, что размышляю и работаю над ней. Само собой, я не написала о ней ни слова. Я не шелохнулась. Анна пристально посмотрела на меня и все поняла.

— То, что вы не занимаетесь, а паясничаете перед зеркалом, дело ваше! — сказала она. — Но вот то, что потом вы лжете отцу и мне, уже гораздо хуже. Недаром я удивлялась, что вы вдруг так пристрастились к умственной деятельности...

Она вышла, я оцепенела в своих купальных полотенцах, я не могла взять в толк, почему она называет это «ложью». Я рассуждала о сочинении, чтобы доставить ей удовольствие, а она вдруг обдала меня презрением. Я уже привыкла, что теперь она обращалась со мной по-другому, и спокойный, унизительный для меня тон, каким она высказала мне свое пренебрежение, страшно меня обозлил. Я сорвала с себя маскарадный наряд, натянула брюки, старую блузку и выбежала из дому. Стояла палящая жара, но я мчалась сломя голову, подгоняемая чувством, похожим на ярость, тем более безудержную, что я не могла бы поручиться, что меня не мучит стыд. Я прибежала к вилле, где жил Сирил, и, запыхавшись, остановилась у входа. В полуденном зное дома казались до странности глубокими, притихшими, ревниво оберегающими свои тайны. Я поднялась наверх к комнате Сирила: он показал мне ее в тот день, когда мы были в гостях у его матери. Я открыла дверь, он спал, вытянувшись поперек кровати и положив щеку на руку. С минуту я глядела на него: впервые за все время нашего знакомства он показался мне беззащитным и трогательным; я тихо окликнула его; он открыл глаза и, увидев меня, сразу же сел:

— Ты? Как ты здесь очутилась?

Я сделала ему знак говорить потише: если его мать придет и увидит меня в его комнате, она может подумать... да и всякий на ее месте подумал бы... Меня вдруг охватил страх, я шагнула к двери.

— Куда ты? — крикнул Сирил. — Подожди... Сесиль.

Он схватил меня за руку, стал со смехом меня удерживать. Я обернулась и посмотрела на него, он побледнел — я, наверное, тоже — и выпустил мое запястье. Но тотчас вновь схватил меня в объятия и повлек за собой. Я смутно думала: это должно было случиться, должно было случиться. И начался хоровод любви — страх об руку с желанием, с нежностью, с исступлением, а потом жгучая боль и за нею всепобеждающее наслаждение. Мне повезло, и Сирил был достаточно бережным, чтобы дать мне познать его с первого же дня.

Я провела с ним около часа, оглушенная, удивленная. Я привыкла слышать разговоры о любви, как о чем-то легковесном, я сама говорила о ней без обиняков, с неведением, свойственным моему возрасту; но теперь мне казалось, что никогда больше я не смогу говорить о ней так грубо и небрежно. Сирил, прижавшись ко мне, твердил, что хочет на мне жениться, всю жизнь быть вместе со мной. Мое молчание стало его беспокоить: я приподнялась на постели, посмотрела на него, назвала своим возлюбленным. Он склонился надо мной. Я прижалась губами к жилке, которая все еще билась на его шее, прошептала: «Сирил, мой милый, милый Сирил». Не знаю, было ли мое чувство к нему в эту минуту любовью, — я всегда была непостоянной и не хочу прикидываться другой. Но в эту минуту я любила его больше, чем себя самое, я могла бы отдать за него жизнь. Прощаясь со мной, он спросил, не сержусь ли я — я рассмеялась. Сердиться на него за это счастье!..

Я медленно шла домой через сосновую рощу, разбитая, скованная в движениях; я не разрешила Сирилу проводить меня — это было бы слишком опасно. Я боялась, что на моем лице, в кругах под глазами, в припухлости рта, в трепетании тела слишком явно видны следы наслаждения. Возле дома в шезлонге сидела Анна и читала. Я уже приготовилась ловко соврать, чтоб объяснить свое отсутствие, но она ни о чем меня не спросила, она никогда ни о чем не спрашивала. Я молча села возле нее, вспомнив, что мы в ссоре. Я сидела неподвижно, полузакрыв глаза, стараясь овладеть ритмом своего дыхания, дрожью своих пальцев. По временам я вспоминала тело Сирила, мгновения счастья, и у меня обрывалось сердце.

Я взяла со стола сигарету, чиркнула спичкой о коробок. Спичка погасла. Я зажгла вторую очень осторожно, так как ветра не было — дрожала только моя рука. Спичка погасла, едва я поднесла ее к сигарете. Я сердито хмыкнула и взяла третью. И тут, не знаю почему, эта спичка стала в моих глазах вопросом жизни и смерти. Может быть, потому, что Анна, выйдя вдруг из своего безразличия, посмотрела на меня внимательно, без улыбки. В эту минуту исчезло все: место, время, — осталась только спичка, мой палец поверх нее, серый коробок и взгляд Анны. Мое сердце сорвалось с цепи, гулко заколотилось, пальцы судорожно сжали спичку, она вспыхнула, я жадно потянулась к ней лицом, сигарета накрыла ее и погасила. Я уронила коробок на землю, закрыла глаза. Анна не сводила с меня сурового, вопросительного взгляда. Я молила кого-то о чем-то — лишь бы кончилось это ожидание. Руки Анны приподняли мою голову — я зажмурила глаза, боясь, как бы она не увидела моего взгляда. Я чувствовала, как из-под моих век выступили слезы усталости, смущения, наслаждения. И тогда, точно вдруг отказавшись от всех вопросов, жестом, выдающим неведение и примиренность, Анна провела ладонями по моему лицу сверху вниз и отпустила меня. Потом сунула мне в рот зажженную сигарету и вновь углубилась в книгу.

Я придала, попыталась придать этому жесту символический смысл. Но теперь, когда у меня гаснет спичка, я заново переживаю эту странную минуту — пропасть, разверзшуюся между мной и моими движениями, тяжесть взгляда Анны и эту пустоту вокруг, напряженную пустоту...

Глава 5

Описанная мною сценка не могла обойтись без последствий. Как многие очень сдержанные в проявлении чувств и очень уверенные в себе люди, Анна не выносила компромиссов. А ее жест — суровые руки, вдруг ласково скользнувшие по моему лицу, — был для нее именно таким компромиссом. Она что-то угадала, она могла вынудить у меня признание, но в последнюю минуту поддалась жалости, а может быть, равнодушию. Ведь возиться со мною, муштровать меня было для нее не легче, чем примириться с моими срывами. Только чувство долга заставило ее взять на себя роль опекунши, воспитательницы; выходя замуж за отца, она считала себя обязанной заботиться и обо мне. Я предпочла бы, чтобы за этим ее постоянным неодобрением, что ли, крылась раздражительность или какое-нибудь другое, более поверхностное чувство, привычка быстро притупила бы его; к чужим недостаткам легко привыкаешь, если не считаешь своим долгом их исправлять. Прошло бы полгода, и я вызывала бы у нее просто чувство усталости — привязанности и усталости; а я ничего лучшего и не желала бы. Но у Анны мне никогда не вызвать этого чувства — она будет считать себя в ответе за меня, и отчасти она права, потому что я все еще очень податлива. Податлива и в то же время упряма.

Итак, Анна была недовольна собой и дала мне это почувствовать. Несколько дней спустя за обедом разгорелся спор по поводу все тех же несносных летних занятий. Я позволила себе чрезмерную развязность. Покоробило даже отца, и дело кончилось тем, что Анна заперла меня на ключ в моей комнате, при этом не произнеся ни одного резкого слова. Я и не подозревала, что она меня заперла. Мне захотелось пить, я подошла к двери, чтобы ее открыть, — дверь не подалась, и я поняла, что меня заперли. Меня в жизни не запирали — меня охватил ужас, самый настоящий ужас. Я бросилась к окну — этим путем выбраться было невозможно. Совершенно потеряв голову, я опять метнулась к двери, навалилась на нее и сильно ушибла плечо. Тогда, стиснув зубы, я попыталась сломать замок — я не хотела звать на помощь, чтобы мне открыли. Но я только испортила маникюрные щипчики. Бессильно уронив руки, я остановилась посреди комнаты. Я стояла неподвижно и прислушивалась к странному спокойствию, умиротворению, которые охватывали меня по мере того, как прояснялись мои мысли. Это было мое первое соприкосновение с жестокостью — я чувствовала, как в ходе моих размышлений она зарождается, крепнет во мне. Я легла на кровать и стала тщательно обдумывать свой план. Моя злоба была так несоразмерна поводу, который ее вызвал, что после полудня я два-три раза вставала, хотела выйти из комнаты и каждый раз, наткнувшись на запертую дверь, удивлялась.

В шесть часов вечера дверь отпер отец. Когда он вошел ко мне, я машинально встала. Он молча посмотрел на меня, и я все так же машинально улыбнулась.

— Хочешь, поговорим? — сказал он.

— О чем? — спросила я. — Ты ненавидишь объяснения, я тоже.
И они ни к чему не ведут.

— Ты права. — У него явно отлегло от души. — Тебе надо держаться с Анной поласковей, быть терпеливой.

Последнее слово меня поразило — мне быть терпеливой с Анной... Он все ставил с ног на голову. В глубине души он считал, что навязывает Анну своей дочери. А не наоборот. У меня были основания для самых радужных надежд.

— Я вела себя гадко, — сказала я. — Я извинюсь перед Анной.

— Скажи, ты... гм... ты счастлива?..

— Конечно, — беспечно ответила я. — И потом, если мне будет очень уж трудно ужиться с Анной, я пораньше выйду замуж — только и всего.

Я знала, что такой выход его огорчит.

— Об этом нечего и думать... Ты ведь не Белоснежка... Неужели ты с легким сердцем сможешь так скоро расстаться со мной? Ведь мы прожили вместе всего два года.

Для меня эта мысль была так же мучительна, как и для него. Я поняла, что еще минута, и я с плачем припаду к нему и буду говорить о погибшем счастье и моих раздутых переживаниях. Но я не могла превращать его в сообщника.

— В общем, я, конечно, сильно преувеличиваю. Мы с Анной прекрасно ладим друг с другом. При взаимных уступках...

— Да-да, — сказал он. — Само собой.

Должно быть, он, как и я, подумал, что уступки едва ли будут взаимными и скорее всего их придется делать мне одной.

— Видишь ли, — сказала я, — я ведь отлично понимаю, что Анна всегда права. Она в своей жизни преуспела гораздо больше нас, ее существование гораздо более осмысленно...

У него невольно вырвался протестующий жест, но я продолжала как ни в чем не бывало:

— Пройдет какой-нибудь месяц-два, я полностью усвою взгляды Анны, и наши глупые споры кончатся. Надо просто набраться терпения.

Он смотрел на меня, явно сбитый с толку. И испуганный — он терял компаньона для будущих проказ и в какой-то мере терял прошлое.

— Ну, не надо преувеличивать, — слабо возразил он. — Я признаю, что навязывал тебе образ жизни, не совсем подходящий по возрасту ни тебе... гм... ни мне, но наша жизнь вовсе не была бессмысленной или несчастливой... нет. В общем, не так уж нам было грустно или, скажем, неуютно эти два года. Не надо все зачеркивать только потому, что Анна несколько по-иному смотрит на вещи.

— Зачеркивать не надо, но надо поставить крест, — сказала я с убеждением.

— Само собой, — сказал бедняга, и мы сошли вниз.

Я без малейшего смущения извинилась перед Анной. Она сказала, что это пустяки и причина нашего спора — жара. Мне было весело и безразлично.

Как было условлено, я встретилась с Сирилом в сосновой роще; я объяснила ему, что надо делать. Он выслушал меня со смесью страха и восхищения. Потом притянул к себе, но было поздно — пора возвращаться домой. Я сама удивилась тому, как мне трудно расстаться с ним. Если он хотел привязать меня к себе, более прочных уз он не мог бы найти. Мое тело тянулось к его телу, обретало самое себя, расцветало рядом с ним. Я страстно поцеловала его, мне хотелось сделать ему больно, оставить какой-то след, чтобы он ни на минуту не забывал обо мне в этот вечер и ночью видел меня во сне. Потому что ночь будет тянуться бесконечно долго без него, без его близости, его умелой нежности, внезапного исступления и долгих ласк.

Глава 6

На другое утро я пригласила отца прогуляться со мной по дороге. Мы весело болтали о разных пустяках. Вернуться я предложила через сосновую рощу. Было ровно половина одиннадцатого — я поспела минута в минуту. Отец шел впереди меня, тропинка была узкая и заросла колючим кустарником, он то и дело раздвигал его, чтобы я не оцарапала себе ноги. Вдруг он остановился, и я поняла, что я их увидел. Я подошла к нему. Сирил и Эльза спали, лежа на опавшей хвое и являя взгляду все приметы сельской идиллии; они действовали в точности по моей указке, но, когда я увидела их в этой позе, у меня сжалось сердце. Что из того, что Эльза любит отца, а Сирил любит меня, — они оба так хороши собой, оба молоды, и они так близко друг от друга... Я взглянула на отца — он не двигался, впился в них взглядом, неестественно побледнев. Я взяла его под руку.

— Не надо их будить, уйдем.

Он в последний раз посмотрел на Эльзу. На Эльзу, раскинувшуюся на спине, во всей своей молодости и красоте, золотистую, рыжую, с легкой улыбкой на губах — улыбкой юной нимфы, которую наконец-то настигли... Он круто повернулся и быстро зашагал прочь.

— Вот шлюха, — бормотал он. — Вот шлюха!

— За что ты ее бранишь? Разве она не свободна?

— При чем здесь свобода? Тебе что, приятно видеть, как Сирил спит с ней в обнимку?

— Я его больше не люблю, — сказала я.

— Я тоже не люблю Эльзу, — крикнул он в ярости. — И все равно мне это неприятно. Не забывай, что я — гм... я жил с нею! А это куда хуже...

Мне ли было не знать, что это куда хуже! Наверное, его, как и меня, подмывало броситься к ним, разлучить их, вновь вернуть себе свою собственность — то, что было твоей собственностью.

— Услышала бы тебя Анна!..

— Что? Анна?.. Конечно, она не поняла бы или была бы шокирована, это вполне естественно. Но ты! Ведь ты моя родная дочь. Неужели ты меня перестала понимать, неужели тебя это тоже шокирует?

До чего же мне было легко направлять его мысли. Меня даже немного напугало то, что я так хорошо его знаю.

— Я не шокирована, — сказала я. — Но в конце концов, надо смотреть правде в глаза: у Эльзы память короткая, Сирил ей нравится, она для тебя потеряна. Особенно если вспомнить, как ты с ней обошелся. Такие вещи не прощают...

— Захоти я только... — начал отец, но с испугом осекся.

— Ничего бы у тебя не вышло, — сказала я с убеждением, точно обсуждать его надежды вернуть Эльзу было самым будничным делом.

— Но у меня и в мыслях этого нет, — сказал он, обретая трезвость.

— Еще бы, — ответила я, пожав плечами.

Это пожатие означало: «Бесполезно, бедняжка, ты вышел из игры». Весь обратный путь он молчал. Дома он обнял Анну и, закрыв глаза, несколько мгновений прижимал ее к себе. Удивленная, она подчинилась с улыбкой. Я вышла из комнаты и, сгорая от стыда, прижалась в коридоре к стенке.

В два часа я услышала тихий свист Сирила и спустилась на пляж. Сирил сразу же помог мне взобраться в лодку и поплыл в открытое море. На море было пустынно — никому не приходило в голову купаться в такую жару. Вдали от берега он спустил парус и обернулся ко мне. Мы едва успели перемолвиться словом.

— Сегодня утром... — начал он.

— Замолчи, — сказала я, — ох, замолчи!..

Он осторожно опрокинул меня на брезент. Мы были в поту — мокрые, скользкие, мы действовали неловко и торопливо; лодка равномерно покачивалась под нами. Солнце светило мне прямо в глаза. И вдруг Сирил зашептал властно и нежно... Солнце оторвалось, вспыхнуло, рухнуло на меня... Где я? В пучине моря, времени, наслаждения?.. Я громко звала Сирила, он не отвечал — отвечать не было нужды.

А потом прохлада соленой воды. Мы оба смеялись — ослепленные, разнеженные, благодарные. Нам принадлежали солнце и море, смех и любовь — почувствуем ли мы их когда-нибудь с тем же накалом и силой, какие им придавали в это лето страх и укоры совести?..

Любовь приносила мне не только вполне осязаемое физическое наслаждение; думая о ней, я испытывала что-то вроде наслаждения интеллектуального. В выражении «заниматься любовью» есть свое особое, чисто словесное очарование, которое отчуждает его от смысла. Меня пленяло сочетание материального, конкретного слова «заниматься» с поэтической абстракцией слова «любовь». Прежде я произносила эти слова без тени стыдливости, без всякого смущения, не замечая их сладости. Теперь я обнаружила, что становлюсь стыдливой. Я опускала глаза, когда отец чуть дольше задерживал взгляд на Анне, когда она смеялась новым для нее коротким, тихим, бесстыдным смехом, при звуках которого мы с отцом бледнели и начинали смотреть в окно. Если бы мы сказали Анне, как звучит ее смех, она бы нам не поверила. Она держалась с отцом не как любовница, а как друг, нежный друг. Но, наверное, ночью... Я запрещала себе думать об этом, я ненавидела тревожные мысли.

Дни шли. Я отчасти позабыла об Анне, отце и Эльзе. Занятая своей любовью, я жила с закрытыми глазами, как во сне, приветливая и спокойная. Сирил спросил меня, не боюсь ли я забеременеть. Я ответила, что во всем полагаюсь на него, и он принял мои слова как должное. Может, я потому с такой легкостью и отдалась ему: он не перекладывал на меня ответственности — окажись я беременной, виноват будет он. Он брал на себя то, чего я не могла перенести, — ответственность. Впрочем, мне не верилось, что я могу забеременеть, я была худая, мускулистая... В первый раз в жизни я радовалась, что сложена, как подросток.

Между тем Эльза начала терять терпение. Она засыпала меня вопросами. Я всегда боялась, как бы меня не застигли с нею или с Сирилом. Она подстраивала так, чтобы всегда и везде попадаться на глаза отцу, встречаться на его пути. Она упивалась своими воображаемыми победами, порывами, которые, по ее словам, он подавлял, но не мог утаить. Я с удивлением наблюдала, как эта девица, чья профессия мало отличалась от продажной любви, предавалась романтическим грезам, приходила в экстаз от таких пустяков, как взгляд или движение, — это она-то, воспитанная четкими требованиями мужчин, которые всегда спешат. Правда, она не привыкла к сложным ролям, и та, какую она играла теперь, очевидно, представлялась ей верхом психологической изощренности.

Мысль об Эльзе понемногу все сильнее завладевала отцом, но Анна, судя по всему, ничего не замечала. Он был с ней еще более нежен и предупредителен, чем когда-либо, и это пугало меня, потому что я объясняла его поведение неосознанными укорами совести. Лишь бы только ничего не случилось в течение еще трех недель.

А там мы переедем в Париж, Эльза тоже, и, если Анна и отец не передумают, они поженятся. В Париже будет Сирил, и как здесь Анна не могла помешать мне его любить, так и там она не сможет помешать мне с ним встречаться. В Париже у него была комната, далеко от дома, где жила мать. Я уже рисовала себе окно, открывающееся прямо в голубое и розовое небо — неповторимое небо Парижа, воркующих на карнизе голубей и нас с Сирилом вдвоем на узкой кровати...

ГЛАВА 7

Несколько дней спустя отец получил записку от одного нашего приятеля с приглашением встретиться в Сен-Рафаэле и выпить вместе аперитив. Отец немедля сообщил нам об этом, обрадованный возможностью вырваться ненадолго из нашего добровольного, но отчасти и вынужденного уединения. Я рассказала Эльзе и Сирилу, что в восемь часов мы будем в «Солнечном баре», и, если они приедут туда, они нас там застанут. На беду, Эльза была знакома с упомянутым приятелем, и это подогрело ее желание явиться в бар. Я стала опасаться осложнений и сделала попытку ее отговорить. Все напрасно.

— Шарль Уэбб меня обожает, — объявила она с детским простодушием. — Если он меня увидит, он тем более уговорит Реймона вернуться ко мне.

Сирилу было безразлично — ехать или не ехать в Сен-Рафаэль. Для него важно было одно — находиться там, где я. Я прочла это в его взгляде и не могла подавить горделивого чувства.

Мы выехали из дому около шести. Анна повезла нас в своей машине. Мне нравилась ее машина, большая открытая американская машина, отвечавшая не столько вкусу Анны, сколько требованиям рекламы. Зато моим вкусам она соответствовала вполне — в ней было множество блестящих мелочей, она была бесшумная, обособленная от всего мира и кренилась на крутых поворотах. К тому же мы все трое помещались на переднем сиденье, а я нигде не чувствовала такой тесной связи с другими людьми, как в машине. Все трое на переднем сиденье, чуть прижимая друг друга локтями, во власти общего наслаждения скоростью, ветром, а может быть — и общей смерти. Машину вела Анна, словно символизируя уклад нашей будущей семьи. Я не ездила в ее машине с того пресловутого вечера в Каннах, и это пробудило во мне воспоминания.

В «Солнечном баре» нас ждали Шарль Уэбб с женой. Он занимался театральной рекламой, его жена просаживала заработанные им деньги, причем с головокружительной быстротой и — на молодых мужчин. Он был просто одержим мыслью, как свести концы с концами, и вечно охотился за заработком. Было в нем от этого что-то беспокойное, торопливое, почти неприличное. Он долго был любовником Эльзы — несмотря на свою красоту, она не отличалась корыстью, и ее беспечность в денежных делах привлекала Шарля.

Его жена была злюкой. Анна прежде с ней не встречалась, и я тотчас подметила на ее прекрасном лице презрительное и насмешливое выражение, какое обычно у нее появлялось в обществе. Шарль Уэбб, как всегда, болтал без умолку, по временам сверля Анну испытующим взглядом. Он явно недоумевал, что у нее может быть общего с юбочником Реймоном и его дочерью. Меня распирало от гордости при мысли, что еще минута — и он это узнает. Воспользовавшись паузой, отец склонился к нему и напрямик объявил:

— А у меня новость, старина. Пятого октября мы с Анной собираемся пожениться.

Остолбенев от изумления, тот переводил взгляд с одного на другого. Я была в восторге, его жена озадачена — она питала давнюю слабость к отцу.

— Поздравляю! — завопил наконец Уэбб во все горло. — ...Отличная мысль! Мадам, вы изумительная женщина! Посадить себе на шею такого шалопая!.. Официант!.. Мы должны это отпраздновать.

Анна улыбнулась непринужденно, спокойно. И вдруг лицо Уэбба расплылось в улыбке — мне не было нужды оборачиваться.

— Эльза! Господи, да ведь это Эльза Макенбур, она меня не замечает! Реймон, ты только погляди, как она похорошела!..

— Еще бы, — сказал отец тоном счастливого обладателя.

Потом все вспомнил, и его лицо омрачилось.

Анна не могла не уловить интонации отца. Она быстро отвернулась от него в мою сторону. Она уже собиралась заговорить на первую попавшуюся тему, когда я наклонилась к ней:

— Анна, ваша элегантность производит опустошение в сердцах; поглядите, вон тот мужчина не сводит с вас глаз.

Я сообщила это доверительным тоном — то есть достаточно громко, чтобы услышал отец. Он живо обернулся и заметил человека, о котором я говорила.

— Мне это не нравится, — заявил он и взял руку Анны в свою.

— Как они очаровательны! — с ироническим умилением заметила мадам Уэбб. — Шарль, вам не следовало нарушать покой этой влюбленной парочки. Достаточно было пригласить малютку Сесиль.

— Малютка Сесиль не приехала бы, — без обиняков заявила я.

— Почему? Завели себе дружка среди рыбаков?

Она однажды видела, как я болтала с кондуктором автобуса, и с той поры относилась ко мне как к деклассированной особе — как к тем, кого она считала «деклассированными».

— А как же, — ответила я, делая над собой усилие, чтобы казаться веселой.

— И кого же поймали в свои сети?

Хуже всего было то, что она находила себя остроумной. Я начала злиться.

— Морские коты не моя специальность, но в остальном улов у меня недурен.

Воцарилось молчание. Его прервал невозмутимый, как всегда, голос Анны:

— Реймон, попросите, пожалуйста, официанта подать соломинки. Без них нельзя пить апельсиновый сок.

Шарль Уэбб тут же подхватил разговор о прохладительных напитках. Моего отца душил смех — я это угадала по тому, как он уткнулся в свой стакан. Анна бросила на меня умоляющий взгляд. И как это принято у тех, кто был на волоске от ссоры, мы тотчас решили, что вместе пообедаем.

За обедом я много пила. Я хотела во что бы то ни стало забыть выражение лица Анны — встревоженное, когда она вглядывалась в отца, и затаенно благодарное, когда взгляд ее задерживался на мне. На все шпильки мадам Уэбб я улыбалась лучезарной улыбкой. Эта тактика сбивала ее с толку. Она стала выходить из себя, Анна знаком просила меня быть сдержанней. Она чувствовала, что мадам Уэбб готова закатить публичный скандал, а Анна не выносила скандалов. Но мне было не привыкать — в нашем кругу такие вещи считались делом обычным. Поэтому я с самым непринужденным видом слушала болтовню мадам Уэбб.

После обеда мы отправились в один из сен-рафаэльских ночных кабачков. Вскоре после нашего прихода появились Эльза с Сирилом. Эльза остановилась на пороге, громко заговорила с гардеробщицей и в сопровождении бедняжки Сирила стала пробираться между столиками. У меня мелькнула мысль, что она ведет себя не как влюбленная, а как уличная девка, но при ее красоте она могла себе это позволить.

— Это что еще за прощелыга? — спросил Шарль Уэбб. — Совсем еще молокосос.

— Это любовь, — залепетала его жена. — Счастливая любовь...

— Вздор, — резко сказал отец. — Просто очередная интрижка.

Я посмотрела на Анну. Она разглядывала Эльзу спокойно, непринужденно, как рассматривала манекенщиц, демонстрировавших ее модели, или просто очень молоденьких женщин. Без тени недоброжелательства. Я почувствовала прилив пылкого восхищения таким отсутствием мелочности и зависти. Впрочем, я вообще считала, что ей нечего завидовать Эльзе. Анна была в сто раз красивее, утонченнее ее. И так как я выпила, я ей высказала это напрямик. Она с интересом взглянула на меня.

— Вот как? По-вашему, я красивее Эльзы?

— Еще бы!

— Что ж, это всегда приятно слышать. Но вы опять слишком много пьете. Дайте сюда стакан. Вас не очень огорчает, что здесь сидит ваш Сирил? Впрочем, видно, что ему скучно.

— Он мой любовник, — весело сказала я.

— Вы совсем пьяны. К счастью, пора домой!

Мы с облегчением распрощались с Уэббами. Состроив самую серьезную мину, я назвала мадам Уэбб «дорогая сударыня». Отец сел за руль, я уронила голову на плечо Анны.

Я думала о том, что она мне милее Уэббов и всех наших обычных знакомых. Что она лучше, достойнее, умнее их. Отец говорил мало. Наверняка вспоминал появление Эльзы.

— Она спит? — спросил он Анну.

— Как дитя. Она вела себя довольно сносно. Если не считать несколько прямолинейного намека на котов...

Отец рассмеялся. Воцарилось молчание. И потом снова раздался голос отца:

— Анна, я люблю вас, люблю вас одну. Вы мне верите?

— Не повторяйте мне этого так часто, я начинаю бояться...

— Дайте мне руку.

Я хотела было выпрямиться и предостеречь: «Нет, только не сейчас, когда машина идет над пропастью». Но я была навеселе. Запах духов Анны, морской ветер в моих волосах, на плече царапинка — след нашей с Сирилом любви. Достаточно причин, чтобы быть счастливой и молчать. Меня клонило в сон. Эльза и бедняжка Сирил, наверное, трясутся на мотоцикле, который мать подарила ему в прошлый день рождения. Эта мысль почему-то растрогала меня до слез. Машина Анны была такая уютная, с таким мягким ходом, в ней так хорошо спалось... А вот кому, должно быть, сейчас не спится, так это мадам Уэбб! Быть может, в ее годы я тоже буду платить мальчишкам, чтобы они меня любили, потому что любовь самая приятная, самая настоящая, самая правильная вещь на свете. И не важно, чем ты за нее платишь. Важно другое — не озлобиться, не завидовать, как она завидует Эльзе и Анне. Я тихонько засмеялась, Анна чуть согнула руку в плече. «Спите», — повелительно сказала она. И я уснула.

ГЛАВА 8

Наутро я проснулась в прекрасном настроении, чувствуя только небольшую усталость и легкую тяжесть в затылке от вчерашних излишеств. Как всегда по утрам, солнечный свет заливал мою кровать;

я сбросила одеяло, скинула пижамную куртку и подставила голую спину солнечным лучам. Положив щеку на согнутую руку, я видела прямо перед собой крупное плетение простыни, а подальше на плитках пола неуверенно копошившуюся мушку. Лучи были теплыми и ласковыми, казалось, они проникают до самых костей и прилагают особые старания, чтобы меня согреть. Я решила, что все утро пролежу вот так, не шевелясь.

Мало-помалу вчерашний вечер все отчетливей оживал в моей памяти. Я вспомнила, как сказала Анне, что Сирил мой любовник, и рассмеялась: если ты пьян, можешь говорить правду — никто не поверит. Вспомнила я мадам Уэбб и мою стычку с ней; я привыкла к женщинам подобного сорта: в этой среде в таком возрасте они зачастую бывали отвратительны из-за своего безделья и стремления взять от жизни побольше. Рядом со сдержанной Анной она показалась мне еще более убогой и надоедливой, чем всегда. Впрочем, этого и следовало ожидать: я не представляла себе, какая из приятельниц отца способна была долго выдерживать сравнение с Анной. В обществе людей подобного рода приятно провести вечер можно либо в подпитии, когда ты для забавы затеваешь с ними спор, либо если ты состоишь в интимных отношениях с кем-либо из супругов. Отцу было проще — для них с Уэббом это был спорт. «Угадай, кто сегодня ужинает и спит со мной? Малютка Марс, которая снималась у Сореля. Захожу я к Дюпюи и как раз...» Отец с хохотом его по плечу: «Счастливчик! Она почти так же хороша, как Эльза». Мальчишество. Но мне нравилось, что они оба вкладывают в него запал, увлеченность. И даже когда нескончаемо долгими вечерами Ламбар на террасе кафе уныло исповедовался отцу: «Я любил ее одну, Реймон! Помнишь весну, перед тем как она уехала... Глупо, когда мужчина всю свою жизнь посвящает одной женщине!» — в этом было что-то непристойное, унизительное, но человечное — двое мужчин изливают друг другу душу за стаканом вина.

Друзья Анны, должно быть, никогда не говорили о самих себе. Да они наверняка и не попадали в такого рода истории. А если уж они говорили о чем-либо подобном, то, наверное, посмеивались из стыдливости. Я чувствовала, что готова разделить с Анной снисходительное отношение к нашим знакомым — любезную и прилипчивую снисходительность... И однако я понимала, что к тридцати годам буду скорее похожа на наших друзей, чем на Анну. Я задохнулась бы от такой неразговорчивости, равнодушия, сдержанности. Наоборот — лет этак через пятнадцать, уже немного пресыщенная, я склонюсь к обаятельному и тоже уже немного уставшему от жизни мужчине и скажу:

— Моего первого любовника звали Сирил. Мне было неполных восемнадцать, на море стояла такая жара...

Я с удовольствием представила себе лицо этого мужчины. С крошечными морщинками, как у отца. В дверь постучали. Я проворно накинула пижамную куртку и крикнула: «Войдите!» Это была Анна — она осторожно держала в руках чашку.

— Я решила, что чашка кофе вам не повредит... Ну как вы — не слишком скверно?

— Превосходно, — ответила я. — Кажется, вчера вечером я немного перебрала.

— Как всегда, когда вы бываете на людях... — Она засмеялась. — Впрочем, должна признаться, что вы меня развлекли... Этот вечер был бесконечным.

Я уже не замечала ни солнца, ни вкуса кофе. Разговор с Анной всегда полностью поглощал мои мысли, я переставала наблюдать себя со стороны, хотя только она и заставляла меня сомневаться в себе. Рядом с ней я переживала насыщенные и трудные минуты.

— Сесиль, вам интересно с людьми вроде Уэббов или Дюпюи?

— Вообще-то их манеры несносны, но сами они забавны.

Она тоже следила за копошившейся на полу мушкой. Наверное, эта мушка — калека, подумала я. У Анны были тяжелые веки с длинными ресницами — ей было легко казаться снисходительной.

— Вы никогда не замечали, насколько однообразны и... как бы это выразиться... тяжеловесны их разговоры? Вам не надоедает слушать все эти рассуждения о контрактах, о девицах, о светских увеселениях?

— Видите ли, — сказала я, — я десять лет провела в монастыре, а эти люди ведут безнравственный образ жизни, и для меня в этом все еще таится какая-то приманка.

Я не решилась признаться, что мне это просто нравится.

— Но вот уже два года... — сказала она. — Впрочем, тут бесполезно рассуждать или морализировать, это вопрос внутреннего ощущения, шестого чувства...

Как видно, я была его лишена. Я явственно сознавала, что в этом плане мне чего-то не хватает.

— Анна, — сказала я внезапно. — Как, по-вашему, я умная?

Она рассмеялась, удивленная прямолинейностью вопроса.

— Ну конечно же! Почему вы спросили?

— Если бы я была набитой дурой, вы все равно ответили бы то же самое, — вздохнула я. — Я иногда так остро чувствую ваше превосходство...

— Это всего лишь вопрос возраста. Было бы весьма печально, если бы у меня не было чуть больше уверенности в себе, чем у вас. Я могла бы подпасть под ваше влияние.

Она засмеялась. Я была уязвлена.

— А может, в этом не было бы ничего страшного!

— Это была бы катастрофа, — сказала она.

Она вдруг отбросила шутливый тон и в упор взглянула на меня. Мне стало не по себе. Есть люди, которые в разговоре с тобой непременно смотрят тебе в глаза, а не то еще подходят к тебе вплотную, чтобы быть уверенными, что ты их слушаешь, — я и по сю пору не могу свыкнуться с этой манерой. Кстати сказать, их расчет неверен, потому что я в этих случаях думаю лишь об одном — как бы увильнуть, уклониться от них, я бормочу: «Да-да», переминаюсь с ноги на ногу и при первой возможности убегаю на другой конец комнаты; их навязчивость, нескромность, притязания на исключительность приводят меня в ярость. Анна, по счастью, не видела необходимости завладеть мною таким способом — она ограничивалась тем, что смотрела мне прямо в глаза, и мне становилось трудно сохранять в разговоре с ней тот непринужденный, беспечный тон, какой я на себя напускала.

— Знаете, как обычно кончают мужчины вроде Уэбба?

Я мысленно добавила: «И моего отца».

— Под забором, — отшутилась я.

— Наступает время, когда они теряют свое обаяние и, как говорится, «форму». Они уже не могут пить, но все еще помышляют о женщинах; только теперь им приходится за это платить, идти на бесчисленные мелкие уступки, чтобы спастись от одиночества. Они смешны и несчастны. И вот тут-то они становятся сентиментальны и требовательны... Скольких я уже наблюдала, когда они совершенно опускались.

— Бедняга Уэбб! — сказала я.

Мне было не по себе. И в самом деле — такой конец угрожал и моему отцу! Во всяком случае, угрожал бы, не возьми его Анна под свою опеку.

— Вы об этом не задумывались, — сказала Анна с едва заметной сострадательной улыбкой. — Вы редко думаете о будущем — правда ведь? Это привилегия молодости.

— Пожалуйста, не колите мне глаза моей молодостью, — сказала я. — Я никогда не прикрывалась ею — я вовсе не считаю, что она дает какие-то привилегии или что-то оправдывает. Я не придаю ей значения.

— А чему вы придаете значение? Своему покою, независимости?

Я боялась подобных разговоров, в особенности с Анной.

— Ничему. Вы же знаете, я почти ни о чем не думаю.

— Я немного сержусь на вас и вашего отца... «Никогда ни о чем не думаю... ничего не умею... ничего не знаю». Вам нравится быть такой?

— Я себе не нравлюсь. Я себя не люблю и не стремлюсь любить. Но вы иногда усложняете мне жизнь, и за это я почти злюсь на вас.

Она, задумавшись, стала что-то напевать, мелодия была знакомая, но я не могла вспомнить, что это.

— Что это за песенка, Анна, это меня мучает...

— Сама не знаю. — Она снова улыбалась, хотя не без некоторого разочарования. — Полежите, отдохните, а я буду продолжать изучение интеллектуального уровня семьи в другом месте.

«Еще бы, — думала я. — Отцу-то это легко». Я так и слышала, как он отвечает: «Я ни о чем не думаю, потому что люблю вас, Анна». И как ни умна Анна, этот ответ наверняка кажется ей убедительным. Я медленно, со вкусом потянулась и снова уткнулась в подушку. Вопреки тому, что я сказала Анне, я много размышляла. Конечно, она сгущает краски: лет через двадцать пять мой отец будет симпатичным седовласым шестидесятипятилетним мужчиной, питающим некоторую слабость к виски и красочным воспоминаниям. Мы будем выезжать вместе. Я стану поверять ему свои похождения, он — давать мне советы. Я сознавала, что вычеркиваю Анну из нашего будущего: я не могла, мне не удавалось найти ей место в нем. Я не могла представить себе, как в нашей беспорядочной квартире, то запустелой, то заваленной цветами, в которой снуют посторонние люди, звучат чужие голоса и вечно валяются чьи-то чемоданы, воцарится порядок, тишина, гармония — то, что Анна вносила повсюду как самое драгоценное достояние. Я страшно боялась, что буду умирать от скуки. Правда, с тех пор как благодаря Сирилу я узнала настоящую, физическую любовь, я гораздо меньше опасалась влияния Анны. Это вообще избавило меня от многих страхов. Но я больше всего боялась скуки и покоя. Нам с отцом для внутреннего спокойствия нужна была внешняя суета. Но Анна никогда бы ее не потерпела.

ГЛАВА 9

Я подробно рассказываю об Анне и о самой себе и почти не говорю об отце. Но не потому, что не он был главным действующим лицом в этой истории, и не потому, что он мало меня интересует. Никого в жизни я не любила так сильно, как его, и из всех чувств, какие обуревали меня в ту пору, чувства к нему были самыми стойкими, глубокими, и ими я особенно дорожила. Но я слишком хорошо его знаю, чтобы с легкостью болтать о нем, да и слишком мы похожи друг на друга. Однако именно его характер я в первую очередь должна объяснить, чтобы как-то оправдать его поведение. Его нельзя было назвать ни тщеславным, ни эгоистичным. Но он был легкомыслен — неисправимо легкомыслен. Я не могу даже сказать, что он был не

способен на глубокие чувства, что он был человек безответственный.
Его любовь ко мне не была пустой забавой или просто отцовской привычкой. Ни из-за кого он так не страдал, как из-за меня. Да и я сама — я потому и впала в отчаяние в тот памятный день, что он как бы отмахнулся от меня, отвратил от меня свой взгляд. Ни разу он не пожертвовал мною во имя своих страстей. Ради того чтобы проводить меня вечером домой, он не однажды упускал то, что Уэбб называл «роскошной возможностью». Но в остальном — не стану отрицать — он был во власти своих прихотей, непостоянства, легкомыслия. Он не мудрствовал. Он все на свете объяснял причинами физиологическими, которые считал самыми важными. «Ты сама себе противна? Спи побольше, поменьше пей». Точно так же он рассуждал, если его страстно влекло к какой-нибудь женщине, — он не пытался ни обуздать свое желание, ни возвысить его до более сложного чувства. Он был материалист, но при этом деликатный, чуткий и, по сути дела, очень добрый человек.

Желание, которое влекло его к Эльзе, тяготило его, но отнюдь не в том смысле, как можно предположить. Он не говорил себе: «Я собираюсь обмануть Анну. А значит, я ее меньше люблю». Наоборот: «Экая досада, что меня так тянет к Эльзе. Надо побыстрее добиться своего, иначе мне не миновать осложнений с Анной». При этом он любил Анну, восхищался ею, она внесла перемену в его жизнь, вытеснив череду доступных неумных женщин, с какими он имел дело в последние годы. Она тешила одновременно его тщеславие, чувственность и чувствительность, потому что понимала его, помогала ему своим умом и опытом; но зато я далеко не так уверена, сознавал ли он, насколько серьезно ее чувство к нему! Он считал ее идеальной любовницей, идеальной матерью для меня. Но приходило ли ему в голову смотреть на нее как на «идеальную жену» со всеми вытекающими отсюда обязательствами? Сомневаюсь. Убеждена, что в глазах Сирила и Анны он, как и я, был неполноценным в эмоциональном отношении. Однако это вовсе не мешало ему кипеть страстями, потому что он считал это естественным и вкладывал в это все свое жизнелюбие.

Когда я замышляла изгнать Анну из нашей жизни, я не беспокоилась о нем. Я знала, что он утешится, как утешался всегда: ему куда легче перенести разрыв, чем упорядоченную жизнь. По сути дела, его, как и меня, подкосить и сокрушить могла только привычка и однообразие. Мы с ним были одного племени, и я то убеждала себя, что это прекрасное, чистокровное племя кочевников, то говорила себе, что это жалкое, выродившееся племя прожигателей жизни.

В данный момент отец страдал — во всяком случае, изнывал от досады. Эльза стала для него символом прошлой жизни, молодости вообще, и прежде всего, его собственной молодости. Я чувствовала, что он умирает от желания сказать Анне: «Дорогая моя, отпустите меня на один денек. С помощью этой девки я должен убедиться, что еще не вышел в тираж. Стоит мне вновь почувствовать усталость ее тела, и я успокоюсь». Но он не мог этого сказать. И не потому, что Анна была ревнивицей, твердыней добродетели и к ней нельзя было подступиться с подобными разговорами; просто, согласившись жить с отцом, она, несомненно, поставила условия: что с бездумным развратом покончено, что он не школьник, а мужчина, которому она вручает свою судьбу, и, следовательно, он должен вести себя соответственно, а не быть жалким рабом собственных прихотей. Кто мог бы упрекнуть за это Анну? Это был вполне естественный, здоровый расчет, но это не могло помешать отцу желать Эльзу. Желать ее чем дальше, тем больше, желать ее вдвойне, как всякий запретный плод.

И конечно же, в эту пору в моей власти было все уладить. Достаточно было посоветовать Эльзе, чтобы она ему уступила, и под любым предлогом на один вечер увезти Анну в Ниццу или еще куда-нибудь. Дома нас встретил бы отец, успокоенный и снова преисполненный нежности к предмету узаконенной любви или любви, которая, во всяком случае, станет узаконенной по возвращении в Париж. Ведь и с тем, чтобы остаться такой же любовницей, как другие, — то есть временной, Анна тоже никогда бы не примирилась. Ох, как усложняло нам жизнь ее чувство собственного достоинства, самоуважения!..

Но я не советовала Эльзе уступить отцу и не просила Анну съездить со мной в Ниццу. Я хотела, чтобы скрытое желание выплеснулось наружу и толкнуло отца на ложный шаг. Я не могла снести высокомерия, с каким Анна относилась к нашей прошлой жизни, того, что она походя презирала все, что составляло наше с отцом счастье. Я хотела не то чтобы унизить ее, но заставить принять наш взгляд на жизнь. Пусть узнает, что отец ее обманул, и трезво оценит это событие как чисто плотскую прихоть, а не как покушение на ее личное достоинство и честь. Если уж ей хочется любой ценой оказаться правой, пусть позволит нам быть виноватыми.

Я даже делала вид, что не замечаю мучений отца. Главное, нельзя было допустить, чтобы он вздумал мне исповедоваться, пытался превратить меня в свою сообщницу, заставил вести переговоры с Эльзой и удалить Анну.

Мне приходилось делать вид, что я считаю его любовь к Анне священной, как и саму Анну. И должна признаться, что для меня это не составляло труда. Мысль, что он может обмануть Анну, наполняла меня ужасом и смутным восхищением.

Тем временем мы проводили счастливые дни: я не упускала случая подогреть страсть отца к Эльзе. Лицо Анны больше не пробуждало во мне укоров совести. Иногда я начинала думать, что она смирится с происшедшим и наша совместная с ней жизнь сложится в соответствии не только с ее вкусами, но и с нашими. С другой стороны, я часто виделась с Сирилом, и мы тайком любили друг друга. Запах сосен, шум моря, прикосновение его тела... Его начало мучить раскаяние, роль, которую я ему навязала, была ему противна, он соглашался на нее только потому, что я убедила его, будто это необходимо ради нашей любви. Все это требовало от меня двоедушия, игры в молчанку с самой собой, но почти никаких усилий и лжи. (А ведь я уже говорила, что никогда не судила себя ни за что, кроме поступков.)

Я не задерживаюсь на этом периоде, потому что, перебирая воспоминания, боюсь наткнуться на такие, от которых на меня накатывает тоска. И так уже, стоит мне вспомнить счастливый смех Анны, то, как она была мила со мной, и я чувствую, что меня словно ударили — нанесли удар ниже пояса, — мне больно, я задыхаюсь от злости на самое себя. Я так близка к тому, что называют муками нечистой совести, что мне приходится искать спасения в простых жестах — закурить сигарету, поставить пластинку, позвонить приятелю. Мало-помалу мысли мои отвлекаются. Но мне не нравится, что я вынуждена цепляться за свою короткую память, за легковесность своего ума, вместо того чтобы с ними бороться. Я не люблю признаваться в этих своих свойствах даже тогда, когда могла бы порадоваться им.

ГЛАВА 10

Удивительное дело — судьба любит являться нам в самом недостойном или заурядном обличье. В то лето она избрала обличье Эльзы. Что ж, красивое или, вернее, привлекательное обличье. К тому же Эльза великолепно смеялась, заразительно, самозабвенно, как это свойственно одним только недалеким людям.

Я быстро уловила, как действует этот смех на отца, и подстрекала Эльзу выжимать из него все возможное, когда нам предстояло «застигнуть» ее с Сирилом. «Как только услышите, что мы с отцом близко, — наставляла я ее, — ничего не говорите, просто смейтесь». И едва раздавался этот упоенный смех, лицо отца мгновенно искажалось от ярости. Роль режиссера по-прежнему увлекала меня. Все мои удары попадали точно в цель: при виде Эльзы и Сирила, которые выставляли напоказ свои несуществующие, но вполне правдоподобные отношения, мы оба с отцом бледнели, вся кровь отливала от моего лица, так же как от его, это была загнанная вглубь жажда обладания, которая хуже любой муки. Сирил, Сирил, склонившийся над Эльзой... Это зрелище разрывало мне сердце, а между тем я сама подготавливала его вместе с Сирилом и Эльзой, не подозревая, какой силой оно обладает. На словах все легко и просто; но стоило мне увидеть профиль Сирила, его смуглую гибкую шею, склоненную над приподнятым к нему лицом Эльзы, и я готова была отдать все на свете, чтобы этого не было. Я забывала, что сама это подстроила.

Но если отбросить эти эпизоды, повседневная жизнь была заполнена доверием, нежностью и — мне больно произнести это слово — счастьем Анны. Да, никогда я не видела ее более счастливой — она вверяла себя нам, эгоистам, не подозревая ни о наших бурных желаниях, ни о моих гнусных мелких интригах. На это я и рассчитывала: из сдержанности, гордости она инстинктивно избегала каких бы то ни было ухищрений, чтобы крепче привязать отца, какого бы то ни было кокетства, кроме одного — была красивой, умной и нежной. Мало-помалу я начинала ее жалеть. Жалость — приятное чувство, устоять перед ним так же трудно, как перед музыкой военного оркестра. Можно ли ставить мне его в вину?

Однажды утром необычайно взволнованная горничная принесла мне записку от Эльзы: «Все улаживается, приходите!» Мне почудилось, будто стряслась катастрофа — я ненавижу развязки. И все-таки я пришла к Эльзе на пляж, лицо ее сияло торжеством:

— Час назад я наконец-то встретилась с вашим отцом.

— Что он вам сказал?

— Сказал, что ужасно жалеет о том, что произошло, что вел себя по-хамски. Это ведь правда?

Мне пришлось согласиться.

— Потом наговорил мне комплиментов, как умеет он один... Знаете, этаким небрежным тоном, очень тихо; словно ему тяжело говорить... таким тоном...

Я пресекла ее идиллические воспоминания.

— К чему он клонил?

— Ни к чему!.. То есть нет, он пригласил меня выпить с ним в поселке чашку чаю, чтобы доказать, что я не таю на него обиды, что я женщина современная, с широкими взглядами...

Представления моего отца о широте взглядов молодых рыжеволосых женщин развеселили меня.

— Что тут смешного? Идти мне туда или нет?

Я едва не ответила ей: «А мне какое дело?» Потом сообразила, что она видит во мне виновницу успеха своих маневров. Справедливо или нет, но я разозлилась.

— Не знаю, Эльза. Все зависит от вас; не спрашивайте меня каждую минуту, что вам делать, — можно подумать, будто это я заставляю вас...

— А кто же еще, — сказала она. — Это все благодаря вам...

Восхищение, звучавшее в ее голосе, вдруг перепугало меня.

— Идите, если вам хочется, но, ради бога, не рассказывайте мне больше ни о чем!

— Но ведь... ведь его надо освободить от этой женщины... Сесиль!

Я обратилась в бегство. Пусть отец делает что хочет, пусть Анна выпутывается как знает! К тому же у меня было назначено свидание с Сирилом. Мне казалось, что только любовь может избавить меня от цепенящего страха.

Сирил молча обнял меня, увлек за собой. Рядом с ним все было просто — все заполнялось страстью, наслаждением. Немного погодя, прильнув к нему, к его золотистому, влажному от пота телу, сама обессиленная и потерянная, точно потерпевшая кораблекрушение, я сказала ему, что ненавижу себя. Я сказала это с улыбкой, потому что это была правда, но я не мучилась, а испытывала какую-то приятную покорность судьбе. Он не принял моих слов всерьез.

— Все это пустяки. Я так люблю тебя, что смогу тебя переубедить. Я тебя люблю, так люблю...

Ритм этой фразы неотступно преследовал меня за обедом: «Я тебя люблю, так люблю». Вот почему, несмотря на все старания, я только смутно припоминаю подробности этого обеда. На Анне было платье сиреневого цвета, как тени под ее глазами, как сами ее глаза. Отец смеялся, явно умиротворенный: для него все складывалось к лучшему. За десертом он объявил, что под вечер ему надо отлучиться в поселок. Я мысленно улыбнулась. Я устала, я решила — будь что будет. Мне хотелось одного — искупаться.

В четыре часа я спустилась на пляж. На террасе я столкнулась с отцом — он собирался в поселок; я ничего ему не сказала. Даже не посоветовала вести себя осторожней.

Вода была ласковая и теплая. Анна не показывалась — должно быть, рисовала у себя в комнате свои модели, а отец тем временем любезничал с Эльзой. Через два часа солнце уже перестало греть, я поднялась на террасу, села в кресло и развернула газету.

В эту минуту я и увидела Анну; она появилась из леса. Она бежала, кстати сказать, очень плохо, неуклюже, прижав локти к телу. У меня вдруг мелькнула непристойная мысль — что бежит старая женщина, что она вот-вот упадет. Я оцепенела: она скрылась за домом в той стороне, где был гараж. Тогда я вдруг поняла и тоже бегом устремилась за нею.

Она уже сидела в своей машине и включила зажигание. Я ринулась к ней и повисла на дверце.

— Анна, — сказала я. — Анна, не уезжайте, это недоразумение, это моя вина, я объясню вам...

Она меня не слушала, не смотрела на меня, она наклонилась, чтобы освободить тормоз.

— Анна, вы нам так нужны!

Тогда она выпрямилась — лицо ее было искажено. Она плакала. И тут я вдруг поняла, что подняла руку не на некую абстракцию, а на существо, которое способно чувствовать и страдать. Когда-то она была девочкой, наверное, немного скрытной, потом подростком, потом женщиной. Ей исполнилось сорок лет, она была одинока, она полюбила и надеялась счастливо прожить с любимым человеком десять, а может, и двадцать лет. А я... ее лицо... это было делом моих рук. Я была потрясена, я как в ознобе колотилась о дверцу машины.

— Вам не нужен никто, — прошептала она, — ни вам, ни ему.

Мотор завелся. Я была в отчаянии, я не могла ее так отпустить.

— Простите меня, умоляю вас...

— Простить? Вас? За что?

Слезы градом катились по ее лицу. Она, как видно, этого не замечала, черты ее застыли.

— Бедная моя девочка!..

Она на секунду коснулась рукой моей щеки и уехала. Машина скрылась за углом дома. Я была в смятении, в отчаянии... Все произошло так быстро! И какое у нее было лицо, какое лицо...

За моей спиной раздались шаги — это был отец. Он успел стереть следы Эльзиной помады и стряхнуть с костюма хвойные иглы. Я обернулась, я налетела на него:

— Подлец, подлец!

И разрыдалась.

— Что случилось? Неужели Анна? Сесиль, скажи мне, Сесиль...

ГЛАВА 11

Мы встретились только за ужином, оба тяготясь так внезапно обретенной возможностью снова побыть с глазу на глаз. У меня кусок не шел в горло, у него тоже. Мы оба чувствовали, что нам необходимо вернуть Анну. Лично я просто не могла бы долго вынести ни воспоминания о ее потерянном лице, какое я увидела перед отъездом, ни мысли о ее горе и моей вине. Я позабыла все свои терпеливые ухищрения и хитроумные планы. Я была совершенно растерянна, выбита из колеи и такое же чувство читала на лице отца.

— Как ты думаешь, она надолго бросила нас? — спросил он наконец.

— Она наверняка уехала в Париж, — сказала я.

— В Париж... — задумчиво прошептал отец.

— Может, мы ее никогда больше не увидим...

Он в смятении поглядел на меня и через стол протянул мне руку.

— Представляю, как ты сердишься на меня. Сам не знаю, что на меня нашло. Мы с Эльзой возвращались лесом, и она... В общем, я ее поцеловал, а в эту минуту, наверное, подошла Анна...

Я его не слушала. Отец и Эльза, обнявшиеся в тени сосен, казались мне какими-то водевильными, бесплотными персонажами — я их не видела. Единственно реальным за весь этот день, до боли реальным было лицо Анны — ее лицо в последний миг, искаженное мукой лицо человека, которого предали. Я взяла сигарету из отцовской пачки и закурила. Вот еще одна вещь, которой не терпела Анна, — когда курят за едой. Я улыбнулась отцу.

— Я все понимаю, ты не виноват... Как говорится, минута слабости. Но надо, чтобы Анна нас простила, вернее, простила тебя.

— Как же быть? — спросил он.

Вид у него был глубоко несчастный. Мне стало его жаль, потом стало жаль себя; как могла Анна нас бросить, неужели хочет наказать нас за то, что в конце концов было просто мимолетной шалостью? Разве у нее нет обязанностей по отношению к нам?

— Мы ей напишем, — сказала я, — и попросим у нее прощения.

— Гениальная мысль! — воскликнул отец.

Наконец-то он нашел способ избавиться от покаянного бездействия, в котором мы томились вот уже три часа.

Не докончив ужина, мы сдвинули в сторону скатерть и приборы, отец принес большую настольную лампу, ручки, чернильницу, свою личную почтовую бумагу, и мы сели друг напротив друга, только что не с улыбкой, настолько уверовали благодаря этой мизансцене в возможность возвращения Анны. Перед окном выписывала мягкие кривые летучая мышь. Отец наклонил голову и начал писать.

Не могу вспомнить без мучительной для меня жестокой издевки письма, преисполненные добрых чувств, которые мы в тот вечер написали Анне. При свете лампы, вдвоем, прилежные и неумелые, как школьники, мы трудились в тишине над невыполнимым заданием: «Вернуть Анну». Тем не менее мы сотворили два шедевра на эту тему, полные чистосердечных извинений, любви и раскаяния. Закончив письмо, я уже почти не сомневалась, что Анна не сможет устоять, что примирение неизбежно. Я уже воображала сцену прощения, окрашенную стыдливостью и юмором... Это произойдет в Париже, в нашей гостиной, Анна войдет и...

Раздался телефонный звонок. Было десять часов вечера. Мы посмотрели друг на друга с удивлением, потом с надеждой: это же Анна, она звонит, что она простила, она возвращается. Отец ринулся к телефону, весело крикнул: «Алло!»

А потом упавшим голосом повторял только: «Да, да. Где? Да, да». Я тоже встала, во мне зашевелился страх. Я смотрела на отца, на то, как он машинально проводит рукой по лицу. Наконец он осторожно положил трубку и повернулся ко мне.

— Случилось несчастье, — сказал он, — ее машина разбилась на дороге в Эстерель. Они не сразу узнали ее адрес! Позвонили в Париж, а там им дали здешний телефон...

Он говорил машинально, на одной ноте, я не осмеливалась его перебить.

— Катастрофа произошла в самом опасном месте. Там как будто это уже не первый случай... Машина упала с пятидесятиметровой высоты. Было бы чудом, если бы она осталась жива...

Остаток этой ночи вспоминается мне как в каком-то кошмаре. Дорога, освещенная фарами, застывшее лицо отца, двери больницы... Отец не разрешил мне посмотреть на нее. Я сидела на скамье в приемном покое и глядела на литографию с видом Венеции. Я ни о чем не думала. Сестра рассказала мне, что с начала лета это уже шестая катастрофа в этом самом месте. Отец не возвращался.

И я подумала, что снова — даже в том, как она умерла, — Анна оказалась не такой, как мы. Вздумай мы с отцом покончить с собой — если предположить, что у нас хватило бы на это мужества, — мы пустили бы себе пулю в лоб и при этом оставили бы записку с объяснением, чтобы навсегда лишить виновных сна и покоя. Но Анна сделала нам царский подарок — предоставила великолепную возможность верить в несчастный случай: опасное место, а у нее неустойчивая машина... И мы по слабости характера вскоре примем этот подарок. Да и вообще, если я говорю сегодня о самоубийстве, это довольно-таки романтично с моей стороны. Разве можно покончить с собой из-за таких людей, как мы с отцом, из-за людей, которым никто не нужен — ни живой, ни мертвый. Впрочем, мы с отцом никогда и не называли это иначе как несчастным случаем.

На другой день часов около трех мы вернулись домой. Эльза с Сирилом ждали нас, сидя на ступеньках лестницы. Они поднялись нам навстречу — две нелепые, позабытые фигуры: ни тот, ни другая не знали Анну и не любили ее. Вот они стоят с их ничтожными любовными переживаниями, в двойном соблазне своей красоты, в смущении. Сирил шагнул ко мне, положил руку мне на плечо. Я посмотрела на него — я никогда его не любила. Он казался мне славным, привлекательным, я любила наслаждение, которое он мне дарил, но он мне не нужен. Я скоро уеду, прочь от этого дома, от этого юноши, от этого лета. Рядом стоял отец, он взял меня под руку, и мы вошли в дом.

Дома был жакет Анны, ее цветы, ее комната, запах ее духов. Отец закрыл ставни, вынул из холодильника бутылку и два стакана. Это было единственное доступное нам утешение. Наши покаянные письма все еще валялись на столе. Я смахнула их, они плавно опустились на пол. Отец, направлявшийся ко мне с полным стаканом в руке, поколебался, потом обошел их стороной. Это движение показалось мне символическим, с отпечатком дурного вкуса. Я взяла стакан обеими руками и залпом его осушила. Комната была погружена в полумрак, у окна маячила тень отца. О берег плескалось море.

ГЛАВА 12

А потом был солнечный день в Париже, похороны, толпа любопытных, траур. Мы с отцом пожимали руки старушкам — родственницам Анны. Я с любопытством разглядывала их: они, наверное, приходили бы к нам раз в году пить чай. На отца глядели с соболезнованием: Уэбб, должно быть, распустил слухи о предстоящей свадьбе. Я заметила Сирила — он поджидал меня у входа. Я уклонилась от встречи с ним. Мое раздражение против него было ничем не оправдано, но я не могла его подавить... Окружающие скорбели о нелепом и трагическом происшествии, и, так как у меня оставались сомнения насчет того, была ли эта смерть случайной, все эти разговоры доставляли мне удовольствие.

На обратном пути в машине отец взял мою руку и сжал в своей. Я подумала: «У тебя не осталось никого, кроме меня, у меня — никого, кроме тебя, мы одиноки и несчастны», — и в первый раз заплакала. Это были почти отрадные слезы, в них не было ничего общего с той опустошенностью, какую я испытала в больнице перед литографией с видом Венеции. Отец с искаженным лицом молча протянул мне платок.

Целый месяц мы жили как вдовец и сирота, обедали и ужинали вдвоем, никуда не выезжали. Изредка говорили об Анне: «А помнишь, как в тот день...» Говорили с осторожностью, отводя глаза, боялись причинить себе боль, боялись — вдруг кто-нибудь из нас сорвется и произнесет непоправимые слова. За эту осмотрительность и деликатность мы были вознаграждены. Вскоре мы смогли говорить об Анне обыкновенным тоном, как о дорогом существе, с которым мы были счастливы, но которое отозвал Господь Бог. Словом «Бог» я заменяю слово «случай», но в Бога мы не верили. Спасибо и на том, что в этих обстоятельствах мы могли верить в случай.

Потом в один прекрасный день у одной из подруг я познакомилась с каким-то ее родственником — он мне понравился, я ему тоже. Целую неделю я повсюду появлялась с ним с постоянством и неосторожностью, присущими началу любви, и отец, плохо переносивший одиночество, тоже стал бывать повсюду с одной молодой и весьма тщеславной дамой. И началась прежняя жизнь, как это и должно было случиться. Встречаясь, мы с отцом смеемся, рассказываем друг другу о своих победах. Он, конечно, подозревает, что мои отношения с Филиппом отнюдь не платонические, а я прекрасно знаю, что его новая подружка обходится ему очень дорого. Но мы счастливы. Зима подходит к концу, мы снимем не прежнюю виллу, а другую, поближе к Жуан-ле-Пену.

Но иногда на рассвете, когда я еще лежу в постели, а на улицах Парижа слышен только шум машин, моя память вдруг подводит меня: передо мной встает лето и все связанные с ним воспоминания. Анна, Анна! Тихо-тихо и долго-долго я повторяю в темноте это имя! И тогда что-то захлестывает меня, и, закрыв глаза, я окликаю это что-то по имени: «Здравствуй, грусть!»

Смутная улыбка

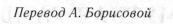

Перевод А. Борисовой

> *Любовь — это то, что происходит между двумя людьми, которые любят друг друга.*
>
> *Роже Вайан*

ЧАСТЬ I

ГЛАВА 1

После двенадцати мы сидели в кафе на улице Сен-Жак, это был обычный весенний день, такой же, как все. Я немного скучала, потихоньку; пока Бертран обсуждал лекцию Спайра, я бродила от проигрывателя к окну. Помню, облокотившись на проигрыватель, я засмотрелась на пластинку, как она медленно поднимается, потом ложится на сапфировое сукно, прикасаясь к нему нежно, будто щека к щеке. И, не знаю почему, меня охватило сильное ощущение счастья: в тот момент я вдруг физически остро почувствовала, что когда-нибудь умру, и рука моя уже не будет опираться на этот хромированный бортик, и солнце уже не будет смотреть в мои глаза.

Я обернулась к Бертрану. Он смотрел на меня и, увидев мою улыбку, встал. Он и мысли не допускал, что я могу быть счастлива без него. Я имела право на счастье только в те минуты, которые были важными для нашей совместной жизни. Я уже начала понимать это, но в тот день мне это было невыносимо — и я отвернулась. Рояль и кларнет, чередуясь, выводили «Покинутый и любимый», мне был знаком каждый звук.

Я встретила Бертрана в прошлом году, во время экзаменов. Мы провели бок о бок беспокойную неделю, пока я не уехала на лето к родителям. В последний вечер он меня поцеловал. Потом он мне писал. Сначала о пустяках. Затем тон его изменился. Я следила за этими изменениями не без некоторого волнения, и когда он написал мне: «Смешно так говорить, но, кажется, я люблю тебя», — я не солгала, ответив ему в том же тоне: «И правда смешно, но я тоже тебя люблю». Это вышло как-то само собой, вернее, внешне было созвучно тому, что написал мне он. В доме моих родителей, на берегу Ионны, было не очень весело. Я ходила на высокий берег и, глядя на скопище желтых водорослей, на их колыхание, начинала бросать шелковистые, обкатанные камешки, черные и стремительные на глади волн, как ласточки. Все лето я про себя повторяла: «Бертран», думая о будущем. В конце концов, договориться о взаимной страсти в письме было вполне в моем духе.

И вот теперь Бертран стоял позади меня. Он протягивал мне стакан. Я обернулась, и мы оказались лицом к лицу. Он всегда немного обижался на то, что я не принимала участия в их спорах. Я любила читать, но говорить о литературе мне было скучно.

Он никак не мог к этому привыкнуть.

— Ты всегда ставишь одну и ту же мелодию. И знаешь, я ее очень люблю.

Последнее он постарался сказать равнодушно, и я вспомнила, что первый раз мы слушали эту пластинку вместе. Я постоянно обнаруживала в нем ростки сентиментальности — он помнил какие-то вещи, служившие вехами в нашей связи, которые моя память не сохранила. «Ведь он ничего не значит для меня, — вдруг подумала я, — мне скучно, я ко всему равнодушна, ничего не ощущаю, ровным счетом ничего». И снова чувство какого-то бессмысленного возбуждения подступило к горлу.

— Мне нужно повидать моего дядю-путешественника, — сказал Бертран. — Ты пойдешь?

Он прошел мимо меня, и я последовала за ним. Я не знала дядю-путешественника и не испытывала ни малейшего желания его узнать. Но что-то заставляло меня идти за этим молодым человеком, глядя на его чисто выбритый затылок, соглашаться, не сопротивляясь, а тем временем в голове моей проносились обрывки мыслей, холодные и ускользающие, как маленькие рыбки. Впрочем, я чувствовала к Бертрану нежность. Мы шли с ним по бульвару, звуки наших шагов сливались так же, как ночью сливались наши тела; он держал меня за руку; мы были такие изящные, так хорошо смотрелись, как на картинке.

Пока мы шли по бульвару и стояли на площадке автобуса, который вез нас к дяде-путешественнику, я любила Бертрана. Из-за тряски меня бросало к нему, он смеялся и обнимал меня, защищая от толчков. Я прислонилась к нему, к его плечу, к мужскому плечу, такому удобному, чтобы положить на него голову. Я вдыхала его запах, он был мне хорошо знаком, он волновал меня. Бертран был моим первым любовником. Это благодаря ему я узнала, как пахнет мое собственное тело. Так всегда, благодаря телу другого мы узнаем собственное, его длину, запах, сначала с недоверием, потом с признательностью.

Бертран говорил мне о своем дяде-путешественнике, которого он, видимо, не любил. Он рассказывал о его поездках так, будто это была сплошная комедия; Бертран постоянно выискивал комедии в чужих жизнях, так что начал побаиваться, не разыгрывает ли комедию и он, сам того не замечая. Мне это казалось комичным. Его это приводило в ярость.

Дядя-путешественник ждал Бертрана на террасе кафе. Когда я заметила его, то сказала Бертрану, что он весьма недурен. Но мы уже подошли к нему, он поднялся.

— Люк, — сказал Бертран, — я пришел с подругой, это Доминика. Это мой дядя Люк — путешественник.

Я была приятно удивлена. Я подумала: «Очень даже ничего этот дядя-путешественник». У него были серые глаза, лицо усталое, пожалуй, грустное. Он был по-своему красив.

— Как прошла последняя поездка? — спросил Бертран.

— Отвратительно. В Бостоне пришлось заниматься скучнейшим делом о наследстве. Всякие заплесневелые адвокаты суют носы во все углы. Очень надоело. А что у тебя?

— У нас через два месяца экзамены, — сказал Бертран.

Слова «у нас» он подчеркнул. В этом была супружеская сторона Сорбонны: говорить об экзаменах, как о грудном младенце.

Дядя повернулся ко мне:

— Вы тоже сдаете экзамены?

— Да, — сказала я неопределенно. (Моя деятельность всегда заставляла меня испытывать некоторый стыд.)

— У меня кончились сигареты, — сказал Бертран.

Он встал, и я проследила за ним взглядом. Он шел быстро, упругой походкой. Когда я порой думала, что весь этот набор мускулов, рефлексов, матовой кожи принадлежит мне, то всегда считала это удивительным подарком.

— Чем вы занимаетесь, кроме экзаменов? — спросил дядя.

— Ничем, — ответила я. — Всякой ерундой. — Я вяло махнула рукой.

Он поймал мою руку на лету. Я смотрела на него озадаченная. В голове моей пронеслось: «Он мне нравится. Немного староват, и он мне нравится». Но он опустил мою руку на стол и улыбнулся:

— У вас все пальцы перепачканы чернилами. Это хороший признак. Вы успешно сдадите экзамены и будете блестящим адвокатом, хотя по вашему виду не скажешь, что вы разговорчивы.

Я засмеялась вместе с ним. Мне захотелось, чтобы он стал моим другом.

Но тут вернулся Бертран; Люк заговорил с ним. Я не вслушивалась в их разговор. Люк говорил медленно, у него были большие руки. Я подумала: «Типичный соблазнитель юных девиц моего склада». Я насторожилась. Не настолько, впрочем, чтобы не почувствовать легкого укола, когда он предложил нам позавтракать через день всем вместе, но уже с его женой.

ГЛАВА 2

Два дня до этого завтрака у Люка прошли довольно скучно. Да и в самом деле, что мне было делать? Готовиться к экзамену, от которого я не ждала ничего особенного, валяться на солнце, заниматься любовью с Бертраном без особенной взаимности с моей стороны? Я, впрочем, любила его. Доверие, нежность, уважение — я не пренебрегала всем этим, мало думая о страсти. Такое отсутствие подлинных чувств казалось мне наиболее нормальным способом существования. Жить, в конце концов, значило устраиваться как-нибудь так, чтобы быть максимально довольным. Но и это не так легко.

Я жила в частном пансионе, населенном одними студентами. Хозяева отличались широким взглядом на вещи, и я спокойно могла возвращаться домой в час, в два ночи. У меня была большая, с низким потолком комната, совершенно голая, потому что мои первоначальные планы как-то ее украсить быстро провалились. От убранства комнаты я требовала одного — чтобы оно мне не мешало. В доме царил тот самый провинциальный дух, который я так люблю. Мое окно выходило во двор, огороженный низкой стеной, над ней кое-как примостилось небо, всегда урезанное по краям, зажатое со всех сторон небо Парижа, иногда вырывавшееся в убегающую даль над какой-нибудь улицей или балконом, волнующее и нежное.

Я вставала, ходила на лекции, встречалась с Бертраном, мы завтракали. Библиотека Сорбонны, кино, занятия, террасы кафе, друзья. По вечерам мы ходили на танцы или шли к Бертрану, лежали в постели, занимались любовью и потом долго разговаривали в темноте. Мне было хорошо, но всегда во мне, словно теплое живое существо, был этот привкус тоски, одиночества, порой возбуждения. Я говорила себе, что у меня, должно быть, просто больная печень.

В пятницу, до завтрака у Люка, я зашла к Катрин и посидела у нее полчаса. Катрин была подвижна, деспотична и непрерывно влюблена. Я не столько дорожила ее дружбой, сколько ее терпела. Она считала меня существом хрупким, незащищенным, и мне это нравилось. Иногда она даже казалась мне удивительной. Мое равнодушие ко всему представлялось ей чем-то поэтичным, так же как оно долго представлялось поэтичным Бертрану, пока его не захватило желание обладать, всегда такое требовательное.

В этот день она была влюблена в одного из своих двоюродных братьев и очень длинно рассказывала мне об этой идиллии. Я сказала ей, что иду завтракать к родственникам Бертрана, и сама вдруг заметила, что уже немного забыла Люка. И пожалела об этом. Почему я не способна рассказать Катрин такую же нескончаемую и наивную любовную историю? Она даже этому не удивлялась. Мы с ней прочно утвердились каждая в своей роли. Она рассказывала — я слушала, она советовала — тут я уже не слушала.

Встреча с Катрин выбила меня из колеи. Я отправилась к Люку без всякого энтузиазма. Даже со страхом: надо разговаривать, быть любезной, казаться веселой. Насколько приятнее было бы позавтракать одной, вертеть в руках баночку с горчицей, и чтобы не было никакой ответственности, ни малейшей, совершенно никакой. Когда я пришла к Люку, Бертран был уже там. Он представил меня жене своего дяди. У нее было открытое, доброе, очень хорошее лицо. Крупная, немного тяжеловесная, светловолосая. В общем, красивая, но не вызывающая. Я подумала — она из тех женщин, которых многие мужчины хотели бы иметь рядом с собой, женщин, умеющих давать счастье, словом, ласковых, мягких. Ласкова ли я? Надо будет спросить у Бертрана. Конечно, я брала его за руку, не кричала на него, перебирала его волосы. Но ведь я вообще терпеть не могла кричать, а моим рукам нравилось ласкать его волосы, теплые и густые, как мех какого-то животного.

Франсуаза с самого начала отнеслась ко мне очень мило. Показала мне квартиру — отлично обставленную, наполнила мне рюмку, усадила в кресло, заботливо и непринужденно. Неловкость, которую я чувствовала из-за своей немного поношенной юбки и обвисшего свитера, почти прошла. Ждали Люка, он был на работе. Я подумала, не надо ли мне проявить хоть какой-нибудь интерес к профессии Люка, чего, вообще говоря, я никогда не делала. Мне хотелось спрашивать у людей: «Вы влюблены? Что вы читаете?», но никогда меня не трогала их профессия — часто, с их точки зрения, вопрос первостепенный.

— У вас грустный вид, — заметила Франсуаза улыбаясь. — Налить вам еще виски?

— Спасибо.

— У Доминики уже репутация пьяницы, — сказал Бертран. — И знаете почему?

Он вдруг встал и подошел ко мне с серьезным видом.

— Верхняя губа у нее коротковата: когда она пьет, прикрыв глаза, на лице появляется проникновенное выражение, не имеющее отношения к виски.

Говоря, он держал мою верхнюю губу между большим и указательным пальцем. Он демонстрировал меня Франсуазе, как молодую охотничью собаку. Я засмеялась, и он меня отпустил.

Вошел Люк.

Когда я увидела его, я еще раз подумала, и на этот раз с некоторой болью, что он очень красив. Его красота действительно причинила мне боль, как любая вещь, которой я не могла обладать. Мне редко хотелось чем-нибудь обладать, но тут я сразу поймала себя на мысли, что мне хочется взять это лицо в руки, неистово сжать пальцами, прижаться губами к этим крупным, немного удлиненным губам. А ведь красив он все-таки не был. Потом мне это часто говорили. И несмотря на это, хотя я видела это лицо всего два раза, было в нем что-то, что сделало его для меня в тысячу раз менее чужим, в тысячу раз более желанным, чем лицо Бертрана, который мне как-ни-как нравился.

Он вошел, поздоровался, сел. Он умел сохранять удивительную неподвижность. Я хочу сказать, в медлительности его жестов было что-то напряженное, сдержанное, он как бы забывал о своем теле, и это даже тревожило. Он с нежностью смотрел на Франсуазу. Я смотрела на него. Я не помню, о чем мы говорили. Особенно много говорили Бертран и Франсуаза. Надо сказать, я не могу без ужаса вспоминать всю эту преамбулу. В тот момент было достаточно проявить хоть немного осторожности, замкнуться — и я бы ускользнула от него. Зато мне не терпится дойти до того первого раза, когда я была счастлива с ним. Одна мысль, что я опишу эти первые мгновения, вдохну на минуту жизнь в слова, наполняет меня радостью, горькой и нетерпеливой.

И вот завтрак с Люком и Франсуазой кончился. Потом, на улице, я сразу же приноровилась к быстрым шагам Люка — как ходит Бертран, я забыла. Когда мы переходили улицу, Люк взял меня за локоть. Помню, меня это стесняло. Я не ощущала ни своего предплечья, ни кисти, вяло повисшей вдоль тела, как будто там, где не было руки Люка, моя рука омертвела. Я не могла вспомнить, как же это я ходила с Бертраном. Потом они с Франсуазой отвели меня к портному и купили мне красное драповое пальто, а я была в таком оцепенении, что не смогла ни отказаться, ни даже поблагодарить их. Уже тогда в присутствии Люка все происходило очень быстро, развивалось стремительно. Потом время снова обрушилось как удар, снова появились минуты, часы, выкуренные сигареты.

Бертрана очень разозлило, что я приняла это пальто. Когда мы остались одни, он устроил мне настоящую сцену:

— Это совершенно невероятно! Неизвестно кто предложит тебе неизвестно что, и ты не откажешься! Более того, даже не удивишься.

— Это не неизвестно кто. Это твой дядя, — выкручивалась я. — В любом случае я не смогла бы купить это пальто сама: оно ужасно дорогое.

— Ты могла бы обойтись и без него, я полагаю.

За два часа я успела привыкнуть к новому пальто — оно мне удивительно шло, — и эта последняя фраза меня немного задела. В моих рассуждениях была все-таки некоторая логика, ускользавшая от Бертрана. Я сказала ему об этом, мы стали спорить. В заключение он привел меня к себе без обеда, в виде наказания. Наказанием это было для него, я знала, что час обеда — самый важный, самый почитаемый им час суток. Он лежал рядом со мной и целовал меня с осторожностью и трепетом, это трогало меня и пугало. Мне больше нравилось веселое бесстыдство первой поры нашей связи, молодые, по-животному непосредственные объятия. Но когда я почувствовала его всего, когда он стал нетерпеливо искать меня, я забыла нынешнего Бертрана и наше взаимное недовольство. Со мной был прежний Бертран, и это ожидание, и это наслаждение.

И сейчас, именно сейчас, счастье, физическое самозабвение кажутся мне невероятным подарком, и поэтому особенной насмешкой представляется необходимость признать это главным, несмотря на все мои былые выводы и ощущения.

ГЛАВА 3

Мы еще несколько раз обедали вчетвером или с приятелями Люка. Потом Франсуаза уехала на десять дней к своим друзьям. Я уже полюбила ее; она была необыкновенно внимательна к людям, очень добра, в ее доброте чувствовалась большая твердость, а порой боязнь чего-то в людях не понять, и это нравилось мне больше всего. Франсуаза была как земля, надежная как земля, а иногда ребячливая. Они с Люком часто смеялись вместе.

Мы провожали ее с Лионского вокзала. Я уже была не такой робкой, как вначале, напротив — почти раскованной: словом, я повеселела, потому что исчезновение вечной моей тоски, которой я все еще не решаюсь дать название, внесло приятную нотку в мой характер. Я стала живой, иногда озорной; мне казалось, что такое положение вещей может продолжаться бесконечно. Я привыкла видеть Люка, а внезапное волнение, охватывавшее меня при встрече с ним, приписывала эстетическим причинам или привязанности. У вагона Франсуаза улыбнулась.

— Я вам его доверяю, — сказала она нам.

Поезд отошел. Когда мы возвращались, Бертран отстал, чтобы купить уж не знаю какой литературно-политический журнал, что-то его там возмутило. Люк вдруг повернулся ко мне и очень быстро сказал:

— Пообедаем завтра вместе?

Я начала ему говорить: «Хорошо, я спрошу у Бертрана», — но он меня перебил: «Я вам позвоню», — и повернулся к Бертрану, в этот момент нас догнавшему:

— Что за журнал тебе понадобился?

— Я его не нашел. У нас сейчас лекция, Доминика. Надо торопиться.

Он взял меня под руку. Я была в его власти. Они с Люком смотрели друг на друга с недоверием. Я растерялась. Франсуаза уехала, и все стало тревожным и неприятным. Я без всякого удовольствия вспоминаю это первое проявление внимания ко мне Люка, потому что, как уже говорила, нацепила на себя превосходные шоры. Я отчаянно хотела возвращения Франсуазы, которая была для нас оплотом.

Я понимала, что наш квартет держится на фальшивой основе, и это огорчало меня; как все, кому ничего не стоит солгать, я была чувствительна к окружающей обстановке и вполне искренна, играя в ней свою роль.

— Я вас отвезу, — бросил Люк.

У него была открытая быстрая машина, он хорошо ее водил. По дороге никто из нас не проронил ни слова, только «до скорого», когда расставались.

— В общем, я рад, что она уехала, — сказал Бертран. — Невозможно постоянно видеть одних и тех же людей.

Эта фраза исключала Франсуазу из наших планов, но я ничего не сказала Бертрану. Я становилась осторожной.

— И потом, — продолжал Бертран, — все-таки они немного староваты, правда?

Я не ответила, и мы отправились на лекцию Брема об эпикурейской морали. Я слушала ее некоторое время не шевелясь. Люк хотел пообедать со мной вдвоем. Это было похоже на счастье. Я водила пальцами по скамье, чувствовала на лице невольную улыбку. Пришлось отвернуться, чтобы ее не увидел Бертран. Это длилось минуту, не больше. Потом я сказала себе: «Тебе польстило его приглашение, это вполне естественно». Сжигать за собой мосты, отрезать себе все пути, не поддаваться — у меня всегда была хорошая ответная реакция молодости.

На следующий день я решила, что мой обед с Люком должен быть занятным и без последствий. Я представляла себе, как он появится и с пламенным видом сделает мне признание. Он приехал, немного опоздав, был рассеян, я же испытывала единственное желание — чтобы он обнаружил хоть какое-нибудь волнение от нашего тет-а-тет. Но никакого волнения не было, он говорил о разных вещах так спокойно и с такой непринужденностью, что в конце концов и я переняла его тон. Вероятно, это был единственный человек, с которым мне было уютно и совершенно не скучно. Потом он предложил мне пообедать и повез меня в «Сонни». Там он встретил друзей, они присоединились к нам, и я мысленно обозвала себя тщеславной дурочкой — с чего я, собственно, взяла, что ему хочется остаться со мной наедине?

К тому же, глядя на женщин за нашим столиком, я отметила, что во мне нет ни элегантности, ни блеска. Короче говоря, от роковой молодой девушки, какой я казалась себе весь день, к полуночи осталась жалкая, упавшая духом личность, стесняющаяся своего платья и взывающая про себя к Бертрану, которому она кажется красавицей.

Приятели Люка говорили о содовой воде, о ее благотворном действии на следующий день после попойки. Все эти существа употребляли содовую воду, а по утрам тщательно занимались собой, будто собственное тело — это прелестная игрушка, оно служит предметом удовольствия и неустанных забот. Может быть, мне нужно забросить книги, разговоры, прогулки пешком и броситься в море дорогих развлечений, в суету сует и другие затягивающие занятия того же рода? Иметь средства и стать красивой вещью? Эти люди, нравятся ли они Люку?

Он, улыбаясь, повернулся ко мне и пригласил танцевать. Он обнял меня, осторожно прижал к себе, моя голова оказалась возле его подбородка. Мы стали танцевать. Я чувствовала его тело.

— Вам скучно с этими людьми, правда? — сказал он. — Женщины слишком много щебечут.

— Я ни разу не была в настоящем ночном кабачке. И сейчас просто потрясена.

Он засмеялся.

— А вы забавны, Доминика. И очень мне нравитесь. Давайте еще поговорим, пойдемте.

И мы ушли. Люк повел меня в бар на улице Марбеф, там мы начали размеренно пить. Мне нравилось виски, а кроме того, я знала, что для меня это единственный способ хоть немного разговориться. Очень скоро Люк стал казаться мне приятным, обольстительным и совсем не страшным. Я даже испытывала к нему какую-то расслабленную нежность.

Разумеется, мы заговорили о любви. Он сказал, что это прекрасная вещь, не такая уж необходимая, как утверждают, но для полного счастья нужно быть любимым и горячо любить самому. Я только кивала в ответ. Он сказал, что очень счастлив, потому что любит Франсуазу, а она любит его. Я поздравила его, уверяя, что меня это ничуть не удивляет, потому что оба они — он и Франсуаза — люди очень, очень хорошие. Меня захлестнуло умиление.

— Поэтому, — сказал Люк, — если бы у нас с вами получился роман, я был бы по-настоящему рад.

Я глупо засмеялась. У меня уже не осталось способности реагировать.

— А Франсуаза? — спросила я.

— Франсуаза... Я, может быть, скажу ей об этом. Знаете, вы ей очень нравитесь.

— Вот именно, — сказала я. — И потом, не знаю, наверное, такие вещи не рассказывают...

Я негодовала. Непрерывные переходы из одного состояния в другое в конце концов вымотали меня. Мне казалось одновременно и абсолютно естественным, и абсолютно неприличным, что Люк предлагает мне лечь с ним в постель.

— Во всяком случае, что-то есть, — сказал Люк серьезно. — Я хочу сказать: между нами. Видит Бог, я вообще не люблю молоденьких девочек. Но мы с вами похожи. Я думаю, это было бы не так уж глупо и не банально. А это редко случается. Так что подумайте.

— Ну что ж, — сказала я. — Подумаю.

Должно быть, у меня был жалкий вид. Люк наклонился ко мне и поцеловал в щеку.

— Бедная вы моя девочка, — сказал он. — Ну как вас не пожалеть. Если бы вы имели хоть какое-нибудь понятие об элементарной морали. Но у вас его не больше, чем у меня. И вы благородны. И любите Франсуазу. И меньше скучаете со мной, чем с Бертраном. Да! Ну и дела!

Он засмеялся. Я была задета. Я и потом всегда чувствовала себя более или менее уязвленной, когда Люк начинал, по его выражению, подводить итоги. В тот раз он это заметил.

— Все это пустяки, — сказал он. — В таких вещах все это действительно не важно. Вы мне очень нравитесь. Ты мне очень нравишься. Нам будет весело вместе. Весело — и только.

— Я вас ненавижу, — сказала я замогильным голосом.

Мы оба засмеялись. Это согласие, достигнутое в течение трех минут, показалось мне подозрительным.

— А сейчас я тебя отвезу, — сказал Люк. — Уже поздно. Или, если хочешь, поедем на набережную Берси, посмотрим восход солнца.

Мы доехали до набережной Берси. Люк остановил машину. Небо над Сеной, застывшей среди подъемных кранов, как грустный ребенок среди игрушек, было совсем белым. Совсем белым и серым одновременно: оно поднималось навстречу дню над безжизненными домами, мостами, над этим скопищем железа, медленно, упорно, в своем ежеутреннем усилии. Люк молча курил, стоя около меня, лицо его было неподвижно. Я протянула ему руку, он взял ее в свою, и мы тихо возвратились к моему пансиону. Около дверей он выпустил мою руку, я вышла из машины, и мы улыбнулись друг другу. Я рухнула на постель, подумала, что надо бы раздеться, постирать чулки, повесить платье на вешалку, и тут же заснула.

Глава 4

Я проснулась с тягостным ощущением необходимости прийти к какому-то решению. Люк предлагал мне игру, соблазнительную, но тем не менее способную разрушить мое чувство к Бертрану и еще какое-то неясное ощущение во мне, неясное, но все-таки достаточно острое и противостоящее, как бы там ни было, кратковременности. По крайней мере той непринужденной кратковременности, которую предлагал мне Люк. И потом, если любая страсть, даже связь, и представлялась мне преходящей, принять это как изначальную необходимость я не могла. Подобно всем людям, живущим среди каких-то полукомедий, я выносила только те, что ставила сама и сама смотрела.

К тому же я хорошо понимала — такая игра опасна, если вообще это было игрой, если возможна игра между двумя людьми, которые действительно нравятся друг другу и хотят заполнить друг другом свое одиночество, пусть даже временно. Глупо было считать себя более сильной, чем я была на самом деле. С того дня, когда Люк, как говорила Франсуаза, «приручил» меня, признал и полностью принял, я уже не смогла бы расстаться с ним без боли. Бертран был способен только на одно — любить меня. Я говорила себе это и чувствовала нежность к Бертрану, но о Люке думала без всякой сдержанности. Потому что — по крайней мере пока ты молод — в этом долгом обмане, называемом жизнью, ничто не кажется таким отчаянно желанным, как опрометчивый шаг. Наконец, я никогда сама ничего не решала. Меня всегда выбирали. Почему не позволить сделать это еще раз? Будет Люк со своим обаянием, будет повседневная скука, вечера. Все случится само собой, и не стоит даже пытаться что-то понять.

И вот, охваченная блаженной покорностью, я отдалась течению. Я снова встречалась с Бертраном, с друзьями: мы вместе шли завтракать на улицу Кюжа, и все это, в общем, такое обычное, казалось мне неестественным. Мое настоящее место было рядом с Люком. Я смутно чувствовала это, а между тем Жан-Жак, один из приятелей Бертрана, заметил с иронией, намекая на мой мечтательный вид:

— Это немыслимо, Доминика, ты явно влюблена! Бертран, в кого ты превратил эту рассеянную девушку? В принцессу Клевскую!

— Я тут ни при чем, — сказал Бертран.

Я посмотрела на него. Он покраснел и отвел от меня взгляд. Это и впрямь было невероятно: мой соучастник, мой спутник в течение целого года, разом превратился в противника! Я невольно сделала движение в его сторону. Мне хотелось сказать: «Бертран, послушай, ты не должен страдать, мне было бы жаль, я этого не хочу». Я могла бы даже глупо добавить: «Вспомни, наконец, лето, зиму, твою комнату, все, что невозможно уничтожить за три недели, это неразумно». И мне хотелось, чтобы он яростно подтвердил мои слова, успокоил меня, вновь меня обрел. Потому что он любил меня. Но он не был мужчиной. В некоторых мужчинах, в Люке, была какая-то сила, которой ни Бертран и ни один из этих молодых людей не обладали. И дело тут не в опыте...

— Отстаньте от Доминики, — сказала Катрин властно, как всегда. — Брось, Доминика, мужчины — такие грубияны, пойдем выпьем кофе.

Когда мы вышли, она объяснила мне, что все это ерунда, что в душе Бертран очень ко мне привязан и что не нужно расстраиваться из-за приступа плохого настроения. Я не возражала. В конце концов лучше, если Бертран не будет унижен в глазах общих друзей. Меня тошнило от их вечных разговоров, от всех этих мальчишеских и девчоночьих историй, от их драм. Но был Бертран, он страдал, и это уже был не пустяк. Как все быстро происходит! Не успела я порвать с Бертраном, как они уже обсуждают это, ищут объяснений, и я, в раздражении, готова обострить и усложнить то, что могло бы быть всего-навсего мимолетной растерянностью.

— Ты не понимаешь, — сказала я Катрин. — Не в Бертране дело.

— А!.. — вырвалось у нее.

Я обернулась к ней и увидела на ее лице выражение такого любопытства, такого страстного желания давать советы и такой кровожадности, что даже рассмеялась.

— Я собираюсь уйти в монастырь, — сказала я серьезно.

Тогда Катрин, не особенно удивившись, пустилась в длинную дискуссию о радостях жизни, о маленьких птичках, солнышке и т. д. «Вот что я оставлю из-за сущего безумия! — Потом она заговорила о плотских наслаждениях и, понизив голос, зашептала: — Нужно прямо сказать, это тоже кое-чего стоит». Короче говоря, если бы я действительно подумывала об уходе в монастырь, она своими описаниями радостей жизни ввергла бы меня в религиозный экстаз. Я тут же распрощалась с ней, не без радости. «Катрин мы тоже упраздним, — подумала я весело, — Катрин и ее самоотверженность». Я даже начала тихонько напевать от ярости.

Я погуляла часок, зашла в шесть магазинчиков, без стеснения вступала со всеми в разговор. Я чувствовала себя такой свободной, такой веселой. Париж принадлежал мне. Париж принадлежит людям раскованным, непринужденным, я всегда это чувствовала, но с болью — я этими качествами не обладала. На этот раз он был мой, мой прекрасный город, золотистый и пронзительный, такой, «что даже выдумать невозможно». Я шла, окрыленная чем-то, должно быть, радостью. Я шла быстро. Меня мучило нетерпение, кровь пульсировала в жилах; я чувствовала себя юной, юной до смешного. В эти минуты безумного счастья мне показалось, что я обрела истину, куда более очевидную, чем те маленькие и жалкие, которые я без конца пережевывала, когда мне было грустно.

Я зашла в кино на Елисейских Полях, где шли старые фильмы. Какой-то молодой человек сел рядом со мной. Украдкой взглянув на него, я увидела, что он приятен, только слишком белокур. Скоро он пристроил свой локоть рядом с моим и осторожно подвинул руку к моему колену; я перехватила его руку на лету и сжала в своей. Мне хотелось смеяться, смеяться, как школьнице. Отвратительная теснота темных залов, прижимания украдкой, стыд — что все это значило? В моей руке горячая рука незнакомого молодого человека, он для меня ничто, мне хотелось только смеяться. Он повернул свою руку в моей, медленно подвинул колено. Я смотрела на его действия с любопытством и страхом, но поощрительно. Как и он, я боялась, что во мне проснется чувство собственного достоинства, я превращалась в старую даму, которая поднимается со своего кресла, потому что ей все это уже надоело. Сердце мое немного заколотилось: от волнения или от фильма? Фильм, кстати, был хороший. Следовало бы устроить кинотеатр, где шли бы пустяковые фильмы для тех, кому не с кем поразвлечься. Молодой человек вопросительно взглянул на меня, и, поскольку это был шведский фильм на светлой пленке, я убедилась, что он в самом деле довольно красив. «Довольно красив, но не в моем вкусе», — подумала я в то время, как он осторожно приближал свое лицо к моему. Я на секунду вспомнила о людях, сидящих позади нас, — они, вероятно, думали, что...

Я шла по Елисейским Полям, ощущая вкус незнакомых губ, потом решила вернуться домой и почитать новый роман.

Это была замечательная книга Сартра — «Время разума». Я с радостью накинулась на нее. Я была молода, один мужчина мне нравился, другой меня любил. Мне предстояло решить одну из глупых, маленьких девичьих проблем; я раздувалась от гордости. Мужчина даже был женат, и, значит, существовала другая женщина, и мы разыгрывали наш квартет, запутавшись в парижской весне. Из всего этого я составила прекрасное, четкое уравнение, циничное, лучше некуда. К тому же я поразительно хорошо чувствовала себя в своей шкуре. Я принимала и грусть, и нерешенные проблемы, и будущие удовольствия, я заранее принимала все с насмешкой.

Я читала. Наступил вечер. Положила книгу. Облокотившись на руку, глядела на небо, которое из сиреневого становилось серым. Я вдруг почувствовала себя слабой и незащищенной. Моя жизнь проходила, я ничего не делала, я насмешничала. Хоть кто-нибудь был бы рядом со мной, кого я буду беречь, кого я прижму к себе с мучительной, безудержной силой любви. Я была не настолько цинична, чтобы завидовать Бертрану, но мне было достаточно грустно, чтобы завидовать любой счастливой любви, каждой встрече, от которой теряют голову, всякому любовному рабству.

ГЛАВА 5

В последующие две недели я несколько раз встречалась с Люком. И всегда с его друзьями. Это были в основном путешествующие люди с приятной внешностью и рассказами о своих поездках. Люк говорил быстро, с юмором, был ко мне внимателен, сохраняя непринужденный и рассеянный вид одновременно, и это постоянно заставляло меня сомневаться в том, что я ему действительно интересна. Он сразу же подвозил меня к дому, выходил из машины и перед уходом легонько касался губами моей щеки. Он больше не заговаривал о своем желании обладать мной, и от этого я чувствовала и облегчение и разочарование. Наконец он сказал, что Франсуаза возвращается послезавтра, и мне стало ясно, что эти две недели прошли как во сне и что все мои размышления были ни к чему.

Утром мы отправились на вокзал встречать Франсуазу, без Бертрана — он был сердит на меня вот уже десять дней. Я жалела об этом, но одиночество не мешало мне жить праздно и беспечно, и мне это нравилось. Я знала, ему очень тяжело не видеть меня, — от этого мне было не по себе.

Франсуаза приехала улыбающаяся, поцеловала нас, сказала, что мы плохо выглядим, но это скоро пройдет: мы приглашены на уик-энд к сестре Люка, той, что доводилась Бертрану матерью. Я запротестовала, ссылаясь на то, что я не приглашена и что мы с Бертраном немного поссорились. Люк добавил, что сестра его раздражает. Франсуаза все устроила: Бертран попросит свою мать, чтобы она меня пригласила. «Наверняка, — сказала Франсуаза улыбаясь, — чтобы прекратить эту знаменитую ссору. Что же касается Люка, ему полезно время от времени проникаться духом семьи».

Она смотрела на меня улыбаясь, и я тоже улыбнулась ей, растерявшись от ее приветливости. Она пополнела. Пожалуй, она была немного грузной, но от нее исходили тепло и доверчивость, и я обрадовалась, что между мной и Люком ничего не произошло и что нам снова может быть хорошо, как раньше — всем троим вместе. Я вернусь к Бертрану, с ним, в сущности, не так уж скучно, он прекрасно образован и умен. Мы были очень благоразумны — Люк и я. Но, сидя в машине между ним и Франсуазой, я посмотрела на него в какой-то момент как на человека, от которого отказалась, и это причинило мне странную боль, мимолетную, но очень ощутимую.

Прекрасным вечером мы покинули Париж и поехали к матери Бертрана. Я знала, что муж оставил ей очень красивый загородный дом, и мысль поехать куда-то на уик-энд удовлетворяла во мне некоторый, ну, скажем, снобизм — до сих пор у меня не было случая в нем поупражняться. Бертран говорил мне, что его мать очень приятный человек. При этом он напустил на себя рассеянный вид: так делают все молодые люди, рассказывая о своих родителях, чтобы как можно яснее показать, насколько далека от всего этого их собственная настоящая жизнь. Я потратилась на полотняные брюки, у Катрин такие были, но слишком широкие для меня. Это приобретение несколько подорвало мой бюджет, но я знала, что Люк и Франсуаза позаботятся обо мне, если это будет необходимо. Я сама удивлялась легкости, с какой я принимала их помощь, но, как всякий человек, умеющий ладить с собственной совестью по крайней мере в мелочах, я припи-

сывала эту легкость скорее деликатности, с которой они проявляли
свое великодушие, чем отсутствию у меня таковой. Куда более разумно все-таки наделять какими-то качествами других, чем признавать свои недостатки.

Люк и Франсуаза заехали за нами в кафе на бульваре Сен-Мишель. Люк снова выглядел усталым и немного грустным. Он очень быстро вел по шоссе машину, даже рискованно. От страха Бертрана разбирал смех, я немедленно присоединилась к нему, и Франсуаза, услышав, что мы смеемся, обернулась. У нее был растерянный вид, свойственный мягким людям, неспособным протестовать, даже когда речь идет об их жизни.

— Почему вы смеетесь?

— Они молоды, — сказал Люк. — В двадцать лет еще можно позволить себе беспричинный смех.

Не знаю почему, мне не понравилась эта фраза. Я не любила, когда Люк обращался со мной и Бертраном как с парой, тем более как с парой детей.

— Это на нервной почве, — сказала я. — Вы едете очень быстро, тут уж не до примерного поведения.

— Поедешь со мной, — сказал Люк, — я научу тебя водить.

Он впервые сказал мне «ты» на людях. Это можно расценить как промах, подумала я. Франсуаза взглянула на Люка. Мысль о промахе рассмешила меня. Я не верила в разоблачающие оплошности, перехваченные взгляды, поразительные предчувствия. В романах мне попадались фразы вроде: «И вдруг она поняла, что он обманывает ее», — это меня всегда удивляло.

Мы приехали. Люк резко развернулся на узкой дороге, и меня бросило к Бертрану. Он прижал меня к себе, сильно и нежно, меня это очень смутило. Было невыносимо, что Люк это видел. Это показалось мне неприличным и, что уж совсем глупо, невежливым по отношению к нему.

— Вы похожи на птичку, — сказала мне Франсуаза.

Она обернулась и смотрела на нас. У нее был действительно добрый взгляд, в нем чувствовалось расположение. В ней не было этакого превосходства зрелой женщины перед парой подростков. По-видимому, она просто хотела сказать, что мне очень хорошо в объятиях Бертрана, что я очень трогательна. Мне, разумеется, нравилось выглядеть трогательной, это часто избавляло меня от необходимости размышлять, обдумывать, отвечать.

— На старую птичку, — сказала я. — Я чувствую себя старой.

— Я тоже, — сказала Франсуаза. — Но это легче объяснить.

Люк, улыбаясь, обернулся к ней. Я вдруг подумала: «Они приятны друг другу; и они наверняка еще спят вместе. Он спит рядом с ней, ложится рядом, любит ее. Думает ли он о том, что Бертран обладает мной? Представляет ли себе это? И чувствует ли, как я, думая о нем, смутную ревность?»

— Вот мы и дома, — сказал Бертран. — Еще одна машина; боюсь, нет ли тут кого из обычных гостей матери.

— В этом случае мы уезжаем, — ответил Люк. — Меня в ужас приводят гости моей дорогой сестры. Я знаю прелестную гостиницу в двух шагах отсюда.

— Посмотрим, — сказала Франсуаза, — хватит плохого настроения. Это прекрасный дом, и Доминика его еще не видела. Идемте, Доминика.

Она взяла меня за руку и повела к довольно красивому дому, окруженному лужайками. Я подчинилась, думая про себя, что не хватало мне еще сделать ей гадость — обмануть Франсуазу с ее мужем — и что я ее все-таки очень люблю, я бы предпочла не знаю что сделать, лишь бы не причинять ей боль. Она всего этого, конечно, не знала.

— Ну вот и вы наконец, — послышался резкий голос.

За оградой появилась мать Бертрана. Я никогда раньше не видела ее. Она бросила на меня испытующий взгляд, каким матери молодых людей всегда одаряют представленных им девушек. Мне она показалась прежде всего белокурой и немного крикливой. Она тут же начала суетиться вокруг нас; скоро я почувствовала усталость. Люк смотрел на нее как на несчастье. Бертран выглядел немного смущенным, таким он мне нравился. Наконец я с облегчением оказалась в своей комнате. Кровать была очень высокой, с простынями из голубого полотна, у меня в детстве была такая. Я открыла окно, за которым шумели зеленые деревья, и сильный запах мокрой земли и травы наполнил комнату.

— Тебе тут нравится? — спросил Бертран.

Вид у него был растерянный и вместе с тем довольный. Я подумала, что для него этот уик-энд со мной в доме матери нечто весьма важное и сложное. Я улыбнулась ему.

— У тебя очень красивый дом. Что же касается твоей матери, я не знаю ее, но она производит приятное впечатление.

— Словом, тебе тут не так уж плохо. Кстати, я в комнате рядом.

Мы обменялись понимающими улыбками.

Мне очень нравились незнакомые дома, ванные с черно-белым кафелем, большие окна, сильные молодые мужчины. Бертран прижал меня к себе, нежно поцеловал. Его дыхание, манера целоваться — все было мне знакомо. Я не говорила ему о молодом человеке в кино. Ему это было бы неприятно. Мне самой теперь было неприятно. Немного стыдно было вспоминать об этом, как-то смешно и неловко, в общем, довольно противно. В тот день после обеда я чувствовала себя веселой и свободной; больше я такой не была.

— Пойдем обедать, — сказала я Бертрану, который наклонился

ко мне, чтобы поцеловать еще раз. Мне нравилось, когда он меня хотел. Зато я не очень нравилась сама себе. Стиль юной холодной дикарки — «Мои зубы белей, чем снег, мое сердце черней, чем ночь» — казался мне пригодным лишь для развлечения пожилых джентльменов.

Обед был смертельно скучным. Там действительно были друзья матери Бертрана: болтливая супружеская пара. За десертом муж — звали его Ришаром, и был он президентом уж не знаю какого административного совета — не удержался, чтобы не начать классическую тему:

— Вот вы, девушка, тоже небось из этих несчастных экзистенциалисток? Нет, в самом деле, Марта, дорогая, — теперь он обращался к матери Бертрана, — не понимаю я этих разочарованных молодых людей. В их возрасте, черт побери, надо любить жизнь! В мое время мы не так уж часто балаганили, но, ей-богу, нам было весело!

Его жена и мать Бертрана засмеялись в знак согласия. Люк зевал, Бертран готовил никому не нужную речь. Франсуаза со своим обычным доброжелательством пыталась понять, почему же эти люди так скучны. Что же касается меня, уже в десятый раз я слушала, как порозовевшие и подвыпившие мсье, будучи в прекрасном расположении духа, мямлят с наслаждением тем большим, чем меньше они понимают смысл, слово «экзистенциализм». Я не ответила.

— Мой дорогой Ришар, — сказал Люк, — боюсь, что балаганить только и можно в вашем возрасте, я хотел сказать — в нашем возрасте. Эти молодые люди занимаются не балаганами, а любовью. Это же хорошо. Для постоянного балагана нужны контора, письмоводитель...

Конец обеда прошел благополучно, все более или менее разговаривали, кроме Люка и меня; он единственный скучал так же сильно, как я, и я спросила себя, не назвать ли нашим первым тайным сговором эту одинаковую неспособность выносить скуку.

После обеда мы пошли на террасу, поскольку погода была прекрасная; Бертран отправился поискать виски. Люк вполголоса посоветовал мне не пить слишком много.

— Я в любом случае держу себя нормально, — ответила я обиженно.

— Я буду ревновать. Я хочу, чтобы ты напивалась и говорила глупости только со мной.

— А в остальное время что мне делать?

— Грустное лицо, как за обедом.

— А вы, — сказала я, — думаете, у вас было очень веселое лицо?.. Не похоже, что вы принадлежите к этому прекрасному поколению, несмотря на ваши слова.

Он засмеялся.

— Пойдем погуляем по саду.

— В темноте? А Бертран, а остальные?..

Я совсем растерялась.

Он взял меня за руку и обернулся к остальным. Бертрана, ушедшего за виски, еще не было. Я смутно представила себе, что, вернувшись, он пойдет нас искать, обнаружит под каким-нибудь деревом и, может быть, убьет Люка, как в «Пелеасе и Мелисанде».

— Я увожу эту юную девушку на сентиментальную прогулку, — обратился он к присутствующим.

Не оборачиваясь я услышала смех Франсуазы.

Он повел меня по аллее, вначале казавшейся светлой от гравия, а затем исчезающей в темноте. Мне вдруг стало очень страшно. Оказаться бы сейчас в доме моих родителей на берегу Ионны.

— Я боюсь, — сказала я Люку.

Он не засмеялся и взял меня за руку. Мне захотелось, чтобы он всегда был такой: молчаливый, в меру серьезный, надежный и ласковый. Чтобы он никогда меня не оставлял, говорил мне, что любит, берег бы, обнимал. Он остановился, обнял меня. Я прижалась к его пиджаку, закрыла глаза. Все последние дни были просто попыткой укрыться от этой минуты: от этих рук, приподнявших мое лицо, от губ, горячих и нежных, словно созданных для моих. Он охватил ладонями мое лицо и крепко сжал его, целуя меня. Я обняла его за шею. Я боялась себя, его, всего, что тогда не случилось.

Я сразу же отчаянно полюбила его губы. Он не говорил ни слова, только целовал меня, иногда приподнимая голову, чтобы перевести дыхание. Я видела тогда в сумерках его лицо, и рассеянное и сосредоточенное, похожее на маску. Потом он снова очень медленно наклонялся ко мне. Скоро я перестала различать его лицо, я закрыла глаза, отдаваясь теплу, заполнявшему виски, веки, гортань. Не поспешность, не нетерпение желания, но что-то новое, чего я не знала раньше, поднималось во мне — прекрасное, неторопливое и волнующее.

Люк отстранился от меня, и я немного пошатнулась. Он взял меня за руку, и мы молча погуляли по саду. Я говорила себе — пусть бы он целовал меня до рассвета, целовал и больше ничего. Бертран быстро прекращал поцелуи: желание делало их бесполезными в его глазах; они были не более чем переход к удовольствию. Люк же заставил меня понять, что они могут быть неисчерпаемыми, несущими наслаждение сами по себе.

— У тебя великолепный сад, — улыбаясь, сказал Люк своей сестре. — Жаль, уже поздновато.

— Никогда не бывает слишком поздно, — сухо ответил Бертран.

Он внимательно смотрел на меня. Я отвела глаза. Единственное, чего я хотела, — остаться одной в темноте своей комнаты, чтобы вспомнить и понять те минуты в парке. Во время общего разговора я

с этим воспоминанием я поднялась в свою комнату. Лежа на постели
с открытыми глазами, я долго снова и снова переживала происшед-
шее, чтобы уничтожить его совсем или найти нечто главное. В этот
вечер я заперла дверь, но Бертран не постучался.

Глава 6

Утро тянулось медленно. Просыпаться было приятно и сладко,
как в детстве. Но этот день не был одним из длинных, унылых, одиноких дней, прерываемых лекциями, которые обычно меня ждали: он
был «другой» — из тех, когда мне нужно было играть свою роль и
нести за нее ответственность. Эта ответственность, эта необходимость
действовать вначале так придавила меня, что я снова и снова зарыва-
лась в подушку, чувствуя себя больной. Потом вспомнила о вчерашнем вечере, о поцелуях Люка, и что-то теплое, щемящее раскрылось
во мне.

Ванная комната была изумительной. И вот, сидя в воде, я принялась бодро напевать в ритме джаза: «А теперь час пришел, час пришел — окончательно решить, мне решить». Кто-то с силой постучал
в перегородку.

— Можно дать поспать порядочным людям?

Голос был веселый, голос Люка. Родись я на десять лет раньше,
до Франсуазы, — мы могли бы жить вместе, и по утрам он бы шутливо мешал мне петь, и мы могли бы спать вместе, и были бы счастливы долго-долго, вместо того чтобы оказаться, как сейчас, в тупике.
Это был действительно тупик, и, может быть, поэтому-то мы в него и
не углублялись, изображая при этом безразличие. Надо было избегать Люка, уехать.

Я вышла из ванной.

Но, найдя мягкий, пушистый пеньюар, отдававший немного старыми шкафами загородных домов, и закутавшись в него, я сказала
себе, что, следуя здравому смыслу, нужно пустить все на самотек, не
анализировать без конца, а быть спокойной и смелой. Я мурлыкала
себе это под нос, не очень веря в свои слова.

Я примерила полотняные брюки, купленные перед отъездом, и
посмотрелась в зеркало. Я не понравилась себе: острые черты лица,
неудачная прическа, любезный вид. Мне нравились правильные лица, обрамленные косами, — такие бывают у молодых девушек с печальными глазами, заставляющими мужчин страдать, лица строгие и
вместе с тем чувственные. Если откинуть голову немного назад, вид у
меня, пожалуй, был сладострастный, но какая женщина в такой позе
выглядит иначе? Кроме того, брюки были просто смешны, они были

слишком узкие. Ни за что на свете не спущусь вниз в таком виде. Эти приступы отчаяния были мне хорошо знакомы; мой собственный вид до того меня раздражал, что теперь уже целый день у меня будет отвратительное настроение, если я все-таки решусь выйти к столу.

Но вошла Франсуаза и все уладила.

— Моя маленькая Доминика, вы сегодня очаровательны. Такая юная, яркая. Вы просто живой упрек мне.

Она присела на край постели и посмотрела на себя в зеркало.

— Почему упрек?

Она ответила, не глядя на меня:

— Ем слишком много пирожных под предлогом, что люблю их. И к тому же эти морщины, вот здесь.

У нее были довольно заметные морщины в уголках глаз. Я погладила их указательным пальцем.

— А мне они кажутся восхитительными, — ласково сказала я. — Надо прожить много ночей, побывать во многих странах, увидеть много лиц, чтобы получить эти две крошечные черточки... Вам они идут. И потом, они оживляют лицо. Я не знаю, но, по-моему, это красиво, выразительно, это волнует. Я терпеть не могу гладкие лица.

Она засмеялась:

— Чтобы меня утешить, вы готовы спровоцировать банкротство института красоты. Какая вы милая, Доминика. Ужасно милая.

Мне стало стыдно.

— Не так уж я мила, как вы думаете.

— Я вас обидела? Молодые люди так боятся быть милыми. Но вы никогда не говорите ничего неприятного или несправедливого. И вы любите людей. Так вот, я нахожу, что вы — совершенство.

— Вовсе нет.

Как давно мне не доводилось говорить о себе. Я много практиковалась в этом виде спорта до семнадцати лет. А потом немного устала от него. Я только потому и могла заинтересоваться собой и полюбить себя, что Люк любил меня и интересовался мной. Идиотская мысль.

— Я преувеличиваю, — сказала я вслух.

— И вы невероятно рассеянны, — сказала Франсуаза.

— Потому что никого не люблю, — ответила я.

Она посмотрела на меня. Откуда взялось это искушение сказать ей: «Франсуаза, я могла бы полюбить Люка, но вас я тоже очень люблю, возьмите его, увезите его»?

— А Бертран? Действительно все кончено?

Я пожала плечами:

— Я его больше не вижу. Я хочу сказать: больше на него не смотрю.

— Может быть, вы должны сказать ему об этом?

Я не ответила. Что сказать Бертрану? «Я больше не хочу тебя видеть»? Но мне как раз было приятно его видеть. Я очень хорошо к нему относилась. Франсуаза улыбнулась:

— Понимаю. Все не так просто. Идемте завтракать. На улице Кумартен я видела прелестный свитер к этим брюкам. Мы вместе пойдем посмотрим его и...

Спускаясь по лестнице, мы весело болтали о туалетах. Я не испытывала страсти к подобным темам, но лучше говорить об этом, чем о чем-нибудь другом, лучше подыскивать какие-то определения, ошибаться, вызывая ее негодование, смеяться. Внизу Люк и Бертран завтракали. Они говорили о купании.

— Давайте поедем в бассейн?

Это сказал Бертран. Должно быть, он думал, что в лучах весеннего солнца будет выглядеть лучше, чем Люк. А может быть, у него и не было столь низменных мыслей?

— Блестящая идея. Я заодно поучу Доминику водить машину.

— Без глупостей, без глупостей, — сказала мать Бертрана, входя в комнату в роскошном халате. — Вы хорошо спали? А ты, малыш?

Бертран смутился. Он напустил на себя важный вид, который ему совершенно не шел. Мне он нравился веселым. Всегда приятно видеть веселыми людей, которым мы причинили огорчение. Это меньше расстраивает.

Люк поднялся. Он явно не выносил присутствия своей сестры. Меня это смешило. Мне тоже случалось чувствовать физическую неприязнь, но я вынуждена была это скрывать. Было что-то детское в Люке.

— Я пойду наверх, возьму свои плавки.

Все начали суматошно собираться. Наконец мы были готовы. Бертран поехал с матерью в машине ее друзей, и мы оказались втроем.

— Поезжай, — сказал Люк.

У меня были некоторые, хотя и смутные, представления о вождении — сейчас они мне пригодились. Люк сидел рядом со мной, а сзади Франсуаза что-то говорила, не чувствуя опасности. И снова меня охватила тоска по тому, что могло бы быть: долгие путешествия и Люк рядом со мной, дорога, освещенная фарами, ночь, моя голова на плече у Люка, Люк, такой уверенный за рулем, такой быстрый. Рассветы где-нибудь за городом, сумерки на море...

— Знаете, я никогда не видела моря...

Это был вопль негодования.

— Я тебе его покажу, — мягко сказал Люк.

И, обернувшись ко мне, улыбнулся. Как будто пообещал. Франсуаза, не расслышав его слов, продолжала:

— В следующий раз, когда мы поедем, Люк, надо будет взять ее с собой. Она будет повторять: «Вот это вода, ну и вода!»

— Я, наверное, сначала выкупаюсь, — сказала я. — А говорить буду потом.

— А знаете, это действительно очень красиво, — сказала Франсуаза. — Желтые пляжи с красными скалами, и вся эта синяя вода, настигающая тебя сверху...

— Обожаю твои описания, — сказал Люк смеясь. — Желтое, синее, красное. Как школьница. Как юная школьница, конечно, — добавил он извиняющимся тоном, оборачиваясь ко мне. — Бывают ведь и старые школьницы, очень-очень сведущие во всем. Поверните налево, Доминика, если сможете.

Я смогла. Мы подъехали к поляне. Посредине был большой бассейн с прозрачной голубой водой, при взгляде на нее мне заранее стало холодно.

Надев купальники, мы быстро пошли к краю бассейна. Я встретила Люка, когда он выходил из кабинки: вид у него был недовольный. Я спросила его — почему, и он улыбнулся немного смущенно:

— Не слишком я красив.

И, в общем, он был прав. Высокий, худой, сутуловатый, отнюдь не смуглый. Но вид у него был такой несчастный, он так старательно держал перед собой полотенце — ну прямо как мальчишка-подросток, — что я умилилась.

— Идемте, идемте, — сказала я весело, — не так вы безобразны, как вам кажется!

Он искоса взглянул на меня, чуть ли не шокированный, потом рассмеялся.

— А ты становишься непочтительной!

Потом он разбежался и бросился в воду. Он сразу же вынырнул с отчаянными криками, и Франсуаза села на край бассейна. Она выглядела лучше, чем в одежде, и напоминала одну из луврских статуй.

— Зверски холодно, — сказал Люк, высунув голову из воды. — Надо быть сумасшедшим, чтобы купаться в мае.

— В апреле о купании не может быть и речи. А в мае — делай что хочешь, — наставительно произнесла мать Бертрана.

Но стоило ей попробовать воду ногой, как она сразу пошла одеваться. Я посмотрела на эту радостную, щебечущую группу вокруг бассейна, незагорелую, взбудораженную, и меня охватило какое-то тихое веселье, и в то же время не давала покоя вечная мысль: «При чем здесь я?»

— Будешь купаться? — спросил Бертран.

Он стоял передо мной на одной ноге, и я смотрела на него с одобрением. Я знала, что каждое утро он упражнялся с гантелями: однажды мы вместе проводили уик-энд, и, приняв мою дремоту за глубокий сон, он на рассвете начал делать перед окном всякие упражнения; глядя на него, я втихомолку смеялась до слез, но он, видимо, считал, что выполняет их отменно. Сейчас Бертран выглядел очень чистеньким и здоровым.

— Это для нас возможность отполировать кожу, — сказал он, — ты посмотри на остальных.

— Идем в воду, — сказала я. Я боялась, как бы он не пустился в раздраженные разглагольствования о своей матери, поскольку она выводила его из себя.

С огромным отвращением я окунулась в воду, проплыла вокруг бассейна, чтобы не уронить достоинства, и вышла, дрожа от холода. Франсуаза растерла меня полотенцем. Я подумала, почему у нее нет детей — ведь она создана для материнства: широкобедрая, пышнотелая, нежная. Как жаль.

Глава 7

Через два дня после этого уик-энда, в шесть часов вечера, я встретилась с Люком. Мне казалось, что теперь между нами всегда будет стоять что-то неизмеримое, непоправимое, препятствующее малейшей попытке сделать еще какую-нибудь глупость. Я даже была готова, подобно юной деве XVII века, требовать от него извинений за поцелуй.

Мы встретились в баре на набережной Вольтера. К моему удивлению, Люк был уже там. Он очень плохо выглядел, казался усталым. Я села рядом с ним, и он сразу заказал два виски. Потом спросил, как обстоит дело с Бертраном.

— Все в порядке.

— Он страдает?

Он спросил это без насмешки, но спокойно.

— Почему страдает? — глупо спросила я.

— Он же не дурак.

— Не пойму, почему вы говорите со мной о Бертране. Это... м-м-м...

— Это второстепенно?

На этот раз вопрос был задан в ироническом тоне. Я вышла из терпения:

— Это не второстепенно, но, в конце концов, не так уж серьезно. Уж если говорить о серьезных вещах, поговорим о Франсуазе.

Он засмеялся:

— Подумай, как забавно получается. В историях такого рода... ну, скажем, партнер другого кажется нам препятствием более серьезным, чем наш собственный. Конечно, плохо так говорить, но когда знаешь кого-нибудь, то знаешь и его манеру страдать, и она кажется вполне приемлемой. Вернее, нет, не приемлемой, но знакомой, а значит, не такой ужасной.

— Я плохо знаю манеру Бертрана страдать...

— У тебя просто не было времени. А я вот уже десять лет женат и хорошо изучил, как страдает Франсуаза. Это очень неприятно.

Мы замолчали на какой-то момент. Каждый из нас, наверно, представлял себе Франсуазу страдающей. Мне она виделась отвернувшейся к стене.

— Это идиотизм, — сказал наконец Люк. — Видишь ли, все куда сложнее, чем я думал.

Он выпил виски, запрокинув голову. У меня было такое чувство, будто я сижу в кино. Я говорила себе, что не время смотреть на все со стороны, но ощущение нереальности оставалось. Люк здесь, он решит, как быть, все будет хорошо.

Немного наклонившись вперед, он равномерным движением поворачивал стакан в руках. Говорил он, не глядя на меня.

— Разумеется, у меня были связи. Для Франсуазы большей частью неизвестные. Кроме нескольких неудачных случаев. Но это всегда было несерьезно.

Он выпрямился, вид у него был рассерженный.

— С тобой, кстати, это тоже не очень серьезно. Ничего серьезного не может быть. Ничего не стоит Франсуазы.

Я слушала без всякой боли, сама не зная почему. Мне казалось — я сижу на лекции по философии, не имеющей ко мне никакого отношения.

— Но разница есть. Сначала я хотел тебя, как любой мужчина моего склада может хотеть молодую девушку, гибкую, упрямую и несговорчивую... Впрочем, я тебе это говорил. Я хотел приручить тебя, провести с тобой ночь. Я не думал...

Он вдруг повернулся ко мне, взял мои руки в свои и стал говорить с нежностью. Я видела его лицо очень близко, каждую его черточку. Я слушала его, боясь дышать, вся превратилась в слух, освободившись наконец от самое себя. Внутреннего голоса слышно не было.

— Я подумать не мог, что могу тебя уважать. Я очень уважаю тебя, Доминика, и очень тебя люблю. Никогда не буду любить тебя «по-правдашнему», как говорят дети, но мы очень похожи с тобой, ты и я. Я хочу не просто переспать с тобой, я хочу жить вместе с тобой, провести с тобой отпуск. Мы дали бы друг другу радость и нежность, со мной у тебя будут море и деньги и что-то похожее на свободу. Мы бы меньше скучали вдвоем. Вот так.

— Я тоже хотела бы этого, — сказала я.

— Потом я вернусь к Франсуазе. Чем ты рискуешь? Привязаться ко мне, а потом страдать? Ну и что из того? Это лучше, чем ску-

чать. Лучше быть счастливой или несчастной, чем вообще ничего,
ведь так?

— Конечно, — сказала я.

— Чем ты рискуешь? — повторил Люк, будто убеждал самого себя.

— И потом — страдать, страдать, не надо ничего преувеличивать, — вставила я. — У меня не такое уж нежное сердце.

— Вот и хорошо. Посмотрим, подумаем. Поговорим о чем-нибудь другом. Хочешь еще выпить?

Мы выпили за наше здоровье. Мне было ясно одно — кажется, мы уедем вдвоем на машине, как я уже представляла себе, но считала невозможным. Потом я что-то придумаю, чтобы не привязаться к нему — ведь заранее известно, что все пути отрезаны. Не так уж я глупа.

Мы гуляли по набережным. Люк смеялся вместе со мной, болтал. Я тоже смеялась, я говорила себе, что с ним надо всегда смеяться, и, в общем, ничего не имела против. «Смех сопутствует любви», — утверждает Ален. Но в данном случае речь шла не о любви, только о соглашении. Кроме всего прочего, я наконец была почти горда собой: Люк думает обо мне, уважает меня, хочет меня; я имела право считать себя до некоторой степени интересной, вызывающей уважение, желанной. Маленький страж моей совести, показывающий мне всякий раз, когда я начинаю думать о себе, образ довольно невзрачный, возможно, был слишком суров, слишком пессимистичен.

Расставшись с Люком, я пошла в бар и выпила еще виски на все четыреста франков, оставленных на завтрашний обед. Через десять минут мне стало чудесно, я чувствовала себя нежной, доброй, веселой. Мне необходим был кто-то, кому я могла бы, для его же пользы, объяснить все жестокое, нежное и горькое, что я знаю о жизни. Я могла бы говорить часами. Бармен был любезен, но заинтересованности не проявлял. Так что я отправилась в кафе на улицу Сен-Жак. Там я встретила Бертрана. Он был один; перед ним уже стояло несколько пустых рюмок. Я села около него; он обрадовался, увидев меня.

— Я как раз думал о тебе. В «Кентукки» новый поп-оркестр. Может, пойдем? Мы уже пропасть времени не танцевали.

— У меня нет ни единого су.

— Мать дала мне на днях десять тысяч франков. Давай выпьем по стаканчику и пойдем.

— Сейчас не больше восьми, — возразила я. — Раньше десяти не откроют.

— Значит, выпьем по нескольку стаканчиков, — сказал Бертран весело.

Я оживилась. Я очень любила танцевать с Бертраном под быстрый темп поп-музыки. Стоило мне услышать джазовую музыку, ноги начинали двигаться сами собой. Бертран уплатил по счету, и мне показалось, что он уже достаточно пьян. Он был само веселье. К тому же он был моим лучшим другом, моим братом, я чувствовала к нему глубокую привязанность.

До десяти часов мы обошли пять или шесть баров. В конце концов оба совершенно опьянели. Безумно веселые, но не сентиментальные. Когда мы добрались до «Кентукки», оркестр только начал играть, еще почти никого не было, и на площадке мы были одни или почти одни. Вопреки моим предположениям, танцевали мы очень хорошо; мы совершенно расслабились. Мне страшно нравилась эта музыка, ее стремительный порыв, это наслаждение следовать за ней каждым движением своего тела.

Садились мы, только чтобы выпить.

— Музыка, — доверительно сообщила я Бертрану, — джазовая музыка — это освобождение.

Он резко выпрямился:

— Ты права. Очень, очень интересно. Блестящее определение. Браво, Доминика!

— В самом деле?

— Виски в «Кентукки» отвратительное. А музыка хороша. Музыка равна освобождению... А освобождению от чего?

— Не знаю. Послушай трубу, это уже не только освобождение, это необходимость. Нужно дойти до последнего предела этого звука, ты чувствуешь? Необходимо. Знаешь, ведь это как в любви, физической любви, наступает момент, когда нужно, чтобы... Когда уже нельзя по-другому...

— Прекрасно. Очень, очень интересно. Потанцуем?

Так мы проводили ночь: пили и обменивались нечленораздельными звуками. И наконец голова закружилась от множества лиц, ног, от Бертрана, который вел меня, держа на расстоянии; и эта музыка, бросавшая меня к нему, и эта немыслимая пара, и невероятное согласие наших тел...

— Закрывают, — сказал Бертран. — Четыре часа.

— У меня уже тоже закрыто, — заметила я.

— Не имеет значения, — сказал он.

Это действительно не имело значения. Мы поехали к нему и легли в постель, и было совершенно естественно, что в эту ночь, как и всю зиму, я чувствовала тяжесть Бертрана и что мы были счастливы вместе.

Глава 8

Утром я лежала рядом с ним, он спал. По-видимому, было еще рано; мне больше не спалось, и я говорила себе, что, как и он, погруженный в сон, я тоже как будто не здесь. Мое настоящее «я» было очень далеко отсюда, за пригородными домиками, деревьями, полями, детством, неподвижное, в конце какой-то аллеи. Как будто девушка, склонившаяся над этим соней, только бледное отражение моего «я» — спокойного, безжалостного, от которого, впрочем, я уже отделилась, чтобы начать жить. Как будто своему вечному «я» предпочитала собственную жизнь, оставив эту статую в конце аллеи, в сумерках — и на плечах ее, словно птиц, множество жизней, возможных и отвергнутых.

Я потянулась, оделась... Проснулся Бертран, о чем-то спросил, зевнул, провел рукой по щекам и подбородку, пожаловался на отросшую щетину. Я договорилась с ним на вечер и возвратилась к себе, чтобы позаниматься. Но — напрасно: было невыносимо жарко, время приближалось к полудню, а я должна была завтракать с Люком и Франсуазой. Я вышла купить сигарет, вернулась, стала закуривать и вдруг остро почувствовала, что за все сегодняшнее утро не было ничего, кроме неясного инстинктивного желания сохранить свои прежние привычки. Ничего, ни одной минуты!.. Да и могло ли быть иначе? Я не верила в радостные улыбки едущих в автобусе людей, в льющую через край жизнь городских улиц, и я не любила Бертрана. Мне необходим был кто-нибудь или что-нибудь. Я так и сказала себе, закуривая сигарету, почти в полный голос: «Кто-нибудь или что-нибудь», и мне самой это показалось мелодраматичным. Мелодраматичным и нелепым. Подобно Катрин, я переживала приступ сентиментального отчаяния. Я любила любовь и слова, имеющие к ней отношение: нежный, жестокий, ласковый, доверчивый, непомерный, — и я никого не любила. Разве что Люка, когда он был рядом. Но я не решалась думать о нем после вчерашнего. Мне не хотелось снова испытать такое чувство, будто я от него отказалась, чувство, подступавшее к горлу всякий раз, когда я о нем вспоминала.

Я ждала Люка и Франсуазу, как вдруг почувствовала странное головокружение — пришлось немедленно идти в туалет. Когда все прошло, я подняла голову и посмотрела в зеркало. «Итак, — сказала я вслух, — случилось!» Снова начинался этот кошмар, я хорошо знала это состояние, хотя часто пугалась напрасно. Но на этот раз... А может, причина во вчерашнем виски и волноваться не из-за чего. Я лихорадочно обсудила этот вопрос сама с собой, глядя в зеркало с любопытством и насмешкой. Несомненно, я была в ловушке. Скажу об этом Франсуазе. Не может быть, чтобы Франсуаза не помогла мне из нее выбраться.

Но Франсуазе я ничего не сказала. Не хватило духу. И потом, за завтраком, Люк заставил нас выпить, тогда я немного забыла об этом, уговорила сама себя.

На следующий день после этого завтрака началась неделя такого преждевременного лета, что я даже представить себе не могла ниче-

106 го подобного. Я ходила по улицам, потому что в комнате было невыносимо — такая там была духота. Я туманно расспрашивала Катрин о возможных выходах из положения, не решаясь ей ничего открыть. Я не хотела больше видеть Люка, Франсуазу, этих свободных и сильных людей. Я чувствовала себя, как больное животное. Иногда меня одолевали приступы дурацкого нервного смеха. Ни планов, ни сил. К концу недели я уверилась, что у меня будет ребенок от Бертрана, и немного успокоилась. Надо было действовать.

Но накануне экзаменов выяснилось, что я ошиблась, что все это действительно был только кошмар, и письменный я сдавала, улыбаясь от облегчения. Просто в течение десяти дней я думала только об этом и теперь с восхищением открывала для себя все остальное. Снова все стало возможным и радостным. Однажды ко мне случайно зашла Франсуаза, ужаснулась невыносимой духоте, предложила готовиться к устному у них. Теперь я занималась, лежа на белоснежном ковре в их квартире с полуспущенными жалюзи, одна. Франсуаза возвращалась к пяти часам, показывала покупки, без особой настойчивости пыталась спрашивать меня по программе, и все это кончалось шутками. Приходил Люк, смеялся вместе с нами. Мы шли обедать в какое-нибудь открытое кафе, они отвозили меня домой. Однажды Люк вернулся до прихода Франсуазы, вошел в комнату, где я занималась, опустился на ковер возле меня. Он взял меня на руки и тут же, над моими разложенными тетрадками, поцеловал, не говоря ни слова. Его губы я ощутила так, будто других губ и не знала, будто все пятнадцать дней только о них и думала. Потом он сказал, что напишет мне во время моих каникул и что, если я захочу, мы с ним поедем куда-нибудь на неделю. Он гладил мне затылок, искал мои губы. Мне захотелось остаться вот так, не поднимая головы с его плеча, до самой ночи, тихонько жалуясь, быть может, на то, что мы не любим друг друга. Учебный год кончился.

ЧАСТЬ II

ГЛАВА 1

Дом был длинный, серого цвета. Луга спускались к зеленоватой Ионне, застывшей среди камышей и маслянистых проток. Над водой летали ласточки и тополиный пух. Один из тополей мне особенно нравился, я любила лежать возле него. Я вытягивалась, упираясь ступнями в ствол, забывалась, глядя на ветки, — высоко надо мной их раскачивал ветер. Земля пахла нагретой травой, я подолгу наслаждалась всем этим, наслаждалась вдвойне из-за ощущения полной расслабленности. Я знала, как выглядит этот пейзаж в дождь и в зной. Знала его до Парижа, до его улиц, Сены и мужчин: он не менялся.

Я много читала, потом медленно поднималась в гору, шла домой, чтобы поесть. Моя мать, пятнадцать лет назад потерявшая сына при довольно трагических обстоятельствах, страдала неврастенией, которой быстро пропитался весь дом. В этих стенах благоговели перед грустью. Мой отец ходил по дому на цыпочках и носил за матерью ее шали.

Бертран мне писал. Он прислал мне странное письмо, путаное, полное намеков на последнюю ночь, проведенную вместе после вечера в «Кентукки», ночь, когда, по его словам, он не проявил должного уважения ко мне. Я, однако, не заметила, чтобы он проявил его меньше, чем обычно, и, поскольку в этом смысле наши отношения были совершенно просты и удовлетворяли обоих, я долго размышляла, на что же он намекает. Наконец я поняла, что он пытался соединить нас прочной цепью, искал ее и в результате выбрал довольно непрочную — эротику. Сначала я рассердилась на него — зачем он усложняет то, что было между нами самым радостным и, в общем, самым чистым; я не понимала, что в определенных случаях предпочитают даже самое худшее — лишь бы не быть заурядным, лишь бы не сделать того, что от тебя ждут. А для него и заурядность, и необходимость вести себя именно так, как от него ждали, были связаны с тем, что я его больше не любила. И при этом я понимала, что жалеет он только обо мне, а не о нас обоих, потому что после этого месяца «нас» уже не существовало, и это еще больше меня огорчало.

От Люка не было вестей целый месяц: только очень милая открытка от Франсуазы, которую подписал и он. С дурацкой гордостью я повторяла себе, что не люблю его: я не страдала от его отсутствия — какие еще нужны доказательства? Мне не приходило в голову, что, действительно разлюбив его, я не торжествовала бы, а, напротив, чувствовала бы себя униженной. Впрочем, все эти премудрости меня раздражали... Я так хорошо держала себя в руках.

И потом, я любила этот дом, где должна была бы так скучать. Я и скучала, но скукой приятной, а не вызывающей стыд, как в Париже. Я была очень любезна и внимательна ко всем, мне нравилось быть такой. Бродить по комнатам, по лугам, чувствовать, что больше ни на что не способна, — какое это облегчение! Неподвижно лежа, покрываться легким загаром, ждать, без ожидания, конца каникул. Читать. Каникулы похожи были на длинный урок, вязкий и бесцветный.

Наконец пришло письмо от Люка. Он писал, что приедет в Авиньон 22 сентября. Там будет ждать моего приезда либо письма. Я тут же решила ехать, и прошедший месяц показался мне воплощением простоты. Да, это, несомненно, Люк, его спокойный тон, этот нелепый и неожиданный Авиньон, это кажущееся отсутствие интереса. Я наврала родителям, написала Катрин — пусть состряпает мне какое-нибудь приглашение в гости. Она тут же прислала его вместе с другим письмом, в котором удивлялась, почему я не еду на побережье, ведь там Бертран со всей компанией. Мое недоверие ее очень огорчило: она ничем решительно его не заслужила! Я коротко поблагодарила ее и приписала, что, если ей хочется причинить Бертрану боль, достаточно будет показать ему мое письмо... что она, кстати, и сделала — разумеется, из дружеских чувств к нему.

Двадцать первого сентября, почти налегке, я отправилась в Авиньон, который, к счастью, расположен на пути к Лазурному побережью. Родители провожали меня на вокзал. Я рассталась с ними, чуть не плача, непонятно почему. Впервые мне показалось, что кончились детство, родительская опека... Я заранее ненавидела Авиньон.

Из-за молчания Люка, из-за его небрежного письма я стала представлять его себе довольно равнодушным и черствым, в Авиньон я приехала настороженная, в настроении, весьма не подходящем для так называемого любовного свидания. Я согласилась на поездку с Люком не потому, что он меня любил или я его любила. Я согласилась на нее потому, что мы говорили на одном языке и нравились друг другу. Думая об этом, я посчитала эти причины незначительными, а саму поездку ужасной.

Но Люк удивил меня в который уже раз. Он стоял на платформе, весь напряженный, и, увидев меня, очень обрадовался. Я вышла из вагона, он крепко обнял меня и нежно поцеловал.

— Ты прекрасно выглядишь. Как я рад, что ты приехала.

— Вы тоже, — сказала я, имея в виду его внешность. Он действительно выглядел подтянутым, загорел и был гораздо красивее, чем в Париже.

— Ты знаешь, нет никакого смысла оставаться в Авиньоне. Давай двинемся к морю, раз уж мы для этого приехали. А там видно будет.

Его машина стояла у вокзала. Он закинул мой чемодан в багажник, и мы отправились. Я совершенно отупела и наперекор здравому смыслу была немного разочарована. Я не помнила его ни таким соблазнительным, ни таким веселым.

Дорога была прекрасная, обсаженная платанами. Люк курил, и мы мчались к солнышку, опустив верх. Я думала: «Ну вот, это в самом деле я, здесь и сейчас». И ничего при этом не чувствовала, совсем ничего. Я могла бы с таким же успехом сидеть под своим тополем с книгой. Эта прострация в конце концов меня даже развеселила. Я повернулась и попросила сигарету. Он улыбнулся:

— Полегче стало?

Я засмеялась.

— Полегче. Я потихоньку спрашиваю себя, что это я делаю тут, с вами, вот и все.

— Ничего не делаешь, едешь, куришь, спрашиваешь себя, не соскучишься ли. Ты не хочешь, чтобы я тебя поцеловал?

Он остановил машину, обнял меня за плечи и поцеловал. Для нас это был чудесный способ опять почувствовать друг друга. Чуть улыбаясь, я ощутила его губы, и мы поехали дальше. Люк держал меня за руку. Он хорошо меня чувствовал. Я два месяца прожила среди получужих людей, застывших в печали, которой я не разделяла, и мне казалось, что мало-помалу жизнь начинается снова.

Море было удивительно; на секунду я пожалела, что Франсуаза не с нами, а то бы я сказала ей, что оно действительно синее с красными скалами, песок желтый и что все это было очень точно увидено ею. Я немного боялась, что Люк начнет показывать мне море с торжествующим лицом, исподтишка следя за моей реакцией, — тогда мне придется отвечать прилагательными и делать восхищенное лицо; но он просто указал на него пальцем, когда мы приехали в Сен-Рафаэль:

— Вон море.

И в сумерках мы медленно поехали вдоль берега, а море рядом с нами постепенно бледнело, становилось серым. В Каннах Люк остановил машину на улице Круазетт, у гигантского отеля, вестибюль которого привел меня в ужас. Я понимала — мне только тогда станет хорошо, когда я забуду об этой роскоши, о лакеях, научусь относиться к ним как к существам привычным, безопасным, не обращающим на меня внимания. Люк долго объяснялся с высокомерным человеком за стойкой. Мне хотелось провалиться сквозь землю. Он это почувствовал и, когда мы пересекали холл, положил мне руку на плечо, показывая дорогу. Комната была огромная, почти белоснежная, с двумя застекленными дверьми, выходившими на море. Суета носильщиков, чемоданы, открытые окна, шкафы. Посередине — я, опустив руки, злясь на собственную неспособность что-то ощущать.

— Ну вот, — сказал Люк.

Он с удовлетворением оглядел комнату, перегнулся через перила.

— Иди посмотри.

Я облокотилась рядом с ним, на приличном расстоянии. Мне совершенно не хотелось ни смотреть в окно, ни фамильярничать с этим не слишком хорошо знакомым человеком. Он взглянул на меня.

— Ну, ты снова стала дикой. Иди прими ванну, потом выпьем вместе. Комфорт и алкоголь — это, по-видимому, единственное, что способно тебя развеселить.

Он оказался прав. Переодевшись, я пришла и стала рядом с ним со стаканом в руке, наговорила тысячу комплиментов ванной комнате и морю. Он сказал мне, что я дивно выгляжу. Я ответила ему, что он тоже, и мы, довольные друг другом, стали глядеть на пальмы и толпу. Потом он ушел переодеться, оставив мне второй стакан виски, и я, напевая, расхаживала босиком по толстому плюшу.

Обед прошел хорошо. Мы говорили о Франсуазе и Бертране, прочувствованно и нежно. Я сказала, что не очень хотела бы встретиться здесь с Бертраном, но Люк ответил — мы обязательно наткнемся на кого-нибудь, кто не откажет себе в удовольствии рассказать все и ему, и Франсуазе, и у нас будет достаточно времени «расхлебывать кашу», когда мы вернемся. Я была тронута тем, что он пошел на такой риск. Я сказала ему об этом, зевая, потому что до смерти хотела спать. Еще я сказала, что мне нравится, как он смотрит на вещи:

— Замечательно. Уж если вы решили что-то сделать, вы делаете это, заранее принимаете все последствия, ничего не боитесь.

— А чего мне, по-твоему, бояться? — сказал он с непонятной грустью. — Бертран меня не убьет. Франсуаза не оставит. Ты не полюбишь.

— Может быть, Бертран убьет меня, — ответила я, задетая.

— Для этого он слишком симпатичный. Впрочем, все симпатичные.

— Злые люди еще скучнее. Ведь это вы мне говорили.

— Ты права. И потом, поздно уже, пойдем, пора спать.

Он сказал это очень просто. В наших разговорах не было ничего любовного, но это «пойдем, пора спать» показалось мне все же несколько бесцеремонным. Сказать по правде, я боялась, я очень боялась предстоящей ночи.

В ванной я дрожащими руками надела пижаму. Я была немного похожа в ней на школьницу, но другой у меня не было. Когда я вошла, Люк уже лег. Он курил, повернувшись лицом к окну. Я скользнула в постель рядом с ним. Он спокойно потянулся ко мне, взял мою руку в свою. Меня трясло.

— Сними пижаму, глупышка, ты ее помнешь. Тебе холодно в такую ночь? Ты больна?

Он притянул меня к себе, осторожно снял пижаму, бросил на пол. Я заметила, что она все-таки помнется. Он тихо засмеялся. Каждое его движение было полно необыкновенной нежности. Он спокойно целовал мне плечи, губы, продолжал говорить:

— Ты пахнешь теплой травой. Тебе нравится эта комната? Если нет, тогда уедем. Канны все-таки приятный город...

Я сдавленно отвечала: «Да, да». Мне очень хотелось, чтобы уже было завтрашнее утро. Но когда он немного отстранился от меня и положил руку мне на бедро, сердце у меня забилось. Он ласкал меня, а я целовала его шею, грудь, всю эту тень, черную на фоне неба, видневшегося сквозь застекленную дверь. Наконец ноги наши переплелись, я обняла его: наше дыхание смешалось. Потом я уже не видела ни его, ни неба Канн. Я умирала, я должна была умереть и не умирала, я теряла сознание. Все остальное ничего не стоило: как можно было никогда этого не знать? Когда мы оторвались друг от друга, Люк открыл глаза и улыбнулся мне. Я тотчас заснула, положив голову на его руку.

ГЛАВА 2

Мне всегда говорили, что жить с кем-нибудь очень трудно. Я думала об этом, но так по-настоящему и не узнала во время короткой совместной жизни с Люком. Я думала об этом, потому что никак не могла полностью расслабиться с ним. Я боялась, не соскучится ли он со мной. Я не могла не заметить, что обычно боялась за себя — не соскучусь ли я, — а не за других. Такой поворот меня беспокоил. Но разве трудно жить с таким человеком, как Люк, который не заводит серьезных разговоров, ни о чем не спрашивает (особенно — «О чем ты думаешь?»), неизменно доволен, что я рядом, и не демонстрирует ни равнодушия, ни страсти? Мы шли в ногу, у нас были одинаковые привычки, одинаковый ритм жизни. Мы нравились друг другу, все шло хорошо. Я вовсе не жалела о том, что он не делает этого огромного усилия над собой, без которого невозможно полюбить другого человека, узнать его, разрушить свое одиночество. Мы были друзьями, любовниками; вместе купались в Средиземном море, чересчур синем; разморенные солнцем, завтракали, разговаривая о пустяках, и возвращались в отель. Иногда, в его объятиях, охваченная нежностью, наступающей после любви, я так хотела ему сказать: «Люк, полюби меня, давай попытаемся, позволь нам попытаться». Я не говорила этого. Я только целовала его лоб, глаза, рот, каждую черточку этого нового лица, теперь осязаемого, которое губы открывают вслед ·за глазами. Ни одно лицо я так не любила. Я любила даже его щеки, а ведь эта часть лица всегда была для меня больше «рыбой», чем «мясом». Теперь, прижимаясь лицом к щекам Люка, прохладным и немного колючим — у него быстро отрастала борода, — я поняла Пруста, длинно описывавшего щеки Альбертины. Благодаря Люку я узнала свое тело, он говорил мне о нем с интересом, без непристойности, как о какой-то драгоценности. Однако не чувственность определяла наши отношения, а что-то другое, что-то вроде соучастия, нелегкого, вызванного усталостью от жизненных комедий, усталостью от слов, усталостью как таковой.

После обеда мы всегда ходили в один и тот же бар, немного мрачный, за улицей Антиб. Там был маленький оркестр; когда мы пришли туда в первый раз, Люк заказал мелодию «Покинутый и любимый», я ему о ней говорила. Он обернулся ко мне, очень довольный собой:

— Ты эту мелодию хотела?

— Да. Как приятно, что ты вспомнил.

— Она напоминает тебе Бертрана?

Я ответила — да, немного, эта пластинка уже давно в ходу. Он поморщился.

— Досадно. Но мы придумаем что-нибудь другое.

— Зачем?

— Когда заводишь роман, надо выбрать мелодию, духи, какие-то ориентиры на будущее.

Должно быть, у меня был забавный вид, потому что он засмеялся.

— В твоем возрасте не думают о будущем. А я готовлю себе приятную старость, с пластинками.

— У тебя их много?

— Нет.

— Жаль, — сказала я со злостью. — Мне кажется, у меня в твоем возрасте будет целая дискотека.

Он осторожно взял меня за руку.

— Ты обиделась?

— Нет, — сказала я подавленно. — Просто это довольно смешно, вот так думать, что через год или два от целой недели твоей жизни, живой недели с мужчиной, не останется ничего, кроме пластинки. Особенно если мужчина заранее это знает и об этом говорит.

Я с раздражением чувствовала слезы на глазах. И все из-за тона,

которым он спросил: «Ты обиделась?» Когда со мной так говорят,
мне всегда хочется похныкать.

— Больше я ни на что не обиделась, — нервно повторила я.

— Идем, — сказал Люк, — потанцуем.

Он обнял меня, и мы начали танцевать под мелодию Бертрана, совершенно, впрочем, непохожую на прекрасную запись на пластинке. Когда мы танцевали, Люк вдруг сильно прижал меня к себе, с особенной нежностью — так, вероятно, это называется, — и я прильнула к нему. Потом он отпустил меня, и мы заговорили о другом. Мы нашли нашу мелодию, она выбралась сама собой, потому что ее играли повсюду.

Кроме этой маленькой ссоры, я держалась хорошо, была веселой и считала, что наше небольшое приключение очень удачно. И потом, я восхищалась Люком, я не могла не восхищаться его умом, его жизненной устойчивостью, манерой сразу определять ценность вещей, их значение, по-мужски точно, без цинизма или снисходительности. Но мне хотелось сказать ему иногда с раздражением: «Почему бы тебе все-таки не полюбить меня? Мне было бы настолько спокойнее! Почему не установить между нами стеклянную стену страсти, меняющую порой все пропорции, но такую удобную?» Но нет, мы оставались в том же качестве — союзники и соучастники. Я не могла стать любимой, а он любящим, у него не было на это ни возможности, ни сил, ни желания.

В то утро — оно должно было быть последним — мне показалось, что он меня любит. Он принялся молча ходить по комнате, вид у него был такой замкнутый, что это меня заинтриговало.

— Что ты сказала дома? Когда ты вернешься?

— Я сказала «примерно через неделю».

— Если это тебя устроит, останемся еще на неделю?

— Да...

Я вдруг поняла, что и не думала об отъезде по-настоящему. Моя жизнь пройдет в этом отеле, который стал гостеприимным и удобным, как большой корабль. Рядом с Люком все ночи будут бессонными. Мы тихо приблизимся к зиме, к смерти, разговаривая о преходящем.

— Я думаю, Франсуаза тебя ждет?

— Это я могу уладить. Я не хочу уезжать из Канн. Ни из Канн, ни от тебя.

— Я тоже, — ответила я таким же спокойным и невинным тоном.

Таким же тоном. На секунду я подумала, что он, может быть, любит меня, но не хочет этого говорить. Сердце у меня забилось. Но потом я вспомнила, что это всего лишь слова, что я действительно ему нравлюсь и что этого достаточно. Просто мы договорились еще об одной счастливой неделе. Потом я должна буду его оставить. Оставить его, оставить его... Зачем, для кого, для чего? Для приступов скуки, для рассеянного одиночества? По крайней мере, когда на меня смотрит он, я вижу, что это он; когда он говорит со мной, это тот, кого я хочу понять. Он, который мне интересен, кого я хочу видеть счастливым. Он, Люк, мой любовник.

— Это прекрасная мысль, — повторила я. — По правде говоря, я не думала об отъезде.

— Ты не думаешь ни о чем, — сказал он смеясь.

— Да, когда я с тобой.

— Почему? Чувствуешь себя юной, ни за что не отвечающей?

Он лукаво улыбался. Он быстро — если бы я попыталась — уничтожил бы в нашей паре позицию «маленькой девочки и чудесного покровителя». К счастью, я чувствовала себя совершенно взрослой, взрослой и пресыщенной.

— Нет, — сказала я. — Я за все отвечаю. Но за что? За свою жизнь? Она достаточно приемлемая и достаточно вялая. Я не чувствую себя несчастной. Я довольна. Но я и не счастлива. Мне никак; хорошо только с тобой.

— Это прекрасно, — продолжил он. — Мне тоже очень хорошо с тобой.

— Что ж, давай помурлыкаем.

Он засмеялся.

— Стоит хоть чуть-чуть упрекнуть тебя за эту твою привычную дозу безнадежности — ах, жизнь абсурдна, — как ты становишься разъяренной кошкой. Я вовсе не претендую на то, чтобы ты, по твоему выражению, «мурлыкала» или, скажем, блаженствовала со мной. Мне бы стало скучно.

— Почему?

— Я бы чувствовал себя одиноким. Бывают минуты, когда Франсуаза внушает мне страх — то есть когда она рядом со мной, молчит и всем довольна. С другой стороны, с мужской и общественной точек зрения, очень удобно знать, что сделал женщину счастливой, хотя сам не понимаешь, каким образом.

— Значит, все прекрасно, — выпалила я единым духом. — Есть Франсуаза, которую ты делаешь счастливой, и я, которую ты сделаешь довольно несчастной по возвращении.

Я еще не успела договорить эту фразу, как уже пожалела о ней. Он повернулся ко мне:

— Тебя несчастной?

— Нет, — ответила я улыбаясь, — немного сбитой с толку. Нужно будет найти кого-то, кто бы занимался мной, а никто не умеет этого лучше тебя.

— Только не вздумай рассказывать мне об этом, — сказал он со злостью.

Потом передумал.

— Нет, лучше рассказывай. Рассказывай мне обо всем. Если это будет неприятный тип, я его поколочу. Если наоборот, я выражу свое согласие. Короче, настоящий папаша.

Он взял мою руку, повернул ее и стал нежно и долго целовать ладонь. Я положила другую руку ему на затылок. Он был очень юный, очень ранимый, очень добрый, этот мужчина, предложивший мне связь без будущего, без сантиментов. Он был честен.

— Мы — честные люди, — сказала я нравоучительным тоном.

— Да, — ответил он смеясь. — Только не кури вот так сигарету, это нечестно.

На мне был халат в горошек.

— А разве я честная женщина? Зачем я живу с чужим мужем в этом роскошном прибежище порока? В типичном наряде куртизанки? Разве я не образец сбившейся с пути юной прихожанки церкви Сен-Жермен-де-Пре, которая разбивает браки словно бы невзначай, думая о чем-то своем?

— Да, — сказал он удрученно. — А я — муж, который был таким примерным и вдруг потерял голову, болван, болван... Иди сюда...

— Нет, нет. Потому что я отказываюсь от тебя, я гнусно обвела тебя вокруг пальца. Зажгла в твоей крови огонь желания, а сама отказываюсь усмирить его. Вот.

Он рухнул на кровать, охватив голову руками. Я мрачно села около него. Когда он поднял голову, я посмотрела на него пристально и сурово.

— Я — роковая женщина.

— А я?

— Жалкое подобие человека. А был когда-то мужчиной. Люк! Еще неделя!

Я упала на кровать рядом с ним, его волосы перепутались с моими; я прижалась к нему щекой, он был горячий и прохладный, от него пахло морем, солью.

Я была одна, не без удовольствия сидела в шезлонге перед отелем лицом к морю. Я и какие-то пожилые англичанки. Было одиннадцать утра, Люк уехал в Ниццу улаживать какие-то сложные дела. Мне, в общем, нравилась Ницца, по крайней мере невзрачная ее часть между вокзалом и Английским бульваром. Но я отказалась ехать, потому что мне вдруг остро захотелось побыть одной.

Я была одна, зевала, обессилевшая от бессонных ночей, мне было удивительно хорошо. Когда я закуривала сигарету, рука моя, державшая спичку, немного дрожала. Сентябрьское солнце, уже не такое жаркое, ласкало щеку. На этот раз мне было очень хорошо с самой собой. «Нам хорошо, только когда мы устаем», — говорил Люк, и это была правда, потому что я принадлежала к породе людей, которым хорошо, только когда они исчерпают определенную часть жизнеспособности, требовательной, подверженной приступам скуки; ту самую часть, которая спрашивает: «Что ты сделал со своей жизнью? Что ты хочешь с ней делать?» — вопрос, на который я могла ответить только: «Ничего».

Мимо прошел очень красивый молодой человек; я оглядела его с безразличием, удивившим меня самое. Вообще говоря, красота обычно приводила меня в некоторое смущение. Она казалась мне неприличной, неприличной и недоступной. Этот молодой человек показался мне приятным на вид и совершенно нереальным. Люк уничтожил других мужчин. Зато я не уничтожила для него других женщин. Он смотрел на них с полной готовностью и без лишних рассуждений.

Вдруг море заволоклось туманом. Я почувствовала удушье. Приложила руку ко лбу — он был в испарине. Даже корни волос были влажны. Капля пота медленно ползла вдоль спины. Должно быть, смерть — это всего лишь голубоватый туман, нетрудное падение в провал. Я могла бы умереть тогда и не стала бы сопротивляться.

Я мимоходом схватила смысл этой фразы, мелькнувшей в сознании и готовой тут же, на цыпочках, ускользнуть. «И не стала бы сопротивляться». А ведь многое я очень любила: Париж, запахи, книги, любовь, мою нынешнюю жизнь с Люком. У меня было предчувствие, что ни с кем мне, наверное, не будет так хорошо, как с ним, что он создан для меня на веки веков и что, без сомнения, существует предопределенность встреч. Моя судьба была в том, что Люк оставляет меня, что я попытаюсь начать все сначала с другим, что, разумеется, я это сделаю. Но никогда и ни с кем я не буду такой, как с ним: почти не ощущающей одиночества, спокойной и внутренне раскованной. Только ведь он снова будет со своей женой, а меня оставит в моей парижской комнате, оставит одну с этими бесконечными послеполуденными часами, приступами отчаяния и неудачными романами. Я принялась тихонько хныкать, сама себя растрогав.

Минуты три я хлюпала носом. Через два шезлонга от меня сидела пожилая англичанка и разглядывала меня — без сострадания, но с интересом, заставившим меня покраснеть. Потом я сама стала внимательно смотреть на нее. Секунду я была исполнена невероятного уважения к ней. Это было человеческое существо, другое человеческое существо. Она смотрела на меня, а я на нее, пристально, на солнышке, обе ослепленные каким-то откровением: два человеческих существа, говорящие на разных языках и глядевшие друг на друга как на неожиданность. Потом она поднялась и, прихрамывая, ушла, опираясь на палку.

Счастье — вещь ровная, без зарубок. Так и у меня от этого времени в Каннах не осталось ясных воспоминаний, разве что о нескольких несчастливых минутах, об улыбках Люка да еще о пресном и навязчивом запахе летней мимозы в комнате по ночам. Может быть, счастье для таких, как я, — это что-то вроде рассеянности, отсутствия скуки, доверчивой рассеянности. Теперь я знала эту рассеянность, так же как иногда, встречаясь со взглядом Люка, знала ощущение, что все наконец идет хорошо. Не я, а он нес на своих плечах весь мир. И смотрел на меня улыбаясь. Я знала, почему он улыбается, и мне хотелось улыбаться ему в ответ.

Помню момент окрыления однажды утром. Люк лежал на песке. Я ныряла с плота. Потом поднялась на последнюю площадку трамплина. Я видела Люка, толпу на песке и ожидавшее меня ласковое море. Я упаду, оно скроет меня; я упаду с очень большой высоты и во время падения буду одна, смертельно одна. Люк смотрел на меня. Он иронически изобразил ужас, и я прыгнула. Море взлетело мне навстречу; я больно ударилась о него. Добралась до берега и рухнула рядом с Люком, обрызгав его; потом положила голову на его сухую спину и поцеловала в плечо.

— Что это — сумасбродство... или просто спортивный азарт? — сказал он.

— Сумасбродство.

— Так я и сказал себе — причем с гордостью. Когда я подумал, что ты ныряешь с такой высоты, чтобы поскорее быть со мной, я был очень счастлив.

— Ты счастлив? Это я счастлива. Я должна быть счастливой в любом случае, потому что я этого не требую. Это аксиома, ведь так?

Я говорила, не глядя на него, потому что он лежал на животе и я видела только его затылок. Загорелый и крепкий затылок.

— Я верну тебя Франсуазе в отличном виде, — сказала я шутливо.

— Ну и цинизм!

— Ты куда меньший циник, чем мы. Женщины очень циничны. Ты просто мальчишка по сравнению со мной и Франсуазой.

— Ничего себе претензии!

— У тебя их куда больше, чем у нас. Женщины с претензиями сразу же становятся смешны. Мужчинам же это придает обманчивую мужественность, которую они поддерживают для...

— Скоро кончатся эти аксиомы? Поговорим о погоде. Во время отпуска это единственная дозволенная тема.

— Погода хорошая, — сказала я, — погода очень хорошая...

И, повернувшись на спину, заснула.

Когда я проснулась, небо было затянуто облаками, пляж обезлюдел, губы у меня пересохли, я чувствовала себя совершенно обессиленной. Люк сидел около меня на песке, одетый. Он курил, глядя в море. Я смотрела на него с минуту, не показывая, что проснулась, впервые с каким-то отстраненным любопытством: «О чем может думать этот человек?» О чем может думать человек, сидя на пустынном пляже, перед пустынным морем, рядом с кем-то, кто спит? Он представлялся мне таким раздавленным этой тройной пустотой, таким одиноким, что я потянулась к нему и дотронулась до его плеча. Он даже не вздрогнул. Он никогда не вздрагивал, редко удивлялся, вскрикивал еще реже.

— Проснулась? — сказал он лениво. И нехотя потянулся. — Четыре часа.

— Четыре часа! — Я мгновенно села. — Я проспала четыре часа?

— Не волнуйся, — сказал Люк. — Нам нечего делать.

Эта фраза показалась мне зловещей. Нам действительно нечего было делать вместе — ни работы, ни общих друзей.

— Это тебя огорчает? — спросила я.

Он повернулся ко мне улыбаясь.

— Мне только это и нравится. Надень свитер, дорогая, замерзнешь. Пойдем выпьем чаю в отеле.

Не освещенная солнцем Ля Круазетт выглядела мрачной, ее дряхлые пальмы слегка раскачивались на слабом ветру. Отель спал. Мы попросили чай наверх. Я приняла горячую ванну и снова вытянулась рядом с Люком, который читал в постели, время от времени стряхивая пепел с сигареты. Мы закрыли жалюзи из-за хмурого неба, в комнате было сумрачно, жарко. Я закрыла глаза. Только шуршание страниц, переворачиваемых Люком, врывалось в отдаленный шум прибоя.

Я думала: «Ну вот, я рядом с Люком, я около него, мне стоит только протянуть руку, чтобы дотронуться до него. Я знаю его тело, его голос, знаю, как он спит. Он читает, я немного скучаю, это, в общем, даже приятно. Сейчас мы пойдем обедать, потом вместе ляжем спать, а через три дня расстанемся. И, наверное, уже никогда не будет так, как сейчас. Но эта минута — вот она, с нами; я не знаю, любовь ли это или соглашение, но это не важно. Мы одни, и каждый одинок по-своему. Он не знает, что я думаю про нас; он читает. Но мы вместе, и со мной частица предназначенного мне тепла и частица безразличия. Через полгода, когда мы будем врозь, не об этой минуте я буду вспоминать, а о каких-то других, случайных. Однако именно эту минуту я люблю, наверное, больше всего — минуту, когда я принимаю жизнь, какой она мне и представляется сейчас — спокойной и душераздирающей». Я протянула руку, взяла «Семью Фенуйар» (Люк много раз упрекал меня за то, что я ее не читала) и принялась читать и смеяться, пока Люку тоже не захотелось смеяться вместе со мной, и мы склонились над одной и той же страницей, щека к щеке, а скоро — губы к губам, наконец книга упала на пол, наслаждение опустилось на нас, ночь — на других.

И вот настал день отъезда. Из лицемерия, где главную роль играл страх: у него, что я расчувствуюсь, у меня — что, заметив это, я расчувствуюсь еще больше, мы накануне, в последний наш вечер, не упоминали об отъезде. Просто я много раз просыпалась ночью, в какой-то панике искала Люка, его лоб, руку, мне нужно было убедиться, что нежный союз нашего сна все еще существует. И каждый раз, будто подстерегая эти приступы страха, будто сон его был неглубок, Люк обнимал меня, сжимал мой затылок, шептал: «Здесь, здесь» — голосом необычным, каким успокаивают зверей. Это была смутная, заполненная шорохами и запахом мимозы ночь, которую мы оставим позади, ночь полусна и бессилия. Потом настало утро, легкий завтрак, и Люк начал собирать вещи. Я собирала свои, разговаривая о дороге, дорожных ресторанах и прочем. Меня немного раздражал мой собственный фальшиво-спокойный и мужественный тон, потому что мужественной я себя не чувствовала и не видела причин быть ею. Я чувствовала себя никакой: несколько растерявшейся, может быть. На этот раз мы разыгрывали полукомедию, и я считала более осмотрительным так и продолжать, а то, в конце концов, он мог бы заставить меня страдать, расставаясь с ним. Уж лучше вот такое выражение лица, манеры, жесты непричастности.

— Ну вот мы и готовы, — сказал он наконец. — Я позвоню, чтобы пришли за багажом.

Я очнулась.

— Давай последний раз посмотрим с балкона, — сказала я мелодраматическим голосом.

Он посмотрел на меня с беспокойством, потом, поняв выражение моего лица, засмеялся.

— А ты и в самом деле твердый орешек, настоящий циник. Ты мне нравишься.

Он обнял меня посреди комнаты, легко встряхнул.

— Знаешь, это редко бывает, когда можно сказать кому-нибудь: «Ты мне нравишься» — после двух недель совместного житья.

— Это не совместное житье, — запротестовала я смеясь, — это медовый месяц.

— Тем более! — сказал он, отстраняясь. В тот момент я действительно почувствовала, что он оставляет меня и что мне хочется удержать его за лацканы пиджака. Это было мимолетно и очень неприятно.

Возвращение прошло хорошо. Я немного вела машину, Люк сказал, что мы приедем в Париж ночью, завтра он позвонит мне, и вскоре мы пообедаем вместе с Франсуазой — к этому времени она вернется из деревни, где провела две недели у своей матери. Меня это немного обеспокоило, но Люк посоветовал не упоминать о нашем путешествии — вот и все; остальное он сам с ней уладит. Я довольно ясно представляла себе осень — меж них двоих, — встречи с Люком от случая к случаю, когда мы целуемся, любим друг друга. Я никогда не предполагала, что он оставит Франсуазу, сначала — потому что он сказал, потом — потому что мне казалось невозможным причинить такую боль Франсуазе. Предложи он мне это — я, без сомнения, не смогла бы в тот момент согласиться.

Он сказал мне, что по возвращении у него много работы, но не особенно интересной. Меня ждал новый учебный год, необходимость углубляться в то, что и в прошлом-то году было довольно скучным. Одним словом, мы возвращались в Париж унылыми, но мне это нравилось, потому что у обоих было одинаковое уныние, одинаковая тоска и, следовательно, одинаковая необходимость цепляться друг за друга.

Мы добрались до Парижа поздно ночью. У Итальянских ворот я посмотрела на Люка, на его немного осунувшееся лицо и подумала, что мы легко выпутались из нашего маленького приключения, что мы действительно взрослые люди, цивилизованные и разумные, и вдруг меня охватила ярость — такой нестерпимо униженной я себя почувствовала.

ЧАСТЬ III

ГЛАВА 1

Мне никогда не приходилось открывать Париж заново: он был открыт мной раз и навсегда. Но сейчас я удивлялась его очарованию и удовольствию, с которым гуляла по его улицам, по-летнему неделовым. В течение трех пустых дней это отвлекало меня от ощущения абсурда, вызванного отсутствием Люка. Я искала его глазами, иногда ночью рукой, и каждый раз мне казалось нелепым и бессмысленным, что его нет. Эти две недели уже приобрели в моей памяти какую-то форму, тональность, полнозвучную и резкую одновременно. Странно, что ощущала я их отнюдь не как поражение, напротив, как победу. Победу, которая — и я хорошо это понимала — затруднит, вернее, превратит в мучение любую подобную попытку.

Вернется Бертран. Что сказать Бертрану? Бертран попытается меня вернуть. Зачем начинать с ним снова и, главное, как терпеть другое тело, другое дыхание, если это не Люк?

Люк не позвонил мне ни на следующий день, ни через день. Я приписала это сложностям с Франсуазой и извлекла из этого двойственное ощущение собственной значительности и стыда. Я много бродила, размышляя отвлеченно и не слишком заинтересованно о наступающем годе. Быть может, я найду какое-нибудь более умное занятие, чем юриспруденция. Люк обещал познакомить меня с одним из своих друзей, редактором журнала. Если до сих пор сила инерции побуждала меня искать успокоение в чувстве, то теперь она заставляла меня искать его в профессии.

Через два дня я уже не могла справиться с желанием видеть Люка. Не осмеливаясь позвонить, я послала ему коротенькую записку, вежливую и непринужденную одновременно, с просьбой мне позвонить. Что он и сделал на следующий день: он ездил за Франсуазой в деревню и раньше позвонить не мог. Голос звучал напряженно. Я подумала, что он истосковался по мне, и на секунду, пока он говорил, представила, как мы встретимся в каком-нибудь кафе, он обнимет меня и скажет, что не может жить без меня и что эти два дня были сплошным абсурдом. Я отвечу: «Я тоже», вполне правдиво, и пусть он решает. Люк действительно предложил мне встретиться, но только чтобы сказать — все прошло хорошо, она не задала ни одного вопроса, а сам он завален работой. Он добавил: «Ты красивая» — и поцеловал мне руку.

Я нашла его изменившимся — он снова стал носить темные костюмы, — изменившимся и привлекательным. Я смотрела на его лицо, четко очерченное и усталое. Мне было странно, что оно больше мне не принадлежит. Я даже подумала, что и вправду не сумела «попользоваться» (это слово показалось мне отвратительным) нашим совместным путешествием. Я говорила с ним весело, он отвечал в том же тоне, и оба мы были неестественны. Может быть, оттого, что оба удивлялись — оказывается, легко прожить с кем-то две недели, и как хорошо это получается и все-таки ни к чему серьезному не ведет. И только когда он встал, во мне поднялся протест, захотелось крикнуть: «Куда же ты? Не оставишь же ты меня одну?» Он ушел, и я осталась одна. Мне, в общем, нечего было делать. Я подумала: «Комедия какая-то», — и пожала плечами. Погуляла часок, зашла в несколько кафе, надеялась кого-нибудь встретить, но никто еще не приехал. В любой момент можно было уехать еще на две недели «к своим». Но я должна была послезавтра обедать с Люком и Франсуазой и решила дождаться этого обеда, а уж потом уехать.

Эти два дня я провела в кино или валялась, читала, спала. Моя комната казалась мне чужой. Наконец, в день обеда, я тщательно оделась и отправилась к ним. Позвонив, я на секунду испугалась, но мне открыла Франсуаза, и ее улыбка тотчас меня успокоила. Я знала (мне говорил это Люк), что она никогда не поставит себя в смешное положение, необыкновенная доброта и чувство собственного достоинства ей никогда не изменят. Она никогда не была обманутой и наверняка никогда не будет.

Забавный это был обед. Мы были втроем, и все шло прекрасно, как раньше. Только мы очень много выпили перед тем, как сесть за стол. Франсуаза, казалось, ничего не знала, но, может быть, смотрела на меня более внимательно, чем обычно. Время от времени Люк говорил со мной, глядя мне прямо в глаза, и я считала делом чести отвечать ему весело и непринужденно. Разговор зашел о Бертране, который возвращался на будущей неделе.

— Меня здесь не будет, — сказала я.

— Где же ты будешь? — спросил Люк.

— Наверно, я поеду на несколько дней к моим родителям.

— Когда вы вернетесь?

Это спросила Франсуаза.

— Через две недели.

— Доминика, я перехожу с вами на «ты»! — вдруг сказала она. — Мне надоело говорить вам «вы».

— Давайте все перейдем на «ты», — сказал Люк улыбаясь и направился к проигрывателю. Я проследила за ним взглядом и, обернувшись к Франсуазе, увидела, что она смотрит на меня. Обеспокоенная, я ответила на ее взгляд, только бы она не подумала, что я избегаю смотреть ей в глаза. Она коснулась моей руки с легкой и грустной улыбкой, все во мне перевернувшей.

— Вы... то есть ты, напишешь мне открытку, Доминика? Ты еще не сказала мне, как там твоя мама.

— Хорошо, — сказала я, — она...

Я остановилась, потому что Люк поставил пластинку, которая постоянно звучала на побережье и разом все напомнила. Он не оборачивался. Я почувствовала, что мысли у меня пришли в полное замешательство от этой пары, от музыки, от снисходительности Франсуазы, которая не была снисходительностью, от чувствительности Люка, которая тоже не была чувствительностью, — короче, от всей этой мешанины. В эту минуту мне по-настоящему хотелось сбежать.

— Мне очень нравится эта вещь, — сказал Люк спокойно.

Он сел, и я поняла, что он ни о чем таком не думает. Даже о нашем горьком разговоре о пластинках-воспоминаниях. Просто эта мелодия пришла ему на память два-три раза, и он купил пластинку, чтобы от нее отделаться.

— Мне она тоже очень нравится, — сказала я.

Он поднял на меня глаза, вспомнил и улыбнулся мне. Он улыбался так нежно, так откровенно, что я опустила глаза. Но Франсуаза закуривала сигарету. Я растерялась. Такая ситуация даже не была фальшивой, потому что, мне казалось, достаточно поговорить об этом, чтобы каждый высказал свое мнение спокойно, со стороны, как если бы все это его не касалось.

— Пойдем мы на этот спектакль или нет? — сказал Люк. Он повернулся ко мне и объяснил: — Мы получили приглашение на новый спектакль. Можем пойти втроем...

— О! Конечно, почему бы и нет?

Мне недоставало только добавить с глупым смехом: «Конечно, только этого нам и не хватало!»

Франсуаза отвела меня в свою комнату, чтобы примерить на меня одно из своих пальто, более подходящее, чем мое. Она надела на меня одно или два, велела мне повернуться, подняла воротник. В тот момент, когда она обеими руками придерживала воротник, я засмеялась про себя: «Я в ее власти. Может быть, она меня задушит или искусает». Но она ограничилась улыбкой.

— Вы в нем немного утонули.

— Это верно, — сказала я, думая не о пальто.

— Мне надо увидеться с вами, когда вы вернетесь.

«Вот оно! — подумала я. — А если она попросит меня больше не видеть Люка? Я это смогу?» И сразу ответ: «Нет, не смогу!»

— Я ведь решила заняться вами, одеть вас как следует и познакомить с вещами, куда более интересными, чем эти студенты и библиотеки.

«О боже, — подумала я, — это не тот момент, не тот, когда нужно это говорить!»

— Так как же? — повторила она, поскольку я молчала. — В какой-то степени я нашла в вас дочь. — Она сказала это смеясь, но очень мило. — Но если эта дочь с характером и чрезмерно интеллектуальна...

— Вы слишком добры, — сказала я, напирая на слово «слишком». — Не знаю, что мне делать.

— Не мешать, — сказала она смеясь.

«Я попала в осиное гнездо, — подумала я. — Но если Франсуаза так меня любит и предлагает мне видеться, я буду часто видеть Люка. Может быть, я ей все объясню. Может быть, ей это немножко все равно после десяти лет брака».

— Почему вы так хорошо ко мне относитесь? — спросила я.

— Вы принадлежите к людям того же типа, что и Люк. Натуры не очень счастливые, которым суждено искать утешения у тех, кто, как я, рожден под знаком Венеры. Вам этого не избежать...

Мысленно я воздела руки к небесам. Потом мы отправились в театр. Люк разговаривал, смеялся. Франсуаза объяснила, что вокруг за люди, кто с кем и т. д. Они проводили меня до пансиона, и Люк непринужденно поцеловал мне руку. Я вернулась несколько обескураженная, заснула, а на следующий день уехала к родителям.

Глава 2

Но Ионна была серая, а тоска нестерпимая. Не просто тоска, а тоска по кому-то. Через неделю я вернулась. Когда я уезжала, моя мать вдруг очнулась, спросила меня, счастлива ли я. Я заверила ее, что да, мне очень нравится юриспруденция, я много занимаюсь, и у меня хорошие друзья. Успокоенная, она снова ушла в свою меланхолию. Ни на одну секунду — в отличие от прошлого года — я не почувствовала желания поговорить с ней обо всем. Да и что ей сказать? Решительно, я постарела.

В пансионе я нашла записку от Бертрана, который просил позвонить, как только я вернусь. Он наверняка хотел выяснить отношения — я не очень доверяла деликатности Катрин, — и в этом я ему отказать не могла. Итак, я ему позвонила, и мы договорились встретиться. В ожидании я записалась в университетскую столовую.

В шесть часов мы встретились с Бертраном в кафе на улице Сен-Жак, и мне показалось, что ничего не произошло, что все начинается снова. Но когда он поднялся и с серьезным лицом поцеловал меня в щеку, я вернулась к действительности. Я трусливо пыталась принять легкомысленный и безответственный вид.

— Ты хорошо выглядишь, — сказала я искренне, а в голове пронеслась циничная мыслишка: «К сожалению».

— Ты тоже, — коротко сказал он. — Я хочу, чтобы ты знала: Катрин мне все рассказала.

— Что — все?

— О твоей поездке на побережье. Я тут кое-что прикинул и думаю, что ты была с Люком. Так это или нет?

— Так, — сказала я. (Я была тронута. Он не злился, а был спокоен и немного грустен.)

— Ну так вот: я не из тех, кто делится с другими. Я еще люблю тебя настолько, чтобы не придавать этому всему значения; но не настолько, чтобы позволить себе роскошь ревновать и мучиться из-за тебя, как весной. Ты должна выбрать.

Он выпалил это одним духом.

— Что выбрать? — Мне стало скучно. Люк был прав, я не думала о Бертране как о главной проблеме.

— Или ты больше не видишь Люка и у нас все продолжается, или ты его видишь и мы останемся добрыми друзьями. Больше ничего.

— Конечно, конечно.

Мне абсолютно нечего было сказать. Он как будто повзрослел, обрел солидность; я почти восхищалась им. Но он больше ничего для меня не значил, решительно ничего. Я накрыла рукой его руку.

— Я в отчаянии, — сказала я, — но ничего не могу поделать.

— Нелегко это проглотить, — сказал он.

— Я не хочу тебя мучить, — повторила я, — и я действительно терзаюсь сама.

— Но это не самое трудное, — сказал он как бы самому себе. — Вот увидишь. Когда все решено, тогда уже не страшно. Плохо, когда цепляются.

Он вдруг повернулся ко мне:

— Ты любишь его?

— Да нет же, — раздраженно сказала я. — Не в этом дело. Мы очень хорошо понимаем друг друга, вот и все.

— Если тебе станет тоскливо, помни, я здесь, — сказал он. — А я думаю, что станет. Вот увидишь: Люк — ничто, этакий грустный умник. И все.

Я подумала о нежности Люка, о его смехе — какая меня охватила радость!

— Поверь мне. Во всяком случае, — добавил он как-то порывисто, — я буду здесь, Доминика. Я был очень счастлив с тобой.

Оба мы готовы были расплакаться. Он — потому что все было кончено и тем не менее ему хотелось надеяться, я — потому что у меня было ощущение, будто я теряю истинного своего защитника и бросаюсь в сомнительное приключение. Я встала и тихонько поцеловала его.

— До свидания, Бертран. Прости меня.

— Что уж там, — сказал он мягко.

Я вышла совершенно разбитая. Замечательно начинался год.

В моей комнате меня ждала Катрин, с трагическим лицом сидя на кровати. Она поднялась, когда я вошла, и протянула мне руку. Я без энтузиазма пожала ее и села.

— Доминика, я хочу попросить прощения. Я, наверно, не должна была ничего говорить Бертрану. Как ты считаешь?

Вопрос привел меня в восхищение.

— Это не важно. Может быть, было бы лучше, если бы я сама ему сказала, но это не важно.

— Ну и хорошо, — сказала она, успокоившись.

Она снова уселась на кровать — теперь вид у нее был возбужденный и довольный.

— Ну — рассказывай.

Я потеряла дар речи, потом засмеялась.

— Ну нет! Ты просто великолепна, Катрин! Провентилировала вопрос с Бертраном — раз-два и готово! — и покончив с этим неприятным делом, валяй рассказывай дальше, что-нибудь этакое, позаманчивей.

— Не издевайся надо мной, — сказала она тоном маленькой девочки. — Рассказывай мне все.

— Нечего рассказывать, — ответила я сухо. — Провела две недели на побережье с человеком, который мне нравится. По ряду соображений история на этом кончается.

— Он женат? — спросила она вкрадчиво.

— Нет. Глухонемой. А сейчас я должна разобрать чемодан.

— Ну что ж, я подожду. Все равно ты мне все расскажешь, — сказала она.

«Самое плохое, что так оно, возможно, и будет, — подумала я, открывая шкаф. — Найдет черная меланхолия...»

— Ну ладно, а вот я, — продолжала она, как будто это было открытием, — я влюблена.

— В кого? — сказала я. — Ах да! В последнего, конечно.

— Если это тебе неинтересно...

Но она продолжала. Я со злостью приводила в порядок вещи.

«Почему у меня в подругах такие дуры? Люк бы ее не потерпел. А при чем тут Люк? При том, что это, в общем, моя жизнь».

— ...Одним словом, я его люблю, — заключила она.

— А что ты называешь любить? — спросила я с любопытством.

— Ну, я не знаю. Любить — это думать о ком-нибудь, везде с ним бывать, предпочитать его другим. Разве не так?

— Не знаю. Может быть.

Вещи были в порядке. Я вяло уселась на постель. Катрин сделалась милой.

— Ты какая-то сумасшедшая, Доминика. Ты ни о чем не думаешь. Пойдем с нами сегодня вечером. Я буду, конечно, с Жаном-Луи и с его другом, он очень умный, занимается литературой. Это тебя развлечет.

В любом случае я не хотела звонить Люку до завтра. И потом, я устала; жизнь представлялась мне унылым круговоротом, а в центре — порой единственная точка опоры — Люк. Он один меня понимал, помогал мне. Он был мне необходим.

Да, он был мне необходим. Я ничего не могла требовать от него, но он все-таки за что-то был в ответе. Главное — не нужно, чтобы он это знал. Соглашения должны оставаться соглашениями, особенно когда они могут причинить неприятности другим.

— Ладно, пойдем посмотрим твоего Жана-Бернара и его умного друга. Мне чихать на ум, Катрин. Хотя нет, не так; я люблю только грустных умников. Те, которые благополучно из всего выбираются, действуют мне на нервы.

— Жан-Луи, — запротестовала она, — а не Жан-Бернар. Выбираются из чего?

— Из этого, — сказала я с пафосом и показала на окно, где виднелось низкое небо, розово-серое в вышине и такое грустное, какое может быть только над замершим адом.

— Тут что-то не так, — сказала Катрин обеспокоенно, взяла меня за руку и, спускаясь по лестнице, следила, как бы я не оступилась. В конце концов, я очень хорошо к ней относилась.

Глава 3

Короче говоря, я любила Люка, о чем и сказала себе в первую же ночь, которую снова провела с ним. Это было в гостинице, на набережной; он лежал на спине после объятий и разговаривал со мной, прикрыв глаза. Он сказал: «Поцелуй меня». И я приподнялась на локте, чтобы поцеловать его. Но, наклонившись к нему, я вдруг почувствовала какую-то дурноту, бесповоротное убеждение, что это лицо, этот человек — единственное, что у меня есть. И что неизъяснимое наслаждение, ожидание, крывшееся для меня в этих губах, — это и есть наслаждение и ожидание любви. И что я люблю его. Я положила голову ему на плечо, не поцеловав, и тихо застонала от страха.

— Хочешь спать, — сказал он, погладив меня по спине, и негромко засмеялся. — Ты, как маленький зверек, после любви спишь или хочешь пить.

— Я подумала, — сказала я, — что я вас очень люблю.

— Я тоже, — сказал он, потрепав меня по плечу. — Стоило нам не видеться три дня, и ты уже называешь меня на «вы», почему бы это?

— Я вас уважаю, — ответила я. — Уважаю и люблю.

Мы вместе засмеялись.

— Нет, правда, — повторила я с увлечением, как будто эта блестящая мысль только что пришла мне в голову, — что бы вы сделали, если бы я полюбила вас всерьез?

— А ты и любишь меня всерьез, — сказал он, снова закрывая глаза.

— Я имею в виду: если бы вы стали мне необходимы, если бы я хотела быть с вами все время?..

— Мне бы стало очень скучно, — сказал он. — И даже не польстило бы.

— И что бы вы мне сказали?

— Я бы сказал тебе: «Доминика... Послушай, Доминика, прости меня».

Я вздохнула. Значит, и он не лишен ужасного рефлекса осмотрительных и совестливых мужчин, которые говорят в таких случаях: «Я тебя предупреждал».

— Заранее вас прощаю, — сказала я.

— Дай мне сигарету, — сказал он лениво, — они с твоей стороны.

Мы молча курили. Я подумала: «Ну вот, я люблю его. Наверно, любить — это всего лишь думать вот так: «Я люблю его». Всего лишь, но только в этом спасение».

И правда, всю неделю всего лишь и было: телефонный звонок Люка: «Ты свободна в ночь с пятнадцатого на шестнадцатое?» Эта фраза, каждые три-четыре часа всплывавшая в моем сознании, произнесенная холодным тоном, всякий раз, стоило мне вспомнить о ней, как-то странно сжимала мне сердце — то ли от счастья, то ли от удушья. И вот теперь я была рядом с ним, и время шло очень медленно и без всяких примет.

— Мне нужно идти, — сказал он. — Без четверти пять! Поздно уже.

— Да, — сказала я. — Франсуаза здесь?

— Я сказал ей, что я с бельгийцами на Монмартре. Но кабаре сейчас должны закрываться.

— Что она подумает? Пять часов — это поздно даже для бельгийцев.

Он говорил, не открывая глаз.

— Я вернусь, скажу: «Ох уж эти бельгийцы!» — и потянусь. Она повернется и скажет: «Твоя содовая в ванной», — и снова заснет. Вот и все.

— Понятно! — сказала я. — А завтра вам предстоит торопливый рассказ о кабаре, о том, как вели себя бельгийцы, о...

— О! Простое перечисление... Я не люблю врать, да и времени особенно нет.

— А на что у вас есть время? — сказала я.

— Ни на что. Ни времени, ни сил, ни желания. Если бы я был способен хоть на что-нибудь, я бы полюбил тебя.

— Что бы это изменило?

— Ничего, для нас ничего. Во всяком случае, думаю. Просто я был бы из-за тебя несчастлив, а сейчас мне хорошо.

Я спросила себя, не предостережение ли это в ответ на мои недавние слова, но он положил мне руку на голову, даже как-то торжественно.

— Тебе я все могу сказать. И мне это нравится. Франсуазе я не мог бы сказать, что не люблю ее, но по-настоящему в наших с ней отношениях нет прекрасной и устойчивой основы. Основа всему — моя усталость, моя скука. Великолепная, надо сказать, основа, прочная. На таких вещах можно создавать крепкие и длительные союзы: на одиночестве, скуке. По крайней мере она неподвижна.

Я подняла голову с его плеча:

— Но ведь это все такая...

Я едва не добавила «чепуха» — так все во мне протестовало против его слов, но промолчала.

— Такая — что? Итак, легкий приступ юношеского негодования?

Он с нежностью рассмеялся.

— Мой бедный котенок, ты такая юная, такая безоружная. Такая обезоруживающая, к счастью. Это меня и успокаивает.

Он отвез меня в пансион. На следующий день я должна была завтракать с ним, Франсуазой и каким-то их приятелем. На прощание я поцеловала его через открытое окно машины. Лицо его осунулось, он выглядел старым. Эта старость больно резанула меня и на минуту заставила любить его еще больше.

Глава 4

Назавтра я проснулась в приподнятом настроении. Отсутствие солнца всегда шло мне на пользу. Я встала, подошла к окну, вдохнула парижский воздух, без всякой охоты закурила. Потом снова легла, не забыв взглянуть в зеркало, где обнаружила синеву под глазами и довольно занятную физиономию. Короче, интересную внешность. Я решила попросить хозяйку с завтрашнего дня включить отопление, потому что это уже переходило всякие границы.

«Здесь собачий холод», — сказала я громко, и мой голос показался мне хриплым и смешным. «Дорогая Доминика, — добавила я, — вы страстно влюблены. Надо начать лечение: вам прописаны прогулки, разумное чтение, молодые люди, может быть, неутомительная работа. Вот ведь как».

Я невольно была полна симпатии к себе. Что из того, чувство-то юмора у меня ведь сохранилось, черт побери! Мне было хорошо в моей шкуре. Я просто создана для страстей. К тому же впереди — завтрак с предметом сих страстей. Я отправилась к Люку и Франсуазе с недолговечным ощущением свободы, как после причастия, — оно было вызвано физической эйфорией, происхождение которой мне, конечно, было известно. Я на ходу вскочила в автобус, и кондуктор, воспользовавшись этим, обнял меня за талию под предлогом помощи. Я протянула ему талон, и мы обменялись понимающими улыбками, он — как мужчина, неравнодушный к женщинам, я — как женщина, привыкшая к мужчинам, которые неравнодушны к женщинам. Я стояла на площадке, держась за поручень; автобус скрежетал по мостовой, немного трясло. Очень хорошо мне было, очень хорошо от этой бессонницы, которая свила гнездо во мне где-то между челюстями и солнечным сплетением.

У Франсуазы уже сидел какой-то незнакомый мне приятель — толстый, красный, неприветливый человек. Люка не было, потому что, как объяснила Франсуаза, он провел ночь с какими-то клиентами-бельгийцами и встал только в десять часов. Эти бельгийцы со своим Монмартром порядком досаждают. Я увидела, что толстяк смотрит на меня, и почувствовала, что краснею.

Вошел Люк, у него был усталый вид.

— А... Пьер! — сказал он. — Как дела?

— Ты меня не ждал?

В нем было что-то агрессивное. Может быть, просто оттого, что Люк удивился его присутствию, а моему — нет.

— О чем ты говоришь, старик, что ты, конечно, ждал, — ответил Люк, вымученно улыбаясь. — Есть что-нибудь выпить в этом доме? Что это за соблазнительная желтая жидкость в твоем стакане, Доминика?

— Чистое виски, — ответила я. — Вы уже его не узнаете?

— Нет, — сказал он и сел в кресло, как садятся на вокзале, на самый краешек сиденья. Потом взглянул на нас — тоже каким-то вокзальным взглядом, рассеянным и равнодушным. Вид у него был ребяческий и упрямый. Франсуаза засмеялась.

— Мой бедный Люк, ты выглядишь почти так же плохо, как Доминика. Кстати, моя дорогая девочка, я собираюсь положить этому
конец. Я скажу Бертрану, чтобы он...

Она стала объяснять, что скажет Бертрану. Я не смотрела на
Люка. Слава богу, между нами никогда не было никакого заговора
относительно Франсуазы. Это было даже забавно. Мы говорили о
ней между собой как о любимом ребенке, который доставляет нам
немало беспокойств.

— Развлечения такого рода никому не идут на пользу, — ответил
тот, кого звали Пьером, и я вдруг поняла, что, по-видимому, из-за
поездки в Канны он все знает. Этим и объясняется его с самого начала уничтожающий взгляд, его сухость и полунамеки. Я вдруг вспомнила, что мы его там встретили и что Люк говорил мне о его увлече-
нии Франсуазой. Должно быть, он негодовал, быть может, болтал
лишнее. В стиле Катрин: ничего не скрывать от друзей, оказывать услуги, открывать им глаза и т. д. И если Франсуаза узнает, если будет
смотреть на меня с презрением и гневом, что так ей несвойственно и,
по-моему, мною вовсе не заслужено, что я буду тогда делать?

— Идемте завтракать, — сказала Франсуаза. — Я умираю от голода.

Мы пошли пешком в ближайший ресторан. Франсуаза взяла меня под руку, мужчины шли за нами.

— Какая славная погода, — сказала она. — Обожаю осень.

И не знаю почему, эта фраза напомнила мне комнату в Каннах и
как Люк, стоя у окна, говорил: «Тебе нужно принять ванну и выпить
виски, потом все пойдет хорошо». Это было в первый день, мне было
не очень хорошо; потом было еще пятнадцать — пятнадцать дней с
Люком, дни, ночи. И больше всего на свете я хотела сейчас именно
этого, но это наверняка никогда больше не вернется. Если бы я знала... Хотя, если бы я и знала, ничего бы не изменилось. Есть такая
фраза у Пруста: «Счастье очень редко прилетает именно к тому желанию, которое его призвало». В эту ночь они совпали: когда я при-
близила лицо к лицу Люка — а я так этого хотела всю неделю, —
мне даже стало дурно, быть может, просто потому, что внезапно исчезла пустота, составлявшая, в общем-то, мою жизнь. Пустота, воз-
никавшая от ощущения, что моя жизнь и я существуем врозь. А в тот
момент я почувствовала, что наконец мы с ним вместе, и эта минута,
может быть, лучшая.

— Франсуаза! — послышался голос Пьера позади нас.

Мы обернулись и поменялись спутниками. Я шла впереди, рядом
с Люком, мы шагали в ногу по рыжей улице, и думали мы, по-видимому, об одном и том же, потому что он бросил на меня вопросительный, даже требовательный взгляд.

— М-да, — сказала я.

Он грустно пожал плечами: незаметное движение, подчеркнувшее выражение лица.

Он вынул сигарету из кармана, закурил ее и на ходу протянул мне. Всякий раз, когда ему бывало не по себе, он прибегал к этому средству. При том, что он начисто лишен закоренелых привычек.

— Этот тип знает о нас с тобой, — сказал он.

Он сказал это задумчиво, но страха не чувствовалось.

— Это серьезно?

— Он не сможет долго противостоять искушению утешить Франсуазу. Добавлю, что за словом утешения в данном случае не стоит никаких крайностей.

На минуту я восхитилась его мужской доверчивостью.

— Это тихий болван, — сказал он, — бывший сокурсник Франсуазы. Тебе это что-нибудь говорит?

Мне это кое-что говорило.

— Меня это огорчает в той же мере, в какой это может быть неприятно Франсуазе, — добавил он. — Тем более что речь идет о тебе...

— Все понятно, — сказала я.

— Это огорчит меня и из-за тебя тоже, если Франсуаза начнет плохо к тебе относиться. Она может сделать для тебя много хорошего. Франсуаза — надежный друг.

— У меня нет надежного друга, — сказала я с грустью. — У меня нет ничего надежного.

— Тебе грустно? — спросил он и взял меня за руку.

На минуту этот жест тронул меня из-за явного риска, на который шел Люк, а потом мне снова стало грустно. Он действительно держал меня за руку, и мы вместе шли на виду у Франсуазы; но она хорошо знала, что он, Люк, который держит меня за руку, — просто усталый человек. Она наверняка думала, что он не вел бы себя так, будь у него нечиста совесть. Нет, не так уж он рисковал. Он — равнодушный человек. Я сжала его руку: конечно, это был он, всего лишь он. И что именно он заполнял мою жизнь, не переставало меня удивлять.

— Не грустно, — ответила я. — Никак.

Я лгала. Я хотела сказать ему, что я лгу, что на самом деле он мне необходим, но, как только я оказывалась рядом с ним, все казалось мне нереальным. Не было ничего; ничего, кроме приятных двух недель воспоминаний, сожалений. Зачем эта раздирающая боль? Мучительная тайна любви — думала я насмешливо. В сущности, я сердилась на себя за это, потому что чувствовала себя достаточно сильной, достаточно свободной и достаточно одаренной, чтобы у меня была счастливая любовь.

Завтрак был длинный. Я смотрела на Люка, потерянная. Он был красивый, умный и утомленный. Я не хотела расставаться с ним. Я строила смутные планы на зиму. Прощаясь, он сказал, что позво-

нит. Франсуаза добавила, что она тоже позвонит, чтобы познакомить
меня с кем-то.

Они не позвонили — ни он, ни она. Это продолжалось десять дней. От одного имени Люка мне становилось тяжело. Наконец он позвонил и сказал, что Франсуаза в курсе дела и что он даст мне знать о себе, как только сможет, — у него сейчас полно дел. Голос его был нежен. Я неподвижно стояла посреди комнаты, так до конца и не поняв. Я должна была обедать с Аленом. Он ничего не может сделать для меня. Я уничтожена.

В последующие две недели я видела Люка еще два раза. Один раз — в баре на набережной Вольтера, другой — в какой-то комнате, где мы не знали, что сказать друг другу, ни до, ни после. Во всем был привкус пепла. Очень любопытно наблюдать, как жизнь ставит свою подпись под параграфами романтических соглашений. Я поняла, что решительно не способна быть веселой подружкой женатого мужчины. Я любила его. Надо было заранее представить себе, хотя бы представить, что любовь может быть именно такой: наваждением, мучительной неудовлетворенностью. Я попыталась смеяться. Он не смеялся. Говорил со мной тихо, нежно, будто перед смертью... Франсуазе очень тяжело.

Он спросил, что я делаю. Я ответила — занимаюсь, читаю. Я читала или ходила в кино с единственной мыслью: рассказать ему об этой книге или об этом фильме, потому что он был знаком с режиссером, его поставившим. Я тщетно искала что-нибудь, что связывало нас, — не считая боли, довольно гнусной, причиненной нами Франсуазе. Но ничего не было, тем не менее мы не думали терзаться угрызениями совести. Я не могла сказать ему: «Вспомни». Это значило бы нарушить правила игры и напугало бы его. Я не могла сказать, что всюду вижу или, по крайней мере, хочу увидеть его машину, что я без конца начинаю набирать номер его телефона, но не доканчиваю, что, возвращаясь, я лихорадочно расспрашиваю консьержку, что все сводится к нему и что я просто ненавижу себя. Я ни на что не имела права. Ни на что, даже если в этот момент рядом со мной его лицо, руки, его нежный голос, все это невыносимое прошлое... Я худела...

Ален был славный, и однажды я ему все рассказала. Мы прошагали вместе километры, он обсуждал мою страсть как литературную проблему, мне это помогло взять разбег и продолжать разговор в том же духе.

— И все-таки ты прекрасно знаешь, что это пройдет, — сказал он. — Через полгода или год ты будешь смеяться над этим.

— Не хочу смеяться, — сказала я. — И этим я защищаю не только себя, но и все то, что у нас было. Канны, наш смех, наше согласие.

— И тем не менее ты не можешь не понимать, что когда-нибудь это уже ничего не будет значить.

— Знаю, но не придаю значения. Пусть так — мне все равно. Сейчас, сейчас нет ничего, кроме этого.

Мы гуляли. Вечером он провожал меня до пансиона, с серьезным видом жал мне руку, а я, возвратившись, спрашивала консьержку, не звонил ли мсье Люк «такой-то». Нет, отвечала она улыбаясь. Я валилась на кровать, вспоминала Канны.

Я думала: «Люк не любит меня», и сердце начинало глухо щемить. Я повторяла себе это и снова чувствовала боль, порой довольно острую. Тогда мне казалось, что какого-то успеха я достигла: раз я могу управлять этой глухой болью, преданной, вооруженной до зубов, готовой явиться по первому зову, стало быть, я ею распоряжаюсь. Я говорила: «Люк не любит меня», и все сжималось у меня внутри. Но при том, что я могла почти всегда вызывать эту боль по своему желанию, я не могла помешать ей непроизвольно возникнуть во время лекции или за завтраком, захватить меня врасплох и заставить мучиться. И не могла больше помешать этому повседневному и оправданному ощущению тоски и амебности собственного существования среди постоянных дождей, утренней усталости, пресных лекций, разговоров. Я страдала. Я говорила себе, что страдаю, с иронией, любопытством, не знаю как еще, лишь бы избежать жалкой очевидности неразделенной любви.

И вот случилось то, что должно было случиться. Однажды вечером я увиделась с Люком. Мы покатались в его машине по Булонскому лесу. Он сказал, что должен уехать в Америку, на месяц. Я сказала, что это интересно. Потом до меня дошел смысл: целый месяц. Я судорожно закурила.

— Когда вернусь, ты меня забудешь, — сказал он.

— Почему? — спросила я.

— Так будет лучше для тебя, маленькая моя, гораздо лучше... — И он остановил машину.

Я посмотрела на него. Какое напряженное, горестное лицо. Итак, он знал. Он все знал. Он был уже не только мужчиной, которого надо беречь, но и другом. Я вдруг обняла его. Прижалась щекой к его щеке. Я видела тени деревьев. Слышала свой голос, говоривший немыслимые вещи:

— Люк, это невозможно. Не оставляйте меня. Я больше не могу жить без тебя. Вы должны остаться. Я одинока, я так одинока. Это невыносимо.

Я с удивлением слушала свой собственный голос. Неприличный, детский, умоляющий. Повторяла себе то, что мог бы мне сказать Люк: «Ну хватит, хватит, это пройдет, успокойся». Но я продолжала говорить, а Люк все молчал.

Наконец, словно для того, чтобы остановить этот поток слов, он обеими руками сжал мне лицо, нежно поцеловал в губы.

— Бедняжка моя, — сказал он, — бедная моя девочка.

Голос у него срывался. Я подумала сразу: «Хватит» и «Какая я несчастная». Я заплакала, уткнувшись ему в пиджак. Время шло, скоро он отвезет меня домой, совершенно измученную. Я примирюсь, а потом его уже больше здесь не будет. Во мне поднялся бунт.

— Нет, — сказала я, — нет.

Я вцепилась в него, мне хотелось стать им, раствориться в нем.

— Я тебе позвоню. Мы еще увидимся перед отъездом, — сказал он... — Прости меня, Доминика, прости меня. Я был очень счастлив с тобой. Знаешь, это пройдет. Все проходит. Я многое бы отдал, чтобы...

Он беспомощно развел руками.

— Чтобы полюбить меня? — сказала я.

— Да.

Щека у него была мягкая, горячая от моих слез. Я не увижу его целый месяц, он не любит меня. Отчаяние — какое странное чувство; и странно, что после этого выживают. Он отвез меня домой. Я больше не плакала. Я была убита. Он позвонил мне на следующий день и еще на следующий. В день его отъезда у меня был грипп. Он зашел ко мне на минуту. У меня был Ален, мимоходом, и Люк поцеловал меня в щеку. Он мне напишет.

ГЛАВА 5

Порой я просыпалась среди ночи с пересохшими губами и еще в полусне слышала, как что-то шепчет мне — надо снова заснуть, снова уйти в тепло, в бессознательность, ставшую для меня единственной передышкой. Но я уже начинала думать: «Это просто жажда. Достаточно встать, дойти до умывальника, попить, и я снова засну». Но стоило мне встать, стоило увидеть в зеркале собственное отражение, слабо освещенное уличным фонарем, почувствовать тепловатую воду, текущую по мне, как отчаяние охватывало меня, и я снова ложилась в постель, дрожа от холода, ощущая настоящую физическую боль. Лежа плашмя на животе, обхватив голову руками, я вдавливала себя в постель, как будто моя любовь к Люку была каким-то смертельно опасным зверем, которого я, взбунтовавшись, пыталась раздавить, зажав между своим телом и простыней. А потом начиналась борьба. Моя память и воображение превращались в злейших врагов. Лицо Люка, Канны, все, что было, все, что могло бы быть. И тут же, сразу, сопротивление моего тела, требовавшего сна, и рассудка, который был сам себе противен. Я выпрямлялась, начинала подводить итоги: «Это я, Доминика. Я люблю Люка, а он меня не любит. Неразделенная любовь, неизбежная грусть. Нужно порвать». И я представляла себе этот окончательный разрыв в виде письма Люку, изящного, благородного, объясняющего ему, что все кончено. Но письмо интересовало меня лишь в той мере, в какой его изящество и благородство снова приводили меня к Люку. Едва я мысленно пускала в ход это жестокое средство и порывала с Люком, как немедленно начинала думать о примирении.

«Надо дать себе волю», — советовали мне добрые люди. Но во имя кого? Никто другой не существовал для меня, даже я сама. Я существовала для себя только в связи с Люком.

Катрин, Ален, улицы. Этот мальчик, который поцеловал меня на случайной вечеринке, с которым я больше не захотела встретиться. Дождь; Сорбонна, кафе. Карты Америки. Я ненавидела Америку. Тоска. Неужели это никогда не кончится? Уже больше месяца, как Люк уехал. Он прислал мне письмецо, нежное и грустное, я знала его наизусть.

Меня несколько утешало, что мой рассудок, до сих пор противостоящий этой страсти, издеваясь над ней, высмеивая меня, вызывая на сложные диалоги, понемногу превращался в союзника. Я больше не говорила себе: «Покончим с этим дурачеством», но: «Как уменьшить издержки?» Ночи были неизменные, бесцветные, увязнувшие в грусти, а дни иногда проходили быстро, заполненные занятиями. Я как бы отстраненно размышляла на тему «я и Люк», что не мешало тем невыносимым приступам, когда я вдруг останавливалась посреди тротуара, и что-то поднималось во мне, наполняя меня отвращением и гневом. Я заходила в кафе, опускала двадцать франков в проигрыватель и устраивала себе с помощью каннской мелодии пять минут сплина. Ален в конце концов ее возненавидел. Но я, я знала каждую ноту, я вспоминала запах мимозы, он был со мной за мои деньги. Я себе очень не нравилась.

— Да брось, старик, — терпеливо говорил Ален, — ну что ты!

Мне не нравилось, когда меня называли «старик», но тогда это меня утешало.

— Ты очень милый, — говорила я Алену.

— Да нет, — говорил он. — Я напишу диссертацию о страсти. Это меня заинтересовало.

Но эта музыка убеждала меня. Убеждала в том, что мне нужен Люк. Я хорошо понимала, что эта необходимость была одновременно и связана с моей любовью, и отдалена от нее. Я еще могла разделить его на составные части: человеческое существо — соучастник, объект страсти — враг. И хуже всего было то, что я никак не могла принизить его, как, в общем-то, мы всегда принижаем людей, отвечающих нам равнодушием. Были даже моменты, когда думала: «Бедный

Люк, как я устала бы с ним, соскучилась!» Я презирала себя за неумение быть легкой, тем более что, возможно, обида привязала бы его ко мне. Но я хорошо знала, что он не способен обидеться. Это был не противник, это был Люк. Мне было не выбраться из этого.

Однажды, когда я в два часа спускалась из своей комнаты, собираясь идти на лекции, хозяйка протянула мне телефонную трубку. Сердце у меня не колотилось, когда я ее взяла. Люка ведь не было. Я тотчас узнала голос Франсуазы, нерешительный и глухой:

— Доминика?

— Да, — сказала я.

Я застыла на лестнице.

— Доминика, я хотела позвонить вам раньше. Вы не хотите зайти повидаться со мной?

— Конечно, — сказала я. Я так следила за своим голосом, что, наверное, говорила как светская дама.

— Давайте сегодня вечером, в шесть часов?

— Договорились.

И она повесила трубку.

Я была и рада, и взволнована, услышав ее голос. Это воскрешало уик-энд, машину, завтраки в ресторане, роскошь.

ГЛАВА 6

Я не пошла на лекции, я мерила шагами улицы, спрашивая себя, что она может мне сказать. В соответствии с традицией мне казалось — я так страдаю, что никто уже не может сердиться на меня. В шесть часов стало накрапывать; улицы в свете фонарей были мокрые и блестящие, как тюленьи спины. Войдя в парадное, я взглянула на себя в зеркало. Я очень похудела и смутно надеялась, что тяжело заболею и Люк будет рыдать надо мной, умирающей, стоя в изголовье постели. Волосы у меня были мокрые, вид загнанный. Я наверняка разбужу во Франсуазе ее неизменную доброту. На секунду я задержалась, разглядывая себя. Может быть, стоит «словчить», по-настоящему привязать к себе Франсуазу, вести двойную политику с Люком, лавировать? Но зачем? Да и как лавировать при таком чувстве, утвердившемся, незащищенном, всеобъемлющем? Моя любовь удивляла и восхищала меня. Я забыла, что для меня она только причина страданий.

Франсуаза открыла мне с вымученной улыбкой, с немного испуганным видом. Войдя, я сняла плащ.

— Как у вас дела? — спросила я.

— Хорошо, — сказала она. — Садись. М-м... садитесь.

Я забыла, что она говорит мне «ты». Я села; она смотрела на меня, явно удивленная моим жалким видом. Мне стало очень жаль себя.

— Что-нибудь выпить?

— С удовольствием.

Она взяла из бара виски, налила мне. Я забыла его вкус. Ведь было только это: моя грустная комната, университетская столовая. По крайней мере, подаренное ими красное пальто хорошо мне послужило. Я была так напряжена, так несчастна, что сила отчаяния вернула мне уверенность.

— Ну вот, — сказала я.

Я оторвала глаза от пола и посмотрела на нее. Она сидела на диване напротив меня и молча пристально на меня глядела. Мы могли бы поговорить о чем-нибудь постороннем, на прощание я сказала бы со смущенным видом: «Надеюсь, вы не слишком этого хотели для меня». Все зависело от меня; достаточно было заговорить, и поскорее, пока молчание не превратилось во взаимное признание. Но я молчала. Вот она, эта минута, минута настоящей жизни.

— Я хотела позвонить вам раньше, — наконец сказала она, — потому что Люк просил меня об этом. И потому что меня огорчает ваше одиночество в Париже. В общем...

— Это я должна была вам позвонить, — сказала я.

— Почему?

Я чуть не сказала: «Чтобы попросить прощения», но эти слова были слишком слабы. Я стала говорить правду.

— Потому что я этого хотела, потому что я действительно одна. И потом, мне было бы неприятно, если бы вы думали, что...

Я сделала неопределенный жест.

— Вы плохо выглядите, — сказала она мягко.

— Да, — сказала я раздраженно. — Если бы я могла, я бы приходила к вам, вы бы кормили меня бифштексами, я бы лежала на вашем ковре, а вы бы меня утешали. Но вот незадача: вы — единственный человек, который сумел бы это сделать, но именно вы этого не можете.

Меня трясло. Стакан дрожал в руке. Больше невозможно было терпеть взгляд Франсуазы.

— Мне... очень неприятно, — сказала я в свое оправдание.

Она взяла стакан из моих рук, поставила на стол, снова села.

— Я... я ревновала, — глухо сказала она. — Ревновала к физической близости.

Я смотрела на нее. Я ожидала чего угодно, только не этого.

— Это глупо, — сказала она. — Я прекрасно понимала, что вы и Люк — это несерьезно.

Увидев выражение моего лица, она жестом попросила у меня прощения, за что я мысленно ее похвалила.

— То есть я хотела сказать, что физическая измена — это и в самом деле несерьезно; но я всегда была такой. И особенно теперь... теперь, когда...

Ей, видимо, было тяжело. Я боялась того, что она скажет.

— Теперь, когда я уже не так молода, — договорила она и отвернулась, — и не так желанна.

— Да нет же! — сказала я.

Я запротестовала. Я и не думала, что у этой истории может быть какой-то другой, неизвестный мне аспект — жалкий, то есть даже не жалкий, а такой обыкновенный, грустный. Мне-то казалось, что это касается только меня; ведь я ничего не знала об их совместной жизни.

— Не в этом дело, — сказала я и встала.

Я подошла к ней и остановилась. Она снова повернулась ко мне и чуть улыбнулась.

— Бедная моя Доминика, ну и каша получилась!

Я села рядом с ней, обхватив голову руками. В ушах у меня шумело. Внутри было пусто. Хотелось плакать.

— Я очень хорошо к вам отношусь, — сказала она. — Очень. Мне больно думать, что вы несчастливы. Когда я увидела вас впервые, я подумала, что мы можем помочь вам стать счастливой, а не такой подавленной, какой вы были. Не очень-то это получилось.

— Несчастлива, — пожалуй, так оно и есть. Впрочем, Люк меня предупреждал.

Мне хотелось припасть к ней, к этой крупной великодушной женщине, объяснить ей, как бы я хотела, чтобы она была мне матерью, и как я несчастна, похныкать. Но даже эту роль я не имела права играть.

— Он вернется через десять дней, — сказала она.

Какой еще удар обрушится на это упрямое сердце? Франсуаза должна вернуть себе Люка и свое полусчастье. Я должна пожертвовать собой. Эта мысль вызвала у меня улыбку. Это была последняя попытка скрыть от себя собственную незначительность. Мне нечем было жертвовать, никакой надеждой. Мне оставалось только самой положить конец или предоставить времени покончить с этой болезнью. В такой горькой покорности судьбе была доля оптимизма.

— Попозже, — сказала я, — когда это все у меня пройдет, я снова увижу вас, Франсуаза, и Люка тоже. Сейчас мне остается только ждать.

У дверей она нежно меня поцеловала. Она не сказала: «До скорого».

Вернувшись к себе, я тут же упала на постель. Что я ей наговорила, какие бессмысленные глупости? Вернется Люк, обнимет меня, поцелует. Даже если он меня не любит, он будет здесь, он, Люк. Кончится этот кошмар.

Через десять дней вернулся Люк. Я это знала, потому что в день его приезда я проехала в автобусе мимо его дома и видела машину. Я вернулась в пансион и стала ждать звонка. Звонка не было. Ни в этот день, ни на следующий, я провела их в постели под предлогом гриппа и все время ждала.

Он был здесь. Он мне не позвонил. После полутора месяцев отсутствия. Отчаяние — это холодная дрожь, нервный смешок, неотвязная апатия. Я никогда так не страдала. Я говорила себе, что это последний рывок, но он был такой мучительный.

На третий день я встала. Отправилась на лекции. Ален снова начал ходить со мной по улицам. Я внимательно его слушала, смеялась. Не знаю почему, меня преследовала фраза: «Какая-то в державе датской гниль»[1]. Она все время вертелась у меня на языке.

В последний день второй недели меня разбудила музыка во дворе — услужливое радио какого-то соседа. Это было прекрасное анданте Моцарта, несущее, как всегда, зарю, смерть, смутную улыбку. Я долго слушала, неподвижно лежа в постели. Я была почти счастлива.

Консьержка позвала меня к телефону. Я неторопливо натянула халат и спустилась. Я подумала, что это Люк и что теперь это не так уж важно. Что-то исчезло во мне.

— Ты в порядке?

Я вслушивалась в его голос. Да, это был его голос. Откуда во мне этот покой, эта кротость, будто что-то самое важное, живое для меня, уходило? Он предлагал мне посидеть с ним завтра где-нибудь в кафе. Я говорила: «Да, да».

Я поднялась к себе в комнату очень собранная, музыка кончилась, и я пожалела, что пропустила конец. Я увидела себя в зеркале, заметила, что улыбаюсь. Я не мешала себе улыбаться, я не могла. Снова — и я понимала это — я была одна. Мне захотелось сказать себе это слово. Одна, одна. Ну и что, в конце концов? Я — женщина, любившая мужчину. Это так просто: не из-за чего тут меняться в лице.

1956 г.

---

[1] Ш е к с п и р. Гамлет, I акт, IV сцена. *Перевод Б. Пастернака.*

ЧЕРЕЗ МЕСЯЦ, ЧЕРЕЗ ГОД

Перевод Т. Ворсановой

О делах подобных не размышляй,
не то сойдешь с ума.

*Шекспир. Макбет,
II акт, II сцена*

ГЛАВА 1

Бернар вошел в кафе, на секунду застыл в нерешительности под взглядами немногих посетителей, чьи лица странно искажал неоновый свет, и двинулся к кассирше. Ему нравились кассирши в барах — пышногрудые, полные достоинства, дремотно подающие мелочь и спички. Устало, не улыбнувшись, она протянула ему жетон для телефона. Было около четырех часов утра. Кабина телефона была грязная, телефонная трубка — влажная. Он набрал номер Жозе и только тогда понял, что его вынужденный марш-бросок из конца в конец Парижа, растянувшийся на всю ночь, довел его просто-напросто до такой усталости, что действовал он уже совершенно машинально. Конечно, звонить девушке в четыре часа утра было глупо. Она, разумеется, и намеком не даст понять, что это хамский поступок, но в таком звонке действительно было что-то беспардонное, чего Бернар терпеть не мог. Ее он не любил, это-то и было самое неприятное, но он непременно должен был знать, чем она занята, что делает, и мысль о ней изводила его весь день.

Послышались длинные гудки. Он прислонился к стене и опустил руку в карман за пачкой сигарет. Наконец трубку сняли, и сонный мужской голос произнес: «Алло». И сразу же он услышал голос Жозе: «Кто это?»

Бернар в ужасе застыл, боясь, что она догадается, что это он, боясь быть застигнутым за тем, что сам застиг ее. Это было жуткое мгновение. Он вынул из кармана сигареты и повесил трубку. Опомнился Бернар уже на набережной, он шел, невнятно ругаясь. То, что второй голос прозвучал почти одновременно с первым, успокаивало его, хотя именно это и бесило: «Она ведь, в конце концов, ничем тебе не обязана, ты у нее ничего не просил, она богата, свободна, ты даже не официальный ее любовник». Но он уже не мог избавиться от тревоги и беспокойства, его тянуло звонить ей каждую минуту, а ведь он надеялся, что это будет самый безоблачный его роман. Бернар вел себя как мальчишка, болтал с Жозе о том о сем, о книгах, провел с ней ночь, и все это как бы между прочим, все это с безупречным вкусом, к чему, надо сказать, весьма располагала квартира Жозе. А теперь ему предстоит вернуться домой и опять увидеть на письменном столе свой плохой роман, страницы, валяющиеся в диком беспорядке, а в постели — свою жену, которая, конечно же, спит. Она всегда спит в это время, повернув свое детское личико к двери, словно боится, что он так никогда и не придет, и даже во сне продолжает ждать его, как ждала целый день, с мучительным беспокойством.

* * *

Молодой человек положил трубку, и Жозе с трудом подавила гнев, охвативший ее в тот момент, когда он подошел к телефону и ответил, будто у себя дома.

— Не знаю, кто это, — недовольно сказал юноша, — но он повесил трубку.

— Почему же тогда «он»? — спросила Жозе.

— Потому что по ночам женщинам обычно звонят мужчины, — зевая, сказал молодой человек. — И вешают трубку.

Жозе с любопытством взглянула на него, пытаясь понять, что же он все-таки здесь делает. Она не знала, почему позволила ему проводить себя после ужина у Алена, и уж тем более — подняться затем наверх. Он был довольно красив, но вульгарен и малоинтересен. Куда менее интеллигентен, чем Бернар, даже, пожалуй, менее обольстителен. Молодой человек сел в кровати и взял в руки часы.

— Четыре часа, — сказал он. — Гадкое время.

— Почему гадкое?

Он не ответил, обернулся и пристально посмотрел на нее через плечо. Она ответила ему таким же взглядом, затем потянула на себя простыню, но почему-то замерла. Догадалась, о чем он подумал. Оказавшись у нее дома, он грубо взял ее и сразу же уснул, а теперь спокойно смотрел на нее. Его мало волновало, кто она такая и что сейчас думает о нем. В эту минуту она просто принадлежала ему. И от этой его уверенности она все сильнее чувствовала в себе не раздражение, не злость, а покорность, огромную покорность.

Он посмотрел ей в лицо и низким голосом велел откинуть простыню. Жозе послушалась его, и он медленно оглядел ее. Лежать так было стыдно, но не было сил пошевелиться, придумать что-нибудь забавное; будь это Бернар или еще кто-то, она бы пошутила и быстро перевернулась на живот. А тут ничего не получится: он не поймет, не рассмеется. Судя по всему, у него уже сложилось о ней вполне четкое представление, незыблемое и примитивное, и он от него ни за что не откажется. Сердце ее тяжело забилось. «Я пропала», — подумала она, почему-то ликуя. Молодой человек с таинственной улыбкой склонился над ней. Она, не мигая, смотрела, как он приближается.

— Должен же телефон на что-то сгодиться, — сказал он, резко и торопливо бросаясь на нее.

Она закрыла глаза.

«Я больше не смогу шутить в такие минуты, — подумала она, — и никогда теперь все это не будет происходить так легко в ночной темноте, и я всегда буду помнить этот его взгляд и то особенное, что в нем было».

* * *

— Ты не спишь?

Фанни Малиграсс жалобно вздохнула:

— Да астма все меня мучает. Ален, будь добр, принеси чашку чаю.

Ален Малиграсс с большим трудом выбрался из большой супружеской кровати и закутался в халат. Малиграссы были довольно красивы и влюблены друг в друга долгие годы еще с довоенных времен. Встретившись после четырехлетней разлуки, они обнаружили, что оба изменились и что прожитые каждым из них пять десятилетий не прошли для них даром. И потому были невольно и трогательно целомудренны и старательно скрывали друг от друга отметины прожитых лет. В то же время обоих тянуло к молодежи. О Малиграссах с теплотой говорили, что они любят молодых, и это были не пустые слова. Они действительно их любили, но не потому, что молодежь развлекала их или им нравилось давать бесполезные советы, нет, им действительно с молодежью было интереснее, чем со сверстниками. Интерес этот, как только представлялся случай, у каждого из них легко конкретизировался, вкус к молодости всегда сопровождался естественной нежной страстью к юной плоти.

Пятью минутами позже Ален ставил поднос на кровать супруги, глядя на нее с состраданием. Ее маленькое личико потемнело и осунулось из-за бессонницы, и только глаза — искрящиеся, быстрые и нестерпимо голубые — оставались по-прежнему прекрасными.

— По-моему, вечер был милый, — сказала она, беря в руки чашку.

Ален смотрел, как она глотает чай, как сокращается ее слегка морщинистая шея, и ни о чем не думал. Потом, сделав над собой усилие, заговорил:

— Не понимаю, почему Бернар всегда приходит без жены. А Жозе, надо сказать, сейчас весьма соблазнительна.

— И Беатрис, — со смешком заметила Фанни.

Ален рассмеялся вместе с ней. Его восхищение Беатрис всегда было у них с женой поводом для шуток. Она и не догадывалась, до какой степени все это стало мучительным для него. Каждый раз после их, как они в шутку говорили, «понедельничных салонов» он ложился спать, весь дрожа. Беатрис была красива и неистова; эти два эпитета мгновенно приходили ему на ум, и он повторял их про себя бесконечно. «Красивая и неистовая»: вот она смеется, пряча свое трагическое, печальное лицо, потому что смех ее не украшает, вот она гневно рассуждает о своей профессии, потому что ей пока не удалось преуспеть. Глупенькая Беатрис, как говорит Фанни. Глупенькая, пусть, но какая трогательная!

Вот уже двадцать лет Ален работал в издательстве, но платили ему немного. Он был очень образован и очень привязан к своей жене. И как эти шуточки насчет Беатрис могли превратиться в такой тяжкий груз, который он поднимал каждое утро, просыпаясь, и тащил всю неделю, пока не наступал понедельник? По понедельникам Беатрис приходила к очаровательной пожилой паре, то есть к ним с Фанни, и он играл роль деликатного, возвышенного и слегка рассеянного мужчины, которому давно перевалило за пятьдесят. Он любил Беатрис.

— Беатрис надеется получить небольшую роль в новой пьесе N... — сказала Фанни. — А бутербродов хватило?

Малиграссы должны были как-то выкручиваться, чтобы хватало денег на «понедельники». Новая мода на виски стала для них катастрофой.

— Думаю, хватило, — сказал Ален.

Он сидел на краю кровати, свесив руки между острыми коленями. Фанни нежно и жалостливо посмотрела на него.

— Завтра приезжает твой юный родственник из Нормандии, — сказала она. — Надеюсь, он чист сердцем и великодушен, Жозе наверняка влюбится в него.

— Жозе ни в кого не влюбляется, — сказал Ален. — Может, попробуем поспать?

Он убрал поднос с колен жены, поцеловал ее в лоб, в щеку и лег спать. Ему было холодно, хотя у них топили. Он был стар, а старики всегда мерзнут. И ни на какую помощь от литературы рассчитывать он больше не мог.

* * *

Что будет с нами через месяц, через год,
Коль за морями жизнь без вас
полна невзгод,
Распустятся цветы и вновь поникнут,
Но никогда Тит не увидит Беренику.

*Р а с и н. Береника,
III акт, II сцена*

Беатрис стояла в халате перед зеркалом и любовалась собой. Стихи каменными цветами срывались с ее губ. «Где же я это вычитала?» — подумала она и вдруг ощутила в себе бесконечную тоску.

И праведный гнев. Пять лет назад она изображала Беренику перед своим бывшим мужем, а вот теперь — перед зеркалом. Она бы предпочла стоять сейчас перед темным и пенящимся морем, на которое так похож зрительный зал в театре, и сказать хотя бы «Кушать подано», если для нее и впрямь нет другой роли.

— Ради этого я пойду на все, — сказала она зеркалу, и отражение улыбнулось ей в ответ.

* * *

Тем временем юный Эдуар Малиграсс, родственник из Нормандии, садился в поезд, который должен был отвезти его в столицу.

ГЛАВА 2

Бернар в десятый раз за это утро встал со стула, подошел к окну и оперся о стекло. Он устал. Что-то в его писательских потугах было унизительное. Написанное унижало его. Перечитав последние страницы, он почувствовал какую-то невыносимую их бессмысленность. Там не было ничего, что ему хотелось выразить, ничего важного, главного, того, что временами он, казалось, глубоко чувствовал. Бернар зарабатывал на жизнь критическими заметками в разных журналах, был сотрудником издательства, где работал Ален, и нескольких газет. Три года назад он напечатал роман, который критики сочли «тусклым, но довольно добротным с точки зрения психологии». У него было два желания: написать хороший роман, а с некоторых пор — обладать Жозе. Но слова продолжали предавать его, а Жозе исчезла, в очередной раз пленившись какой-нибудь страной или каким-нибудь юношей (поди узнай), тем более что богатство отца и собственное обаяние позволяли ей тут же реализовывать любую блажь.

— Что, не получается?

За спиной у него стояла Николь. Он просил ее не мешать ему работать, но она не могла удержаться и без конца заходила в кабинет под тем предлогом, что видела его только по утрам. Он знал, что ей необходимо видеть его только для того, чтобы жить, но не желал считаться с этим; они поженились три года назад, и с каждым днем она все больше любила его, а ему это казалось совершенно чудовищным. Николь была ему теперь безразлична. Ему только нравилось вспоминать, каким он сам был во времена их романа, нравилась тогдашняя собственная решительность, выразившаяся в том, что он на ней женился, ведь с тех пор он так и не принял ни одного серьезного решения, чего бы оно ни касалось.

— Да у меня вообще ничего не получается. И, судя по началу, не получится никогда.

— Все у тебя получится. Нисколько не сомневаюсь.

Ее нежный оптимизм бесил его больше всего. Если бы то же самое сказали ему Жозе или Ален, возможно, он поверил бы в себя, но Жозе в прозе ровно ничего не смыслила и признавала это, а Ален, хоть и подбадривал его, изображал благоговение перед литературой. «Главное, — любил он говорить, — будет видно потом». Что это в конце концов могло значить? Бернар силился разобраться. Вся эта тарабарщина выводила его из себя. «Чтобы начать писать, — говорила Фанни, — нужны лист бумаги, ручка и намек на идею». Он любил Фанни. Он любил всех... и никого. Жозе его раздражала. Но он без нее не мог. Вот и все. Хоть вешайся.

Николь всегда была под рукой. Она вечно прибиралась. Все свое время она проводила в уборке их крохотной квартиры, где он оставлял ее одну на целый день. Она не знала ни Парижа, ни литературы; и то и другое и восхищало, и пугало ее. Ключ ко всему был Бернар, а он от нее ускользал. Он был умнее, привлекательнее. Все хотели с ним общаться. А у нее пока не могло быть детей. Руан и аптека отца — больше она ничего не знала. Так ей однажды заявил Бернар, а потом долго умолял простить его. В такие минуты он был слаб, как ребенок, готовый расплакаться. Но ей легче было вынести эти его вспышки жестокости, чем повседневную жестокость, когда, небрежно поцеловав ее, он уходил после завтрака и возвращался только поздно ночью. Бернара и свои муки Николь, как ни странно, воспринимала как подарок. Но замуж за подарок не выходят. И потому она не могла винить его ни в чем.

Бернар смотрел на Николь. Она была довольно красива и довольно грустна.

— Хочешь пойти со мной вечером к Малиграссам? — с нежностью спросил он.

— С удовольствием, — ответила Николь.

В одно мгновение она стала счастливой, и Бернар внезапно почувствовал угрызения совести, но эти угрызения были так неновы, так привычны, что, как всегда, быстро исчезли. И потом, он ничем не рисковал, беря ее с собой, Жозе не будет. Жозе не стала бы обращать на него внимания, если бы он пришел с женой. Или говорила бы только с Николь. У Жозе были такие вот ложные представления о доброте, она только не знала, что это никому не нужно.

— Я зайду за тобой около девяти, — сказал Бернар. — Что ты сегодня делаешь?

И тут же осекся, он знал, что ей нечего ответить:

— Постарайся прочесть эту рукопись для меня, я никак не успеваю.

Он прекрасно знал, что толку от ее чтения ровно никакого. Николь всегда с таким почтением относилась к написанному, так восхищалась работой (даже самой нелепой), которую кто-то сделал, что была просто неспособна на мало-мальски критическое суждение. Сверх всего, она еще будет чувствовать себя обязанной прочесть эту рукопись, надеясь помочь ему. «Она хотела бы быть мне необходимой, — сердито думал он, спускаясь по лестнице, — типично женская причуда...» Внизу, глянув в зеркало, он увидел, какое злое у него лицо, и устыдился. Ну и влип же он.

В издательстве Бернара встретил Ален, явно очень возбужденный.

— Тебе звонила Беатрис, она просила, чтобы ты немедленно позвонил ей. — С Беатрис у Бернара сразу после войны был довольно бурный роман. С тех пор он разговаривал с ней как-то снисходительно-нежно, и это не давало покоя Алену.

— Бернар? — Беатрис говорила хорошо поставленным голосом, как в лучшие свои времена. — Бернар, ты знаешь N? У тебя ведь издаются его пьесы, да?

— Знаю немного.

— Фанни слышала, как он сказал, что хотел бы видеть меня в своей новой пьесе. Мне надо с ним встретиться и поговорить. Бернар, сделай это для меня.

Что-то в ее голосе напомнило Бернару лучшие дни их послевоенной молодости, когда оба они, вырываясь из уютных добропорядочных домов, встречались, не зная, где раздобыть сто франков на ужин. А однажды Беатрис даже удалось занять тысячу франков у одного хозяина бара, известного своей скаредностью. Просто благодаря вот этому своему голосу. Такая сила убеждения встречается нечасто.

— Я все устрою. Ближе к вечеру позвоню тебе.

— В пять часов, — твердо сказала Беатрис. — Бернар, я тебя люблю, я всегда тебя любила.

— Целых два года, — смеясь, ответил Бернар.

Продолжая смеяться, он обернулся к Алену и увидел выражение его лица. И тут же отвернулся. Голос Беатрис раздавался на всю комнату. Бернар заговорил снова:

— Ладно. Но я ведь в любом случае у Алена тебя увижу?

— Да, конечно.

— Он здесь, рядом со мной, хочешь с ним поговорить? — сказал Бернар, не зная, зачем задает этот вопрос.

— Нет, мне некогда. Скажи ему, что я его целую.

Малиграсс уже протянул руку к телефонной трубке. Бернар, стоя к нему спиной, видел только эту ухоженную руку с сильно вздувшимися венами.

— Обязательно скажу, — ответил он, — до свидания.

Рука опустилась. Бернар подождал секунду-другую, потом обернулся.

— Она вас целует, — сказал он наконец, — ее кто-то ждет.

И почувствовал себя очень несчастным.

Жозе остановила машину возле дома Малиграссов на улице Турнон. Было уже совсем темно, и в свете уличного фонаря тускло мерцали пылинки на капоте и мошкара на стекле.

— В общем, я с тобой не иду, — сказал молодой человек, — ей-богу, не знаю, о чем с ними говорить. Лучше пойду позанимаюсь.

Жозе как-то сразу и обрадовалась, и расстроилась. Неделя с ним в деревне показалась ей довольно тягостной. Он то молчал как рыба, то был чрезмерно общителен. И спокойствие его, как и его полувульгарность, отпугивали ее теперь не меньше, чем раньше притягивали.

— Я позанимаюсь и приду к тебе, — сказал молодой человек. — Постарайся вернуться не слишком поздно.

— Я вообще не знаю, вернусь или нет, — возмущенно ответила Жозе.

— Тогда так и скажи, что мне без толку приходить. Машины у меня нет.

Жозе не могла понять, что он при этом думал, и положила ему руку на плечо.

— Жак!

Он приветливо посмотрел ей прямо в глаза. Она погладила его по щеке, и он слегка нахмурил лоб.

— Я тебе нравлюсь? — с усмешкой спросил он.

«Забавно... он, должно быть, думает, что я без него жить не могу или что-нибудь в этом роде. Жак Ф... студент медицинского факультета, мой кавалер. Все это комично. И дело даже не в физиологии, я не могу понять, то ли меня притягивает к нему собственное мое в нем отражение, то ли отсутствие этого отражения, а может, просто он сам. Но он же неинтересен. Даже не жесток. Но он существует, вот и все».

— Нравишься, и вполне, — сказала она. — Это пока не великая страсть, но...

— А великая страсть ведь и правда существует, — серьезно заявил он.

«Бог мой, — подумала Жозе, — он, должно быть, влюблен в какую-нибудь юную, воздушную блондинку, которую сам выдумал. Интересно, способна ли я ревновать его?»

— У тебя уже была великая страсть? — спросила она.

— У меня — нет, а вот у приятеля была.

Жозе расхохоталась, он посмотрел на нее, не понимая, обижаться или нет, потом тоже расхохотался. Но смеялся не весело, а как-то сипло, почти зло.

Беатрис вошла к Малиграссам как победительница, и даже Фанни была поражена ее красотой. Ничто так не идет к лицу некоторым женщинам, как всплески амбиций. Любовь делает их безвольными. Ален Малиграсс бросился навстречу Беатрис, чтобы поцеловать ей руку.

— Бернар уже пришел? — спросила Беатрис.

Она искала глазами Бернара среди дюжины уже прибывших гостей и чуть было не оттолкнула Алена, тот отстранился, радость и приветливость так мгновенно сошли на нет, что опустошенное лицо его стало похоже на гримасу. Бернар сидел на диванчике рядом с женой и каким-то молодым человеком. Хотя ей было ни до чего, Беатрис сразу же увидела Николь и пожалела ее: та сидела прямо, держа руки на коленях, со смущенной улыбкой на губах. «Надо научить ее жить», — подумала Беатрис, почувствовав в себе прилив доброты.

— Бернар, — сказала она, — ты отвратителен. Ну почему ты не позвонил мне в пять? Я тебе десять раз звонила на работу. Здравствуй, Николь.

— Я встречался с N, — торжествующе ответил Бернар. — Завтра в шесть мы втроем увидимся за коктейлем.

Беатрис плюхнулась на диван, слегка задев незнакомого ей молодого человека. Извинилась. Подошла Фанни:

— Беатрис, ты не знакома с племянником Алена, Эдуаром Малиграссом?

Теперь она увидела его и улыбнулась. В лице Эдуара было нечто неотразимое, какая-то необыкновенная юность и доброта. Он смотрел на нее с таким удивлением, что Беатрис, а вслед за ней и Бернар рассмеялись.

— В чем дело? Я так плохо причесана или похожа на сумасшедшую?

Беатрис очень хотелось, чтобы ее считали сумасшедшей. Но тут она сразу поняла, что этому молодому человеку она показалась очень красивой.

— Вы вовсе не похожи на сумасшедшую, — сказал он. — Я весьма сожалею, если вы подумали, что...

Вид у него был ошарашенный, и она, почувствовав себя неловко, отвернулась; Бернар, улыбаясь, смотрел на нее. Молодой человек поднялся и неуверенной походкой пошел к накрытому в гостиной столу.

— Он без ума от тебя, — сказал Бернар.

— По-моему, это ты совсем без ума, я же только что вошла.

Но сама она уже была уверена в том же. Она очень легко допускала, что кто-то без ума от нее, но особенно этим не хвасталась.

— Такое случается только в романах, но этот молодой человек и впрямь словно сошел со страниц романа, — сказал Бернар, — он приехал в Париж из провинции, никогда никого не любил и в глубоком отчаянии признает это. Но теперь его ждет отчаяние другого рода. Наша прекрасная Беатрис заставит его пострадать.

— Лучше расскажи мне об N, — попросила Беатрис. — Он педераст?

— Беатрис, ты смотришь слишком далеко вперед, — сказал Бернар.

— Да нет, не в том дело, просто у меня с гомосексуалистами отношения что-то не складываются. Мне они неприятны, я люблю людей здоровых.

— А я вообще не знаю ни одного педераста, — сказала Николь.

— Это поправимо, — заметил Бернар, — начнем с того, что только здесь их трое...

И вдруг замолчал. Появилась Жозе, она смеялась, разговаривая у дверей с Аленом и поглядывая в комнату. У нее был усталый вид, а на щеке темнело пятнышко. Она не увидела Бернара, и он почувствовал какую-то глухую боль.

— Жозе, ты куда исчезла? — закричала ей Беатрис, та обернулась, увидела их и, улыбнувшись, подошла. Она выглядела утомленной и счастливой. В двадцать пять лет Жозе еще не рассталась с юношеской мечтательностью, и это роднило их с Бернаром.

Он встал:

— Вы, кажется, не знакомы с моей женой, — сказал он. — Жозе Сен-Жиль.

Жозе не моргнув глазом улыбнулась. Поцеловала Беатрис и села. Бернар стоял перед ними, опершись на одну ногу, и думал только об одном: «Откуда она появилась? Где была все эти десять дней? Если бы только она не была так богата!»

— Я провела десять дней в деревне, — сказала Жозе. — Там все уже совсем порыжело.

— У вас усталый вид, — сказал Бернар.

— Я тоже хотела бы поехать в деревню, — вступила в разговор Николь. Она приветливо смотрела на Жозе, впервые не чувствуя себя здесь скованно. Жозе боялись только те, кто ее хорошо знал, и для них ее любезность была просто убийственной.

— Вы любите деревню? — спросила Жозе.

«Так оно и есть, — злобно подумал Бернар, — она будет возиться с Николь и мило с ней разговаривать. «Вы любите деревню?» Бедняжка Николь, она уже думает, что нашла себе подругу». Он пошел к бару, решив напиться.

Николь проводила его взглядом, и Жозе, перехватив этот взгляд, и разозлилась, и пожалела ее. Бернар вначале заинтересовал Жозе, но она быстро поняла, что он слишком похож на нее и слишком ненадежен, чтобы привязываться к нему всерьез. По-видимому, то же самое произошло и с ним. Она пыталась отвечать Николь, но быстро заскучала. Жозе устала, ей казалось, что во всех этих людях не хватает жизни. Она очень долго пробыла в деревне, а теперь словно вернулась из далекого путешествия в страну абсурда.

— И поскольку у меня нет знакомых с машинами, — говорила Николь, — я лишена удовольствия гулять в лесу.

И, помолчав, вдруг добавила:

— Впрочем, у меня нет знакомых и без машин.

Горечь сказанных слов потрясла Жозе.

— Вы очень одиноки? — спросила она.

Но Николь уже спохватилась:

— Нет, нет, это я просто так сказала; для сотрясения воздуха, я очень люблю Малиграссов.

Жозе на минутку задумалась. Три года назад она стала бы расспрашивать ее, попыталась помочь. А теперь — одна усталость. От самой себя, от жизни. Что значит для нее этот грубоватый молодой человек, да и вся эта компания? Она уже знала, что искать ответа не надо, надо ждать, пока вопрос отпадет сам собой.

— Если хотите, я заеду за вами, когда в следующий раз соберусь за город, — просто сказала она.

Бернар добился своего: он был пьян, но не очень, ровно настолько, чтобы разговор с юным Малиграссом доставлял ему удовольствие, хотя сюжет его по меньшей мере должен был раздражать.

— Вы говорите, ее зовут Беатрис? Она работает в театре, но в каком? Завтра же пойду ее смотреть. Видите ли, мне очень важно поближе познакомиться с ней. Я написал пьесу, и она как раз подходит на главную роль.

Эдуар Малиграсс говорил пылко, и Бернар расхохотался.

— Вы не написали никакой пьесы. Вы просто уже почти влюблены в Беатрис. Мой друг, вы будете страдать, Беатрис мила, но это самое честолюбие.

— Бернар, не говорите ничего плохого о Беатрис, сегодня она вас обожает, — прервала его Фанни. — И потом, я бы хотела, чтобы вы послушали, как играет этот молодой человек.

Она показала на юношу, садящегося за пианино. Бернар устроился в ногах у Жозе, он чувствовал себя раскрепощенным, жить ему стало намного легче. Он непременно скажет Жозе: «Дорогая Жозе, это очень скучно, но я люблю вас», и, наверно, так оно и есть. Он вдруг вспомнил, как она обвила руками его шею, когда они впервые поцеловались у нее дома, в библиотеке, вспомнил, как она прижималась к нему, и кровь бросилась ему в лицо. Не может она не любить его.

Пианист играл замечательную вещь, как Бернару казалось,

очень грустную, одна музыкальная фраза бесконечно повторялась, и Бернар подумал, что это мелодия, склонившая голову. Вдруг, неожиданно, он понял, о чем именно нужно писать и что объяснять: в этой музыкальной фразе была та Жозе, о которой мечтает каждый мужчина, да еще молодость и самые меланхоличные грезы. «Вот, вот, — в восторге думал он, — вот она, эта маленькая фраза! О Пруст, но Пруст ведь уже есть; и на что мне Пруст в конце концов!» Он взял руку Жозе в свои ладони, она отдернула ее. Николь посмотрела на него, и он улыбнулся в ответ, потому что она ему очень нравилась.

* * *

Эдуар Малиграсс был юноша чистосердечный. Он не путал тщеславие с любовью и мечтал только о великой страсти. Ее ему страшно не хватало в Кане, и в Париж он приехал безоружным завоевателем, не ради того, чтобы преуспеть или купить спортивный автомобиль, и даже не для того, чтобы хорошо выглядеть в чьих-то глазах. Отец подыскал ему скромную должность в страховом агентстве, и она его вполне устраивала вот уже целую неделю. Ему нравились открытые площадки в автобусах, нравились кафе, где пьют кофе за стойкой бара, нравилось, что ему улыбаются женщины, а улыбались они потому, что в нем и вправду было нечто совершенно неотразимое. И дело было не в простодушии Эдуара, а в его невероятной открытости.

Беатрис мгновенно внушила ему страсть, а главное, бешеное желание, которого он никогда не испытывал к бывшей своей любовнице, жене нотариуса в Кане. К тому же в салоне у Малиграссов Беатрис явилась ему во всем своем обаянии: легкомысленна, элегантна, артистична и, наконец, честолюбива. Этим качеством он всегда вчуже же восхищался. Но настанет день, когда Беатрис скажет ему, склонив голову: «Карьера для меня значит гораздо меньше, чем ты», и умолкнет, а он, окунув лицо в ее черные густые волосы, будет целовать эту трагическую маску. Он так решил, пока пил лимонад, слушая музыку молодого человека. Бернар ему очень нравился: он находил, что тот пылок и саркастичен; именно таким он себе представлял парижского журналиста, читая Бальзака.

И он кинулся за Беатрис, чтобы проводить ее домой. Но у нее была машина, которую ей одолжил приятель, и она предложила, наоборот, отвезти домой его.

— Я могу проводить вас и вернуться домой пешком, — возразил он.

Беатрис сказала, что это ни к чему, и оставила его на жутком перекрестке бульвара Османна и улицы Тронше, неподалеку от его дома. У Эдуара был такой растерянный вид, что она потрепала его по щеке и сказала: «До свидания, козленок». Она обожала находить у людей сходство с разными животными. К тому же этот «козленок», похоже, уже готов был покорно войти в стадо ее поклонников, волею случая несколько поредевшее в последнее время. Да и вообще юноша был очень недурен собой. «Козленок» все стоял как зачарованный, не отпуская руки Беатрис, которую она протянула ему из машины, и был так похож на затравленное животное, что она, поддавшись эмоциям, гораздо раньше, чем это было в ее привычках, дала ему номер своего телефона. «Елисейские» — первые буквы телефонного номера Беатрис — стали символом жизни и успеха для Эдуара. А тоскливые «Дантон» (номер Малиграссов) и «Ваграм» (работы) далеко отошли на задний план. Он пешком прошагал через весь Париж, как это делают влюбленные — крылатые пешеходы, а Беатрис сама себе прочитала монолог Федры, стоя перед зеркалом. Это было отличным упражнением. Успех требует труда и порядка прежде всего — это знает каждый.

ГЛАВА 3

Первая встреча Жака с теми, кого Жозе про себя называла «они», произошла около месяца назад и оказалась для нее довольно мучительной. Жозе не без труда удалось скрыть это от них, потому что у нее возникло огромное искушение порвать какую-то нить, связывавшую ее с ними, порвать что-то, основанное на хорошем вкусе, на некоем взаимоуважении, на том, что располагало их друг к другу, но не позволило бы им понять ее интерес к Жаку, если бы они не решили, что интерес этот — исключительно сексуальный, объяснение в данном случае неверное. Только Фанни, пожалуй, могла бы понять ее. И потому именно к ней Жозе и привела Жака. Она была приглашена на чай, и Жак должен был зайти за ней на улицу Турнон. Он уже говорил ей, что в первый раз, когда они, собственно, и познакомились, он там оказался случайно. Его привел один из поклонников Беатрис. «Ты вообще могла со мной не встретиться, потому что я подыхал от скуки и собирался уйти», — добавил Жак. Жозе не стала спрашивать, почему он не сказал: «Я мог вообще с тобой не встретиться» или «Мы могли вообще не встретиться», потому что Жак всегда говорил так, будто встреча с ним для всех была каким-то событием — приятным или нет, он не уточнял. Жозе в конце концов решила, что, конечно, приятным. Для нее он и вправду оказался событием, но и оно начинало надоедать. Однако ей еще никогда не было так любопытно, как с ним.

Фанни была одна и читала роман. Она всегда читала новые романы, но цитировала только Флобера или Расина, зная, чем при случае можно блеснуть. Они с Жозе любили, но не всегда понимали друг друга, хотя каждая и доверяла другой больше, чем кому бы то ни было. Посудачив о безумной страсти Эдуара, они обсудили роль, которую получила Беатрис в новой пьесе N.

— Эта роль подходит ей куда больше, чем та, которую она играет, завлекая несчастного Эдуара, — сказала Фанни.

Она была изящная, прекрасно причесана, хорошо держалась. Лиловый диван, как и вся ее английская мебель, очень шел к ней.

— Вы очень хорошо смотритесь в своей квартире, Фанни, это так редко бывает.

— А кто оформлял вашу? — поинтересовалась Фанни. — Ах да, Левег. У вас очень уютно, не так ли?

— Не знаю, — ответила Жозе. — Говорят, что да. Но я не думаю, что моя обстановка хорошо со мной сочетается, впрочем, мне всегда казалось, что я ни с чем вообще не сочетаюсь. Разве что с людьми, да и то иногда. — Она подумала о Жаке и покраснела.

— Вы покраснели. Я думаю, что у вас просто слишком много денег. А как ваша луврская школа? Что родители?

— Вы же знаете, как я отношусь к школе. Родители по-прежнему в Северной Америке. И по-прежнему посылают мне чеки. А от меня по-прежнему обществу никакого толка. Мне на это наплевать, но...

Она задумалась, говорить — не говорить:

— Но мне бы страстно хотелось заняться чем-нибудь таким, что мне бы понравилось, нет, не просто понравилось, а страстно бы меня увлекло. Ну вот, видите, сколько всего страстного в одной фразе.

Она замолчала и вдруг сказала:

— А вы?

— Что я?

Фанни комично вытаращила глаза.

— Да, вы. Вы ведь всегда только слушаете. Давайте поменяемся ролями. Я очень невежлива?

— Я? — смеясь, сказала Фанни. — Но у меня же есть Ален Малиграсс!

Жозе вскинула брови: была минутная пауза, потом они посмотрели друг на друга, словно были ровесницами.

— Это что, очень заметно? — спросила Фанни.

Что-то в ее интонации тронуло и смутило Жозе. Поднявшись с дивана, она принялась ходить по комнате.

— Не знаю, что такого особенного в Беатрис. Красота? Или эта слепая сила? Ведь такого честолюбия, как у нее, ни у кого из нас нет.

— А Бернар?

— Бернар больше всего на свете любит литературу. Это разные вещи. И потом, он умен. А с ее глупостью жить куда легче.

Жозе снова подумала о Жаке. И решила рассказать о нем Фанни, хотя вообще-то собиралась промолчать, чтобы посмотреть, насколько та будет поражена, когда Жак придет за ней. Но пришел Бернар. Увидев Жозе, он засветился счастьем, и Фанни тотчас это приметила.

— Фанни, у вашего супруга — деловой ужин, и он прислал меня за элегантным галстуком, потому что сам зайти не успевает. Он дал мне точные инструкции: «Голубой в черную полоску».

Все трое захохотали, и Фанни отправилась за галстуком. Бернар взял Жозе за руки:

— Жозе, я счастлив, что вижу вас. Но несчастлив, что это всегда бывает так недолго. Вы больше не будете ужинать со мной?

Она смотрела на него: он был какой-то странный, огорченный и вместе с тем счастливый. Бернар слегка склонил свою черноволосую голову. Глаза его горели. «Он похож на меня, — подумала Жозе, — он одной со мной породы, я должна была бы полюбить его!»

— Давайте поужинаем, когда захотите, — сказала она.

Вот уже две недели она ужинала с Жаком у себя дома, потому что он, не имея возможности заплатить, не хотел идти в ресторан, а дома у Жозе его гордость страдала куда меньше. После ужина Жак часами зубрил свои уроки, а Жозе читала. Для нее, привыкшей к ночным развлечениям и веселым разговорам, такая почти супружеская жизнь с полунемым была просто невероятной. Она поняла это сразу же.

Раздался звонок, и она отняла руки.

— Спрашивают мадемуазель, — сказала горничная.

— Зовите же, — распорядилась Фанни.

Она стояла на пороге. Бернар обернулся и тоже посмотрел на входную дверь. «Ну прямо как в театре», — подумала Жозе, чуть не расхохотавшись.

Жак ворвался в комнату, как бык на арену; опустив голову, он постукивал ногой по ковру. У него была какая-то бельгийская фамилия, которую Жозе безуспешно пыталась вспомнить, но он уже заговорил.

— Я за тобой, — заявил он.

Жак стоял с угрожающим видом, не вынимая рук из карманов куртки. «С ним и вправду никуда нельзя ходить», — подумала Жозе, давясь от смеха. Зато как смешно, как весело смотреть на него и одновременно на обескураженное лицо Фанни.

А вот лицо Бернара вообще ничего не выражало. Как у слепого.

— Ты поздоровайся все-таки, — сказала Жозе почти нежно.

И Жак как-то даже грациозно пожал руки Фанни и Бернару. В свете заходящего солнца Жак казался совсем рыжим. «Таких, как он, — подумала Жозе, — можно охарактеризовать одним словом: «жизнестойкость», а может, «мужественность»?..»

«Таких, как он, — в свой черед подумала Фанни, — можно определить одним словом: «прохиндей». И где это я его уже видела?»

И тут же стала очень любезной:

— Но садитесь же. Почему мы все стоим? Вы что-нибудь выпьете? Или вы спешите?

— У меня время есть, — ответил Жак. — А у тебя?

Он обращался к Жозе. Она утвердительно кивнула.

— Мне нужно идти, — заметил Бернар.

— Я провожу вас, — сказала Фанни. — Вы забыли галстук, Бернар.

Побледневший, он стоял уже в дверях. Фанни хотела было поделиться с ним своим изумлением, но не двинулась с места. Не говоря ни слова, он ушел. Фанни вернулась в гостиную. Жак сидел и, улыбаясь, смотрел на Жозе:

— Пари держу, именно этот тип звонил тогда ночью.

* * *

Бернар шел по улице, как безумный, разговаривая с самим собой. Наконец нашел скамейку, сел и обхватил себя руками, словно ему было холодно. «Жозе, — думал он, — Жозе и этот маленький грубиян!» Он наклонился вперед и тут же распрямился, почувствовав сильную физическую боль; старушка, сидевшая рядом с ним, смотрела на него с изумлением, чуть ли не с испугом. Он заметил это, встал и пошел дальше. Надо было отнести галстук Алену.

«Хватит с меня, — думал он, полный решимости, — это невыносимо. Как в плохом романе — смехотворная страсть к маленькой шлюшке. А ведь она даже не шлюха. Я не люблю ее, но почему-то ревную. Так дальше жить нельзя, это слишком, или, наоборот, мне этого слишком мало». — И в ту же минуту он принял решение уехать.

«Придумаю себе какую-нибудь деловую поездку, связанную с проблемами культуры, — саркастически улыбнулся он, — это ведь все, что я умею делать: писать заметки о культуре, ездить в поездки по делам культуры, вести разговоры о культуре. Культура — вот что остается, когда ничего не умеешь делать». А Николь? Он отошлет ее на месяц к родителям, попробует взять себя в руки. Но уехать из Парижа, из Парижа, где живет Жозе?.. Куда она отправится с этим юношей, что будет делать? Он столкнулся с Аленом на лестнице.

— Наконец-то, — сказал Ален, — мой галстук!

Он шел ужинать с Беатрис перед ее спектаклем. Поскольку она была занята только во втором акте, у них было время до десяти часов. Но каждая минута наедине с ней казалась ему бесценной. Эдуар Малиграсс, его племянник, оказался подходящим предлогом для того, чтобы увидеться с Беатрис помимо понедельника.

Надев новый галстук, Ален, слегка обеспокоенный постоянным теперь грустным видом Бернара, которого считал своим подопечным, отправился за Беатрис к ней домой; она жила на маленькой улочке неподалеку от проспекта Монтеня. Ален размечтался и навоображал себе бог знает что: он и Беатрис в шикарном, но скромном ресторане, за окном шум проезжающих автомобилей, а главное, Беатрис, «восхитительная маска», как он про себя ее называл, пригашенная светом розового абажура и склонившаяся к нему. Он, Ален Малиграсс, слегка утомленный жизнью, наделенный хорошим вкусом, к тому же — высокого роста, что, как ему было известно, немаловажно для Беатрис. Вначале они снисходительно поговорят об Эдуаре, потом эта тема им наскучит, речь зайдет о жизни, о некоторых разочарованиях, непременно выпадающих на долю красивой женщины, о жизненных испытаниях. Он возьмет ее за руку. На большее он, пожалуй что, не решится. Но он представить себе не мог, как поведет себя Беатрис. Ален боялся ее, предчувствуя, что она будет в прекрасном расположении духа, вооруженная той страшной самоуверенностью, которую придает ей честолюбие.

Беатрис, однако, играла в тот вечер роль, вполне согласующуюся с ролью Малиграсса. Несколько добрых слов режиссера, ставившего пьесу N, и неожиданное внимание одного влиятельного журналиста внушили ей уверенность в успехе, окрыляющем тех, для кого самое главное в жизни — одобрение общества. Вот почему за ужином она чувствовала себя преуспевающей молодой актрисой. Приводя мечты в соответствие с действительностью, под воздействием волшебных минут сентиментального умиротворения, которое легко обретают души довольно низкие, она видела себя актрисой, достигшей зенита славы, но предпочитающей общество интеллигентного литератора с хорошим вкусом сомнительным радостям ночных кабачков, — успех ведь не исключает оригинальности. Потому она и потащила Алена Малиграсса, склонного, несмотря на расчетливость, к некоторым безумствам, в маленький ресторанчик, слывший заведением для интеллектуалов. Так что ее и Алена розовый абажур не разделял, между ними мелькали только суетливые руки официантки, а за соседними столиками стоял несмолкающий шум и звучала чудовищная гитара.

— Дорогой Ален, — заговорила Беатрис своим низким голосом, — что случилось? Не скрою, ваш телефонный звонок меня страшно заинтриговал.

(Последняя пьеса N была историческим детективом.)

— Я хотел поговорить об Эдуаре, — несколько нервозно сказал Ален.

Время шло и шло, а он все щипал свой хлеб. Первые полчаса вообще прошли в какой-то безумной неразберихе с такси, Беатрис путалась в объяснениях, не зная, как проехать к этой дрянной забегаловке, потом началось упрашивание, чтобы войти и получить место. Да и воздуха здесь не хватало: он задыхался. К тому же прямо перед ним висело зеркало, в котором он явственно видел свое длинное, довольно морщинистое, но, несмотря на это, местами слишком детское, инфантильное лицо. Бывают такие люди, которых судьба награждает какой-то безвозрастностью. Он тяжело вздохнул.

— Эдуар? — улыбнулась Беатрис.

— Да, Эдуар, — сказал он, и от ее улыбки у него сжалось сердце. — Мои слова покажутся вам смешными (господи боже, каким смешным кажется ей он сам!), но Эдуар — ребенок. И он любит вас. Со времени приезда он одолжил уже больше ста тысяч франков, пятьдесят из них у Жозе, и все чтобы экстравагантно одеваться и нравиться вам...

— Он осыпает меня цветами, — сказала Беатрис, снова улыбнувшись.

Улыбка ее была безупречной, снисходительной и слегка утомленной, но Ален Малиграсс, очень редко ходивший в кино или на плохие пьесы, ее не распознал. Она показалась ему улыбкой любви, и ему тут же захотелось немедленно уйти.

— Это досадно в конце концов, — сказал он.

— Досадно, что меня любят? — переспросила Беатрис, склонив голову и почувствовав, что пора переменить тему разговора. Но сердце Алена Малиграсса опять сжалось.

— Я его слишком хорошо понимаю, — с пылом сказал он, и Беатрис делано рассмеялась.

— Я с удовольствием съем сыру, — сказала она. — Расскажите мне об Эдуаре, Ален. Не скрою, он мне небезынтересен. Но мне совсем не нравится, что он из-за меня влезает в долги.

Однако в ту же минуту она поймала себя на мысли: «Да пусть разорится! На что еще годятся эти молодые люди?» На самом деле Беатрис, конечно, этого не считала, у нее было доброе сердце, к тому же она понимала, что это совсем не то, что можно говорить отчаявшемуся дядюшке, а Ален и так был очень подавлен.

Она склонилась к нему совсем, как он мечтал, звуки гитары стали душераздирающими, а вычурные свечки, стоявшие на столе, покачнулись в глазах Беатрис.

— Ну что мне делать, Ален? И, честно говоря, что я могу сделать?

Он пришел в себя и пустился в пространные объяснения. Быть может, она даст понять Эдуару, что у него нет никакой надежды?

«Но она у него есть», — весело подумала Беатрис. Она вдруг остро почувствовала нежность к Эдуару, вспомнив его мягкие каштановые волосы, неловкие жесты, веселый голос по телефону. К тому же ради нее он залез в долги! Она забыла о пьесе N, о своем сегодняшнем спектакле, ей захотелось увидеть Эдуара, прижаться к нему, почувствовать, как он дрожит от счастья. Она видела его с тех пор всего один раз, в баре, он застыл на месте, и на лице его было написано такое восхищение, что она испытала какую-то гордость. Любое ее движение навстречу было ему восхитительным подарком, и она смутно осознавала, что ей нужно, чтобы все ее отношения с людьми были только такими.

— Я сделаю все, что смогу, — сказала она. — Обещаю вам. Клянусь здоровьем Фанни. А вы знаете, как я ее люблю!

«Ну и идиотка!» Эта мысль молнией пролетела в мозгу Малиграсса, но он все еще отчаянно цеплялся за намеченное: сменить тему, и сейчас же, а в конце концов взять Беатрис за руку.

— А что, если мы уйдем отсюда, — сказал он. — Может, выпьем где-нибудь виски, мы еще успеем до второго акта. Я не голоден.

«Можно было бы пойти в «Ват'с», — подумала Беатрис, — но там бывает много знакомых. Ален, конечно, известен, но, увы, в довольно узком кругу, и потом, этот его галстук, как у помощника нотариуса. Дорогой Ален, живое воплощение милой старой Франции!» И, протянув руку через стол, она сжала ладонь Алена.

— Куда вы хотите, туда и пойдем, — решила Беатрис. — Я счастлива, что вы есть на свете.

Ален вытер губы и угасшим голосом спросил счет.

Рука Беатрис, потрепавшая его ладонь, нырнула в красную, точно такого же цвета, как туфли, перчатку. В десять часов, выпив виски в кафе напротив театра и поговорив о войне и послевоенном времени («Нынешняя молодежь, — говорила Беатрис, — не знает ни что такое кабачок в подвале, ни что такое джаз»), они расстались. Ален сдался уже час назад. С мрачноватой радостью он слушал, как Беатрис нанизывает одну банальность на другую, и время от времени, когда ему доставало на это смелости, любовался ею. Раз или два она даже принималась с ним кокетничать, просто потому, что чувствовала себя в отличной форме, но он этого не заметил. Когда мечтаешь о чем-то как об огромном несбыточном счастье, перестаешь замечать маленькие дорожки, по которым можно (и довольно быстро) до него дойти. Стендаля Ален Малиграсс читал куда внимательнее, чем Бальзака. И это ему дорого обошлось. Впрочем, ему дорого обошлось и все то, что он хорошо знал по книжкам, а именно: что можно любить то, что презираешь. Конечно, это спасло его от стресса, но и стресс мог оказаться полезным. Правда, в его возрасте страсть легко обходится без уважения. Но у него не было той счастливой уверенности, которая питала жизненные силы Жозе: «Этот молодой человек — мой».

Ален вернулся домой крадучись. Проведи он эти три часа с Беатрис в отеле, он вернулся бы победно-торжествующим, счастье ведь гасит укоры совести. А тут — Фанни он не изменял, а возвращался как виноватый. Она была уже в постели, в голубой ночной кофточке, в которой любила читать в кровати. Ален разделся в ванной, что-то пробормотав про свой деловой ужин. Он был совершенно разбит.

— Добрый вечер, Фанни.

Он наклонился к жене. Она привлекла его к себе. Лицо его оказалось на ее плече.

«Она, конечно же, догадалась, — подумал он устало. — Но не это тощее плечо мне нужно, а круглое и крепкое плечико Беатрис; ее опрокинутое и исступленное лицо, а не этот интеллигентный взгляд».

— Я очень несчастен, — сказал он громко, потом разделся и лег спать.

Глава 4

Он уезжал, Николь плакала, и все это можно было предвидеть заранее. По мере того как он укладывал вещи, ему стало казаться, что всю его жизнь вообще можно было предвидеть. Само собой разумелось, что он был хорош собой, что у него была беспокойная молодость, роман с Беатрис и очень долгий роман с литературой. Еще более естественно было жениться на этой молодой, не очень привлекательной женщине, которая сейчас страдала из-за него чуть ли не как животное, чего он совершенно не понимал. Потому что, в сущности, он был скотиной и, как самый заурядный человек, был способен и на жестокость, и на самые банальные любовные похождения. А ему надо было до конца играть роль сильного мужчины. И, обернувшись к Николь, он обнял ее.

— Не плачь, дорогая, ты ведь уже поняла, что мне необходимо сейчас уехать. Для меня это очень важно. Месяц — это не тяжело. Твои родители...

— Я не хочу возвращаться к родителям даже на месяц.

Такая у Николь была новая навязчивая идея. Она хотела непременно остаться в этой квартире. И он знал, что каждую ночь жена будет спать, повернувшись лицом к двери, и ждать его. Жуткая жалость вдруг пробудилась в нем, но он тут же обернул ее на себя.

— Тебе здесь будет скучно одной.

— Я буду заходить к Малиграссам. И Жозе обещала свозить меня куда-нибудь на машине.

Жозе! Он отпустил Николь, стал хватать свои рубашки и упихивать их в чемодан. Жозе! Нет! Надо думать о Николь и быть человеком! Жозе! Когда он наконец избавится от этого имени, от этой рев-

статься, чтобы это была ревность. Он ненавидел себя.

— Ты будешь мне писать? — спросила Николь.

— Каждый день.

Ему хотелось обернуться и сказать ей: «Да я могу тебе тридцать писем заранее написать: «*Дорогая, у меня все хорошо. Италия прекрасна, мы непременно поедем сюда с тобой вместе. У меня очень много работы, но я думаю о тебе. Мне тебя не хватает. Завтра напишу подробнее. Целую*». Вот что он будет ей писать целый месяц. Почему так получается, что для одних слова находятся, а с другими не знаешь, что и сказать? Вот Жозе, например! Он напишет ей: «Жозе, если бы вы только знали... Не знаю, как и объяснить вам! Я так далеко от вас, от вашего лица, но одна мысль о вас уже раздирает мне сердце. Жозе, неужели я ошибся? Может, еще не поздно?» Он был уверен, что напишет Жозе из Италии как-нибудь вечером, тогда тоска вконец одолеет его, а слова под его пером станут жесткими и тяжелыми, но слова, обращенные к ней, будут живыми. Он сумеет наконец написать ей. А вот Николь...

Белокурая Николь все еще плакала, опершись о его спину.

— Прости меня, — сказал он.

— Это ты прости меня. Я не знала... Знаешь, Бернар, я пробовала, я пыталась...

— Что? — испугался он.

— Я пробовала как-то подняться до тебя, быть достойной тебя, помочь тебе, быть тебе интересной собеседницей, но я не так образованна, не так весела, вообще я — никакая... и я ведь это знала... Бернар, Бернар!

Она задыхалась от слез. Бернар прижал ее к себе и упавшим голосом долго и исступленно просил прощения.

А потом была дорога. Только за рулем одолженного у издателя автомобиля Бернар обрел мужские повадки. Он вновь ощутил себя мужчиной, закурив сигарету и управляя одной рукой, вступив с другими ночными водителями в условное перемигивание фарами, посылая и получая в ответ тревожные или дружеские сигналы, а за окном мелькали деревья и пышная листва плыла ему навстречу. Он был сам по себе. Ему хотелось мчать по дороге всю ночь, и он уже чувствовал подступающую усталость. На него нисходила какая-то счастливая покорность судьбе. Все, может быть, упущено, но что с того? Было кое-что другое, и он всегда знал это, а именно он сам, его одиночество, — и это вдохновляло его. Завтра Жозе опять все заслонит собой, и он совершит тысячу низостей, испытает тысячу поражений, но сегодня вечером, устав и измучившись тоской, он обрел то, что будет теперь всегда с ним: собственное умиротворенное лицо в оправе листвы.

Ничто не похоже так на итальянский город, как другой итальянский город, особенно осенью. Проведя шесть дней в городах от Милана до Генуи, поработав в музеях и газетах, Бернар решил вернуться во Францию. Ему захотелось пожить в провинции, в гостиничном номере. Он выбрал Пуатье, казавшийся ему самым мертвым городком, и нашел там самый заурядный отель, который назывался «Щит Франции». Весь этот антураж он выбрал с такой же решительностью, с какой поставил бы мизансцену в пьесе. Только он еще не решил, какая пьеса будет разыграна в этих декорациях, похожих, в зависимости от погоды, то на атмосферу в книгах Стендаля, а то и у Сименона. Не знал, какой провал или ложное открытие ждет его. Но он знал, что ему будет очень скучно, бесконечно, даже отчаянно скучно, и отчаяние это зайдет так далеко, что, быть может, вытянет его из того тупика, в котором он оказался. Тупик — он знал это, проведя десять дней за рулем автомобиля, — не его страсть к Жозе, не его неуспех в литературе, не его охлаждение к Николь. Чего-то не хватало и в его страсти, и в его бездарности, и в его охлаждении к жене. Чего-то такого, что должно было заполнить утреннюю пустоту, избавить от раздражения против себя самого. Все. Будь что будет, он складывает оружие. Три недели он будет выносить себя сам, один.

С первого же дня он наметил себе каждодневный маршрут. Газетный киоск, аперитив в кафе, ресторанчик напротив, где подают фирменные блюда, кинотеатр на углу. На стенах номера в гостинице были серо-голубые обои, крупные цветы на них совсем выцвели, перед кроватью лежал коричневый коврик; еще был эмалированный умывальник, в общем, все было хорошо. Из окна он видел дом, старая рекламная афиша приглашала в «Сто тысяч рубашек», закрытое окно (может, когда-нибудь откроется) давало ему смутную романтическую надежду. Еще на столе лежала белая скатерть, она скользила, и, чтобы писать, надо было снимать ее. Хозяйка гостиницы была приветлива, но сдержанна, горничная на этаже — стара и болтлива. Ну а еще в Пуатье в этом году часто шел дождь. Устраивался здесь Бернар всерьез и надолго. Вел себя довольно церемонно, как иностранец; покупал массу газет, на второй день даже выпил пару лишних стаканчиков смородинового белого вина. Это вызвало опасное опьянение, в том смысле, что тут как тут возникло имя Жозе. «Гарсон, как быстро можно связаться по телефону с Парижем?» Но его хватило на то, чтобы не позвонить.

Он снова взялся за свой роман. Первая фраза была фраза моралиста. «Ничто не вызывает больше наветов, чем счастье...» и так далее. Фраза эта казалась Бернару верной. Верной и ненужной. Но она красовалась вверху страницы. «Глава I... Ничто не вызывает больше наветов, чем счастье. Жан-Жак был счастливым человеком, и о нем говорили много дурного». Бернар предпочел бы начать как-нибудь

иначе. «Маленькая деревушка Буасси предстает взгляду путешест-
венника тихим посадом, залитым солнцем...» и тому подобное. Но
так он писать не мог. Он хотел сразу перейти к главному. Но что было главным, что знал он об этом главном? По утрам он час писал; выходил за газетами, брился в парикмахерской и завтракал. Потом, после двенадцати, работал еще три часа, немного читал (Руссо) и до
обеда гулял. Потом — кино, а однажды — публичный дом в Пуатье,
жалкий, но не хуже других, где он понял, что воздержание способно
возвратить утраченные ощущения.

Вторая неделя была куда тяжелее первой. Роман его был плох.
Он хладнокровно перечитывал его и понимал, что он плохой. И не
просто плохой, хуже. Скучный, и невообразимо скучный. Он писал
так, как стригут ногти, крайне сосредоточенно и вместе с тем рассеянно. Он следил за своим самочувствием, заметил, что как-то по-новому начала барахлить печень, появилась нервозность, в общем,
вернулись все неприятности парижской жизни. Однажды после завтрака, посмотрев на себя в маленькое зеркало, висящее в номере, он
повернулся спиной к стене и, раскинув руки и прижавшись к холодной стене, так и стоял, закрыв глаза. А как-то раз написал короткое и
отчаянное письмо Алену Малиграссу. Ален ответил, посоветовав ему
оглядеться по сторонам, меньше копаться в себе и так далее... Глупые советы, Бернар все это знал и без него. Но на самом деле всем
всегда некогда толком разобраться в себе, людей в основном интересуют в других только глаза, да и то чтобы видеть в них собственное
отражение. Вот от этого, как-то подсознательно держась в границах,
себе положенных, Бернар был застрахован. Ради какой-нибудь юбки
в Пуатье из Парижа сбегать не стоило.

Да это ни к чему бы и не привело, разве что к новым страданиям.
Он вернется в Париж с почти законченной рукописью. И даже отдаст
ее своему издателю, а тот напечатает ее. А потом снова попробует
встретиться с Жозе. Попытается забыть взгляд Николь. Хотя все это
бесполезно. Но в осознании этой бесполезности Бернар черпал какое-то ледяное спокойствие. Он также знал, как именно он разукра-
сит свой рассказ о Пуатье и о здешних своих эскападах. И с каким
удовольствием будет наблюдать за реакцией своих слушателей! И каким необычайно оригинальным будет он сам себе казаться! И наконец, как по-мужски сдержанно он скажет: «А главное — я работал».
Он уже знал, в каком жанре все это будет стилизовано. Но ему было
все равно. Ночью окно у него было открыто, он слушал, как в Пуатье
идет дождь, следил за золотыми фарами редких автомобилей; когда
они проезжали мимо, по стене скользили огромные розовые блики,
тут же умиравшие в темноте. Вытянувшись на спине и закинув руки
за голову, Бернар курил свою последнюю за день сигарету.

* * *

Эдуар Малиграсс простачком не был. Этот молодой человек был создан для счастья или для несчастья, но безразличие погубило бы его. Иными словами, он был очень счастлив, что нашел Беатрис и полюбил ее.

Быть счастливым просто потому, что любишь, — такого Беатрис в своей жизни не видывала, ведь для большинства смертных неразделенная любовь — катастрофа, и потому очень удивилась. Удивить Беатрис — значило выиграть полмесяца; даже красоты Эдуара для этого было мало. Беатрис, хоть и не была холодна, к физической стороне любви особого интереса не питала. Она считала тем не менее, что для здоровья это вещь полезная, и даже некоторое время верила в то, что она — женщина, которой властвуют инстинкты, во всяком случае, именно этим она вооружилась, чтобы изменить своему мужу. В ее среде адюльтер воспринимался, прямо сказать, почти как норма, но она решила сыграть роль женщины, вынужденной пойти на жестокий, но необходимый разрыв, от чего очень страдал ее любовник и злился муж, которому она, по всем правилам III акта, во всем призналась. Будучи человеком вполне здравомыслящим, к тому же уважаемым коммерсантом, супруг Беатрис счел совершенно абсурдным, что ей понадобилось признаться, что она завела любовника, и одновременно сообщить о том, что она с ним расстается. «Нет чтоб промолчать», — думал он, в то время как ненакрашенная Беатрис монотонным голосом каялась перед ним в своих грехах.

Итак, сияющего Эдуара Малиграсса можно было видеть повсюду: у служебного входа в театр, у парикмахерской, у швейцарской. Он не сомневался, что в один прекрасный день его полюбят, и терпеливо ждал, когда Беатрис представит ему то, что он считал доказательством любви. К несчастью, она быстро привыкла к его амплуа платонического возлюбленного, а нет ничего труднее, чем изменить такое восприятие, а уж если женщина не блещет умом — тем более. Но вот настал вечер, когда Эдуар, проводив Беатрис до подъезда, попросил разрешения подняться, чтобы выпить последний стаканчик. В оправдание Эдуара надо сказать, что он даже не догадывался о ритуальном смысле сказанной им фразы. Он так много говорил о своей любви, что у него все во рту пересохло и он просто хотел пить, к тому же у него не было ни сантима на дорогу. Перспектива идти домой пешком, изнывая от жажды, пугала его.

— Нет, Эдуар, миленький, — нежно сказала Беатрис, — нет. Вам лучше вернуться.

— Но я страшно хочу пить, — повторил Эдуар. — Я не прошу у вас виски, просто стакан воды.

И добавил:

— Боюсь, что в этот поздний час все кафе закрыты.

Они посмотрели друг на друга. Свет уличного фонаря был к лицу Эдуару, он оттенял тонкость его черт. К тому же было холодно, и Беатрис не без удовольствия представляла себе, как она откажет Эдуару в углу возле камина, и уже воображала красивую сцену, полную непринужденности и элегантности.

Эдуар разжег камин, Беатрис появилась с подносом в руках. Они сели у камина, Эдуар взял руку Беатрис и поцеловал ее; только сейчас он начал понимать, что оказался у нее дома. Его бил легкий озноб.

— Я счастлива, что мы с вами друзья, Эдуар, — мечтательно заговорила Беатрис.

Он нежно поцеловал ее ладонь.

— Понимаете ли, — продолжила она, — в театральной среде — я люблю ее, потому что это моя среда, — много людей, не скажу циничных, но как-то рано постаревших, вы молоды, Эдуар, и вам надо остаться таким.

Она говорила с очаровательной серьезностью. Эдуар Малиграсс и в самом деле чувствовал себя очень молодым; с горящими щеками он склонился над запястьем Беатрис.

— Оставьте меня, — вдруг сказала она, — не надо. Я доверяю вам, вы же знаете.

Будь Эдуар на несколько лет постарше, он, конечно же, был бы настойчивее. Но он не был старше, и это спасло его. Он поднялся, чуть было не стал извиняться и направился к двери. Беатрис не удавалось довести сцену до конца, доиграть свою элегантную роль; ей будет не по себе, и она не сможет заснуть. Спасти ее могла только одна реплика. И она произнесла ее:

— Эдуар!

Он обернулся.

— Вернитесь.

Беатрис протянула к нему руки, как женщина, которая сдается. Эдуар надолго сжал их, затем, счастливо повинуясь порыву юности, схватил Беатрис в объятия, потянулся к ее губам, нашел их и легонько застонал от счастья, потому что любил Беатрис. Поздно ночью он еще шептал слова любви, голова его лежала на груди Беатрис, мирно спавшей и вовсе не догадывавшейся, из каких грез и ожиданий рождались эти слова.

Глава 5

Проснувшись подле Беатрис, Эдуар испытал одно из тех счастливейших мгновений, про которые, когда они случаются, знаешь, что именно они оправдывают твою жизнь, и про которые потом, когда молодость сменяется слепотой, непременно говоришь себе, что из-за них-то она и прошла даром. Он проснулся, разглядел сквозь сомкнутые еще ресницы плечо Беатрис рядом с собой, и ненасытная память, наводняющая наши сны и хватающая нас за горло при пробуждении, тут же вернулась к нему. Он почувствовал себя счастливым и протянул руку к спине Беатрис. Но Беатрис знала, что для хорошего цвета лица необходим крепкий сон; она вообще была проста и понятна только в том, что касалось голода, жажды и сна. Она отодвинулась на другой край кровати. И Эдуар почувствовал себя одиноким.

Он был очень одинок. Нежные воспоминания еще распирали его. Но мало-помалу он начинал догадываться, что за этим сном таится подвох, великий подвох любви. Ему хотелось повернуть к себе Беатрис, положить голову к ней на плечо, поблагодарить ее. Но перед ним была эта упрямая спина, этот торжествующий сон. Тогда, уже почти смирившись, он погладил длинное, обманчиво-щедрое тело Беатрис.

Это было символическое пробуждение, но Эдуар не понял этого. Он еще не знал тогда, что его страсть к Беатрис сведется именно к созерцанию ее спины. Символы человек создает себе сам, когда у него плохи дела. Эдуар не был похож на Жозе, а Жозе проснулась в ту же самую минуту, что и Эдуар, посмотрела на спину своего любовника, крепкую и гладкую в рассветных лучах солнца. Она улыбнулась и тут же заснула снова. Жозе была гораздо старше Эдуара.

* * *

С той поры для Беатрис и Эдуара настала спокойная жизнь. Он заходил за ней в театр и старался позавтракать вместе с ней, если она на это соглашалась. Дело в том, что у Беатрис был культ дамских завтраков: она вычитала, во-первых, что это принято в США, а во-вторых, полагала, что у старших есть чему поучиться. И потому она часто завтракала со старыми актрисами, которые завидовали ее нарождающейся славе и вполне могли бы внушить ей своими замечаниями комплекс неполноценности, не будь Беатрис такой твердокаменной.

Слава приходит не внезапно, а потихоньку. Заявляет же она о себе в один или другой прекрасный день, каковой заинтересованная персона и считает самым знаменательным. Для Беатрис это был день, когда ее пригласил работать Андре Жолио, директор театра, гурман и обладатель всяких прочих добродетелей. Он предложил ей довольно большую роль в будущем своем октябрьском спектакле и свою виллу на юге для работы над нею.

Беатрис собралась звонить Бернару. Она считала его «умным молодым человеком», хотя он уже не раз бунтовал против такого определения. Когда ей сказали, что Бернар в Пуатье, она удивилась: «А что можно делать в Пуатье?»

Она позвонила Николь.

— Говорят, Бернар в Пуатье? Что происходит?

— Не знаю, — отрывисто сказала Николь. — Он работает.

— И как давно он там?

— Два месяца, — сказала Николь и разразилась рыданиями.

Беатрис была потрясена. В ней еще сохранилась какая-то доброта, и воображение тут же подсказало ей, что Бернар безумно влюблен в жену мэра Пуатье, — а как иначе можно вынести жизнь в провинции? Она договорилась о встрече с несчастной Николь, но выяснилось, что ее хочет видеть Андре Жолио и, не осмеливаясь отказаться от его приглашения, Беатрис позвонила Жозе.

Жозе читала; дома, в своей квартире, ей было неуютно, и потому телефон, хотя и надоедал ей, все же как-то скрашивал жизнь. Беатрис обрисовала ей ситуацию, сильно сгустив краски. Жозе ничего не поняла из ее рассказа, потому что только накануне получила прекрасное письмо от Бернара, в котором он спокойно анализировал свою любовь к ней, и какая-то дама из Пуатье здесь была явно ни при чем. Жозе пообещала навестить Николь и отправилась к ней, потому что обычно делала то, что говорила.

Николь растолстела. Жозе тотчас заметила это. В несчастье многие женщины полнеют, еда как-то подкрепляет их. Жозе объяснила, что пришла вместо Беатрис, и Николь очень этому обрадовалась. Беатрис вызывала у нее ужас, и она уже раскаивалась, что разрыдалась, говоря по телефону. У худенькой, похожей на подростка Жозе было очень подвижное лицо и какие-то вороватые повадки. Николь, и не догадывавшейся о том, как уверенно чувствовала она себя в жизни, Жозе казалась еще более беспомощной.

— Так мы поедем за город? — предложила Жозе.

Она хорошо и быстро вела большую американскую машину. Николь забилась в угол. Жозе было скучновато, но она утешалась тем, что вроде бы исполняет свой долг. Она вспоминала письмо Бернара:

«Жозе, я люблю Вас, и это довольно ужасно. Я пытаюсь работать, но у меня ничего не получается. Жизнь моя — медленное кружение без музыкального сопровождения; я знаю, что Вы меня не любите, да и с чего бы Вам любить меня? Мы с Вами — родственные души, и я один виновен в «кровосмесительстве». Я пишу Вам об этом, потому что теперь это не имеет значения. То есть теперь уже не важно, пишу я Вам или нет. Это единственная благодать в одиночестве: смиряешься, отказываясь от тщеславия. Ну да, есть этот молодой человек, он существует и, разумеется, не нравится мне». И так далее, и тому подобное.

Жозе помнила почти каждую фразу. Читала она это письмо за завтраком, пока Жак читал «Фигаро», на которую Жозе подписал отец. Она положила письмо на столик возле кровати с ощущением какой-то чудовищной путаницы. Жак, насвистывая, встал и, как обычно, объявил, что газеты совершенно неинтересны, — Жозе никак не понимала его маниакального пристрастия к их чтению. «Может, убил какую-нибудь старушку», — развеселившись, подумала она. Потом он принял душ, вышел из ванной комнаты в куртке и, поцеловав Жозе, отправился на занятия. Она сама себе удивлялась, что до сих пор все еще выносит его.

— Я знаю здесь неподалеку один трактирчик с камином, — сказала она Николь, чтобы как-то разрядить молчание.

А о чем было с ней говорить? «Ваш муж любит меня, но я его не люблю, у вас отнимать не стану, у него это пройдет». Да, но не могла же она предать интеллигентного Бернара. И потом, всякое объяснение с Николь было бы похоже на экзекуцию.

За обедом они разговаривали о Беатрис. Потом о Малиграссах. Николь была убеждена в том, что они любят друг друга, верны друг другу, и Жозе не стала разубеждать ее в этом. Она чувствовала себя доброй и пресыщенной. А ведь Николь была на три года старше ее. Но она ничем не могла ей помочь. Ничем. Женщины и правда бывают как-то особенно глупы, и выносить это под силу только мужчинам. Жозе потихоньку выходила из себя, презирая Николь, раздражалась, что та долго ничего не может выбрать в меню, злилась, что у нее такой испуганный взгляд. За кофе, после долгого молчания, Николь вдруг выпалила:

— Мы с Бернаром ждем ребенка.

— Я думала... — сказала Жозе.

Она знала, что у Николь уже было два выкидыша и ей настоятельно рекомендовали не пытаться больше рожать.

— Я очень хочу ребенка, — сказала Николь.

Она сидела, опустив голову и насупившись. Жозе с недоумением разглядывала ее.

— Бернар знает об этом?

— Нет.

«Бог мой, — думала Жозе, — такой, верно, по Библии, и положено быть жене. Она думает, что достаточно заиметь ребенка, чтобы привязать к себе мужчину, и ставит его в такое жуткое положение. Я никогда не стану библейской женой. А пока что эта, должно быть, очень несчастная».

— Надо ему написать, — твердо сказала Жозе.

— Я боюсь, — ответила Николь. — Сначала хочу увериться... что ничего не случится.

— Я считаю, что вы должны ему сказать.

А вдруг произойдет то, что уже случалось, и не раз, а Бернара не будет рядом... Жозе побелела от страха. Она плохо представляла себе Бернара в роли отца. А вот Жака... наоборот. Он со смущенным

видом стоял бы у ее изголовья и с улыбкой смотрел на своего ребенка. Нет, право, бред какой-то.

— Давайте вернемся, — сказала Жозе.

Они медленно поехали в сторону Парижа. Когда Жозе повернула
к Елисейским Полям, Николь схватила ее за руку.

— Не отвозите меня сразу домой, — попросила она.

В ее голосе прозвучала такая мольба, что Жозе внезапно поняла,
на что похожа сейчас ее жизнь: одинокое ожидание, страх смерти и
эта тайна. Ей стало безумно жаль Николь. Они пошли в кино. Через
десять минут Николь, шатаясь, встала, и Жозе последовала за ней.
Уборная в кинотеатре была чудовищная. Жозе рукой придерживала
мокрый лоб Николь, пока ту рвало, испытывая одновременно и жалость, и отвращение. Дома ее ждал Жак; рассказывая о прожитом
дне, он был довольно нежен и даже назвал ее «своей бедной старуш-
кой». Потом он предложил ей сходить куда-нибудь, решив прогулять
на этот раз свои вечерние занятия на факультете.

ГЛАВА 6

Два дня подряд Жозе тщетно пыталась дозвониться до Бернара,
чтобы убедить его вернуться. Писать ему надо было «до востребова-
ния». Она попыталась уговорить Николь съездить в Пуатье, та отказалась категорически: у нее теперь были постоянные боли. Услышав
это, Жозе страшно испугалась. Она решила сама съездить за Бернаром и попросила Жака поехать с ней. Он отказался из-за занятий.

— Но мы же в один день управимся, только туда и обратно, —
настаивала Жозе.

— Ну конечно! Совсем недолго!

Ей захотелось ударить его. Он был непреклонен, все всегда упро-
щал, и она бы дорого дала за то, чтобы он хоть на секунду вышел из
себя, засомневался, стал бы оправдываться. Он властно взял ее за
плечи:

— Водишь ты хорошо, тебе вполне хорошо и одной. А потом,
лучше тебе с этим типом увидеться наедине. До его отношений с женой мне дела нет. А вот с тобой — да, это меня касается.

Говоря последнюю фразу, он сморгнул.

— Ой, ну послушай, ты же знаешь, — сказала она, — это ведь
все давно...

— Я ничего не знаю, — ответил Жак. — Но если узнаю что-нибудь, уйду.

Она смотрела на него с изумлением и какой-то смутной надеждой.

— Ты меня ревнуешь?

— Да не о том речь. Делиться я не умею.

Он резко привлек ее к себе и поцеловал в щеку. Неловкость его жеста тронула Жозе, и она притянула его к себе, прижалась к нему. Она целовала его в шею, в плечо сквозь толстый свитер, улыбалась и повторяла задумчиво: «Так ты уйдешь? Уйдешь?» Но он не двигался, молчал, и у нее было ощущение, что она влюблена в медведя, повстречавшегося ей в лесу, медведя, который, быть может, и любит ее, но не может сказать этого, обреченный на бессловесность.

— Ну ладно, — ворчливо сказал наконец Жак.

И она уехала одна. Рано утром села за руль своего автомобиля и теперь медленно катила среди по-зимнему обнаженных деревьев. Было очень холодно, и бледные, искрящиеся лучи солнца лились на голые поля. Она опустила верх автомобиля, подняла высокий ворот свитера, который взяла у Жака, но лицо ее стыло на морозе. Дорога была совершенно пустынна. В одиннадцать часов она остановилась у обочины, сняла с заледеневших рук перчатки и закурила сигарету, первую после отъезда. На минуту она замерла, откинув голову на высокую спинку сиденья, и с закрытыми глазами медленно вдыхала дым сигареты. Несмотря на холод, она почувствовала, что солнце пригрело ее сомкнутые веки. Тишина стояла мертвая. Открыв глаза, она увидела ворону, севшую неподалеку от нее на поле.

Выйдя из машины, Жозе пошла по дороге среди полей. Она двигалась так же беззаботно, как двигалась бы в Париже, и в то же время ей было как-то тревожно, она прошла мимо фермы, мимо нескольких деревьев, конца дороге видно не было. Через какое-то время Жозе обернулась; черный, преданно ждавший ее автомобиль еще можно было разглядеть вдали на шоссе. Обратно она возвращалась еще медленней. Ей было хорошо. «Но ведь должен же быть ответ, — сказала она вслух, — и даже если его нет...» Ворона, каркнув, улетела. «Я люблю такие передышки», — опять произнесла она вслух, бросила окурок и тщательно раздавила его ногой.

К шести часам она добралась до Пуатье и долго искала гостиницу, где жил Бернар. Темный, с большой претензией обставленный холл «Щита Франции» показался ей чудовищным. По длинному коридору, где лежал бежевый ковер, о который она то и дело спотыкалась, ее провели к номеру Бернара. Он писал, повернувшись спиной к двери, и рассеянно сказал: «Войдите». Удивившись ответному молчанию, обернулся. И только тогда она вспомнила о письме и о том, что могло значить для него ее появление здесь. Она попятилась. Но Бернар уже сказал: «Вы приехали!» — и протянул к ней руки; его лицо так преобразилось, что у Жозе мгновенно промелькнула мысль: «Вот, значит, какое лицо бывает у счастливого человека». Он прижимал ее к себе, душераздирающе медленно терся головой о ее волосы, а она стояла, окаменев, и думала только об одном: «Надо же ему все объяснить, это же гнусно, надо все сказать».

Но он снова заговорил, и каждое его слово становилось препятствием на пути к правде:

— Я и не надеялся, не смел надеяться. Это слишком прекрасно. Как мог я так долго жить без вас! Это так странно — быть счастливым...

— Бернар, — сказала Жозе, — Бернар!

— Знаете, даже забавно, я ведь представлял себе все совсем по-другому. Я думал, это выйдет как-то бурно, я засыплю вас вопросами, а тут я словно обрел что-то давно знакомое. Что-то, чего мне не хватало...

— Бернар, я должна вам сказать...

Но она уже знала, что он не даст ей договорить и что она промолчит:

— Не говорите ничего. За такое долгое время со мной впервые происходит что-то настоящее.

«Так оно, вероятно, и есть, — думала Жозе. — Жена по-настоящему любит его, ей грозит настоящая беда, вот-вот разразится настоящая драма, а для него единственная подлинность — в его заблуждении, и я к тому же молчу и не разубеждаю его. Настоящее счастье — моя любовь к нему. Но ведь лежачего не бьют». И она решила ничего не говорить. Промолчать ей было нетрудно, ни жалости, ни иронического отношения к Бернару у нее не было, она чувствовала себя в полной мере его соучастницей. Когда-нибудь, без сомнения, она так же обманется и так же, как он сейчас, будет играть в счастье.

Он повел ее пить белое смородиновое вино в «Кафе де Коммерс». Много говорил: о ней, о себе, и говорил хорошо. А она уже очень давно ни с кем не разговаривала. И стала жертвой страшной усталости и нерастраченной нежности. Пуатье взял ее в плен: желто-серая площадь, редкие прохожие в черном, любопытствующие взгляды посетителей кафе и платаны, раздетые наступившей зимой, — все это было принадлежностью того абсурдного мира, о существовании которого она знала всегда и в который ей суждено было еще раз погрузиться. Ночью, лежа рядом с уснувшим Бернаром (ей было тесно и неудобно рядом с ним, а рука его как-то по-хозяйски лежала на ее плече), она долго разглядывала крупные цветы на обоях, время от времени освещавшиеся фарами проезжавших автомобилей. Было спокойно. Через два дня она скажет Бернару, что пора возвращаться. Она подарит ему два дня из собственной жизни, два счастливых дня. И, разумеется, они дорого обойдутся и ей, и ему. Но она думала о том, как Бернар долгими ночами вот так же смотрел на эти безобразные, слишком грубо прорисованные цветы. В конце концов ей тоже нужна передышка. Даже ценой лжи во спасение.

Глава 7

Андре Жолио решил, что Беатрис должна стать его любовницей. Он понял, что, во-первых, она талантлива, а во-вторых — до умопомрачения честолюбива: то и другое его привлекало. Ну и, конечно, к красоте Беатрис он тоже не был равнодушен, к тому же ему, утонченному эстету, льстила мысль, что они будут неплохо смотреться вместе. Это был сухощавый, если не сказать тощий, человек с довольно неприятной саркастической улыбочкой, и в пятьдесят лет сохранивший неподобающие возрасту юношеские повадки. Из-за этого он даже прослыл гомосексуалистом, а отчасти и сам поддерживал этот слух: как известно, эстетизм порой приводит к весьма недостойным отклонениям; словом, Андре Жолио был из тех людей, которых называют «яркими», потому что они отличаются некоторой независимостью и в своей среде держатся вызывающе. Жолио был бы совершенно несносным, если б не относился к себе с неизменной иронией и не был бы по-настоящему щедрым, когда речь шла о деньгах.

Завоевать Беатрис, играя на ее честолюбии, ему ничего не стоило. Он слишком хорошо знал эту стихию безмолвного торга, чтобы она могла его увлечь всерьез. И потому он просто решил поучаствовать в той пьесе, которую Беатрис играла в жизни, выбрав для себя... скажем, роль Моски из «Пармской обители», но Моски-победителя. Ему, конечно, не хватало величия героя Стендаля, а Беатрис — благородства Сансеверины, и только обаяние Эдуара Малиграсса было похоже на обаяние Фабрицио. Но все это для Жолио не имело никакого значения. Ему нравились пошлые сюжеты. И веселая пошлость нынешней его жизни все реже приводила Жолио теперь в отчаяние.

Итак, Беатрис оказалась перед выбором: любовь или могущество, а точнее, перед выбором между пародией на любовь и пародией на могущество. С одной стороны, Жолио, ироничный, порочный, эффектный, с другой — Эдуар, нежный, красивый, романтичный. Она была в восторге. Жестокость этого выбора делала ее жизнь восхитительной, хотя она, исходя из профессиональных соображений, откровенно предпочла Жолио. Именно поэтому она одаривала теперь Эдуара таким вниманием и такими знаками любви, которых ему бы в жизни не дождаться, будь он один хозяином территории: жизнь всегда одной рукой отбирает то, что дает другой.

Итак, Жолио, не поставив никаких условий, отдал Беатрис главную роль в своем будущем спектакле. И даже сделал ей комплимент по поводу красоты Эдуара, никоим образом не раскрыв своих намерений. Правда, он все же ясно дал понять, что будет счастлив бывать с ней в свете, если она когда-нибудь расстанется с Эдуаром. Это было похоже на простое заигрывание, но на самом деле значило куда больше. Жолио знал, что женщина типа Беатрис ни за что не расстанется с мужчиной, не имея на примете другого. Беатрис, пришедшая вначале в восторг от полученной роли, забеспокоилась, не понимая, что значат ухаживания Жолио. Любовь Эдуара бледнела перед светским безразличием Жолио. А Беатрис нравилось побеждать.

Как-то Жолио повез ее ужинать в Буживаль. Вечер был не очень холодный, и они прошлись по берегу реки. Эдуару она сказала, что ужинать будет у своей матери — суровой протестантки, которой весьма претили выходки дочери. Собственная ложь, которая обычно ей ничего не стоила, на сей раз ее взбесила. «С какой стати мне отчитываться перед кем бы то ни было?» — раздраженно думала она, когда врала Эдуару. Он, впрочем, вовсе не требовал, чтобы она давала ему отчет в своих действиях, ему было довольно и того, что она позволяла ему быть счастливым, и он попросту огорчился, что не будет с ней ужинать. Однако тон ее пробудил в нем подозрения, даже ревность. Беатрис не могла знать, что он любит ее с той безумной доверчивостью, на которую способна лишь юная любовь.

Жолио, держа Беатрис за руку, рассеянно слушал ее болтовню об очаровательных маленьких баржах. Если с Эдуаром Беатрис предпочитала играть роль фатальной женщины, то с Жолио ей, наоборот, нравилось изображать восторженного ребенка.

— Как красиво! — восклицала она. — Никто не сумел описать Сену и баржи, разве что Верлен, пожалуй...

— Да, и, пожалуй, неплохо...

Жолио ликовал. Он смотрел на Беатрис и слушал ее бесконечные поэтические излияния. «Может, я потому и волочусь за ней, что она такая смешная», — подумал он, и эта мысль развеселила его.

— Когда я была молода, — Беатрис ждала, что он рассмеется, и он хмыкнул, — когда я была совсем маленькой, — уточнила она, — я вот так гуляла вдоль реки и думала, как много в жизни всего красивого, я была очень восторженной девочкой. Вы и не поверите, но такой я и осталась.

— Я вам верю, — отвечал Жолио, Беатрис страшно веселила его.

— И все же... в наше время кому еще нужны баржи, кого они теперь приводят в восторг? Ни наша литература, ни наше кино, ни наш театр...

Жолио молча кивал...

— Я помню себя только с десяти лет, — снова мечтательно заговорила Беатрис. — Но что вам за дело до моего детства! — вдруг оборвала она сама себя.

Из-за неожиданности атаки Жолио почувствовал себя безоружным. На секунду его охватила паника.

— Лучше расскажите мне о вашем детстве, — сказала Беатрис. — Я так мало знаю о вас. Вы ведь для всех загадка.

Жолио отчаянно пытался припомнить что-нибудь из своего детства, но у него это никак не получалось.

— У меня не было детства, — проникновенно произнес он.

— Иногда вы говорите ужасные вещи, — сказала Беатрис и сжала его руку.

На этом с детством Жолио было покончено. Зато детство Беатрис обогатилось многочисленными историями, в которых проявлялись сообразительность, живость и очарование малышки Беатрис. Она была явно растрогана собственным рассказом. Руки Беатрис и Жолио в конце концов встретились в кармане последнего.

— Какая у вас прохладная рука, — тихо сказал он.

Она не ответила и прислонилась к нему. Жолио понял, что Беатрис уже вполне готова, и на какой-то миг задумался, хочет ли он ее; впрочем, ответ его мало интересовал. Он повез Беатрис в Париж. В машине она положила голову ему на плечо, прижалась к нему. «Дело сделано», — устало подумал Жолио, и они поехали к ней домой: первую ночь он хотел провести у нее.

Как и всех несколько уставших от жизни людей, в любовных похождениях его привлекала перемена мест. Однако у дверей ее дома по долгому молчанию Беатрис и полной ее неподвижности он понял, что она уснула. Он осторожно разбудил ее, поцеловал руку и, прежде чем она успела опомниться, оставил ее в лифте одну. У погасшего камина Беатрис увидела Эдуара; он спал, ворот его рубашки расстегнулся, и в нем была видна длинная, почти девичья шея. Глаза Беатрис на секунду увлажнились слезами. Она была расстроена: во-первых, потому, что так и не поняла, нравится ли Жолио, во-вторых, потому, что Эдуар казался ей очень красивым, но ей было не до этого, она обращала внимание на его красоту только в ресторанах. Беатрис разбудила Эдуара. Едва пробудившись, он нежно объяснился ей в любви, но его слова не утешили ее. Когда он захотел пойти вместе с ней в спальню, она сослалась на мигрень.

Жолио тем временем в прекрасном расположении духа пешком возвращался к себе домой, шел вслед за какой-то женщиной и, зайдя в бар, увидел там мертвецки пьяного Алена Малиграсса. За все время их знакомства, то есть почти за двадцать лет, такое с Аленом случилось впервые.

После вечера, проведенного с Беатрис, Ален Малиграсс решил никогда с ней больше не встречаться: любить женщину, которой до такой степени наплевать на тебя, к тому же совершенно тебе недоступную, — невыносимо, и он решил, что спасти его может только работа. Тем более что из-за отсутствия Бернара ее было сверх головы. И он попытался забыть Беатрис, в чем ненавязчиво помогала ему Фанни. Естественно, ничего из того не получилось. Он слишком хорошо знал, что страсть, если она тебя захватила, — соль жизни и, пока тобой правит страсть, без соли обойтись нельзя, хотя в другое время это вполне возможно. И все-таки он остерегался видеться с Беатрис. Он ограничился тем, что как можно чаще стал звать к себе Эдуара, находя мучительное удовлетворение в том, как счастлив тот. Ален даже сам придумывал доказательства этого счастья. След от пореза бритвой на шее у Эдуара становился следом нежного укуса Беатрис — он представлял себе ее страстной женщиной, несмотря на невольный смешок Бернара, — и темные круги под глазами у племянника, его усталый вид тоже были поводом для его страданий. Долгие часы он проводил у себя в кабинете, листая рукописи, делая пометки, заполняя карточки. Он прикладывал линейку к картону, подчеркивал заглавие зелеными чернилами и вдруг застывал, зеленая черта ползла вниз, карточку надо было переделывать, сердце у него бешено колотилось. И все потому, что он припоминал очередную фразу Беатрис, сказанную ею во время того пресловутого ужина. Он выбрасывал карточку в корзину и начинал все сначала. На улице Ален задевал прохожих, не замечал знакомых, понемногу становясь очаровательным рассеянным интеллектуалом, каким все и хотели его видеть.

Утренние газеты он начинал просматривать со странички «Спектакли» в надежде прочитать там что-нибудь о Беатрис — о ней действительно начинали говорить, — а потом, рассеянно скользя глазами по театральным объявлениям, он в конце концов упирался взглядом в большую рекламу театра «Амбигю» и в набранную мелким шрифтом фамилию Беатрис. Он тут же отрывал взгляд, словно его поймали с поличным, и проглядывал, не вникая в их смысл, обычные репортерские сплетни. Накануне того дня, когда он встретился с Жолио, Ален прочитал «вторник — выходной», и сердце у него упало. Он знал, что каждый день в течение десяти минут может видеть Беатрис на сцене. Он всегда удерживался от этого, но угроза выходного дня совсем добила его. Без всякого сомнения, Ален и не пошел бы в театр, но об этом он даже не подумал. Беатрис... красивая и неистовая Беатрис... красивая и неистовая Беатрис... Он опустил глаза. У него больше не было сил. Придя домой, он застал Эдуара и узнал, что Беатрис ужинает у своей матери. Но эта новость не утешила его. Зло уже свершилось, он понял, до какой степени влип. Сославшись на деловой ужин, он понуро бродил вокруг кафе «Флор»[1], встретил двух приятелей; они ничем не могли ему помочь, но, заметив, как он бледен, уговорили его выпить стаканчик, а потом и другой, виски. Для слабой печени Алена Малиграсса хватило бы и этого, но он продолжал пить и около полуночи оказался в убогом баре на площади Мадлен, где его и увидел Жолио.

---

[1] Излюбленное место встречи литераторов.

* * *

С Аленом все было ясно, вдобавок опьянение уж очень не шло ему. Его бледное и утонченное лицо с набухшими веками неприлично подергивалось. Жолио, пылко пожав ему руку, выразил свое изумление. Он и представить себе не мог, что Малиграсс способен так напиться в одиночку в каком-то сомнительном баре, где полным-полно девиц легкого поведения. Он любил Алена, и в нем одновременно проснулось любопытство и какое-то садистское и вместе с тем дружеское чувство — ведь он больше всего на свете ценил сложные ощущения. Естественно, разговор зашел о Беатрис.

— Ты, кажется, пригласил Беатрис на главную роль в твоем новом спектакле? — спросил Ален.

Он выглядел вполне счастливым, измотанным, но счастливым. Бар кружился вокруг него. Он был на той стадии любви — и опьянения, — когда человек совершенно поглощен собой и прекрасно обходится без «другого».

— Я только что ужинал с ней, — сказал Жолио.

«Так, значит, она врет», — подумал Малиграсс, вспомнив, что ему сказал Эдуар.

Он как-то сразу и обрадовался (ложь Беатрис означала, что Эдуара она на самом деле не любит) и огорчился. Раз Беатрис лгунья, она, стало быть, совершенно для него недоступна: он понимал, что она никогда не будет принадлежать ему без достаточно хороших оснований. А сама она, значит, не больно-то хороша.

— Она хорошая девушка, — тем не менее сказал он, — очаровательная.

— Она красивая, — сказал Жолио, усмехнувшись.

— Красивая и неистовая, — добавил Ален, вспомнив свою привычную формулу; сказал он это таким тоном, что Жолио повернулся к нему.

С минуту они молча смотрели друг на друга, понимая, что ничего толком друг о друге не знают, несмотря на «тыканье» и дружеские похлопывания по спине.

— У меня к ней слабость, — жалобным, а не беззаботным, как ему хотелось бы, тоном сказал Ален.

— Это вполне естественно, — ответил Жолио.

Он чуть было не рассмеялся, но Алена надо было утешать. Вообще-то первым его поползновением было сказать: «Но ведь все еще можно устроить», — однако он тут же осознал, что это не так. Не отдастся Беатрис убогому старику. В любви тоже одалживают только богатым, а Ален себя чувствовал скорее бедным. Жолио заказал еще два виски. Он понял, что вечер будет долгий, и это его радовало. Такое Жолио любил больше всего на свете: меняющийся в лице собеседник, гладкий стакан в руке, конфиденциальный разговор, вечер, затягивающийся до рассвета, усталость.

— Что я могу, в моем-то возрасте? — спросил Ален.

Жолио поморщился и очень твердым голосом сказал: «Все». Ведь это был «их» возраст.

— Но она создана не для меня, — сказал Ален.

— Никто ни для кого не создан, — на всякий случай ответил Жолио.

— Нет, почему же, Фанни создана для меня. А тут, знаешь, это ужасно. Прямо наваждение. Я себя чувствую чуть ли не паралитиком, чудаком каким-то. Только это ведь единственное, что еще живо во мне.

— Все остальное — литература, — сказал с усмешкой Жолио. — Я знаю. Хуже всего в твоем случае, что Беатрис не умна. Но она честолюбива, заметь, это уже кое-что в наше время, когда люди вообще ничего из себя не представляют.

— Я мог бы дать ей что-нибудь, чего она, без сомнения, не имеет. Доверие, например, преклонение перед ней, тонкость, наконец... И потом...

Жолио так выразительно посмотрел на него, что Ален замолчал и как-то неопределенно повел рукой, пролив виски на пол. И тут же бросился извиняться перед хозяйкой бара. На Жолио накатило чувство острой жалости.

— А ты попробуй, старичок. Объяснись с ней. Во всяком случае, если она скажет «нет», мосты будут сожжены. Хоть узнаешь, на каком ты свете.

— Сказать ей сейчас? Когда она любит моего племянника? Это значит погубить единственный шанс, если он у меня есть.

— Ты ошибаешься. Есть женщины, которых надо долго обхаживать. Беатрис — совсем другое дело. Она выбирает сама, а уж когда, этого никто не знает.

Малиграсс провел рукой по волосам, их у него было очень мало, и жест вышел довольно жалкий. Жолио все пытался придумать что-нибудь эдакое, чтобы милый старый Малиграсс смог-таки заполучить Беатрис, после него самого, разумеется. Ничего не придумав, он заказал еще два виски. А Малиграсс тем временем пустился в разглагольствования о любви: девица, сидевшая рядом, слушала его, кивая головой. Жолио, знавший ее, познакомил с ней Алена и ушел. Над Елисейскими Полями занимался бледный рассвет, и сырой утренний запах Парижа, запах деревни, заставил Жолио на секунду остановиться; он долго и глубоко дышал, потом закурил. Пробормотав «очаровательный вечер», он улыбнулся и юношеской походкой зашагал к себе домой.

Глава 8

— Я позвоню тебе завтра, — сказал Бернар.

Он склонился к ней над раскрытой дверцей. При расставании он, должно быть, чувствовал что-то вроде облегчения — так бывает, когда страсть бурлит в тебе. Кажется, что, расставшись, будешь наконец спокойно наслаждаться своим счастьем. Жозе улыбнулась ему. Она снова задышала ночным парижским воздухом, слышала шум автомобилей вокруг, снова жила своей жизнью.

— Поторопись, — сказала она.

Жозе посмотрела, как он входит в подъезд, и отъехала. Накануне она сказала ему о том, что грозит Николь и что им нужно срочно выехать к ней. Ждала бурной вспышки, страха, но единственной реакцией Бернара был вопрос:

— Так ты потому и приехала?

Она ответила «нет». И сама не знала, почему струсила. Быть может, ей, как и Бернару, хотелось защитить эти три серых, удивительно нежных дня в Пуатье: неспешные прогулки по замерзшим лугам, долгие разговоры без пустых фраз, ночные нежности, и все это под знаком ошибки, делавшей все абсурдным и — как ни странно — честным.

В восемь она уже была у себя. Помедлив, все-таки спросила горничную о Жаке. И узнала, что через два дня после ее отъезда он ушел, забыв пару туфель. Жозе позвонила по тому адресу, где Жак жил раньше, но он переехал, куда — неизвестно. Она повесила трубку. Люстра ярко освещала ковер в слишком просторной гостиной, она почувствовала, что смертельно устала. Посмотрела на себя в зеркало. Ей было двадцать пять, у нее были три морщинки, ей было необходимо снова увидеть Жака. Как-то смутно она надеялась, что он будет сидеть здесь, в своей куртке, и она объяснит ему, что ее отсутствие ничего не изменило. Она позвонила Фанни, та пригласила ее ужинать.

Фанни похудела. Ален витал где-то в облаках. Жозе еле вынесла ужин — так отчаянно пыталась Фанни придать ему светский характер. Наконец, когда подали кофе, Малиграсс, извинившись, встал из-за стола и пошел спать. Фанни некоторое время выдерживала испытующий взгляд Жозе, затем встала и начала что-то прибирать на каминной полке. Она была совсем маленького роста.

— Ален слишком много выпил вчера, его надо простить.

— Ален слишком много выпил?!

Жозе рассмеялась. Уж это совсем не вязалось с Аленом Малиграссом.

— Не смейтесь, — резко сказала Фанни.

— Простите меня, — сказала Жозе.

И Фанни наконец объяснила ей то, что считалось «капризом»
Алена и портило им жизнь. Жозе тщетно пыталась уверить Фанни, что увлечение быстро пройдет.

— Он не сможет долго любить Беатрис. Не такой она человек, чтобы это было возможно. Она очаровательна, но совершенно чужда сантиментам. Нельзя долго любить безответно. Она ведь не...

Жозе не осмелилась спросить: «Она не уступила?» Как можно «уступить» такому воспитанному человеку, как Ален?

— Нет, конечно, нет, — сердито ответила Фанни. — Простите, что я заговорила с вами об этом, Жозе, но я почувствовала себя довольно одинокой.

В двенадцать часов Жозе ушла. Она все время боялась, что, услышав их голоса, придет Ален Малиграсс. Несчастья страшили ее, перед страстью она в бессилии отступала. Жозе вышла от Малиграссов с ощущением какой-то чудовищной путаницы.

Ей надо было найти Жака. Даже для того, чтобы он ее избил или оттолкнул. И вообще, будь что будет. Она отправилась в Латинский квартал.

* * *

Ночь была темная; накрапывал дождь. Это было ужасно, вот так нелепо искать в Париже Жака; усталость вызывала в ней бунт; да так ли уж ей необходимо найти его? Где-то ведь он должен быть, в каком-нибудь кафе на бульваре Сен-Мишель, у приятеля, а может, у девушки. Она не узнавала сейчас этого квартала; погребок, где она танцевала во времена своей студенческой юности, стал забегаловкой для туристов. Жозе поняла, что почти ничего не знает о жизни Жака. Вообразила себе, что он — типичный студент, слегка хамоватый, во всяком случае, именно таким он казался ей. Сейчас она отчаянно пыталась припомнить, не называл ли он случайно какого-нибудь имени или адреса. Она входила в одно кафе за другим, оглядывалась по сторонам, и свист и словечки, которыми ее награждали студенты, били наотмашь. Она и не помнила, испытывала ли когда-нибудь такой страх, такое унижение. Вполне возможно к тому же, что поиски ее бесполезны, а главное, страшно даже представить себе непроницаемое лицо Жака: от всего этого Жозе впадала в отчаяние.

В десятом по счету кафе она его увидела. Он стоял к ней спиной за электрическим бильярдом. Она сразу же узнала его по склоненной над бильярдом спине, по затылку, заросшему жесткими белокурыми волосами. Она подумала, что у него слишком длинные волосы, как у Бернара; должно быть, это признак брошенного мужчины. Она не решалась подойти к нему и со сжавшимся сердцем на минутку застыла в неподвижности.

— Вам что-нибудь угодно?

Сама судьба прислала сюда эту хозяйку. Жозе пошла вперед. У нее было слишком элегантное манто для этого кафе. Она машинально подняла воротник и остановилась за спиной Жака. Окликнула его. Он оглянулся не сразу, но она увидела, как у него покраснела сначала шея, потом правая щека, которая была ей видна.

— Ты хочешь поговорить со мной? — наконец сказал он.

Они сели, и он даже не посмотрел на нее. Только спросил хриплым голосом, не хочет ли она чего-нибудь выпить, потом склонился и решительно, как ей показалось, уставился на свои широкие ладони.

— Попытайся понять меня, — сказала Жозе. И усталым голосом начала свой рассказ; теперь ей все это казалось призрачным и ненужным: Пуатье, Бернар, ее собственные соображения. Она сидела напротив Жака, он был живой. Перед ней опять была эта плотная глыба, которая должна была решить ее судьбу, и слова едва долетали до этой глыбы. Она ждала, и все, что она говорила, было только способом обмануть это ожидание.

— Я не люблю, когда на меня плюют, — в конце концов сказал Жак.

— Но это вовсе не так, — начала Жозе.

Он поднял на нее глаза. Они были серые и бешеные.

— Это именно так. Когда живут с одним, три дня с другим не проводят. Вот и все. Или хотя бы предупреждают.

— Я же стараюсь все тебе объяснить...

— Плевать я хотел на твои объяснения. Я не мальчик, а мужчина. Я ушел и даже сменил квартиру.

И еще более сердито добавил:

— Не так много найдется девушек, из-за которых я стал бы переезжать. Как ты нашла меня?

— Вот уже целый час я ищу тебя по всем кафе, — сказала Жозе.

Она была совсем без сил и закрыла глаза. Ей показалось, что она чувствует тяжесть своих синяков под глазами. Он помолчал, потом спросил сдавленным голосом:

— Зачем?

Она взглянула на него, не сразу поняв, о чем он спрашивает.

— Зачем ты меня ищешь целый час?

Она снова закрыла глаза и запрокинула голову назад. Жилка на ее шее сильно билась. И вдруг она услышала, как отвечает ему:

— Я не могла без тебя.

И, почувствовав, что это наконец-то правда, она расплакалась.

В этот вечер он вернулся вместе с ней. Когда он взял ее в свои объятия, она вновь ощутила, каким бывает тело, какие бывают движения, какое бывает наслаждение. Она поцеловала его руку и так и уснула, уткнувшись губами в его ладонь. Он некоторое время не спал, потом осторожно накрыл одеялом плечи Жозе и повернулся на другой бок.

ГЛАВА 9

У себя в прихожей Бернар застал сменявших друг друга медсестёр. Он понял, что несчастье уже произошло, и тут же ощутил полную свою беспомощность. Он оцепенел. От медсестёр Бернар узнал, что у Николь позавчера случился выкидыш и что опасность уже позади, но доктор Мартен решил не оставлять её без присмотра. Обе сиделки смотрели на него с явным осуждением и, конечно же, ждали каких-то объяснений. Но он молча отстранил их и вошёл в спальню Николь.

Она лежала лицом к нему, в полутьме, горела только низкая фарфоровая лампа у изголовья, подаренная Николь её матерью; Бернар так никогда и не решился сказать ей, насколько эта лампа безобразна. Николь была очень бледна; когда она увидела его, в лице её ничего не дрогнуло. Николь была похожа на покорившееся животное, лицо выражало одновременно тупость и достоинство.

— Николь, — обратился к ней Бернар.

Он сел на кровать и взял её за руку. Она спокойно смотрела на него, потом глаза её вдруг наполнились слезами. Он осторожно обнял её, и голова Николь упала к нему на плечо. «Что делать? — думал Бернар. — Что ей сказать? Ну и сволочь же я!» Он гладил её по голове, пальцы его путались в длинных волосах. Машинально он принялся распутывать их. У неё ещё был жар. «Надо же что-то сказать, — подумал Бернар, — я должен что-нибудь сказать ей».

— Бернар, — сказала она, — нашего ребёнка...

И Николь, прижавшись к нему, зарыдала. Он чувствовал, как подрагивают её плечи. Говорил: «Ну-ну», стараясь успокоить её. И вдруг понял, что это — его жена, его достояние, что она живёт только для него, думает только о нём и что она чуть было не умерла. Без сомнения, Николь — единственное, что у него есть на свете, а он едва не потерял её. Чувство хозяина и жалость к себе и к ней одновременно с такой душераздирающей силой охватили его, что он отвернулся. «С криком рождаются, и это неспроста: всё последующее — лишь смягчение этого крика». Какое-то странное ощущение сдавило ему гортань, и он в бессилии склонил голову на плечо Николь, которую давно не любил, будто вернулся сейчас к тому первому крику, при рождении. Всё остальное казалось мелочами, вывертами, комедией. На минуту он даже забыл о Жозе, целиком погрузившись в своё отчаяние.

Позже он, как мог, утешал Николь. Был нежен, говорил ей о будущем, о своей книге, которой якобы был доволен, о детях, которые скоро родятся у них. Этого она хотела назвать Кристофом, призналась Николь, еще немного поплакав. Он одобрил имя, предложил еще «Анну», и она рассмеялась: мужчины, как известно, мечтают о дочерях. А он тем временем думал, как бы сегодня же вечером позвонить Жозе. И быстро нашел предлог для этого: у него кончились сигареты. Табачные лавки куда полезнее, чем это кажется на первый взгляд. Кассирша весело приветствовала его: «Наконец-то вернулись!», и он выпил за стойкой рюмку коньяка, прежде чем спросить жетончик для телефона. Он хотел сказать Жозе: «Вы нужны мне», что было бы правдой, но ровно ничего не меняло. Когда он говорил с ней о любви, она рассуждала о быстротечности чувств. «Через год или через два месяца ты разлюбишь меня». Жозе, единственная из всех его знакомых, всегда знала, что все проходит со временем. Остальные, подчиняясь естественным движениям души, стремились поверить в длительность своего чувства, поверить в то, что с одиночеством покончено навсегда, и Бернар был из них.

Он позвонил, но никто ему не ответил. Вспомнив ночь, когда он звонил и попал на того жуткого типа, Бернар радостно улыбнулся. Жозе, должно быть, спала, свернувшись калачиком, вытянув руку с распростертой ладонью; этот ее жест был единственным свидетельством того, что она в ком-то нуждалась.

* * *

Эдуар Малиграсс подавал липовый чай. Вот уже неделю, заботясь о своем здоровье, Беатрис пила липовый чай. Он поставил чашечку перед ней, другую — перед Жолио; тот рассмеялся и сказал, что это пакость. Тогда мужчины налили себе виски. Беатрис обозвала их алкоголиками, и Эдуар, совершенно счастливый, развалился в кресле. Они пришли из театра, куда за ней зашел Эдуар, и она пригласила Жолио выпить по стаканчику напоследок. Все трое сидели в тепле, за окном шел дождь, и Жолио был очень забавен.

Беатрис, однако, страшно злилась. Ей казалось недопустимым, чтобы Эдуар подавал чай и вел себя как хозяин дома. Это компрометировало ее. Она забывала, что Жолио был прекрасно осведомлен об их связи. Она забывала к тому же, что сама приучила Эдуара ко всему этому, с легкостью превратив его в своего пажа.

Она принялась рассуждать с Жолио о пьесе, упрямо не позволяя Эдуару участвовать в разговоре, несмотря на все попытки Жолио помешать ей в этом. В конце концов Жолио обратился прямо к Эдуару:

— Как дела в страховой конторе?

— Очень хорошо, — ответил Эдуар.

И покраснел. Он задолжал сто тысяч франков, то есть свое двухмесячное жалованье, директору и пятьдесят тысяч Жозе. Эдуар старался не думать об этом, но целый день мысль о деньгах не давала ему покоя.

— Вот что мне нужно было бы, — ничего не подозревая, заметил Жолио, — такая вот работа. Можно не волноваться, где взять деньги на постановку.

— Я плохо представляю себе вас в этой роли, — сказала Беатрис. — Ходить из дома в дом или вроде того... — Она оскорбительно засмеялась, поглядев на Эдуара.

Тот и не шелохнулся. Но с изумлением посмотрел на нее. Жолио заговорил снова:

— Вы ошибаетесь, я был бы прекрасным страховым агентом. И моя сила убеждения очень бы здесь пригодилась: «Мадам, у вас такой плохой вид, вы явно скоро умрете, застрахуйтесь же, чтобы ваш муж, имея небольшое состояние, мог снова жениться».

И сам рассмеялся. Но Эдуар мягко запротестовал:

— Знаете, это не совсем то, чем я занимаюсь. У меня есть контора... где довольно скучно, — добавил он извиняющимся тоном, поскольку «у меня есть контора» прозвучало несколько претенциозно. — Но на самом деле работа моя состоит в том, чтобы классифицировать...

— Андре, не выпьете ли еще виски? — прервала Эдуара Беатрис.

На минуту воцарилась тишина. Жолио сделал еще одно отчаянное усилие:

— Спасибо, нет. Я тут видел очень хороший фильм, который назывался «Страховка от смерти». Вы видели его?

Вопрос был обращен к Эдуару. Но Беатрис больше не владела собой. Она не могла дождаться, пока Эдуар наконец уйдет. Только он, судя по всему, собирался остаться, к этому его вполне располагало поведение Беатрис в последние три месяца. Он останется и будет спать в ее кровати, это-то и раздражало ее до смерти. Она попыталась отомстить.

— Эдуар, знаете ли, приехал из провинции.

— Я видел этот фильм в Кане, — сказал Эдуар.

— Ох, этот Кан — еще одно чудо света, — с насмешкой сказала Беатрис.

Эдуар поднялся, чувствуя легкое головокружение. Он был совершенно раздавлен, и Жолио решил, что Беатрис еще заплатит ему за это.

Уже встав с места, Эдуар застыл в нерешительности. Он не допускал и мысли, что Беатрис его больше не любит или что он ее раздражает; это было бы крушением его нынешней жизни, а такого он даже представить себе не мог. И все же он вежливо спросил ее:

— Я утомляю вас?

— Нет, что вы, — несколько испугавшись, сказала Беатрис.

Эдуар снова сел. Он рассчитывал на ночь, на то, что в тепле постели он ее обо всем расспросит. Ее запрокинутое лицо, такое красивое и трагическое в полумраке, ее беспомощное тело будут лучшим ему ответом. Он всегда страстно желал Беатрис, хотя она была довольно холодна. Ее холодность, неподвижность делали Эдуара еще более нежным, еще более страстным в ласках. Часами он лежал, опершись на локоть, — молодой человек, обожающий мертвую, — и смотрел, как она спит.

В эту ночь она была еще более далекой, чем всегда. Беатрис никогда не страдала от угрызений совести. В этом и был секрет ее обаяния. Эдуар спал очень плохо и начинал осознавать свою участь.

* * *

Не будучи уверенной в чувствах Жолио, Беатрис не решалась прогнать Эдуара. Никто не любил ее так самозабвенно, с такой преданностью, и она знала это. Тем не менее Беатрис резко сократила их встречи, и Эдуар почувствовал себя в Париже одиноким.

До сих пор в Париже для него было только два маршрута: от конторы до театра и от театра до дома Беатрис. Всякий знает, как страсть создает свою маленькую деревню в самом большом городе. Эдуар сразу же растерялся. Но маршрутов своих не изменил. Поскольку теперь в свою гримерную Беатрис его не допускала, он каждый вечер покупал себе билет. И рассеянно слушая, ждал, когда на сцене появится Беатрис. У нее была роль остроумной субретки. Она выходила во втором акте и говорила молодому человеку, пришедшему за своей любовницей раньше назначенного времени:

— Вы, мсье, еще поймете это. Вовремя — для женщины это чаще всего вовремя. После — иногда тоже вовремя. Но уж раньше времени — никогда.

Эдуар не мог понять почему, но эта малозначительная реплика надрывала ему душу. Он ждал ее, наизусть зная три предыдущие фразы, и закрывал глаза, когда Беатрис ее произносила. Она напоминала ему те счастливые времена, когда у нее не было всех этих деловых свиданий, этих мигреней, этих завтраков у матери. Он не осмеливался признаться себе: «Во времена, когда Беатрис любила меня». Сам того не сознавая, он всегда чувствовал, что любил-то он, а она была лишь объектом любви. Эдуар даже испытывал от этого какое-то горькое удовлетворение, которое облек в робкую формулу: «Она никогда не сможет сказать, что разлюбила меня».

Вскоре, несмотря на основательную экономию на завтраках, ему не стало хватать денег даже на откидные места. Встречи с Беатрис становились все более редкими. Эдуар не смел ничего сказать ей. Он боялся. И поскольку он не умел притворяться, свидания их превратились в серию немых мученических вопросов, которые изрядно портили настроение молодой женщине. А вообще-то Беатрис учила роль в новой пьесе и, можно сказать, лица Эдуара не видела. Впрочем, лица Жолио тоже. У нее была роль, настоящая роль, и зеркало стало ее лучшим другом. Оно не отражало теперь длинной фигуры и склоненного затылка юного шатена, а только страстную героиню драмы XIX века.

Эдуар, обманывая свою беду и заглушая неотступную тоску по Беатрис, стал много бродить по Парижу. Он вышагивал в день по десять-пятнадцать километров, являя взорам встречавшихся на его пути женщин свое похудевшее, отсутствующее, голодное лицо, из-за чего у него могло быть множество любовных приключений, если бы он замечал этих женщин. Но он ничего не видел вокруг. Ему необходимо было разобраться в происшедшем, понять, почему он оказался недостойным обладания Беатрис. Он не мог знать, что, напротив, в высшей степени был достоин ее, а этого тоже не прощают. Однажды вечером, вконец отчаявшийся и голодный — он не ел уже два дня, — Эдуар оказался у дверей дома Малиграссов. Он вошел. Дядюшка, лежа на диване, листал какой-то театральный журнал: это удивило Эдуара, обычно Ален читал только «Нувель revю Франсез». Они недоуменно посмотрели друг на друга, оба были изрядно измотаны, и оба не догадывались, что причина их мучений одна и та же. В комнату вошла Фанни, поцеловала Эдуара, удивилась, что он так плохо выглядит. Сама она, напротив, помолодела и похорошела: решив не обращать внимания на недуг Алена, она принялась ходить по институтам красоты и задалась целью сделать еще более привлекательным для мужа свой очаровательный дом. Она прекрасно понимала, что действует всего лишь по рецептам женского журнала, но, поскольку вся эта история была свойства далеко не интеллектуального, Фанни без всяких колебаний поступала именно так. Когда первая волна ее гнева схлынула, она мечтала только о счастье или хотя бы покое для Алена.

— Эдуар, малыш, вы выглядите очень усталым. Это все ваша работа в страховой конторе? Надо за вами присмотреть.

— Я очень голоден, — признался Эдуар.

Фанни рассмеялась:

— Пойдемте со мной на кухню. Там остались ветчина и сыр.

Они были уже в дверях, когда услышали голос Алена, невыразительный и безликий до неузнаваемости:

— Эдуар, ты видел эту фотографию Беатрис в «Опера»?

Эдуар подскочил и заглянул через плечо дядюшки в журнал. На снимке была Беатрис в вечернем платье: «Юная Беатрис Б. репетирует главную роль в пьесе N в театре «Атена». Фанни посмотрела на спины мужа и племянника и пошла на кухню. Глянув в маленькое зеркальце, она громко сказала:

— Я почему-то нервничаю. Странно все как-то...

— Я ухожу, — сказал Ален.

— Ты сегодня вернешься? — мягко спросила Фанни.

— Не знаю.

Он и не посмотрел в ее сторону, он вообще больше не смотрел на нее. Он проводил теперь почти все ночи напролет с девицей из бара «Мадлен» и спал у нее, обычно так до нее и не дотрагиваясь. Она рассказывала ему о своих клиентах, а он не перебивая слушал. У нее была комнатка поблизости от вокзала Сен-Лазар, окнами на фонарь, и свет этого фонаря причудливо расцвечивал потолок. Когда Алену случалось выпить лишнего, он сразу же засыпал. Ален не знал, что Жолио платил этой девице, и считал, что ее расположение к нему объясняется любовью, впрочем, она в конце концов действительно привязалась к этому нежному и так хорошо воспитанному человеку. Он запрещал себе думать о Фанни, хорошее настроение которой как-то успокаивало его.

— И давно вы ничего не ели?

Фанни с радостью наблюдала, как Эдуар заглатывает еду. Он посмотрел на нее и от нежности, которую прочел в ее взгляде, переполнился благодарностью. И вдруг как-то сломался. Эдуар был так одинок, так несчастен, а Фанни была так добра. Он залпом выпил стакан пива — в горле у него стоял ком.

— Два дня, — сказал он.

— У вас нет денег?

Он кивнул. Фанни возмутилась:

— Вы сошли с ума, Эдуар. Вы прекрасно знаете, что наш дом всегда открыт для вас. Приходите когда хотите, не дожидаясь голодных обмороков. Это же смешно.

— Да, — сказал Эдуар. — Я смешон. И не просто смешон, а еще хуже.

Пиво слегка опьянило его. Впервые он подумал, что хорошо бы освободиться от своей неудобной любви. В жизни ведь есть и кое-что другое, он понял это. Дружба, привязанность, а главное, понимание, вот этой, например, замечательной женщины, Фанни, на которой так умно и так счастливо женился его дядюшка. Они перешли в салон. Фанни взяла в руки вязанье — вот уже месяц, как она начала вязать. Для женщин в несчастье вязание — один из спасительных выходов. Эдуар сел у ее ног. Они зажгли камин. Им обоим стало полегче — и ей, и ему.

— Ну, расскажите мне, что у вас там не ладится, — через какое-то время сказала Фанни.

Она была уверена, что он заговорит о Беатрис, и ей в конце концов даже стало любопытно, что же она такое? Фанни всегда считала ее красивой, довольно живой и глуповатой. Может, Эдуар объяснит,

одержим некой идеей, а не самой Беатрис.

— Вы ведь знаете, что мы... ну, что Беатрис и я...

Эдуар смешался. Фанни заговорщически улыбнулась ему, и он покраснел, — душераздирающая жалость к самому себе пронзила его. Ведь всем он казался счастливым возлюбленным Беатрис. А он им больше не был. Эдуар прерывистым голосом начал свой рассказ. По мере того как он пытался объясниться и разобраться в причинах своего несчастья, оно становилось все более очевидным, и кончил он свой рассказ, положив голову на колени Фанни и сотрясаясь в рыданиях, освобождавших от мучений. Фанни гладила его по голове и взволнованным голосом говорила: «Маленький мой». Она была даже огорчена, когда он поднял голову, потому что ей очень нравилось гладить его мягкие волосы.

— Прошу прощения, — со стыдом сказал Эдуар. — Я так одинок, и так давно одинок...

— Я знаю, что это такое, — сказала Фанни не подумав.

— А Ален... — начал Эдуар.

Но остановился, вдруг вспомнив, как странно вел себя Ален и как внезапно он исчез. Фанни казалось, что Эдуар в курсе дела. Она принялась рассказывать ему о безумии мужа и опомнилась, только когда увидела, что Эдуар оцепенел, пораженный услышанным. Оцепенение, впрочем, было довольно оскорбительным. Он окаменел от мысли, что его дядя мог любить и страстно желать Беатрис. Поняв свою неловкость, он подумал о том, как опечалил Фанни, и схватил ее за руку. Эдуар сидел в шезлонге у ее колен; он был совершенно измучен тоской. Он потянулся к ней, положил голову ей на плечо, и Фанни отложила вязанье.

Эдуар задремал. Фанни погасила свет, чтобы ему легче было уснуть. Она не двигалась, едва дышала, равномерное дыхание молодого человека щекотало ей шею. Она была немного взволнована, но старалась не думать об этом.

Через час Эдуар проснулся. Было темно, голова его лежала на плече у женщины. Первым его жестом был жест мужчины. Фанни прижалась к нему. Один жест повлек за собой другой. На рассвете Эдуар открыл глаза. Он был в незнакомой постели; на уровне своих глаз он увидел старческую руку, унизанную кольцами. Он закрыл глаза, потом встал и тут же ушел. Фанни сделала вид, что спит.

Наутро Жозе позвонила Бернару. Она сказала ему, что ей нужно поговорить с ним, и он тут же все понял. Впрочем, он всегда это понимал и удивился собственному спокойствию. Она была нужна ему, он любил ее, а она его не любила. Эти три предложения были последними звеньями в цепи его мучений и слабостей, и ему теперь долго придется освобождаться от них. Три дня в Пуатье — единственный подарок этого года, когда он, благодаря тому, что был счастлив, почувствовал себя мужчиной. Несчастье не учит ничему, а все отверженные — уроды.

Дождь лил как из ведра; все говорили, что весна эта не похожа на весну. Бернар шел на последнее свидание с Жозе; подойдя, он увидел, что она уже ждет его. Все происходило так, словно он и раньше всегда представлял себе эту сцену.

Они сидели на скамейке, без конца шел дождь, оба чувствовали смертельную усталость. Она говорила ему, что не любит его, он отвечал, что это не имеет значения, и убогость слов наполняла их глаза слезами. Это было на одной из лавочек на площади Согласия, среди вечного и нескончаемого потока автомобилей. И огни города там такие жестокие, какими бывают воспоминания детства. Они держались за руки, Бернар склонялся к лицу Жозе, залитому дождем, а его лицо было залито страданием. И поцелуи, которыми они обменивались, были поцелуями страстных любовников, потому что жизнь не удалась у обоих, и им это было безразлично. Нельзя сказать, что они не любили друг друга. И промокшая сигарета Бернара, которую он тщетно пытался закурить, была метафорой из жизни. Потому что никогда не суметь им быть счастливыми, и они уже знали это. И оба смутно понимали, что и это им все равно. Ну совсем все равно.

Неделю спустя после вечера, проведенного у Фанни, Эдуар получил ультимативное требование заплатить портному. Последние франки он истратил на цветы для Фанни, над которыми она плакала, чего он, разумеется, не узнал. У Эдуара был только один спасительный выход, но он к нему уже прибегал: обратиться к Жозе. Утром в субботу он зашел к ней. Ее не было дома, зато он застал Жака, который был по уши погружен в свои медицинские книги. Он сказал Эдуару, что Жозе придет к обеду, и вернулся к своим занятиям.

Эдуар ходил взад-вперед по гостиной в отчаянии от того, что нужно ждать. Решимость его улетучивалась с каждой минутой. Он уже придумывал какой-нибудь предлог для оправдания своего визита, но тут Жак пришел к нему, рассеянно поглядел на него и сел напротив, предложив ему «Голуаз». Молчание становилось невыносимым.

— Что-то у вас вид невеселый, — сказал наконец Жак.

Эдуар покачал головой. Жак смотрел на него с симпатией.

— Меня это, конечно же, не касается. Но я, пожалуй что, вряд ли когда видел такого растерянного человека.

Еще немного, и он бы восхищенно присвистнул. Эдуар улыбнулся ему. Жак был ему симпатичен. И совсем не похож ни на театральных юношей, ни на Жолио, и Эдуар снова почувствовал себя молодым человеком.

— Женщины, — лаконично ответил он.

— Бедняга, — сказал Жак.

Была долгая пауза, каждый вспоминал свое. Жак кашлянул:

— Жозе?

Эдуар отрицательно покачал головой. Ему вдруг захотелось произвести впечатление на собеседника:

— Нет. Актриса.

— Не знаю, что это такое.

И добавил:

— Должно быть, еще того не легче.

— О да, — сказал Эдуар.

— Пойду спрошу, нельзя ли выпить по стаканчику.

Жак поднялся и, проходя мимо Эдуара, дружески, даже, пожалуй, слишком сильно хлопнул его по плечу и вскоре вернулся с бутылкой бордо. Когда возвратилась Жозе, оба были чем-то очень довольны, говорили друг другу «ты» и болтали о женщинах.

— Здравствуйте, Эдуар. Вы что-то плохо выглядите.

Ей нравился Эдуар. Он всегда был трогательно безоружен.

— Как поживает Беатрис?

Жак сделал ей большие глаза, и Эдуар заметил это. Они все посмотрели друг на друга, а Жозе рассмеялась.

— Я так понимаю, что дела ваши не очень хороши. Почему бы вам с нами не пообедать?

После обеда они вместе гуляли по лесу, разговаривая о Беатрис. Эдуар и Жозе шли под руку по аллеям, а Жак то и дело забирался в кусты, бросался шишками, изображал лесовика. И время от времени, подходя к ним, заявлял, что эта Беатрис заслуживает хорошей шлепки, и все тут. Жозе смеялась, а Эдуар понемногу приходил в себя. В конце концов он признался, что ему нужны деньги, и Жозе сказала, что вот уж по этому поводу он может не беспокоиться.

— Чего мне, кажется, больше всего не хватает, — сказал, краснея, Эдуар, — так это друзей.

Как раз в этот момент подошел Жак и сказал, что если это касается и его, то тут, во всяком случае, дело решенное. Жозе высказалась еще более горячо. С этих пор вечера они проводили вместе. Были очень расположены друг к другу, молоды и довольно счастливы.

И тем не менее, хотя Жозе и Жак каждый день подбадривали Эдуара, они же вгоняли его в отчаяние. Исходя из того, что он рассказал им о своих взаимоотношениях с Беатрис в последнее время, они сделали вывод, что для него все потеряно. Тогда как сам Эдуар вовсе не был в этом уверен. Он виделся иногда с Беатрис между репетициями, и она в зависимости от своего настроения то говорила ему «моя лапочка», а то и вовсе не смотрела на него и выглядела очень утомленной и рассеянной. Эдуар решил выяснить отношения, хотя выражение это казалось ему каким-то фальшивым.

Он нашел Беатрис в кафе напротив театра. Она была еще красивее, чем всегда, потому что устала, а ему так нравилась ее бледность, ее трагическая и благородная маска. Этот день у нее был «рассеянный», Эдуар, конечно, предпочел бы «нежный», тогда у него был бы хоть какой-то шанс услышать, что она ответит: «Ну конечно, я люблю тебя». И все-таки он решился наконец объясниться с ней:

— Работа над пьесой идет хорошо?

— Мне придется репетировать все лето.

Беатрис торопилась уйти. Жолио должен был быть на сегодняшней репетиции. Она до сих пор так и не знала, любит ли он ее, испытывает ли к ней влечение, или она для него просто актриса.

— Мне надо кое-что сказать вам, — произнес Эдуар.

Он склонил голову. Она увидела его макушку, его тонкие волосы, которые так любила гладить. Но теперь он был ей совершенно безразличен.

— Я люблю вас, — не глядя на нее, сказал он. — А вы, похоже, не любите меня или хуже того...

Как ему хотелось, чтобы Беатрис перебила его именно на этом месте, ведь он все еще надеялся... Возможно ли, чтобы эти ночи, эти вздохи, этот смех?.. Но Беатрис молчала. Она смотрела поверх его головы.

— Ответьте мне, — выговорил он наконец.

Ее молчание было невыносимо. Хоть бы она что-нибудь сказала! Эдуар страдал и машинально ломал под столиком пальцы. А Беатрис словно только что очнулась. И подумала: «Какая скука!»

— Эдуар, миленький, вы должны кое-что знать. Я действительно больше не люблю вас и все же очень люблю. Вы очень нравились мне.

Она всегда вкладывала особый смысл в слово «очень», когда речь шла о чувствах. Эдуар поднял голову.

— Я не верю вам, — грустно сказал он.

Они посмотрели друг другу в глаза. Такое с ними случалось нечасто. Ей хотелось крикнуть ему: «Нет, я вас никогда не любила! Ну и что с того? Почему я должна была любить вас? Почему вообще надо кого-то любить? Вы что думаете, мне больше делать нечего?» Она представила себе театральные подмостки, ярко освещенные юпитерами или совсем темные, и ее захлестнула волна счастья.

— Ладно, можете мне не верить, — снова заговорила она. — Но я всегда буду для вас другом, что бы ни случилось. Вы — очаровательное создание, Эдуар.

Он перебил ее, тихо сказав:

— А та ночь...

— Что это значит: «та ночь»? Вы...

Беатрис замолчала. Эдуара уже не было, он ушел. Как сумасшедший бродил он по улицам, повторял: «Беатрис, Беатрис», и ему хотелось биться головой о стены. Он ненавидел ее и любил одновременно, а воспоминание об их первой ночи сбивало его с ног. Он очень долго гулял и наконец добрался до дома Жозе. Она усадила его, дала большой стакан виски и ни о чем не расспрашивала. Эдуар свалился и уснул мертвецким сном. Когда он проснулся, пришел Жак. Все вместе они пошли в кафе, все трое вернулись очень пьяные к Жозе, и его уложили в комнате для гостей. Там он и прожил до лета. Он все еще любил Беатрис и так же, как дядюшка, в газетах прежде всего читал театральную страницу.

Лето камнем упало на Париж. Все жили своими тайными страстями или привычками, и жестокое июньское солнце разбудило в каждом обезумевшего ночного зверя. Надо было уехать, найти хоть какое-то продолжение жизни или хотя бы оправдание минувшей зиме. Все обрели свободу, одиночество, которое несет с собой приближение каникул, каждый задавал себе вопрос, с кем и как его переживать. И только у Беатрис, занятой репетициями, не было этой проблемы, на что она, впрочем, очень жаловалась. Что до Алена Малиграсса, то он страшно много пил, Беатрис теперь была лишь предлогом. Он завел привычку повторять: «Да, у меня работа, которая мне нравится, очаровательная жена, приятная жизнь. Ну и что?» На это «ну и что?» ответить не мог никто. Жолио только заметил, что ему поздновато знакомиться с этой фразеологией. Но запить, конечно, было никогда не поздно.

Вот так и получилось, что Ален Малиграсс пребывал в смятении чувств и нашел способ избавления, скорее свойственный совсем молодым людям: пьянство и девочки. В этом — беда больших и ранних страстей, как и страсти к литературе; кончается тем, что вы отдаетесь самым мелким из них, но более живучим и куда более опасным, потому что они запоздали. Ален Малиграсс предавался своим страстям с ощущением полного комфорта, будто наконец обрел покой. Его жизнь превратилась в череду бурных ночей — подружка Жаклин была настолько мила, что даже устраивала ему сцены ревности, приводившие его в восторг, — и дней полной прострации. «Я — как бодлеровский странник, — говорил он ошеломленному Бернару, — смотрю на облака, на восхитительные облака».

Бернар мог бы его понять, если б он полюбил эту девушку, но не мог понять, что можно было полюбить эту жизнь. К тому же он испытывал что-то вроде зависти к Алену. Он тоже хотел бы запить, забыть Жозе. Но прекрасно понимал, что не хочет такого бегства от жизни. Однажды под вечер он по делу зашел к Фанни и был поражен тем, как она похудела, как зажалась, словно броню на себя нацепила. Естественно, они заговорили об Алене, его алкоголизм уже не был ни для кого секретом. Бернару пришлось взять на себя его часть работы в издательстве — пока всеобщее замешательство было настолько сильным, что это положение дел еще не вызвало никаких последствий.

— Что я могу сделать? — спросил Бернар.

— Да ничего, — спокойно ответила Фанни. — Было в нем что-то, чего я не знала да, без сомнения, чего он и сам не знал. Я думаю, что когда два человека живут вместе двадцать лет, настолько не зная друг друга...

Ее лицо так грустно передернулось, что это потрясло Бернара. Он взял ее за руку и удивился и той живости, с которой она ее отдернула, и тому, как она вдруг покраснела.

— Ален переживает кризис, — сказал он. — Это не так опасно...

— Все началось с Беатрис. Из-за нее он понял, что жизнь его пуста... Да, да, я знаю, — сказала она устало, — я верная подруга.

Бернар вспомнил пламенные рассказы Алена о его новой жизни, припомнил подробности, значительность, с которой он говорил о жалких сценах в баре «Мадлен». Бернар поцеловал руку Фанни и откланялся. На лестнице он встретил Эдуара, пришедшего навестить Фанни.

Они никогда не говорили о той ночи. Она просто бесстрастным голосом поблагодарила его за цветы, которые он прислал ей наутро. Теперь он только сидел у ее ног, и они вместе смотрели в окно, смотрели, как садится в Париже яркое июньское солнце. Говорили о том о сем, о деревне, говорили рассеянно и нежно, и все это вызывало у Фанни незнакомое ей ощущение конца света.

Эдуар, сидя у нее в ногах, умиротворенно переживал боль — становившуюся все менее отчетливой — и смущение, настолько сильное, что оно приводило его к Фанни два раза на неделе, словно он всякий раз должен был убедиться, что не причинил ей зла. И потому с облегчением и какой-то радостью он шел затем к Жозе. Там был Жак, безумно тревожившийся по поводу своих летних экзаменов, и Жозе, склонившаяся над картами Швеции, потому что в конце июня они втроем должны были отправиться туда.

* * *

В намеченный день они уехали. Малиграссы, в свой черед, были приглашены на месяц в деревню, к друзьям. Ален все свои дни провел, открывая бутылку за бутылкой. И только Бернар все лето остался работать над своим романом в Париже, отправив Николь отдыхать к родителям. Беатрис прервала репетиции и поехала к матери на Средиземное море, где успела разбить несколько сердец. Париж вибрировал от гулко звучащих и неустанных шагов Бернара. Вот на этой скамейке он в последний раз поцеловал Жозе; вот из этого бара он звонил ей в ту ужасную ночь, когда она была не одна; вот здесь он остановился, переполненный счастьем в тот вечер, когда они вернулись и ему казалось, что у него наконец-то что-то есть... В его кабинете на ярком солнце была видна пыль, он много читал, и странным образом в том наваждении, в котором он теперь жил, у него бывали минуты огромного покоя. Со своей скорбью, с воспоминаниями об этой скорби он шел к светящимся золотом мостам. И в сверкающем, солнечном Париже часто возникал дождливый Пуатье. В сентябре все вернулись; он встретил Жозе, она сидела за рулем автомобиля и остановилась у тротуара, чтобы поговорить с ним. Он оперся локтем о дверцу, смотрел на ее тонкое загоревшее лицо под шапкой густых черных волос и думал о том, что никогда больше не придет в себя.

Да, путешествие прошло хорошо, в Швеции очень красиво. Эдуар опрокинул их в канаву, но это ничего, потому что Жак... Она осеклась. Он не смог сдержаться:

— Я покажусь вам грубым. Но на мой взгляд, эти радости спокойного счастья не очень вам к лицу.

Она ничего не ответила, только грустно улыбнулась.

— Простите. Не мне, наверное, говорить вам о счастье, спокойном ли, неспокойном. Но я не забыл, что вам я обязан тем единственным, которое у меня было в этом году...

Она накрыла его руку своей ладонью. Их руки были совершенно одинаковой формы, только рука Бернара была больше. Оба заметили это, но ни он, ни она ничего не сказали. Она уехала, а он вернулся домой. Николь была счастлива, потому что он был милым и спокойным — из-за того, что на душе у него была печаль. Так оно всегда и бывает.

* * *

— Беатрис, теперь вы.

Беатрис вышла из темноты на освещенный участок сцены, вытянула вперед руку. «Неудивительно, что она так пуста, — вдруг подумал Жолио. — Все это пространство, всю эту тишину она должна заполнять каждый день, нельзя с нее спрашивать...»

— Смотрите-ка... она прекрасно справляется.

Журналист, стоящий рядом с ним, не мог оторвать глаз от Беатрис. Шли последние репетиции, и Жолио уже знал: Беатрис будет открытием года и, больше того, может быть, великой актрисой.

— Расскажите мне что-нибудь о ней.

— Она сама вам все расскажет, мой милый. Я — всего лишь директор этого театра.

Журналист улыбнулся. Весь Париж был убежден, что у них роман. Жолио повсюду бывал с ней. Но из-за своего пристрастия ко всему романтическому он ждал генеральной репетиции, чтобы «легализовать» их отношения, к большому разочарованию Беатрис, считавшей более разумным иметь любовника. Если бы он не скомпрометировал ее, она вообще была бы смертельно на него сердита.

— Как вы познакомились с ней?

— Она сама вам это расскажет. Она хорошо рассказывает.

Беатрис действительно прекрасно умела обращаться с представителями прессы. Она отвечала на вопросы дружелюбно и вместе с тем столь снисходительно, что производила впечатление настоящей «театральной дамы». По счастью, она еще не была известна, не снималась в кино и не была замешана ни в одном скандале.

Улыбаясь, она шла к ним. Жолио представил их друг другу.

— Я вас оставлю; Беатрис, жду вас в баре.

Он удалился, Беатрис проводила его долгим взглядом, который призван был открыть журналисту то, в чем он и так был уверен, и наконец обернулась к нему.

Через полчаса она подошла к Жолио, тот пил джин с тоником. Беатрис, в восторге от такого разумного выбора, всплеснула руками и заказала себе то же самое. Она пила джин через соломинку, время от времени поднимая свои темные глаза на Жолио.

Жолио почувствовал прилив нежности. Как мила она со своим притворством, со своими мелкими, но бешеными амбициями! Как забавна ее жажда успеха в этом огромном цирке нашего бытия! Он ощущал себя человеком, мыслящим глобально.

— Какая суетность, дорогая Беатрис, все наши усилия в последнее время...

Жолио начал длинный монолог. Он обожал это; минут десять что-нибудь объяснял ей, она внимательно слушала, затем резюмировала все сказанное в одной короткой, разумной и банальной фразе, чтобы показать ему, что она все правильно поняла. «В конце концов, если она способна это резюмировать, значит, у всего сказанного есть резюме». И, как всякий раз, когда он напарывался на собственную посредственность, он странным образом испытывал бурную радость.

— Да, это совершенно верно, — сказала наконец Беатрис. — Мы мало что из себя представляем. К счастью, мы частенько не осознаем этого. Иначе вообще ничего бы не сделали.

— Именно, — ликовал Жолио. — Вы — само совершенство, Беатрис.

Он поцеловал ей руку. Она приняла решение объясниться с ним. Либо он ее хочет, либо он педераст! Третий вариант для мужчин у Беатрис не предусматривался.

— Андре, знаете ли вы, что на ваш счет ходят сомнительные слухи? Я говорю это вам как друг.

— Сомнительные слухи насчет чего?

— Насчет, — она понизила голос, — насчет ваших нравов.

Жолио расхохотался.

— И вы им верите? Беатрис, дорогая, как же мне разубедить вас?

Он издевался над ней, и она мгновенно поняла это. Они уставились друг на друга, и он поднял руку, словно хотел предупредить взрыв эмоций.

— Вы очень красивы и очень желанны. И я надеюсь, что в скором будущем вы позволите мне высказать это не так кратко.

Она королевским жестом протянула ему руку над столом, и он приложил к ней свои смеющиеся губы. Нет, в самом деле, он обожал свою профессию.

ГЛАВА 10

И вот наконец настал вечер генеральной репетиции. Беатрис, стоя у себя в гримерной, смотрела в зеркало на убранную в парчу незнакомку; смотрела в растерянности. Именно эта незнакомка должна была решить ее судьбу. До Беатрис уже долетал глухой шум зрительного зала, но она словно оледенела. Ждала страха перед выходом на сцену, а его все не было. А ведь хороших актеров он непременно посещает, Беатрис это знала. Но она могла только смотреть на себя в зеркало и, не шевелясь, машинально повторять первую фразу своей роли:

«Опять он! Разве не довольно того, что я уже удостоилась его милостей?..»

С ней по-прежнему ничего не происходило. Только руки стали немного влажными, и все казалось ей какой-то абсурдной нелепостью. Она боролась, так долго ждала этой минуты. Она должна преуспеть; Беатрис взяла себя в руки, поправила прядь волос на лбу.

— Вы обворожительны!

Улыбающийся Жолио в смокинге только что открыл дверь. Он подошел к Беатрис.

— Какая досада, что нас призывает долг. Я бы с удовольствием пошел с вами куда-нибудь танцевать.

Долг!.. В открытую дверь ворвался шум, и Беатрис вдруг поняла: «они» ждали ее. Сейчас все их взгляды устремятся на нее, взгляды всех этих кровожадных, назойливых и болтливых людей. Ей стало страшно, она сжала руку Жолио. Хоть он и соучастник, сейчас он оставит ее одну. На секунду Беатрис возненавидела его.

— Пора спускаться, — сказал он.

Он так выстроил первую сцену, что при поднятии занавеса она должна была стоять к публике спиной, опершись о пианино, и повернуться только на второй реплике партнерши. Он хорошо знал, зачем ему нужна была эта мизансцена: сам он будет стоять за кулисами и увидит выражение лица Беатрис, когда за ее спиной поднимут занавес. Ее лицо волновало его больше, чем судьба спектакля. Что будет делать это животное — Беатрис? Жолио поставил ее возле пианино и занял свое место.

Раздались три удара. Беатрис услышала шуршание занавеса. Она смотрела на нарочно оставленную складку на салфетке, лежавшей на пианино. Теперь «они» видели ее. Она протянула руку и расправила складку. А потом кто-то, а не она сама, как ей показалось, обернулся:

— Опять он! Разве не довольно того, что я уже удостоилась его милостей?

С этим было покончено. Беатрис пошла через сцену. Она забыла, что актер, устремившийся ей навстречу, — ее заклятый враг, потому что его роль была такой же важной, как и ее; она забыла, что он педераст. Она будет любить его, ей надо нравиться ему, для нее он — сама любовь. Беатрис даже не видела темной массы, дышавшей справа от нее, она наконец-то жила.

Жолио видел инцидент с салфеткой. На секунду у него мелькнуло предчувствие, что Беатрис когда-нибудь заставит его страдать. Потом, в конце первого акта, когда загремели аплодисменты, она подошла к нему, целая и невредимая, во всеоружии, и он улыбнулся.

Это был триумф. Жозе была в восторге, она всегда относилась к Беатрис с веселой симпатией. Она вопросительно поглядела на Эдуара, сидевшего справа от нее. Он, казалось, был не очень взволнован.

— Вообще-то я больше люблю кино, — сказал Жак, — но это совсем неплохо.

Жозе улыбнулась ему; он взял ее за руку, и она, хоть и ненавидела какие бы то ни было проявления чувств на публике, руки не отняла. Они не виделись две недели, потому что ей пришлось съездить к родителям в Марокко. Встретились только сегодня — после занятий он зашел за ней к друзьям. Было очень тепло, Жозе сидела возле раскрытой балконной двери; она издали увидела, как Жак, бросив пальто у входа, устремился в гостиную. Она даже не пошевелилась, только почувствовала, что не может не улыбаться, губы ее сами раздвигались в улыбке; заметив ее, он тоже остановился с такой же, почти мучительной, улыбкой. Потом он приблизился к ней, но не успел он сделать и трех шагов, оставшихся между ними, как она поняла, что любит его. Большого, чуть глуповатого, неистового. Когда он торопливо обнял ее — там ведь были посторонние, — она провела рукой по его рыжим волосам, думая только об одном: «Я люблю его, он любит меня, это невероятно». И только тогда очень осторожно начала дышать.

— Ален, кажется, вот-вот уснет, — сказал Эдуар.

Малиграсс, три месяца не видевший Беатрис, дрожа, пришел в

театр посмотреть на нее и теперь сидел и впрямь окаменевший. Эта красивая незнакомка, которая так талантливо что-то делала на сцене, не имела теперь к нему никакого отношения. Он пытался придумать какой-нибудь повод, чтобы подойти к ней в баре после того, как опустится занавес. К тому же его мучила жажда. Бернар был так мил, что в первом антракте повел его выпить виски, но во втором Ален не решился покинуть свое место. Фанни и виду бы не подала, что ей это неприятно, но он знал, о чем она будет думать; впрочем, свет в зале уже снова погас. Он тяжело вздохнул.

Это было великолепно. Беатрис знала, что это было великолепно. Ей уже многие это сказали. Но такая уверенность ничего не давала ей сейчас. Быть может, завтра она проснется с этими словами на губах, в полной уверенности, что наконец-то она — Беатрис Б. — открытие театрального года. Но сегодня вечером... Она бросила взгляд на Жолио, отвозившего ее домой. Он вел машину медленно, словно размышляя о чем-то.

— Что вы думаете об успехе?

Она не ответила. Успех — это любопытствующие глаза, смотревшие на нее со всех сторон во время ужина после генеральной репетиции, изумленные фразы, произнесенные хорошо знакомыми ей людьми, бесконечные вопросы. Это была ее победа, в чем-то она победила, и теперь ей было немного странно, что она так рассеянно воспринимает доказательства своего триумфа.

Они подъехали к ее дому.

— Я могу подняться?

Жолио открыл ей дверцу автомобиля. Она погибала от усталости, но не осмелилась отказать ему. Все это, конечно, было вполне логично, но она никак не могла осмыслить связи между своими устремлениями, волей, не дававшей ей роздыха с самой ранней юности, и сегодняшним вечером, увенчавшим ее славой.

Со своей кровати она смотрела на Жолио, ходившего без пиджака взад и вперед по комнате. Он говорил о достоинствах пьесы. Это было вполне похоже на него: увлечься сюжетом пьесы, после того как он выбрал, поставил и слушал ее три долгих месяца на репетициях.

— Я ужасно хочу пить, — сказал он наконец.

Она показала ему на кухню. Смотрела, как он идет туда, немного узкий в плечах, слишком, пожалуй, и неуместно оживленный. На секунду ее мысленному взору предстал высокий, гибкий Эдуар, и она пожалела о нем. Ей хотелось бы, чтобы здесь оказался он или кто угодно другой, но молодой, чтобы она могла вместе с ним восторгаться этим вечером или, наоборот, смеяться над ним, как над невероятным фарсом. Кто угодно, лишь бы он был готов отдать жизнь за все это. Но здесь был только Жолио со своими ироническими комментариями. И ей предстояло провести с ним ночь. Глаза ее наполнились слезами, она вдруг почувствовала себя слабой и очень молодой. Слезы брызнули из ее глаз, она повторяла себе, что все было великолепно. Жолио вернулся в комнату. К счастью, Беатрис умела плакать, не становясь безобразной.

Среди ночи она проснулась. И тут же вспомнила о генеральной репетиции. Но она больше не думала о своем успехе. Она думала о тех трех минутах, когда поднялся занавес, когда она обернулась и пережила что-то очень существенное, сделав всего лишь одно простое движение. Отныне эти три минуты Беатрис будет переживать каждый вечер. И она уже смутно догадывалась, что они будут единственными минутами правды во всей ее жизни, что это — ее удел. И она спокойно заснула снова.

ГЛАВА 11

В следующий понедельник у Малиграссов был обычный званый вечер, первый с весны. Бернар и Николь, скромная, но торжествующая Беатрис, Эдуар, Жак, Жозе и все прочие явились, как всегда. Вечер получился довольно веселый. Ален Малиграсс слегка пошатывался, но никто не обращал на это внимания.

В какой-то момент Бернар оказался возле Жозе, они стояли, опершись о стену, и смотрели на всех остальных.

Поскольку он задал ей вопрос, она подбородком указала ему на севшего за пианино и начавшего играть молодого музыканта, которому покровительствовала Фанни.

— Я знаю эту музыку, — прошептала Жозе, — она очень хороша.

— Это та же самая, прошлогодняя. Помните, мы были вон там, и он играл тот же самый отрывок. У него, должно быть, ничего другого и нет за душой. У нас, впрочем, тоже.

Жозе не ответила.

Она смотрела на Жака, стоявшего в другом конце гостиной.

Бернар проследил за ее взглядом.

— Когда нибудь вы разлюбите его, — нежно сказал он, — когда-нибудь и я, несомненно, разлюблю вас. И мы станем опять одинокими, и все опять будет как прежде. Только к прошлому прибавится еще один год...

— Я знаю, — сказала Жозе.

И в темноте взяла его за руку и, не глядя на него, сжала ее.

— Жозе, — сказал он, — это невозможно. Что мы все наделали?.. Что произошло? Что все это значит?

— О делах подобных не размышляй, — нежно сказала она, — не то сойдешь с ума.

1957 г.

Любите ли вы Брамса?

Перевод Н. Жарковой

Глава 1

Приблизив лицо к зеркалу, Поль неторопливо пересчитывала, как пересчитывают поражения, пометы времени, накопившиеся к тридцати девяти годам, не испытывая ни ужаса, ни горечи, неизбежных в таких случаях, напротив — с каким-то полурассеянным спокойствием. Как будто эта живая кожа, которую слегка оттягивали два пальца, чтобы обозначилась морщинка, чтобы проступила тень, принадлежала кому-то другому, другой Поль, страстно заботившейся о своей красоте и нелегко переходившей из категории молодых женщин в категорию женщин моложавых, — и эту Поль она узнавала с трудом. Она остановилась перед зеркалом, просто чтобы убить время, и вдруг ей открылось — при этой мысли она даже улыбнулась, — что именно время-то и сжигает ее на медленном огне, убивает исподволь, обрушиваясь на тот облик, который, как она знала, нравился многим.

Роже собирался прийти к девяти часам: сейчас семь — значит, времени у нее достаточно. Достаточно времени, чтобы вытянуться на постели, закрыть глаза, не думать ни о чем. Дать себе роздых. Дать ослабнуть напряжению. Но о чем же она так страстно, до изнеможения думала весь этот день, если к вечеру ей необходимо отдохнуть от своих мыслей? Ей была хорошо знакома эта беспокойная апатия, которая гнала ее из комнаты в комнату, от окна к окну. Так бывало в детстве, в дождливые дни.

Она вошла в ванную комнату, нагнулась, попробовала, достаточно ли теплая вода, и жест этот сразу же напомнил ей другое... Было это лет пятнадцать назад. Она была с Марком, они во второй раз проводили вместе каникулы, и уже тогда она чувствовала, что это ненадолго. Они шли на паруснике Марка, парус бился по ветру, как неспокойное сердце. Ей было двадцать пять. И внезапно ее затопило счастье, она принимала весь мир, все в своей жизни принимала, поняв, словно в каком-то озарении, что все хорошо. И, желая скрыть сияющее лицо, она перегнулась через борт и окунула пальцы в быстрые струйки воды. Маленький парусник накренился, Марк кинул на нее невыразительный взгляд — только он один умел так смотреть, — и сразу же на смену счастью пришла ироническая усмешка. Разумеется, она и после бывала счастлива с другими или благодаря другим, но ни разу таким полным счастьем, которое ни с чем не сравнимо. Но со временем воспоминание об этой минуте перестало радовать — превратилось как бы в память о нарушенном обещании...

* * *

Роже придет, она ему все объяснит, попытается объяснить. Он скажет: «А как же иначе» — с тем удовлетворением, какое он испытывал всякий раз, когда ему удавалось уличить жизнь в передержках, и тогда он, чуть не ликуя, пускался рассуждать о бессмысленности существования, об упрямом желании его длить. Только у него все это восполняется неистребимым жизнелюбием, несокрушимым аппетитом к жизни, и в глубине души он доволен, что существует на свете, и расстается он с этим чувством, только когда засыпает. Он и засыпал сразу, положив ладонь на сердце, даже во сне, как в часы бодрствования, прислушиваясь к биению своей жизни. Нет, не сможет она втолковать Роже, что она устала, что по горло сыта этой свободой, ставшей законом их отношений, этой свободой, которой пользуется лишь он один, а для нее она оборачивается одиночеством; не сможет Поль сказать ему, что порой чувствует себя одной из тех ненасытных собственниц, которых он так ненавидит... Вдруг ее пустая квартира показалась ей пугающе унылой, ненужной.

В девять позвонил Роже, и, открывая ему, увидев в проеме двери его улыбающееся лицо, его, пожалуй, чересчур крупную фигуру, она в который раз покорно подумала, что, видно, это ее судьба и что она его любит. Он обнял ее.

— Как ты мило оделась... А я соскучился по тебе. Ты одна?

— Да. Входи.

«Ты одна?..» А что бы он стал делать, если бы она ответила: «Нет, не одна, ты пришел некстати»? Но за шесть лет она ни разу не сказала ему этих слов. Он не забывал ее об этом спрашивать, иногда даже извинялся, что обеспокоил, — просто из хитрости, за которую она упрекала его про себя больше даже, чем за его непостоянство. (Он не желал даже допускать мысли, что виноват в ее одиночестве и в том, что она несчастна.) Она улыбнулась ему. Он откупорил бутылку, налил два стакана, сел.

— Присядь, Поль. Где мы будем обедать?

Она села возле него. Вид у него был усталый, у нее тоже. Он взял ее руку, пожал.

— Я совсем погряз в разных трудностях, — сказал он. — Все

идет по-дурацки, кругом одни болваны, растяпы, просто даже невероятно. Эх, пожить бы в деревне!

Она рассмеялась.

— Ты бы там соскучился без Кэ-де-Берси, без своих складов, грузовиков. И без ночных шатаний по Парижу...

При последних словах он тихо рассмеялся, потянулся всем телом и устало откинулся на спинку дивана. Она не обернулась. Она смотрела на свою руку, лежавшую на его широкой ладони. Все она знала в нем: густые волосы, начинавшие расти низко, чуть ли не с половины лба, любое выражение выпуклых голубых глаз, складку губ. Знала его наизусть.

— Кстати, — проговорил он, — кстати, о моих безумных ночах. Меня тут на днях забрали в полицию, как мальчишку, я подрался с одним типом... Это в мои-то сорок лет... В полицию, представляешь?

— А почему ты дрался?

— Не помню уж. Ему здорово досталось.

И он вскочил на ноги, как будто воспоминание об этой схватке воодушевило его.

— Знаю, куда мы пойдем, — объявил он. — В «Пьемонтиа». А после потанцуем. Если, конечно, ты соблаговолишь признать, что я танцую.

— Ты не танцуешь. Ты просто ходишь, — сказала Поль.

— Не все придерживаются такого мнения.

— Если ты имеешь в виду тех бедняжек, которые на тебя молятся, тогда ты, конечно, прав, — заметила Поль.

Оба расхохотались. Мимолетные похождения Роже были любимым предметом их шуток. Прежде чем взяться за перила лестницы, Поль прислонилась на минутку к стене. Она вдруг упала духом.

В машине Роже она рассеянно включила радио. В мертвенном свете щитка приемника она на секунду увидела свою кисть, длинную и выхоленную. Под кожей шли жилки, подбираясь к пальцам, сплетаясь в беспорядочный рисунок. «Наподобие моей жизни», — подумала она, но тут же решила, что подобия нет. У нее — ремесло, которое она любит, прошлое, о котором она не жалеет, добрые друзья. И прочная связь. Она повернулась к Роже.

— Сколько уж раз я включала в машине радио, отправляясь с тобой обедать?

— Не знаю.

Он искоса взглянул на нее. Наперекор прошедшим годам и уверенности, что она его любит, он был до сих пор до странности чувствителен к ее настроениям, был вечно начеку. Словно в первые месяцы... Она начала было свое обычное: «Помнишь?» — но тут же спохватилась, решив сегодня вечером не распускаться, чтобы не впасть в излишнюю сентиментальность.

— Тебе это кажется банальным?

— Нет, я сама себе порой кажусь банальной.

Он протянул к ней руку, она обхватила ее ладонями. Вел он машину быстро, знакомые улицы поспешно стлались под колеса. Париж поблескивал под осенним дождем. Он засмеялся.

— Вот я думаю, почему я вожу так быстро. По-моему, просто стараюсь разыгрывать из себя молодого человека.

Она не ответила. Сколько она его знала, он всегда старался показать, что он молодой человек, — он и был «молодым человеком»! Только недавно он признался ей в этом, и его признание даже испугало Поль. Все страшнее становилась для нее роль поверенной, в которую она исподволь втянулась во имя взаимного понимания, во имя любви. Он был ее жизнью, хотя и забывал об этом, и она сама помогала ему забывать с весьма достохвальной скромностью.

Они спокойно обедали, разговор шел о затруднениях, которые испытывали тогда транспортные агентства, такие, как у Роже; потом она рассказала ему две-три забавные истории о магазинах, где работала декораторшей. Одна клиентка от Фата категорически потребовала, чтобы Поль занялась ее квартирой. Американка, и довольно богатая.

— Ван ден Беш? — переспросил Роже. — Постой-ка, припоминаю. Ах да...

Поль вопросительно приподняла брови. Вид у него был беззаботный, как всегда при воспоминаниях определенного рода.

— Я ее в свое время знал. Боюсь, что еще до войны. Она целые дни торчала в кафе «Флоранс».

— С тех пор она успела выйти замуж, развестись и так далее и тому подобное.

— Да-да, — мечтательно произнес он. — Ее звали, как же ее звали...

Поль почувствовала раздражение. Ей вдруг захотелось воткнуть вилку в его раскрытую ладонь.

— Как ее звали, меня не интересует, — сказала Поль. — Думаю, у нее достаточно денег и ни капли вкуса. Как раз то, что мне требуется, чтобы существовать.

— А сколько ей сейчас лет?

— Шестой десяток пошел, — холодно ответила Поль и, заметив выражение его лица, рассмеялась. Он перегнулся через столик, пристально поглядел на нее.

— Страшно с тобой, Поль. Тебе лишь бы меня унизить. Но все равно я тебя люблю, хоть и не следовало бы.

Ему нравилось разыгрывать из себя жертву. Поль вздохнула.

— Как бы то ни было, завтра я пойду к ней на авеню Клебер. Мне просто до зарезу нужны деньги. Да и тебе тоже, — живо добавила она, увидев, что он протестующе поднял руку.

— Поговорим о чем-нибудь другом, — предложил он. — Давай лучше потанцуем.

В ночном ресторане они сели за маленький столик далеко от танцевальной площадки и молча смотрели, как мелькают бледные лица танцующих. Она положила свою ладонь на его руку, она чувствовала себя под его крылом, она так к нему привыкла. Потребовалось бы слишком много усилий, чтобы так же хорошо узнать кого-нибудь другого, и в этой уверенности она черпала невеселое счастье. Они пошли танцевать. Он крепко обхватил ее талию, закружил по площадке наперекор ритму, и видно было, что он очень собой доволен. Она была счастлива.

Домой они возвратились на машине. Роже проводил ее до подъезда и обнял.

— Ну, отдыхай, спи спокойно. До завтра, дорогая.

Он слегка коснулся губами ее губ и пошел обратно к машине. Она помахала ему рукой. Все чаще и чаще он предоставлял ей «спать спокойно». Квартира была до ужаса пустая. Поль тщательно прибралась и только потом присела на кровать, сдерживая слезы. Она осталась одна, опять одна и в эту ночь; среди несмятых простыней, хмурого спокойствия, сопутствующего долгой болезни. Лежа в постели, она машинально протянула руку, как бы желая коснуться теплого плеча, она удерживала дыхание, будто боялась спугнуть чей-то сон. Мужчины или ребенка. Не важно чей, лишь бы она была им нужна, лишь бы ее живое тепло помогало им спать и просыпаться. Но никому она по-настоящему не нужна. Разве что Роже, да и то временами... И то не по-настоящему. И не любовь это, а просто физиология — иногда она ощущала это. С горькой усладой она отдавалась своему одиночеству.

* * *

Оставив машину у подъезда, Роже решил пройтись. Он дышал всей грудью, постепенно ускоряя шаг. Ему было хорошо всякий раз после свиданий с Поль, он любил только ее. Но вот сегодня вечером, расставаясь с ней, он догадался и о другом — о ее печали — и не нашелся что сказать. Она словно о чем-то просила, просила невнятно, но он остро почувствовал — просила того, что он не мог ей дать, никогда никому не мог. Конечно, следовало бы остаться у нее и провести с ней ночь: нет все-таки лучшего средства успокоить тревогу женщины. Но ему хотелось пройтись пешком, пошататься по улицам, побродить. Хотелось слышать свои шаги на мостовой, подстерегать дыхание этого города, который он знал как свои пять пальцев; а возможно, он просто предвкушал случайную ночную встречу. Он направился в сторону набережной, туда, где горели огни.

Глава 2

Она проснулась позднее обычного, вся разбитая, и поспешно вышла из дому. Ей нужно было еще до работы попасть к той самой американке. В десять часов она уже входила в полупустую гостиную на авеню Клебер и, так как хозяйка еще не вставала, стала спокойно пудриться перед зеркалом. В это-то зеркало она и увидела вошедшего Симона. Он был в широком, не по фигуре, халате, со встрепанной шевелюрой и необыкновенно красивый. «Не моего романа», — подумала она не оборачиваясь и улыбнулась своему отражению. Он был слишком тоненький, слишком темноволосый, со светлыми глазами и, пожалуй, излишне изящен.

В первую минуту он ее не заметил и, напевая себе под нос, направился к окну. Она кашлянула, он обернулся с виноватым видом. Она решила было, что это последнее увлечение мадам Ван ден Беш.

— Простите, пожалуйста, — заговорил он, — я вас не заметил. Я Симон Ван ден Беш.

— Ваша мать просила меня зайти сегодня утром посоветоваться насчет квартиры. Боюсь, я разбудила весь дом.

— Все равно рано или поздно приходится просыпаться, — грустно отозвался он. И она устало подумала, что он, должно быть, из породы хныкающих юнцов. — Садитесь, пожалуйста, — предложил он и сам с серьезной миной уселся против нее, запахивая халат.

Вид у него был почти сконфуженный. Поль вдруг почувствовала к нему какую-то симпатию. Во всяком случае, он вовсе не производил впечатления человека, сознающего свою красоту, — и это уже неплохо.

— Кажется, все еще идет дождь?

Она рассмеялась. Она подумала, какую физиономию скорчил бы Роже, увидев, чем занимается Поль, такая деловая даже по внешности: сидит в десять часов утра в чужой гостиной и нагоняет страх на красивого мальчика в халате.

— Да-да, идет, — весело подтвердила она.

Он вскинул на нее глаза.

— А о чем же мне прикажете говорить? — произнес он. — Я вас не знаю. Если бы я вас знал, я сказал бы, что очень рад снова увидеть вас.

Она озадаченно взглянула на него.

— Почему же?

— Да так.

Он отвернулся. С каждой минутой он казался ей все более и более странным.

— Вашу квартиру действительно не мешало бы немного обста-

вить, — сказала она. — Где вы обычно сидите, когда у вас собирается больше трех человек?

— Не знаю, — отозвался он. — Я здесь редко бываю. Целый день работаю, возвращаюсь усталый и сразу ложусь.

Поль окончательно запуталась в своих суждениях об этом мальчике. Внешностью не кокетничает, работает целый день... Она чуть было не спросила: «А чем вы занимаетесь?» — но удержалась. Такое любопытство было не в ее духе.

— Я стажируюсь у адвоката, — продолжал Симон. — Приходится много работать, ложиться в полночь, вставать на рассвете...

— Сейчас десять, — заметила Поль.

— Сегодня утром моего главного клиента гильотинировали, — протянул он.

Поль вздрогнула. Он не подымал глаз.

— Боже мой! — воскликнула она. — И он умер?

Оба расхохотались. Он поднялся и взял с камина сигарету.

— Нет, правда, я работаю не особенно много, недостаточно много. Вот вы зато в десять часов уже на ногах, готовы заняться нашей мерзкой гостиной, я вас просто уважаю.

Он взволнованно зашагал по комнате.

— Успокойтесь, — посоветовала Поль.

Она вдруг пришла в хорошее расположение духа, даже развеселилась. И даже начала бояться появления матери Симона.

— Пойду оденусь, — сказал Симон. — Я быстро. Подождите меня.

* * *

Целый час она провела с мадам Ван ден Беш, которая с утра явно находилась не в духе и держалась скорее сурово; разработала вместе с ней сложный проект меблировки квартиры и, спускаясь по лестнице, радостно строила финансовые планы, совершенно забыв о существовании Симона. По-прежнему лил дождь, Поль уже подняла было руку, желая остановить такси, как вдруг подкатил маленький, низенький автомобильчик. Симон открыл дверцу.

— Может быть, я вас подвезу? Я как раз еду в контору.

Ясно было, что он прождал ее целый час, но его заговорщический вид растрогал Поль. Согнувшись чуть ли не вдвое, она с трудом влезла в машину и улыбнулась.

— Мне нужно на авеню Матиньон.

— С мамой договорились?

— Вполне. В самое ближайшее время вы будете отдыхать после своих трудов на мягких кушетках. А вы из-за меня не очень запоздаете? Уже начало двенадцатого. Времени более чем достаточно, чтобы гильотинировать весь свет.

— У меня времени сколько угодно, — угрюмо отозвался он.

— Я вовсе не собираюсь над вами смеяться, — мягко произнесла она, — просто у меня прекрасное настроение: у меня были денежные заботы, а благодаря вашей маме все благополучно разрешится.

— Пускай только она вам вперед заплатит, — посоветовал он, — она у нас ужасно жадная.

— Так о родителях говорить не полагается, — сказала Поль.

— Мне не десять лет.

— Сколько же?

— Двадцать пять. А вам?

— Тридцать девять.

Он присвистнул так непочтительно, что она чуть было не рассердилась, но тут же засмеялась.

— Почему вы смеетесь?

— Вы присвистнули так восхищенно.

— Представьте, я куда более восхищен, чем вы полагаете, — ответил он и так нежно поглядел на Поль, что ей стало неловко.

«Дворники» ритмично скользили по смотровому стеклу, не справляясь с напором дождя, и она невольно подумала, как это Симон ухитряется вести машину. Садясь рядом с ним, она порвала чулок; она чувствовала себя чудесно веселой в этом неудобном автомобильчике, рядом с этим незнакомым, явно заинтересовавшимся ею юношей, под этим дождем, пробивавшимся даже внутрь и оставлявшим пятна на ее светлом пальто.

Она начала что-то мурлыкать; сначала она уплатит налоги, потом пошлет ежемесячную сумму матери, рассчитается с магазином, и у нее останется... ей вдруг расхотелось считать дальше. Да и Симон вел машину слишком быстро. Она вспомнила Роже, минувшую ночь и помрачнела.

— Вы бы не согласились как-нибудь позавтракать со мной?

Симон выпалил эту фразу одним духом, не глядя в ее сторону. На мгновение ее охватил панический страх. Она его совсем не знает, придется волей-неволей поддерживать разговор, расспрашивать, стараться войти в чью-то незнакомую жизнь. Она попыталась отбиться.

— В ближайшие дни не знаю, слишком много работы.

— Ну что ж, ничего не поделаешь, — отозвался он.

Настаивать он не стал. Поль взглянула на него; теперь он вел машину медленнее и даже как-то меланхолично. Она достала сигарету, он протянул ей зажигалку. Кисти рук у него были мальчишеские, очень худы и комично вылезали из рукавов пиджака спортивного покроя. «При такой внешности не следует одеваться под траппера», —

подумала она, и ей вдруг захотелось заняться его туалетом. Он воплощал собой тот тип юноши, который внушает материнские чувства женщинам ее возраста.

— Мне сюда, — сказала она.

Он молча вышел из машины, открыл дверцу. Вид у него был надутый и печальный.

— Еще раз спасибо, — сказала она.

— Не за что!

Она шагнула к подъезду и оглянулась. Он смотрел ей вслед, неподвижно стоя у машины.

ГЛАВА 3

Чуть ли не четверть часа Симон искал, куда бы приткнуть машину, и наконец поставил ее в полукилометре от своей конторы. Он работал у одного приятеля своей матери, знаменитого и ужасно противного адвоката, терпеливо сносившего все выходки Симона по причинам, о которых юноша предпочитал не думать. Временами ему страстно хотелось довести своего шефа до белого каления, да мешала лень. Ступив на тротуар, он ушиб ногу и тотчас же захромал с покорнотомным видом. Женщины оглядывались ему вслед, и Симон физически, спиной чувствовал, что они думают про себя: «Как жаль, такой молоденький, такой красавец — и калека!» Хотя внешность не прибавляла ему самоуверенности, он с облегчением твердил про себя: «У меня ни за что не хватило бы духу быть уродом». И при этой мысли ему мерещилось аскетическое существование то ли в качестве отверженного художника, то ли пастуха в Ландах.

Прихрамывая, он вошел в контору, и старая мадемуазель Алис бросила на него полуласковый, полускептический взгляд. Ей были известны все фокусы Симона, она относилась к ним снисходительно, но сокрушалась. При такой внешности и живом уме он мог бы стать знаменитым адвокатом, будь у него хоть на грош серьезности. Он приветствовал ее преувеличенно торжественным поклоном и уселся за свой стол.

— С чего это вы вдруг захромали?

— Я не по-настоящему. Ну, кто там кого укокошил сегодня ночью? Неужели же мне никогда не попадется прекрасное стопроцентное преступление, что-нибудь действительно ужасное?

— Вас утром три раза спрашивали. Сейчас половина двенадцатого.

Слово «спрашивали» означало, что спрашивал Симона сам шеф. Симон поглядел на дверь.

— Я поздно проснулся. Зато видел нечто прекрасное.

— Женщину?

— Да. Знаете, лицо очень красивое, нежное такое, чуточку осунувшееся... а движения... ну, словом, такие движения... Страдает от чего-то, а почему, неизвестно...

— Вы бы лучше просмотрели дело Гийо.

— Ладно.

— А она замужем?

Этот вопрос вывел Симона из состояния глубокой задумчивости.

— Не знаю... Но если и замужем, то замужество неудачное. У нее были денежные затруднения. Потом они уладились, и она сразу повеселела. Я очень люблю женщин, которые радуются деньгам.

Мадемуазель Алис пожала плечами:

— Значит, вы всех подряд любите!

— Почти всех, — уточнил Симон. — За исключением очень молоденьких.

Он открыл папку с делом. Дверь распахнулась, и мэтр Флери просунул голову между створками.

— Мсье Ван ден Беш... на минуточку!

Симон переглянулся с секретаршей. Потом поднялся и прошел в кабинет, обставленный в английском стиле, ненавистный ему своим безукоризненным порядком.

— Вам известно, который час?

Мэтр Флери пустился превозносить точность, трудолюбие и закончил свою пространную речь похвалой своему собственному долготерпению и долготерпению мадам Ван ден Беш. Симон глядел в окно. Ему казалось, будто когда-то, очень давно, он уже присутствовал при точно такой же сцене, всю свою жизнь проторчал в этом кабинете английского стиля, вечно слушал эти речи; ему чудилось, будто что-то невидимое сжимает его кольцом, душит, грозит умертвить.

«Что я, в сущности, делал, — внезапно подумалось ему, — что я делал целых двадцать пять лет: только переходил от одного учителя к другому, вечно меня распекали, да еще считалось, что мне это должно быть лестно!» Впервые в жизни этот вопрос встал перед ним с такой остротой, и он машинально произнес:

— Что же я делал?

— Как что? Вы, дружок, вообще ничего не делали, в этом-то вся трагедия: вы ничего не делаете.

— Думаю даже, что я никого никогда не любил, — продолжал Симон.

— Я вовсе не требую, чтобы вы влюбились в меня или в нашу старушку Алис, — взорвался мэтр Флери. — Прошу вас только об одном — работайте. Есть пределы и моему терпению.

— Всему есть предел, — раздумчиво подхватил Симон. Он почувствовал себя погрязшим в мечтах, в бессмыслице. Будто он не спал дней десять, не ел, умирает от жажды.

— Вы что, издеваться надо мной вздумали?

— Нет, — ответил Симон. — Простите, пожалуйста, я приложу все старания.

Пятясь задом, он вышел из кабинета, сел за стол и, не замечая удивленного взгляда мадемуазель Алис, обхватил голову руками. «Что это со мной? — думал он. — Да что же это со мной?» Он пытался вспомнить: детство, проведенное в Англии, студенческие годы, увлечение, да, увлечение в пятнадцать лет подругой матери, которая и просветила его в течение недели; легкая жизнь, веселые друзья, девушки, дороги под солнцем... все кружилось в памяти, и ни на чем он не мог остановиться. Возможно, ничего и не было. Просто было ему двадцать пять лет.

— Да не расстраивайтесь вы, — сказала мадемуазель Алис. — Вы же знаете, он отходчивый.

Он не ответил. Он рассеянно чертил карандашом по бювару.

— Подумайте о вашей подружке, — продолжала, уже встревожившись, мадемуазель Алис. — А еще лучше — о деле Гийо, — поправилась она.

— Нет у меня никакой подружки.

— А как же та, с которой вы встретились нынче утром, как ее зовут?

— Не знаю.

И верно, он не знал даже ее имени. Ничего не знать о ком-то в Париже — уж одно это было чудесно само по себе. Было нечаянной радостью. Существует кто-то, про кого можно придумывать круглые сутки все, что заблагорассудится.

* * *

Растянувшись на кушетке в гостиной, Роже, усталый, медленно покуривал сигарету. Мало того, что он провел утомительный день на дебаркадере, следя за прибытием грузовиков, — когда он уже совсем собрался идти завтракать, пришлось срочно выехать на Лилльское шоссе, где произошла авария, которая обойдется ему в сто с лишним тысяч франков. Поль убирала со стола.

— Ну а как Тереза? — спросил он.

— Какая Тереза?

— Мадам Ван ден Беш. Сегодня утром я, бог знает почему, вдруг вспомнил ее имя.

— Все устроилось, — ответила Поль. — Я займусь ее квартирой. Я тебе нарочно ничего не сказала, я же знаю, что у тебя куча неприятностей...

— Значит, ты полагаешь, что я способен огорчиться, узнав, что у тебя больше нет неприятностей. Так, что ли?

— Нет, я просто подумала, что...

— Ты, Поль, очевидно, считаешь меня чудовищным эгоистом?

Он сел на диван, уставился на нее своими голубыми глазами; вид у него был свирепый. И ей же еще придется его успокаивать, клясться, что он лучший из людей — в известном смысле это было правдой — и что он дал ей много счастья. Она подсела к нему.

— Ты не эгоист. Ты слишком занят своими делами. Естественно, ты о них и говоришь...

— Нет, я хочу сказать: в отношении тебя... Считаешь меня чудовищным эгоистом?

Он понял вдруг, что думал об этом целый день, очевидно, с тех самых пор, как накануне оставил ее у подъезда и заметил ее смятенный взгляд. Она колебалась: ни разу еще он не задавал ей такого вопроса, и, возможно, сейчас-то и наступила минута для откровенной беседы. Но сегодня она чувствовала себя уверенно, в хорошем настроении, а у него такой усталый вид... Она не решилась.

— Нет, Роже, не считаю. Правда, бывают минуты, когда я чувствую себя немножко одинокой, не такой уж молодой, не всегда могу за тобой угнаться. Но я счастлива.

— Счастлива?

— Да.

Он снова прилег на диван. Она сказала «я счастлива», и тот третьестепенный вопрос, который мучил его целый день, отпал сам собой. Вот и хорошо.

— Послушай-ка, все эти случайные истории, они... словом, ты отлично знаешь им цену.

— Знаю, знаю, — подтвердила она.

Она поглядела на него, на его закрытые глаза; какой он все-таки ребенок. Лежит себе на диване, такой большой, такой грузный, и спрашивает совсем по-детски: «Ты счастлива?» Он протянул к ней руку, она взяла ее в свои и села рядом. Он все еще не открывал глаз.

— Поль, — произнес он. — Поль, ты ведь знаешь, без тебя, Поль...

— Знаю...

Она склонилась над ним, поцеловала в щеку. Он уже спал. Неуловимым движением он высвободил руку из рук Поль и положил ладонь себе на сердце. Она открыла книгу.

Через час он проснулся, очень оживленный, взглянул на часы и категорически заявил, что самое время идти танцевать и пить, чтобы забыть все эти чертовы грузовики. Поль клонило ко сну. Но если Роже заберет себе что-то в голову, никакие доводы не помогут.

Он привез ее в незнакомый ресторан, подвальчик на бульваре

Сен-Жермен, имитирующий внутренним убранством уголок сквера,
весь в пятнах теней, в грохоте бразильских напевов проигрывателя.

— Не могу я каждый вечер ходить по ресторанам, — сказала Поль, присаживаясь к столику. — На кого я буду завтра похожа. Уже и сегодня утром я еле встала.

Тут только Поль вспомнила о Симоне. Она совершенно о нем забыла. Она повернулась к Роже.

— Вообрази, сегодня утром...

Но не успела докончить фразу. Перед ней стоял Симон.

— Добрый вечер, — сказал он.

— Познакомьтесь, мсье Ферте, мсье Ван ден Беш, — представила их друг другу Поль.

— Я вас искал, — заявил Симон. — И нашел — это хорошее предзнаменование.

И, не дожидаясь приглашения, он опустился на стул за их столик. Роже сердито выпрямился.

— Я вас повсюду искал, — продолжал Симон. — И уже думал, не пригрезились ли вы мне.

Глаза его блестели, он сжал рукой локоть Поль, которая от изумления не могла выговорить ни слова.

— Вы, очевидно, ошиблись столиком? — спросил Роже.

— Вы замужем? — воскликнул Симон. — А я-то думал...

— Он мне надоел, — громко сказал Роже. — Сейчас спроважу его.

Симон посмотрел на Роже, оперся локтями о край стола, обхватив голову руками.

— Вы правы, прошу меня извинить. Кажется, я выпил лишнее. Но сегодня утром я обнаружил, что ничего не делал всю свою жизнь. Ничего.

— Тогда займитесь чем-нибудь приятным и убирайтесь.

— Оставь его, — тихонько попросила Поль. — Он просто несчастен. Всем случалось выпить лишнего. Это сын твоей... как бишь ее... Терезы.

— Сын? — с удивлением переспросил Роже. — Этого только не хватает.

Он нагнулся. Симон бессильно уронил голову на руки.

— Очнитесь, — сказал Роже. — Давайте выпьем вместе. Вы нам расскажете о ваших бедах. Пойду за стаканами, а то тут до ночи можно просидеть без толку!

Поль развеселилась. Она заранее предвкушала беседу Роже с этим юным сумасбродом. Симон поднял голову и посмотрел вслед Роже, с трудом пробиравшемуся между столиками.

— Вот это мужчина, — сказал он. — А! Каков? Настоящий мужчина. Ненавижу всех этих здоровяков, мужественных, здравомыслящих...

— Люди гораздо сложнее, чем вам кажется, — сухо возразила Поль.

— Вы его любите?

— Это уж вас не касается.

Прядка волос спадала ему на глаза, в пламени свечей резче вырисовывались черты лица: он был поразительно хорош. Две женщины за соседним столиком смотрели на Симона с каким-то даже блаженным выражением.

— Простите, пожалуйста, — проговорил Симон. — Вот странно: я с самого утра все время извиняюсь. Знаете, я думаю, что я просто ничтожество.

Вернулся Роже с тремя стаканами и, услышав последние слова Симона, буркнул себе под нос, что рано или поздно каждый убеждается в своем ничтожестве. Симон залпом выпил вино и хранил благоразумное молчание. Продолжал сидеть за их столиком и не шевелился. Смотрел, как они танцуют, слушал, что они говорят, но, казалось, ничего не видит и ничего не слышит. В конце концов они совсем забыли о его присутствии. Только изредка Поль, поворачивая голову, замечала, что он все еще сидит рядом — смирный, благовоспитанный мальчик, — и не могла удержаться от смеха.

Когда они поднялись, уже собравшись уходить, он тоже вежливо встал с места и вдруг рухнул обратно на стул. Они решили отвезти его домой. В машине он спал, и голова его все время клонилась к плечу Поль. Волосы у него были шелковистые, дышал он неслышно. Поль положила ему на лоб ладонь, чтобы он не ударился о стекло, и с трудом поддерживала эту безжизненно поникшую голову. На авеню Клебер Роже вылез из машины, обошел ее кругом и отпер дверцу.

— Осторожно, — прошептала Поль.

Он заметил выражение ее лица, но ничего не сказал и вытащил Симона из машины. В этот вечер он, проводив Поль, поднялся к ней и, уже задремав, продолжал держать ее в своих объятиях, мешая уснуть.

ГЛАВА 4

На следующий день в полдень, когда она, стоя на коленях в витрине, пыталась убедить хозяина магазина, что надевать шляпу на гипсовый бюст не такая уж новая идея, явился Симон. Минут пять он с замиранием сердца глядел на нее, спрятавшись за киоск. И сам не знал, почему замирает сердце: при виде Поль или потому, что он так по-дурацки прячется. Он всегда любил прятаться. Или вдруг начинал

делать судорожные движения левой рукой, а правой будто бы сжимал
в кармане револьвер или притворялся, будто рука покрыта экземой;
и эта комедия пугала в магазинах публику. Он был весьма подходящим объектом для психоанализа — так, по крайней мере, утверждала его мать. Глядя на коленопреклоненную в витрине Поль, он думал,
что лучше бы он никогда ее не встречал, не смотрел па нее вот так через стекло. Тогда не пришлось бы и сегодня наверняка нарываться на
отказ. Что он вчера наболтал? Вел себя как дурак, безобразно напился, разглагольствовал о состоянии души, что есть верх неприличия...
Он жался за киоском, чуть было не ушел, бросив на нее прощальный
взгляд. Ему захотелось перебежать через улицу, вырвать у нее из рук
эту ужасную шляпку, свирепо ощетинившуюся остриями булавок,
вырвать саму Поль у этой работы, у этой жизни, когда надо поды-
маться на заре, а потом приходить сюда и выстаивать на коленях в
витрине на виду у прохожих. Люди останавливались, глядели на нее с
любопытством, и, конечно, многих мужчин влекло к ней, коленопре-
клоненной, с протянутыми к гипсовому истукану руками. Его самого
потянуло к ней, и он пересек улицу.

Симон уже вообразил, что Поль, устав от этих взглядов, измученная ими, радостно повернется к нему — все-таки хоть какое-то раз-
влечение! Но она ограничилась холодной улыбкой.

— Хотите подобрать шляпку для вашей дамы?

Симон что-то промямлил, и хозяин не без кокетства толкнул его
в бок.

— Дорогой мсье, вы ждете Поль? Что ж, чудесно, садитесь и
дайте нам сначала закончить дела.

— Он меня не ждет, — отозвалась Поль, передвигая подсвечник.

— Я поставил бы левее, — посоветовал Симон. — И немного
назад. Так будет более броско.

Она сердито взглянула на него. Он улыбнулся. Он играл уже новую роль. Он был теперь молодым человеком, который зашел за своей возлюбленной в какое-нибудь шикарное заведение. Молодым человеком, обладающим бездной вкуса. И восхищение шляпника-го-
мосексуалиста, хотя сам Симон был равнодушен к таким вещам,
станет, конечно, предметом шуток между ним и Поль.

— Он прав, — подхватил хозяин. — Так будет более броско.

— Да чем? — холодно спросила Поль.

Оба уставились на нее.

— Ничем. Совсем ничем.

Симон захохотал и с минуту смеялся так заразительно, что Поль
отвернулась, боясь последовать его примеру. Хозяин обиженно отошел. Поль откинулась назад, чтобы получше оглядеть всю витрину, и
вдруг плечом задела Симона, который успел незаметно приблизиться
и поддержал ее под локоть.

— Смотрите, — мечтательно произнес он, — солнце.

Через еще мокрое стекло их пронизывало солнце — короткая вспышка тепла, которое в эти осенние дни было словно запоздавшее раскаяние. Поль как бы купалась в этом ярком свете.

— Да, солнце, — отозвалась она.

С минуту оба не шевелились, она по-прежнему стояла в витрине, выше его, спиной к нему и все же опираясь на его руку. Потом отодвинулась.

— Вам бы не мешало пойти поспать.

— Я голоден, — возразил он.

— Тогда идите завтракать.

— А вы не хотите пойти со мной?

Она заколебалась. Роже звонил ей и сказал, что, вероятно, задержится. Она рассчитывала забежать в бар напротив и съесть бутерброд, а потом отправиться за покупками. Но при этом неожиданном зове солнца она с отвращением представила себе изразцовые стены кафе и залы больших магазинов. Вдруг захотелось увидеть траву, пусть даже по-осеннему пожелтевшую.

— Я хочу видеть траву, — сказала она.

— Поедем на траву, — согласился он. — Я на старенькой машине. Ехать нам недолго...

Она настороженно подняла ладонь. Загородная поездка с этим незнакомым мальчиком, должно быть, получится ужасно тоскливой... Целых два часа с глазу на глаз.

— Или в Булонский лес, — поспешил предложить он. — Если вам надоест, можно по телефону вызвать такси.

— До чего же вы предусмотрительны!

— Признаюсь, сегодня утром, когда я проснулся, мне стало очень стыдно. Я пришел просить у вас прощения.

— Такие вещи случаются со всеми, — любезно сказала Поль.

Она накинула пальто; одевалась она элегантно, со вкусом. Симон распахнул дверцу машины, и она села, так и не вспомнив, когда сказала «да», когда согласилась на этот дурацкий завтрак. Садясь в машину, она зацепилась за что-то, порвала чулок и даже застонала от злости.

— Ваши подружки, видимо, ходят в брючках.

— У меня их нет, — ответил он.

— Кого, подружек?

— Да.

— Как же так получилось?

— Не знаю.

Ей захотелось подтрунить над ним. Ее веселила эта смесь застенчивости и дерзости, остроумия и серьезности, минутами просто смеш-

ной. Он сказал «не знаю» низким голосом, с таинственным видом.
Она покачала головой.

— Попытайтесь-ка вспомнить... Когда началось это поголовное охлаждение?

— Я сам виноват. У меня была девушка, очень миленькая, но чересчур романтичная. Есть такой идеал юности для сорокалетних.

Ее вдруг словно ударили.

— А каков идеал юности у сорокалетних?

— Ну в общем... вид у нее был зловещий, гнала машину как безумная, судорожно стиснув зубы, проснувшись, первым делом хваталась за сигарету... а мне она объясняла, что любовь не что иное, как контакт кожных покровов.

Поль расхохоталась.

— Ну а дальше что?

— Когда я ушел, она все-таки плакала. Я вовсе этим не хвастаю, — поспешно добавил он. — Все это противно.

В Булонском лесу пахло мокрой травой, медленно увядавшим лесом, осенними дорожками. Симон остановился перед маленьким ресторанчиком, быстро обежал вокруг машины и открыл дверцу. Поль вся напряглась, чтобы выйти из машины как можно грациознее. Уж раз она пустилась на приключения, надо держаться.

Симон первым делом заказал коктейль, и Поль бросила на него суровый взгляд.

— После такой ночи полагается пить чистую воду.

— Но я прекрасно себя чувствую. И кроме того, это для храбрости. Ведь должен же я сделать так, чтобы вы не слишком скучали, вот я и стараюсь быть в форме.

Ресторан был почти пустой, а гарсон — хмурый. Симон молчал и продолжал молчать, когда заказ уже был сделан. Но Поль и не думала скучать. Она чувствовала, что молчит он неспроста, что он, конечно, разработал план бессды за завтраком. Должно быть, у него уйма каких-то своих скрытых мыслей, как у кошки.

— Более броско, — жеманно произнес он, передразнивая владельца магазина, и Поль от неожиданности даже расхохоталась.

— Оказывается, вы умеете прекрасно передразнивать людей.

— Да, неплохо. К несчастью, у нас с вами слишком мало общих знакомых. Если я покажу вам маму, вы скажете, что я презренная личность. А все-таки рискну: «Не кажется ли вам, что пятно атласа здесь, чуть правее, создаст теплоту, уют?»

— Хоть вы и презренная личность, но похоже.

— А к вашему вчерашнему другу я еще не присмотрелся. И кроме того, он неподражаем.

Последовало молчание. Поль улыбнулась.

— Да, неподражаем.

— А я? Я лишь бедная копия десятков молодых людей, слишком избалованных, у которых благодаря родителям имеется какая-нибудь необременительная профессия и которые заняты лишь тем, чтобы занять себя. Так что вы в проигрыше — я имею в виду сегодняшний завтрак.

Его вызывающий тон насторожил Поль.

— Роже сегодня занят, — сказала она. — Иначе я не была бы здесь.

— Знаю, — отозвался он, и в голосе его прозвучали озадачившие ее грустные нотки.

Во время завтрака они беседовали о своих занятиях. Симон изобразил в лицах целый судебный процесс по поводу убийства из ревности. Во время судоговорения он вдруг выпрямился и, тыча пальцем в сторону Поль, которая не могла удержаться от смеха, воскликнул:

— А вас, вас я обвиняю в том, что вы не выполнили свой человеческий долг. Перед лицом этого мертвеца я обвиняю вас в том, что вы позволили любви пройти мимо, пренебрегли прямой обязанностью каждого живого существа быть счастливым, избрали путь уверток и смирились. Вы заслуживаете смертного приговора; приговариваю вас к одиночеству.

Он замолчал, выпил залпом стакан вина. Поль не пошевелилась.

— Страшный приговор, — с улыбкой произнесла она.

— Самый страшный, — уточнил он. — Не знаю более страшного приговора и притом неотвратимого. Лично для меня нет ничего ужаснее, как, впрочем, и для всех. Только никто в этом не признается. А мне временами хочется выть: боюсь, боюсь, любите меня!

— Мне тоже, — вырвалось у Поль.

Вдруг ей представилась ее спальня, угол стены против кровати. Спущенные занавеси, старомодная картина, маленький комодик в левом углу. Все то, на что она глядела каждый день утром и вечером, то, на что она, очевидно, будет глядеть еще лет десять. Даже более одинокая, чем сейчас. Роже, что делает Роже? Он не вправе, никто не вправе присуждать ее к одинокой старости, никто, даже она сама...

— Сегодня я, должно быть, кажусь вам еще более смешным, чем вчера, просто нытиком каким-то, — негромко произнес Симон. — А может быть, вы думаете, что молодой человек решил, мол, разыграть комедию, надеясь вас растрогать?

Он сидел против нее, в светлых глазах мелькала тревога, лицо у него было такое гладкое, предлагающее себя, что Поль захотелось прикоснуться ладонью к его щеке.

— Нет-нет, — ответила она, — я подумала... подумала, что для этого вы слишком молоды. И, безусловно, слишком любимы.

— Для любви требуются двое, — возразил он. — Пойдемте-ка погуляем. Уж очень погода хорошая.

Они вышли, он взял ее под руку, и несколько шагов они сделали молча. Осень медленно и ласково просачивалась в сердце Поль. Мокрые, рыжие, уже наполовину затоптанные листья, цепляясь друг за друга, постепенно смешивались с землей. Она почувствовала нежность к этому силуэту, безмолвно шествовавшему рядом с ней. Незнакомец на минуту стал товарищем, спутником, тем самым, с которым идешь пустынной аллеей на закате года. Она всегда испытывала нежность к своим спутникам, будь то на прогулке или в жизни, признательность за то, что они выше ростом, так на нее не похожи и в то же время такие близкие. Ей представилось лицо Марка, ее мужа, которого она покинула, покинув легкую жизнь, и лицо того, другого, который так ее любил. И наконец, лицо Роже, единственное лицо, которое память показывала ей живым, переменчивым. Трое спутников в жизни одной женщины, трое хороших спутников. Это ли не огромная удача?

— Вам грустно? — спросил Симон.

Обернувшись к нему, она улыбнулась в ответ. Они все шли и шли.

— Мне хотелось бы, — произнес Симон сдавленным голосом, — хотелось бы... Я вас совсем не знаю, но мне хотелось бы думать, что вы счастливы. Я... я... Да что там! Я восхищаюсь вами!

Она не слушала его. Уже поздно. Возможно, звонил Роже и решил позвать ее куда-нибудь выпить кофе. А ее нет дома. Роже что-то говорил о поездке в субботу, предлагая провести день за городом. Сумеет ли она к тому времени освободиться? Не передумает ли он? Или это обещание, как и многие прочие, вырвала у него любовь, ночь, когда (Поль хорошо знала его) он не представлял себе жизни без нее и когда их любовь казалась ему такой весомой, такой самоочевидной, что он уже переставал сопротивляться. Но стоило ему очутиться за дверью, на улице, вдохнуть будоражащий запах своей независимости, и она снова теряла Роже.

Она промолчала почти всю прогулку, поблагодарила Симона и сказала, что будет очень, очень рада, если он как-нибудь соберется ей позвонить. Симон, застыв на месте, глядел ей вслед. Он чувствовал себя очень усталым, очень неуклюжим.

ГЛАВА 5

Это был и вправду приятный сюрприз. Роже потянулся к ночному столику и взял сигарету. Молодая женщина, лежавшая с ним рядом, хихикнула:

— Все мужчины после этого курят.

Замечание не особенно оригинальное! Роже протянул ей пачку сигарет, но она отрицательно покачала головой.

222

— Мэзи, можно я задам один вопрос? Что это на вас нашло? Знакомы мы с вами уже два месяца, и вы не разлучаетесь с мсье Шерелем.

— Шерель мне нужен для моих дел, у меня же есть ремесло. А мне захотелось поразвлечься. Понял?

Он отметил про себя, что она принадлежит к тому сорту дам, которые, раз приняв горизонтальное положение, почти автоматически переходят на «ты». Он расхохотался.

— А почему именно со мной? Ведь на коктейле были очень милые молодые люди.

— Знаешь, молодые люди как начнут болтать, как начнут!.. А потом ты, ты-то хоть любишь это дело — сразу видно. Поверь мне, такие теперь встречаются все реже. Женщина это чувствует. Только, пожалуйста, не вздумай уверять меня, что ты не привык к скорым победам...

— Все же не к таким скорым, — рассмеялся он.

Была она прехорошенькая. Совершенно ясно, что за ее узеньким лобиком копошится множество мелких идеек относительно жизни вообще, насчет мужчин, женщин. Если бы он был настойчивее, она охотно изложила бы ему свое кредо.

Было бы, пожалуй, даже интересно. Как и всегда, он чувствовал себя растроганным, но как бы со стороны, испытывая чуть ли не страх при мысли, что эти прекрасные, столь непохожие друг на друга женские тела, которые он так любил открывать для себя, блуждают по улицам, блуждают по жизни и что руководят ими птичьи шалые мозги. Он погладил ее по волосам.

— А ты, ты, должно быть, из нежных, — продолжала она. — Все вот такие огромные битюги очень нежные.

— Да, — рассеянно подтвердил он.

— Не хочется с тобой расставаться, — продолжала она. — Если бы ты знал, какой зануда этот Шерель...

— Боюсь, никогда этого не узнаю.

— А что, Роже, если нам уехать за город на два дня? На субботу и на воскресенье. Не хочешь? Мы бы с тобой двое суток из спальни не выходили, представляешь, за городом, комната большая...

Он взглянул на нее. Она приподнялась на локте. Он увидел, как на шее у нее бьется синяя жилка, она смотрела на него так, как тогда, во время знаменитого коктейля. Он улыбнулся.

— Ну, скажи «да». Скажи скорее, слышишь...

— Скорее, — повторил он, привлекая ее к себе.

Она укусила его за плечо с каким-то кудахтаньем, и он подумал мельком, что даже любви можно предаваться по-глупому.

— Очень жаль, — сказала Поль. — Ну, желаю хорошо поработать, не веди машину слишком быстро. Целую тебя.

Она повесила трубку. Вот и пропал их уик-энд. Оказывается, в субботу Роже нужно поехать в Лилль по делам к своему тамошнему компаньону — так он сказал. Возможно, это и правда. Она всегда старалась думать, что это правда. Она живо представила себе загородную гостиницу, где они обычно останавливались, пылающие в каминах дрова, комнату, чуть пахнувшую нафталином; она рисовала в воображении эти два дня, все, чем они были бы заполнены, прогулки с Роже, разговоры с Роже, вечер и совместное пробуждение бок о бок и уйма свободного времени впереди, целый длинный день, теплый и ровный, как песок на пляже. Она снова подошла к телефону. Можно позавтракать с подругой, пойти, скажем, поиграть в бридж... Но ей ничего не хотелось. И в то же время страшно было провести эти два дня в одиночестве. Ей были мерзки эти воскресные дни одиноких женщин: книга, которую читаешь в постели, всячески стараясь затянуть чтение, переполненные кинотеатры, возможно, коктейль или обед в чьей-нибудь компании; а дома по возвращении — неубранная постель и такое ощущение, будто с утра не было прожито еще ни одной минуты. Роже обещал позвонить послезавтра. Он говорил знакомым ей, чересчур нежным голосом. Ну что ж, она и будет ждать телефонного звонка, а пока посидит дома. Не мешало бы прибрать квартиру, а это значило заняться тысячью обычных домашних дел, будничных женских дел, которыми ей настоятельно советовала заниматься мать и которые Поль в душе ненавидела. Ведь время не моллюск, не так-то оно податливо. Но сейчас она почти жалела, что лишена вкуса к таким вещам. Возможно, и впрямь наступают минуты, когда уже нельзя бросаться в атаку на жизнь, а нужно защищать себя от нее, как от старинной, чересчур навязчивой приятельницы. Пришла ли эта минута и для Поль? И ей послышался за спиной протяжный вздох, многоголосым хором произнесенное «пришла».

Она решила, что в субботу позвонит около двух мадам Ван ден Беш. Если та чудом не в Довиле, то можно будет с ней после обеда поработать. Это, пожалуй, единственное, что прельщало Поль. «Совсем как те мужчины, — подумала она, — которые и по воскресеньям ходят на службу, лишь бы не сидеть с семьей». У мадам Ван ден Беш оказался легкий приступ печени, она скучала и с восторгом приняла предложение Поль. Захватив десяток образцов всех расцветок и стилей, Поль отправилась на авеню Клебер. Там ее поджидала мадам Ван ден Беш в узорчатом халате со стаканчиком минеральной воды «Эвиан» в руке и с нездоровым румянцем на щеках. Поль подумала, что отец Симона должен был быть настоящим красавцем: нелегко уравновесить банальность такого лица.

— Как поживает ваш сын? А вы знаете, что как-то вечером мы его встретили?

Поль не сказала, что накануне завтракала с Симоном, и сама удивилась своей скрытности. Лицо ее собеседницы тотчас приняло мученическое выражение.

— Откуда же мне знать? Он со мной не говорит, ничем не делится, кроме, конечно, своих денежных затруднений! К тому же он пьет. Его отец тоже пил.

— Ну, на алкоголика он не похож! — улыбнулась Поль. Перед ее глазами промелькнуло лицо Симона, гладкое, с нежным румянцем, как у хорошо выкормленного англичанина.

— Он красавец, правда ведь?

Мадам Ван ден Беш оживилась, вытащила груду альбомов, где можно было видеть Симона-младенца, Симона с длинными, до плеч локонами, Симона верхом на пони, Симона-лицеиста с испуганным взглядом и т.д. и т.п. Очевидно, имелись сотни его фотографий, и Поль в душе обрадовалась, что он не стал ни гомосексуалистом, ни подонком.

— Рано или поздно наступает день, когда дети отдаляются от родителей, — печально вздохнула мать.

И вдруг на мгновение она снова стала Терезой тех уже далеких времен, слишком легкомысленной и беззаботной.

— Надо вам сказать, что у него просто отбоя нет...

— Ну еще бы, — вежливо подтвердила Поль. — Не угодно ли вам взглянуть на эти ткани, вот эти...

— Прошу вас, зовите меня просто Терезой...

Она говорила все дружелюбнее, велела подать чай, засыпала Поль вопросами. А Поль думала о том, что Роже спал с этой дамой лет двадцать назад, и тщетно старалась отыскать следы былой прелести на этом отяжелевшем лице. Ее попытки перевести разговор на профессиональные темы не увенчались успехом, и она поняла, что Тереза бесповоротно вступила на путь интимных признаний. Так бывало всегда. В чертах лица Поль было что-то гордое, невозмутимоспокойное, что неизбежно, на ее горе, вызывало у собеседников целые потоки слов.

— Вполне возможно, вы моложе меня, — начала мадам Ван ден Беш. И услышав это «вполне возможно», Поль не могла сдержать улыбки. — Но вы понимаете, какое значение имеет обстановка, рамка...

Поль перестала слушать. Эта женщина напоминала ей кого-то. Она вдруг поняла, что Тереза просто похожа на ту Терезу, которую вчера представлял Симон, и подумала, что у него несомненный дар имитации и столь же несомненная жестокость, не сразу, впрочем, заметная из-за его застенчивости. Сказал же он ей вчера: «Обвиняю вас в том, что вы позволили любви пройти мимо... избрали путь уверток, смирились... приговариваю вас к одиночеству». Имел ли он в виду именно ее? Неужели он догадался? Сделал ли он это с умыслом? При этой мысли ее вдруг охватил гнев.

Она пропустила мимо ушей длинный рассказ Терезы и даже вздрогнула, когда внезапно появился Симон. Увидев ее, он остановился как вкопанный, скорчил гримасу, желая скрыть свою радость, и радость эта ее тронула.

— Оказывается, я пришел вовремя. Сейчас я вам помогу.

— Увы! Мне пора уходить.

Ей хотелось уйти как можно скорее, убежать от взглядов матери и сына, отсидеться дома с книгой в руках. В этот самый час она должна была мчаться в машине с Роже, включать и выключать приемник, смеяться с ним вместе или пугалась бы, когда в нем вдруг просыпалась слепая ярость автомобилиста, не раз грозившая им обоим гибелью.

Она медленно поднялась.

— Я вас провожу, — заявил Симон.

В дверях она оглянулась и впервые с минуты его появления посмотрела ему в лицо. Вид у него был скверный, и она, не удержавшись, сказала ему об этом.

— Просто погода такая, — объяснил он. — Разрешите проводить вас до подъезда.

Она пожала плечами, и они стали спускаться по лестнице. Он молча шел сзади. На площадке нижнего этажа он остановился, и, не слыша за собой его шагов, она машинально оглянулась. Он стоял, держась за перила.

— Вы идете обратно?

Электричество вдруг погасло, и просторную лестницу освещал теперь лишь слабый свет, сочившийся сквозь переплет окна. Она осмотрелась, стараясь обнаружить выключатель.

— Выключатель сзади вас, — сказал Симон.

Он сошел с последней ступеньки и приблизился к ней. «Сейчас он на меня набросится», — со скукой подумала Поль. Он протянул к выключателю левую руку, чуть не коснувшись ее головы, включил свет, потом тем же жестом протянул правую руку. Она очутилась словно в тисках.

— Пропустите меня, — спокойно произнесла Поль.

Ничего не ответив, он нагнулся и осторожно приник головой к ее плечу. Она услышала громкий стук его сердца и вдруг почувствовала волнение.

— Пустите меня, Симон... Мне это неприятно.

Но он не шелохнулся. Он только пробормотал дважды чуть слышно ее имя: «Поль, Поль», а за его плечом она видела лестничную клетку, какую-то безрадостную, почти монументальную в своем чванливом молчании.

— Симон, миленький, — тоже очень тихо сказала она, — пустите меня.

Он отстранился, и, прежде чем переступить порог, она слегка улыбнулась ему.

Глава 6

Проснувшись в воскресенье, она нашла под дверью послание: раньше они носили поэтическое название «синих» пневматичек, и оно действительно показалось ей поэтичным, не потому ли, что на безоблачном ноябрьском небе вновь появилось солнце, заполнив всю спальню тенями и теплыми бликами. «В шесть часов в зале «Плейель» великолепный концерт, — писал Симон. — Любите ли вы Брамса? Простите за вчерашнее». Она улыбнулась. Улыбнулась второй фразе письма: «Любите ли вы Брамса?» Точно такие вопросы задавали ей мальчики, когда ей было семнадцать. И конечно, позднее ей тоже задавали подобные вопросы, но ответа уже не слушали. Да и кто кого слушал их кругу в те годы? Да, кстати, любит ли она Брамса?

Она включила проигрыватель, порылась в пластинках и обнаружила на обратной стороне увертюры Вагнера, знакомой до последней ноты, концерт Брамса, которого ни разу еще не ставила. Роже любил Вагнера. «Прелесть, шуму-то, шуму, — говорил он, — вот это музыка». Она поставила концерт, начало нашла чересчур романтичным и, забывшись, перестала слушать. Спохватилась она, только когда пластинка кончилась, и упрекнула себя за невнимание. Да, теперь ей требовалась неделя, чтобы дочитать до конца книгу, она не сразу находила страницу, на которой остановилась, забывала мелодии. Все ее внимание поглощали образцы тканей да этот человек, которого никогда нет рядом. Она теряла себя, теряла свою тропу, и никогда ей уже ее не найти. «Любите ли вы Брамса?» Она неподвижно постояла у открытого окна, солнце ударило ей в глаза, ослепило на миг. И эта коротенькая фраза: «Любите ли вы Брамса?» — вдруг разверзла перед ней необъятную пропасть забытого: все то, что она забыла, все вопросы, которые она сознательно избегала перед собой ставить. «Любите ли вы Брамса?» Любит ли она хоть что-нибудь, кроме самой себя и своего собственного существования? Конечно, она говорила, что любит Стендаля, знала, что его любит. Вот где разгадка: знала. Возможно, она только знала, что любит Роже. Просто хорошо усвоенные истины. Хороши в качестве вех. Ей захотелось с кем-нибудь поговорить, как бывало в двадцать лет.

Она позвонила Симону. Она еще не знала, что скажет ему. Очевидно, что-нибудь вроде: «Не знаю, люблю ли Брамса, не думаю». Она не знала, пойдет ли на концерт. Это будет зависеть от того, что он ей скажет, от его интонации; она была в нерешительности, и нерешительность эта была ей приятна. Но Симон укатил завтракать за город, заедет только в пять часов переодеться. Она повесила трубку. Тем временем она уже решила пойти на концерт. Она твердила себе: «Вовсе не с Симоном я ищу встречи, а с музыкой; возможно, я буду ходить на дневные концерты каждое воскресенье, если там не очень противно; самое подходящее занятие для одинокой женщины». И в то же время она ужасно жалела, что сегодня воскресенье и нельзя тут же побежать в магазин, чтобы накупить побольше Моцарта, которого она любила, и несколько пластинок Брамса. Она боялась только одного, как бы Симон не вздумал держать ее за руку во время концерта; боялась тем сильнее, что предвидела это; а Поль, когда сбывались ее ожидания, всегда охватывала смутная тоска. И по этой причине тоже она любила Роже. Он никогда не оправдывал ее чаяний, всегда, так сказать, выпадал из обычной программы.

В шесть часов в зале «Плейель» ее подхватило течением толпы. Она чуть было не упустила Симона, он молча протянул ей билет, и они быстро поднялись по лестнице среди шумной суеты билетерш. Зал был большой, темный, из оркестра доносились нестройные звуки, словно это введение должно было помочь публике полнее оценить чудо музыкальной гармонии. Она повернулась к своему спутнику.

— Оказывается, я не знаю, люблю ли я Брамса.

— А я не знал, придете ли вы, — ответил Симон. — Уверяю вас, мне совершенно все равно, любите ли вы Брамса или нет.

— Ну, как было за городом?

Он с удивлением взглянул на нее.

— Я вам звонила, — призналась Поль, — я хотела вам сказать, что пойду.

— Я так боялся, что вы позвоните и откажетесь, что укатил за город, — сказал Симон.

— Хорошо за городом? Куда вы ездили?

С каким-то горьким удовольствием она представляла себе Уданский холм в закатном свете; она была не прочь послушать рассказ Симона. Если бы они с Роже остановились в Сетейле, они бы шли по этой самой дороге, под рыжими кронами деревьев.

— Я просто катался, — ответил Симон, — и на названия не смотрел. Уже начинают...

Раздались аплодисменты, дирижер поклонился публике, поднял

свою палочку, и они опустились в кресла одновременно с двумя тысячами слушателей. Исполняли концерт, и Симону казалось, что он его узнает — немножко патетично, временами, пожалуй, чересчур патетично. Он чувствовал прикосновение локтя Поль, и при всяком взлете музыки его уносило тем же порывом. Зато, как только музыка начинала замирать, он осознавал окружающее, слышал покашливание соседей, замечал смешную лепку черепа какого-то господина, сидевшего от них через два ряда, а главное — сознавал свой гнев. За городом в ресторанчике около Удана он встретил Роже, Роже с какой-то девицей. Роже поднялся, поздоровался с Симоном, однако с девицей не познакомил.

— У меня такое впечатление, что мы с вами все время встречаемся, не правда ли?

Симон от неожиданности промолчал. Роже смотрел на него угрожающим взглядом, приказывая молчать об их встрече; правда, он не смотрел на него заговорщически, как бабник на бабника, и на том спасибо. Смотрел злым взглядом. Симон промолчал, он не боялся Роже: он боялся причинить горе Поль. Никогда с Поль не случится ничего дурного по его вине, он поклялся себе в этом; впервые в жизни ему захотелось заслонить кого-то от беды. Ему, которому женщины надоедали быстро, больше того, отпугивали своими признаниями, своими тайнами, настойчивым желанием навязать ему роль мужчины-покровителя, ему, Симону, привыкшему к быстрым разлукам, вдруг захотелось обернуться и ждать. Но чего ждать? Ждать, пока эта женщина поймет, что любит самого заурядного хама; но как раз такие-то вещи понимают медленнее всего на свете... Она, должно быть, грустит, должно быть, и так и этак обдумывает поведение Роже, возможно, она уже замечает первые трещинки. Скрипка, вознесясь над оркестром, отчаянно забилась в пронзительной ноте и затихла, канув в волну мелодии и увлекая за собой другие инструменты. Симон еле сдерживался, чтобы не повернуться, не обнять Поль, не поцеловать ее. Да, поцеловать... Он ясно представил себе, как наклоняется к ней, губы его касаются ее губ, она закидывает руки ему на шею. Он прикрыл глаза. Увидев выражение его лица, Поль решила, что он и в самом деле меломан. Но тут его дрожащая рука нашла ее руку, и она досадливо отстранилась.

После концерта он новел ее пить коктейль, другими словами, ей подали апельсиновый сок, а ему двойной джин. Она подумала, что опасения мадам Ван ден Беш, пожалуй, не так уж необоснованны. Симон с горящим взором, размахивая руками, говорил о музыке, но она слушала его рассеянно. А что, если Роже удастся пораньше выехать из Лилля и он поспеет к обеду? Тем более что на них уже оглядывались. И неудивительно: Симон чересчур красив или просто чересчур молод, а она уже нет, во всяком случае для того, чтобы быть его дамой.

— Вы меня не слушаете?

— Нет, слушаю, — сказала она. — Но пора идти. Мне должны позвонить, и потом, на нас все смотрят!

— Неужели вы к этому до сих пор не привыкли! — восторженно отозвался Симон. После музыки и джина он почувствовал себя окончательно влюбленным.

Она расхохоталась: временами он бывает даже трогательным.

— Попросите счет, Симон.

Он повиновался с такой неохотой, что она невольно посмотрела на него в упор, пожалуй, впервые за этот вечер.

А что, если он и в самом деле понемножку влюбляется в нее, а что, если эта невинная игра обернется против него самого? Она по-прежнему считала, что он пресыщен своими победами; но, может быть, он вовсе не столь тщеславен, а гораздо проще, чувствительнее. Странно, но именно его красота вредила ему в ее глазах. Она находила его слишком красивым. Слишком красивым, чтобы быть искренним.

Если все это так, то она сделала глупость, встретившись с ним; лучше уж было отказаться. Он подозвал гарсона и молча вертел в пальцах стакан. Он вдруг умолк. Она положила ладонь ему на руку.

— Не обижайтесь, Симон, я спешу, меня ждет Роже.

В тот вечер в «Режине» Симон спросил ее: «Любите ли вы Роже?» Что она тогда ответила? Она уже не могла вспомнить. Во всяком случае надо, чтобы Симон знал.

— Ах да, Роже... — произнес он. — Мужчина до мозга костей. Блеск, а не мужчина...

Поль не дала ему договорить.

— Я его люблю, — сказала она и почувствовала, что краснеет. Ей самой показалось, что она произнесла эту фразу слишком театральным тоном.

— А он?

— И он тоже.

— Ну конечно. Все к лучшему в этом лучшем из миров.

— Не играйте в скептицизм, — ласково посоветовала она. — Рано вам. Сейчас вам положено быть легковерным, быть...

Он вдруг схватил ее за плечи и с силой тряхнул:

— Не смейтесь надо мной, прекратите со мной так разговаривать...

«Нельзя все-таки забывать, что он мужчина, — подумала Поль, стараясь высвободиться. — Сейчас у него по-настоящему мужское лицо, лицо униженного мужчины. Ведь ему не пятнадцать, а двадцать пять!»

— Я смеюсь вовсе не над вами, а над вашим поведением, — мягко сказала она. — Вы играете...

Он разжал пальцы, вид у него был усталый.

— Верно, играю, — согласился он. — С вами играл молодого блестящего адвоката, играл воздыхателя, играл балованное дитя — словом, один бог знает что. Но когда я вас узнал, все мои роли — для вас. Разве, по-вашему, это не любовь?

— Что ж, неплохое определение любви, — улыбнулась она.

Разговор не клеился, оба смущенно замолчали.

— Я предпочел бы разыгрывать роль страстного любовника, — сказал он.

— Я же вам говорила, я люблю Роже.

— А я люблю мою маму, мою старую няньку, мою машину...

— При чем здесь это? — перебила она.

Ей захотелось встать и уйти. Этот слишком юный хищник, как он-то может разобраться в ее истории, в их истории; в этих пяти годах радостей и сомнений, тепла и мук? Никто не в силах разлучить ее с Роже. Такая волна нежности и признательности за эту уверенность затопила ее, что она невольно схватилась за край стола.

— Вы любите Роже, но вы одиноки, — сказал Симон. — Вы одиноки, в воскресный день обедаете одна, и, возможно даже, вы... вы часто спите одна. А я спал бы рядом, я держал бы вас в своих объятиях всю ночь и потихоньку целовал бы вас, пока вы спите. Я, я еще могу любить. А он уже не может. И вы сами это знаете...

— Вы не имеете права... — проговорила она, подымаясь.

— Нет, имею право так говорить. Имею право влюбляться в вас, отнять вас у него, если только смогу.

Но Поль была уже далеко. Он поднялся, потом снова сел, охватив голову руками. «Она мне нужна, — думал он, — нужна... или я буду мучиться».

ГЛАВА 7

Уик-энд прошел очень мило. Эта Мэзи (жеманничая, она призналась, что зовут ее просто-напросто Марсель, имя, разумеется, мало-подходящее для будущей кинозвезды) — эта Мэзи сдержала слово. Улегшись в постель, она так и не вставала в противоположность некоторым другим партнершам Роже, для которых существовали определенные часы завтрака, обеда, коктейля, чая и т. д., дававшие столько оказий для смены туалетов. Два дня они не выходили из номера, вышли только раз, и он, конечно, сразу же наткнулся на того красавчика, сына дражайшей Терезы. Трудно было предположить, что мальчишка встретится с Поль, но Роже все же испытывал смутную тревогу. Поездка в Лилль была слишком грубой выдумкой, хотя он вовсе не считал, что оскорбляет Поль своей изменой и даже своей ложью. Но измены его не должны закрепляться ни во времени, ни в пространстве. «Я в воскресенье завтракал в Удане и видел вашего друга, с которым мы встретились тогда вечером в ресторане». Он представлял себе, как примет Поль эту весть; она промолчит, только, возможно, на минуту отведет глаза. Страдающая Поль... Этот образ давно уже потерял свою новизну для Роже, он столько раз гнал его прочь, что ему было стыдно; и было стыдно радости, вспыхнувшей при мысли, что, доставив Мэзи-Марсель по месту назначения, он немедленно отправится к Поль. Но Поль никогда ничего не узнает. Она, должно быть, хорошо отдохнула без него эти два дня, они ведь действительно слишком часто выезжают по вечерам. Играла в бридж у своих друзей, прибирала квартиру, читала новую книжку... Он вдруг удивился, почему это он так настойчиво старается заполнить до краев долгий воскресный день Поль.

— А ты хорошо ведешь машину, — услышал он голос над самым своим ухом, вздрогнул и увидел Мэзи.

— Ты находишь?

— Впрочем, ты все хорошо делаешь, — продолжала она.

И ему вдруг захотелось сказать ей, чтобы она забыла, и самому на секунду забыть ее стройненькое тело, ее удовлетворенный вид. Она заливалась томным смехом, по крайней мере, ей казалось, что томным, и, взяв его свободную руку, положила себе на колено. Нога была упругая, теплая, и он улыбнулся. Мэзи оказалась глупышкой, болтливой комедианткой. Любовь, оглупленная ею, представала в каком-то странно резком свете, а ее манера сводить на нет любую вспышку нежности, любой дружеский жест делала ее еще более соблазнительной. «Неодушевленный предмет, ничтожный, нечистый, непроницаемый, вульгарный и претенциозный, но, в общем, та, с которой мне нравится заниматься любовью». Он громко рассмеялся, она не спросила, чему он смеется, и молча протянула руку к радиоприемнику. Роже проследил взором ее жест... Что сказала тогда вечером Поль, включая радио? Что-то по поводу радио и их вечеров... Он уже не помнил точно. Передавали концерт. Мэзи переключила на другую волну, но за неимением лучшего вернулась к концерту. «Исполняли концерт Брамса», — объявил диктор блеющим голосом, и раздался треск рукоплесканий.

— Когда мне было лет восемь, я хотел быть дирижером, — произнес он. — А ты?

— А я хотела сниматься в кино, — ответила Мэзи, — и буду сниматься.

Он решил про себя, что так оно, очевидно, и будет, и остановил машину у дверей ее дома. Она уцепилась за лацкан его пиджака.

— Завтра я обедаю с этим противным Шерелем. Но мне хочется поскорей, поскорей увидеться с моим маленьким Роже. Я тебе позвоню, как только выберу минутку.

Он улыбнулся, ему льстила роль тайного и юного любовника, тем паче что соперник был мужчина его лет.

— А ты, — спросила опа, — ты сможешь? Мне говорили, что ты не свободен...

— Я свободен, — ответил он, слегка поморщившись. Не будет же он говорить с ней о Поль! Она выпорхнула из машины, помахала с порога ручкой, и он уехал. Эта фраза о свободе отчасти смутила его. «Свободен» — это означало: «свободен от каких-либо обязательств». Он нажал на акселератор; ему хотелось поскорее увидеться с Поль; только она одна может его успокоить и, конечно, успокоит.

* * *

Должно быть, она только что вернулась, потому что еще не успела снять пальто. Лицо у нее было бледное, и, когда он вошел, она бросилась к нему, уткнулась в его плечо и застыла. Он обнял ее, прижался щекой к ее волосам и ждал, пока она заговорит. Как хорошо, что он поспешил к ней, он ей нужен, очевидно, что-то случилось; и при мысли, что он это предчувствовал, он ощутил, что его нежность к ней вдруг стала необъятной. Он ее защитит. Конечно, она сама сильная, и независимая, и умная, но он знал, в ней было больше женской слабости, чем в любой другой женщине, с которой его сводила жизнь. И поэтому он ей нужен. Она тихонько высвободилась из его объятий.

— Хорошо съездил? Как Лилль?

Он бросил на нее быстрый взгляд. Нет, конечно, она ничего не подозревает. Не из той она породы женщин, чтобы расставлять мужчинам ловушки. Он поднял брови.

— Да так. Ну а ты? Что с тобой?

— Ничего, — ответила она и отвернулась.

Он не настаивал — потом сама все скажет.

— А что ты делала?

— Вчера работала, а сегодня была на концерте в зале «Плейель».

— Ты любишь Брамса? — спросил он с улыбкой.

Она стояла к нему спиной, но при этом вопросе обернулась так поспешно, что он невольно отступил.

— Почему ты спрашиваешь?

— Я слышал на обратном пути часть концерта по радио.

— Ах да... — произнесла она, — концерт транслировали... Я просто удивилась твоей любви к музыке.

— Как и я твоей. Что это тебе вдруг вздумалось? А я-то воображал, что ты играешь в бридж у Дарэ или...

Она зажгла в маленькой гостиной свет. Усталым движением скинула пальто.

— Меня пригласил на концерт молодой Ван ден Беш; делать мне

Странно, да? Вдруг не могла вспомнить, люблю ли я Брамса...

Она рассмеялась сначала еле слышно, потом громче. Целый вихрь мыслей пронесся в голове Роже. Симон Ван ден Беш? Уж не рассказал ли он об их встрече... в Удане? И потом, почему она смеется?

— Поль, — произнес он, — успокойся. И вообще, что ты делала с этим мальчишкой?

— Слушала Брамса, — ответила она и снова засмеялась.

— Хватит говорить о Брамсе...

— Но о нем-то и идет речь...

Он взял ее за плечи. На глазах у нее от смеха выступили слезы.

— Поль, — сказал он. — Моя Поль... Что тебе наболтал этот тип? И вообще, что ему от тебя нужно?

Роже был в бешенстве; он чувствовал, что его обскакали, оставили в дураках.

— Конечно, ему двадцать пять, — сказал он.

— В моих глазах это недостаток, — мягко произнесла Поль, и он снова обнял ее.

— Поль, я так в тебя верю. Так верю! Даже мысль мне непереносима, что какой-то юный шалопай может тебе понравиться.

Он прижал ее к себе; вдруг ему представилась Поль, протягивающая руки другому. Поль, целующая другого, Поль, дарящая другому свою нежность, свое внимание; он мучился.

«Мужчины ровно ничего не смыслят, — подумала Поль без горечи. — «Я так в тебя верю», так верю, что могу обманывать тебя, могу оставлять тебя одну и даже не мыслю, что ты можешь поступать так же. Просто прелестно!»

— Он очень милый, но ничем не примечательный, — проговорила она. — Вот и все. Где ты хочешь обедать?

Глава 8

«Простите меня, — писал Симон. — И в самом деле я не имел права говорить Вам все это. Всему причиной ревность, а, по-моему, человек имеет право ревновать лишь того, кем он владеет. Во всяком случае, слишком очевидно, что я Вам надоел. Скоро Вы избавитесь от меня, я уезжаю в провинцию вместе с моим уважаемым мэтром изучать материалы процесса. Поселимся мы в старом деревянном доме у его друзей. Мне почему-то представляется, что простыни там пахнут вербеной, что в каждой комнате мы затопим камин, что по утрам над моим окошком будут щебетать птицы. Но я знаю также, что на сей раз мне не удастся сыграть роль буколического пастушка. Вы будете ночью возле меня, на расстоянии вытянутой руки, освещенная игрой пламени; постараюсь продлить свое пребывание там как можно дольше. Не верьте — даже если Вы никогда не захотите меня увидеть, — не верьте, что я не люблю Вас. Ваш Симон».

Листок дрогнул в пальцах Поль, выскользнул на одеяло, потом упал на ковер. Поль откинулась на подушку, закрыла глаза. Он ее любит, это так... Она чувствовала себя усталой этим утром, плохо спала. Причиной тому была, вероятно, коротенькая фраза, которую неосторожно бросил Роже, когда накануне она расспрашивала его об обратном пути, коротенькая фраза, на которую она сначала даже не обратила внимания, но, произнеся ее, он запнулся, голос его вдруг упал, перешел в бормотание.

«Конечно, возвращаться после воскресенья всегда мерзко... Но в конце концов на автостраде, даже забитой машинами, можно держать большую скорость...»

Если бы он не изменил интонацию, она, конечно, ничего бы не заметила. Бессознательный рефлекс, этот страшный рефлекс самозащиты, так неестественно обострившийся за последние два года, не замедлил бы преподнести ее воображению новенькую Лилльскую автостраду. Но он не договорил, она не взглянула на него, и ей самой еще пришлось в тот вечер пятнадцатью секундами позже возобновить обычный спокойный разговор. Беседа за обедом продолжалась в том же тоне, но Поль чудилось, что охватившая ее усталость, уныние так и останутся при ней, а вовсе не ревность или любопытство. Через столик она видела лицо, такое знакомое, такое любимое лицо, на котором был написан вопрос — догадалась или нет, — эти глаза, с палаческой настойчивостью искавшие следы страдания на ее лице. Она даже подумала: «Мало того, что он меня мучит, ему, видите ли, нужно еще скорбеть о том, что я мучусь!» И Поль показалось, что ни за что ей не подняться со стула, не пройти через зал ресторана с тем непринужденным изяществом, которого он от нее ждет, не произнести простое «спокойной ночи» у подъезда. Ей хотелось совсем другого: она предпочла бы оскорбить его, швырнуть ему в голову стакан, но она не могла перестать быть самой собой, поступиться всем, что отличало ее от дюжины его потаскушек, всем, что внушало к ней уважение, своим достоинством, наконец. Она предпочла бы быть одной из них! Он не упускал случая объяснить ей, что именно он в них находит, он, мол, такой уж есть и ничего скрывать не желает. Да, он был по-своему честен. Но не заключается ли честность в том, не в том ли единственно мыслимая честность в нашей путаной жизни, чтобы любить достаточно сильно, дать другому счастье. Даже отказавшись, если надо, от самых своих заветных теорий.

Письмо Симона так и осталось лежать на ковре, и, вставая с постели, Поль наступила на него. Она подняла письмо, перечитала. Потом открыла ящик стола, взяла автоматическую ручку, бумагу и написала ответ.

Симон сидел один в гостиной, не желая толкаться среди толпы приглашенных, которые по окончании процесса собрались поздравить знаменитого адвоката. Дом был унылый, холодный, всю прошлую ночь он мерз, а в окно виднелся застывший пейзаж: два голых дерева и лужайка, где мирно гнили среди рыжей травы два плетеных кресла, оставленных нерадивым садовником на милость осенней непогоде. Симон читал английский роман, какую-то странную историю про женщину, превращенную в лисицу, и временами хохотал во все горло, но никак не мог найти удобной позы; то он сплетал ноги, то расплетал, и ощущение физического неустройства постепенно стеною становилось между ним и книгой; в конце концов он не утерпел, отложил роман и вышел из дому.

Он добрел до небольшого прудика в самом конце парка, вдыхая на ходу запахи осеннего холода, осеннего вечера, к которым примешивался более далекий запах костра, где-то сжигали опавшие листья; сквозь изгородь был виден дымок. Этот запах он любил больше других и остановился, закрыв глаза, чтобы полнее насладиться. Время от времени какая-то птица испускала негромкий, немелодичный крик, и это безукоризненно верное сочетание, совмещение различных видов тоски чем-то облегчило его собственную тоску. Он склонился над тусклой водой, опустил в нее руку, посмотрел на свои худые пальцы, которые через воду казались посажены наискось, почти перпендикулярно к ладони. Он не пошевелился, только сжал в воде кулак медленным движением, будто надеясь поймать таинственную руку. Он не видел Поль семь дней, теперь уже семь с половиной дней. Должно быть, она получила его письмо, пожала еле заметно плечами, спрятала письмо подальше, чтобы оно не попалось на глаза Роже и тот не стал бы издеваться над Симоном. Потому что она, Симон знал это наверняка, добрая. Добрая и нежная, и несчастная — она ему нужна. Но как сделать, чтобы она это поняла. Однажды вечером в этом мрачном доме он уже пытался думать о ней, думать так долго, так упорно, чтобы даже в далеком Париже его мысли достигли ее; он спустился в одной пижаме в библиотеку, надеясь обнаружить там какой-нибудь труд по телепатии. И конечно, без толку! Это было мальчишество, он сам это понимал: стараясь выпутаться из затруднительного положения, он всегда прибегал или к чисто ребяческим выдумкам, или действовал наудачу. Но Поль была из тех, кого еще нужно заслужить, не стоило себя обманывать. Ему не удастся покорить ее силой своих чар. Напротив, он чувствовал, что его наружность только вредит ему в глазах Поль. «Парикмахерская физиономия», — простонал он громко, и птица замолчала, не доведя до конца свою пронзительную трель.

Он медленно побрел к дому, растянулся на ковре, подбросил в печку полено. Сейчас войдет мэтр Флери, скромно торжествующий и еще более самоуверенный, чем обычно. Он будет вспоминать знаменитые процессы перед ослепленными его парижским блеском провинциалочками, а те, немного осоловев, обратят за десертом свои масленые под воздействием легких винных паров взгляды в сторону юного стажера, вежливого и молчаливого, то есть в сторону самого Симона. «По-моему, тут вам обеспечен успех», — шепнет ему на ухо мэтр Флери и, конечно, укажет на самую пожилую из дам. Они уже выезжали вместе, но назойливые намеки знаменитого адвоката никогда не заводили их слишком далеко.

Его предчувствия оправдались. Только обед получился ужасно веселый. Пожалуй, никогда еще он так не веселился, говорил без умолку, перебивал адвоката и очаровал всех присутствующих дам. Перед самым обедом мэтр Флери вручил ему письмо, которое с авеню Клебер переслали в Руан. Письмо было от Поль. Он держал руку в кармане, чувствовал письмо под пальцами и улыбался от счастья. Болтая с дамами, он старался припомнить в точности письмо, медленно, слово за словом восстанавливал его в памяти.

«Миленький мой Симон. — Она всегда так его называла. — Ваше письмо звучит ужасно грустно. Я не стою такой грусти. Впрочем, я скучала без Вас. И сама уже не очень знаю, что происходит». И она снова написала его имя: «Симон» — и добавила еще два чудесных слова: «Возвращайтесь скорее».

Он и возвратится немедленно, как только кончится обед. Понесется в Париж, поглядит на ее окна, возможно, встретит ее. В два часа он уже был перед домом Поль, не в силах тронуться с места. Через полчаса подъехала машина. Поль вышла одна. Он, не шевелясь, смотрел, как она пересекла улицу, помахала рукой вслед уезжавшей машине. Он не мог тронуться с места. Это была Поль. Он любил ее, и он прислушивался к этой любви, которая окликала Поль, догоняла ее, говорила с ней; он слушал ее не шевелясь, испуганный, без мысли, чувствуя только боль.

ГЛАВА 9

Озеро в Булонском лесу лежало перед ними в хмуром солнечном свете, льдисто-холодное; какой-то гребец, представитель той странной породы людей, которые тренируются каждый божий день, надеясь сохранить свою спортивную форму, хотя вряд ли кто-нибудь может ее оценить — настолько безлика их внешность, — так или иначе, гребец огромными усилиями старался воскресить ушедшее лето; его весло вздымало сноп воды, сверкающий, серебристый, почти неуместный сейчас, когда из-за скованных холодом деревьев уже проглядывала зимняя печаль. Поль смотрела, как он, наморщив лоб, орудует веслом в своей байдарке. Он пройдет вокруг острова, вернется усталый, довольный собою; и в этом упорном каждодневном кружении ей открывалось нечто символическое. Симон молча сидел рядом. Он ждал. Она посмотрела на него и улыбнулась. Он тоже взглянул на нее, но не ответил на улыбку. Ничего не было общего между той Поль, ради которой он мчался вчера вечером из Руана в Париж, между Поль, отдающейся, какою он ее мысленно представлял себе, нагой, покорной, как вчерашняя дорога, и вот этой Поль — спокойной, вряд ли даже обрадованной встречей, дремлющей сейчас рядом на железном стуле среди этого приевшегося пейзажа. Он был разочарован и, нарочно перетолковывая свое разочарование, решил, что уже не любит ее. Эта неделя одержимости в печальном деревенском доме была достаточно ярким примером того, до каких глупостей порой доходят его фантазии. И все же он не мог подавить головокружительное, причинявшее боль желание, охватившее его при мысли, что он запрокинет это усталое лицо, больно прижмет ее голову к спинке стула и приблизит свои губы к этим крупным спокойным губам, произносившим целые два часа подряд лишь любезные слова утешения, ни на что ему не нужного. Она ему написала: «Возвращайтесь скорее». И он клял себя не так за свое глупое ожидание этих слов, как за охватившую его радость при получении письма, за свое дурацкое ликование, за свое доверие к ней лучше иметь основательную причину для несчастья, чем ничтожную для счастья. Он сказал ей об этом. Она отвела глаза от байдарки и пристально посмотрела на Симона.

— Миленький мой Симон, все нынче таковы. Так что ваше желание вполне естественно.

Она рассмеялась. Как сумасшедший примчался он сегодня утром на авеню Матиньон, и Поль с первых же слов дала ему понять, что письмо ее ровно ничего не означает.

— Все-таки согласитесь, что вы не похожи на женщину, которая пишет первому попавшемуся: «Возвращайтесь скорее», — сказал он.

— Я была одна, — призналась Поль. — И в странном состоянии духа. Очевидно, мне не следовало писать: «Возвращайтесь скорее», вы правы.

Однако думала она иначе. Он рядом, и она была счастлива, что он рядом. Так одинока она была, так одинока! Роже затеял интрижку (ей не преминули сообщить об этом), у него связь с какой-то молоденькой женщиной, помешанной на кино; он, видимо, стыдится новой связи, правда, они ни разу в разговоре не касались этого вопроса, но обычно, когда он гордился своими приключениями, он обходился без столь путаных алиби. На этой неделе они обедали вместе два раза.

Всего два. И верно, не будь при ней этого мальчика, страдающего по ее вине, она была бы совсем несчастной!

— Давайте уйдем, — предложил он, — вам скучно.

Она ничего не возразила и поднялась. Ей хотелось довести его до крайности, она сама сердилась на себя за эту жестокость. Жестокость ее была как бы изнанкой грусти, нелепой потребностью отомстить тому, кто ничем этого не заслужил. Они уселись в маленькую машину Симона, и он горько улыбнулся, сравнив эту поездку с первой поездкой вдвоем, какой она рисовалась ему в воображении: правой рукой он держит руку Поль и ведет машину одной левой, совершая чудеса ловкости, а прекрасное лицо Поль склоняется к нему. Не глядя, он протянул руку в ее сторону, и она обхватила ее ладонями. Она подумала: «Неужели я не имею права хоть раз, хоть раз в жизни натворить глупостей!» Он остановил машину; она ничего не сказала, и он поглядел на свою собственную руку, неподвижно лежавшую между ее слегка раскрытых ладоней, готовых выпустить эту руку, желавших этого, должно быть, больше всего на свете; и он откинул голову, почувствовав вдруг смертельную усталость, подчинившись неизбежности разлуки. В это единое мгновение он сразу постарел на тридцать лет, покорился жизни, и впервые Поль почудилось, будто она наконец-то увидела его по-настоящему.

Впервые он показался Поль похожим на них (на Роже и на нее); нет, не то чтобы он стал вдруг уязвимым, — она и раньше знала за ним это, даже вообще не представляла себе, чтобы кто-либо был лишен такого свойства. Вернее, перед ней был человек, отрешившийся, освободившийся от всего, что дарует юность, красота, неопытность, — всего, что делало его невыносимым в глазах Поль; в ее глазах он был скорее всего пленником: пленником своей собственной легковесности, своей жизни. Вот он запрокинул голову, повернул не к ней, а к деревьям свой профиль еще живого человека, уже не отвечающего ударом на удар. И тут она вспомнила Симона таким, каким увидела впервые — в халате, веселого, онемевшего перед ней, — и ей захотелось вернуть его самому себе, прогнать прочь, отдав тем самым во власть скоропреходящей грусти и во власть сотен ничтожных барышень, которые непременно появятся и что не так-то уж трудно себе представить. Время научит его лучше, чем она, медленнее и лучше. Его рука неподвижно лежала в ее ладонях, она чувствовала под пальцами биение его пульса, и вдруг со слезами на глазах, сама не зная причины слез — то ли она оплакивала этого чересчур чувствительного мальчика, то ли свою чересчур печальную жизнь, — она поднесла его руку к губам и поцеловала.

Не сказав ни слова, он уехал. Впервые между ними произошло что-то; он знал это и был еще более счастлив, чем накануне. Наконец-то она его «разглядела», и если он вообразил, что первым между ними событием может быть только ночь любви, то пусть сам пеняет на свою глупость. Ему потребуется еще много терпения, много нежности и, само собой разумеется, много времени. И он чувствовал, что он терпелив, нежен и что впереди у него вся жизнь. Он подумал даже, что если эта ночь любви когда-нибудь наступит, то лишь как этап, а не как привычное завершение, которое он обычно предвидел заранее; возможно, будут у них дни и ночи, но никогда не будет им конца. И в то же самое время его жестоко влекло к ней.

ГЛАВА 10

Мадам Ван ден Беш старилась. До сих пор в силу своих физических данных и в силу того, что можно было определить словом «призвание», она дружила с мужчинами, а не с женщинами (во всяком случае, до нечаянной удачи — брака с Жеромом Ван ден Бешем), но при первых признаках увядания она поняла, что одинока, растерялась и стала цепляться за первого попавшегося, за первую попавшуюся. В лице Поль она нашла идеальную собеседницу уже по причине их деловых отношений. В квартире на авеню Клебер все было вверх дном. Поль приходилось проводить здесь чуть ли не целые дни, да еще мадам Ван ден Беш находила тысячи предлогов, чтобы удержать ее при себе. Тем более что эта самая Поль, как ни была она отвлечена своими делами, очевидно, подружилась с Симоном; хотя мадам Ван ден Беш напрасно искала в их поведении признаки более интимной близости, она не могла удержаться и исподтишка наблюдала за ними, бросала намеки, которые отскакивали от Поль, но Симона приводили в бешенство. Так, в один прекрасный день он, бледный и расстроенный, накинулся на нее и угрожал ей — ей, родной матери! — если она посмеет «все испортить».

— Да что испортить? Оставь ты меня в покое. Спишь ты с ней или нет?

— Я тебе тысячу раз говорил — нет.

— Тогда в чем же дело? Если она сама об этом не думает, я заставлю ее подумать. Тебе это будет очень полезно. Ей ведь не двенадцать лет. А ты водишь ее на концерты, на выставки и еще бог знает куда... Ты думаешь, ей это интересно? Разве ты, дурачок, не понимаешь...

Но Симон, не дослушав, вышел из комнаты. Он вернулся из Руана три недели назад и жил лишь для Поль, ради Поль, лишь короткими часами их встреч, если только она соглашалась на встречу, старался затянуть свидание, задержать ее руку в своих руках, совсем как те романтические герои, которых он всегда высмеивал. Поэтому он даже испугался, когда мать, после того как гостиная была окончательно обставлена, объявила, что устраивает званый обед и пригласит Поль. Она добавила, что пригласит и Роже, официального друга Поль, а также еще человек десять.

Роже дал согласие прийти. Ему хотелось получше разглядеть этого фата, который повсюду появляется с Поль и о котором она говорит с явной симпатией, что, впрочем, устраивало Роже больше, нежели сдержанное молчание. К тому же он испытывал угрызения совести, так как уже целый месяц пренебрегал Поль. Он был буквально околдован крошкой Мэзи, околдован ее глупостью, ее телом, теми бурными сценами, которые она ему закатывала, ее патологической ревностью и, наконец, ее неожиданной страстью, в которой она изощрялась ради него и обрушивала на него с таким совершенным бесстыдством, что совсем его покорила. Ему казалось, что он живет в турецкой парной бане; в глубине души он считал, что уже больше никогда в жизни не вызовет страсть столь неприкрытого накала, и он сдавался, он отменял назначенные Поль встречи. Поль ровным голосом отвечала в трубку: «Хорошо, милый, до завтра», — а он бежал в тесный, ужасный будуар, где Мэзи, обливаясь слезами, клялась, что готова, если ему угодно, пожертвовать ради него своей карьерой. Он наблюдал за самим собой с каким-то странным любопытством, спрашивая себя, до какого предела сможет выносить всю глупость этой связи, потом брал Мэзи в объятия, она начинала ворковать, и эти полуидиотские, полускабрезные слова, которые она бормотала в постели, доводили Роже до ранее неведомого любовного экстаза. Так что юный Симон был очень на руку как постоянный спутник Поль, и спутник весьма скромный. Как только Роже порвет с Мэзи, он поставит все на место и к тому же женится на Поль. Он не был уверен ни в чем на свете, даже в самом себе; единственное, в чем он никогда не сомневался, была нерушимая любовь Поль, а в последние годы — его собственная к ней привязанность.

Он явился с запозданием и с первого же взгляда определил, какого рода это обед и какая тут будет смертельная скука. Поль нередко упрекала его в недостатке общительности, и в самом деле вне своей работы он ни с кем не встречался, если только встреча не преследовала вполне определенную цель, или же встречался, чтобы поговорить, а для этого существовала Поль и один его старинный друг. Он жил одиноко, терпеть не мог светских сборищ, столь модных в Париже. Попав в общество, он с трудом сдерживался, чтобы не нагрубить или тут же не уйти домой. Среди гостей мадам Ван ден Беш собралось несколько избранных личностей, хорошо известных в этой среде или упоминаемых в газетах, в общем, люди весьма любезные, с которыми придется беседовать за обедом о театре, или о кино, или, что уже совсем невыносимо, о любви и отношениях мужчины и женщины; этой темы Роже боялся как огня, поскольку считал, что ничего не смыслит в таких вещах или по меньшей мере не способен четко сформулировать на сей счет свое мнение. Он надменно кивнул присутствующим, и, как всегда, когда в дверях появлялась его крупная, немного скованная в движениях фигура, создалось впечатление, будто он весьма некстати устроил сквозняк. Впечатление, впрочем, не совсем неверное: Роже всегда производил среди людей легкое смятение, таким он казался неприручаемым, а потому желанным для большинства женщин. Поль надела его любимое черное платье, более открытое, чем все другие ее туалеты, и, наклонившись к ней, он признательно ей улыбнулся за то, что она — это она, и она — его; одну ее он и признавал в этом чужом доме. И она на мгновение прикрыла глаза, отчаянно желая, чтобы он заключил ее в свои объятия. Он сел рядом с ней и, тут только заметив неподвижно застывшего Симона, подумал, как, должно быть, страдает юноша от его присутствия, и инстинктивно убрал руку, которую закинул было за спину Поль. Она обернулась, и вдруг в общую оживленную беседу врезалось молчание троих, втройне накаленное молчание, которое нарушил жест Симона, протянувшего Поль зажигалку. Роже глядел на них, глядел на долговязую фигуру Симона, на его серьезный профиль, пожалуй, чересчур тонкий, на строгий профиль Поль и с трудом подавил непочтительное желание расхохотаться. Оба они были куда как сдержанны, чувствительны, хорошо воспитаны: Симон протягивал Поль зажигалку, Поль отказывала Симону в своей близости, и все это с разными нюансами, со словами вроде «благодарю вас, нет, спасибо». Сам Роже был совсем другой породы, его ждала маленькая потаскушка и самые заурядные радости, потом парижская ночь и тысячи встреч, а с зарей — утомительный, почти физический труд в обществе таких же людей, как он сам, падающих с ног от усталости, чья профессия была когда-то и его профессией. В эту самую минуту Поль произнесла «спасибо!» своим спокойным голосом, и он, не удержавшись, взял ее за руку, сжал эту руку, чтобы напомнить о себе. Он любил ее. Пусть этот мальчуган таскает ее по концертам и музеям, никогда он к ней не прикоснется. Роже поднялся, взял с подноса стакан шотландского виски, выпил залпом, и у него стало легче на душе.

Обед прошел именно так, как и предвидел Роже. Он что-то пробурчал, пытаясь вступить в разговор, и очнулся от задумчивости только к концу обеда, когда мадам Ван ден Беш спросила, знает ли он, с кем спит мсье X., явно желая сообщить Роже эту новость. Роже ответил, что он интересуется этим не больше, чем любимыми блюдами мсье X., что это не имеет в его глазах никакого значения и что пускай уж лучше люди интересуются столом соседа, чем его постелью, так по крайней мере будет меньше неприятностей. Поль рассмеялась, потому что своими словами он сорвал всю обеденную беседу, и Симон, не удержавшись, последовал ее примеру. Роже выпил лишнее: когда он встал из-за стола, его слегка пошатывало, и он не заметил, что мадам Ван ден Беш, игриво хлопая выхоленной ручкой по подлокотнику кресла, подзывает его к себе.

— Мама вас зовет, — сказал Симон.

Они стояли лицом к лицу. Роже разглядывал Симона, подсознательно стараясь обнаружить какой-нибудь изъян — хотя бы срезанный подбородок, безвольный рот, — и, обманувшись в своих ожиданиях, сердито нахмурился:

— А вас, должно быть, ищет Поль?

— Я сейчас иду к ней, — сказал Симон и повернулся к собеседнику спиной.

Роже придержал его за локоть. Вдруг он взбесился. Юноша удивленно оглянулся.

— Подождите-ка... мне нужно вам кое-что сказать.

Они мерили друг друга взглядом, понимая, что пока им еще нечего сказать друг другу. Но Роже удивил собственный жест, и Симон так этим возгордился, что не мог удержаться от улыбки. Роже понял свой промах и убрал руку.

— Я хотел попросить у вас сигару.

— Сию секунду.

Роже следил за ним взглядом. Потом направился к Поль, которая разговаривала, стоя в кругу гостей, и взял ее под руку. Она отошла с ним в сторону и первым делом спросила:

— Что ты сказал Симону?

— Попросил у него сигару. Чего ты испугалась?

— Сама не знаю, — с облегчением вздохнула она. — У тебя был такой свирепый вид.

— Чего ради я буду свирепеть? Ему же двенадцать лет. Ты думаешь, я ревную?

— Нет, — ответила она и опустила глаза.

— Если бы я стал ревновать, то уж скорее к твоему соседу слева. По крайней мере хоть мужчина.

Поль не сразу поняла, кого он имеет в виду, потом вспомнила и не могла удержать улыбки. Она даже не заметила своего соседа слева. Весь обед для нее был освещен Симоном, чей взгляд, словно свет маяка, через каждые две минуты скользил по ее лицу и чуть задерживался, надеясь встретиться с ней глазами. Иной раз она шла навстречу его желанию, и он тогда улыбался такой нежной, такой тревожной улыбкой, что она не могла не ответить ему. Он был в сотни раз красивее ее соседа слева, по-настоящему живой, и она подумала, что Роже ровно ничего не понимает в таких вещах. Но тут подошел Симон и протянул Роже ящик с сигарами.

— Благодарю, — сказал Роже (он тщательно выбирал сигару), — вы еще не знаете, что такое хорошая сигара. Это удовольствие для людей моего возраста.

— Охотно уступаю его вам, — произнес Симон. — Ненавижу
сигары.

— Тебе, Поль, надеюсь, не мешает дым? Впрочем, мы скоро уходим, — добавил он, повернувшись к Симону. — Мне завтра рано вставать.

Симон пренебрег этим «мы». «Это значит, что он проводит ее до дома, сам пойдет к той маленькой потаскушке, а я останусь здесь без нее». Он взглянул на Поль, прочел на ее лице ту же мысль и пробормотал:

— Если Поль не устала... я могу отвезти ее попозже.

Оба повернулись к Поль. Она улыбнулась Симону и сказала, что предпочитает уехать сейчас, потому что уже поздно.

В машине они не обменялись ни словом. Поль ждала. Роже силой увез ее с вечера, где ей было весело; он обязан объяснить свое поведение или извиниться. У подъезда Роже остановил машину, но мотор не выключил... и Поль сразу поняла, что он ничего не скажет, не поднимется к ней, что он вел себя так на обеде, лишь повинуясь голосу предусмотрительного собственника.

Она вышла из машины, прошептала: «Спокойной ночи» — и перешла улицу. Роже сразу же уехал, он злился на себя.

Но у подъезда стояла машина Симона, а в машине сидел Симон. Он окликнул Поль, и она, не скрывая удивления, подошла к нему.

— Как вы сюда попали? Должно быть, неслись как безумный. А как же вечер вашей матушки?

— Сядьте на минутку, — умоляюще проговорил он.

Они шептались в темноте, словно кто-то мог услышать. Она ловко проскользнула в низенькую машину и отметила про себя, что уже привыкла к ней. Привыкла также к этому лицу, доверчиво повернувшемуся к ней и рассеченному светом фонаря пополам.

— Вы не очень скучали? — спросил он.

— Да нет, я...

Он совсем близко, слишком близко, подумала она. Сейчас не время разговаривать, и вообще зачем он увязался за ними... Роже мог его заметить, просто сумасшествие... Она поцеловала Симона.

Зимний ветер поднялся на улице, пронесся над открытой машиной и отбросил им на лица спутавшиеся волосы. Симон покрывал ее лицо поцелуями; она, оглушенная этими ласками, вдыхала аромат его юности, его дыхания и ночную свежесть. Она ушла, не сказав ни слова.

На заре она открыла глаза и как в полусне вновь увидела копну черных кудрей, смешавшихся с ее волосами под яростным порывом ночного ветра, легкий шелковистый заслон между их лицами и ощутила прикосновение горячих губ, пронизавшее ее всю. Она улыбнулась и заснула.

Глава 11

Вот уже десять дней он не видел ее. Назавтра после того сумасшедшего и прекрасного вечера, когда она сама его поцеловала, он получил от нее записку, в которой она запрещала ему искать новых встреч. «Я не хочу причинить Вам боль, слишком большую нежность я к Вам испытываю». Он не понял, что боится она не так за него, как за себя: он поверил в эту жалость и даже не обиделся, он просто искал способа, возможности представить себе свою жизнь без нее. Он не подумал, что эти стилистические оговорки: «Я не хочу причинить Вам боль, это неблагоразумно» и т.д. и т.п. — чаще всего суть кавычки, которые ставят непосредственно до или непосредственно после романа, и ни в коем случае они не должны обескураживать. И Поль тоже этого не знала. Она просто боялась, она безотчетно ждала, чтобы он пришел и заставил ее принять свою любовь. Ей было невмоготу, и однообразное течение зимних дней, вереница все одних и тех же улиц, приводивших ее, одинокую, от квартиры к месту работы, этот телефон-предатель — она каждый раз жалела, что сняла трубку: так отчужденно и пристыженно звучал голос Роже, — и, наконец, тоска по далекому лету, которое никогда не вернется, — все вело к безучастной вялости и требовало любой ценой, чтобы «хоть что-то произошло».

Симон трудился. Он стал пунктуален, усидчив и молчалив. Время от времени он подымал голову, останавливал на мадемуазель Алис отсутствующий взгляд и нерешительно проводил по губам пальцем... Поль, тот последний вечер, внезапное и почти властное движение, которым она прижала его губы к своим, ее запрокинувшаяся голова и руки, нежно прижимавшие его, Симона, к своему лицу, ветер... Мадемуазель Алис деликатно покашливала, смущенная этим взглядом, а он в ответ рассеянно улыбался; Поль поступила так с досады, только и всего... Он даже не попытался с тех пор ее увидеть; возможно, он вел себя неправильно? Десятки, сотни раз он воссоздавал малейшие события тех недель, их последнюю поездку на машине, эту выставку, до того скучную, что они попросту сбежали оттуда, этот чудовищный обед, устроенный матерью, — и каждая новая, приходившая на память подробность, каждая картина, каждая догадка мучили его еще безжалостнее. Но дни шли, время работало на него или готовило ему гибель — он уже и сам ничего не понимал.

Как-то вечером, спустившись по темной лестнице с одним своим приятелем, он очутился в ночном ресторанчике. Симон попал сюда впервые. Они много выпили, заказывали все новые порции и все больше мрачнели. Потом какая-то черная женщина стала петь, у нее был огромный розовый рот, ее пение открывало врата любой тоске,

зажигало огни сентиментального отчаяния, в бездну которого они
скользили вместе.

— Я отдал бы два года жизни, лишь бы полюбить, — заявил
приятель Симона.

— А я люблю, — ответил Симон, — и она никогда пс узнает, что
я ее любил. Никогда.

От дальнейших объяснений он отказался, но ему все мерещилось, что ничто еще не потеряно, что это было бы немыслимо. Неужели весь этот шквал впустую! Они пригласили певицу выпить с ними; она была с площади Пигаль, а пела для них так, словно только
что прибыла из Нового Орлеана; воображению осоловелого Симона
рисовалась голубеющая и нежная жизнь, где переплетались тонкие
линии профилей и тянущихся рук. Он просидел в ресторанчике допоздна, слушая в одиночестве певицу, и вернулся домой на рассвете,
окончательно протрезвев.

* * *

На следующий день в шесть часов вечера Симон поджидал Поль
перед ее магазином. Шел дождь. Симон поглубже засунул руки в карманы и все же с ненавистью ощущал, как они дрожат. Он чувствовал
себя до странности опустошенным, глухим ко всему на свете.

«Боже мой, — думал он, — а вдруг я уже ни на что не гожусь, как
только мучиться при ней!» И лицо его передернулось от отвращения.

В половине седьмого показалась Поль. Темный костюм, голубо-
вато-серая, как глаза, косынка и очень усталый вид. Он шагнул ей навстречу, она улыбнулась, и вдруг наступило мгновение такой полноты жизни, такого спокойствия, что он даже прикрыл глаза. Он ее любит. Он принимал все, все, что произойдет, если произойдет это из-за
нее, все равно хуже не будет. Поль увидела его незрячее лицо, протянутые к ней руки и остановилась. Эти десять дней, по правде говоря,
ей тоже не хватало Симона. Его присутствие, его восхищение, упорство стали ощущаться ею, думала она, как привычка, зачем же отвы-
кать. Но обращенное к ней лицо было бесконечно далеко и от этой
привычки, и от душевного комфорта тридцатидевятилетней женщины. Это совсем другое. Серая панель, прохожие, шнырявшие мимо
машины вдруг показались ей какой-то стилизованной, застывшей декорацией, декорацией вне времени. Они смотрели друг на друга, разделенные расстоянием в два метра, и, пока ее не успела усыпить уг-
рюмая, оглушающая реальность улицы, пока она была еще настороже, начеку, на краю срывавшегося в никуда сознания, Симон сделал
шаг и обнял ее.

Он спокойно стоял возле нее, он не сжимал ее в объятиях, он
удерживал дыхание, на него снизошло какое-то необъятное умиро-

творение. Он приник щекой к ее волосам и пристально глядел на вывеску книжной лавки на противоположной стороне улицы — «Сокровища эпохи», раздумывая про себя, чего больше в этой лавке: сокровищ или хлама. Он сам удивился, что в эту столь бесценную минуту способен думать о подобной ерунде. У него было такое ощущение, будто ему вдруг наконец удалось решить какую-то очень важную задачу.

— Симон! И давно вы здесь? — спросила Поль. — Вы, должно быть, промокли до нитки!

Она вдыхала запах его пиджака из твида, его шеи, и ей уже не хотелось двигаться. Он возвратился, и она почувствовала внезапное облегчение, словно избавилась от беды.

— Знаете, я совсем не могу без вас жить, — сказал Симон. — Все это время я провел как в пустоте. Не то что скучно, а просто меня нет. А вы?

— Я? — повторила Поль. — Ну, в Париже, как вам известно, в это время года мало веселого. — Она старалась придать их разговору самый естественный характер. — Я осматривала новую коллекцию, словом, вела себя, как полагается настоящей деловой женщине; встретилась с двумя американками. Возможно, придется побывать в Нью-Йорке.

В то же самое время она понимала, что бессмысленно продолжать такой разговор в объятиях этого мальчика, стоя под дождем, как стоят потерявшие разум любовники, но не могла пошевелиться. Губы Симона нежно касались ее виска, волос, щек, словно расставляя паузы между ее фразами. Она замолчала, еще крепче прижалась лбом к его плечу.

— А вам хочется поехать в Нью-Йорк? — услышала она над собой голос Симона.

Когда он говорил, она чувствовала виском, как ходит его челюсть. Ей захотелось расхохотаться вслух, как школьнице.

— Соединенные Штаты — это наверняка интересно. А как по-вашему? Я там никогда еще не была.

— И я тоже, — отозвался Симон. — Мама возмущается, но сама терпеть не может путешествовать!

Он мог бы так стоять и часами говорить с Поль о своей матери, о путешествиях, об Америке и о России. Ему приходили в голову сотни общеизвестных истин, сотни тем для спокойных и непринужденных бесед. Он уже не собирался ни потрясать ее воображение, ни обольщать ее. Ему было просто хорошо, он чувствовал себя одновременно и очень уверенным в себе, и каким-то незащищенным. Следовало бы увести Поль к ней домой, чтобы на свободе целовать ее, но он не осмеливался разжать объятия.

— Нужно еще хорошенько подумать, — сказала Поль.

И сама уже не знала, относятся ли ее слова к предполагаемому
путешествию или к Симону.

И еще она боялась поднять глаза, увидеть это склоненное к ней юношеское лицо, боялась, что вдруг заговорит в ней та, другая Поль, благоразумная и решительная. И осудит ее.

— Симон, — шепнула она.

Он наклонился, еле коснулся ее губ. Оба не опускали век и видели не Симона, не Поль, а огромное мерцающее пятно, все в бликах и тенях, незнакомый, неестественно расширенный зрачок, влажный и чем-то напуганный.

Два дня спустя они вместе обедали. Поль обронила всего две-три фразы, Симон сразу понял, чем были наполнены для нее эти десять дней: равнодушием Роже, его сарказмами по адресу Симона, ее одиночеством. Было ясно, что Поль надеялась использовать эту передышку, чтобы вернуть Роже или хоть видеться с ним почаще, восстановить прежнее согласие. Но все ее усилия натыкались на ребяческое упрямство Роже. Ее старания, такие трогательные именно своей непритязательностью: обед, сготовленный по его вкусу, плюс его любимое платье, плюс разговор на интересующие его темы, все те средства, которые рекомендуют дамские журналы, все смехотворные, если не просто низкопробные, рецепты, приобретающие, однако, в руках женщины умной своеобразное, порой неотразимое очарование, не приводили ни к чему. И она, не видя в том для себя унижения, следовала этим советам, не стыдясь даже того, что пытается заменить ростбифом или умелым освещением те фразы, которые жгли ей губы: «Роже, я несчастна из-за тебя. Роже, так больше продолжаться не может». Действовала она так не в силу векового инстинкта женщины, хранительницы очага, ни даже в силу горького смирения. Нет, скорее уж это было проявлением садизма по отношению к «ним», к тому, что представляли собой вместе взятые Роже и Поль. Словно один из них — Роже или Поль — должен был вдруг подняться и заявить: «Хватит!» И она ждала, когда в ней самой скажется этот рефлекс, ждала с не меньшей тревогой, чем если бы сказался он в Роже. Но тщетно. Очевидно, что-то уже умерло.

Проведя эти десять дней в размышлениях и напрасных надеждах, она уже не в силах была не покориться Симону, Симону, который говорил: «Я так счастлив, я вас люблю» — и это не звучало пошло; Симону, невнятно бормотавшему в телефонную трубку; Симону, который принес ей что-то цельное или по меньшей мере целую половину этого цельного. Она отлично знала, что для такой игры требуются двое, но она устала, уже очень давно устала вечно опережать партнера и все-таки оставаться в одиночестве. «Любить — это еще не все, — говорил Симон, имея в виду себя, — нужно еще быть любимым». Это изречение, казалось Поль, относится непосредственно к ней. Но она, добровольно решившись на этот шаг, с удивлением замечала, что не испытывает ни радостного волнения, ни порывов, которые предшествовали, скажем, ее сближению с Роже, а только безграничную и какую-то сладкую усталость, сказывавшуюся даже в ее походке. Знакомые советовали ей переменить обстановку, а она с грустью думала, что просто собирается сменить любовника: так оно менее хлопотливо, больше в парижском духе, весьма распространено... И она отворачивалась от собственного изображения в зеркале или покрывала лицо густым слоем кольдкрема. Только когда Симон позвонил в тот вечер у ее дверей и она увидела его темный галстук, его напряженный взгляд, это ликование, прорывавшееся в каждом жесте, это смущение, похожее на то, какое охватывает человека, избалованного сверх меры жизнью и получившего вдруг еще наследство, ей захотелось разделить его счастье. Счастье, которое она ему дарит: «Вот я, мое тело, мое тепло, моя нежность, мне они ни к чему, но, доверив их твоим рукам, я, быть может, вновь сумею обрести в них усладу». Эту ночь он проспал, прильнув к ее плечу.

Она представляла себе, каким тоном ее друзья и знакомые будут говорить: «Вы слышали, Поль-то, оказывается...» И сильнее страха перед сплетнями, сильнее даже страха перед разницей в годах, которая, как отлично понимала Поль, будет всячески подчеркиваться в этих разговорах, был охвативший ее стыд. Стыд при мысли о восторге сплетников и сплетниц, обо всех безумствах, какие ей припишут, о том, как будут злословить насчет ее склонности к мальчикам и к сладенькому, меж тем как она сама чувствует себя старой и усталой и ищет лишь одного — поддержки. И ей становилось мерзко при мысли, что и в отношении ее, как в отношении других — чему она сама была свидетельницей, — люди предпочтут сделать самые жестокие и самые лестные выводы. О ней говорили: «Бедняжка Поль», потому что ей изменял Роже, или: «Нашлась тоже независимая, просто сумасбродка», когда она оставила своего молодого, красивого, но смертельно скучного мужа; ее жалели или поноси́ли. Но никогда еще ей не приходилось испытывать на себе смешанное чувство презрения и зависти, которое вызовет ее теперешний поступок.

Глава 12

Что бы ни думала Поль, Симон в их первую ночь не сомкнул глаз; он неподвижно лежал рядом, положив ладонь ей на талию, где уже образовалась складочка; слушал ее мерное дыхание, стараясь соразмерить с ним свое дыхание. «Надо быть или уж очень влюбленным, или очень пресыщенным, чтобы притворяться спящим», — думал он и, зная до сих пор только второе «очень», чувствовал себя сегодня бесконечно гордым, ответственным за мирный сон Поль, будто весталка, берегущая священный огонь. Так провели они всю ночь, каждый оберегая притворный сон другого, настороженные и умиленные, не смея шелохнуться.

Симон был счастлив, он и в самом деле чувствовал себя ответственным за Поль куда сильнее, чем за девочку в шестнадцать лет, хотя она была старше его на целых пятнадцать. Пребывая в состоянии непрерывного восхищения снисходительностью Поль и впервые в жизни ощутив объятия как дар, он считал необходимым бодрствовать, не смыкая глаз, он хотел заранее охранить ее от того зла, которое мог ей когда-нибудь причинить. Он бодрствовал, он стоял на страже, надеясь уберечь ее от своей собственной низости, от былых своих комедий, своих страхов, своих слабостей и беспричинных припадков скуки. Он сделает ее счастливой, он сам будет счастлив; с удивлением он обнаруживал, что ни разу еще не давал себе таких клятв, даже в минуты самых блистательных своих побед. Утром они разыграли сцену лжепробуждения, притворно зевали друг перед другом, спокойно потягивались, сначала один, потом другой. Когда Симон поворачивался лицом к ней или приподымался на локте, Поль инстинктивно утыкалась в подушку, опасаясь его взгляда, этого первого взгляда новой близости, более банального и более решающего, чем любой жест. И когда она сама, потеряв терпение, начинала шевелиться в постели, Симон, прикрыв глаза, настораживался, удерживал дыхание, уже страшась потерять свое ночное счастье. Наконец ей удалось застичь его врасплох — он глядел на нее, полусомкнув веки при слабом свете дня, пробивавшемся сквозь шторы, и она, лежа лицом к нему, застыла. Она чувствовала себя старой, уродливой, она пристально смотрела на него, желая, чтобы и он разглядел ее хорошенько и чтобы, по крайней мере, не возникло между ними неизбежной при пробуждении неловкости. Симон, все еще не подымая век, улыбнулся, пробормотал ее имя и придвинулся к ней. «Симон», — сказала она и замерла. Она надеялась, что можно еще превратить эту ночь в случайный каприз. Он положил голову ей на грудь, нежно поцеловал ее у сгиба локтя, в плечо, в щеку, прижал к себе. «Я мечтал о тебе, — произнес он, — теперь я буду мечтать только о тебе». Она обвила его обеими руками.

Симон непременно хотел проводить ее на работу, подчеркнув, что, если ей угодно, они расстанутся на углу. С грустной ноткой в голосе Поль ответила, что ей некому давать отчет в своем поведении, и на минуту между ними залегло молчание. Симон первый нарушил его.

— Ты придешь только в шесть? Может, ты позавтракаешь со мной?

— У меня не будет времени, — ответила она. — Съем на работе бутерброд.

— Что же я буду делать до шести часов? — жалобно проговорил он.

Поль взглянула на него. Она встревожилась: должна ли она ему сказать, что вовсе не обязательно им встречаться в шесть часов? И однако же при мысли, что вечером у двери магазина увидит маленькую машину, а в ней сгорающего от нетерпения Симона — и что так будет каждый вечер, — она почувствовала себя по-настоящему счастливой... Кто-то терпеливо ждет вас каждый вечер, кто-то, кто не звонит вам в восемь часов и то когда ему вздумается... Она улыбнулась.

— А почему ты так уверен, что я сегодня обедаю одна?

Симон, с трудом продевавший запонки в манжеты, бросил свое занятие. Через секунду он сказал бесстрастным голосом: «И в самом деле». Ясно, он думает о Роже! Он думал только о Роже, он решил, что тот немедленно отберет свое добро; он боялся. Но она-то знала, что Роже не до нее. Все это показалось ей вдруг отвратительным. Нет, пусть хоть она проявит великодушие!

— Ни с кем я сегодня не обедаю, — сказала она. — Иди сюда, я тебе помогу.

Она сидела на постели, и он, опустившись на колени, протянул ей руки в манжетах таким жестом, словно был закован в наручники. Кисти рук у него были совсем мальчишеские, нежные и худые. Продевая запонки, Поль вдруг подумала, что когда-то уже играла эту сцену... «Слишком театрально», — решила она, но все же прижалась щекой к волосам Симона и, не удержавшись, потихоньку рассмеялась счастливым смехом.

— А я что буду делать до шести часов? — упрямо повторил Симон.

— Не знаю... Будешь работать.

— Не смогу, — ответил он. — Я слишком счастлив.

— Счастье не мешает работать!

— А мне мешает. Хотя я знаю, что буду делать. Буду бродить по улицам и думать о тебе, потом позавтракаю в одиночестве, думая о тебе, потом буду ждать шести часов. Ты ведь знаешь, что я не принадлежу к числу деятельных молодых людей.

— А что скажет твой адвокат?

— Не интересуюсь. Почему это ты непременно хочешь, чтобы я попусту растрачивал свое время, уготавливая себе будущее, — для меня только настоящее существует. И переполняет всего, — добавил он с низким поклоном.

Поль молча пожала плечами. Симон пунктуально выполнял намеченную им программу не только в этот день, но и во все последующие дни. Он катался по Парижу, расточал прохожим улыбки, не менее десяти раз проезжал мимо магазина Поль со скоростью десять километров в час, читал книгу, поставив машину где попало, а иногда отдыхал, откинув голову на спинку сиденья и закрыв глаза. Что-то вроде блаженного лунатика. И это волновало Поль, делало Симона еще дороже. Она одаривала его и удивлялась, почему ей самой стала так необходима эта щедрость.

* * *

Вот уже десять дней Роже разъезжал под дождем, переходил с одного делового обеда на другой, и от департамента Нор осталась в его памяти скользкая, нескончаемо длинная дорога да безликая ресторанная обстановка. Время от времени он звонил в Париж, заказывая два телефонных номера сразу, и выслушивал жалобы Мэзи-Марсель, перед тем как самому пожаловаться Поль на судьбу, а иногда наоборот. Он чувствовал себя обескураженным, ни на что не годным, его жизнь походила на эту провинциальную глушь. Голос Поль менялся, становился все более тревожным и все более далеким; ему хотелось ее повидать. Стоило Роже провести без Поль две недели, как он начинал остро ощущать ее отсутствие. В Париже — другое дело: зная, что она может увидеться с ним в любую минуту, всегда в его распоряжении, он спокойно откладывал встречи; но Лилль вернул ему прежнюю Поль тех первых дней их любви, когда он в мыслях следовал за ней неотступно, боясь завоевать ее, как сейчас боялся ее потерять. В последний день своего пребывания в Лилле он сообщил ей, что возвращается. Она помолчала, потом сказала: «Мне необходимо с тобой увидеться» — решительным тоном. Он ни о чем не спросил, но условился встретиться с ней послезавтра.

В Париж он прибыл ночью, и, когда остановил машину у подъезда Поль, было уже два. Впервые в жизни он находился в нерешительности — зайти или нет. Он не был уверен, что увидит сейчас счастливое лицо Поль, лицо Поль, принуждающей себя сохранять спокойствие в минуты его неожиданных появлений; он попросту боялся. Он ждал минут десять, стыдясь своей нерешительности, подыскивая самые нелепые оправдания: «Она спит, она наработалась за день» и т.д. и т.п., потом уехал. Очутившись перед своим домом, он снова заколебался, потом развернул машину и поехал к Мэзи. Она спала, она протянула ему для поцелуя свою опухшую мордашку. Ей пришлось полночи провести с этими противными продюсерами... она ужасно счастлива... к тому же он только что ей снился... Он быстро разделся и сразу же заснул, как она его ни тормошила. В первый раз он не испытывал к ней влечения. На заре он машинально выполнил свой долг кавалера, посмеялся над ее рассказами и решил, что все снова в порядке. Он провел у Мэзи целое утро и уехал от нее за десять минут до назначенной с Поль встречи.

ГЛАВА 13

— Мне нужно позвонить, — сказала Поль, — после завтрака будет уже поздно.

Как только она встала из-за стола, Роже вскочил с места, и Поль чуть улыбнулась ему извиняющейся улыбкой, которая появлялась на ее губах против воли в тех случаях, когда он из приличия или по велению сердца тревожил ради нее свою особу. Она с раздражением подумала об этом, спускаясь по сырой лестнице ресторана к телефонной будке. С Симоном все получалось по-другому. Он был внимателен и так всему радовался, так стремился услужить ей, бежал распахивать двери, подносил зажигалку, несся сломя голову выполнять малейшие ее желания, ухитрялся угадывать их наперед; и это были знаки внимания, а не просто выполнение светских обязанностей. Уходя нынче утром, она оставила его полусонного в постели, обхватившего обеими руками подушку, по которой рассыпались его черные кудри, и положила на столик записку: «Позвоню в полдень». Но в полдень она встретилась с Роже и сейчас удивлялась самой себе, что, оставив его в одиночестве, побежала звонить юному любовнику-лентяю. Заметит ли что-нибудь Роже? Он озабоченно морщил лоб, как в дни своих незадач, и это его старило.

Симон сразу же снял трубку. Услышав ее «алло», он засмеялся, и она тоже засмеялась...

— Проснулся?

— В одиннадцать часов. А теперь час. Я уже звонил на станцию узнать, в исправности ли наш телефон.

— Зачем?

— Ты же собиралась позвонить в полдень. Где ты?

— У Луиджи. Сажусь завтракать.

— Ага, хорошо, — ответил Симон.

Оба помолчали. Тогда она сухо добавила:

— Я завтракаю с Роже.

— Ага, хорошо...

— Не понимаю, что означают твои «ага, хорошо», — сказала Поль. — Я буду в магазине с половины третьего и допоздна. А ты что собираешься делать?

— Поеду к маме за костюмами, — живо отозвался Симон. — Развешу их у тебя в шкафу на плечиках, а потом пойду куплю у Дено акварель, которая тебе понравилась.

Она еле удержалась от смеха. Весь Симон был в этих словах, только один он так цеплял фразу за фразой.

— Значит, ты решил перенести ко мне свой гардероб?

Она пыталась, но не могла придумать, что, собственно, ему воз-

разить. И в самом деле он с ней уже не расстается, и до сих пор она не
ставила ему это в вину...

— Да, решил, — ответил Симон. — Вокруг тебя вертится слишком много людей. А я хочу быть при тебе сторожевым псом и ходить чисто одетым.

— Мы еще поговорим об этом, — произнесла она.

Ей показалось, что телефонный разговор длится уже целый час. А Роже тем временем сидит там, наверху, один. Он начнет ее расспрашивать, и, очутившись с ним лицом к лицу, она не сумеет отделаться от чувства вины.

— Я тебя люблю, — сказал Симон и повесил трубку.

Выйдя из будки, она машинально достала гребенку и пригладила волосы перед зеркалом, висевшим в гардеробной. На нее глядело лицо женщины, которая только что услышала обращенные к ней слова: «Люблю тебя».

Роже потягивал коктейль, и Поль удивилась, зная, что обычно до вечера он не пьет спиртного.

— Что-нибудь не ладится?

— Нет, почему же... Ах, коктейль... Нет, я просто сегодня устал.

— Как давно я тебя не видела, — произнесла она и, так как он слушал ее со снисходительно-рассеянным видом, еле сдержала слезы. А ведь будет и такой день, когда они скажут друг другу: «Два месяца мы с тобой не виделись или уже три?» И мирно будут подсчитывать, сколько времени прошло с их последней встречи... Роже с его нелепыми жестами, с усталым и все-таки ребяческим выражением лица вопреки его силе, даже, пожалуй, жестокости. Она отвернулась. На нем был тот старый серый пиджак, который, когда еще был новым, не раз висел на спинке стула у нее в спальне, в начале их близости. Тогда он очень гордился своим пиджаком. Только временами, довольно редко, Роже начинал заботиться о внешнем лоске, да, впрочем, он был чересчур грузен, чтобы выглядеть по-настоящему элегантно.

— Две недели, — спокойно произнесла она. — Ну а ты себя хорошо чувствуешь?

— Да. В общем-то ничего.

Он замолчал. Конечно, он ждал, что она спросит: «Ну как твои дела?» — но она не спросила. Нужно сначала сказать ему о Симоне, а потом он может сказать о себе, не раскаиваясь в последствиях своей неуместной откровенности.

— Ты хоть развлекалась немножко? — спросил он.

Она ответила не сразу. Стучало в висках; сердце, казалось, вот-вот остановится. Она услышала свои слова:

— Да, я виделась с Симоном. Часто...

— А-а, — протянул Роже. — С этим красавцем? И он по-прежнему от тебя без ума?

Она медленно кивнула и снова не посмела поднять глаз.

— Это тебя по-прежнему развлекает? — спросил Роже.

Она вскинула голову, но тут же он отвел глаза и с преувеличенным вниманием занялся грейпфрутом. Ей подумалось, что он все понял.

— Да, — сказала она.

— Значит, тебя это развлекает? Или, возможно, больше, чем просто развлекает?

Теперь они глядели друг другу в глаза. Роже положил ложечку на тарелку. С какой-то отчаянной нежностью она вдруг увидела две глубокие складки, идущие от крыльев носа к губам, застывшее лицо и его голубые глаза в темных кругах.

— Да, больше, — сказала она.

Роже нащупал ложечку и взял ее. Она подумала, что никогда он не умел расправляться с грейпфрутом как полагалось. Время, казалось, не движется или, напротив, проносится вихрем, свистя в ушах.

— Боюсь, что мне нечего больше сказать, — произнес он.

И по этим словам она поняла, что он несчастлив. Будь он счастлив, он вернул бы ее себе. А так его словно побили камнями, и она сама бросила в него последний камень. Она прошептала:

— Ты и так все сказал.

— Ты сама говоришь в прошедшем времени.

— Это чтобы пощадить тебя, Роже. Если бы я сказала, что все еще зависит от тебя, что бы ты мне ответил?

Он ничего не ответил. Он внимательно разглядывал узор на скатерти.

Она продолжала:

— Ты бы мне ответил, что дорожишь своей свободой, что очень боишься ее потерять... и поэтому не можешь сделать усилие, чтобы вернуть меня.

— Я же тебе говорю, что сам ничего не знаю, — резко возразил Роже. — Конечно, мне противно думать, что... По крайней мере он хоть способный мальчик?

— Дело не в этих его способностях, — сказала она. — Он любит меня.

Она заметила, что напряженное лицо Роже немного просветлело, и почувствовала к нему мгновенную ненависть. Вот он и успокоился: просто мимолетная вспышка, только и всего. А настоящим любовником, ее мужчиной, остается он, Роже.

— Хотя, конечно, я не стану утверждать, что он в известном отношении оставляет меня равнодушной.

«Впервые в жизни, — растерянно подумала она, — я сознательно причиняю ему боль».

— Признаться, я не думал, когда шел с тобой завтракать, что мне придется выслушивать рассказы о твоих утехах с этим молодым человеком.

— Ты, очевидно, думал сообщить мне о своих утехах с молоденькой девицей, — отрезала Поль.

— Это все же было бы более естественно, — процедил он сквозь зубы.

Поль вздрогнула. Она взяла со стола сумочку, поднялась.

— Очевидно, ты сейчас напомнишь мне о моих годах?

— Поль...

Он тоже поднялся, проводил взором исчезнувшую в дверях Поль; слезы застилали ему глаза. Он догнал ее, когда она садилась в машину. Она тщетно пыталась завести мотор. Он просунул руку в окошко машины и включил зажигание, про которое она совсем забыла. Рука Роже... Она обернула к нему свое сразу осунувшееся лицо.

— Поль... Ты же сама знаешь... Я вел себя как хам. Прости меня. Ты же знаешь, что я вовсе так не думаю.

— Знаю, — ответила она. — Я тоже вела себя не так уж блестяще. Лучше нам не видеться некоторое время.

Он стоял не двигаясь, растерянно глядя на нее. Она чуть улыбнулась:

— До свидания, милый.

Он нагнулся к окну машины:

— Я не могу без тебя, Поль.

Она рывком тронула с места, чтобы Роже не заметил слез, туманивших ей взор. Машинально она включила «дворники» и сама горько рассмеялась этому нелепому жесту. Было половина второго. Ей вполне хватит времени вернуться домой, успокоиться, подкраситься. Она надеялась, что Симон уже ушел, и боялась этого. Они столкнулись в подъезде.

— Поль, что с вами такое?

Он так испугался, что заговорил с ней, как прежде, на «вы». «Он заметил, что я плакала, он меня, должно быть, жалеет», — подумала она, и слезы хлынули с новой силой. Она ничего не ответила на вопрос Симона. В лифте он обнял ее, осушил поцелуями ее слезы, умолял не плакать больше и поклялся в весьма неопределенных выражениях «убить этого типа», что вызвало на губах Поль невольную улыбку.

— Должно быть, у меня просто страшный вид, — произнесла она, ей показалось, что она тысячи раз читала эту фразу в книгах и сотни раз слышала ее с экрана.

Позже она села на кушетку рядом с Симоном и взяла его руку.

— Не спрашивай ни о чем, — попросила она.

— Сегодня — нет. Но когда-нибудь спрошу обо всем. И очень скоро. Я не допущу, чтобы ты из-за кого-то плакала. А главное, не допущу, чтобы он сюда приходил! — гневно прокричал он. — А из-за меня, из-за меня ты, наверное, никогда не будешь плакать?

Поль подняла на него глаза: поистине все мужчины — свирепые животные.

— А тебе бы так этого хотелось?

— Я предпочел бы лучше сам мучиться, — сказал Симон и уткнулся лицом ей в плечо.

Вернувшись вечером домой, Поль сразу заметила, что он выпил три четверти бутылки виски и даже не выходил из дому. С чувством собственного достоинства он важным тоном заявил ей, что у него свои личные неприятности, пытался произнести речь о трудностях бытия и заснул одетым, пока она снимала с него туфли, не то растроганная, не то напуганная.

* * *

Роже стоял у окна и смотрел, как занимается рассвет. Происходило это на ферме-гостинице, из тех, что нередко встречаются в Иль-де-Франс, где пейзаж странным образом соответствует тому представлению о деревне, которое создают себе люди, уставшие от городской жизни. Мирные пригорки, плодоносные нивы, а там, по обеим сторонам шоссе, уходят вдаль рекламные щиты. Но теперь, в этот всегда особенный предрассветный час, перед глазами Роже действительно была настоящая деревня его далекого детства, и она обдала Роже тяжелым зябким запахом дождя. Он обернулся и буркнул:

— Чудесная погодка для уик-энда, — но про себя подумал: «А в самом деле чудесно! Люблю туман. Вот если бы побыть одному».

Пригревшаяся в теплой постели Мэзи зашевелилась.

— Закрой окно, — попросила она. — Холодно.

Она натянула одеяло до носа. Вопреки блаженной истоме во всем теле, к ее горлу уже подступало предчувствие тошнотворного дня в этих незнакомых местах в обществе молчаливого и занятого своими мыслями Роже. А тут еще эти поля, одни поля... Она еле удержалась, чтобы не застонать.

— Я просила тебя закрыть окно, — сухо повторила она.

Он закурил сигарету, первую сигарету с утра, и ощутил ее острую, почти неприятную и, однако, восхитительную горечь. Вот и пришел конец утренним мечтам, и он даже спиной с досадой почувствовал неприязнь Мэзи. «Ну и пусть злится, пусть отправляется в Париж! А я пошатаюсь до вечера по полям, найдется же здесь хоть один

одиночества.

Однако Мэзи после своего второго оклика призадумалась. Можно пренебречь открытым окном и снова заснуть, а можно начать сцену. В ее мозгу, еще затуманенном сном, уже складывались фразы вроде: «Я женщина, и мне холодно. А он мужчина и обязан закрыть окно», но в то же время инстинкт, проснувшийся сегодня ранее обычного, подсказывал ей, что сейчас раздражать Роже не следует.

Она выбрала среднее:

— Закрой окно, дорогой, и вели принести завтрак.

Роже, поморщившись, брякнул:

— «Дорогой»? А что это значит — «дорогой»?

Она расхохоталась. Он не унимался:

— Зря ты смеешься. Ты вообще-то отдаешь себе отчет, что значит слово «дорогой»? Разве я тебе дорог? Ведь ты это слово только понаслышке знаешь.

«Кажется, с меня хватит, — подумал он, сам удивляясь собственной горячности, — когда я начинаю заниматься лексиконом своей дамы, значит, конец близок».

— Что это на тебя нашло? — спросила Мэзи.

Она отбросила одеяло, показав испуганное лицо, которое выглядело просто комичным, и груди, которые больше не вызывали в нем желания. Непристойна. Она непристойна!

— Чувство — это не шутка, — произнес он. — Я для тебя просто интрижка. Удобная интрижка. Поэтому и не называй меня «дорогой», особенно по утрам: ночью еще куда ни шло!

— Но, Роже, — запротестовала не на шутку встревоженная Мэзи, — я же люблю тебя.

— Ох нет, не говори бог знает чего, — воскликнул он не без смущения, ибо все-таки был честен, но не без облегчения, так как эта фраза сводила всю драму к классической ситуации, к столь привычной для него роли мужчины, утомленного неуместной страстностью партнерши.

Он надел свитер, не заправив его в брюки, и вышел, жалея, что оставил в номере свой пиджак из твида. Но пиджак висел по ту сторону кровати, и, если бы он за ним вернулся, неизвестно еще, удалось ли бы ему достаточно быстро исчезнуть. Очутившись на улице, он вдохнул ледяной воздух, и голова у него слегка закружилась. Он должен был возвращаться в Париж, и он не увидит там Поль. Машину будет заносить на мокрой дороге, кофе он выпьет у заставы Отейль в пустынном воскресном Париже. Он вернулся, заплатил по счету и улизнул как вор. Мэзи захватит пиджак, а он пошлет свою секретаршу за ним вместе с букетом цветов. «Видно, я до сих пор не научился уму-разуму», — невесело подумал он.

С минуту он вёл машину, сердито хмуря брови, потом протянул руку к приемнику, включил его и вспомнил. «Дорожить, — подумал он. — Дорожили друг другом мы с Поль!» Ему уже ничего не хотелось. Он потерял Поль.

ГЛАВА 14

Прошла неделя. Когда Поль открыла двери своей квартиры, она чуть было не задохнулась от табачного дыма. Она распахнула в гостиной окно, позвала: «Симон!» — и не получила ответа. На мгновение она испугалась и удивилась. Из гостиной она прошла в спальню. Симон лежал на постели и спал, воротничок рубашки был расстегнут. Она снова его окликнула, но он даже не пошевелился. Вернувшись в гостиную, Поль открыла стенной шкаф, взяла бутылку виски, осмотрела ее и поставила на место, брезгливо сморщив лицо. Глазами она поискала стакан, не обнаружила его и направилась в кухню. Стакан, еще мокрый, стоял в мойке. Она застыла на месте, потом медленным движением сняла пальто и, зайдя в ванную, подкрасилась, тщательно уложила волосы. Но тут же отбросила головную щетку, рассердившись на себя за это кокетство, как за проявление слабости. Нашла время соблазнять Симона!

Вернувшись в спальню, она потрясла его за плечо и зажгла лампочку у изголовья кровати. Симон потянулся, пробормотал: «Поль», — и лег лицом к стене.

— Симон, — сухо позвала она.

Когда он обернулся на ее зов, Поль заметила свою косынку, которой Симон, ложась в постель, любил укрывать лицо. Не раз она высмеивала этот фетишизм. Но сейчас было не до шуток. Ее охватила холодная ярость. Она с силой повернула Симона лицом к свету. Он открыл глаза, улыбнулся, но улыбка тут же исчезла с его губ.

— Что случилось?

— Мне нужно с тобой поговорить.

— Так я и знал, — произнес он и сел на постели.

Поль отошла — с трудом она подавила желание протянуть руку и откинуть прядку волос, свисавшую ему на глаза. Она оперлась о подоконник.

— Симон, так продолжаться не может. Говорю тебе это в последний раз. Тебе нужно работать. Ты уже пьешь теперь потихоньку.

— Я же вымыл стакан, я знаю, как ты ненавидишь беспорядок.

— Я ненавижу беспорядок, ложь и бесхарактерность, — гневно произнесла она. — И начинаю ненавидеть тебя.

Он встал с постели. Она догадалась, что он стоит за ее спиной с искаженным лицом, и нарочно не оглянулась.

— Я чувствовал, что ты меня уже давно не переносишь, — сказал он. — Недаром говорят, что от любви до ненависти один шаг.

— Чувства тут ни при чем, Симон. Речь идет о том, что ты пьешь, бездельничаешь, тупеешь. Я говорила тебе, чтобы ты работал. Тысячу раз говорила. А сейчас говорю в последний раз.

— А дальше что?

— А дальше то, что я не смогу тебя видеть, — ответила она.

— Значит, ты можешь меня вот так бросить, — задумчиво произнес он.

— Да.

Потом повернулась к нему и заговорила:

— Послушай, Симон...

Он присел на край кровати, с каким-то странным выражением пристально глядя на свои руки. Затем медленно поднял ладони и закрыл ими лицо. Она озадаченно молчала. Он не плакал, не шевелился, и Поль показалось, что никогда в жизни она не видела человека, охваченного таким безысходным отчаянием. Она вполголоса окликнула его, как бы желая отвратить неуловимую для нее самой надвигавшуюся опасность, потом подошла к нему. Он тихонько раскачивался всем телом, сидя на краю постели, все еще не отнимая рук от лица. Ей подумалось, что он просто пьян, и она дотронулась до него, желая прекратить это бессмысленное раскачивание. Потом попыталась отнять от его лица ладони, но он не давался, и тогда она опустилась на колени и взяла его за кисти обеих рук.

— Симон, погляди на меня... Симон, перестань дурачиться.

Ей удалось отвести его руки, и он поглядел на нее. Лицо у него было застывшее, неподвижное, как у статуи, и даже глаза такие же незрячие. Невольным движением она положила ладонь на его веки.

— Да что с тобой, Симон?.. Скажи, что с тобой...

Он нагнулся, прижал свою голову к ее плечу и глубоко вздохнул, как очень уставший человек.

— А то, что ты меня не любишь, — спокойно произнес он, — и, как бы я ни старался, все напрасно... И то, что с самого начала я знал, что ты меня прогонишь. И то, что я ждал, покорно согнув спину, а иногда все-таки надеялся... Вот это-то хуже всего — надеяться, особенно ночью, — прибавил он, понизив голос, и она почувствовала, что краснеет. — И вот сегодня это случилось — то, чего я ждал уже целую неделю, и никакой джинн в мире не может меня успокоить.

Я чувствовал, что ты потихоньку меня ненавидишь. И вот, Поль... — И тут же повторил: — Поль...

Она обхватила его обеими руками и прижалась к нему со слезами на глазах. Она слышала свой собственный шепот, ободряющие слова: «Симон, ты с ума сошел... совсем как ребенок... Дорогой мой, бедняжка ты мой любимый...» Она покрывала поцелуями его лоб, его щеки, и вдруг ее пронзила жестокая мысль, что вот она уже и вступила в стадию материнской любви. В то же самое время что-то в ней упорствовало, находило усладу в том, что, убаюкивая Симона, она баюкает их старую общую боль.

— Просто ты устал, — сказала она. — Вошел в роль покинутого человека и доигрался, стал жертвой собственной выдумки. Я дорожу тобой, Симон, ужасно дорожу. Правда, все это последнее время я была к тебе не так внимательна, но это из-за работы, только из-за работы.

— Только поэтому? Значит, ты не хочешь, чтобы я ушел?

— Сегодня нет, — улыбнулась она. — Но я хочу, чтобы ты работал.

— Я сделаю все, что ты захочешь, — произнес он. — Приляг со мной, Поль, мне было так страшно! Ты так мне нужна. Обними меня, не шевелись. Ненавижу, когда на платье столько всего наворочено. Поль...

Потом она лежала не шевелясь. Он молчал, еле слышно дышал у ее плеча, и, когда Поль положила ладонь на его затылок, ее вдруг охватило такое пронзительное, такое мучительное чувство собственности, что она поверила, будто его любит.

На следующее утро он отправился на работу, с грехом пополам помирился со своим патроном, проглядел дела, раз шесть звонил Поль, занял денег у матери, которая даже обрадовалась этому, и вернулся к Поль в половине девятого с видом человека, изнуренного работой. Последние два часа он провел в баре, играл в 421 с единственной целью вернуться домой с достоинством. А про себя он думал, что убивать время таким образом — скучнейшее занятие и что ему придется немало помучиться, заполняя пустые часы.

ГЛАВА 15

Обычно Роже и Поль в феврале отправлялись на недельку в горы. Между ними было договорено, что независимо от их сердечных дел (а в те времена речь могла идти только о сердечных делах Роже) они непременно урвут для себя в течение зимы несколько спокойных дней. Как-то утром Роже позвонил в контору Поль, сообщил, что уезжает через десять дней, и осведомился, брать ли билет на ее долю. Оба замолчали. Поль с ужасом спрашивала себя, чем объясняется это приглашение: инстинктивной потребностью в ее присутствии, угрызениями совести или просто желанием разлучить ее с Симоном? Только первый мотив мог бы поколебать ее решимость. Но она прекрасно знала, что никакие слова Роже не дадут ей уверенности в том, что их совместное пребывание в горах не превратится для нее в пытку. И в то же время, вспомнив, каков Роже в горах, как он, жизнерадостный, улыбающийся, стремглав несется по горным тропинкам, увлекая ее, испуганную, за собой, Поль почувствовала, что сердце ее разрывается от боли.

— Ну так как же?

— Не думаю, чтобы это было возможно, Роже. Мы будем притворяться, что... словом, что мы ни о чем другом, кроме гор, якобы не думаем.

— Для того-то я и уезжаю, чтобы ни о чем не думать. И поверь, вполне на это способен.

— Я поехала бы с тобой, если бы ты... (ей хотелось добавить: «Если бы ты был способен думать обо мне, о нас», — но она промолчала) ...если бы ты действительно во мне нуждался. Но ты прекрасно проживешь там без меня или... с кем-нибудь другим.

— Ладно. Насколько я понимаю, ты просто не хочешь сейчас уезжать из Парижа.

«Он имеет в виду Симона, — подумала Поль. — Почему это никто не желает отделять видимость от сути?» И она подумала также, что в течение месяца видимость жизни с Симоном стала ее повседневной, реальной жизнью. И возможно, именно по вине Симона она отказала Роже при первом же звуке его голоса.

— Если угодно, это так... — сказала она.

Оба помолчали.

— Ты, Поль, сейчас не особенно хорошо выглядишь. У тебя усталый вид. Если ты не желаешь ехать со мной, все равно поезжай с кем-нибудь. Тебе это необходимо.

Голос его звучал печально и ласково, и на глаза Поль навернулись слезы. Да, она нуждалась в Роже, нуждалась в том, чтобы он охранял ее всегда, а не дарил ей эти десять дней на бедность. Ему полагалось бы это знать; есть же предел всему, даже мужскому эгоизму.

— Тогда я, конечно, поеду, и мы будем посылать друг другу открытки с одной вершины на другую.

Он повесил трубку. А если он просто просил у нее помощи и она ему отказала? Хорошо же она его любит! И все же она смутно почувствовала, что была права, что ее право, если не долг, — быть требовательной и страдать от этой требовательности. Как-никак она женщина, которую страстно любят. Обычно она бывала с Симоном в соседних безлюдных ресторанчиках. Но, вернувшись к себе сегодня вечером, она столкнулась с ним в дверях; на нем был темный костюм, волосы он причесал особенно тщательно — словом, вид у него был торжественный. Она снова, в который раз, подивилась его красоте, кошачьему разрезу глаз, безупречному рисунку рта и весело подумала, что у этого мальчугана, который ждет ее целыми днями, зарывшись в ее платья, наружность рыцаря и сокрушителя женских сердец.

— До чего же ты великолепен! — воскликнула она. — Что случилось?

— Мы будем развлекаться, — изрек он. — Пойдем пообедаем в каком-нибудь шикарном ресторане, а потом потанцуем. Но ты не думай, я, если хочешь, готов остаться дома и съесть обыкновенную яичницу. Просто мне не терпится вывести тебя в свет.

Он снял с нее пальто, она заметила, что от него пахло туалетной водой. В спальне на кровати было разложено ее вечернее, очень декольтированное платье, которое она надевала только раза два.

— Оно мне больше всех нравится, — объяснил Симон. — Хочешь коктейль?

Он приготовил ее любимый коктейль. Поль растерянно присела на постель: итак, она спустилась с гор, чтобы попасть на светский вечер! Она улыбнулась Симону.

— Ты рада? Ты хоть не особенно устала? Если хочешь, я сейчас же переоденусь и мы останемся дома.

Он уперся коленом в край постели и взялся за отвороты пиджака, готовясь его снять. Прижавшись к нему, она просунула руку под его рубашку и ощутила ладонью горячую кожу. Да, он был живой, по-настоящему живой...

— Что ж, хорошая мысль, — сказала она. — Значит, ты настаиваешь именно на этом платье? А по-моему, у меня в нем какой-то полубезумный вид.

— Я люблю твою наготу, — ответил он, — а это платье более открытое, чем другие. Я все перерыл.

Она взяла стакан, выпила. Ведь могло быть и так, что она вернулась бы одна в свою квартиру, прилегла бы с книгой в руках, поскучала бы немного, как часто скучала до Симона; но здесь был Симон, он смеялся, он был счастлив. Она смеялась вместе с ним, а он требовал, чтобы она непременно поучила его чарльстону, не понимая, что отсылает его на двадцать лет назад. И она, спотыкаясь на ковре, обучала его чарльстону и, запыхавшись, упала в его объятия. Он прижал Поль к себе, а она смеялась от всей души, начисто забыв Роже, снег и все свои огорчения. Она была молода, она была красива; она выгнала его из комнаты, подкрасила лицо под «вамп», надела это не-

приличное платье; а он, сгорая от нетерпения, барабанил в дверь. Когда она вышла к нему, он ослепленно прикрыл глаза, потом стал по-
крывать поцелуями ее обнаженные плечи. Он заставил ее выпить
еще стакан коктейля, ее, совсем не умевшую пить. Она была счастлива, сказочно счастлива.

В кабаре за соседним столиком сидели две дамы, чуть постарше
Поль, они встречались с ней, даже работали иногда вместе, и теперь
приветствовали ее удивленной улыбкой. Когда Симон поднялся, приглашая ее танцевать, она услышала коротенькую фразу: «Сколько
же ей будет лет?»

Она тяжело оперлась на руку Симона. Все было безнадежно ис-
порчено. Платье слишком молодо для ее возраста, внешность Симона слишком бросается в глаза, и жизнь ее слишком нелепа. Она попросила Симона отвезти ее домой. Он не стал возражать, и она поняла, что он тоже слышал.

Она поспешно разделась. Симон хвалил оркестр. Она предпочла
бы, чтобы Симон ушел. Пока он раздевался, она лежала в темноте.
Напрасно она столько выпила: два коктейля да еще шампанское; хороша она будет завтра, лицо непременно осунется. Ее словно оглу-
шила грусть. Симон вошел в спальню, присел на край постели, положил ладонь ей на лоб.

— Не надо, Симон, — сказала она. — Я устала сегодня.

Он ничего не ответил, не пошевелился. На фоне освещенного
проема двери в ванную она видела его силуэт; он сидел, понурив голову, должно быть, о чем-то размышляя.

— Поль, — наконец проговорил он, — мне нужно с тобой поговорить.

— Уже поздно. Мне хочется спать. Поговорим завтра.

— Нет, — ответил он. — Я хочу поговорить с тобой сейчас.
И потрудись меня выслушать.

От удивления она даже раскрыла глаза. Впервые он говорил с
нею таким властным тоном.

— Я тоже слышал слова этих старых мегер, ну тех, которые сидели позади нас. Я не желаю, чтобы это задевало тебя. Это же тебя
недостойно, это подло и оскорбительно для меня.

— Прошу тебя, Симон, не устраивай по пустякам драм...

— Никаких драм я не устраиваю, наоборот, я как раз не хочу,
чтобы ты устраивала. Конечно, ты все будешь от меня скрывать. Но
тебе нечего от меня скрываться. Я, слава богу, не ребенок. Я вполне
способен тебя понять, а возможно, и помочь тебе. Я очень, очень счастлив с тобой, ты же сама знаешь. Но этого мало, я хочу, чтобы ты,
ты тоже была со мной счастлива. Сейчас ты слишком дорожишь Роже и поэтому несчастлива. А тебе пора понять, что наш с тобой слу-

чай — это нечто серьезное и что ты должна мне помочь укрепить нашу связь, а не считать ее только счастливой случайностью! Вот и все.

Говорил он уверенно, однако не без усилия. Поль слушала его с удивлением, даже с надеждой. А она-то считала его несмышленышем — он вовсе не несмышленыш, и он верит, что ей еще не поздно начать все заново. А вдруг ей это удастся?..

— Не совсем же я безмозглый дурак, ты это сама знаешь. Мне двадцать пять лет, до тебя я не жил по-настоящему и, расставшись с тобой, тоже не сумею жить настоящей жизнью. Ты та женщина, а главное — то человеческое существо, которое мне необходимо! Я это знаю. Если хочешь, мы завтра же обвенчаемся.

— Мне тридцать девять лет, — напомнила она.

— Жизнь не дамский дневник, не пережевывание жизненного опыта. Ты на четырнадцать лет старше меня, и я тебя люблю и всегда буду любить. Вот и все. Поэтому-то мне тяжело видеть, как ты опускаешься до уровня этих старых выдр или даже до уровня общественного мнения. Главный вопрос для тебя, для нас обоих — это Роже. А других проблем у нас нет.

— Симон, — проговорила она, — прости, что я, я думала...

— Ты думала, что я вообще не думаю, вот в чем дело. А теперь подвинься.

Он лег рядом с ней, обнял ее, овладел ею. Она уже не ссылалась на усталость, и он принес ей такое наслаждение, которого она с ним до сих пор не знала. Потом он ласково погладил ее влажный от пота лоб, прижал ее голову к своему плечу, хотя обычно спал, сам уткнувшись в ее плечо, ласково подоткнул вокруг нее одеяло.

— Спи, — шепнул он, — я позабочусь обо всем.

В темноте она нежно улыбнулась, прижалась губами к его плечу, и эту ласку он принял с олимпийским спокойствием властелина. Еще долго лежал он без сна, пугаясь и гордясь своей собственной решимостью.

ГЛАВА 16

Приближалась Пасха, и Симон целыми днями изучал географические карты в конторе мэтра Флери, прикрыв их для приличия папкой с делами, или раскладывал их у Поль на ковре гостиной. Так он наметил два маршрута по Италии, три по Испании и начал даже склоняться к Греции. Поль молча выслушивала его проекты: в лучшем случае у нее будет десять свободных дней, и она чувствовала такую усталость, что не могла без ужаса подумать о путешествии. Ей хотелось бы пожить где-нибудь в деревенском домике, чтобы один день походил на другой, — словом, как в детстве! Но у нее не хватало духа разочаровывать Симона. Он уже вошел в роль многоопытного туриста, выпрыгивающего из вагона, чтобы помочь ей сойти, ведущего ее под ручку к автомобилю, заказанному за десять дней до их приезда, машина отвезет их в самый роскошный отель города, где их уже ждет номер, весь в цветах; насчет цветов он распорядится по телеграфу. Симон искренне забывал, что не способен вовремя написать письмо и не потерять тут же на платформе билет! Он мечтал, продолжал мечтать, но теперь все его мечты влеклись к Поль, стекались как встревоженные реки в невозмутимо спокойное море. Никогда еще он не чувствовал себя таким безгранично свободным, как в эти последние месяцы, когда каждый день сидел все в той же конторе, все вечера проводил все с той же женщиной, все в той же квартире, порабощенный все теми же желаниями, заботами, все теми же муками. Ибо Поль и сейчас временами ускользала от него, отводила глаза, слишком кротко улыбалась его порывистым признаниям. Продолжала хранить упорное молчание, когда он заговаривал о Роже. Часто ему казалось, будто он ведет бессмысленную, изнурительную и бесполезную борьбу, так как — он чувствовал это — время шло, ничего не принося ему, Симону. Не с воспоминаниями о сопернике ему приходилось бороться, требовалось убить в Поль нечто, что было самим Роже, какой-то упорно не поддающийся уничтожению наболевший корень, и иногда Симон даже спрашивал себя, уж не это ли упорство, не эта ли ее добровольно взятая на себя мука держат его в состоянии влюбленности, а возможно, даже питают его любовь. Но чаще всего он думал: «Поль меня ждет, через час я буду держать ее в своих объятиях», — и тогда ему казалось, что Роже никогда и не было на свете, что Поль любит только его, Симона, что все очень просто и расцвечено счастьем. И как раз этими минутами Поль особенно дорожила, минутами, когда он заставлял принять их близость как некую очевидность, с которой она обязана считаться. Ну что ж, и собственная сдержанность может приесться в конце концов. Но вот когда она оставалась одна, то, что жизнь Роже идет без нее, казалось ей главной ошибкой, и она с ужасом допытывалась у себя, как они могли это допустить. И «они», «мы» всегда означало Роже и она. Симон был «он». Но ведь Роже ничего об этом не знал. Когда жизнь измотает его, он придет к ней попенять на судьбу, попытается, конечно, снова вернуть ее себе. И возможно, это ему удастся. Симон будет окончательно унижен, она по-прежнему будет одинока, будет ждать неопределенных звонков по телефону и мелких, но вполне определенных обид. И она восставала против собственного фатализма, против ощущения, что это неизбежно. В ее жизни лишь одно было неизбежно — Роже.

Но это не мешало ей жить с Симоном, вздыхать ночью в его объятиях и подчас не отпускать его от себя, прижимать тем движением, которым женщина привлекает к себе лишь ребенка или очень умелого любовника, движением собственницы, столь неуверенной в долговечности своей власти, что даже Симон не постигал всей глубины этого чувства. В такие минуты Поль была на грани старости, становилась покорной рабой того чудесного, единственного желания любви, которое только и ведомо старости. И она сердилась на самое себя, на Роже — зачем его нет здесь: при нем она не раздваивалась, не отделяла себя от него. В минуты близости с Роже она чувствовала, что он ее господин, а она его собственность; он был немного старше ее, все в их связи отвечало моральным и эстетическим нормам, которых она, оказывается, придерживалась, до сего дня сама не подозревая об этом. А Симон не чувствовал себя ее господином. Повинуясь бессознательному актерскому инстинкту, он непрестанно разыгрывал роль подопечного, не понимая, что тут-то и есть его гибель, — следуя этой роли, он засыпал на плече своей подруги, как бы ища у нее защиты, вскакивал на заре, чтобы приготовить ей завтрак, спрашивал у нее по любому поводу совета. Все это трогало Поль, но стесняло ее, как нечто неположенное, неестественное. Она уважала его, ведь теперь он работал; он как-то даже свозил ее в Версаль на судебный процесс, где ради нее блестяще разыграл роль молодого адвоката: пожимал чьи-то руки, благосклонно улыбался журналистам и все время возвращался мыслью к ней, как к некой оси своего вдохновения. Вдруг он прерывал свои словесные излияния, чтобы повернуться в ее сторону, и бегло взглядывал, желая убедиться, что она на него смотрит. Нет, он не играл перед ней комедию мужской отрешенности. И она тоже не спускала с него глаз, вкладывая в свой взор самое живое восхищение, самый живой интерес. Но как только Симон поворачивался спиной, взгляд ее сразу же менялся, принимая нежное, пожалуй, даже горделивое выражение. Женщины откровенно им любовались. Она чувствовала себя прекрасно — есть кто-то, кто живет ради нее. Вопрос о разнице в их возрасте уже перестал для нее существовать; она не спрашивала себя: «А через десять лет будет он меня любить или нет?» Через десять лет она будет одна или с Роже. Какой-то внутренний голос твердил ей это. И при мысли о своей двойственности, против которой она сама была бессильна, нежность ее к Симону возрастала: «Моя жертва, любимая моя жертва, мой мальчик, мой Симон!» Впервые в жизни она наслаждалась этой страшной радостью — любить того, кого ты неотвратимо заставишь пройти через муки.

И это «неотвратимое» со всеми последствиями пугало ее: вопросы, которые рано или поздно поставит перед ней Симон, которые он вправе поставить в качестве человека страдающего: «Почему вы предпочли мне Роже? Почему этот невнимательный хам восторжествовал над моей неистовой любовью, которую я дарю вам каждый день?» И Поль почти теряла рассудок, ища слова, которыми она объяснит Симону, что есть для нее Роже. Она не скажет «он», она скажет «мы», так как не может разъединить их жизни. Хотя и не знает почему. Возможно, потому, что усилия, которых требовала от нее эта любовь в течение шести лет, эти вечные, эти мучительные усилия, стали ей в конце концов дороже самого счастья. И она из гордости не могла примириться с мыслью, что усилия эти тщетны, и гордость ее, снося удары, лишь крепла, избрав себе Роже наставником мук, осветила его в этой роли. Так или иначе, он вечно ускользал от нее. И эта борьба, успех которой был весьма сомнителен, стала смыслом ее жизни.

Между тем она не создана для борьбы; она напоминала себе об этом, проводя ладонью от затылка ко лбу по шелковистым, мягким кудрям Симона. Она могла бы скользить по жизни, как ее рука скользит сейчас по его кудрям; она шептала об этом Симону. Долгие часы, прежде чем заснуть, они лежали в полной темноте. Они держались за руки, шушукались, временами ее охватывало несуразное ощущение, будто рядом — ее школьная подружка, им обеим по четырнадцать лет и находятся они в одном из тех полупризрачных дортуаров, где девочки шепчутся о Боге и о мальчиках. Она шептала, и Симон, восхищенный этими таинственными полупризнаниями, тоже понижал голос до шепота.

— А как бы ты жила?

— Осталась бы с Марком, с мужем. В конце концов, он был милый человек, очень светский. Слишком богатый... А мне хотелось попробовать...

Она пыталась втолковать это Симону, почему и как ее жизнь внезапно вылилась в одну из форм жизни, в тот самый день, когда она решилась с головой шырнуть в сложный, трудный, унизительный мир женских профессий. Хлопоты, материальные заботы, улыбки, молчаливые отказы. Симон слушал, стараясь извлечь из ее воспоминаний то, что могло иметь отношение к их любви.

— А потом?

— Потом, думаю, жила бы так: стала бы со временем потихоньку изменять Марку, впрочем, не знаю... Но во всяком случае, у меня был бы ребенок. А ради одного этого...

Она замолкла. Симон обнял ее; он хотел иметь от нее ребенка, всего хотел. Она рассмеялась, нежно коснулась его век губами и продолжила:

— В двадцать лет все было по-другому. Я прекрасно помню, как я решила во что бы то ни стало быть счастливой.

Да, она прекрасно помнила это. Она бродила по улицам, по пляжам, подгоняемая своей мечтой; она все шла и шла, стараясь набрести на какое-нибудь лицо, на какую-нибудь мысль: на добычу. Воля к счастью парила над ее головой, как парила она до того над головами трех поколений, и не было недостатка в препятствиях, и все казалось, что их мало. Сейчас она уже не стремилась брать, она стремилась сохранить. Сохранить профессию, сохранить мужчину, в течение долгих лет одну и ту же профессию и одного и того же мужчину, и теперь к тридцати девяти годам она все еще не была особенно в них уверена. Симон засыпал рядом с ней, она шептала: «Спишь, милый?» — и, услышав эти два слова, он спросонья отрицал, что спит, прижимался к ней в темноте, окутанный ее ароматом, их общим теплом, счастливый, как в сказке.

ГЛАВА 17

Это была уже тридцатая сигарета. Он понял это, потушив окурок о край переполненной пепельницы. Он даже содрогнулся от отвращения и опять, уже в который раз, зажег лампу у изголовья кровати. Было три часа утра, заснуть ему не удавалось. Он резким движением распахнул окно, и ледяной воздух с такой силой ударил ему в лицо, в грудь, что он тут же захлопнул окно и прислонился лбом к стеклу, как бы желая «разглядеть» холод. Но ему надоел вид пустынной улицы, он кинул взгляд на свое отражение в зеркале и тут же отвел глаза. Вид у него был скверный. С ночного столика он взял пачку сигарет, машинально зажал сигарету зубами и тут же положил ее обратно. Он разлюбил эти машинальные жесты, которые в его глазах составляли одну из прелестей жизни, он разлюбил повадки одинокого мужчины, он разлюбил вкус табака. Надо бы полечиться, он совсем развинтился. Конечно, он очень сожалел о разрыве с Поль, но не от этого же он заболел на самом деле. Сейчас она, должно быть, спит в объятиях этого избалованного мальчишки, она все забыла. Разумеется, можно было выйти из дому, взять первую попавшуюся потаскушку и напиться. Что, впрочем, всегда и предполагала Поль. Поль, он чувствовал это, никогда по-настоящему его не уважала. Считала его деревенщиной, грубияном, хотя он принес ей в дар самое лучшее, что в нем было, самое надежное. Все женщины на один лад: они всего требуют, все отдают, незаметно приучают вас к полному доверию, а затем в один прекрасный день уходят из вашей жизни по самому ничтожному поводу. Для Поль связь с каким-то Симоном, конечно, ничтожный повод. Да, но сейчас-то этот мальчишка обнимает ее, склоняется над ее запрокинутой головой, над этим телом, таким нежным, так умеющим отдаваться ласке... Он резко повернулся, закурил наконец сигарету, вдыхая табачный дым с какой-то яростной жадностью, потом вытряхнул пепельницу в камин. Надо бы протопить: всякий раз, когда Поль приходила к нему, она разжигала огонь, долго стояла перед камином на коленях, следя, как зарождается пламя. Иной раз подбрасывала поленья точными, спокойными движениями, потом подымалась с колен, отступала во мрак, а комната становилась розовой, живой, вся в игре теней; в такие минуты его тянуло к ней, и он говорил ей об этом. Но все это было уже давно. Сколько времени Поль не приходила к нему сюда? Должно быть, два, три года? Он взял себе за привычку ездить к ней: так было удобнее, она его ждала.

Он все еще держал в руке пепельницу, и она вдруг выскользнула из его пальцев: покатилась по полу и не разбилась. Ему почему-то хотелось, чтобы она разбилась, вышла из свойственного ей состояния инерции, чтобы кругом были осколки, обломки. Но пепельница не разбилась; они разбиваются вдребезги только в романах и в фильмах, другое дело, если бы это была ценная, хрустальная пепельница, которых полным-полно в квартире у Поль, а не эта обыкновенная пепельница из универсального магазина. Он разбил у Поль, должно быть, сотню вещей, самых разнообразных, а она только смеялась; в последний раз он кокнул очаровательный хрустальный стакан, в котором виски принимало необычайный золотистый оттенок. Впрочем, все было так, как надо, в ее квартире, где он чувствовал себя хозяином и господином. Все там было гармонично, ласково и спокойно. Ему казалось, что он каждый раз с трудом отрывается от привычной обстановки, даже когда он уходил от нее ночью на поиски приключений. А теперь он сидит один у себя в квартире и бессмысленно злится на небьющуюся пепельницу. Он лег в постель, потушил свет и, прежде чем заснуть, положив ладонь на сердце, успел подумать, что он несчастлив.

ГЛАВА 18

Они столкнулись как-то вечером у входа в ресторан и разыграли втроем сценку из классического и несуразного, столь обычного в Париже балета: она издали слегка кивнула мужчине, на плече которого столько раз вздыхала, стонала, засыпала; он неловко поклонился ей, а Симон с минуту смотрел на него и не ударил, хотя у него чесались руки. Они заняли два столика довольно далеко друг от друга, и Поль заказала обед, не подымая глаз от меню. Для хозяина ресторана, для кое-кого из завсегдатаев, знавших Поль, это была обычная, ничем не примечательная сцена. Симон решительным тоном приказал принести вина, а Роже, за другим столиком, осведомился у своей дамы, какой коктейль она предпочитает. Наконец Поль подняла глаза, улыбнулась Симону и взглянула в сторону Роже. Она его любит, эта самоочевидная истина кольнула ее, как только она увидела Роже с его обычным надутым видом в дверях ресторана, она еще до сих пор любит Роже, она словно пробудилась от долгого ненужного сна. Он тоже взглянул на нее, попытался улыбнуться, но улыбка тут же застыла на его губах.

— Что вы закажете? — спросил Симон. — Белое вино?

— Пожалуй!

Она видела свои руки, лежавшие на краю столика, аккуратно расставленные приборы, рукав Симона возле своего обнаженного плеча. Она залпом выпила вино. Симон говорил без обычного своего воодушевления. Казалось, он чего-то ждет от нее или от Роже. Но чего? Разве может она подняться, бросить Симону: «Прости, пожалуйста», разве может она пересечь зал и сказать Роже: «Хватит, пойдем домой». Так не делается. Впрочем, в наши годы ничего уже не делается, ничего умного, ничего романтичного.

Обед кончился, начались танцы; она видела Роже, обнимавшего за талию недурненькую брюнетку, на сей раз действительно недурненькую, своего Роже, который по обыкновению неуклюже топтался перед дамой. Симон поднялся с места — танцевал он прекрасно, полузакрыв глаза. Он был гибкий и тонкий, он что-то напевал себе под нос, и Поль охотно подчинялась ему. В эту самую минуту ее обнаженная рука задела руку Роже, лежавшую на спине его дамы, и Поль открыла глаза. Они поглядели друг на друга — Роже, Поль, — каждый из-за плеча «другого». Оркестр играл вялый слоу почти без ритма. Они рассматривали друг друга на расстоянии каких-нибудь десяти сантиметров, не улыбаясь, не меняя выражения лица; казалось даже, они не узнают друг друга. Потом неожиданно Роже отнял руку от талии своей дамы и, дотянувшись до руки Поль, осторожно погладил кончики ее пальцев, а на лице его появилось такое умоляющее выражение, что она прикрыла глаза. Симон сделал полукруг, и они потеряли друг друга из виду. Этой ночью она отказалась быть с Симоном, сославшись на усталость. Долго она лежала в постели без сна, с открытыми глазами. Она знала, что произойдет, знала, что не было и нет двух решений, и покорялась, лежа в темноте, чувствуя, что у нее замирает дух. Среди ночи она поднялась, пошла в гостиную, где прикорнул Симон. В косом луче света, падавшем из спальни, она видела на кушетке распростертое, еще юношеское тело, еле заметно дышавшую грудь. Она глядела, как он спит, зарывшись головой в подушку, глядела на милую ямку между двух шейных позвонков; это спала ее собственная молодость. Но когда он со стоном повернул лицо к свету, Поль убежала. Она уже не смела с ним говорить.

На следующее утро в конторе ее ждала пневматичка от Роже... «Я должен с тобой увидеться, так дальше нельзя. Позвони». Она позвонила. Они условились встретиться в шесть часов. Но через десять минут он был уже здесь. Особенно громоздкий, неприкаянный в женском мирке этого магазина. Она пошла ему навстречу, увела в маленький салон, тесно заставленный плетеными стульчиками с позолотой: интерьер для кошмара! Только тут она его разглядела. Да, это он. Он шагнул к ней, положил обе руки ей на плечи. Роже слегка заикался, что служило у него признаком величайшего волнения.

— Я был так несчастлив, — сказал он.

— Я тоже, — услышала она свой ответ и, слегка прижавшись к груди Роже, наконец-то расплакалась, в душе умоляя Симона простить ей эти два слова.

Роже прислонился щекой к ее волосам, растерянно сказал: «Ну-ну, не плачь».

— Я пыталась, — произнесла она извиняющимся тоном, — я вправду пыталась...

Тут ей пришло в голову, что эти слова уместнее было бы обратить не к Роже, а к Симону. Она совсем запуталась. Вечно приходится быть начеку, никогда нельзя говорить всего одному и тому же человеку. Она плакала, слезы текли по ее окаменевшему лицу. Он молчал.

— Скажи что-нибудь, — пробормотала она.

— Я был так одинок, — сказал он, — я все думал. Присядь, возьми мой платок. Сейчас я тебе объясню.

Он объяснил. Объяснил, что женщин нельзя оставлять без присмотра, что он вел себя неосторожно и понимает, что все произошло по его вине. Он не сердится за ее опрометчивость. Больше об этом разговора не будет. Она соглашалась: «Да-да, Роже», и ей хотелось заплакать еще сильнее и хотелось засмеяться. Она вдыхала такой родной запах Роже, запах табака и чувствовала, что она спасена. И что погибла.

Через десять дней она в последний раз была у себя дома с Симоном.

— Смотри, не забудь, — сказала она.

Она протянула ему два галстука, она не глядела на него, чувствуя, что силы ее оставляют. Вот уже два часа, как она помогала ему складывать вещи. Незатейливые пожитки влюбленного, но весьма беспорядочного юноши. И повсюду они натыкались на зажигалки Симона, на книги Симона, на туфли Симона. Он ничего ей не сказал, он держался молодцом, сознавал это и задыхался от этого.

— Ну, хватит, — сказал он. — Остальное можно снести к вашей консьержке.

Она не ответила. Он оглянулся вокруг, стараясь внушить себе: «В последний раз, в последний раз», но ничего не получалось. Его била нервная дрожь.

— Я никогда не забуду, — произнесла Поль и подняла к нему глаза.

— И я тоже, — сказал он, — не в том дело, не в том дело...

Он хотел было повернуть в ее сторону искаженное болью лицо, но вдруг зашатался. Она поддерживала его обеими руками, она снова была опорой его горю, как бывала опорой его счастью. И она не могла не завидовать остроте этого горя, красе этого горя, прекрасной боли, которой ей уже не суждено испытать. Он высвободился резким движением и вышел, забыв свои вещи. Она побежала за ним, свесилась через перила, крикнула:

— Симон! Симон! — И добавила, сама не зная почему: — Симон, теперь я старая, совсем старая...

Но он не слышал ее. Он несся вниз по ступенькам, глаза застилали слезы; он бежал, как бегут счастливцы: ему было двадцать пять. Она беззвучно прикрыла дверь, прислонилась спиной к косяку.

В восемь раздался телефонный звонок. Еще не сняв трубку, она знала, что́ услышит сейчас.

— Извини, пожалуйста, — сказал Роже, — у меня деловой обед, приду попозже, если только, конечно...

1959 г.

ВОЛШЕБНЫЕ ОБЛАКА

Перевод Н. Комина

ИНОЗЕМЕЦ

—Скажи мне, таинственный незнакомец, кого ты любишь больше? Отца, мать, сестру, брата?

— У меня нет ни отца, ни матери, ни сестры, ни брата.

— Друзей?

— Вы произнесли слово, смысл которого до сих пор от меня ускользал.

— Родину?

— Я не знаю, на какой широте она находится.

— Красоту?

— Если бы она была бессмертной богиней, я был бы не прочь ее полюбить.

— Золото?

— Я ненавижу его, как вы ненавидите Бога.

— Тогда что же ты любишь, странный иноземец?

— Облака... Плывущие облака... там, высоко... Волшебные облака!

Шарль Бодлер. Поэмы в прозе

ФЛОРИДА

1

На фоне слепяще-синего неба Ки Ларго чернел иссохший остов какого-то ветвистого тропического дерева, напоминающий жуткого паука. Жозе вздохнула, закрыла глаза. Настоящие деревья вроде того одинокого тополя на краю луга, у самого дома, были от нее далеко. Она ложилась под ним, упиралась ногами в ствол, смотрела на сотни трепещущих на ветру листочков, наклонявших общими усилиями самую верхушку дерева, которая, казалось, вот-вот оторвется, вот-вот улетит. Сколько ей тогда было? Четырнадцать? Пятнадцать? Иногда она ладонями сжимала голову, припадала к тополю, прикасалась губами к бугристой коре и шептала клятвы, вдыхая неповторимый букет из травы, юности, страха перед будущим и уверенности в нем. В то время она не могла вообразить, что когда-нибудь покинет этот тополь и, вернувшись десятилетие спустя, обнаружит, что он срублен под самый корень, что от него остался лишь сухой пень с пожелтевшими зарубками от топора.

— О чем ты думаешь?

— О дереве.

— Каком дереве?

— Ты не знаешь, — сказала она и рассмеялась.

— Само собой.

Не открывая глаз, она почувствовала, что внутри нее что-то сжалось. Это случалось всякий раз, когда Алан начинал говорить таким тоном.

— Когда мне было девять лет, я любила один тополь.

Она задумалась, почему ей пришло в голову представить себя моложе, чем это было на самом деле. Наверное, чтобы уменьшить ревность Алана. Раз ей было только девять, вряд ли он спросит: «Кого, кого ты любила?»

Наступила тишина, но она чувствовала, что ответ его не удовлетворил, что он о чем-то напряженно размышляет, и на смену ее безмятежной дремы пришло напряженное внимание. Парусина шезлонга облегала ее спину, с затылка никак не могла скатиться капля пота.

— Почему ты вышла за меня замуж?

— Я любила тебя.

— А сейчас?

— Я и сейчас тебя люблю.

— За что?

Это было прологом: первые реплики соответствовали трем звонкам в театре, они напоминали своеобразный, установленный по обоюдному согласию ритуал, который предшествовал сцене самоистязания Алана.

— Алан, — тоскливо произнесла она, — давай не будем.

— За что ты меня полюбила?

— Ты казался мне спокойным, надежным американцем. Я это уже сто раз говорила. Я считала тебя красивым.

— А теперь?

— Теперь я не считаю, что ты спокойный американец, но ты остаешься красивым.

— Безнадежно закомплексованный американец, не так ли? Не будем забывать про мою мамулю, про мои доллары.

— Да, черт тебя побери, да! Я тебя придумала. Ты это хочешь услышать?

— Я хочу, чтобы ты меня любила.

— Я люблю тебя.

— Не любишь.

«Когда же наконец вернутся остальные? — думала она. — Возвращались бы поскорее. В такую жару вздумали рыбу ловить. Как только они прибудут, пойдем ужинать, Алан слегка переберет виски, лихо погонит машину, а ночью заснет мертвым сном. Он крепко прижмется ко мне, почти раздавит и, может быть, часок-другой в своем забытьи будет мне мил. А на следующее утро он расскажет мне все свои ночные кошмары, ведь у него такое богатое воображение».

снова опустилась в шезлонг.

— Их еще нет, — язвительно произнес Алан. — Жаль. Тебе скучно, не так ли?

Она повернулась к нему лицом. Он пристально смотрел на нее. Он и вправду походил на молодого героя вестерна. Светлые глаза, обветренная кожа, прямой взгляд. Простодушие, пусть даже напускное. Алан. Да, было время, она его любила. Но теперь, когда как следует всматривалась в него, продолжала питать к нему слабость. Однако все чаще и чаще отводила от него глаза.

— Ну что, продолжим?

— Тебя это забавляет?

— Что ты почувствовала, когда я сделал тебе предложение?

— Я была рада.

— И все?

— Мне показалось, что я спасена. Ведь я... Мне было тогда нелегко, ты же знаешь.

— Почему нелегко? Кто был в этом виноват?

— Европа.

— Кто именно в Европе?

— Я уже рассказывала тебе.

— Повтори еще раз.

«Уйду, — вдруг подумала Жозе. — Я должна понять, что это неизбежно. Пусть делает что хочет. Пусть застрелится. Он уже не раз угрожал. И его горе-психиатр тоже говорил, что такое может случиться. Пусть свихнется, как и его чертов отец. Пусть их всех сведет в могилу этот идиотский алкоголизм. Да здравствует Франция и Бенжамен Констан![1]»

В то же время, как ни хотел этого Алан, она не могла представить его мертвым, мысли о его возможном самоубийстве вызывали у нее отвращение: «Ему для этого нужен будет какой-нибудь предлог, а я не хочу им быть».

— Это похоже на шантаж, — сказала она.

— Ну да, конечно, я знаю, о чем ты думаешь.

— Я не могу уважать тебя, пока ты меня так шантажируешь, — произнесла она.

— А что прикажешь делать?

— Да ничего.

Плевал он на то, уважает она его или нет. Впрочем, это мало ее задевало — она себя ценила не столь высоко. И это в двадцать семь лет! Всего три года назад она жила в Париже, одна или с кем хотела,

---

[1] К о н с т а н т и н д е Р е б е к Б е н ж а м е н А н р и (1767—1830) — французский автор психологических романов. (*Здесь и далее примеч. пер.*)

дышала полной грудью. А теперь вот чахнет в этом искусственном, будто из папье-маше, мирке, возле молодого неуравновешенного мужа, который сам не знает, чего хочет. Она нервно рассмеялась. Он приподнялся, прищурив глаза. Ему не нравился такой смех, хотя иногда он был способен проявлять тонкое чувство юмора.

— Не надо так смеяться.

Но она не останавливалась, продолжала тихо и уже как-то умиротворенно посмеиваться. Она думала о своей парижской квартире, о ночных улицах, о безумствах юности. Алан встал.

— Пить не хочешь? Смотри, как бы тебя не хватил солнечный удар. Принести тебе апельсинового сока?

Он опустился возле нее на колени, положил голову на ее руку, посмотрел в глаза. То была другая его тактическая уловка: когда он видел, что ревность ее не трогает, он становился нежным. Она провела ладонью по его красивому лбу, обогнула пальцами овал твердых губ, продолговатые глаза и в который раз спросила себя, что же сводит на нет спокойную мужественность этого лица.

— Принеси мне лучше бокал бакарди, — сказала она.

Алан улыбнулся. Он любил выпить, и ему нравилось, когда она пила вместе с ним. Ее об этом предупреждали. Сама она была довольно равнодушна к алкоголю, однако порой ей хотелось набраться до бесчувствия.

— Значит, два бакарди, — сказал он.

Он поцеловал ей руку. На них умиленно посмотрела седовласая американка в цветастых шортах. Жозе не улыбнулась ей в ответ. Она смотрела на Алана, удалявшегося легкой поступью избалованного жизнью человека, и, как это случалось всякий раз, когда он куда-то уходил, к ней подступила легкая грусть. «Но ведь я его больше не люблю», — прошептала она и поспешила закрыть рукой лицо, будто солнце могло уличить ее в неискренности.

Наконец-то возвратившиеся друзья застали их лежащими на песке: Жозе, положив голову на плечо Алана, с жаром обсуждала с ним какой-то роман. Возле них валялось несколько пустых фужеров, и Брандон Киннель указал на них взглядом. Весьма неглупая женщина, Ева Киннель красотой не отличалась; и она, и ее муж были людьми дружелюбными. Жозе ей нравилась, Алана она, как и Брандон, побаивалась. Киннели жили в полном согласии, за понятным исключением тайного безответного чувства, которое Брандон питал к Жозе.

— Ну и денек! — сказала Ева. — Провести в море целых три часа и поймать какую-то жалкую барракуду...

— Зачем бороздить океаны? — произнес Алан. — Ведь счастье — на песчаном берегу.

Он поцеловал волосы Жозе. Она подняла голову, увидела, что Брандон глядит на пустые фужеры, и мысленно послала его ко всем

чертям. Алан был в ударе. Она приятно провела время на дивном
пляже, и что с того, если в том ей помогли несколько бокалов бакарди?

Жозе прикоснулась к загорелой ноге мужа.

— Счастье — на песчаном берегу, — повторила она.

Брандон отвернулся. «Кажется, я сделала ему больно, — подумала она. — Он, наверное, любит меня. Странно, я об этом совсем не думала». Она протянула ему руку.

— Помогите мне подняться, Брандон, от этого солнца у меня кружится голова.

Она сделала ударение на «солнце». Он протянул ей руку. Многие задавались вопросом, почему Брандон Киннель, походивший на рассеянного морского волка, взял в жены Еву, которая напоминала какую-то букашку. Видимо, это произошло по двум причинам: она была умна, а он робок. Он помог Жозе подняться, та покачнулась и, чтобы не упасть, прильнула к нему.

— А как же я, Ева? — спросил Алан. — Вы хотите на всю ночь оставить меня одного на пляже? Вы же видите, что я пьян, как и Жозе. Мы оба наклюкались. Разве она не призналась, что нам было хорошо?

Он лежал на песке и смотрел на них, ухмыляясь. Жозе на мгновение отпустила руку Брандона, потом решительно на нее оперлась.

— Если тебя от двух рюмок повело, то я тут ни при чем. Я трезва как стеклышко и хочу есть. Я пошла с Брандоном ужинать.

Она повернулась к нему спиной, забыв о Еве. Впервые за последний год ей пришла в голову мысль о том, что, кроме Алана, на земле есть другие мужчины.

— Он бывает просто невыносим, — прошептала она так, что ее нельзя было не услышать. — Всегда все портит.

— Вам надо уйти от него, — сказал Брандон.

— Он без меня совсем опустится, то есть я хочу сказать...

— Он уже опустился.

— Пожалуй.

— Но он очень мил, не так ли?

Она хотела возразить, но, поведя плечами, произнесла:

— Наверное, вы правы.

Они не торопясь направились к ресторану. Жозе продолжала опираться на руку Брандона. Это прикосновение невыносимо, до судорог сковывало его движения, и он даже подумывал, не освободить ли ему свою руку.

— Мне не нравится, что вы пьете, — сказал он слишком громко и чересчур властно. Поняв это, он смутился. Жозе подняла голову.

— Матери Алана тоже не нравится, когда он пьет. Как, впрочем, и мне. Но вам-то что до этого?

Он высвободил руку с покорным облегчением. В кои веки ему

представилась возможность наедине перекинуться с ней словом, а он умудрился ее оскорбить.

— Да, конечно, это меня не касается.

Она посмотрела на него. Он шел, слегка размахивая руками, у него было лицо честного, надежного человека. Когда-то она думала, что выходит замуж именно за такого мужчину.

— Вы правы, Брандон. Простите меня. Но вы, американцы, все помешаны на здоровье. В Европе не так. Я, например, живу с Аланом, но я не могу сказать себе: «Надо от него избавиться», — будто речь идет не о муже, а об аппендиците.

— И все же вам придется это сделать, Жозе, и если я когда-нибудь понадоблюсь...

— Я знаю, спасибо. Вы с Евой очень добры.

— Не только мы с Евой, но и я один.

Он покраснел как рак. Жозе ничего не ответила. А ведь в Париже она любила поиздеваться над мужчинами. «Я постарела», — подумала она. В ресторане почти не было свободных мест. Далеко позади едва виднелись Алан и Ева, которые медленно шли за ними.

И вот они снова у себя дома. В их жилище было три длинные комнаты, облицованные светлым бамбуком и украшенные африканскими масками, соломенными поделками и рыболовными гарпунами, — короче, всем тем, что мать Алана считала экзотикой. Хотя Алан очень долго жил здесь в одиночестве, в доме не было его личных вещей. Книги и пластинки они привезли из Нью-Йорка. Никогда прежде Жозе не встречала людей, которых так мало интересовало прошлое. Он смотрел на все лишь ее глазами, причем так очевидно и откровенно, что порой ей хотелось рассмеяться. Нарочитость их отношений заходила так далеко и он так безнадежно терял свое лицо, что у нее голова шла кругом: ей казалось, что она смотрит плохую пьесу или фильм с неуемными режиссерскими претензиями. Но режиссером этой пьесы, этого фильма был не кто иной, как ее муж, и она не могла не страдать вместе с ним, предвкушая неизбежный провал.

Он ходил взад-вперед по комнате, все окна были открыты, и их лица овевал теплый флоридский бриз, в котором смешались легкие запахи моря, бензина и не желающего спадать зноя. Она смотрела, как он вышагивает, и думала, что никогда прежде так остро не ощущала свою непричастность к окружающей обстановке и даже к чьей-то жизни. Никогда она не чувствовала себя такой уязвимой — будто вся она была обнаженным нервом.

— Брандон в тебя влюблен, — наконец произнес он.

Она улыбнулась. Они подмечали все одновременно. Еще два дня назад она бы посмеялась над его словами и объяснила их манией ревнивца. Двумя днями позже она посчитала бы его безнадежным слепцом. Но коль скоро они в одно и то же время пришли к этому выводу,

она понимала, что не может все обратить в шутку, как поступила бы с
любым другим мужчиной.

— Но какие у Брандона могут быть шансы? — задумчиво произнесла она.

Алан остановился, облокотившись на подоконник.

— Никаких, — заключила она.

— Ну почему, — возразил он. — Красивый, солидный и надежный мужчина. Это, пожалуй, единственный в Ки Ларго человек, который мог бы составить мне конкуренцию. Его жена умна и умеет себя вести. Он вполне способен отправить меня в нокаут за нанесенное тебе оскорбление. Это истинный джентльмен. Я так и слышу, как он говорит: «Простите, сэр, но есть такие вещи, которые терпеть нельзя, а леди Жозе — выше всяких подозрений...» — и так далее.

Он рассмеялся.

— Что ты молчишь? Считаешь, что такого быть не может?

— Напротив, я не вижу в этом ничего невозможного.

— Ты и переспать с ним могла бы?

— Могла бы. Но это мне вовсе не улыбается.

— Ничего, еще захочется.

Он отошел от окна, и в который раз она отметила его склонность к театральности. Он всегда принимал красивую позу, чтобы произнести реплику, потом снова начинал передвигаться по сцене, казалось, каждое слово он старается подчеркнуть определенным жестом.

Жозе лежала на обитом парусиной диване, заложив руки за голову и прикрыв глаза. Ей хотелось спать, она спрашивала себя, как долго сможет выносить такую жизнь. Тем не менее в глубине души все происходящее ее забавляло. Ведь сегодня она впервые твердо сказала себе: «Пора со всем этим кончать».

— Как бы Брандон по тебе ни вздыхал, ты не должна делать вид, что ничего особенного не происходит, — продолжал Алан. — Печего сказать, элегантно ты его подхватила на пляже, оставив со мной бедную Еву. Ты видела, как понуро она смотрела вам вслед.

— Я об этом не подумала. Ты полагаешь...

Она хотела сказать: «Ты полагаешь, это ее задело?» — но не договорила. И так было ясно, что он ответит «да». Он не упускал случая вызвать у нее угрызения совести. Она не сдержалась.

— Я не причинила ей боли. Ева мне доверяет, как и Брандон. Они не догадываются, что я, как рабыня, должна проводить время, лежа на спине в покорном ожидании мужчины. Они-то нормальные люди.

— Ты хочешь сказать, что я таковым не являюсь?

— Ты прекрасно знаешь, о чем я говорю, и ты гордишься собой, не так ли? Не устаешь лелеять свои причуды. Для тебя было бы трагедией спуститься на землю и вести себя, как подобает мужу...

«Боже мой, — подумала она, — я читаю мораль, точь-в-точь как авторы нравоучительных газетных статей. И это я, с моим презрением к здравому смыслу, поучаю его, словно отец семейства! Я становлюсь настоящей занудой. А он и рад».

Он и в самом деле подошел к ней, улыбаясь.

— Помнишь, Жозе, однажды ты мне сказала: «Людей надо принимать такими, какие они есть, я никогда никого не хотела изменить, никто не имеет права судить других». Разве не помнишь?

Он улегся у ее ног и говорил тихо, так тихо, что непонятно было, читает ли он молитву , от которой зависит его счастье, или хочет смутить ее. У нее перехватило дыхание. Да, именно эти слова она произнесла как-то зимой в Нью-Йорке. Они вышли на улицу после долгой беседы с матерью Алана. Жозе переполняла жалость, нежность и добродетель. Они гуляли по Централ-парку, и Алан казался таким потерянным, таким доверчивым...

— Да, — сказала она. — Я это говорила. Я так думала. И продолжаю так думать. Алан, — произнесла она чуть тише, — ты меня не щадишь.

— Ты хочешь сказать, что я жесток?

— Да.

Она закрыла глаза. Он добился своего, заставил ее признаться, что причинил ей боль, к этому он и стремился — задеть ее за живое. Любым способом уколоть. Он поднял руки, опустил, лег рядом, прижался головой к ее плечу. С мольбой в голосе он шептал ее имя, ласкал ее, ему очень хотелось, чтобы она заплакала. Но она сдержала слезы. Тогда он овладел полуодетой Жозе, но взаимное удовольствие вызвало у него нечто, похожее на обиду. Чуть позже он раздел ее и, уже спящую, перенес в спальню. Заснул он, судорожно сжав ее руку в своей. Когда она проснулась на следующее утро, Алан лежал поперек кровати. Он так и не успел раздеться.

«Как странно он спит... Раскрытая ладонь застыла на простыне, шея судорожно изогнута, колени поджаты к груди. Как же называется эта поза? Ах да, поза зародыша в материнской утробе. Неужели Алан жалеет, что расстался со своей невыносимой матерью! Ну и ну! Значит, старик Фрейд был прав? (Она засмеялась и потянулась к графину с водой.) Ненавижу бакарди. Ненавижу эту безвкусную, стерилизованную воду. Ненавижу это закрытое окно и климатизированный воздух. Ненавижу бамбук и двухдолларовые африканские побрякушки. Ненавижу путешествия и тропическую природу. Может, и этого незнакомца, что спит поперек кровати, я тоже ненавижу?

Он красив. У него безукоризненная фигура, тело худощавого юноши. Его кожа нежна, к ней приятно прикасаться губами. Нет, я не испытываю ненависти к этому молодому человеку. Стоит мне пошевелить головой, незнакомец начинает постанывать, он пробуждается от одного моего поцелуя. Он стонет сейчас не оттого, что ему тяжело оторваться от сна, а потому, что ему приятно. Ноги его вытянулись, он покинул свою мать, возвратился к любовнице. «Ты мать моих воспоминаний, любовница любви...» Чьи это слова? Верлена, Бодлера?.. Сейчас мне не вспомнить. Он обхватил ладонями мой затылок, заставил перевернуться на спину и притянул к себе. Он произносит мое имя, меня и вправду зовут Жозе, а его — Алан. Всдь это обязательно что-то должно означать. Алан. Нет, ничто не может возвратиться на круги своя. Нет, я не смогу произносить другое имя».

2

— Ты забыл шляпу!

Он махнул рукой в знак того, что шляпа ему не нужна. Машина уже тарахтела, впрочем, нет, скорее урчала. Это был старенький «Шевроле» гранатового цвета. Алан был абсолютно равнодушен к спортивным автомобилям.

— Сегодня будет страшная жара, — настаивала Жозе.

— Пустяки. Садись. Брандон даст мне свою шляпу. У него голова крепкая.

Теперь он только о Брандоне и говорил, они общались лишь с четой Киннель. Это стало его новой причудой: всем своим видом он показывал, что бессилен вмешаться в чужую великую любовь, называл Еву «моя бедная подруга по несчастью» и натянуто улыбался, когда Брандон обращался к Жозе. Несмотря на совместные усилия Жозе и Киннелей, которые стремились все обратить в шутку, положение становилось невыносимым. Она все испробовала: и гнев, и равнодушие, и мольбу. Однажды она попыталась остаться дома, но Алан почти целый день просидел напротив нее, не переставая пить и расхваливать Брандона.

В этот день они собирались вместе рыбачить. Жозе не выспалась и чуть ли не со злорадством предвкушала тот миг, когда кто-нибудь — Брандон, Ева или она сама — не вынесет этой пытки и взорвется. Если повезет, это может произойти сегодня.

Как всегда в последние дни, понурые Киннели ждали их у причала. Ева держала корзину с бутербродами, она махнула им свободной рукой, попытавшись сделать это весело и непринужденно. Брандон слабо улыбнулся. Рядом покачивался большой катер, на котором их ждал матрос.

Вдруг Алан пошатнулся и потянулся к затылку. Брандон шагнул к нему и поддержал за руку.

— Что с вами?

— Это солнце, — сказал Алан. — Надо было взять шляпу. Голова кружится. — Он сел на каменный парапет и низко опустил голову. Остальные стояли в нерешительности.

— Если тебе плохо, — сказала Жозе, — давай останемся. Глупо выходить в море, когда так палит солнце.

— Нет-нет, ты так любишь рыбалку. Отправляйтесь без меня.

— Я отвезу вас домой, — сказал Брандон. — Вы, видимо, немного перегрелись. Вам лучше не садиться сейчас за руль.

— Так вы потеряете целый час. И потом, вы, Брандон, превосходный рыбак. Пусть лучше меня отвезет Ева, море ее утомляет. Она меня полечит, почитает что-нибудь.

Наступило молчание. Брандон отвернулся, и Ева, взглянув на него, подумала, что поняла своего мужа.

— Пожалуй, так будет действительно лучше. Мне надоели акулы и прочие морские твари. И потом, вы же скоро вернетесь.

Голос ее был спокоен, и Жозе, готовая было возразить, смолчала. Но внутри у нее все кипело. «Так вот чего добивался этот кретин! Притом ничем не рискуя — ведь он видит, что на катере с моряком укрыться негде. А тут еще на все согласная Ева и вечно краснеющий Брандон... И что, в конце концов, он хочет доказать?» Она резко повернулась ко всем спиной и взошла на мостик.

— Ты уверена, Ева... — робко произнес Брандон.

— Ну конечно, дорогой. Я отвезу Алана. Удачной вам рыбалки. Не слишком удаляйтесь от берега — поднимаются волны.

Моряк нетерпеливо насвистывал. Брандон нехотя перебрался на катер и облокотился о перила рядом с Жозе. Алан поднял голову и наблюдал за ними. Он улыбался и выглядел вполне здоровым. Катер медленно отходил от причала.

— Брандон, — вдруг сказала Жозе, — прыгайте. Немедленно прыгайте на берег!

Он посмотрел на нее, взглянул на пристань, которая была уже в метре от борта, и, перешагнув через перила, прыгнул, поскользнулся, потом поднялся на ноги. Ева вскрикнула.

— Ну, что там еще? — спросил моряк.

— Ничего. Отплываем, — ответила Жозе, стоя к нему спиной.

Она смотрела Алану в глаза. Он уже не улыбался. Брандон нервно отряхивался от пыли. Жозе отошла от борта и уселась на носу катера. Море было бесподобным, тягостная компания осталась на берегу. Давно ей не было так хорошо.

Корзина с провизией осталась, конечно же, на набережной, и Жозе разделила трапезу моряка. Рыбалка выдалась удачной. Попались две барракуды, с каждой пришлось побороться с полчаса, Жозе устала, хотела есть, была счастлива. Моряк, по всей видимости, питался лишь анчоусами да помидорами, и, посмеявшись, они решили, что не прочь были бы проглотить по приличному куску мяса. Он был до черноты опален солнцем, очень высок, немного неуклюж, взгляд его имел удивительное сходство с выражением глаз добродушного спаниеля.

На небо набежали тучи, начинало штормить, до пристани было неблизко, и они решили возвращаться. Моряк забросил удочку, Жозе уселась на раскладной стул. Пот лил с них градом, оба молча смотрели на море. Через некоторое время клюнула какая-то рыба, Жозе запоздало подсекла, вытащила пустой крючок и попросила моряка насадить новую приманку.

— Меня зовут Рикардо, — сказал он.

— Меня — Жозе.

— Француженка?

— Да.

— А мужчина на берегу?

Он сказал «мужчина», а не «ваш муж». Остров Ки Ларго пользовался, должно быть, репутацией веселого местечка. Она засмеялась.

— Он американец.

— Почему он остался?

— Перегрелся.

До этого они ни словом не обмолвились о странном отплытии. Он опустил голову, у него были очень густые, подстриженные ежиком волосы. Он быстро насадил приманку на огромный крючок, закурил сигарету и сразу передал ее Жозе. Ей нравилась здешняя спокойная непринужденность в общении между людьми.

— Вы предпочитаете ловить рыбу в одиночестве?

— Я люблю время от времени уединяться.

— А вот я — всегда один. Мне так лучше.

Он стоял за ее спиной. У нее промелькнула мысль, что он, видимо, закрепил штурвал и при таком ветре это не очень-то осмотрительно.

— Вам, наверное, жарко, — сказал он и прикоснулся к ее плечу.

Жозе обернулась. Его спокойный задумчивый взгляд доброй собаки был красноречив, однако в нем не было угрозы. Она взглянула на его руку, лежавшую на ее плече: большую, грубую, квадратную. Сердце ее застучало. Жозе смущал этот внимательный, спокойный, абсолютно невозмутимый взгляд. «Если я скажу, чтобы он убрал руку, он уберет ее, и этим все закончится». В горле у нее пересохло.

— Я хочу пить, — тихо произнесла она.

Он взял ее руку. Каюту от палубы отделяли две ступени. Простыня была чистой, Рикардо — грубым в своем нетерпении. Потом они обнаружили на крючке несчастную рыбу, и Рикардо хохотал, как ребенок.

— Бедняжка... про нее совсем забыли...

У него был заразительный смех, и она тоже рассмеялась. Он держал ее за плечи, ей было весело и не приходило в голову, что она впервые изменила Алану.

— Во Франции рыба такая же глупая? — спросил Рикардо.

— Нет. Она помельче и похитрей.

— Мне бы хотелось побывать во Франции. Париж посмотреть.

— И взобраться на Эйфелеву башню, да?

— Познакомиться с француженками. Я пошел заводить мотор.

Они не спеша возвращались. Море утихло, небо приобрело тот ядовито-розовый оттенок, который оставляют после себя несостоявшиеся грозы. Рикардо держал штурвал и время от времени оборачивался, чтобы улыбнуться ей.

«Такого со мной еще не случалось», — думала Жозе и улыбалась ему в ответ. Перед самым причалом он спросил, соберется ли она еще раз ловить рыбу, она ответила, что скоро уедет. Он некоторое время неподвижно стоял на палубе, и, уходя, она лишь раз на него оглянулась.

На пристани ей сказали, что ее муж и чета Киннель ждут ее в баре Сама. Гранатовый «Шевроле» стоял рядом. Жозе приняла душ, переоделась и приехала в бар. Она взглянула на себя в зеркало, и ей показалось, что она помолодела лет на десять, а лицо ее вновь, как это иногда бывало в Париже, приобрело лукаво-смущенное выражение. «Женщина, которую довели, становится доступной», — сказала она зеркалу. Это была одна из любимых поговорок ее самого близкого друга, Бернара Палига.

Они встретили ее вежливым молчанием. Мужчины, слегка суетясь, поспешили встать, Ева вяло ей улыбнулась. Пока ее не было, они играли в карты и, похоже, умирали от скуки. Она рассказала о двух пойманных барракудах, ее поздравили с удачным уловом, потом вновь наступила тишина. Жозе не пыталась ее нарушить. Она сидела, опустив глаза, смотрела исподлобья на их руки и машинально считала пальцы. Когда она поняла, что делает, это ее рассмешило.

— Что с тобой?

— Ничего, я считала ваши пальцы.

— Слава богу, настроение у тебя хорошее. А вот Брандон все это время был чернее тучи.

— Брандон? — удивилась Жозе. Она совсем забыла про игру Алана. — Брандон? А что случилось?

— Ты же заставила его прыгать с отплывающего катера. Ты что, не помнишь?

Все трое, как ни странно, выглядели обиженными.

— Конечно, помню. Просто я не хотела, чтобы Ева оставалась так долго наедине с тобой. Мало ли что могло случиться.

— Ты путаешь роли, — сказал Алан.

— У нас же не треугольник, а четырехугольник — значит, можно провести две диагонали. Не так ли, Ева?

Ева в замешательстве смотрела на нее.

— Но даже если, испытывая муки ревности, ты не обратил бы внимания на Еву и думал только о том, как мы с Брандоном милуемся, ловя рыбешку, она изнывала бы от скуки. Поэтому я и отправила Брандона на берег. Вот так. Что будем есть?

Брандон нервно раздавил в пепельнице сигарету. Ему было горько, что она столь насмешливо, пусть даже шутя, говорила о чудесном дне, который они могли бы провести вместе. На какое-то мгновение ей стало жалко его, но она уже была не в силах остановиться.

— Милые у тебя шуточки, — сказал Алан. — Как-то они понравятся Еве?

— Самую милую шутку я оставлю на десерт, — сказала Жозе.

Она уже не пыталась сдерживать себя. Ее вновь переполняли буйная радость, жажда острых ощущений и опрометчивых, безрассудных поступков — все то, что отличало ее так долго. Она чувствовала, как в ней вновь зарождается почти забытое внутреннее ликование, свобода, беспредельная беспечность. Она встала и ненадолго вышла в кухню.

Они обедали в напряженной тишине, которую прерывали лишь шутки Жозе, ее впечатления о разных странах, рассуждения о тонкостях кулинарии. В конце концов она заразила Киннелей своим смехом. Только Алан молчал и продолжал сверлить ее глазами. Он, не переставая, пил.

— А вот и десерт, — вдруг сказала Жозе и побледнела.

Подошел официант и поставил на стол круглый торт с зажженной свечой в центре.

— Эта свеча означает, что я впервые тебе изменила, — сказала Жозе.

Они осовело смотрели то на Жозе, то на свечу, как бы пытаясь разгадать ребус.

— С моряком, что был на катере, — не вытерпела она. — Его зовут Рикардо.

Алан поднялся на ноги, застыл в нерешительности. Жозе взглянула на него и опустила глаза. Он медленно вышел из бара.

— Жозе, — сказала Ева, — это глупая шутка...

— Это вовсе не шутка. И Алан это хорошо понял.

Она достала сигарету. Руки у нее дрожали. Брандону понадобилось не меньше минуты, чтобы найти свою зажигалку и предложить ей огня.

— О чем это мы говорили? — спросила Жозе.

Она чувствовала себя опустошенной.

Жозе хлопнула дверцей машины. Она не спешила идти к дому. Киннели молча смотрели на нее. Свет в окнах не горел. Однако «Шевроле» был на месте.

— Он, наверное, спит, — неуверенно сказала Ева.

Жозе пожала плечами. Нет, он не спал. Он ждал ее. Что-то сейчас будет. Она терпеть не могла семейных скандалов, любых проявлений грубости, в данном случае — грубой брани. Но ведь она сама этого хотела. «Дура я, дура, — в который раз подумала она, — клейма ставить негде. Что мне стоило промолчать?» В отчаянии она обернулась к Брандону.

— Я этого не вынесу, — сказала она. — Брандон, отвезите меня в аэропорт, одолжите денег на дорогу, и я улечу домой.

— Вам не следует так поступать, — сказала Ева. — Это было бы... трусостью.

— Трусость, вы говорите — трусость... А что такое трусость? Я хочу избежать бесполезной сцены, вот и все. А трусость — это что-то из лексикона бойскаутов...

Жозе говорила вполголоса. Она отчаянно искала выход из положения. Ее ждут упреки человека, который имеет на них право. Эта мысль всегда была ей невыносима.

— Он наверняка ждет вас, — сказал Брандон. — Ему, должно быть, очень плохо.

Они шептались втроем, будто напуганные заговорщики, еще некоторое время.

— Ладно, — наконец сказала Жозе, — чего тянуть, я пошла.

— Хотите, мы немного здесь подождем?

Выражение лица Брандона было трагическим и благородным. «Он простил меня, но его сердце давно любящего человека кровоточит», — подумала Жозе, и на губах ее промелькнула улыбка.

— Не убьет же он меня, — сказала она и, видя, как напуганы Киннели, уверенно добавила: — Куда ему!

И прежде чем удалиться, она помахала им на прощание рукой, показав всем видом, что смирилась со своей судьбой. В Париже все было бы иначе. Она провела бы всю ночь с друзьями, повеселилась бы на славу, вернулась домой на рассвете, и ей, усталой, любой скандал был бы нипочем. А здесь она битый час проговорила с людьми, которые явно ее осуждали, и это привело Жозе в крайне подавленное состояние. «А ведь этот сумасшедший и вправду может меня убить», — мелькнула у нее мысль. Однако в это она не верила. Ведь, по сути, он должен быть доволен — у него появился великолепный предлог, чтобы помучить себя. Он теперь будет бесконечно интересоваться подробностями, будет...

«Боже, — вздохнула она, — что я здесь делаю?»

Ее потянуло к маме, домой, в родной город, к друзьям. Она вознамерилась перехитрить судьбу, уехать, выйти замуж, прижиться на чужбине, она думала, что сможет начать жизнь сначала. И этой теплой флоридской ночью, возле двери бамбукового дома ей захотелось стать десятилетней девочкой, покапризничать, попросить кого-нибудь ее утешить.

Она толкнула дверь, вошла, постояла в темноте. А может, он и вправду спит? Может, ей повезет и она незаметно прокрадется на цыпочках до самой постели? Надежда на такой исход переполнила ее, совсем как в те дни, когда она возвращалась из школы с плохими отметками и прислушивалась, замерев у входной двери, к звукам, доносящимся из дома. Если родители принимали гостей, то она была спасена. Ощущения были абсолютно те же, и у нее пронеслась мысль, что оскорбленного мужа она боялась не больше, чем некогда родителей, которым, в сущности, плевать было на кол по географии, даже если он поставлен их единственной дочери. Быть может, у чувства вины, у страха за последствия есть некий предел, который достигается уже годам к двенадцати? Она протянула руку к выключателю и зажгла свет.

Алан сидел на диване и смотрел на нее.

— Это ты, — прозвучали его нелепые слова.

Она прикусила губу. Он мог бы начать иначе, но не стал. Он был бледен, рядом — ни одной пустой бутылки.

— Что ты делаешь в темноте? — спросила Жозе.

Она тихо опустилась на стул. Знакомым жестом он провел рукой по губам, и ей вдруг захотелось обнять его за шею, утешить, поклясться, что она солгала. Однако она не двинулась с места.

— Я звонил своему адвокату, — спокойным голосом сказал Алан. — Я сказал ему, что хочу развестись. Он посоветовал мне отправиться для этого в Рено или другое подобное место. Там это не займет много времени. Суду мы сможем представить дело так, будто мы оба виноваты либо я один, как хочешь.

— Хорошо, — сказала Жозе.

Она была подавлена и в то же время чувствовала облегчение. Но она не могла оторвать от него глаз.

— После того, что случилось, я думаю, так будет лучше, — сказал Алан.

Он поднялся и поставил на проигрыватель пластинку.

Она машинально, как бы сама себе, кивнула. Он повернулся к ней так стремительно, что она вздрогнула.

— Ты разве так не думаешь?

— Я сказала «да», то есть я кивнула в знак согласия.

Комната наполнилась музыкой, и Жозе привычно задумалась, чья она. Григ? Шуман? Она всегда путала два их известных концерта.

— Я и матери тоже звонил. Вкратце рассказал о случившемся и сообщил о своем решении. Она его одобрила.

Жозе молчала. На лице у нее было написано: «Меня это не удивляет».

— Она даже сказала, что рада видеть меня наконец настоящим мужчиной, — добавил Алан еле слышно.

Он стоял к ней спиной, и она не видела его лица, но угадывала его. Жозе подалась было к нему, но потом передумала.

— Настоящим мужчиной!.. — задумчиво повторил Алан. — Представляешь? Эти слова сразу меня встряхнули. Скажи честно, — он вновь к ней обернулся, — ты считаешь, что покинуть единственную женщину, которую ты когда-либо любил, покинуть ее потому, что она провела полчаса в объятиях ловца акул, это значит повести себя как настоящий мужчина?

Он задал ей этот вопрос без всякого подвоха, как задал бы его старому другу. Голос его был лишен гнева или иронии. «В нем все же есть что-то такое, что мне по душе, — подумала Жозе, — какое-то безрассудство, которое мне нравится».

— Не знаю, — ответила она, — думаю, это не так.

— Ты ведь искренне это говоришь, да? Я и сам знаю, что искренне. Ты способна во всем быть беспристрастной. За это, кроме всего прочего, я тебя и люблю так... так глубоко.

Жозе поднялась. Они стояли рядом и всматривались друг другу в глаза. Он положил руки ей на плечи, она прижала щеку к его свитеру.

— Я тебя не отпущу. Но я не прощаю тебя, — сказал он. — Никогда не прощу.

— Знаю, — сказала она.

— Нарыв я не вскрыл, с чистой страницы жизнь не начинаю, не зачеркиваю прошлое. Нет, я не тот мужчина, каким меня хотела бы видеть мать. Ты понимаешь?

— Понимаю, — сказала она. Ей хотелось разрыдаться.

— Мы оба измучились. К тому же я потерял голос. Нужно было орать в телефонную трубку, чтобы в Нью-Йорке меня услышали. Представляешь, я кричал: «Мне изменила жена! Повторяю: жена мне изменила!» Смешно, не правда ли?

— Да, — сказала она, — смешно. Я хочу спать.

Он отпустил ее, снял с проигрывателя пластинку, бережно вложил ее в конверт, потом опять повернулся к ней.

— Тебе было с ним хорошо? Скажи, хорошо?

Стоял конец сентября. Они должны были уже возвратиться в Нью-Йорк, но ни он, ни она об отъезде не упоминали. Алан ненавидел многолюдное общество. Что до Жозе, то она предпочитала затворническую жизнь с мужем той ревности, которую будило в Алане

ее самое безобидное слово, самый невинный взгляд, если они не
предназначались непосредственно ему.

В этом смысле он добился своего: мало-помалу и Америка, и Европа расплывались в тумане, и в ее жизни оставалось лишь озабоченное, все более темное от загара, все более изможденное лицо Алана. Киннели тоже не спешили с отъездом. Однако они встречались теперь реже. После случая с Рикардо Алан демонстрировал нарочитое презрение к Брандону. «Если бы этот идиот не прыгнул, как щенок, по твоему повелению...» — твердил он, но Жозе даже не пыталась доказать ему смехотворность подобных рассуждений. Вообще она устала говорить о Рикардо, отвечать на тысячи вопросов о мужских достоинствах моряка, кричать «нет», когда муж спрашивал, вспоминает ли она о нем. Она ни о чем больше не вспоминала. Ей осточертело солнце, она горько сожалела, что Алан не пропадает с восьми утра до шести вечера на работе. Она мечтала о северных странах и теплых шерстяных свитерах и коротала дни за чтением детективных романов в сумерках своей климатизированной спальни. В остальном она оставалась спокойной, улыбчивой, праздной. Ей казалось, что в один прекрасный день она умрет в этой Флориде, и ни она, ни кто другой не узнает почему. Алан не оставлял ее в покое, интересовался ее прошлым, Парижем, но все разговоры неизменно кончались Рикардо, сквернословием, оскорблениями и любовью на бамбуковой кровати. Все шло, как по расписанию. Она, замирая, следила за появлявшимся возле нее Аланом, как мышь следит за удавом, хотя она походила скорее на пресыщенную мышь, если такие бывают.

«А ведь тебе все это нравится», — сказал он однажды после особенно затянувшейся семейной сцены, и она ужаснулась. Так и вправду можно забыть о независимом существовании, свыкнуться в конце концов с ролью безвольного предмета болезненной страсти и даже полюбить эту роль. Мысли об этом мучили ее ночи напролет, и Жозе призналась себе, что она, словно завороженная, не способна что-либо предпринять. Но Алан был не прав, такую жизнь она не любила. Нет. Она хотела бы жить с мужчиной, не являясь для него наваждением. Она давно забыла, как первое время испытывала дурацкую гордость от того, что чувствовала себя предметом этого наваждения.

Однажды вечером, собравшись с духом, она стала умолять Алана отпустить ее недели на две одну, куда угодно. Он сказал «нет».

— Я не могу без тебя жить. Если хочешь меня бросить, бросай. Откажись от меня или терпи.

— Я брошу тебя.

— Не сомневаюсь. Но пока ты не решилась на это, я не хочу просто так подвергать себя двухнедельной пытке. Пока ты моя, и я пользуюсь этим.

Он не унывал, и ей не удавалось его возненавидеть. Она боялась бросить его. Ей было страшно. За свою жизнь она не сделала ничего настолько выдающегося, чтобы позволить себе роскошь стать причиной смерти или падения мужчины. Даже его отчаяния. Конечно, она портила ему жизнь, как выражался Брандон, но что особенно страшного она до сих пор совершила? «И все же я была с ним очень счастлива», — думала она. Но это мало значило в общем итоге. Более-менее благопристойная жизнь, надежные друзья, дни беззаботного веселья — ничто не могло перевесить идефикс тридцатилетнего мужчины.

— Чем, по-твоему, все это должно кончиться? — спросила она. — Ведь счастья-то нет.

— Иногда есть немного, — сказал он (и это была правда). — Во всяком случае, мы пройдем весь путь до конца. Я доведу тебя и себя до полного исступления, я тебя не покину, у нас не будет передышки. Два человеческих существа должны жить в таких страстных объятиях, чтобы и вздохнуть было невозможно. Это и зовется любовью.

— Два человеческих существа, развращенных деньгами. Вот если бы тебе пришлось работать...

— В этом нет необходимости, слава богу. А если бы мне пришлось работать, я стал бы рыбаком и брал тебя на свой катер, чтобы вместе ловить рыбу. Ведь ты любишь рыбаков...

И все начиналось сначала. Но это было совсем непохоже на прежние ее ссоры с кем бы то ни было. Отрешенность — вот что придавало Алану тот авторитет, который перекрывал все его пороки. Он был отрешен от самого себя вплоть до готовности уйти из жизни, что одним зимним вечером он уже пытался сделать. Он не лелеял, не ублажал себя, как это делают другие, он имел о себе самом весьма смутное представление. Он говорил ей подкупающе искренне: «Я хочу тебя, и если ты уйдешь, ничто меня не утешит, даже удовольствие от горьких слез». Он внушал ей страх, ибо ему была безразлична собственная физическая привлекательность, в то время как она любила нравиться, он был равнодушен к своему достатку, а она любила тратить деньги, он был равнодушен к своему бытию, а она любила жизнь. Лишь к ней он не был безразличен. К ней он относился с такой ненасытностью, такой патологической жадностью...

— Тебе бы лучше быть педерастом, — говорила она. — Причиной тому могла бы служить твоя мать. А физические данные и деньги — средством достижения цели. На Капри ты бы пользовался бешеным успехом...

— А тебя бы оставил в покое, да?.. Но я всю жизнь любил только женщин. И потом... У меня постоянно были женщины. Пока не появилась ты. До тебя я по-настоящему никого не любил. Твое тело было, по существу, первым в моей жизни.

Она не без растерянности смотрела на него. Она любила до Алана других мужчин, в особенности другие тела. В ночном Париже, на южных пляжах; и это оставило в ней сладостный след, который она не могла скрыть от него и который он ненавидел. Она считала более непристойным то, что он чуть ли не бахвалился своим леденящим душу благополучным прошлым. Впрочем, нет, он им не бахвалился. На самом деле у него отсутствовало само понятие о прожитой жизни, не было о ней определенного, устоявшегося представления. Будто тяжелобольной или предельно искренний человек, он измерял жизнь кризисами и острыми ощущениями. И она не могла постичь его тайну, не могла вообразить, как сказать ему: «Слушай, дорогой, будь мужчиной, тебе надо лечиться». А если он в самом деле столь наивно искренен, то как убедить его, что так нельзя, что без мелких уступок совести, без более или менее невинного плутовства в обществе не обойтись? Это было тем более трудно, что, убежденная в необходимости этого плутовства, она не была уверена в его обоснованности. Люди, которые говорили о совершенстве, внушали ей куда больше отвращения, чем те, кто не задумывался о том, насколько безупречны их поступки. Впрочем, Алан хранил об этом молчание.

Лучшие минуты они всегда переживали посреди ночи, когда после взаимного любовного остервенения, которое шло по четко установленному сценарию, наступала истома. Она смягчала Алана, возвращала ему младенческую непосредственность, с которой он, по всей видимости, так и не расстался. Жозе пыталась исподволь втолковать ему нечто важное, внушить ему, уже засыпающему, свои мысли, чтобы он воспринял ее слова уже в той, зазеркальной жизни, в которую он вынужден был отправляться хоть на несколько часов. Она говорила ему в эти минуты о нем самом: о его силе, отзывчивости, очаровании, неординарности, она пыталась заставить его взглянуть на самого себя, заинтересоваться своим «я». Он робко и восторженно спрашивал: «Ты находишь?» — и засыпал, прижавшись к ней. Однажды, мечтала она, он проснется совсем другим, влюбленным в себя, независимым, и она по малейшему признаку заметит это. Он зевнет и будет искать сигареты, даже не взглянув на нее. Иногда, чтобы понаблюдать за ним, она притворялась спящей. Но едва проснувшись, он порывисто протягивал руку, чтобы удостовериться, что его Жозе рядом, успокоившись, открывал глаза и приподнимался на локте, чтобы посмотреть на спящую жену.

Однажды она встала раньше обычного, чтобы полюбоваться зарей, и, не обнаружив ее в постели, он закричал так истошно, что она в страхе бросилась к нему. Они молча взглянули друг на друга, и она вновь легла.

— Ты не мужчина, — сказала она.

— А что значит быть мужчиной? Если имеется в виду смелость,

то ведь я не из пугливых. Мужской энергии у меня хоть отбавляй. К тому же, как и все мужчины, я — эгоист.

— Настоящий мужчина не должен зависеть от кого бы то ни было, ни от матери, ни от жены.

— Мне не нужна мать. Я влюблен в тебя. Почитай Пруста. И если тебе необходима опора, ты всегда найдешь ее во мне как в настоящем мужчине.

— Сейчас мне не нужна опора, мне нужен глоток свежего воздуха.

— Такого, например, как в открытом море? Тебе нужен Рикардо?

Она направлялась к выходу и приостанавливалась в дверях, обожженная палящим солнцем. Иногда силы покидали ее, и она плакала, как школьница, слизывая со щеки слезинки. Потом она возвращалась. Алан ставил одну из любимых ими пластинок, начинал говорить о музыке, которую хорошо знал, и ей проходилось отвечать ему. Время шло.

Однажды, в самом конце сентября, они получили телеграмму. Матери Алана предстояла операция. Они собрали вещи и не без сожаления покинули дом, в котором были так счастливы.

ПЕРЕДЫШКА

3

Белая палата была заставлена маленькими прозрачными коробочками, в которых увядали тусклые орхидеи. Аш устремила на невестку свой знаменитый взгляд хищной птицы. Жозе уже не помнила, какой журналист был автором этого сравнения, но вот уже десять лет в трудные минуты мать Алана выпяливала глаза и сжимала ноздри. Уловив ее настроение, Жозе вздохнула.

— Как дела? Сегодня утром я видела Алана. Он неплохо выглядит. Но весь — комок нервов.

— По-моему, он всегда был таким. У нас все в порядке. А как вы? Операция, кажется, не слишком серьезна?

Покорность судьбе сменила взгляд хищной птицы.

— Операции, которые предстоят другим, всегда кажутся не очень серьезными. Причем так считают даже самые близкие люди.

— И даже хирурги, — тихо сказала Жозе. — Это меня успокаивает.

Наступило молчание. Элен Аш не любила, когда ей портили отрепетированную сцену. В сегодняшней сцене она должна была передать своего беззащитного сыночка на попечение невестки, прежде чем отправиться на смертельно опасную операцию. Она положила ладонь на руку Жозе, и та рассеянно залюбовалась перстнями, которые украшали пальцы свекрови.

— Какой чудесный сапфир, — сказала она.

— Все это скоро будет ваше. Да, да, — продолжала она, не давая Жозе возразить, — скоро, очень скоро. Эти камни помогут вам быстрей утешиться после смерти несносной старой женщины.

Она ждала, что ее будут успокаивать, говорить, что она совсем не стара, что ей жить да жить, что у нее отзывчивое сердце. Но она услышала совсем другое.

— Нет, нет, только не это, — сказала, вставая, Жозе. — Хватит с меня, довольно. Я не намерена вздыхать и охать над вами. У вас случайно нет в семье старого дядюшки, которому нужно, чтобы его постоянно жалели? А у меня — есть.

— Жозе, крошка моя, у вас тоже сдают нервы...

— Да, — сказала Жозе, — у меня тоже сдают нервы.

— Это после Флориды...

— А что Флорида? Там печет солнце, только и всего.

— Только и всего?

Тон, которым это было сказано, удивил Жозе. Она пристально взглянула на Элен, та опустила глаза.

— Однажды вечером Алан позвонил мне. Вы можете открыться мне, крошка моя, мы же женщины.

— Он говорил о Рикардо?

— Я не знаю, как его зовут. Алан был в ужасном состоянии, и... Жозе...

Но та не дослушала фразы и ушла. Лишь на залитых солнцем, шумных улицах Нью-Йорка, на неизменно бодрящем воздухе она пришла в себя. «Рикардо, — улыбаясь, прошептала она, — Рикардо... это имя меня с ума сводет». Она попыталась вспомнить его лицо и не смогла. Алан подписывал бумаги вместо матери, это была единственная работа, на которую он соглашался, и Жозе решила пройти длинную авеню пешком.

Она вновь вбирала в себя знакомые запахи этого города, спрессованный толпой воздух, вновь ей казалось, что она выше ростом, будто идет на высоких каблуках, и она благословила небеса, когда вдруг увидела Бернара. Они ошарашенно уставились друг на друга, прежде чем яростно обняться.

— Жозе... А я думал, тебя нет в живых.

— Я всего лишь вышла замуж.

Он залился смехом. Несколько лет назад, в Париже, он был от нее без ума. И она вспомнила, как он сказал ей «прощай», потерянный, исхудавший, с помутневшим взором, в стареньком плаще. Он поправился, посмуглел, стал улыбчив. Ей вдруг показалось, что она вновь обрела своих друзей, свое прошлое, самое себя. Она рассмеялась.

— Бернар, Бернар... Как я рада тебя видеть! Что ты здесь делаешь?

— У меня вышла книга в Америке. Знаешь, я наконец-то получил премию.

— И теперь многого ждешь от жизни?

— Весьма. Я стал богатым человеком. Мужчиной, созданным для женщин. Короче, настоящим писателем. Тем, кто кое-что сотворил.

— Ты что-то сотворил?

— Да нет. Всего лишь написал книгу, которая «пошла». Однако я об этом помалкиваю и почти не думаю. Пойдем выпьем чего-нибудь.

Он повел ее в бар. Она смотрела на него и смеялась. Он рассказывал о Париже и общих друзьях, о своем успехе, и она, как прежде, была очарована грустью и жизнерадостностью, удивительно сочетавшимися в этом человеке. Он всегда был для нее братом, хотя и тяготился этой ролью, а она однажды попыталась его утешить. Но это было так давно, до замужества. Она погрустнела и замолчала.

— Ну а ты-то как? Как твой муж? Он американец?

— Да.

— Он мил, порядочен, спокоен нравом, обожает тебя?

— Я так полагала.

— Он противный, неуравновешенный, жестокий тип без стыда и совести, грубый?

— Тоже нет.

Он рассмеялся.

— Послушай, Жозе, но ведь я привел два самых характерных случая. Я не удивлен, что ты отыскала себе редкую птицу, сделай милость, расскажи о нем.

— Он, — сказала она, — он...

И она вдруг разрыдалась.

Она долго плакала, прижавшись к плечу потрясенного и сконфуженного Бернара. Она плакала об Алане, о себе, о том, что они друг для друга значили, чего уже не вернешь и чему скоро придет конец. Ибо благодаря этой встрече она поняла то, что вот уже полгода отказывалась понимать: она ошиблась. И она слишком уважала себя, была слишком горда, чтобы еще долго терпеть последствия этой ошибки. Чересчур нежный кошмар был близок к завершению.

Тем временем Бернар беспорядочно водил по ее лицу своим носовым платком и невнятно шептал угрозы подлому мерзавцу.

— Я от него уйду, — наконец сказала она.

— Ты его любишь?

— Нет.

— Тогда не плачь. Хватит слов. Выпей чего-нибудь, иначе твой организм будет окончательно обезвожен. А знаешь, ты похорошела.

Она засмеялась, потом обеими руками сжала его ладонь.

— Когда ты уезжаешь?

— Через неделю с небольшим. Ты поедешь со мной?

— Да, не оставляй меня в эти дни, ну хотя бы не оставляй слишком часто.

— Я должен выступить по радио между двумя рекламными сюжетами, посвященными обуви, — вот, пожалуй, и все мои дела. Я как раз хотел побольше побродить пешком. Ты мне покажешь Нью-Йорк?

— Да, конечно. Приходи ко мне сегодня вечером. Увидишь Алана. Ты ему скажешь, что так продолжаться больше не может. Он, наверное, тебя послушает и...

Бернар привскочил.

— Ты как была сумасшедшей, так и осталась. Это ты должна все ему сказать, а не я. Неужели не понятно?

— Я не смогу.

— Послушай, развестись в Америке не проблема.

Она попыталась подробнее рассказать об Алане. Но Бернар превратился в осмотрительного француза, он говорил о здравом смысле, о том, что надо беречь нервы, о немедленном разводе.

— Но у него же никого, кроме меня, нет, — сказала она в отчаянии.

— Подумай, какую чушь ты несешь... — начал было Бернар. Однако, не договорив того, что хотел, продолжил: — Извини. Во мне заговорила былая ревность. Я приду вечером. Не волнуйся, я рядом.

Еще два года назад эти слова рассмешили бы ее. Теперь же они ее ободрили. Что ни говори, успех, верил он в него или нет, остепенил Бернара. Жозе, не потерявшая прежнего очарования, попросила у него защиты; они расстались, весьма довольные друг другом.

Алан стоял перед зеркалом и завязывал галстук. В темном костюме он был необыкновенно хорош собой. Жозе уже завершила свой туалет и ждала его. Это была одна из причуд Алана: он смотрел, как она одевается, подкрашивается, путался под ногами, мешал, якобы желая помочь, потом сам начинал медленно, как бы красуясь перед ней, переодеваться. И всякий раз она любовалась его обнаженным торсом, узкими бедрами, мощной шеей. Скоро, очень скоро она уже не будет ему принадлежать. С каким-то затаенным стыдом она думала, что ей, наверное, будет особенно не хватать этой мужской красоты.

— Где мы обедаем?

— Где хочешь.

— Да, я совсем забыла тебе сказать. Я встретила старого друга, француза Бернара Палига. Он пишет романы, и здесь выходит его книга. Я пригласила его на обед.

На минуту воцарилось молчание. Она задумалась, почему ей так необходимо было знать, как отнесется к ее затее Алан, ведь через десять дней она его покинет. Но теперь, когда он был рядом, отъезд казался ей столь же невозможным, сколь неизбежным представлялся всего два часа назад.

— Почему ты не сказала об этом раньше?

— Я забыла.

— Это твой любовник?

— Нет.

— У тебя с ним ничего не было? Он что, кривой?

У Жозе перехватило дыхание. Она чувствовала, как ее душит ярость, и вдруг ощутила на своей шее биение артерии. Она собралась спокойно и решительно сказать: «Я развожусь с тобой». Потом подумала, что так покинуть человека нельзя, ибо это будет похоже на месть, и что она причинит ему боль.

— Нет, он не кривой, — сказала она. — Он очень милый, и я уверена, что он тебе понравится.

Алан на мгновение замер, не успев завязать галстук, который вился у него между пальцев. Удивленный мягкостью ее голоса, он взглянул на отражавшуюся в зеркале Жозе.

— Извини, — сказал он. — От ревности я дурею, становлюсь грубым, а это уже грустно, и этому нет прощения.

«Только не добрей, — подумала Жозе, — не меняйся, не лишай меня моего оружия, причины для ухода. Только не это». У нее могло не хватить духу бросить его, но это было необходимо сделать. Теперь, когда она уже решилась, когда ясно представила жизнь без него, у нее постоянно кружилась голова от тех слов, которые ей предстояло сказать мужу. Ведь пока она их не скажет, ничего не изменится.

— Вообще-то, у меня была с ним связь, она длилась дня три, не больше.

— А, — сказал Алан, — так это тот самый писатель из провинции, как там его зовут?

— Бернар Палиг.

— Как-то вечером ты мне об этом рассказывала. Ты приехала к нему сообщить, что его жене плохо, и осталась у него в гостинице.

— Да, — сказала она, — именно так.

Перед ней вдруг вновь предстала серая городская площадь в Пуатье, выцветшие обои гостиничного номера. Она вдохнула неизвестно откуда взявшийся запах провинциальных улочек и улыбнулась. Скоро она вновь все это обретет, отлогие холмы Иль-де-Франса, воздух парижских бульваров, золотое Средиземноморье, — все, что до сих пор оставалось позади.

— Не помню, чтобы я тебе об этом говорила.

— Ты мне много о чем говорила. Если мне что и не известно, так это то, что ты сама забыла. Я из тебя все вытянул.

Он повернулся к ней лицом. Давно она не видела его в отлично

скроенном темно-синем костюме. Этот безукоризненно одетый человек с детским лицом и жесткими глазами показался ей вдруг чужим.

«Алан», — услышала она свой внутренний голос, но не шелохнулась.

— Если человек не хочет, из него ничего не вытянешь, — сказала она. — Не нервничай и попытайся быть вежливым, чтобы не оскорбить Бернара.

— Твои друзья — это мои друзья.

Они не отрывали друг от друга глаз. Она рассмеялась.

«Вражда... Вот к чему мы пришли, мы стали враждовать», — подумала она.

— Да, но я-то тебя люблю, — подчеркнуто вежливо сказал
Алан, как бы угадав ее мысли. — Пойдем подождем твоего друга в
библиотеке.

Он поднял согнутую в локте руку, и она машинально на нее оперлась. Как долго эта рука служила ей опорой? Год, два? Она уже точно
не помнила, и вдруг ей стало страшно потерять эту опору. А если ей
уже никто больше не подаст руки? Чувство безопасности... Этот
мужчина-неврастеник олицетворял для нее безопасность! Нарочно
не придумаешь.

Бернар явился в назначенный час, они выпили по коктейлю, вежливо поговорили о Нью-Йорке. Жозе казалось, что она будет при-
сутствовать на встрече двух миров, ее миров, но все оказалось куда
обыденнее — она пила неразбавленное виски в компании хорошо
воспитанных мужчин одного роста, которые когда-то были или оставались к ней неравнодушны. Алан улыбался, и в глазах Бернара, которые поначалу были полны снисхождения, быстро загорелись злые
искорки. Жозе уже не замечала красоты Алана, и это ее как-то по-
особому радовало. Она не видела, что стаканы давно опустели, и
лишь отчаянная мимика Бернара заставила ее обратить внимание на
мужа. Тому никак не удавалось извлечь сигарету из полупустой пачки.

— Наверное, пора ужинать, — сказала она.

— Еще стаканчик, — любезно предложил Алан, обратившись к
Бернару, но тот отказался.

— Мне бы хотелось выпить с вами еще, — настаивал Алан, —
очень хотелось.

Тучи сразу сгустились. Бернар поднялся.

— Спасибо, не хочу. Я и вправду голоден.

— Я прошу вас выпить со мной, у меня есть тост, — сказал
Алан. — Вы не можете мне отказать.

— Но если Бернар не хочет больше пить... — начала было Жозе, но Алан не дал ей договорить.

— Ну что, Бернар?

Они стояли друг против друга. «Алан сильнее, но он пьян, —

пронеслось в голове Жозе. — Впрочем, я не помню, как сложен Бернар... Самое время заняться сравнительной анатомией». Она взяла бокал из рук Алана.

— Я выпью с тобой. А Бернар нас поддержит. За что пьем?

— За Пуатье, — сказал Алан и залпом выпил свой коктейль.

Бернар тоже поднял свой почти пустой бокал.

— За Ки-Уэст, — сказал он. — Отвечу любезностью на любезность.

— За этот милый вечер, — сказала Жозе и рассмеялась.

Они ужинали в Гарлеме и возвратились лишь на рассвете. От Централ-парка шел туман, из которого возникали громады небоскребов, и казалось, что утренняя прохлада дарит пожелтевшим листьям вторую молодость.

— До чего красивый город, — тихо произнес Бернар.

Жозе согласно кивнула. Весь вечер она находилась между двумя мужчинами. Они сами ее так посадили за столик, по очереди с ней танцевали, совсем как механические куклы. Алан пил умеренно и не возобновлял своих намеков. Бернар чувствовал себя несколько раскованней, но она не могла припомнить, чтобы они хоть раз что-либо сказали друг другу. «Собачья жизнь, — подумала она, — собачья жизнь, да и только. Но, наверное, многие бы мне позавидовали». Алан опустил стекло, чтобы выбросить окурок, и в салон такси хлынул осенний воздух.

— Холодно, — сказал он. — Везде холодно.

— Только не во Флориде, — сказала Жозе.

— Даже во Флориде. Бернар, дорогой мой, — вдруг произнес Алан, и тот даже вздрогнул, — дорогой Бернар, давай забудем, что рядом с нами эта молодая женщина. Забудем, что в вас сидит самодовольный французик, а во мне — маменькин сынок.

Бернар пожал плечами. «Странно, — подумала Жозе. — Он знает, что я уйду от Алана, что мы вместе возвратимся в Париж, и именно он оказывается обиженным».

— Вот так, — продолжал Алан. — Мы об этом забыли. А теперь немного потолкуем. Шофер! — крикнул он. — Отвезите нас в какой-нибудь бар.

— Я хочу спать, — сказала Жозе.

— Потом выспишься. Мне надо поговорить с моим другом Бернаром, у него чисто латинское понимание любви, и он может просветить меня по поводу моих семейных дел. И потом, у меня жажда.

Они очутились на Бродвее, в маленьком пустом баре под названием «Бокаж»[1], и это слово заставило Жозе улыбнуться. Какое

---

[1] Роща (франц.).

представление мог иметь хозяин бара о роще в Нормандии? Ему, видимо, понравилось само звучание двух французских слогов. Алан заказал три порции горячительного и пригрозил выпить все три, если они закажут что-либо другое.

— Итак, мы забыли о Жозе, — сказал он. — Я вас не знаю, я — незнакомый пьянчужка, которого вы повстречали в баре и который надоедает вам своими излияниями. Я буду звать вас Жан, это типичное французское имя.

— Что ж, зовите меня Жаном, — сказал Бернар.

Его пошатывало от усталости.

— Дорогой Жан, что вы думаете о любви?

— Ничего не думаю, — ответил Бернар. — Решительно ничего.

— Неправда, Жан. Я читал ваши книги — ну по крайней мере одну прочел. Вы много размышляете обо всем, что связано с любовью. Так вот, я влюблен. Влюблен в женщину. В свою жену. Я люблю ее безжалостно, ненасытно. Что прикажете мне делать? Ведь она хочет бросить меня.

Жозе посмотрела на мужа, потом на сразу проснувшегося Бернара.

— Если она покидает вас и вы знаете почему, мне нечего добавить.

— Я сейчас объясню, как все себе представляю. Любовь, ее ищут. Жертвуют многим, чтобы найти. И вот один из двух обрел ее. В данном случае речь идет обо мне. Моя жена была наверху блаженства. Она, словно ручная серна, подходила ко мне, чтобы отведать из моей ладони этот нежный, неистощимый плод. Это была единственная серна, которую я соглашался кормить.

Он залпом выпил свой бокал, улыбнулся Жозе.

— Я надеюсь, вы простите мне эти сравнения, мой дорогой Жан. Многие американцы в душе — поэты. Короче, моя жена пресытилась, ей захотелось чего-то другого, а может, она не выносит, чтобы ее кормили насильно. Но я все еще храню этот плод, ощущаю его тяжесть на своей ладони. И хочу, чтобы она его вкушала. Что же делать?

— Вы могли бы вообразить, что она тоже держит плод в руке и... Впрочем, ваши сравнения меня раздражают. Вместо того чтобы воображать себя щедрым дарителем, вам не мешало бы осознать, что и у нее есть чем одарить другого, попытаться понять ее, что ли...

— Вы женаты, мой дорогой Жан?

— Да, — сказал «Жан» и как-то сразу сжался.

— Ваша жена любит и кормит вас. Вы не бросаете ее, хотя она вам и наскучила.

— Я вижу, вы хорошо осведомлены.

— Вы не бросаете ее по той причине, которую называете жалостью, не так ли?

— Это вас не касается, — сказал Бернар. — Речь идет не обо мне.

— Речь идет о любви, — сказал Алан. — И это надо отметить. Бармен!..

— Прекрати пить, — сказала Жозе.

Она произнесла это почти шепотом. Ей было не по себе. Она и вправду питалась любовью Алана, в ней она находила смысл жизни, а может, и основное занятие, хотя она и боялась признаться себе в этом. Однако она и в самом деле больше так жить не могла. Она не хотела, чтобы ее «насильно кормили», как он выразился. Алан продолжал:

— Итак, вам надоела ваша жена, мой дорогой Жан. Некогда вы любили Жозе или, точнее, полагали, что сможете ее любить, она вам уступила, и вы разыграли грустную, сентиментальную комедию, исполнили ее в унисон. Ибо ваши скрипки хорошо сыграны и настроены, разумеется, на минорный лад.

— Может быть, и так, — сказал Бернар.

Он взглянул на Жозе, и они не улыбнулись друг другу. В это мгновение она дорого бы заплатила, чтобы страстно любить его, ведь тогда она смогла бы хоть как-то возразить Алану. Бернар понял ее мысли и покраснел.

— А вы, Алан? Взгляните на себя со стороны. Вы любили женщину и отравили ей жизнь.

— Это не так мало. Вы считаете, что кто-то способен ее жизнь наполнить?

Мужчины повернулись к ней. Она медленно встала.

— Я просто в восторге от вашего спора. Раз вы про меня забыли, я удаляюсь. Продолжайте в том же духе, а я пойду спать.

Не успели они подняться, как она оказалась на улице и остановила такси. Она назвала шоферу мало знакомую ей гостиницу.

— Поздно, — прошептал шофер с видом знатока, — уже поздно ложиться спать.

— Да, — согласилась она, — слишком поздно.

И вдруг она явственно увидела себя, двадцатисемилетнюю женщину, которая совершает побег в нью-йоркском такси от любящего ее мужа, пересекает предрассветный город и многозначительно произносит: «Слишком поздно». Она подумала, что ей придется еще не раз восстанавливать в памяти случившееся, инсценировать его, смотреть на себя как бы из зрительного зала; она подумала, что в этом такси она могла бы дать волю слезам или страху, вместо того чтобы рассеянно гадать, не зовут ли приросшего к сиденью шофера, к примеру, Сильвиус Маркус.

И лишь когда она заказала авиабилет в Париж, зубную пасту и щетку — все это на вечер того же дня, — когда она легла спать, свернувшись калачиком в незнакомом гостиничном номере, куда едва проникал дневной свет, она начала дрожать от холода, усталости и одиночества. Она привыкла спать, прижавшись к лежащему рядом Алану, и в течение получаса, которые потребовались ей, чтобы заснуть, прожитая жизнь представилась ей как грандиозная катастрофа.

4

Дул ужасный ветер. Он ломал ветки деревьев, которые свободно парили какое-то время в воздухе, прежде чем упасть на землю и зарыться в пыль, жухлую траву или замереть в придорожной грязи. Жозе стояла на пороге дома и смотрела на лужайку, желтеющие поля и обезумевшие каштаны. Раздался громкий треск, и от дерева отделилась толстая ветвь, трепеща листьями, она совершила воздушный пируэт и упала к ногам Жозе. «Икар», — сказала Жозе и подобрала ее. Было холодно. Она вошла в дом, поднялась к себе. Комната была выложена декоративной плиткой; стол, заваленный газетами, и огромный шкаф — вот почти и вся находившаяся в ней мебель. Она положила ветку на подушку кровати и с минуту ею любовалась. Выгнутая, будто сведенная судорогой, тронутая желтизной ветка походила на подбитую чайку, на похоронный венок, она была воплощением скорби.

За две недели, проведенные в нормандской деревушке, которую терзала неистовая осень, Жозе решительно ничего не предприняла. Вернувшись в Париж, она сразу же сняла этот старый одинокий домик; агент по сдаче внаем недвижимости с трудом поверил в свою удачу. Точно так же она могла бы устроиться в Турене или Лимузене. Она никого не поставила об этом в известность. Жозе хотела прийти в себя, хотя теперь это словосочетание воспринималось ею с едкой иронией. Ведь ей некуда было идти и тем более незачем углубляться в себя. Видимо, это выражение часто встречалось в прочитанных ею романах. Здесь властвовал ветер, он приходил и уходил, когда хотел, брал и отпускал, что ему заблагорассудится, а дома, по вечерам, ее согревал огонь, от которого веяло всеми запахами земли и одиночества. Короче, это была настоящая деревушка. Будь Жозе постарше или менее начитана, ее вряд ли привлекла бы мысль о заброшенной деревне, где можно отдышаться и поразмышлять о будущем. Но, по сути дела, ничто пока не было ни разрушено, ни потеряно, даже время, и, несмотря на мучительные уколы памяти, все вчерашние невзгоды пощадили ее душу и тело. Она могла оставаться здесь долго, пока не надоест. Или возвратиться в Париж, чтобы начать все сначала. Попытаться найти плод, о котором говорил Алан, обрести подобие покоя, работать или развлекаться. Она могла бродить пешком, подставляя лицо ветру, слушать пластинки или читать. Она была свободна. Чувство свободы вызывало известное удовлетворение, но не восторг. Опорой ей служил неисправимый оптимизм — то была неизменная черта ее характера.

Жозе не помнила, чтобы когда-нибудь испытывала безысходное отчаяние. Правда, случалось, она бывала подавлена, иногда до отупения. Четыре года назад, например, она рыдала, когда умер ее старый сиамский кот. Она хорошо помнила, как ее сотрясали волны неутешного горя, ей казалось, что кто-то со скрежетом скоблит у нее внутри, и это было больно до слез. Она помнила, как неотступно возникала перед ее взором уморительная мордочка кота, как ей хотелось вновь увидеть его спящим возле камина, ощутить его трогательное доверие к хозяйке. Да, именно это было самое ужасное: исчезновение того, кто всецело тебе доверял, кто во всем на тебя полагался. Видимо, поэтому так невыносимо тяжело терять ребенка. Возможно, еще труднее было бы пережить гибель ревнивого мужа. Алан... Что он сейчас делает? Шатается по нью-йоркским барам? А может, каждый божий день мать водит его за ручку к психиатру? Или, чего проще, он находит утешение в объятиях какой-нибудь милой американочки? Ни одно из этих предположений ее не устраивало. Она хотела бы точно знать, что с ним стало.

Она ни с кем не общалась, кроме пожилой пикардийки[1], которая ухаживала за садом, занималась хозяйством и ночевала в доме, ибо Жозе боялась оставаться на ночь одна. Изредка Жозе ходила на сельскую площадь — чтобы поговорить по-французски и купить газеты, которые она перелистывала, не читая. Оказавшись после двухлетнего отсутствия в Париже, она никак не могла в это поверить, не находила себе места. В течение трех дней она слонялась по улицам, ночуя в гостиницах, оглушенная нахлынувшими на нее воспоминаниями. Ничего не изменилось: ее старая квартира по-прежнему выглядела нежилой, у прохожих было то же выражение лиц. Она ни с кем не встречалась, никому не звонила. А потом ее вдруг охватило такое страстное желание оказаться в деревне, что она взяла напрокат автомобиль и бежала. Родители были уверены, что она все еще во Флориде. Бернар и Алан, видимо, искали ее в Нью-Йорке, а она читала в своем заброшенном домике Конан Дойла. Все это было смешно. И лишь у неистового ветра, казалось, были серьезные намерения, лишь у него вроде бы была некая цель, высокое предназначение. Когда он успокоится, ключница подберет с лужайки поломанные им ветви и сожжет их. В окно проникнет сладкий запах дымящейся травы, он оторвет ее от приключений Шерлока Холмса, в который раз окунет в тихую грусть, которую будили в ней и аромат ночной земли, и прикосновение к шероховатому, чуть пахнувшему нафталином по-

---

[1] Пикардия — старинная французская область.

стельному белью — все, что напоминало такую близкую и такую далекую, благоухающую, словно цветок, молодость. В дверь скреблась собака. Она жила на ферме, очень любила Жозе и проводила часы, положив голову ей на колени. К сожалению, она изредка брызгала слюной. Жозе открыла дверь и в коридорное окно заметила почтальона. Он впервые здесь появился.

Она прочла телеграмму: «Жду нетерпением Париже. Целую Бернар». Она села на кровать, рассеянно провела рукой вдоль засохшей ветки, у нее промелькнула мысль, что неплохо бы заказать пальто такого же цвета. Собака, не отрываясь, смотрела на нее.

ПАРИЖ

5

— Душа моя, я же тебя знаю. Тебе хотелось побыть одной в деревенской глуши. Как это сделать? Снять домик. Ты всегда выбираешь кратчайший путь, поэтому ты взяла справочник агентства по сдаче внаем недвижимости и сняла дом на месяц. Чтобы отыскать тебя, я проделал то же самое. Вот только непонятно, почему ты предпочла не первый предлагаемый в справочнике дом, а второй?

— В первом телефон был занят, — мрачно ответила Жозе.

Довольный собой, Бернар пожал плечами.

— Я так и думал. Когда мне сказали, что какая-то сумасшедшая сняла на октябрь в Нормандии неотапливаемый домик, я сразу понял, что напал на твой след. Я даже хотел приехать за тобой.

— Почему же не приехал?

— Не осмелился. Твой отъезд застал нас врасплох. Мы с Аланом всю ночь колесили по Нью-Йорку, пытаясь тебя отыскать. Хороши же мы были после такой прогулки... Потом он догадался позвонить в «Эр-Франс», но опоздал примерно на час.

— Что же вы предприняли?

— Мы сели в следующий. Я имею в виду самолет. Я так и не выступил по радио. Да что там — едва успел собрать чемодан.

— Он во Франции?

Жозе встала. Бернар вновь усадил ее.

— Погоди бежать. Алан живет здесь уже недели две. Он остановился, естественно, в гостинице «Риц». Нанял Шерлока Холмса с Лемми Косьоном, чтобы разыскать тебя.

— Шерлока Холмса, — повторила она, — как странно, я как раз читала...

— Я не столь хитер, как Шерлок Холмс, но зато я знаю твои привычки. Поэтому умоляю тебя, сделай что-нибудь. Разведись или уезжай в Бразилию. Но только избавь меня от Алана. Он не отстает от меня ни на шаг. Пока он питает ко мне почти дружеские чувства, но стоит тебе на меня взглянуть, и он меня возненавидит. Я этого долго не вынесу.

Он откинулся на спинку дивана. Они беседовали в маленькой гостинице на левом берегу Сены, в которой Жозе когда-то довольно долго жила. Вдруг она взяла его за плечи и встряхнула.

— Ты что же, жаловаться мне вздумал? Скажите пожалуйста, две недели!.. Я с ним полтора года промыкалась.

— Да, но ты кое-что за это имела, а я — нет!

Она с минуту колебалась, потом залилась смехом. Этот смех заразил Бернара, и некоторое время они корчились на диване, охая, давясь и проливая слезы.

— Ты неподражаема, — задыхался Бернар. — Неподражаема! Тебе только не хватало обвинить меня в своем замужестве! Это меня-то, влюбленного в тебя по уши!.. Ха!.. Меня, вот уже две недели вынужденного водить твоего супруга за ручку... Невероятно!..

— Замолчи, — сумела произнести Жозе. — Хватит гоготать! Мне надо все как следует обдумать. Я хотела заняться этим в деревне... Ха-ха!.. Если бы видел меня там! Я ни о чем не думала, дрожала от холода... Там был милый пес, который брызгал на меня слюной... Ха-ха!

Упоминание о собаке вновь заставило их хохотать до упаду, они выбились из сил, покраснели как раки и наконец утихли. Бернар по-братски поделился с Жозе своим носовым платком.

— Что же мне делать? — сказала Жозе.

Алан теперь был в том же городе, что и она, быть может, совсем рядом, и эта мысль заставляла тяжело биться ее сердце, которое ощущалось как нечто громоздкое, ценное, но неподвластное.

— Если ты хочешь развестись, подай в суд, вот и все дела. Не убьет же он тебя!

— Я не за себя боюсь, за него. Не могу.

— Теперь я лучше тебя понимаю, — сказал Бернар. — Странный он человек. Когда я оставляю его одного, то при одной лишь мысли о том, что он где-то рядом одиноко бродит по Парижу, меня бросает в дрожь. Он пробудил во мне материнский инстинкт, о котором я и не подозревал.

— Как, и ты?.. А я-то думала...

— Но, по-моему, для брака этого слишком мало, — строго сказал Бернар. — Впрочем, решай сама. А пока я приглашаю тебя на коктейль к Северину. Алана там не будет. А мне пора уходить. Если хочешь повидать его, то он в «Рице». Там его пожирает глазами дюжина престарелых англичанок.

Жозе в задумчивости прислонилась к двери, потом решительно

принялась за чемоданы. Это занятие должно отвлечь ее часа на два, так что до самого коктейля можно будет ни о чем серьезном не думать. А у Северина она обязательно отыщет собеседника с устоявшимися убеждениями или приверженного строгим принципам, который ее утешит. «Я вправду трусиха, — думала она. — Я ведь сама должна решать, как жить дальше». Жизнь ее походила на веселую бестолковую потасовку. Она вспомнила о том, как только что хохотал Бернар, и улыбнулась себе в зеркало. Потом в памяти ее всплыла сказанная им скороговоркой фраза: «Меня, влюбленного в тебя по уши...» Она повесила в шкаф свое платье, старательно расправив все складки. Это было очень милое платье, которое ей шло. Да, ее любили. Да, она ничего не ждала от этой любви. Она лишь кормилась из ладоней любящих ее людей. Себя она не очень-то жаловала.

Коктейли Северину удавались на славу. В этот день было приглашено немало богатых особ, несколько неподражаемых чудаков, два зарубежных актера, ряд знаменитых литераторов и художников, старые друзья дома. Среди них были и гомосексуалисты, но их число не выходило за разумные рамки. Жозе с удовольствием окунулась в этот пустой, эфемерный, декадентский мирок, который в то же время был самым живым, самым свободным и веселым из всех существующих на земле столичных мирков. Она со многими была знакома, и они приветствовали ее так, будто расстались вчера, радостно вскрикивали, и если в этой радости и была доля притворства, то совсем небольшая; потом они бросались целовать ее по-французски в щеки, по обычаю, который возник, как утверждал Северин, во время Освобождения.

Северину было пятьдесят, он слишком начитался Хаксли и выдавал себя за светского льва. Его квартира была увешана фотографиями ослепительно красивых женщин, которых никто не знал и о которых он хранил удивительное молчание. Желая казаться бодрячком, он всегда слишком громко смеялся, но под утро, что называется, увядал; однако его искренняя доброта, обходительность и неиссякаемый запас виски обеспечивали ему добрых друзей. К их числу принадлежала и Жозе. Шестикратно чмокнув ее в щеки и предложив руку и сердце, как это требовал здешний ритуал, он отвел ее в сторону, усадил под светильником и строго посмотрел в глаза.

— Ну-ка, ну-ка, покажись.

Жозе покорно откинула голову назад. Это была одна из самых утомительных причуд Северина: он любил читать по лицам.

— У тебя было много переживаний.

— Нет, нет, Северин, все в порядке.

— Ты все такая же скрытная. Исчезаешь на два года, потом появляешься, мило улыбаясь, как ни в чем не бывало, и молчишь. Где твой муж?

— В «Рице», — сказала Жозе и засмеялась.

— Он любитель подобных гостиниц? — спросил, нахмурив брови, Северин.

— С десяток твоих гостей — я думаю, не меньше — остановились в той же гостинице.

— Это совсем другое дело. Ведь они не женаты на моей лучшей подруге.

Жозе опустила, потом подняла голову, яркий свет резал ей глаза.

— Твоя лучшая подруга хочет пить, Северин.

— Я сейчас, мигом. Никуда не уходи. Держись подальше от этой недостойной толпы, ты провела два года в Америке и одичала. А они не умеют говорить с дикарями.

Он громко рассмеялся и исчез. Жозе с умилением посмотрела на недостойную толпу. Гости страстно о чем-то спорили, хохотали, темы менялись с той же быстротой, с какой сходились и расходились собеседники, все говорили по-французски. Она действительно почувствовала себя дикаркой. Провести целых два года с Аланом на затерянном в океане острове, слушать чинные размышления Киннелей, два года видеть лишь одно лицо — все это не могло пройти даром. Париж представлялся отрадной гаванью.

— Видишь вон ту женщину, — сказал Северин, вновь усаживаясь рядом, — узнаешь ее?

— Погоди, погоди... Нет, не узнаю.

— Элизабет. Помнишь? Она работала в редакции. Я был от нее без ума.

— Боже мой! Сколько ей сейчас?

— Всего лишь тридцать. А выглядит на все пятьдесят, не правда ли? Это самое головокружительное падение, которое я наблюдал за время твоего отсутствия. Ведь прошло всего два года. Она втюрилась в полоумного художника, всем пожертвовала ради него, теперь нигде не работает, пьет. А этот тип избегает с ней встречаться.

Дама по имени Элизабет посмотрела в их сторону, будто услышала, что они говорили о ней, и слабо улыбнулась Северину. Лицо ее отличалось одновременно худобой и одутловатостью, взглядом она напоминала больное животное.

— Тебе весело? — крикнул Северин.

— У тебя в гостях мне всегда весело.

«Это страсть, — подумала Жозе, — лицо страсти, отекшее, испитое, обрамленное двумя нитками жемчуга. Боже, как я люблю людей...» Ее подхватила упругая волна, она с удовольствием проговорила бы несколько часов кряду с этой внезапно состарившейся женщиной, заставила бы ее исповедаться, чтобы все о ней узнать, все понять. Она хотела бы все узнать о каждом из присутствующих, о том, как они засыпают, какие видят сны, чего боятся, что доставляет им удовольствие, а что — боль. С минуту она всех их горячо любила,

с их честолюбием и тщеславием, боязливой готовностью дать отпор и
чувством одиночества, которое безустанно трепетало в каждом их них.

— Ей суждено умереть, — сказала она.

— Она уже раз десять пыталась. Но пока ничего не вышло. И всякий раз он возвращался, распускал слюни и ухаживал за ней три-четыре дня. Так зачем ей, по-твоему, всерьез кончать с собой? Смотри, видишь, это мои музыканты. Они мастерски исполняют чарльстон.

Чарльстон вернулся в Париж из двадцатых годов, несколько растеряв свою жизнерадостность, как утверждали ворчуны, которые тем не менее от души веселились. Пианист занял свое место, и оркестр дружно грянул «Swannee», что заставило всех немного приумолкнуть. Постоянная готовность Северина устраивать всевозможные, порой неуместные, развлечения пользовалась такой же славой, как и его виски. Худощавый молодой человек подсел к Жозе, представился и тотчас добавил:

— Извините, я ненавижу болтать, поэтому помолчу.

— Но это же глупо, — весело сказала Жозе. — Если не любите беседовать с людьми, не ходите на коктейли. А если вы хотите выглядеть оригиналом, то здесь это не пройдет. У Северина надо веселиться.

— Это я-то хочу быть оригиналом? Да мне плевать на это, — сердито сказал молодой человек и надулся.

Настроение у Жозе было превосходное. В гостиной стоял густой дым, оглушительно гремела музыка, все кричали, чтобы перекрыть грохот усердствовавшего оркестра, а столы уже были заставлены пустыми бокалами. Ей даже захотелось, чтобы приехал Бернар и сообщил какие-нибудь новости об Алане.

— Умоляю вас! — что есть мочи выкрикнул Северин. — Будьте так добры, минуту внимания! Робин Дуглас, как и обещал, сейчас кое-что нам споет.

Публика расселась без особого энтузиазма, и Северин выключил почти все светильники. Кто-то, слегка оступившись, приблизился к Жозе и уселся рядом. Певец грустно объявил «Old Man River» и под чье-то «браво» начал петь. Поскольку он был чернокожий, все сразу уверились в его таланте и слушали затаив дыхание. Он пел довольно медленно, слегка блея, и обиженный на весь мир молодой человек пробурчал себе под нос что-то насчет истинной негритянской задушевности. Жозе, которая объездила с Аланом Гарлем вдоль и поперек, особого восхищения не испытывала и даже зевнула. Она откинулась на спинку кресла, взглянула на соседа справа. Сначала она увидела черный, тщательно начищенный и поблескивающий в полумраке ботинок, потом безукоризненно отглаженную складку брюк и, наконец, спокойно лежавшую на этих брюках руку. Руку Алана. Теперь она ощущала, что он смотрит на нее; стоило ей только повернуть голову, и их взгляды встретились бы, но ее сдерживал внутренний трепет.

Да, хоть это было смешно и глупо, Жозе боялась, что после того, как она его бросила, он заявит о своих правах и закатит скандал, может, даже здесь, у Северина, которого он видит в первый раз. Она замерла. Возле нее ровно дышал чужой на этом вечере, испытывавший, подобно ей, скуку от посредственного пения иноземец, ее любовник, с которым вот уже месяц она была в разлуке. Рядом, в темноте, безмолвно, возможно, не осмеливаясь к ней обратиться, сидел Алан. На мгновение ее так потянуло к нему, что она резко подняла руку к шее, будто застигнутая врасплох. Почти сразу же пришло ясное осознание того, что он, иноземец, среди всех ее друзей и родных был ей всего ближе, ибо их связывала не только физическая близость, но и прошлое: его нельзя было ни отменить, ни оспорить, и оно сводило на нет еще совсем недавно владевшее ею чувство эйфории и свободы.

— Плохо поет, — тихо сказал Алан, и она повернулась к нему.

Взгляды их встретились, впились друг в друга, в них были смущение и растерянность, радость обретения и отказ от этой радости, искренняя нежность и наигранное удивление, горечь и страх, каждый замечал в другом лишь светлый блеск глаз, до боли знакомый овал лица и беззвучную, неудержимую дрожь в губах. «Где ты была?» — «Зачем ты пришел?» — «Как ты могла меня бросить?» — «Что тебе от меня еще нужно?» — все эти обрывочные восклицания, пронесшиеся в их сознании, вдруг перекрыли последние, к счастью, слова негритянской песни.

Жозе усердно зааплодировала вместе со всеми. Глупо, конечно, бить в ладоши, когда кто-то упорно на вас смотрит, но для нее это означало не восхищение певцом (он ей не понравился), а намеренное присоединение ко всем остальным, к своей семье, своим соотечественникам даже тогда, когда вкус им временно изменял, и, таким образом, освобождение от Алана: она вновь среди своих, их жизнь теперь ее жизнь. Северин зажег свет, и она увидела наконец такое детское, такое беззащитное лицо мужа, лицо чистосердечного, несчастного молодого человека, меньше всего походившего на жестокого злоумышленника.

— Как ты здесь оказался?

— Я искал Бернара. Он обещал мне найти тебя.

— Откуда у тебя этот ужасный галстук? — вновь заговорила она, остро ощутив прилив блаженной радости, который, как только прошел первый испуг, мешал ей думать.

— Я купил его вчера на улице Риволи, — с легкой усмешкой ответил Алан.

Они продолжали беседовать, повернувшись друг к другу в профиль, будто в гостиной все еще выступал певец или разыгрывался какой-то другой спектакль.

— Не надо было этого делать.

— Да, не надо.

Он сказал «да, не надо» так тихо, что она не смогла уловить, вкладывает ли он в эти слова другой, более широкий смысл. Вокруг нее снова замелькали чьи-то лица, гостиная наполнилась веселым гомоном, но ей уже казалось, что она присутствует на театральном действе и столь же далека от актеров, сколь была к ним близка всего полчаса назад. Мимо проплыла, кудахча и пошатываясь от выпитого, какая-то нелепая кукла, и она узнала Элизабет.

— Тебе понравился Робин? Он прекрасно поет, не правда ли?

Задавая этот вопрос, Северин низко наклонился к ней. Она рассеянно представила ему Алана, который поднялся и дружески пожал руку Северина.

— Счастлив с вами познакомиться, — сказал Северин. Он был явно смущен. — Вы надолго к нам в Париж?

Алан что-то невнятно пробормотал в ответ. Она поняла, что они как можно быстрей должны уйти, с объяснениями или без; было ясно, что приятный вечер грозил вылиться в невыносимый кошмар. Она поднялась, приложилась к щеке Северина и вышла, не оборачиваясь. Алан был рядом, он молча открывал ей двери, помог надеть пальто. Выйдя из дома, они успели сделать несколько неуверенных шагов, прежде чем Алан решился взять ее под руку.

— Где ты живешь?

— На улице Бак. А ты? Да, вспомнила, в «Рице».

— Можно я тебя провожу?

— Конечно.

По улицам гулял легкий ветерок. Они шли не спеша, не совсем в ногу. Жозе ровным счетом ни о чем не думала, у нее мелькнула лишь одна мысль: «Пройти бульваром Сен-Жермен было бы ближе, но там, наверное, ужасный ветер». Она тупо смотрела себе под ноги и нехотя вспоминала, где и когда она могла купить эти туфли.

— Как же плохо он пел, — раздался наконец голос Алана.

— Да, плохо. Теперь налево.

Одновременно они повернули налево. Алан убрал руку, и на какой-то миг ее охватило смятение.

— Ты же видишь, — сказал Алан, — я в этом ничего не понимаю.

— В чем именно?

Жозе вовсе не желала продолжать разговор, особенно слушать, что он думает о ней, о себе, об их совместной жизни. Ей хотелось домой, она не отказалась бы от близости с мужем, но ее совсем не тянуло выяснять с ним отношения. Алан прислонился к стене, закурил и стоял с отсутствующим взглядом.

— Я в этом ничего не понимаю, — повторил он. — Что я здесь делаю? Мне осталось жить лет тридцать или чуть больше, а что потом? Что за злые шутки с нами играют? Что все это значит — все, что мы творим или пытаемся сотворить? Придет день, и меня не станет. Понимаешь, меня не станет. Меня оторвут от Земли, лишат ее, и она будет вращаться уже без меня. Как это дико!

Она с минуту смотрела на него в нерешительности, потом подошла и прислонилась рядом.

— Ведь это какой-то бред, Жозе. Кто из нас просил, чтобы его произвели на свет? Нас как будто пригласили провести выходные дни в загородном доме, полном всевозможных сюрпризов — скользящих половиц и прочего, а мы тщетно ищем хозяина этого дома, Бога или кого-то там еще. Но там никого нет. В нашем распоряжении лишь выходные дни, не больше. Разве можно за этот миг как следует узнать, понять, полюбить друг друга? Что за мрачный розыгрыш? Перестать существовать, ты представляешь это? Однажды все кончится. Мрак. Пустота. Смерть.

— Зачем ты мне это говоришь?

Она дрожала от холода и безотчетного ужаса, навеянного его потусторонним голосом.

— Ведь я только об этом и думаю. Но когда ты рядом, когда ночью нам вместе тепло, тогда мне на все это плевать. Только тогда, и никогда больше. В эти часы я не боюсь смерти, я боюсь лишь одного— что умрешь ты. Самым важным, важнее любой великой идеи, становится твое дыхание на моей щеке. Я, как зверь, всегда начеку. Как только ты просыпаешься, я вливаюсь в тебя, в твое сознание. Я хватаюсь за тебя. Живу тобой. Какое мучение было сознавать, что ты села в самолет без меня, ведь он мог разбиться! Ты сошла с ума! Ты не имела права. Ты можешь представить, что жизнь без тебя лишена для меня смысла?

Он продолжил на одном дыхании:

— Я имею в виду жизнь без тебя как живого существа. Я понимаю, что тебе больше не нужен, я понимаю, что...

Он сделал глубокую затяжку и вдруг отошел от стены.

— Впрочем, я ничего не понимаю. Когда я сел рядом с тобой и ты несколько минут меня не замечала, мне казалось, что я пьян или в каком-то дурмане. Но ведь я давно уже не пил, разве не так?

Он взял ее за руку.

— В наших с тобой отношениях есть нечто истинное, ведь правда?

— Да, — сказала Жозе. Она говорила тихо, и ее мучили желания опереться на мужа и бежать от него. — Да, есть нечто истинное.

— Я ухожу, — сказал Алан. — Возвращаюсь в гостиницу. Если я доведу тебя до дома, то не смогу не войти в него.

Он выжидал с минуту, но она молчала.

— Ты должна прийти ко мне завтра в гостиницу, — продолжил он тихим голосом. — Как можно раньше. Придешь?

— Да.

Она бы сказала «да» в ответ на любую его просьбу, на глаза ее 313
навернулись слезы. Он наклонился к ее лицу.

— Не дотрагивайся до меня, — остановила она его.

Потом Жозе смотрела ему вслед, он быстро удалялся, почти бежал, и хотя ее дом был совсем рядом, она остановила такси.

Жозе сразу легла в постель. Ее трясло от холода и горестных переживаний. Он сказал то, что и следовало сказать, заговорив о самом высоком: времени и неизбежном конце. Он смог выделить, обнажить главное, он указал ей, пожалуй, единственный способ обмануть смерть, если не считать веры, спиртного и впадения в маразм, — любовь. «Я люблю тебя, ты не уверена, что меня разлюбила, ты мне нужна, так чего же ты хочешь?» Да, конечно, он был прав. Ведь в ней и правда было что-то от собачонки, которая жаждала, чтобы ее подобрали и приласкали. Это она была в начале вечера веселым и любопытным зверьком, полным искреннего сострадания к Элизабет и восторга перед гостями Северина. Но стоило ей увидеть рядом руку Алана, как гости эти стали далекими, суетными и скучными. Алан как бы разлучал ее с другими людьми. Не потому, что она слишком горячо любила его, а потому, что он не любил других людей и увлекал ее за собой в круговорот своих собственных страстей... Она должна была видеть его и только его, ибо он никого, кроме нее, не видел. Силы покинули Жозе. Повернувшись к стене, она сразу провалилась в сон.

Утро следующего дня выдалось ясным, холодным и ветреным. Выйдя на улицу, она горько пожалела, что обещала отправиться в «Риц»: она предпочла бы, как в былые годы, посидеть на террасе кафе «Флора» или «Две макаки», встретить старых друзей, поболтать с ними о милых пустяках, потягивая томатный сок. Ей казалось, что идти к Алану в гостиницу «Риц» — значит следовать сюжету надуманного американского сценария, который совсем не вязался с ароматом парижских улиц, с тихим, умиротворенным бульваром Сен-Жермен, покорно подчинявшимся огням светофоров. Она дошла до Вандомской площади, спросила у администратора, в каком номере остановился Алан, и вспомнила о себе, о нем, об их браке, лишь открыв дверь.

Он лежал на кровати, обмотав шею старым красным шарфом, который едва прикрывал его голые плечи. На полу, у изголовья постели, покоился поднос с недоеденным завтраком, и она с раздражением подумала, что он мог бы достойнее ее принять. В конце концов, она по собственному желанию покинула его и теперь пришла, чтобы поставить вопрос о разводе. Его неглиже не совсем подходило для разговора на эту тему.

— Ты прекрасно выглядишь, — сказал он, — садись.

Она уселась в неудобное кресло, в котором можно было либо

притулиться на самом краешке, либо развалиться полулежа. Она избрала первый вариант.

— К счастью, ты без сумочки и шляпы, — насмешливо произнес он, — а то бы я подумал, что ты пришла ко мне, как в кафе, позавтракать моей яичницей с ветчиной.

— Я пришла, чтобы поговорить с тобой о разводе, — сухо сказала она.

Он расхохотался.

— В любом случае не стоит принимать столь грозный вид. Ты похожа на сердитую девчонку. Впрочем, чему удивляться, ты так и не рассталась со своим детством, оно всегда рядом с тобой, спокойное, невинное. Оно не осталось позади, это — твоя вторая жизнь. Твои попытки приблизиться к настоящей жизни были неудачны, так ведь, дорогая? Я как-то говорил об этом с Бернаром...

— Не понимаю, при чем тут Бернар. Придется мне с ним объясниться. Во всяком случае...

— Ты оттаскаешь его за уши. А он объяснит тебе, что ты самое гуманное существо, которое он знает.

Она вздохнула. Продолжать было бесполезно. Оставалось лишь уйти. Однако ее настораживали улыбка и веселое настроение Алана.

— Брось ты это кресло, иди ко мне, — сказал он. — Боишься?

— Чего мне бояться?

Жозе присела на кровать. Они были совсем рядом, и она видела, как мало-помалу смягчилось выражение его лица, подернулись влагой глаза. Он взял ее руку и положил ладонью на то место, где чуть заметно вздувалось одеяло.

— Я хочу тебя, — сказал Алан. — Чувствуешь?

— Ну при чем тут это, Алан...

Красный шарф прикрыл его лицо, он притянул ее к себе, и она видела теперь лишь белизну простыни и его загорелую шею, отмеченную уже глубокой морщиной.

— Я хочу тебя, — повторил он.

— Но ведь я одета, накрашена, и у меня не это на уме. Не жми так, я едва дышу. Мне, конечно, льстит твой порыв, но я пришла не за этим.

Однако, совершенно непроизвольно, она ласково провела рукой по одеялу, он дышал все глубже, нервно копошился под ее юбкой, и в конце концов она перестала сопротивляться, не понимая, чего же она хочет: уснуть после плохой ночи или вновь прижаться к мужчине. Вскоре они лежали обнаженные, изнемогая от короткой нежной борьбы и желания, во власти самых невообразимых ласк, на которые иногда толкает любовь, силясь понять, глотая слезы, что же их могло так надолго разлучить, прислушиваясь к зову плоти и вторя ему. И зов этот превращал тихое, спокойное утро на Вандомской площади

в бешеную пляску тьмы и света, а деревянную резную кровать — в
раскачивающийся на волнах плот.

Потом они лежали, почти не шевелясь, нежно вытирая капли пота друг с друга. Она снова подпадала под его власть.

— Завтра я найду подходящую для нас квартиру, — произнес наконец Алан.

Она не промолвила ни слова.

— Мне было гораздо лучше в Ки-Уэсте, — сказал Алан. — Тебе — нет. Ты пока нуждаешься в обществе. Ты хочешь встречаться с людьми, ты им веришь. Очень хорошо. Будем встречаться с людьми, твоими друзьями, ты мне скажешь, кто из них интересен. А когда тебе надоест, мы отправимся туда, где поспокойней.

Она слушала, чуть склонив голову, со слегка сконфуженным видом легкомысленной женщины, потом ответила:

— Что ж, блестящая мысль. И когда мы окажемся в спокойном местечке, ты начнешь вспоминать имена моих друзей, задашь мне массу вопросов, например: «А почему ты с такой милой улыбкой угощала Северина хрустящим картофелем в пятницу девятого октября? Ты что, с ним спала?»

Хотя Алан редко откровенно дурачился, однажды его угораздило разбить бокал об пол, и недавно нанятая горничная заявила, что, если и дальше будет так продолжаться, она долго у них не задержится. Вообще-то их жилище было весьма милым, хотя планировка второго этажа смахивала скорее на убежище богемы голливудского образца, чем на старый Париж. Лишь со временем Жозе сумела достать удобную и довольно красивую мебель, пианино и огромную радиолу. Они славно провели свое первое утро на новом месте. Если не считать кровати, торшера и пепельницы, квартира была еще пуста; они слушали великолепную запись Баха, который их в конце концов усыпил. В последующие дни они ходили по антикварным лавкам, блошиному рынку, побывали на нескольких вечеринках. Жозе водила на них Алана, словно кошка, которая, осторожно схватив своего котенка за шкирку, повсюду таскает его с собой, готовая улепетнуть при любой опасности. Во всяком случае, так все это видел Бернар.

«Правда, кошки делают это из любви, — сердито добавил он, — а ты — из уважения к людям. Из страха, что он напьется, что будет всем неприятен, что закатит скандал». Но Алан целиком ушел в роль молодого, наивного, ослепленного любовью американского мужа. Он играл ее с таким усердием, что Жозе не знала, плакать или смеяться.

— Знаете, — сказал как-то Алан расплывшемуся от удовольствия Северину, — я очень доволен, что вы приобщаете меня к вашей жизни. Ведь мы, американцы, так далеки от Европы и особенно от утонченной, изысканной Франции. Я чувствую себя здесь профаном и боюсь, что Жозе меня стесняется.

Благодаря подобным скромным высказываниям, вкупе с его внешностью, он легко завоевывал сердца всех окружающих. Некоторые даже начали недоумевать, почему Жозе не старается делать так, чтобы он чувствовал себя более раскованно. Когда она с затаенным холодным ожесточением выслушивала стенания покоренных Аланом сердец, они казались ей смешными и такими грустными, подобными судебной ошибке. Но были и такие, кто, однажды услышав странный смех Алана или его слишком откровенные высказывания, смотрели на него, как и Бернар, со смешанным чувством симпатии и недоверия, что в известной мере походило на отношение Жозе к своему мужу, и это было для нее хоть и слабым, но все же утешением.

Во время долгого и бессвязного выяснения отношений, которое последовало за тем утром в гостинице «Риц», которое иначе как «утром примирения» они назвать не могли, они договорились, что все начинают заново, то есть подводят черту под бегством Жозе, разлукой и встречей в Париже. Нельзя сказать, что Алан и Жозе по-настоящему поверили во все эти красивые фразы. Устав от своих причуд, они просто отдавали дань неписаным законам, негласным правилам поведения, нравам того общества, в котором жили. Кроме усталости, была и другая причина. Они не могли признаться себе, что это тяжело пережитое обоими бегство, две недели, проведенные в смятенных чувствах, и особенно памятный вечер их встречи: ветер, чернокожий певец, неожиданность и страх, — что все эти события не были следствием преднамеренного решения. Алан считал: Жозе согласна с тем, что он «должен разделять с ней всю ее жизнь»; Жозе полагала: Алан не возражает против того, что «он — не вся ее жизнь». Однако об этом они помалкивали. Они просто сказали друг другу: «Мы свободны, мы смешаемся с окружающими и попытаемся это сделать не порознь, а вдвоем».

Но жизнь снова стала пресной. Где бы Жозе ни находилась, Алан не спускал с нее глаз, с подозрением смотрел на ее собеседников, и ей казалось, что внутри у него спрятана маленькая электронная машинка, которая неустанно что-то сопоставляет, высчитывает, обобщает — правда, результаты ее работы не выливались теперь в столь неприятные сцены, ибо он боялся, что жена снова сбежит. Тем не менее Жозе было тягостно чувствовать, что муж ни на минуту не оставляет ее в покое и, стоит ей резко к нему повернуться, она почти всегда ловит на себе его пристальный, оценивающий взгляд. Но постель продолжала оставаться местом их единения, и Жозе удивлялась, что она еще влечет их, побеждает усталость. По вечерам они вновь и вновь испытывали любовную лихорадку, страстную дрожь, которая поутру обоим казалась необъяснимой. Она, конечно же, не из-за этого оставалась с ним, но осталась бы она с ним, если бы не это?

Они постепенно привыкали к новому образу жизни, к бесконечно долгим утренним часам, к легким завтракам, к дневным походам в магазины и музеи, ужинам со старыми друзьями Жозе. Алан, само собой разумеется, не работал. Они походили на туристов, и это в немалой степени способствовало тому, что Жозе не покидало ощущение непрочности, эфемерности их парижской жизни, а это было на руку Алану: он только и ждал, что ей надоест подобное существование и он увезет ее отсюда. Увезет туда, где, кроме них, никого не будет. А пока он проявлял терпимость, как ее проявляют иногда к тем, кто капризничает. Однако капризом Жозе был весь ее жизненный уклад.

Бернар часто с ними виделся. Он понял суть их взаимоотношений и как мог старался поддержать Жозе, вернуть ей Париж, его очарование, сделать так, чтобы она почаще была на людях. Но нередко ему казалось, что он вовсе не помогает молодой, свободной, нуждающейся в его поддержке женщине, а имеет дело с глухонемой, которая упрямо стремится ввязаться в любой разговор. Порой она резко отворачивалась от него, начинала лихорадочно искать глазами Алана, и, когда их взгляды вновь встречались, он видел, что она едва сдерживает бессильную ярость. Ему представлялось, что она лишь однажды повела себя как независимая женщина — когда оказалась в открытом море с тем самым ловцом акул. Однажды он высказал ей эту мысль. Отвернувшись от него, она промолчала.

— У меня такое впечатление, что ты ведешь двойную жизнь, — сказал он в другой раз. — Ты — и взрослый человек и в то же время — ребенок, который не отвечает за свои поступки, которого часто наказывают и который нерасторжимо связан с теми, кто его осуждает: ведь ты сама предоставляешь другим право тебя осуждать по той простой причине, что в любой момент можешь заставить их страдать.

Она встряхнула головой, взгляд ее ничего не выражал. Очередная вечеринка у Северина была в самом разгаре, вокруг стоял такой гвалт, что они могли наконец спокойно побеседовать.

— То же самое говорит Алан, так что здесь у вас полное единодушие. Что еще вы можете мне предложить? — спросила Жозе.

— Я?.. — он хотел было ответить «все», потом подумал, что это будет смахивать на реплику из плохого романа. — Я? Не обо мне речь. Речь о том, что ты несчастна и несвободна. И это совершенно не вяжется с твоей натурой.

— А что с ней вяжется?

— Все, что тебе не в тягость. Его любовь тебе тягостна, а ты считаешь, что так и надо. Но как раз так и не надо.

Она достала сигарету, прикурила от зажигалки, которую он поднес, и улыбнулась.

— Послушай, что я скажу. Алан убежден, что каждый человек барахтается в своем дерьме, никто и ничто не в силах его из этого дерьма вытащить — во всяком случае, здесь бесполезны собственные жалкие потуги или невнятные самозаклинания. Посему сам Алан неисправим, к нему нет никаких подходов.

— А ты?

Она прислонилась к стене, как-то вдруг расслабилась и заговорила столь тихо, что ему пришлось низко к ней склониться.

— Я не верю в никчемность человека. Не выношу подобной философии. Безнадежных людей не бывает. Я считаю, что каждый пишет картину своей жизни раз и навсегда, уверенной рукой, широкими, свободными мазками. Я не понимаю, что такое серость бытия. Скука, любовь, уныние или лень — все человеческое для меня наполнено поэзией. Короче...

Она положила свою руку на руку Бернара, слегка сжала ее, и он понял, что на какое-то мгновение она забыла о неусыпном взгляде Алана.

— Короче, я не верю, что мы — некое темное племя. Мы, скорее, животные, наделенные разумом и поэтической душой.

Он сжал ее ладонь, и она не сделала попытки освободиться. Ему хотелось прижать ее к себе, целовать, утешать. «Милый мой зверек, — прошептал он, — маленький, полный поэзии зверек». И она медленно отодвинулась от стены и спокойно, у всех на виду поцеловала его. «Если этот кретин посмеет поднять шум, — подумал он, не открывая глаз, — если этот озабоченный тип сейчас вмешается, я его сокрушу». Но ее губы уже оторвались от его губ, и он понял, что можно вот так, при всем честном народе, целоваться взасос, и никто этого не заметит.

Жозе тотчас же от него отошла. Она не понимала, что толкнуло ее поцеловать Бернара, но никакого стыда не испытывала. В его взгляде было нечто неотразимое, он был полон такой нежности, такой доброты, что она забыла обо всем: о том, что она замужем за Аланом, а Бернар женат на Николь, о том, что она его не любит, но, кто знает, может, никто никогда не был ей ближе, чем он в это мгновение. Ей казалось, что она не вынесет любого замечания Алана на сей счет, ведь он мог все это видеть, однако она точно знала, что он ничего не заметил. Для него все случившееся было бы столь неприемлемым, что провидение должно было пощадить его. «Я начинаю верить в судьбу», — подумала она и улыбнулась.

— Вот ты где! А я повсюду тебя ищу, — сказал Алан. — Представь себе, я встретил здесь старого приятеля, с которым учился жи-

вописи в университете. Он живет в Париже. Мне захотелось поработать с ним, как в былые времена.

— Ты рисуешь? — она не поверила своим ушам.

— В восемнадцать лет я этим очень увлекался. И потом, чем не
занятие? Квартиру мы обставили, и я не знаю, куда себя деть, ведь
ничего путного я делать не умею.

Сарказма в его словах почти не было, скорее, в них слышалось
воодушевление.

— Не волнуйся, — продолжал он и прижал ее к себе, взяв за
плечи. — Я не попрошу тебя смешивать мне краски. Ты будешь
встречаться со старыми друзьями или, лучше, гулять одна, ведь...

— У тебя есть талант?

«А вдруг это мое спасение? — подумала она. — Вдруг и вправду
он заинтересуется чем-либо, кроме себя самого и меня?» В то же
время ей стало стыдно оттого, что она беспокоится лишь о себе.

— Нет, не думаю. Но я умею прилично рисовать. Завтра же и
начну. Займу под мастерскую самую дальнюю, пустующую комнату.

— Но там совсем темно.

— Ну и что? Я ведь не умею рисовать то, что вижу своими глазами, — сказал он и рассмеялся. — Пошлю свое первое произведение
матери, она покажет его нашему психиатру, пусть позабавится.

Она в нерешительности смотрела на него.

— Ты что, недовольна? А я-то думал, ты хочешь, чтобы я чем-нибудь занялся.

— Напротив, я рада, — сказала она. — Тебе это будет весьма
кстати.

Порой казалось, что он видит в ней свою мать. Тогда она и в самом деле начинала говорить тоном свекрови.

— Как дела?

Она приоткрыла дверь и просунула голову в щель. Алан упорно
не менял своих безукоризненно скроенных темно-синих костюмов и
даже рисовал в них. Он с отвращением воспринял советы Северина,
которому представлялось, что художнику скорее подходят вязаный
свитер и велюровые брюки. Дальняя комната мало чем напоминала
мастерскую художника. Правда, в ней стоял мольберт, стол, покрытый аккуратными рядами тюбиков с краской, на стеллажах лежало
несколько недавно натянутых на рамы холстов, а посреди комнаты на
мягком стуле сидел рассеянно куривший, хорошо одетый молодой человек. Можно было подумать, что он ждет, когда придет художник.
Тем не менее вот уже две недели Алан проводил в своей комнатушке
долгие часы и выходил из нее безукоризненно чистым, без тени усталости, в великолепном настроении. Жозе была в полном недоуме-

нии, не знала, воспринимать ли ей все это серьезно, но так или иначе четыре часа ежедневной свободы что-нибудь да значили.

— Все в порядке. Чем ты занималась?

— Ничем. Гуляла.

Она говорила правду. После завтрака она отправлялась на машине в город, медленно проезжала по улицам, останавливалась там, где ей хотелось. Особенно она любила один небольшой сквер, в нем стояло какое-то удивительно ласковое, живописное дерево, и она проводила там час-другой, не выходя из машины, смотрела на редких прохожих, на то, как в оголенных зимой ветвях гулял ветер. Она мечтала, закуривала сигарету, иногда слушала радио, замирала, полная блаженного покоя. Она не осмеливалась говорить об этом Алану, чтобы он не приревновал ее к этому скверику сильней, чем к мужчине. А ей никто не был нужен. Потом она тихо ехала дальше, куда глаза глядят. Когда вечерело, ее мало-помалу начинало тянуть домой, к Алану, и, возвращаясь, она испытывала подобие облегчения, будто муж был единственной нитью, связывавшей ее с действительностью. Видеть сны, мечтать... Ей хотелось бы прожить жизнь на берегу, не отрывая глаз от моря, или в сельском доме, вдыхая запахи трав, или возле этого сквера, жить в уединении, не переставая мечтать, лишь умом осознавая течение времени.

— Когда же ты мне что-нибудь покажешь?

— Может быть, через неделю. Что ты смеешься?

— Ты всегда выглядишь, как на светском приеме. А я слышала, что художники постоянно воюют с красками.

— В первый раз слышу французский глагол «воевать» в этом значении. Ты права, терпеть не могу пачкать руки, и такая мания для художника — сущая мука. Выпить не хочешь?

— Хочу. Пока ты будешь счищать киноварь со своего указательного пальца, я приготовлю тебе бокал сухого мартини. Как заботливая, безупречная жена художника...

— Мне бы хотелось, чтобы ты для меня позировала.

Она притворилась, что не слышит, и быстро прикрыла дверь. Позже он так и не повторил своей просьбы. Занявшись живописью, он стал пить меньше, и казалось, что он старается поменять свои гостиничные привычки.

— Где ты гуляла?

— Колесила по улицам. Выпила чашку чая в кафе на маленькой площади возле Орлеанских ворот.

— Ты была одна?

— Да.

Алан улыбался. Она строго посмотрела на него. Он тихо засмеялся.

— Ты, наверное, мне не веришь.

— Верю, верю.

Она чуть было не спросила почему, но сдержалась. В самом деле, ее удивляло, что он задает мало вопросов. Она поднялась.

— Я рада. Рада тому, что ты мне веришь.

Она сказала это тихим, вкрадчивым голосом. Он вдруг покраснел и заговорил на высоких тонах:

— Ты рада, что я проявляю меньше болезненной ревности, рада, что моя голова теперь лучше варит, ты рада, что я наконец чем-то занялся, как и всякий мужчина, достойный этого звания, хотя все мои занятия и состоят в том, чтобы пачкать холсты, не так ли?

Она молчала. Давно он не взрывался. Она упала в кресло.

— «Наконец-то мой муженек стал как все, он оставляет меня в покое на целых четыре часа», — вот что ты думаешь. «Он пачкает холсты, которых иные талантливые люди и купить-то не могут, ну и пусть себе, зато мне хорошо». Ведь именно это у тебя на уме?

— Я рада видеть, что у тебя наконец появились обычные человеческие заботы. Во всяком случае, не ты один пачкаешь холсты, даже если это и так.

— Это не совсем так. Я способен на большее. По крайней мере то, что я делаю, не хуже того, что делаешь ты: часами разглядываешь из машины сквер.

— Я тебя не упрекаю, — сказала она и запнулась. — Но как ты узнал о том, что я... о сквере?

— Я за тобой следил. А ты как думала?

Жозе подавленно молчала. Она не была разгневана, скорее, она ощутила леденящее душу спокойствие. Жизнь шла по-старому.

— Ты что же, устроил за мной слежку? И каждый день за мной следили?

Она громко рассмеялась. Алан побледнел как смерть. Он схватил ее за руку, потащил за собой, а она до слез хохотала.

— Бедный, бедный сыщик, как же ему было скучно!

Он довел ее до дальней комнаты.

— Вот мое первое полотно.

Он повернул к ней холст. Жозе мало что смыслила в живописи, но творение мужа показалось ей вполне заслуживающим внимания. Она перестала смеяться.

— Ты знаешь, а ведь это совсем неплохо.

Он отставил картину к стене и некоторое время в нерешительности ее разглядывал.

— О чем ты все время думаешь, когда сидишь там, в своей машине? О ком? Скажи, умоляю.

Он прижал ее к себе. Она силилась побороть в себе отвращение и жалость.

— Зачем ты следишь за мной? Это давно вышло из моды и говорит об очень плохом воспитании. Бедный частный детектив, наверное, возненавидел мой сквер.

Ее снова подмывало рассмеяться. Она закусила губу.

— Скажи же, о чем ты там думаешь?

— О чем я думаю? Не знаю. Нет, правда не знаю. Иногда о моем любимом дереве, иногда о тебе, о друзьях, о лете...

— Ну а какие именно мысли бродят у тебя в голове?

Она резко высвободилась. Ей уже не хотелось смеяться.

— Оставь меня. Как же ты пошл со своими вопросами. Ни о чем не думаю. Слышишь, ни о чем!

Жозе хлопнула дверью и выбежала на улицу. Час спустя, успокоившись, она вернулась. Алан был мертвецки пьян.

Они беседовали втроем в маленькой гостиной, в которой наконец появились диван и два кресла. Жозе лежала на диване, а мужчины обменивались репликами поверх ее головы. Был уже вечер.

— Короче, — сказал Бернар, — она по уши в тебя влюблена, дорогой мой Алан.

— Меня это радует, — небрежно бросила Жозе. — Так ей и надо — она со многими была жестока.

— Я никак не припомню, о ком идет речь, — сказал, недовольно морщась, Алан.

— Ты не помнишь Лору Дор? Десять дней назад мы вместе обедали у Северина. Ей около пятидесяти. Когда-то она была настоящей красавицей, но и сегодня еще ничего.

— Пятьдесят? Ты преувеличиваешь, Жозе. Сорок, не больше. И она еще хоть куда.

— Так или иначе, я ничем не могу ей помочь, — сказал Алан. — Надеюсь, ревновать ты меня не будешь?

— Ха-ха, — произнесла, улыбаясь, Жозе. — Кто знает, на что ты способен. Во всяком случае, это внесет в нашу жизнь нечто новенькое.

Бернар рассмеялся. У них с Жозе вошло в привычку подтрунивать над болезненной ревностью Алана, но напрасно они надеялись тем самым ее смягчить — тот смеялся вместе с ними, но и не думал менять свое поведение, и это их немало озадачивало.

— Так что ей сказать, вы придете после ужина или нет? А то мне пора идти.

— Поживем — увидим, — ответил Алан. — Сегодня мы еще хотели посмотреть фильм ужасов, а после сеанса могли бы заехать за тобой.

Когда Бернар удалился, они немного поговорили о Лоре Дор. Жозе хорошо ее знала. У нее был весьма состоятельный муж, пред-

приниматель, и болезненное пристрастие к тому же мирку, к которо-
му был неравнодушен Северин. Она без особых скандалов сменила двух-трех именитых любовников и довольно безжалостно обошлась с некоторыми другими своими воздыхателями. Лора Дор была из тех женщин, которые никогда не расслабляются, всегда настороже, — Жозе предпочитала с такими не дружить. Однако она сказала о ней Алану немало добрых слов. Вообще-то это была умная, порой довольно забавная женщина, которую Жозе не собиралась недооценивать.

Они приехали к ней в полночь, после кошмароподобного фильма у них было хорошее настроение, и Лора Дор устроила им пышную встречу. Это была полноватая, рыжеволосая женщина с кошачьим лицом, от ее взгляда у Жозе прошел легкий холодок по спине. Алан сразу же вошел в свою роль неловкого, не устающего восхищаться американца и был быстро взят в оборот. Когда все были друг другу представлены и отзвучали фразы «вы разве не знаете нашу маленькую Жозе?» и «знакомьтесь: Алан Аш», Жозе принялась искать глазами Бернара и, увидев, что он занят, направилась к приятелю «тех славных, давних лет». Некоторое время спустя к ней подошел Бернар.

— По-моему, все идет отлично.

— Что именно?

— Я говорю про Лору и Алана. Посмотри на них.

Они стояли в глубине гостиной. Он увлеченно пересказывал ей только что просмотренный фильм, а она смотрела на него с таким странным выражением, что Жозе не удержалась и тихо присвистнула.

— Ты видишь, как она на него смотрит?

— Это называется вожделением. Вожделением Лоры Дор. Вот она, роковая страсть!

— Бедняжка, — сказала Жозе.

— Не люблю заранее загадывать. Если хочешь моего совета, притворись, что ревнуешь, это даст тебе передышку. Или попробуй предоставить им свободу, кто знает, чем все обернется.

Жозе улыбнулась. У нее не укладывалось в голове, что она сможет наконец отдохнуть от мужа, передав его в несколько увядшие руки Лоры. Нет, уж лучше пусть он увлекается живописью. Она не намеревалась уходить от него и тем более продолжать с ним жить по-прежнему. С тех пор как Жозе снова встретилась с Аланом в Париже, ей казалось, что она стоит на туго натянутом канате, что они заключили с мужем перемирие, и она замерла, боясь нарушить зыбкое равновесие. Причем до счастья ей так же далеко, как и до отчаяния, которое она испытывала в Ки-Уэсте.

— Сомнительный выход из положения, — прошептала она, как бы рассуждая сама с собой.

— Часто он оказывается самым лучшим, — сказал Бернар. Потом он добавил неуверенным голосом: — Ведь, если я не ошибаюсь, тебе хотелось бы от него избавиться? Причем так, чтобы обошлось без трагедий. Разве я не прав?

— Наверное, прав, — сказала она. — Я уже не знаю, что мне нужно, кроме того, чтобы меня оставили в покое.

— Тебе нужен другой мужчина. Но ты не сможешь его найти, пока Алан рядом. Понимаешь?

«Я не совсем понимаю, к чему ты сам клонишь», — подумала она, но промолчала. К ним шел Алан, за ним следовала Лора. «Ему не идут зрелые женщины, — сделала заключение Жозе, — он слишком красив и выглядит в их компании альфонсом».

— Я долго упрашивала вашего мужа провести уик-энд в Во, в моем загородном доме. Он почти согласился. От вас зависит его окончательный ответ. Ведь вы не разлюбили деревню?

«На что она намекает? — промелькнула мысль у Жозе. — Ах да, на историю с Марком, с которым я была у нее четыре года назад». Она улыбнулась.

— Обожаю деревню. Так что буду счастлива приехать.

— Это пойдет ей на пользу, — сказал Алан, взглянув на Лору, — она такая бледная.

— В ее возрасте грех плохо выглядеть, — весело сказала Лора. Она взяла Алана под руку и увлекла за собой. Бернар тихо рассмеялся.

— Давно известная тактика: «Жозе еще совсем ребенок. Мы, взрослые, можем кое-что себе позволить». В Во тебя посадят играть в карты со старым Дором, а на ночь положат в постель грелку.

— Думаю, скучать мне не придется, — сказала Жозе. — Обожаю карты, грелки и пожилых мужчин. А женское коварство приводит меня в восторг.

Когда они возвратились домой, Алан с видом знатока заявил, что Лора очень интеллигентная женщина, которая умеет принимать гостей.

— Мне кажется странным, — сказала Жозе, — что среди всех моих друзей — хотя и допускаю, что некоторые из них со странностями, — тебе понравилась только та особа, которая лишена самых основных достоинств.

— А что ты называешь основными достоинствами?

Настроение у него было прекрасное. Лора, наверное, засыпала его комплиментами, наивно полагая, что Алан воспримет их как проявление вежливости. Но даже у таких оторванных от жизни мужчин, как он, всегда есть изрядный запас мужского тщеславия.

— Основные достоинства?.. Как бы это точнее выразить... Пожалуй, главное — чувство юмора и бескорыстие. У нее нет ни того, ни другого.

— Как и у меня. Ведь я — американец.

— Вот это-то тебе и нравится. Не забудь взять свой шотланд-
ский домашний костюм, в нем тебе удобно будет завтракать. Когда ты
его надеваешь, ты становишься похож на молоденького ковбоя. Лора
будет на седьмом небе.

Он повернулся к ней.

— Если тебя не устраивает такой уик-энд, мы никуда не поедем.

Он весь сиял. «Бернар прав, — подумала Жозе, — не мешало
бы устроить ему сцену ревности». Она смыла с лица косметику и, не-
довольная собой, легла в постель. «Я никогда не смогу стать такой
же невыносимой занудой, как он», — подумала она, засыпая с улыбкой на губах.

Загородный дом в Во представлял собой длинное хозяйственное
строение, переделанное модным архитектором в английский сель-
ский особняк, уставленный глубокими кожаными креслами и драпи-
рованный теми самыми грубыми, баснословно дорогими холстами, от
которых все сходили с ума. Приехав к пяти часам, они совершили
длинную пешую прогулку по имению. «Мой единственный приют», —
многозначительно заявила Лора, откинув назад рыжие волосы.

На ужин подали неизбежные яйца всмятку. «Могу поклясться,
что они снесены сегодня», — сказала Лора, тряхнув головой в сторону гостей, которые в это время пробовали местный алкогольный шедевр. «Это лучше любого виски», — продолжила Лора, стараясь как
можно более эффектно осветить свои рыжие волосы бликами горящих в камине поленьев. Удобно устроившись на диване, Жозе гада-
ла, как долго продержится хозяйка на корточках возле огня, подавшись к нему застывшим лицом и протягивая к пламени пальцы с ла-
кированными ноготками. Кроме них с Аланом, тут были молодой
неразговорчивый художник, две болтливые девицы и, по всей видимости, муж Лоры — небольшого роста, худой голубоглазый мужчина
в очках, который, казалось, всякий раз сомневался, стоит или не стоит брать сигарету из изящной шкатулки. Алан увлеченно рассказывал одной из девиц о Нью-Йорке, и Жозе, сдерживая зевоту, решила
взглянуть на библиотеку в соседней комнате. «Будьте как дома, —
заявила Лора, — ненавижу хозяек, которые все время командуют».
Выслушав это доброе напутствие, Жозе пошла рыться на тщательно
вытертых от пыли полках, которые были заставлены томами великолепно изданного Лесажа, «Письмами» Вольтера, и, найдя детектив,
погрузилась в чтение. Десять минут спустя она отложила книгу и закрыла глаза. Она не в первый раз оказалась в этой комнате. Лет пять
назад она уже была здесь со своей компанией и другом, с которым тогда жила. Нагрянули из Парижа, как обычно, всей ватагой, набив-
шись вчетвером или впятером в старенький автомобильчик Марка.

Они развлекались всю ночь напролет, и Марку это не нравилось — ему очень хотелось близости. Как хорошо им было вместе! Все были взаимно внимательны, мило ревновали друг к другу, и никто не предполагал, что жизнь может их разлучить, что у них появится что-то более важное, чем эта веселая, крепкая дружба. Она не понимала, почему эти воспоминания причиняют ей одновременно радость и боль, скрытой угрозой сдавливают горло. Она резко поднялась из кресла и увидела растянувшегося на кушетке мужа Лоры, который, заметив ее, торопливо сел и хотел было встать. За весь вечер он не проронил ни слова, за исключением одной, сказанной скороговоркой фразы в ответ на утверждение Алана о своем полном равнодушии к политике: «Настоящий мужчина должен интересоваться тем, что происходит в мире». Но эта фраза потонула в общем гомоне. Она улыбнулась ему и жестом попросила не вставать. Он пробормотал:

— Извините, я вас не заметил. Не хотите ли чего-нибудь выпить?

Она отказалась.

— В гостиной так накурили, что не продохнуть. Это вы читаете Лесажа?

Он, в свою очередь, улыбнулся и пожал плечами.

— Эти книги подбирал архитектор-оформитель. У Лесажа, кажется, красивый переплет. Быть может, когда-нибудь, зимним вечером, я смогу наконец почитать эти книги, усевшись у камина с доброй трубкой и верным псом возле ног. А сейчас — нет времени.

— Вы много работаете?

— Да. Весь день считаю, принимаю решения, разговариваю по телефону. Хорошо, что у нас есть загородный дом, где можно отдохнуть от городской суеты.

— Лора сказала, что это единственный ее приют.

— Да?

Он произнес это с такой иронией, что она рассмеялась.

— Здесь мы можем подумать о себе, — начал декламировать он, — ощутить течение времени. Рядом — лужайки, на которых никто не отдыхает, цветы, которые выращивает садовник. Здесь — запах земли, навевающий тихую осеннюю грусть.

Она присела рядом с ним. Он выглядел как шестидесятилетний ребенок: лицо его было пухлым и в то же время морщинистым. За стеклами очков живо блестели глаза.

— Не обращайте на меня внимания. Я, наверное, перепил коньяка. Всякий раз, когда моя жена принимает в этом доме гостей, я налегаю на коньяк, чтобы заглушить вкус проклятых яиц, которые не устают нести наши куры. Говорят, это лучшая порода.

«Либо он чересчур пьян, либо очень несчастлив. Впрочем, не исключено, что он — весельчак», — подумала Жозе. Ей больше было по душе последнее предположение.

— Вам очень надоедают гости Лоры?

— Да нет, что вы. Как правило, меня здесь не бывает. Я все время в разъездах. Например, я слышал о вас еще лет пять назад, а увидел только сейчас. О чем весьма сожалею — вы так очаровательны.

Он сопроводил свою последнюю фразу легким почтительным поклоном и сразу же добавил:

— И муж у вас удивительно хорош собой. У вас, должно быть, очень красивые дети.

— У меня нет детей.

— Тогда — у вас будут прелестные крошки.

— Мой муж не хочет иметь детей, — отрезала Жозе.

На минуту воцарилось молчание. Она пожалела, что произнесла эти слова, слишком быстро прониклась доверием к этому человеку.

— Он боится, что вы их предпочтете ему, — твердо сказал он.

— Почему вы так считаете?

— Но ведь это яснее ясного. Он смотрит только на вас, моя жена — только на него, а вы ни на кого не смотрите.

— Милое трио получается, — сухо сказала она.

— Милый квартет, если учесть, что я смотрю только на курс акций. Они взглянули друг другу в глаза и не смогли удержаться от смеха.

— И вас это устраивает? — спросила Жозе.

— Послушайте, мадам, я достиг того счастливого возраста, когда любят лишь тех, кто делает вам добро. Обратите внимание — я говорю «тех, кто делает вам добро», а не «тех, кто не причиняет вам зла». К первым я отношу людей, уважающих вас как личность. Вы поймете это позже. Извините, мой бокал уже давно пуст.

Он поднялся, и она последовала за ним в гостиную. Они остановились в дверях. Алан сидел в ногах Лоры, которая смотрела на него так жадно, так нежно, что Жозе невольно отпрянула назад. Алан поднял на них глаза и лукаво подмигнул жене, заставив ее покраснеть. Она было испугалась, что муж Лоры заметит этот взгляд Алана, но тот уж направлялся к бару. Ей совсем не хотелось подыгрывать Алану.

Она прямо сказала ему об этом вечером, в спальне, когда он ходил по комнате взад и вперед, язвительно вспоминая ухаживания Лоры.

— Мне не по душе твои забавы. Нельзя так потешаться над людьми, кто бы они ни были.

Он остановился.

— Мне кажется, раньше ты так не думала. Ты часто бывала здесь прежде?

— Не часто.

— А с кем?

— С друзьями.

— Вдвоем или вас было много?

— Я же сказала «с друзьями».

— Ты никогда мне не рассказывала об этом доме в департаменте Во. Я смог заставить тебя вспомнить о море, горах, о городе, но я ничего не слышал о загородных местах. Почему же?

Она зарылась лицом в подушку. Когда ей стало не хватать воздуха, она осторожно подняла голову— Алан не отрывал от нее глаз.

— Не волнуйся, я сам все узнаю.

— От Лоры?

— За кого ты меня принимаешь? От тебя, душа моя, и очень скоро.

Он и не предполагал, что именно так оно и будет.

И все же было что-то странное в поведении Лоры. Она как будто бросала кому-то вызов. Когда Жозе вышла к завтраку без мужа, который задержался в спальне, Лора шумно ее приветствовала, а потом принялась расхваливать Алана.

— Алан еще в постели? В сущности, он еще ребенок, которому надо как следует выспаться. Как бывают очаровательны эти молодые американцы: когда их узнаешь, кажется, что они только что родились. Вам кофе?

— Чай.

— У вас не было такого впечатления, когда вы познакомились с Аланом? Как будто человек еще совсем не жил? Как будто до вас у него не было женщин?

— Все было несколько иначе, — полусонно ответила Жозе.

— Одна беда, — продолжала Лора, не замечая настроения Жозе, — они полагают, что все люди похожи на них. А ведь у нас, в старой доброй Европе...

Остальное Жозе пропустила мимо ушей. Она отвела от Лоры глаза и протянула руку к поджаренному хлебу. Позже, после утренней оздоровительной прогулки, во время которой Лора не отпускала руку Алана, идя с ним немного впереди слегка ошалевших от свежего воздуха гостей, Жозе пыталась понять, к чему же все-таки клонит хозяйка дома. Они сидели в креслах на залитой солнцем лужайке возле самого крыльца, пили фруктовый сок, и Жозе размышляла над фразой Жан-Пьера Дора про траву, на которой сроду никто не отдыхал, когда явно взволнованная Лора поднялась со своего места.

— Я забираю у вас Алана. До обеда мне хочется показать ему чудесную мансарду.

Она произнесла это, не сводя глаз с Жозе, которая улыбнулась ей в ответ.

— Вас, Жозе, я не приглашаю. По-моему, вы там уже были.

Жозе еле заметно кивнула. Именно в этой мансарде четыре года назад Лора застала ее и Марка. Тогда не было конца шуткам по пово-

Жозе побледнела от захлестнувшего ее гнева, и молодой художник, который до сих пор хранил молчание, предложил ей бокал портвейна и при этом так понимающе улыбнулся, что это окончательно вывело ее из себя.

Вы говорите о той самой мансарде, где я занималась любовью с Марком? — спокойно спросила она.

Воцарилась гробовая тишина. Жозе повернулась к Алану.

— Не помню, говорила я тебе о нем или нет. Я имею в виду Марка. Мне было тогда лет двадцать. Подробности ты можешь узнать у Лоры.

Одна из молодых женщин, будучи не в силах что-либо сказать, начала хохотать. К ней присоединился художник.

— Кто только не терял в этом доме голову, — весело сказал он. — Воистину, райская обитель.

— По-моему, ваше сравнение слишком натянуто, — зло выдавила из себя Лора. — И если Жозе теряла здесь голову, то я об этом, слава богу, ничего не знаю.

— Если моя жена и теряла когда-то голову, то это касается только ее, — ласково произнес Алан и наклонился, чтобы поцеловать Жозе в волосы.

«Он меня сейчас укусит», — вдруг подумала она и, представив себе, сколько вопросов, сколько скандалов повлечет за собой ее выходка, в изнеможении закрыла глаза. Глупо все получилось. Алан улыбался ей. У него был такой блаженный вид, что невольно закрадывалось сомнение в здравости его рассудка. Нет, она должна уйти от него, пока не поздно, пока не случилось чего-нибудь страшного! Она продолжала сидеть в своем кресле. Точно так же в кино она была не способна уйти из зала до конца сеанса.

Месяца два только и было разговоров, что о Марке. Как она с ним познакомилась, чем он ей приглянулся, как долго продолжался их роман. Напрасно она пыталась представить все как случайный и даже смешной эпизод; чем легкомысленнее выглядели ее отношения с Марком, тем больше разгоралось воображение Алана. Ведь если все было так несерьезно, значит, была какая-то другая причина их близости, та, о которой она боялась говорить. Жозе начала так затягивать ночные прогулки, что после них они буквально валились с ног от усталости. Она делала это лишь для того, чтобы отдалить ту минуту, когда он, склонившись над ее лицом, скажет: «Ведь с ним тебе было лучше, да?» — когда начнут сыпаться всегда сугубо конкретные, порой скабрезные вопросы, которые выводили ее из себя. По истечении этих двух месяцев лицо ее стало одутловатым от спиртного, под глазами появились синяки, и она неожиданно взбунтовалась. Она немного размялась, сделав гимнастику, легла спать в десять вечера и на все увещевания и угрозы Алана ответила упрямым молчанием. Каждая его фраза была с подвохом, и она поймала себя на том, что ее не раз охватывала настоящая ненависть к мужу.

Лора Дор стала самой близкой из всех их знакомых. Они почти каждый день наведывались к ней, ибо Лора устраивала приятные вечеринки, после которых Алан возил ее по ночным кабакам, где восхищенную и разбитую, постаревшую лет на десять Лору заставало утро следующего дня. Ближе к вечеру она заезжала к ним сама, восхищалась картинами Алана и везде, где могла, говорила, что эта молодая чета просто очаровательна и что она молодеет в их компании. Как только она приезжала, Жозе старалась побыстрее куда-нибудь улизнуть, дать ей возможность побродить между гостиной и мастерской, где Алан, которому явно нравилось присутствие зрителей, писал свои картины, не прекращая экстравагантных речей. Когда она возвращалась, то заставала их в креслах за первым бокалом виски. С тех пор как Жозе бросила пить, ей было очень трудно включиться в их разговор. Она лишь замечала краем глаза новые морщинки на лице Лоры, отеки под ее глазами и дьявольскую готовность Алана вновь наполнить ее бокал. Он относился к ней с неизменной милой учтивостью, расспрашивал о малейших подробностях ее жизни и мог часами напролет с ней танцевать. Жозе не понимала, чего он добивается.

Вернувшись однажды вечером чуть позднее обычного, она застала с ними Бернара, который накануне возвратился из долгой поездки. Жозе бросилась ему на шею, но он даже не улыбнулся. Как только Лора ушла, Бернар строго посмотрел на Жозе.

— Во что вы играете?

Жозе подняла брови.

— Во что мы играем?

— Да, во что? Алан и ты. Чего вам нужно от бедной Лоры?

— Мне лично ничего от нее не нужно. Спроси лучше у Алана.

Алан улыбался, но Бернар не смотрел на него.

— Я прежде всего тебя спрашиваю. Ты всегда была добра к людям. Что же тебя заставляет делать из этой женщины посмешище? Ведь над ней все потешаются. Не говори мне, что ты этого не знаешь.

— Я этого не знала, — раздраженно ответила Жозе. — В любом случае я тут ни при чем.

— Нет, при чем, раз ты позволяешь этому садистику издеваться над ней, спаивать, обнадеживать.

Алан восхищенно присвистнул.

— Садистик... Вот уж не ожидал от вас.

— Зачем вы внушаете Лоре, что вы ее любите или будете лю-

бить? Зачем вы ставите ее в глупое положение? Что вы на ней выме-
щаете?

— Ничего, я просто развлекаюсь.

Бернар был вне себя. У него начался тик. Жозе вспомнила, что когда-то было много разговоров о его связи с Лорой. То были лучшие времена имения в Во.

— Что ж, подобные развлечения вполне в вашем духе. Так забавляются богатые самодовольные невежи. Вы оба ведете бестолковую жизнь. Вы, Алан, — по причине бог знает какого душевного изъяна, Жозе — в силу своего безволия, что еще хуже.

— Однако как приятно встретить тебя после долгой разлуки, — сказала Жозе. — Как съездил?

— Когда ты наконец решишься уйти от этого типа?

Алан поднялся, ударил его кулаком, и началась весьма неловкая потасовка, на которую было противно смотреть: драться они не умели. Тем не менее они лупили друг друга достаточно усердно, так что у Алана потекла кровь из носа и опрокинулся стол с бутылками. Джин полился на ковер, бокалы покатились под стулья, и Жозе крикнула, чтобы они немедленно прекратили это безобразие. Они остановились, посмотрели друг на друга, смешные, взлохмаченные, и Алан достал носовой платок, чтобы вытереть нос.

— Присядем, — сказала Жозе. — Так о чем мы говорили?

— Извините, — сказал Бернар. — Мы с Лорой старые друзья, и, хотя порой она меня раздражает, нельзя забывать, что она сделала немало добра людям. Но я, конечно, не намеревался идти ради нее на дуэль.

— У меня так и хлещет кровь из носа, — сказал Алан. — Если бы я знал, что придется драться со всеми воздыхателями Жозе, я бы прошел стажировку в морских десантных войсках, прежде чем на ней жениться.

Он засмеялся.

— Бернар, вы были знакомы с неким Марком?

— Нет, — твердым голосом ответил Бернар. — Вы меня уже об этом спрашивали. И это не имеет никакого отношения к Лоре.

— Я не хочу причинить зло Лоре. Не завидую ни ее состоянию, ни красоте. У Лоры душа художника — в этом все дело. Именно она устраивает мою выставку.

— Выставку?

— Я не шучу. Вчера она привела с собой критика. Похоже, у меня неплохо получается. Выставка откроется через месяц. Я думаю, это поможет мне покончить с никчемным времяпрепровождением, в котором меня обвиняет твой друг, дорогая Жозе.

— Что это был за критик? — спросила Жозе.

— По-моему, его фамилия была Домье.

— Очень известный критик, — сказал Бернар. — Поздравляю вас. Надеюсь, вы не очень на меня обиделись.

Он был холоден как лед. Жозе, которая никак не могла прийти в себя, проводила его до двери.

— Что ты об этом думаешь?

— Я не изменил своего мнения, — проговорил Бернар. — Стань он хоть премьер-министром, он не оставит тебя в покое ни на минуту. Подумать только, Алан — художник! Я очень жалею, что помог ему тебя отыскать.

— Это почему? Из-за Лоры?

— И из-за нее тоже. Я считал, что он шальной, но славный малый. Теперь вижу, что он вовсе не славный и, вне всяких сомнений, ненормальный тип.

— Ты преувеличиваешь, — сказала Жозе.

Он остановился на лестничной площадке в полутьме и взял ее за руку.

— Поверь мне, он тебя погубит. Спасайся, пока не поздно.

Она хотела возразить, но он уже спускался по лестнице. Жозе в задумчивости возвратилась в гостиную; к ней подошел Алан и прижал ее к себе.

— Как все глупо вышло... У меня болит нос. Ты рада, что откроется моя выставка?

Весь вечер напролет она ставила ему на нос компрессы и оживленно обсуждала с ним планы на ближайшее будущее. Ей казалось, что он беззащитный ребенок, что он рисует лишь для того, чтобы доставить ей удовольствие. Он заснул в ее объятиях, и она долго и нежно смотрела на спящего.

Она проснулась в поту среди ночи. Слова Бернара принесли свои плоды: ей приснилась обезображенная Лора, распростертая на лужайке возле своего дома в Во. Она взывала о помощи, рыдала, но люди проходили мимо, не замечая ее. Жозе пыталась остановить то одного, то другого, она показывала им на Лору, но они морщились и говорили: «Послушайте, это же пустяки». Алан сидел в кресле и улыбался. Она поднялась, пошатываясь, прошла в ванную комнату, выпила два стакана воды, и ей показалось, что она не сможет оторваться от чистой, ледяной струи, которая текла ей в горло. В слабом свете, проникавшем в спальню из ванной, Алан выглядел полуживым: он лежал на спине, опухший нос уродовал его красивое лицо. Жозе улыбнулась. Ей больше не хотелось спать, было пять часов утра. Она подхватила халат и на цыпочках вышла из комнаты. В гостиной по жутковатому и в то же время нежному, бледному сиянию было заметно, что близится рассвет. Она подвинула к окну кресло и уселась в него. Улица была пустынна, воздух — прозрачен. Жозе почему-то вспомнила, как возвращалась из Нью-Йорка. Она вылетела в

За каких-то полчаса Жозе увидела, как ослепительно яркое солнце начало краснеть, быстро спускаться к горизонту и вовсе исчезло, и вечерние тени, казалось, накинулись на воздушный корабль; они неслись под иллюминатором в виде синих, лиловых, наконец, черных облаков, и не успела она оглянуться, как наступила ночь. Ей захотелось тогда искупаться в этом море облаков, окунуться в состоящий из воздуха, воды и ветра океан, который, чудилось, будет мягко и нежно, словно воспоминания детства, обволакивать ее кожу. Было нечто невероятное в этом небесном пейзаже, нечто такое, что низводило земную жизнь к дурному сну, «наполненному гамом и исступлением», сну, который подменяет эту полную поэзии безмятежность, усладу для глаз и души, которая и должна была бы являться настоящей жизнью. Лежать одной, совсем одной на берегу и ощущать движение времени, как она ощущала его сейчас, в этой пустой комнате, в которую никак не осмеливалось войти утро. Укрыться от повседневной жизни, от того, что другие называют жизнью, избежать волнений, переживаний по поводу своих достоинств и недостатков, быть бренной, наделенной дыханием песчинкой, покоящейся на миллионной части одной из многих миллиардов галактик. Она сцепила ладони, потянулась и хрустнула пальцами, замерла. Случалось ли Алану, Бернару или Лоре испытывать это непередаваемое чувство? Пытались ли они хоть раз выразить его словами, которые тотчас искажали его смысл? «Мы — не более чем жалкие вместилища костей и серого вещества, способные лишь на то, чтобы причинить друг другу немного страданий и толику удовольствий, прежде чем исчезнуть с лица земли», — подумала она и улыбнулась. Жозе прекрасно понимала, что бесполезно сопоставлять перипетии своей жизни с куда более мудрой бесконечностью. Наступал новый крикливый, жадный на слова и жесты день.

— Примите мои поздравления. В вашей живописи есть что-то неординарное, свое...

Незнакомец сделал неопределенное движение рукой, пытаясь найти нужное слово.

— Видение. Свое, новое видение мира. Еще раз браво.

Алан, усмехнувшись, поклонился. Казалось, он был взволнован, выставка имела большой успех. Лора мастерски ее подготовила. Газеты писали о «самобытности, силе и глубине». Женщины не спускали с Алана глаз. Все удивлялись, почему они раньше не слышали об этом молодом американце, прибывшем в Париж искать вдохновения. Поговаривали, что он приплыл на грузовом судне, где был помощником машиниста. Если бы Алан не выглядел таким потрясенным, Жозе от души посмеялась бы над всей этой чепухой. За три недели до открытия выставки они заперлись дома. Алан не находил себе места, вставал по ночам и шел смотреть свои картины, поднимал жену, страстно говорил о мольберте как о своей судьбе. Его мучительные сомнения в своей состоятельности пугали даже Лору, вынуждали Жозе не отходить от него ни на шаг, быть ему то матерью, то любовницей, то критиком. Но она была счастлива. Он заинтересовался чем-то, кроме самого себя, он увлеченно и с уважением говорил о том, что делает, он что-то создавал. Их совместная жизнь становилась вдруг вполне возможной, в этой жизни он продолжал бы нуждаться в Жозе, но по-иному, как всякий мужчина нуждается в женщине. Теперь у него была не только она. Поэтому Жозе спокойно наблюдала за тем, как Лора Дор играет роль музы, а Алан мало-помалу поднимает голову, вновь обретает уверенность, легкое чувство превосходства. Теперь Лора чаще говорила о Ван Дейке, чем о Марке. Об этом Жозе шепнула с трудом протиснувшемуся к ней, облаченному в черный велюровый костюм Северину.

— Я тебя понимаю, — улыбнулся он в ответ. — Твой муж осточертел мне своими расспросами. Ты знаешь, что почти все картины уже проданы?

— Правда? А как ты сам их находишь?

— Они очень своеобразны. Это напоминает мне... э-э...

— Не мучайся, — сказала Жозе. — Я же знаю, что ты в этом ничего не понимаешь.

— Ты права. Мы обедаем у Лоры? Посмотри на нее — можно подумать, это ее выставка.

— Она счастлива, — сказала Жозе, которую переполняло снисхождение к Лоре. — Она действительно много для него сделала.

— Все так говорят, — сказал Северин. — Тебе придется услышать немало язвительных намеков.

— Такая роль меня устраивает, — сказала, пожав плечами, Жозе.

— Лишь бы он оставил тебя в покое, да?

Они расхохотались. Алан повернулся в их сторону. Он было нахмурил брови, но, увидев Северина, улыбнулся.

— Очень мило с вашей стороны, что вы пришли. Вам нравится?

— Это потрясающе, — ответил Северин.

— Таково, видимо, общее мнение, — удовлетворенно хмыкнув, сказал Алан и обратился к ожидавшему своей очереди поклоннику.

Северин смущенно закашлялся, а Жозе покраснела.

— Если теперь он будет воображать себя Пикассо...

— Это лучше, чем роль Отелло, дорогая моя...

Он увлек ее за собой. Они покинули выставочный зал и присели на террасе соседнего кафе. Было тепло, солнце опускалось за Дом Инвалидов. Северин болтал без умолку. Жозе рассеянно его слушала. Она вспомнила, как дней десять назад Алан с искаженным лицом вопрошал: «Как ты считаешь, это неплохо? Это чего-то стоит? Ну скажи же что-нибудь!» Она сравнила тогдашнюю его мучительную гримасу с тем самодовольным видом, который был у него, когда он произнес: «Таково, видимо, общее мнение». Перемена произошла подозрительно быстро. Ведь Алан был слишком умен и, главное, лишен чрезмерного тщеславия.

— Ты меня не слушаешь?

— Нет, нет, что ты, я слушаю.

Северин ударил кулаком по столу.

— Да нет же! После своего возвращения ты совсем меня не слушаешь, ты всегда настороже. Вы оба смахиваете на призраков. Согласна?

— Да.

— Это главное.

Удивленная серьезностью его тона, она повернулась к нему, и ее охватил гнев.

— Ты рассуждаешь, как Бернар. Мы с Аланом несколько обременяем вас, не так ли?

— Бернар скорее всего обременен своими личными делами, как и я. Но, как и я, он тебя любит.

Жозе импульсивно схватила его за руку.

— Извини. Я сама не знаю что говорю. Скажи честно, Северин, я сама во всем виновата?

Он не спросил «в чем?», лишь тряхнул головой.

— Ты не виновата. В таких вещах вообще никто не бывает виноват. Я не думаю также, что ты сама способна все уладить. Ведь вначале он, со своей детской наивностью, и меня было ввел в заблуждение. Если бы Лора не оказалась из-за него в таком состоянии...

— В каком состоянии?

— Она безумно влюблена в него, а он каждый день с ней встречается, искушает, но даже прикоснуться к ней не хочет... Нельзя же так. Она мечется между снотворным и виски. Дор хотел отправить ее в Египет, но твой муж сказал убитым голосом: «А как же без вас моя выставка?» — и она осталась.

— Я этого не знала.

— Ты никогда ничего не знаешь. Ты так боишься ввязаться в эти дела, что постоянно витаешь в облаках. Кстати, о чем ты мечтаешь?

Она засмеялась.

— О пустынных берегах.

— Я так и думал. Как только у тебя неприятности, ты начинаешь мечтать о пустынных берегах. Ты помнишь, как...

Она привычно оглянулась назад, и это его позабавило.

— Не волнуйся, его там нет.

— Речь идет не о простых житейских неприятностях, Северин, а о моем муже. Он любит меня, и я дорожу этим.

— Не будь ханжой. Ну вышла за того, а не за этого. Ну и что дальше? Не беги так, я обожаю, когда ты сердишься, мой котеночек...

Он еле поспевал за ней, она шла по улице и цедила сквозь зубы: «Я не из таких, не из таких». Он в конце концов услышал, что она шепчет.

— Конечно, не из таких. Ты создана для счастливой, веселой жизни, для того, чтобы любить человека, который не держит тебя день-деньской за горло. Ты обиделась, Жозе?

Они подходили к выставочному залу. Она повернулась к нему заплаканным лицом и бросила: «Нет». Северин в растерянности замер у входной двери.

Жозе яростно протискивалась между покидавшими выставку посетителями, кусая губы, чтобы остановить слезы. Она искала Алана.

«Алан, миленький, ты ведь меня так любишь, сумасшедшенький ты мой, ни на кого не похожий, Алан, ну скажи же, что они не правы, что они ничего не понимают, что мы всегда будем вместе...» Она чуть не сшибла его с ног в тот момент, когда он жал руку последнему из приглашенных.

— Куда ты пропала?

— Я пошла выпить пива с Северином, мы здесь задыхались.

— С Северином? Надо же, а я видел его минут пять назад.

— Ты обознался. Умоляю, не начинай все сначала!

Он лукаво взглянул на нее и рассмеялся.

— Ты права. Сегодня большой день, забудем свои причуды. Да здравствует живопись! Да здравствует великий художник!

Теперь они были одни. Выставочный зал опустел. Сквозь стеклянные двери было видно сидящую в машине Лору, которая жестами приглашала их к ней присоединиться. Алан взял Жозе за руку и подвел к одной из своих картин.

— Ты видишь это? Это ровным счетом ничего не стоит. Это — не живопись. Это — ничтожная навязчивая идейка в цвете. Настоящие критики сразу это поняли. Это — плохая живопись.

— Почему ты мне это говоришь?

— Потому что это правда. И я всегда это знал. Неужели ты вообразила, что я поверил в эту комедию? Ты так плохо меня знаешь?

— Зачем тебе это было нужно?

Она была ошеломлена.

— Чтобы как-то развлечься. И чтобы чем-то тебя занять, дорогая. Впрочем, я сожалею, что все это было розыгрышем. Ты была великолепна в роли жены художника. Ты излучала уверенность. Ты не была в восторге от моих творений, нет, но хорошо это скрывала. Ведь я был чем-то занят, и тебя это устраивало, не так ли?

Она уже пришла в себя и с любопытством смотрела на него.

— Так зачем же ты мне все это сейчас говоришь?

— У меня нет желания провести остаток своих дней за этой бредовой пачкотней. И потом, я не люблю лгать, — учтиво добавил он.

Жозе неподвижно стояла перед ним. Она смутно вспоминала о бессонных ночах, которые он заставил ее провести, о его наиграшном смятении и напускном упорстве. Она коротко и сухо рассмеялась.

— Ты немного переиграл. Пойдем, тебя ждет твой меценат.

Лора покраснела от возбуждения и счастья. Она села между ними на заднее сиденье и всю дорогу не умолкала. Время от времени ее трепетная ладонь боязливо ложилась на руку Алана. Он отвечал ей с искренним удовольствием, и Жозе, слыша их смех и видя конвульсивные движения этой ладони, хотела умереть.

Квартира Лоры Дор на улице Лоншам была слишком велика, слишком торжественна, так заставлена массивной мебелью, что никто не знал, по крайней мере в начале вечера, куда поставить пустой бокал. Жозе пересекла ее деловым шагом и закрылась в ванной комнате, где тщательно смыла следы недолгих горячих слез, пролитых часом раньше. Всмотревшись в свое отражение в зеркале, она нашла для своего лица неспокойное, яростное выражение, которое ей явно шло, плавно удлинила линию глаз, вытянула овал лица, подчеркнула выпуклость нижней губы и, наконец, улыбнулась творению своих рук — незнакомке, куда более зрелой и опасной, чем она сама. Ее охватила приятная дрожь, желание сокрушать, шокировать, которого она не испытывала с тех пор, как покинула Ки-Уэст. «Они начинают меня раздражать, — прошептала она, — они начинают не на шутку меня раздражать». Под «ними» она подразумевала лживую, безликую толпу. Она вышла из ванной, чувствуя прилив сил, сладкий раж, который она была уже не в силах сдерживать. В гостиной, прислонившись к стене, весело ворковали Алан и Лора. Уже подъехали несколько человек из тех, что были приглашены на выставку. Жозе сделала вид, что не замечает их, и налила себе полный бокал виски. Алан бросил ей:

— А я за последние два месяца свыкся с мыслью, что ты пьешь только воду.

— Меня мучает жажда, — ответила она и так ослепительно ему улыбнулась, что он смутился. — Я пью за твой успех, — сказала она, подняв бокал, — и за успех Лоры, ибо благодаря ее стараниям все сложилось так удачно.

Лора рассеянно улыбнулась в ответ и слегка дернула руку Алана, чтобы тот обратил на нее внимание. Он не хотел отводить глаз от жены, но Жозе лихо подмигнула и повернулась к нему спиной. Она окинула взглядом гостиную в поисках добычи— любого благодушного, представительного мужчины, который поухаживал бы за ней. Но народу было пока совсем мало, и ей пришлось подсесть к бледной, как никогда, Элизабет Ж., которая опять ждала своего несносного любовника. Полторы недели назад она совершила очередную попытку самоубийства, и ее запястья были красноречиво перехвачены бинтами.

— Как вы себя чувствуете? — спросила Жозе.

Она отпила глоток из бокала и нашла виски отвратительным.

— Спасибо, лучше. — Попытки самоубийства Элизабет были такой же банальной темой для разговоров, как чья-то простуда. — Ума не приложу, где Энрико, ведь он давно должен быть здесь. Вы знаете, я так рада за Алана...

— Благодарю вас, — сказала Жозе.

Она смотрела на Элизабет с необыкновенной теплотой, она чувствовала, что готова очаровать тигра.

Согретая этим взглядом, Элизабет оживилась. Она немного поколебалась и изрекла:

— О, если бы Энрико добился хотя бы половины подобного успеха! Это примирило бы его с людьми, он был бы спасен. Ведь он, представьте себе, в ссоре со всем земным шаром.

Она говорила об этом так, будто речь шла о ссоре двух ее горничных. Жозе понимающе кивнула. Она превосходно себя чувствовала. Почему? «Да потому что я живу, совершаю поступки, исходя из своих интересов, и меня уже не волнует, как это воспримет прохвост, который продолжает сейчас там, в глубине гостиной, низменно лгать». Это заключение наполнило ее злым ликованием. Элизабет продолжала:

— Он мне говорит: «Вот если бы мне помогли твои друзья...» Разумеется, ему нужна помощь, но не могу же я заставить Лору принять участие в его судьбе. Он думает, что мои друзья не любят его, потому что я жалуюсь им на него. Но ведь я никогда не жаловалась. Я его понимаю. Ведь он необычайно талантлив, но так страдает из-за своих неудач, из-за слепоты так называемых ценителей искусства, которым подавай жалкие копии... то есть... я, конечно, не говорю об Алане.

— Можете говорить и о нем, — холодно сказала Жозе. — Лично я равнодушна к его живописи.

— Вы не правы, — слабо запротестовала слегка потрясенная Элизабет, — в ней есть что-то такое...

Ее перевязанное запястье описало кривую. Жозе улыбнулась.

— Чего нет у других, да? Наверное, так оно и есть. Во всяком случае, не накладывайте больше на себя руки, Элизабет.

«Похоже, я пьяна, — подумала она, удаляясь, — это от двух-то глотков. Вот тебе и на!» Кто-то подхватил ее под руку. Это был Северин.

— Жозе, прости меня, пожалуйста, за то, что я тебе наговорил.
Ты очень обиделась?

Он был сконфужен, говорил тихо и вкрадчиво, как бы опасаясь снова причинить ей боль. Она тряхнула головой.

— Ты разбередил мне душу, Северин. Однако выше голову! Помнишь тот фильм с Бэт Дэвис? Она устраивает в Голливуде грандиозный праздник и незадолго до его начала узнает, что кто-то отбил у нее любовника.

— «Все о Еве», — удивленно произнес Северин.

— Да. Помнишь, как она вышла к гостям и небрежно им бросила: «Пристегните ремни, будет качка». Так вот, будет качка, дорогой мой Северин.

— Что-нибудь с Лорой, Аланом?

— Нет, со мной.

— Что это ты накрасилась под роковую женщину? Жозе, погоди...

Он нагнал ее в баре. Она осторожно опускала два кусочка льда в свой бокал.

— Что ты собираешься предпринять?

Он не знал, радоваться ему или бить тревогу. То, что он называл «пробуждениями Жозе», имело порой катастрофические последствия.

— Я намерена развлечься, мой дорогой Северин. Мне осточертело играть сразу несколько ролей: медсестры, бойскаута и греховодницы. Мне хочется развлечься. Причем именно здесь, а это не так просто. Меня так подмывает, просто руки чешутся.

— Будь осторожна, — сказал Северин. — Не стоит портить себе кровь из-за...

Он не договорил. В гостиную вошел улыбающийся, приветливый мужчина, и, увидев, как изменилось лицо Северина, Жозе оглянулась.

— Конечно же, это Лора его пригласила, — сказал Северин.

— Да это же наш дорогой Марк, — спокойным голосом произнесла Жозе и пошла ему навстречу.

Он совсем не изменился. Все те же правильные черты лица, та же слегка утрированная раскованность и не сходящая с губ светская улыбка. Увидев Жозе, он не смог скрыть секундного смешного испуга, потом обнял ее.

— Пропащая!.. Не хочешь ли ты опять разбить мое сердце? Здравствуй, Северин.

— Откуда ты взялся? — угрюмо произнес тот.

— Я с Цейлона, пробыл там полтора месяца по заданию газеты. До этого — два месяца в Нью-Йорке и полтора в Лондоне. И кого же я вижу по возвращении? Жозе! Пусть будет благословенна старушка Дор! Хоть раз в жизни она не зря меня пригласила. Как ты провела эти два года, дорогая?

— Я вышла замуж. И сегодняшний вечер, если ты не в курсе, устроен в честь первой выставки картин моего мужа.

— Ты замужем? С ума сойти! Постой, постой, если я не ошибаюсь, — он вытащил из кармана список приглашенных, — ты теперь мадам Аш?

— Совершенно верно.

Она весело смеялась. Нет, он действительно совсем не изменился. Прежде он дни напролет изображал из себя заваленного работой, циничного репортера, а по ночам разглагольствовал о драматическом шедевре, который когда-нибудь поставит в театре...

— Мадам Аш... Ты похорошела. Пойдем выпьем чего-нибудь. Послушай, брось ты своего художника и выходи за меня замуж!

— Я вас оставляю, — сказал Северин. — Вам есть что вспомнить, и я буду только помехой.

Они и вправду целый час не умолкали, перебивая друг друга и то и дело восклицая «а ты помнишь тот день?..» или «а что стало с...». Жозе и не предполагала, что хранит столько воспоминаний об этом отрезке своей жизни и что ей так приятно будет их освежить. Она совсем забыла об Алане. Он прошел мимо, взглянул на них с притворной рассеянностью и спросил: «Развлекаешься?»

— Это твой муж? — спросил Марк. — Недурен. К тому же у него талант.

— У него денег — куры не клюют, — смеясь, отвечала Жозе.

— А что ты? Неужели счастлива? Это было бы уж слишком! — заявил Марк.

Она молча улыбнулась. Слава богу, Марк никогда не ограничивался одним вопросом. Благодаря своему темпераменту, который заставлял его постоянно переходить от одной темы к другой, от одного настроения к другому, он приобрел славу самого беспечного и приятного молодого мужчины в Париже. Жозе вспомнила, как он изводил ее в последние дни их недолгой любовной связи, и немало удивилась тому, как хорошо ей было с ним теперь.

— Жозе, — позвала ее Лора, — идите к нам.

Она поднялась и, чувствуя, что не очень твердо стоит на ногах, улыбнулась. Лора держала под руки Алана и какого-то незнакомца.

— Мне не хотелось бы отрывать вас от Марка, — сказала она, и Алан сразу побледнел, — но с вами непременно хотел познакомиться Жан Пэрэ.

Они обменялись общими фразами о живописи с человеком, которого звали Пэрэ. Последний явно не был настроен о чем-то говорить, он просто хотел познакомиться, и вскоре Жозе удалось от него избавиться. К ней тотчас же подошел Алан.

— Так это Марк? — проговорил он сквозь зубы. Он, видимо, здорово приложился, от легкого тика у него подрагивала бровь.

Алан испытующе смотрел на нее. Ей захотелось рассмеяться ему
в лицо.

— Да, это Марк.

— Он похож на парикмахера.

— Он и прежде был таким.

— Вы делились воспоминаниями?

— Ну конечно. Как тебе прекрасно известно, нам есть что вспомнить.

— Я рад, что ты так отмечаешь мой успех.

— Успех? Ты что, забыл свои собственные слова?

Он, видимо, и правда плохо их помнил после всего выпитого и услышанного от своих почитателей. Не исключено, что он и дальше будет писать картины. Она отвернулась. Вечер начинал походить на дурной сон. «Пусть себе малюет, не веря в то, что творит, пусть подталкивает Лору к самоубийству, пусть делает что хочет», — подумала она и решила пойти перекраситься.

Большая ванная была занята, и она отправилась в ту, которой пользовалась Лора. Она пересекла просторную, обитую голубым шелком спальню, в которой, развалясь, отдыхали два пекинеса, и вошла в крошечную бирюзово-золотистую ванную, где Лора каждое утро пыталась навести красоту, чтобы очаровать Алана. Эта мысль заставила Жозе улыбнуться. Она посмотрела на себя в зеркало: глаза ее были широко раскрыты и выглядели светлее, чем обычно. Жозе прислонила лоб к холодному стеклу.

— Мечтаешь?

Она вздрогнула — это был голос Марка. Он стоял, опершись о дверной косяк, в небрежной позе фотомодели из журнальчика для мужчин «Адам». Она повернулась к нему, и они улыбнулись друг другу. Он был совсем рядом и, притянув ее к себе, горячо обнял. Она стала довольно вяло вырываться, и он ее отпустил.

— Я просто хотел напомнить тебе о добрых старых временах, — сказал он хрипловатым голосом.

«Я хочу его, — подумала Жозе, — он довольно смешон, слушать его — все равно что читать плохой роман, но я его хочу». Стараясь не шуметь, он закрыл дверь на защелку и снова притянул ее к себе. Некоторое время они боролись с одеждой друг друга, потом неловко опустились на пол. Он ударился головой о ванну и выругался. Из открытого крана лилась вода, и Жозе хотела было подняться, чтобы его закрыть. Но Марк уже тянул ее руку к своему животу, и она вспомнила, как он всегда гордился своей мужской доблестью. Однако он все так же быстро удовлетворял свое желание, и Жозе ни на секунду не смогла отвлечься от звука падающей в раковину воды. Потом он неподвижно лежал на ней, тяжело дыша, и впоследствии Жозе вспоминала о тесноте помещения, опасности, голосах, доносившихся из гостиной, с куда большим волнением, чем о своих чувственных переживаниях.

— Вставай, — сказала она, — а то нас будут искать. И если Лора...

Он встал, подал ей руку и помог подняться. Ноги ее дрожали, и она подумала: «Уж не от страха ли?» Они молча привели себя в порядок.

— Можно я тебе позвоню?

— Ну конечно.

Они посмотрели друг на друга в зеркало. У него был весьма самодовольный вид. Коротко рассмеявшись, она чмокнула его в щеку и первой вышла из ванной. Она знала, что Марк, который чуть задержался, сейчас закурит, пригладит рукой прическу и выйдет с таким невинным видом, что подозрения возникнут даже у самого невнимательного человека. Но кто поверит, что в день открытия выставки ее молодого мужа-красавца полуодетая Жозе Аш занималась любовью в ванной площадью два на два с половиной метра со своим старым приятелем, к которому она всегда была и оставалась равнодушна? Даже Алан не поверит в это.

Она вошла в гостиную, выпила фруктового сока и незаметно зевнула. Ей, как и всегда в тех случаях, когда любовь сводилась к акту, лишенному всякой поэзии, хотелось спать. Лора порхала от одной группы к другой, она старалась пленить своей грациозностью стоявшего рядом с беззаботно болтающим господином Пэрэ Алана, мрачного и немного растрепанного. Жозе направилась было к нему, но ее опередила Лора.

— Виновник торжества совсем не в духе. Мой милый Алан, вы похожи сейчас на бандита.

Она поправила ему галстук, но он на нее даже не взглянул. Лишь теперь Жозе поняла, насколько он пьян. Лора подняла руку, чтобы откинуть с его лба непокорную прядь волос, но Алан резким движением отвел ее ладонь в сторону.

— Хватит ко мне липнуть! На сегодня вполне достаточно!

Наступила жуткая тишина. Лора застыла на месте, будто громом пораженная. Она попыталась было рассмеяться, но у нее перехватило горло. Алан с надутым видом опустил глаза. Сама себя не сознавая, Жозе двинулась к нему.

— По-моему, нам пора домой.

Лишь в такси до нее дошло, что, учитывая все происшествия этого вечера, подобная фраза звучала довольно забавно. Алан открыл окно. Ветер трепал ей волосы и в то же время успокаивал нервы.

— Ты был не очень любезен, — сказала она.

— То, что я позволил себе пару раз ее обнять, не дает ей никаких оснований... — И дальше он перешел на невнятный лепет.

Жозе недоверчиво взглянула на него.

— Ты ее обнимал? Это когда же?

— В мастерской. Было довольно пикантно видеть, как я возбуждаю эту женщину.

«Нам не дано до конца понять других», — подумала Жозе. Лора смогла соблазнить Алана. Он иногда ласкал ее, то ли потому, что нервничал, то ли в силу своей жестокости — он и сам, наверное, не знал. Она задала ему этот вопрос.

— И по той, и по другой причине, — ответил он. — Она закрывала глаза, вздыхала, тогда я сразу же оставлял ее в покое, извинялся, начинал говорить о тебе, о ее муже, как человек святой души, как великий художник. Скажи, Жозе, когда прекратится вся эта ложь? Я задыхаюсь. Когда мы поедем в Ки-Уэст?

— Ты и есть источник этой лжи, — сказала она. — Ты и только ты. Ты слишком любишь лгать.

Она говорила тихим, грустным голосом, такси мчалось по серым улицам, деревья поблескивали в свете огней рекламы.

— А что с этим Марком? — спросил он.

— Ничего.

Она сказала это так сухо, что впервые он остался удовлетворен ее ответом.

На следующий день Марк позвонил ровно в одиннадцать часов. Трудно было выбрать более подходящий момент; Алан принимал душ, и Жозе успела дать согласие увидеться с Марком во второй половине дня, в тот час, когда у Алана была назначена встреча с директором выставочного зала и фоторепортерами. Она без особого удовольствия шла на это свидание, ею руководило желание хоть что-то предпринять, доказать себе, что она уже не та, какой пребывала долгое время. После того как она повесила трубку, Алан вышел из ванной и сразу набрал номер Лоры. Он холодно заявил ей, что его вчерашняя выходка была не случайной и, как он полагает, она прекрасно его поняла. Голос в трубке умолк, наступило напряженное молчание, и Жозе, которая одевалась, на мгновение замерла.

— Жозе догадывается, что наши отношения вышли за рамки простой дружбы, — вновь проговорил Алан, улыбаясь жене. — Она — изумительная женщина, но страшно ревнива. Я ее как мог успокаивал, попытался поменять наши роли, сказав ей, что это вы... э-э... вы ко мне неравнодушны.

Он сидел, завернувшись в красный халат, на краю кровати и не сводил с Жозе глаз. Она так и стояла, боясь пошевелиться. Он протянул ей трубку, и она машинально взяла.

— Я догадывалась об этом, — прозвучал срывающийся, но немного умиротворенный голос Лоры. — Алан, дорогой мой друг, никто не должен знать о наших взаимных чувствах, мы не имеем права заставлять других страдать, и потом...

Жозе резко бросила трубку на кровать. Ей было стыдно. Она не без отвращения посмотрела на Алана, который продолжал диалог, не меняя нежной, почтительной интонации. Он уговорил Лору подъехать в определенный час к выставочному залу и повесил трубку.

— Как я ее, а? — вскричал он. — Ее так и передернуло!

— Я не понимаю, куда ты клонишь, — сказала, едва сдерживаясь, Жозе.

— Да никуда. Почему тебе надо, чтобы я куда-нибудь клонил? Вот в чем наше главное различие, дорогая. Когда ты выходишь замуж, ты делаешь это для того, чтобы нарожать детей, когда ты обращаешься к мужчине, который тебе нравится, значит, ты хочешь с ним переспать. Я же ухаживаю за женщиной, с которой у меня нет желания ложиться в постель, и я рисую, не веря в свой талант. Вот и все.

Он вдруг отбросил веселый тон и подошел к ней.

— Я не вижу, почему в этой грандиозной комедии, коей является человеческая жизнь, мне нельзя сыграть пьеску собственного сочинения. Чем ты намерена заняться, пока я буду говорить о живописи со своей Дульсинеей?

— Любовью с Марком, — весело ответила она.

— Будь осторожней, я продолжаю за тобой следить, — сказал он, также смеясь.

У нее кольнуло сердце: она вспомнила их первую прогулку в Централ-парке, когда осторожно, боясь неверного слова, она пыталась понять, что он за человек, и, не задумываясь, принесла ему в дар все запасы своей нежности, внимания, доброты, как делает всякий при зарождении любви.

Они пообедали устрицами и сыром в дорогом бистро — Алан принимал пищу лишь за столом, накрытым белой скатертью, — и в полтретьего расстались. «За мной следят», — подумала Жозе, укорачивая шаг, словно не желая утомлять частного детектива. Быть может, это был старый, жалкий, уставший от своей работы человек. Не исключено, что за три месяца он успел проникнуться к ней симпатией... Ведь такое случается. Как бы там ни было, она привела его к тому самому кафе, где ее ждал Марк. Последний встретил ее радостными возгласами и несколько озадаченным взглядом. И что она вчера в нем нашла? Он нес всякую чушь, благоухал лавандой, со всеми раскланивался. Но, когда она назначала это свидание, у нее на уме было одно... Впрочем, то был скорее не ум, а безумие, ибо даже в том, чего она хотела от Марка, Алан был на голову выше. Она два раза многозначительно улыбнулась, и он вскочил со своего места.

— Ты хочешь? — спросил он.

Она утвердительно кивнула. Да, она хотела. Вот только чего?

немедля повлек ее за собой. Они сели в тарахтевший автомобильчик, какие обычно обожают репортеры, и, чтобы ее напугать, он совершил два-три довольно рискованных виража. Несмотря на весь свой апломб, он явно чувствовал себя не в своей тарелке.

Все произошло точно так же, как и днем раньше, хотя в куда более комфортабельных условиях, на широкой кровати, которая перегораживала всю спальню. Чуть позже Марк закурил сигарету, передал ее Жозе и начал свои расспросы.

— А что твой муж? Ты не любишь его? Или он слабоват по мужской части? Говорят, американцы...

— Не надо ни о чем меня спрашивать, — сухо попросила Жозе.

— Но я не могу поверить, что ты в меня влюблена, ведь это же не так?

Интонация, с которой он произнес «ведь это же не так?», была просто неподражаема. Жозе не сдержала улыбки, потянулась и раздавила окурок в пепельнице.

— Нет, это не так, — сказала она. — Дело вовсе не в этом. Я просто сокрушаю все, что осталось позади, даже то, чем немало дорожила.

Ей вдруг стало жалко себя.

— Почему ты это делаешь?

Похоже, он был немного обижен столь категоричным «нет».

— Потому что либо я все сокрушу, либо от меня ничего не останется, — ответила она.

— Он об этом узнает?

— Он держит частного детектива, который ждет меня внизу.

— Да ну!

Марку это явно понравилось. Он подскочил к окну, никого не увидел на улице, но все же, чтобы позабавить ее, принял негодующий вид, потом изобразил на лице смятение и, когда она засмеялась, заключил ее в объятия.

— Обожаю, когда ты смеешься.

— А раньше я часто смеялась?

— Когда раньше?

Она едва не сказала «до Алана», но сдержалась.

— До моего отъезда в Нью-Йорк.

— Да, очень часто. Ты была очень жизнерадостной.

— Мне ведь было двадцать два, когда мы познакомились?

— Примерно, а что?

— Сейчас мне двадцать семь. Многое изменилось. Теперь я смеюсь меньше. Раньше я пила, чтобы быть ближе к людям, теперь пью, чтобы забыть о них. Не правда ли, смешно?

— Не очень, — проворчал он.

Она провела ладонью по его щеке. Он жил своей суетной жизнью, метался между репортажами, своей квартиркой и легкими мужскими победами, он не унывал и был болтлив, являл собой пример милого представителя рода человеческого. Он был бесхитростен, скучен и самодоволен. Она вздохнула.

— Мне пора домой.

— Если за тобой и вправду следят, что тебя ждет?

Говоря это, он улыбался, и она нахмурила брови.

— Ты мне не веришь?

— Если честно, то нет. Ты всегда выдумывала что-нибудь этакое, и я обожал тебя слушать. Да что там, все обожали. Тем более что ты сама не верила в то, что говорила.

— Если я правильно тебя понимаю, я была веселой и безрассудной.

— Ты такой и осталась... — начал было он, но запнулся.

Они впервые испытующе посмотрели друг другу в глаза, и Марку показалось, что он начинает теряться в этой двусмысленной ситуации. Это испортило ему настроение, и он вскорости отвез ее домой. Прощаясь, он немного замешкался.

— Завтра встретимся?

— Я тебе позвоню.

Она медленно поднялась по лестнице. Было семь вечера. Алан, по всей видимости, уже знал, что в полчетвертого она была доставлена молодым брюнетом на улицу Пети-Шам, уединилась с ним и вышла лишь два часа спустя. Когда она искала ключи, руки ее дрожали, но она знала, что должна возвратиться домой, что иначе нельзя.

Алан в самом деле был уже дома и лежал с вечерней газетой в руках на диване. Он улыбнулся ей и протянул руку. Она подсела к нему.

— Ты знаешь, что в Конго дела совсем плохи? В Брюсселе разбился самолет. Газеты в последние дни читать страшно.

— Ты встретился с Лорой?

Она отчаянно пыталась продлить эти последние минуты спокойного общения с мужем, когда она еще могла говорить с ним как с близким человеком, пусть даже все внутри у него и клокотало.

— Ну конечно, я с ней встретился. Из нее получился бы выдающийся конспиратор.

Он, казалось, был в хорошем настроении. Не без колебаний она задала ему следующий вопрос:

— Ты получил отчет?

— Какой отчет?

— От частного детектива.

Он расхохотался.

— Нет, конечно. Я его тогда нанял недели на две, не больше. Если бы ты себе позволила что-нибудь этакое, наши доброжелатели сразу же поставили бы меня в известность.

Гора свалилась с ее плеч. Она легла рядом, положив голову ему на руку. Ее подхватила головокружительная волна нежности. Казалось, у нее появился выбор, но она уже знала, что это не так, что истиной были слезы, которые она пролила в нью-йоркском баре, прижавшись к груди Бернара и горько размышляя о себе, Алане и их неудачном супружестве. И истина эта была сильней привычного влечения к этому спокойно лежащему рядом телу, к этой покровительственной руке под ее головой. История их совместной жизни завершилась в тот самый день, когда она поняла, что не способна рассказать всю правду о ней ни Бернару, ни самой себе. Подлинное содержание их супружества было слишком эфемерно и в то же время слишком насыщено страстями, оно складывалось из нежности, удовольствия и взаимной озлобленности. Их брак не был похож на диалог партнеров, не было в нем и четкого разделения полномочий. Она вздохнула. Пальцы Алана нежно погрузились в ее волосы.

Ее взгляд скользнул по темным балкам потолка, светлым стенам, на которых висело несколько картин. «Сколько я здесь прожила? Пять месяцев или шесть? — подумала она и закрыла глаза. — А с этим мужчиной, который спокойно лежит рядом? Два с половиной или три года?» Все эти вопросы казались ей срочными и одновременно абсурдными, все они зависели от одной маленькой фразы, которую она должна была для начала произнести и которую все ее существо, все мускулы лица отказывались произносить. «Нужно чуть повременить, — думала она, — нужна передышка, поговорим на другую тему, потом у меня лучше и легче получится».

— Расскажи мне об этом Марке, — услышала она насмешливый голос Алана, который вытащил руку из-под ее головы.

— Я провела сегодня несколько часов в его доме, — ответила она.

— Я не шучу, — сказал он.

— Я тоже.

На минуту воцарилось молчание. Потом Жозе заговорила. Она рассказывала обо всем, не забывая мельчайших деталей, о том, как выглядела квартира, как он раздел ее, в какой позе они занимались любовью, как ласкали друг друга, что он произнес, овладевая ею, о его особенной прихоти. Она называла вещи своими именами, старалась ничего не забыть. Алан был неподвижен. Когда она замолчала, он как-то странно вздохнул.

— Зачем ты мне все это говоришь?

— Чтобы избежать твоих расспросов.

— Ты будешь и дальше так себя вести?

— Разумеется.

Это была правда, и он должен был ее знать. Она повернула к нему голову. На его лице не было боли, скорее, оно выражало разочарование — все было так, как она и предполагала.

— Я что-нибудь забыла?

— Нет, — произнес он медленно, — вроде бы ты сказала все, все, что могло меня интересовать. Все, что только могло представить мое воспаленное воображение! — вдруг выкрикнул он, вскочил на ноги и, наверное, впервые посмотрел на нее с ненавистью.

Она не отвела глаз. Внезапно он оказался перед ней на коленях, его сотрясали глухие рыдания без слез.

— Что я наделал, — простонал он, — что я с тобой наделал, что мы оба наделали?

Она ничего не ответила, не пошевелилась, она чувствовала лишь бездонную, гулкую опустошенность.

— Я хотел тебя всю, — произнес он, — такую, какая ты есть.

— Я больше не могла выносить этого, — сказала она и подняла голову.

Он предпринял последнюю попытку.

— Не надо было так.

Она понимала, что он имеет в виду не само свидание с Марком, а ее откровенный рассказ о нем.

— Я всегда так буду делать, — тихо сказала она, — игра окончена.

Потом они долго молчали, припав друг к другу, как два обессилевших борца.

Сигнал к капитуляции

Перевод Е. Залогиной

Предпринял я волшебный путь —
В ловушки счастья заглянуть.

Артюр Рембо

ЧАСТЬ I
ВЕСНА

ГЛАВА 1

Она открыла глаза. В комнату ворвался резкий, решительный ветер. Занавески на окне надулись, как паруса. Цветы в большой напольной вазе покорно поддались его напору. Ветер разворошил ее сон. То был весенний ветер: впервые в этом году пахнуло весной. Он принес с собой запахи земли и леса, пронесся по парижским предместьям, по улицам, пропитанным парами бензина. И вот, легкий и задиристый, впорхнул к ней в комнату, чтобы напомнить еще до пробуждения, что жизнь прекрасна.

Она снова зажмурилась, перевернулась на живот и, не отрывая лица от подушки, пошарила по полу у кровати в поисках часов. Наверно, опять где-то оставила. Вечно все забывает. Еще темно, ставни в доме напротив закрыты. Этот ветер определенно рехнулся — будить в такую рань! Она забралась обратно в постель, закуталась в простыни и несколько минут пыталась снова заснуть.

Ничего не получалось. Ветер разгуливал по комнате и выдувал сон, бесчинствовал среди податливо гнувшихся роз, бешено надувал занавески. Время от времени он проносился у нее над головой, обдавая запахами деревни, умоляя: «Пошли гулять, пройдись со мной!» Разморенное сном ленивое тело отказывалось внимать его зову, обрывки снов еще трепыхались по окраинам сознания, но улыбка уже растягивала губы. Утро, сельское утро... Четыре платана у террасы. Контуры их огромных листьев на фоне светлеющего неба, цокот собачьих коготков по гравию. Вечное детство. Воспоминания ранних лет... Сколько раз на них обрушивались писатели и психоаналитики. Сколько довелось выслушать излияний на тему «Когда я был ребенком...». Что придает этим воспоминаниям неистребимое очарование? Быть может, ностальгия по беззаботности, царственной и безоглядной, по безвозвратно утраченной беспечности? Но у нее была тайна: она беспечности так и не утратила и чувствовала себя совершенно беззаботной.

Мелькнувшие воспоминания побудили ее вскочить на ноги. Она поискала глазами халат и не нашла. Кто-то убрал его на место, но куда? Вздохнув, она открыла шкаф. Никогда она не привыкнет к этой комнате. Как, впрочем, и к любой другой. Обстановка всегда ее мало трогала. Правда, эта комната и впрямь весьма красива: высокие потолки, оба окна выходят на левый берег, на полу большой ковер в серо-голубых тонах. Он радует взгляд, и по нему приятно ходить босиком. Кровать точно остров в сопровождении двух рифов — тумбочки у изголовья и низкого стола в простенке между окон. Шарль сказал, что комната выдержана в превосходном стиле, а уж он-то разбирается. Ну вот и нашелся злополучный халат — между прочим, шелковый. Что ж, роскошь и в самом деле весьма приятная штука.

Она вошла в комнату Шарля. Окна закрыты, ночник горит. Никакой ветер не тревожит его сон. На ночном столике аккуратно расположились снотворное, сигареты, зажигалка, бутылка минеральной воды. Будильник заведен ровно на восемь. Только недочитанный «Монд» валяется на полу. Она присела на край кровати и принялась разглядывать Шарля. Красивый пятидесятилетний мужчина. Черты лица кажутся несколько безвольными. Во сне он всегда выглядит несчастным, а нынче как-то особенно. Он богат, у него фирма по торговле недвижимостью. С людьми сходится трудно: мешают его вежливость и робость. Такое сочетание зачастую производит впечатление холодности. Они уже два года вместе, если можно называть совместной жизнью, когда люди обитают под одной крышей, вращаются в одном круге и время от времени спят в одной постели... Он отвернулся к стене и слегка застонал. В который раз ей пришла мысль, что он несчастлив из-за нее. Впрочем, то же было бы при любой другой, если она моложе его на двадцать лет и помешана на собственной независимости. Стараясь не шуметь, она взяла с тумбочки сигарету, закурила и снова подняла глаза на Шарля. Волосы тронуты сединой, бескровные губы, на красивых руках проступают вены. В ней шевельнулась нежность. Такой добрый, умный и такой несчастный! Ей нечем ему помочь. Нельзя жалеть человека за то, что он родился на белый свет и что ему суждено умереть. Она слегка закашлялась. Зря закурила. Нельзя курить натощак. Впрочем, нельзя также много пить, слишком быстро водить машину, чересчур усердно заниматься любовью, перетруждать сердце, транжирить деньги. Ничего нельзя. Она зевнула и решила поехать прокатиться, отправиться за город в погоню за весенним ветром. Ведь ей не надо сегодня на службу. Ей вообще не надо работать — благодаря Шарлю у нее в этом нет нужды.

Полчаса спустя она уже была на дороге в Нанси. Включила приемник. Передавали концерт. Чья же это музыка — Грига, Шумана, Рахманинова? Во всяком случае, кто-то из романтиков. Она никак не могла понять, кто именно. Это и раздражало, и было приятно. Музыка всегда пробуждала в ней какие-нибудь воспоминания. «Сколько раз я слышала эту вещь в ту пору, когда была несчастна! Тогда она мне казалась навечно соединенной со страданием, точно намертво прилепленная на стекло переводная картинка». Уже не удавалось вспомнить, из-за чего или из-за кого она так страдала. «Наверное, начинаю стареть». Но эта мысль не принесла беспокойства. Она давно бросила копаться в себе, не стремилась посмотреть на себя со стороны, разобраться в чувствах. Просто жила сегодняшним днем, и этот день несся вместе с нею в порыве ветра.

ГЛАВА 2

Шум мотора во дворе разбудил Шарля. Потом он услышал, как Люсиль, напевая, закрывает гараж, и в недоумении глянул на часы. Было восемь утра. На миг мелькнула мысль, не стряслось ли с ней что, но голос звучал весело, и он успокоился. Ему захотелось открыть окно и окликнуть ее, но он поборол искушение. Он знал: такой счастливой она бывает только наедине с собой. Шарль на секунду прикрыл веки. Впервые за это утро ему пришлось сдержать порыв. И на протяжении дня предстояло еще не раз делать это, чтобы не тревожить, не огорчать Люсиль. Лет пятнадцать назад он мог бы распахнуть окно, уверенно и просто позвать: «Люсиль, иди сюда, я проснулся». Она бы вернулась выпить с ним чашку чаю. Сидела бы на краешке кровати, он бы плел что-нибудь смешное, и она б хохотала до слез. Он пожал плечами. Нет, и пятнадцать лет назад ему бы ее не рассмешить. Никогда он не был мастером развлекать, быть занятным. Лишь встретив Люсиль, он понял, что такое беззаботный человек. Учиться беззаботности долго и трудно, если не одарен ею от рождения.

Взгляд его упал на пепельницу. Оттуда нагло торчала погасшая сигарета. Неужели вчера перед сном он забыл вытряхнуть пепельницу в камин? Нет, исключено. Значит, Люсиль заходила покурить. На краю постели, где она сидела, чуть смята простыня. Сам он всегда спал на редкость спокойно, никогда не сбивал белье. Горничные просто нахвалиться не могли. И вообще все находили в нем вот эти достоинства: спокойствие, сдержанность, прекрасные манеры. Тогда как в других — обаяние. Как бы он хотел им обладать! Назови его кто-нибудь обаятельным, он бы распустил хвост, как павлин. Некоторые слова беспокоили и мучили его подобно ускользающему воспоминанию: обаяние, раскованность, непринужденность, беззаботность. И еще бог весть почему слово «балкон».

Однажды он рассказал об этом Люсили. Разумеется, о «балконе», а не об остальном. «Балкон? — удивленно переспросила Люсиль. — Почему балкон?» Она несколько раз повторила вслух это слово, потом поинтересовалась, что он при этом представляет — один балкон или несколько. Он сказал, что несколько. Тогда она спросила, не связаны ли у него с балконами какие-нибудь детские воспоминания. Он ответил, что нет. Люсиль взглянула на него с интересом. И как всякий раз, когда в ее взгляде появлялось что-нибудь, помимо привычной доброжелательности, в нем проснулась безумная надежда. Но она пробормотала что-то насчет небесных балконов Бодлера, этим все и кончилось. То есть ничем, как всегда. А ведь он любил ее. Настолько, что не смел выказывать всю силу своей любви. И не из опасения, что она могла бы ею злоупотребить. Просто ее расстраивало, когда он об этом заговаривал. Шарль уже потерял надежду, что она с ним останется. Она соглашалась, чтобы он ее содержал, не более. И он знал, что деньги интересуют ее меньше всего на свете. По крайней мере так ему казалось.

Шарль позвонил. Подобрав с пола «Монд», он попытался читать, но не мог сосредоточиться. Люсиль слишком быстро водит. Правда, спортивный автомобиль с откидным верхом, что он подарил ей на Рождество, весьма надежен. Он специально звонил приятелю из автомобильного еженедельника, чтобы выяснить, какая марка всего устойчивей и вообще лучше. А Люсили сказал, что купил первую попавшуюся под руку и модель эту выбрал случайно. Так вот, между прочим, взял да и купил машину. Она была в восторге. Но если сейчас позвонят, что на дороге разбился темно-голубой автомобиль с молодой женщиной за рулем, чьи документы... Он встал. Определенно у него начинается помешательство.

Вошла Полина с завтраком на подносе. Он улыбнулся:

— Как там на улице?

— Немного пасмурно. Но пахнет весной.

Полине было шестьдесят лет, десять из которых она служила у Шарля. До сих пор она не проявляла склонности к поэтическим наблюдениям.

— Весной? — машинально переспросил он.

— Да, так сказала мадемуазель Люсиль. Она заходила на кухню взять апельсин и сказала, что едет кататься и что на улице пахнет весной.

Экономка улыбнулась. Первое время Шарль опасался, что она возненавидит Люсиль. Месяца два Полина к ней присматривалась, а потом пришла к заключению, что у Люсили мозги десятилетнего ребенка, да и мсье недалеко ушел. Поэтому он не может оградить ее от житейских неурядиц. Значит, этим должна заниматься она, Полина. И Полина с завидной энергией принялась следить за тем, чтобы Люсиль не забывала отдохнуть, вовремя ела, поменьше пила. Люсиль, судя по всему, подчинялась ей охотно. Это была одна из маленьких домашних загадок, вызывавшая недоумение и восхищение Шарля.

— Она только взяла апельсин?

— Еще просила передать вам, чтоб, когда выйдете на улицу, обратили внимание на весенний запах.

Полина произнесла это ровным голосом. Понимает ли она, что Шарль выклянчивает послание от Люсили? Иногда Полина избегала смотреть ему в глаза. Он знал, что она осуждает его не за любовь к Люсили, а за то, как неистово, самозабвенно он любит. Кроме Полины, об этом не догадывался ни один человек на свете. При своем здравомыслии, материнском и чуть снисходительном отношении к Люсили она не могла понять его болезненной, ненасытной любви. Она жалела бы Шарля, влюбись он не в «эту милую девушку», как она называла Люсиль, а в какую-нибудь «злую женщину». Ей было невдомек, что первое, может, еще хуже.

ГЛАВА 3

Клер Сантре обитала в роскошной квартире, доставшейся ей от покойного мужа. Правда, теперь апартаменты выглядели поскромней, чем в былые годы. Это проявлялось во множестве мелочей: мебели слегка поубавилось, голубые занавеси на окнах пережили уже не одну перекраску, приходящие официанты стали не такие вышколенные. К примеру, путались порой, какая из пяти дверей ведет из гостиной на кухню. И все же то была одна из лучших квартир на авеню Монтень, и приемы, которые давала Клер, считались весьма изысканными.

Клер Сантре была высокая худощавая подвижная блондинка, хотя с тем же успехом могла бы оказаться и брюнеткой. Ей было за пятьдесят, однако выглядела она моложе. О любви рассуждала с веселой непринужденностью. Создавалось впечатление, что лично ее это больше не касается, хотя у нее и сохранились на сей счет приятные воспоминания. Такое амплуа располагало к ней женщин. А мужчины добродушно и шутливо приударяли за ней. Клер входила в ту славную когорту пятидесятилетних дам, что умудряются не просто выдерживать парижский ритм жизни, но и оставаться в моде, а то и сами задают тон. На ее званые обеды, помимо прочих, обычно бывала приглашена парочка американцев и один-другой венесуэлец. Своих она заранее предупреждала, что новички ничем не примечательны и званы по деловым соображениям. За столом их усаживали возле кого-нибудь из модных женщин. Они с трудом следили за беседой, теряясь в загадках и недоговоренностях, вежливо улыбались непонятным для них шуткам, а по возвращении в Каракас с восторгом рассказывали об этом обеде. Благодаря чему Клер обладала эксклюзивным правом на ввоз во Францию венесуэльских тканей или наоборот и виски на ее приемах всегда имелось в изобилии. Кроме того, она была ловка, и если уж о ком плохо отзывалась — значит, без этого никак нельзя было обойтись, не рискуя показаться смешной.

Добрых десять лет Шарль Блассан-Линьер оставался одним из столпов ее приемов. Он охотно одалживал деньги и никогда не напоминал о долге. Был богат, красив, говорил мало, но кстати. Время от времени он, по совету Клер, брал в любовницы одну из ее протеже. Обычно их отношения длились год, реже — два. В августе он вывозил их в Италию; когда они изнемогали от парижской жары, отправлял в Сен-Тропез, а когда жаловались зимой на усталость — в Межев. Потом они получали дорогой подарок, и это служило знаком, что связь подошла к концу. Как правило, он не объяснял причин разрыва. А полгода спустя Клер снова брала его «под крыло». Но два года назад этот спокойный, рассудительный, практичный человек вышел из-под ее влияния. Он влюбился в Люсиль, а та была неуловима. Она оказалась остроумна, хорошо воспитана, умела держаться в обществе, но никогда ничего не рассказывала Клер ни о себе, ни о Шарле, ни про его планы. До знакомства с Шарлем она служила в одной из тех газет, что причисляют себя к левым, чтобы меньше платить своим сотрудникам — чем их прогрессивность и ограничивается. Работу она бросила, и никто не знал, что она делает целыми днями. Если у нее и был любовник, то не из их круга. Клер не раз подсылала к ней своих «мушкетеров», но впустую. Не зная, с какой стороны подступиться, Клер как-то предложила ей авантюру в бальзаковском духе — из тех, какими не гнушаются парижские светские львицы. Это обещало Люсили норковое манто плюс прощальный чек от Шарля примерно на ту же сумму.

— Мне не нужны деньги, — ответила Люсиль. — И я не занимаюсь такими вещами.

Она произнесла это весьма сухо, глядя в сторону. На секунду Клер поддалась панике, но тут же нашлась — вот такие-то озарения и помогли ей сделать блестящую карьеру в свете. Она взяла Люсиль за руки.

— Спасибо, дорогуша, спасибо. Я ведь люблю Шарля как брата, а вас совсем не знаю. Простите мне, я проверяла вас. Если б вы согласились, мне было бы страшно за Шарля, вот и все.

Люсиль засмеялась, и Клер, в глубине души ожидавшая сцены умиления, пребывала в тревоге до следующего совместного обеда. Но Шарль не выказывал ничего необычного, и она успокоилась. Люсиль умела держать язык за зубами. Или умела забывать.

Весенний сезон начался не особенно удачно. Клер мрачно просматривала список приглашенных. Первым, как водится, приехал Джонни — она его держала на подхвате. До сорока пяти лет Джонни был педерастом. Но теперь он уже не чувствовал сил для полночных свиданий с предметами своей любви после рабочего дня и светского ужина. И довольствовался мечтательными взглядами на красивых молодых мужчин во время приемов. Светскость убивает все, даже пороки. Да зачтется же ей! Тогда-то Джонни стал при Клер чем-то вроде пажа. Он сопровождал ее на премьеры и званые обеды. Иногда принимал и своих гостей в ее доме, впрочем, с великим тактом. Вообще-то его звали Жан, но друзья сочли, что Джонни звучит веселее. Он не возражал. А лет через двадцать даже приобрел легкий англо-саксонский акцент.

— О чем вы задумались, дорогая? Вас что-то тревожит?

— Я тут размышляла о Шарле. И еще о Диане. Нынче она приедет со своим хахалем. Как-то я его видела. Боюсь, он не украсит приема. Не понимаю, как можно в тридцать лет и с такой внешностью быть столь мрачным.

— Диана зря увлеклась интеллектуалами. Ей это не к лицу.

— Интеллектуалы тоже порой бывают ого-го, — снисходительно возразила Клер. — Но Антуан не такой уж интеллектуал. Заведует отделом в издательстве «Ренуар». Ну что там за деньги платят? Гроши, сами знаете. А Диана, слава богу, достаточно богата, чтоб...

— Он не показался мне таким корыстным, — заступился Джонни, которому Антуан очень понравился.

— Он к этому придет, — устало возразила Клер. Ее утомленный тон свидетельствовал о большом жизненном опыте. — Диане сорок, и у нее миллионы[1], а он в свои тридцать зарабатывает тысяч двести в месяц. Чего тут сомневаться.

Джонни засмеялся, но тут же оборвал свой смех. Он наложил на лицо крем от морщин, порекомендованный ему Пьером-Андре. Крем, верно, еще не впитался. До половины девятого следовало избегать всякой мимики. Впрочем, уже полдевятого. Джонни снова засмеялся, и Клер взглянула на него с сожалением. Джонни, конечно, ангел, но, видно, дают себя знать ранения, полученные в сорок втором, когда он геройствовал в британской королевской авиации. Похоже, боши вышибли из него последние мозги. Странная штука жизнь. Глядя на эти тонкие красивые пальцы, бережно поправляющие цветы в вазе, разве поверишь, что эти же руки сжимали автомат, давили на гашетку, несли гибель вражеским самолетам в ночном небе... В людях столько неожиданного. Потому-то Клер никогда не бывает скучно. Она вздохнула с облегчением и тут же грудной клеткой ощутила тиски корсета. Карден все-таки перегибает палку, ну не сильфида же она, в конце концов.

Люсиль едва сдерживала зевоту. Чтоб не зевнуть, надо вдыхать воздух уголком рта, а выдыхать через передние зубы. Немного похо-

---

[1] Речь идет о старых франках, относящихся к новым как 100 к 1. — *Примеч. ред.*

же на жующего кролика, зато хоть слезы на глазах не выступают. Когда же кончится этот нудный ужин! Ее усадили между Джонни, который все похлопывал себя нервно по щекам, и красивым молодым мужчиной. Сказали, что он любовник Дианы Мербель. Неразговорчивость соседей оказалась весьма кстати. Сегодня у нее ни малейшего настроения кокетничать. Ей хотелось спать — слишком рано встала. Люсиль попыталась вспомнить запах этого чертова ветра и на секунду зажмурилась. Открыв глаза, она ощутила на себе тяжелый, мрачный взгляд Дианы и удивилась. Неужто так влюблена в своего блондина? Или ревнует? Люсиль повнимательней пригляделась к нему. Очень светлые, почти пепельные волосы, волевой подбородок. Он катал хлебные шарики, их уже собралась целая горка возле тарелки. Разговор за столом зашел о театре. Клер была в восторге от пьесы, вызвавшей у Дианы отвращение, и это придало беседе некоторую пикантность. Люсиль сделала над собой усилие и повернулась к молодому человеку:

— Вы эту пьесу видели?

— Я не хожу в театр. А вы?

— Страшно редко. Последний раз смотрела в «Ателье» очень милую английскую комедию. В главной роли еще была та актриса, что после погибла в автомобильной аварии, не помню имени.

— Сара, — очень тихо отозвался он и положил ладони на скатерть.

Его лицо испугало Люсиль. «Боже, как он несчастен», — мелькнуло в голове.

— Простите меня, — попросила она.

Он обернулся и тусклым голосом переспросил: «Что?», глядя как бы сквозь нее и прерывисто дыша, точно после удара под дых. Мысль, что это она, пусть невольно, его ударила, показалась Люсили невыносимой. Она не любила бывать невежливой, а уж тем более жестокой.

— О чем задумались, Антуан? — Голос Дианы прозвучал резко. Повисла тишина.

— Да он просто замечтался, — засмеялась Клер. — Антуан, Антуан!

Никакой реакции. И гробовое молчание за столом. Гости замерли с вилками в руках, повернув лица в сторону бледного молодого человека, вперившегося пустыми глазами в графин на середине стола.

Люсиль тронула его за рукав, он очнулся.

— Что вы сказали?

— Я спросила, о чем вы задумались, — сухо повторила Диана, — только и всего. Или мой вопрос нескромен?

— Такие вопросы всегда нескромны, — заметил Шарль.

Теперь он смотрел на Антуана с интересом, как, впрочем, и все остальные. Антуан был приглашен в роли любовника Дианы, пригретого ею из каприза. А теперь внезапно превратился в мечтающего молодого человека. Над скатертью пролетел ветерок зависти и ностальгии по прожитым годам.

Клер же не на шутку разозлилась. Как это прикажете понимать? Тут собрался цвет общества, известные, блестящие, остроумные люди, знающие все и вся. Мальчишке слушать бы их разинув рот, смеяться вовремя да благодарить судьбу, что попал в такую компанию, а не корчить из себя невесть что. А если у тебя в башке свидание с какой-нибудь пигалицей в Латинском квартале, то какого черта ты связался с Дианой, одной из известнейших и очаровательнейших женщин Парижа? И выглядит она в свои сорок пять просто чудесно. Правда, не сегодня: что-то бледна и встревожена. Не знай ее Клер так хорошо, решила бы, что та несчастна. Клер вмешалась:

— Держу пари, вы мечтали о «Феррари». Кстати, Карлос на днях купил последнюю модель и пригласил меня прокатиться. Ощущение было такое, что пришел мой последний час, хотя он прекрасно водит.

В ее голосе прозвучало удивление: Карлос был наследником какого-то престола, и Клер не переставала восхищаться его способностью иметь еще какие-то интересы, помимо того, чтобы сложа руки ожидать реставрации своей монархии.

Антуан с улыбкой повернулся к Люсили. У него были светло-карие, почти желтые глаза, крупный нос, красиво очерченный рот. В облике его сквозило что-то очень мужественное, что не вязалось с этой бледностью, с по-детски нежными волосами.

— Простите меня, — тихо произнес он, — наверное, я показался вам грубым.

Он смотрел ей прямо в лицо, и, когда говорил, глаза не блуждали рассеянно по скатерти или по плечам, как это часто бывает. Казалось, все остальные для него просто не существуют.

— Мы сказали друг другу три фразы, две из них были извинения, — ответила Люсиль.

— Мы начинаем с конца, — весело подхватил он. — Обычно мужчина и женщина говорят это друг другу в конце, по крайней мере один из них. «Прости, я тебя разлюбил».

— Это еще не худший случай. Меня просто бесит откровенная манера, эдакая прямота: «Извини, я думал, что люблю тебя, но ошибался. Считаю долгом тебе сказать».

— Навряд ли такое с вами часто случалось.

— Премного благодарна.

— Я имел в виду, что вы, верно, всегда опережаете мужчин. Пока они соберутся с таким признанием, ваш чемодан уже в багажнике такси.

— Тем более что мой багаж — пара свитеров да зубная щетка, — засмеялась Люсиль.

Немного помолчав, он заметил:

— Вот как? А я полагал, что вы женщина Блассан-Линьера.

«Какая досада, — подумала Люсиль. — Он было показался мне умницей». По ее понятиям, беспричинная жестокость не могла сочетаться с умом.

— Да, — ответила она, — вы правы. Сейчас я уезжала бы в собственном автомобиле и с чемоданом, набитым шмотками. Шарль очень щедр.

Она произнесла это очень спокойным тоном, но Антуан опустил глаза.

— Простите меня. Сам не знаю, чего несу. Не по себе мне среди этой публики.

— Так не ходите сюда. Да в вашем возрасте это и опасно.

— Ну знаете, детка, я ведь постарше вас, — оскорбленно заявил он.

Она засмеялась. Диана и Шарль посмотрели на них. Они сидели рядом, напротив своих протеже. Дети по одну сторону, взрослые — по другую. Старые тридцатилетние дети, никак не желающие взрослеть. Люсиль умолкла. Она подумала о себе: ничем в жизни не занимается, никого не любит. Смешно. Не люби она жизнь саму по себе, давно бы покончила с собой.

Антуан смеялся. Диана страдала. Она видела его смеющимся с другой. С ней он не смеялся никогда. Ей легче было бы видеть, как он целует другую, чем с ней смеется. Ужасно, ужасно смеется. Ужас как помолодел от этого смеха. Она взглянула на Шарля, тот выглядел растроганным. Рехнулся, что ли! Люсиль, конечно, привлекательна и превосходно держится, но в ней ни настоящей красоты, ни изюминки. Как, впрочем, и в Антуане. Без ума от нее бывали мужчины куда красивее. Только беда в том, что она полюбила Антуана. Она любила его и желала, чтобы он любил ее. Наступит день, и он окажется в ее власти. Позабудет свою погибшую актрису, для него будет существовать лишь она, Диана. Сара, Сара... Сколько раз она слышала это имя. Вначале он часто о ней рассказывал. Однажды Диана не удержалась и в сердцах брякнула, что Сара ему изменяла, что все об этом знали. Больше они о Саре не говорили, но во сне он шептал ее имя. Ничего, скоро... скоро он будет звать во сне ее, Диану. Она почувствовала, как слезы набегают на глаза. И, чтобы скрыть их, закашлялась. Шарль легонько похлопал ее по спине. Ужин казался ей бесконечным. Клер Сантре выпила лишку. В последнее время это случалось с ней все чаще. Она рассуждала о живописи с апломбом явно не по познаниям. Для Джонни, действительно понимавшего в искусстве, ее разглагольствования были пыткой.

— Так вот, когда тот юноша мне это принес, — продолжала Клер, — я посмотрела картину при свете, и мне показалось, что у меня не в порядке со зрением. И знаете, что я ему сказала?

Гости вяло симулировали интерес к ее остротам.

— Я сказала: «Мсье, я полагала, глаза мне даны, чтоб видеть. Вероятно, я ошибалась. На вашей картине, мсье, я не вижу ровном счетом ничего».

Дабы наглядней продемонстрировать, сколь пустой была картина, Клер перевернула рюмку, вино вылилось на скатерть. Все поспешили воспользоваться суматохой, чтобы покинуть свои места. Люсиль с Антуаном душил смех, они встали из-за стола с опущенными глазами, пряча смеющиеся лица.

ГЛАВА 4

Смех вдвоем — сколько в нем прелести и каверз! Не переоценить его могущества. Любовь и дружба, желание и отчаяние — ничему без него не обойтись. Антуан и Люсиль смеялись как школьники. Оба они были любимы, желанны, опекаемы серьезными людьми. Оба знали, что так или иначе будут наказаны за этот смех, и все ж безудержно хохотали в углу гостиной.

Парижский этикет требует, чтоб на приемах любовники сидели за столом врозь, но в перерывах они обычно сходятся посплетничать об окружающих, шепнуть друг дружке слова любви или нежные упреки. Диана ждала, что Антуан подойдет к ней, и Шарль уже направился к Люсили. Но та отвернулась к окну, от смеха глаза наполнились слезами. Антуан стоял возле. Всякий раз, встречаясь с ним взглядом, она поспешно отворачивалась, а он прикрывал лицо носовым платком. Клер было собралась не обращать на них внимания. Но зависть и даже злоба уже витали в гостиной, и она решила принять меры. Кивком она отправила к ним Джонни. Это значило: «Скажите этим детям, чтоб вели себя прилично, а то их больше не позовут». Увы, Антуан заметил этот жест и снова зашелся смехом. Джонни подошел к ним и весело обратился к Люсили:

— Ради бога, Люсиль, расскажите и мне, я умираю от любопытства. Что случилось?

— Ничего, абсолютно ничего, то-то и ужасно.

— Ужасно, — подхватил Антуан. Он был взлохмачен, выглядел помолодевшим и счастливым. На секунду Джонни охватило острое желание. В этот миг подошла Диана. В ней клокотала ярость, и ярость красила ее. Гордая осанка, зеленые глаза, стройная фигура придавали ей облик прекрасной боевой лошади.

— Над чем это вы так потешаетесь? — резко осведомилась она.

В голосе звучали подозрительность и снисходительность разом. По-дозрительность преобладала.

— Мы? Да ни над чем, просто так, — невинно отозвался Антуан. Он никогда не говорил «мы» про себя с Дианой. Это ее доконало.

— Ну так и ведите себя как воспитанные люди. Недостает собственного остроумия, соблюдайте хоть приличия.

На секунду воцарилась тишина. Люсиль отнюдь не находила странным, что Диана решила одернуть своего любовника. Но замечание относилось к ним обоим, и это показалось обидным.

— Вы забываетесь, — вскипела она. — Вы не можете запретить мне смеяться.

— Мне тоже, — твердо добавил Антуан.

— Прошу меня извинить, я очень устала. До свидания, — выговорила Диана. — Шарль, вы меня проводите? — обернулась она к несчастному Шарлю, как раз подошедшему, на свою беду. — У меня разболелась голова.

Шарль поклонился, и Люсиль улыбнулась ему.

— Встретимся дома.

В гостиной поднялась оживленная суматоха — обычное дело после публичных скандалов. Минуты три все говорили о чем-то своем, а затем принялись обсуждать происшествие. Люсиль с Антуаном остались вдвоем. Задумчиво взглянув на него, Люсиль оперлась на перила балкона. Антуан спокойно курил.

— Мне чертовски жаль, — сказала она. — Я погорячилась.

— Пойдемте отсюда, — предложил он, — я провожу вас. Лучше смыться, пока не грянул гром.

Клер пожала им руки как сообщница. Им бы следовало сейчас разойтись по домам, но она хорошо помнила, что такое молодость. Какая прекрасная пара! Она могла бы им помочь... Хотя нет, а как же тогда Шарль... Что-то нынче вечером голова совсем не варит.

За порогом их поджидал ночной Париж, блестящий, будто покрытый черным лаком, манящий своими огнями. Когда за лукавой физиономией Клер захлопнулась дверь, оба испытали облегчение. Его сменило желание либо поскорее расстаться, либо узнать друг друга лучше. В любом случае этот странный вечер не мог закончиться просто так, ему недоставало точки. Люсили не хотелось ни минуты играть ту роль, что подразумевали направленные на нее взгляды гостей, — роль молодой женщины, бросающей престарелого покровителя ради молодого любовника. Об этом не могло быть и речи. Когда-то она обещала Шарлю: «Быть может, я сделаю вас несчастным, но смешным никогда». И действительно, в тех редких случаях, когда она ему изменяла, Шарль ничего даже не подозревал. А сегодня... Как она очутилась на улице наедине с чужим мужчиной? Люсиль повернулась к нему, он улыбнулся:

Однако одного бара оказалось маловато. Они побывали в пяти, а еще два пропустили: Люсили почудилось, что они напоминают Антуану о Саре и ему невыносимо заходить туда с кем-либо другим. Всю дорогу они болтали без умолку. Они переходили с одного берега Сены на другой, по улице Риволи дошли до площади Согласия, зашли в «Харрис-бар» и отправились бродить дальше. Снова поднялся тот самый утренний ветер. Люсиль едва держалась на ногах от усталости, от напряжения, от виски.

— Она изменяла мне, — сбивчиво рассказывал Антуан. — Понимаете, она, бедняжка, считала, что положено спать с режиссерами и журналистами... Она постоянно лгала мне... и я презирал ее... строил из себя гордеца, моралиста... изводил своей иронией... осуждал... Какое право, о господи, какое право я имел судить ее! Ведь она, понимаете, она любила меня... я точно знаю, что она меня любила... В тот вечер, накануне своей смерти, она почти умоляла не отпускать ее в Довиль. Но я ответил: «Поезжай, раз тебе так нравится». Каким же я был кретином, да еще с претензией!

Они шли по мосту. Он попросил Люсиль рассказать о себе.

— Я отродясь ничего не умела, — начала она. — В юности все в жизни представлялось понятным, логичным. Я собиралась учиться в Париже. Я мечтала. Покинув родительский дом, я во всех ищу родителей: и в любовниках, и в друзьях. Мне кажется, у меня нет ничего своего — ни цели, ни забот. И мне нравится такая жизнь. Может, я урод, но отчего-то, едва проснусь, какой-то внутренний камертон сразу настраивает меня на жизнь. И я не сумею измениться. Да и зачем? Что я могу? Работать? Что-то не тянет. Вот если б я полюбила, как вы, например... Антуан, а что связывает вас с Дианой?

— Она любит меня, — сказал Антуан. — А мне нравятся высокие и стройные женщины вроде нее. А Сара была маленькая и толстенькая, я чуть не плакал от умиления. Понимаете? И еще она, как никто, умела мучить меня...

Усталость была ему к лицу. Они снова оказались на улице Бак и, не сговариваясь, завернули в полутемный бар. Они смотрели друг другу в лицо серьезно и просто. Музыкальный автомат играл старый штраусовский вальс. Какой-то пьяница пытался танцевать, ухватившись за стойку бара и рискуя грохнуться в любой момент. «Уже поздно, уже очень поздно, — нашептывал Люсили внутренний голос. — Наверное, Шарль беспокоится. Этот мальчик тебе даже не нравится, возвращайся!»

Внезапно она почувствовала, что ее щека прижата к пиджаку Антуана. Одной рукой он притянул ее к себе. Зарывшись подбородком в ее волосы, он молча обнимал ее. И она ощутила, как некое странное спокойствие нисходит на них. Полутемный бар, бармен, алкоголик, музыка — все это существовало всегда. А может, она сама никогда не существовала. Голова шла кругом. Он довез ее до дому на такси, они вежливо попрощались, так и не обменявшись телефонами.

ГЛАВА 5

Но им не дали долгой передышки. Диана закатила жуткий скандал. Теперь каждая из женщин, присутствовавших на том ужине, считала своим долгом всякий раз приглашать Шарля туда, где будет Диана, — то есть Люсиль туда, где будет Антуан. Диана перешла в другой лагерь: добрых двадцать лет она красовалась среди палачей, теперь пополнила ряды жертв. Она ревновала и не смогла этого скрыть. Значит, она пропала. Париж будет задорно улюлюкать ей вслед. Как это часто бывает в том кругу, все перевернулось с ног на голову. То, что еще вчера составляло ее силу, ее гордость, обернулось против нее: красота — «уж не та, что в молодые годы». Драгоценности, ставшие вдруг «убогими», хотя неделю назад самая скромная из ее побрякушек казалась роскошной любой из приятельниц. Даже «Ройс» — «уж он-то по крайней мере никуда от нее не денется». Бедная Диана. Оказалось, что зависть, как перчатку, можно вывернуть наизнанку. Ничто ее не спасет: напрасно будет она терзать лицо косметикой, скрывать сердечные раны под бриллиантами, вывозить пекинеса на прогулку в «Ройсе». Участь ее достойна жалости.

Диана все это знала. Она знала цену светскому кругу. В тридцать лет ей посчастливилось побывать замужем за умным человеком. Он был писателем и раскрыл ей глаза на многие пружины этого хитрого механизма, прежде чем в ужасе бежал подальше от него. Диане никто б не мог отказать в мужестве. Возможно, тут сыграло роль ее ирландское происхождение, а может, жестокая няня в детстве. И конечно, ее состояние, достаточно большое, чтоб ни с кем не считаться. Что там ни говори, нужда пригибает к земле, и женщин это касается ничуть не меньше, чем мужчин. Женские горести обошли Диану стороной: она всегда замечала лишь тех мужчин, кто был в нее влюблен. Теперь она с ужасом осознала, что не в силах оторвать взгляд от Антуана. Она мучительно размышляла, чем, помимо физической близости, можно его удержать.

Чего он хочет от жизни? К деньгам равнодушен. В издательстве получает смехотворное жалованье и потому, когда не может ее пригласить, просто отказывается составить ей компанию. Все чаще ей случалось обедать с ним дома с глазу на глаз. Раньше ничего подобного ей бы и в голову не пришло. К счастью, существуют премьеры, ужины, приемы — бесплатные развлечения, которыми Париж так щедро дарит посвященных. Антуан как-то признался, что любит только кни-

ги и что рано или поздно сделает себе имя в своем издательстве. Действительно, на приемах он оживлялся, лишь если рядом случался
кто-то, способный поддержать более или менее серьезный разговор
о литературе. В этом году в моду вошли любовники-писатели. Диана
с воодушевлением завела речь о Гонкуровской премии. Но он ответил, что не владеет пером, а писателю это, к сожалению, совершенно
необходимо. Она пыталась настаивать: «Я уверена, если бы ты попробовал... Да возьми хотя бы этого малышку Х...» — «Быть как Х?..
Ну нет!» — взорвался Антуан, обычно редко повышавший голос. Уж
лучше он навсегда останется читателем, будет получать в «Ренуаре»
двести тысяч франков в месяц и еще полвека оплакивать Сару. Диане оставалось лишь смириться: она любила его.

После того ужина она провела бессонную ночь: Антуан объявил-
ся только на рассвете, судя по всему, навеселе. Притом поехал не к
ней, а на свою квартиру. Она звонила ему каждый час. Ответь он,
Диана повесила бы трубку. Ей просто хотелось знать, где он. В половине седьмого он подошел к телефону и буркнул: «Я хочу спать» —
даже не спросив, кто звонит. Наверное, всю ночь шатался по барам
Сен-Жермена. И как бы не вместе с Люсилью. Но нельзя вспоминать о ней. Никогда не следует много думать о том, чего боишься. На
следующий день Диана позвонила Клер, извиниться за свой поспеш-
ный отъезд: у нее весь вечер раскалывалась голова.

— Вы и правда неважно выглядели, — с деланым участием подтвердила Клер.

— Что ж, я не становлюсь моложе, — холодно отрезала Диана. — К тому же от молодых так устаешь.

Клер понимающе хихикнула. Она обожала аллюзии, вернее, двусмысленности, интимные подробности. Никто не способен с таким
знанием дела, так точно в двух-трех словах описать мужские достоинства любовника, как светская дама в разговоре с подругой. Впечатление, что все эмоции уходят на похвалы портным, а для любовников
остаются лишь сухие технические характеристики. Последовал короткий комментарий относительно Антуана, пожалуй, лестный. Клер
не терпелось услышать о главном, так что пришлось взять инициативу в свои руки.

— Эта Люсиль временами ведет себя просто вызывающе. Что за
дурацкий смех, как у пансионерки. А ведь ей лет тридцать, как по-вашему?

— У нее красивые глаза, и она нравится нашему милому Шарлю.

— Он живет с ней уже два года, для него это немалый срок, —
вздохнула Клер.

— Для нее тоже, не забывайте, дорогая.

Они посмеялись и закончили разговор, вполне довольные друг другом. Диане казалось, что удалось сгладить инцидент. А Клер могла теперь говорить, что своенравная Диана, всегда державшая себя как ей заблагорассудится, звонила, чтоб извиниться. Диана забыла главный закон Парижа: никогда не извиняйся; что бы ты ни натворил, делай это с улыбкой.

Джонни по просьбе Клер пригласил Шарля Блассан-Линьера на театральную премьеру, куда собиралась пойти Диана. Решено было после спектакля вместе поужинать в тесном кругу («только свои»). Помимо возможности позабавиться, наблюдая за «этой парочкой» — Люсилью и Антуаном, Клер была уверена, что Шарль заплатит за ужин. Дело в том, что Джонни в тот момент сидел без гроша, а позволить платить Диане ей казалось неудобным. Пригласить кредитоспособного и щедрого мужчину про запас тоже не удалось. Эта разновидность в наше время вообще становится чуть ли не реликтом. На действительно роскошное содержание могут рассчитывать только мужчины для мужчин. К тому же пьеса обещала быть интересной — постановка Бижу Дюбуа, а уж он-то смыслит в настоящем театре.

— Как хотите, я по горло сыта вашим авангардом, — заметила она Джонни в такси по дороге в «Ателье». — Когда актеры усаживаются в кресла и битый час разглагольствуют о смысле жизни, я умираю со скуки. По мне, уж лучше бульварный балаган, — добавила она решительно. — Джонни, вы меня слышите?

Джонни, который слышал это по крайней мере десятый раз за сезон, кивнул. Клер, конечно, очаровательна, но ее энергия утомляет. Ему вдруг захотелось выпрыгнуть из машины, слиться с толпой на бульваре Клиши, похрустеть на ходу жареным картофелем из пакетика, может, даже попасть под горячую руку какому-нибудь хулигану. Интриги Клер всегда казались ему примитивными, и всякий раз, когда они удавались, он бывал искренне удивлен.

Приглашенные прогуливались по площади Данкур, здоровались, переговаривались. Все в голос твердили, что это лучший театр Парижа и что площадь выглядит трогательно-провинциальной. Люсиль с Шарлем вышли из кафе и присели на скамейку. Она принялась за огромный сандвич. Сперва на нее косились, затем несколько человек последовали ее примеру. Бесшумно подъехавший «Ройс» Дианы случайно остановился как раз напротив их скамейки. Антуан вышел первым и подал руку своей спутнице. Тут он увидел Люсиль, с набитым ртом, счастливыми глазами, и рядом с ней растерянного Шарля, вставшего, чтоб поздороваться с Дианой.

— Бог ты мой, вы решили устроить пикник? Восхитительная мысль, — бросила Диана.

Она быстро огляделась и заметила, что и Эдме де Ги, и Дуду Вильсон, и мадам Берт также жуют на соседних скамейках.

— Сейчас девять. Раньше чем через четверть часа не начнут. Антуан, будьте добры, сбегайте в кафе, я тоже проголодалась.

Антуан нерешительно помялся, взглянул на Диану, хотел что-то сказать, махнул рукой (будь что будет), с обреченным видом пересек улицу и толкнул дверь. Через стекло Люсиль увидела, как хозяин кафе сорвался с места ему навстречу, принялся сочувственно жать руку. К нему присоединился официант. Она видела Антуана со спины. Ей показалось, что он отступает, оседает, как под градом ударов. Она поняла: Сара. Тот же театр, то же кафе, где он поджидал ее во время репетиций. С тех пор он ни разу здесь не бывал.

— Ну где он там застрял? Решил, что ли, напиться в одиночку? — выказала нетерпение Диана.

Она обернулась и увидела, как Антуан, пятясь, отступает к выходу без всяких сандвичей. Подоспела еще и хозяйка с соболезнованиями. Наверно, раньше он с ней не раз болтал и смеялся в ожидании Сары. Во время репетиций в этих маленьких кафе у театров всегда бывает так весело!

— Да что с ним? — воскликнула Диана.

— Сара, — объяснила Люсиль, не в силах поднять глаз.

Ей трудно было произнести это имя, но нельзя допустить, чтоб спросили самого Антуана, чтобы его сейчас дергали. Он подошел к ним с пустым, как у слепца, лицом. Диана все поняла и резко обернулась к Люсили. Та даже отступила. Диане хотелось ударить ее, она себя еле сдерживала: так эта девчонка тоже знает! Она не имеет права! Антуан принадлежит ей, Диане, его радости и печали — ее радости и печали. Это на ее плече он вспоминает Сару по ночам. Память о Саре — это ее, Дианы, соперница. Раздался звонок. Она взяла Антуана под руку, он покорно последовал за ней с отсутствующим видом. Он вежливо здоровался с театральными критиками и с друзьями Дианы. Он помог ей сесть. После третьего звонка она нагнулась к нему:

— Милый мой, бедный мой...

Она взяла его за руку, он не сопротивлялся.

ГЛАВА 6

В антракте обе группы держались порознь. Люсиль с Антуаном издали обменялись улыбками и впервые друг другу понравились. Глядя, как она, рассеянно опершись на массивное плечо Шарля, беседует с кем-то, он любовался изгибом ее шеи и складкой у рта, обозначавшейся, когда она смеялась. Ему захотелось раздвинуть толпу, пробраться к ней и поцеловать. Уже давно ему не случалось так сильно желать еле знакомую женщину. В этот миг она обернулась, заметила его и замерла. Она разгадала смысл его взгляда и смутилась. Только теперь, прочтя в его глазах желание, она заметила, что он очень красив. Впрочем, у нее так всегда бывало. То ли по счастливому совпадению, то ли из-за почти патологического страха потерпеть неудачу она всю жизнь обращала внимание лишь на тех мужчин, которым сама нравилась. Повернувшись к нему спиной, Люсиль мысленно видела его красиво очерченный рот и золотистые глаза. И недоумевала, как же так вышло, что они не целовались в тот вечер. Почувствовав, что Люсиль от него отстранилась, Шарль взглянул ей в лицо. Он сразу узнал задумчивое, нежное, почти покорное выражение, появлявшееся у нее, когда ей кто-то нравился. Он обернулся и увидел Антуана.

После спектакля они опять собрались вместе. Клер была в восторге от пьесы, от бриллиантов присутствовавшей на премьере индийской принцессы, от теплого парижского вечера. Она блаженствовала. Долго не могли выбрать, в какой ресторан двинуться. Наконец остановились на «Марне», ибо совершенно ясно было, что именно ужин на свежем воздухе, среди зелени — то единственное, чего недостает Клер для полного счастья. Шофер уже отворил перед Дианой дверцу, как Шарль вдруг рванулся к ней:

— Диана, будьте так любезны, возьмите меня к себе. Мы с Люсилью приехали в ее машине без верха, а я простужен и вообще что-то чувствую себя сегодня старым. Пусть с ней едет Антуан.

Диана и бровью не повела. Зато у Клер от удивления отвисла челюсть.

— Ну разумеется, — кивнула Диана. — До скорого, Антуан, и не гоните слишком быстро.

Они вчетвером уселись в «Ройс». Люсиль с Антуаном остались на тротуаре, слегка ошарашенные. Ни Шарль, ни Диана даже не обернулись, зато Клер заговорщицки подмигнула оставшейся парочке. Они сделали вид, что не заметили ее ухмылки. Люсиль задумалась. Это вполне в характере Шарля — упиваться своим страданием. Но как он отгадал желание, возникшее у нее всего час назад? Неприятно. Правда, она несколько раз ему изменяла, но знала наверняка, что он никогда этих людей не увидит. Ей претила любовная связь за спиной третьего, неизбежные смешки любопытных вроде Клер. Господи упаси от всего такого! Антуан положил руку ей на плечо, и она тряхнула головой. В конце концов, жизнь проста, погода прекрасна, и этот мужчина ей нравится. «Поживем — увидим» — невозможно сосчитать, сколько раз ей доводилось утешать себя этой фразой. Она засмеялась.

— Чему вы смеетесь?

— Я смеялась над собой. Пойдемте, я оставила машину там, чуть дальше. Куда же подевались ключи? Вы водите?

Антуан сел за руль. Сперва они ехали молча, наслаждаясь ночной тишиной, не спеша. У площади Звезды он неожиданно спросил:

— Зачем Шарль это сделал?

— Не знаю.

И тут же оба поняли, что этими двумя фразами признали, подтвердили то, что промелькнуло во взгляде, украдкой брошенном в антракте. Теперь их что-то связывало, и этого уже не изменить. Она могла бы ответить: «Что вы имеете в виду?» Поступок Шарля можно было представить вполне естественным для человека, замученного насморком. Но уже поздно. Произнеси теперь Антуан какую-нибудь вульгарность или выскажи двусмысленность на сей счет, она б от него живо отделалась. Но Антуан промолчал. Они ехали через Булонский лес, вдоль Сены. И верно, со стороны походили на влюбленную парочку из золотой молодежи. Она — дочь «Прядильных фабрик Дюпона», он — сын «Сахара Дюбуа», через неделю они поженятся с благословения обеих семей. Свадьбу устроят в Шайо. У них родится двое детей.

— Вот еще один мост, — повернулся к ней Антуан, — по которому мы тогда гуляли вместе.

Они впервые заговорили о том вечере. Люсиль вспомнила, как они стояли, обнявшись, в маленьком кафе, и покраснела.

— Да, действительно...

Она сделала неопределенный жест рукой, он поймал ее на лету, нежно сжал. Они въехали в парк. «Он взял меня за руку, чтобы провести через лес, как в кино. Это просто весна. Не стоит волноваться, мне ж не шестнадцать лет», — думала Люсиль. Но сердце в груди колотилось все сильней, ей показалось, что кровь отхлынула от лица, от рук и кинулась к горлу, душит, мешает дышать. Когда Антуан остановил машину, в голове не осталось ни единой связной мысли. Он охватил ее лицо руками, жадно приник к нему ртом. Она заметила, что и его трясет дрожь. На секунду он отстранился, они погрузились взглядами в глаза друг друга. Он снова притянул ее к себе. Теперь он целовал ее медленно, как-то серьезно, покрывая поцелуями виски, щеки и снова губы. Глядя на склоненное к ней лицо, спокойное и внушительное, она поняла, что ей суждено еще не раз увидеть его таким и что она бессильна изменить что-либо. Она давно забыла, что можно так сильно желать. Все точно плыло во сне. Когда она последний раз такое переживала — два, три года назад? Она не могла припомнить лица...

— Что со мной, — взволнованно прошептал Антуан, — что со мной?

Люсиль улыбнулась, он ощутил движение ее щеки и тоже улыбнулся.

— Надо ехать, — тихо сказала Люсиль.

— Нет, еще нет, — покачал головой Антуан, но через миг разжал руку. И оба испытали мучительную боль, вновь оказавшись поодиночке.

Теперь они мчались на предельной скорости. По дороге Люсиль успела подмалевать глаза и губы. «Ройс» уже стоял у ресторана. Только тут им пришло в голову, что в парке их могли заметить — словно ночных птиц, попавших в свет фар. Прежде об этом не подумалось. «Ройс» высился посреди маленькой площади как символ могущества и роскоши, как напоминание об их подчиненном положении. Возле него маленький спортивный автомобиль казался хрупким и смешным.

Люсиль смывала с лица косметику. Она страшно устала. Изучая в зеркале зарождающиеся у глаз морщинки, она раздумывала, откуда они берутся. Ведь живет она легко, без особых страстей, без забот. В чем же дело? Неужто спасения от них нет даже в легкомыслии и беспечности? На секунду ее охватил ужас. Она провела ладонью по лбу, словно пытаясь стереть эти глупые мысли. Последнее время на нее все чаще накатывало отвращение к себе. Надо показаться врачу, смерить давление. Доктор пропишет витамины, и снова можно будет спокойно прожигать (или просыпать) свою жизнь. Как бы со стороны она услышала собственный сердитый голос:

— Шарль... Зачем вы оставили меня с Антуаном?

Ей хотелось скандала, драмы, чего угодно, лишь бы взорвать это спокойное отвращение к себе, отделаться от него. Бедный Шарль, ему, как всегда, отдуваться. Ее пристрастие к крайностям вовсе не означает, что кто-то другой должен страдать. Но слово не воробей, оно уже вылетело. Словно копье, оно просвистело через комнату и воткнулось в Шарля, не спеша раздевавшегося в своей спальне. Он чувствовал себя таким измотанным, что на мгновение ему захотелось уклониться от разговора, сказать что-нибудь вроде: «Но я же простужен». Он знал, Люсиль бы не стала упорствовать: вымучивание истины, «русские штучки», было не в ее духе. Но ему самому захотелось ясности, в нем проснулся вкус к страданию. Двадцать лет он попросту игнорировал приключения своих любовниц. Однако, познакомившись с Люсилью, навсегда утратил блаженное чувство безопасности.

— Мне показалось, он вам понравился, — отозвался Шарль, не поворачивая головы от зеркала. И сам удивился, что не побледнел.

— Вы что же, решили бросать меня на каждого мужчину, который мне приглянется?

— Не сердитесь, Люсиль. Ради бога! Это весьма дурной признак.

Но она уже подскочила к нему и обвила шею руками, бормоча бессвязные извинения. В зеркале он видел темные волосы Люсили, одна прядь легла на его руку. Сердце сжалось от боли. «Никогда она не будет до конца моей. Она уйдет от меня». В эту минуту ничто на свете не казалось ему реальным, кроме этой пряди волос, кроме этой женщины. Неизбежность потери придавала его любви привкус горечи, воспаляла ее.

— Я не хотела так говорить, — прошептала Люсиль, — но мне не нравится, когда меня...

— Вам могло бы не понравиться, закрывай я глаза... Но это не так, поверьте. Просто мне захотелось проверить одну вещь, вот и все.

— И что же вы проверяли?

— Выражение вашего лица. Когда вы входили в ресторан... То, как вы смотрели на него, вернее, избегали смотреть. Я знаю вас. Он вам нравится.

Люсиль отстранилась.

— Ну и что? Разве нельзя, чтоб, когда понравится один человек, не страдал другой? Неужели мне никогда не будет покоя? Почему так устроена жизнь? И это, по-вашему, свобода?

Она заикалась, запиналась. Ей казалось, что ее не понимают, что ее никогда не смогут понять.

— Мы оба свободны, — с улыбкой возразил Шарль. — Просто я люблю вас. А вам нравится Антуан. Выйдет ли из этого что-нибудь, зависит только от вас. Буду ли я знать — тоже. И тут я ничего не могу поделать.

Не снимая халата, он лег. Люсиль стояла рядом. Он снова приподнялся и сел на краю кровати.

— Это правда, — мечтательно произнесла она, — он мне нравится.

Они взглянули друг другу в глаза.

— Если б это случилось, вам было бы больно?

— Да. Зачем вы спросили?

— Ответь вы иначе, я бы от вас ушла, — объяснила Люсиль и, свернувшись калачиком, прикорнула на его постели. Через две минуты она уже спала, и Шарль Блассан-Линьер не без труда поделил одеяло поровну.

Глава 7

На другое утро Антуан узнал у Джонни номер ее телефона и позвонил. В четыре часа они встретились в его квартирке на улице Пуатье. Жилище его представляло собой нечто среднее между логовом студента и кабинетом солидного человека. Но Люсиль лишь потом осмотрелась в ней. Сперва она не видела вокруг ничего, кроме Антуана. Он сразу стал целовать ее, даже не поздоровавшись, словно они расстались в парке Сен-Клу минуту назад. Случилось то, что неизбежно бывает между мужчиной и женщиной, когда пламя жжет их обоих. Очень скоро из их памяти улетучились всякие воспоминания о мгновениях наслаждения, испытанных прежде, с кем-то иным; они уже не могли различить, где кончается собственное тело и начинается тело другого. Слова «стыд» и «бесстыдство» потеряли всякий смысл. Зато сама мысль, что через час или два придется расстаться, казалась верхом непристойности. Они уже знали: никакое движение одного отныне не покажется другому неуместным. Вспомнив язык юности, они шептали простые, неуклюжие, детские слова, слова плотской любви. Гордость за себя и за любовника, благодарность за это острое счастье снова и снова бросали их в объятия друг друга. И еще они знали, что подобное случается лишь раз в жизни и что не может быть ничего выше мига, когда ты нашел вторую половину себя. В то, что могло оказаться минутным увлечением, вмешалась телесная страсть, непредсказуемая и неумолимая, и теперь она превратит их встречу в историю любви.

Смеркалось, но они избегали смотреть на часы. Они курили, откинувшись на подушки. Их тела хранили запахи любви, любовной схватки, пота, и они вдыхали их, как два бойца, изнемогших в рукопашной, как два победителя. Простыни съехали на пол, рука Антуана отдыхала на бедре Люсили.

— Теперь я всякий раз буду краснеть при встрече с тобой, — сказала Люсиль, — теперь мне всегда будет больно, когда ты уходишь, на людях я не смогу говорить с тобой, не опуская глаз.

Она приподнялась на локте, мельком оглядела комнату, скользнула взглядом по узкому окну. Антуан положил руку ей на плечо. У нее была очень прямая и очень гладкая спина. Между ней и Дианой десять лет разницы, десять лет и вся жизнь. Люсиль повернулась к нему, он крепко ее прижал, потом ослабил объятия и погладил по щеке. Глядя друг другу в глаза, они молча, лишь взглядом, обещали: что б ни случилось, они проведут вместе еще тысячи таких часов.

ГЛАВА 8

— Не будьте таким мрачным, дружище, — сказал Джонни. — Мы ж на коктейле, а не на фильме ужасов.

Он протянул Антуану стакан. Тот машинально улыбнулся, не отрывая взгляда от двери. Он приехал сюда час назад. Он ждал Люсиль. Скоро девять, а ее все нет. Что могло случиться? Она обещала прийти. Он вспоминал, как уже на пороге она прошептала: «Завтра, завтра». И исчезла. А что, если все вчерашнее лишь ее минутная прихоть? В конце концов, теперь Люсиль содержит богатый покровитель, а молодых самцов вроде него сколько угодно на каждом углу. Уж не приснилось ли все это: сумерки, красный ночник, Люсиль в его постели? Что, если для нее их свидание было случайным эпизодом среди многих других? А он — просто самоуверенный глупец. К нему подошла Диана в обществе хозяина дома, американца, «обожающего литературу».

— Уильям, вы знакомы с Антуаном, — произнесла Диана утвердительно — точно не знать, кто нынче ее любовник, было б по крайней мере неприлично.

— Конечно, — подтвердил Уильям, окидывая Антуана оценивающим взглядом.

«Он бы еще приподнял мне губу, чтоб заглянуть в зубы», — с яростью подумал Антуан.

— Уильям рассказывает потрясающе интересные вещи про Скотта Фицджеральда, — продолжала Диана. — Тот дружил с его отцом. Антуан обожает Фицджеральда. Расскажите ему все, что вы мне говорили про...

Антуан не дослушал окончания фразы: вошла Люсиль. Ее ищущий взгляд побежал по гостиной, и Антуан понял, что имел в виду Джонни. На лице ее был написан ужас. Наверное, и он так выглядел еще пару минут назад. И тут она его заметила, остановилась, затем машинально шагнула к нему. У Антуана закружилась голова: «Сейчас я к ней подойду, прижму, поцелую в губы, а на остальное наплевать». Люсиль угадала его мысль по решительному выражению лица и едва не поддалась искушению. Ночь и день без него показались ей бесконечными. Шарля задержали дела, и она едва не умерла от страха, что приедет слишком поздно. Они замерли, глядя друг на друга как зачарованные. Потом Люсиль резко отвернулась — то был жест ожесточенного бессилия. Она не могла отважиться. Ей бы хотелось приписать свою нерешительность жалости к Шарлю, но в глубине души она знала, что просто боится.

К ней подошел Джонни. Он смотрел на нее с участливой улыбкой. Она улыбнулась в ответ, он взял ее под руку и повел к буфету.

— Вы меня напугали, — сказал он.

— Чем?

Она посмотрела ему прямо в глаза. Неужели уже начинается этот балаган: сообщники, друзья, посвященные, ухмылки за спиной? Только не это!

Джонни пожал плечами.

— Я хорошо к вам отношусь, — тихо произнес он. — Хотя вам это и все равно, я очень хорошо к вам отношусь.

Что-то в его голосе ее тронуло. Должно быть, он ужасно одинок.

— Почему вы решили, что мне это все равно?

— Ведь вы интересуетесь только теми, кто вам нравится. Остальные вам только мешают. Разве не так? Но в нашем маленьком кружке оно даже к лучшему. Сможете сохранить себя чуть дольше.

Она слушала его и не слышала. Антуан затерялся в толпе, в этом лесу. Где же он? «Где ты, мой дурачок, мой любимый, мой Антуан? Где ты, мой долговязый? На что тебе твои золотистые глаза, если ты меня не видишь? Я же тут, совсем близко, милый мой, мой дуралей». На нее волной накатила нежность. Как там сказал Джонни? Это правда, она замечает лишь тех, кто ей нравится. А нравится ей Антуан. Ей так редко случалось точно знать, чего она хочет от жизни.

Джонни смотрел на нее с завистью и грустью. Он и вправду относился к Люсили с симпатией, ему нравилось, как она молчит, скучает, смеется. Теперь ему открылось ее новое лицо — помолодевшее, юное, почти свирепое; лицо, преображенное страстью. Он вспомнил, как когда-то, много лет назад, у него тоже был человек, значивший для него больше всего на свете. Его звали Роже. Когда Роже входил в гостиную, Джонни казалось, что он не то умирает, не то едва начинает жить. С любовью вечно так: никогда не знаешь, явь это или сон. А Антуан-то не терял времени даром! Он ведь только вчера попросил у него телефон Люсили. Спокойно, как нечто само собой разумеющееся, — разговор мужчины с мужчиной. Как ни странно, в их отношениях была своеобразная мужская солидарность. Поэтому Джонни и в голову не пришло рассказать про этот звонок Клер, хотя обычно он делился с ней всем, что могло ее заинтриговать. Были еще вещи, которых Джонни не делал, хотя, видит бог, жизнь трудная штука.

Порыва Антуана, к счастью, Диана не заметила. Как раз когда Люсиль входила в гостиную, подол ее платья зацепился за круглый столик. Уильям недоумевал, отчего при упоминании о Фицджеральде этот молчаливый француз вдруг как-то дернулся. Но Антуан быстро совладал с собой, теперь он помогал Диане отцепить платье.

— У тебя руки дрожат, — сказала Диана громким шепотом.

Обычно на людях она обращалась к нему на «вы» — хотя бы для того, чтоб другой раз, как бы ненароком, сказать «ты». Последнее время такие «оговорки» случались все чаще, и это раздражало Антуана. Уже два дня его раздражало все: как она спит, как говорит, как двигается. Ему претила ее элегантность. Он ставил ей в вину уже то, что она живет на свете. И что без нее ему не попасть туда, где бывает Люсиль. Еще он злился на себя самого, что вот уже два дня не может заставить себя притронуться к ней. Скоро она встревожится. Никогда раньше он не манкировал мужскими обязанностями. Чувственность в сочетании с безразличием помогали ему всегда быть на высоте. Ему и в голову не приходило, что, избегая постели, он вселяет в

Диану определенные надежды. А то порой молчаливая бесстрастность этого опытного, исправного любовника ее почти пугала — в ней было что-то механическое. Любовь же цепляется за любую соломинку, толкует в свою пользу даже то, что, казалось бы, против нее.

Антуан высматривал Люсиль. Он знал, что она где-то рядом, и, как и час назад, следил за дверью. Тогда он ждал ее — теперь боялся, что уйдет. Он вздрогнул, услышав за спиной голос Блассан-Линьера. Антуан обернулся, улыбаясь, пожал руки Люсили и Шарлю. Перед ним снова сияли ее счастливые глаза. Чтобы скрыть волнение, он закашлялся.

Блассан-Линьер обратился к Диане:

— Уильям приобрел ту картину Болдини, что я вам говорил. Уильям, вы должны нам ее показать.

На секунду взгляды Шарля и Антуана встретились. Затем Шарль удалился в сопровождении Дианы и Уильяма. Глаза у него были ясные, внимательные, абсолютно честные. Что это значит? Он просто несчастен или что-то почуял? Антуан еще не задавался этим вопросом. Пока его беспокоила только Диана, да и то не слишком. После гибели Сары он редко беспокоился о других. Теперь, оставшись с Люсилью, он спрашивал ее глазами, без слов: «Кто ты? Чего хочешь от меня? Что ты здесь делаешь? Зачем я тебе нужен?»

— Я уж боялась, мы никогда сюда не доберемся, — сказала Люсиль.

«Я ничего о нем не знаю, — подумала она. — Лишь то, как он занимается любовью. Почему наше чувство так неистово? Виноваты не мы, а те, что вокруг. Будь мы свободны, не на виду у всех, мы были б спокойнее, кровь не кипела бы так». Ей вдруг захотелось уйти от него к тем, кто пошел смотреть картину. Что за судьба их ждет? Сколько лжи и суеты замусорит их путь? Она взяла предложенную Антуаном сигарету, он поднес ей спичку. Прикуривая, она дотронулась до его руки. Случайное прикосновение заставило ее дважды опустить веки, словно что-то самой себе подтверждая.

— Вы придете завтра? — поспешно спросил Антуан. — В то же время?

Ему казалось, что, пока он не будет точно знать, когда сможет снова сжать ее в объятиях, ему не будет ни минуты покоя. Она кивнула. И сразу наступило такое успокоение, что он усомнился, правда ли ему так нужно это свидание. Он много читал и знал из книг, что тревога еще сильнее ревности подстегивает страсть. А еще знал, что стоит ему здесь, посреди гостиной, обнять Люсиль, и разразится скандал, случится непоправимое. И эта уверенность заменяла само действие, доставляя незнакомое прежде жгучее удовольствие: радость сокрытия тайны.

— Как дела, детки? Где наши друзья?

Звонкий голос Клер Сантре заставил их вздрогнуть. Она обняла Люсиль за плечи и рассматривала Антуана, как если б долго пыталась поставить себя на ее место и наконец это удалось. «Вот образчик женской солидарности», — подумала Люсиль, удивляясь, что это ее не раздражает. Антуану было очень к лицу его смущенно-решительное выражение. Вероятно, он слишком рассеян, чтоб долго лгать. Этот мужчина создан читать книги, гулять по Парижу, заниматься любовью, молчать; для чего угодно, только не для светской жизни. Он приспособлен к этому еще меньше, чем она. Ее безразличие и беззаботность все-таки довольно надежная броня.

— Уильям недавно купил Болдини, — он постарался изобразить светский тон, — Диана и Шарль пошли смотреть картину.

Антуан впервые назвал Блассан-Линьера по имени и подумал: «Зачем обязательно фамильярничать с человеком, которого обманываешь?» Клер встрепенулась:

— Он купил Болдини? Где же он его раскопал? Я ничего не знала, — добавила она оскорбленно, как и всякий раз, когда обнаруживалась брешь в ее системе информации. — Как пить дать беднягу при этом обобрали. Только американец способен купить картину, не посоветовавшись с Сантосом.

Мысль о глупости и неосмотрительности бедняги Уильяма отчасти ее утешила, и она опять взялась за Люсиль. Не пора ли этой девчонке поплатиться за скрытность и дерзость, за пренебрежение правилами игры? Не отрывая глаз от Антуана, Люсиль улыбалась спокойно и умиротворенно. Женщина может улыбаться так лишь мужчине, с которым побывала в постели. «Когда же они успели? — лихорадочно принялась вычислять Клер. — Три дня назад, на ужине, между ними еще ничего не было. Трахались наверняка днем. Теперь в Париже никто не занимается любовью по ночам — к вечеру все так устают. К тому же каждому из них и без того есть с кем спать. Может, сегодня?» Она вглядывалась в их лица, пытаясь отыскать на них следы любовных утех. Любопытство подстегивало ее азарт. Люсиль прочла это по ее физиономии и не удержалась — прыснула. Охотничья стойка Клер сменилась кротким выражением: «Я все понимаю, все принимаю». Но усилия ее, как ни печально, пропали втуне, похвальных стараний просто не заметили. Им было не до нее.

Глядя на Люсиль, Антуан смеялся вместе с ней. Он знал, после она объяснит свой неожиданный смех — завтра, в его постели, в тот счастливый час, что следует за любовью. Он не спросил: «Чему вы смеетесь?» — и этим выдал себя. Так обнажаются многие тайные связи: незаданный вопрос, оставленная без внимания фраза, безобидные слова, служившие паролем для двоих, но сделавшиеся слишком приметными. И первый же свидетель их разговора, Клер, по этому смеху, по их счастливым лицам догадалась обо всем. Им же было все равно, они слишком радовались передышке, подаренной Болдини, — нескольким минутам, когда можно смотреть друг на друга и смеяться, не причиняя страданий двум другим. Присутствие Клер и остальных удваивало радость свидания, хотя они не признались бы в этом даже самим себе. Они были как два подростка в обществе взрослых, как люди, которым что-то запрещают, а они все равно делают и еще не наказаны.

Диана шла к ним, пробираясь через толпу. Ей поминутно приходилось останавливаться, отвечая на приветствия и комплименты своих галантных приятелей. Она прокляла все на свете. Когда ей целовали руку, она готова была ее отдернуть. И чуть не сквозь зубы отвечала на вопросы. Диана страдала. Она пробиралась через «Как дела, Диана?», «Вы прекрасно выглядите, Диана», как через дремучий лес, цепляющий ветками, мешающий идти. Она стремилась скорей вернуться на то проклятое место, где оставила любовника с нравящейся ему женщиной. В эти минуты она ненавидела Шарля, Болдини, Уильяма. Последнего — за бесконечный и путаный рассказ о том, как он покупал картину. Развез целую эпопею: ну, разумеется, он купил ее за гроши, продавец ни черта не смыслит в живописи. Диану всегда бесила страсть богатых выгадать на покупке, выцарапать скидку у знаменитых портных или у Картье. Слава богу, она не из их числа. Ее смешили светские дамы, обхаживающие своих поставщиков ради скидки, без которой вполне могли обойтись. Надо будет рассказать об этом Антуану, это его рассмешит. Светская жизнь всегда забавляла его. По любому поводу он вспоминал Пруста. Диану это немного коробило — у нее было мало времени для чтения. А вот Люсиль наверняка читала Пруста, у нее на роже написано. Да уж, Шарль не перетруждает ее, можно и с книжкой поваляться. Диана спохватилась: «Господи, что я несу! Разве невозможно стареть, не впадая в вульгарность?» Диана страдала. Диана улыбалась. Диана даже подмигнула в ответ на подмигивание одного из гостей. Готовая всех смести на пути, Диана продолжала бесконечный бег с препятствиями. Скорей, скорей к Антуану. Она услышала, как он смеется своим низким голосом, и ей стало невыносимо больно. Диана сделала еще шаг и даже зажмурилась от облегчения: он смеялся с Клер, а Люсиль стояла к ним спиной.

ГЛАВА 9

— По-моему, прием получился какой-то сумбурный, — заметил Шарль. — Пить стали слишком много, что ли?

Автомобиль медленно катил по набережным. Моросил дождь. Люсиль по своей привычке высунула голову в окно, подставив щеки и лоб прохладным каплям. Она вдыхала запахи Парижа, апрельской ночи. Она вспоминала несчастное лицо Антуана, когда они вежливо прощались полчаса назад, от этого воспоминания сладко щемило сердце.

— Людям становится все страшнее жить, — бодро заявила она. — Они всего боятся: боятся старости, боятся потерять то, что имеют, и не получить, чего хочется, боятся скуки и боятся казаться скучными. И психуют. Все из-за своей жадности как с ума посходили.

— Вас это забавляет?

— Порой забавляет, а порой злит. А вас?

— Я мало в этом смыслю. Вы же знаете, я сроду не интересовался психологией. Просто замечаю, что все чаще незнакомые люди бросаются мне на шею, вижу все больше пьяных.

Не мог же он ей сказать: «Я интересуюсь только вами. Думая о вас, я целые часы провожу в дебрях психологии. Я тоже свихнулся. Я тоже, именно вот так, боюсь потерять что имею, я тоже психую, я тоже алчу».

Люсиль подняла стекло и взглянула на Шарля. Внезапно ее залила щемящая нежность к нему. Ей захотелось разделить с ним то жгучее счастье, что пронзало ее при мысли о завтрашнем дне. «Сейчас одиннадцать вечера, через семнадцать часов я буду у Антуана. Если утром подольше поспать, ждать останется совсем немного». Она положила ладонь на руку Шарля. У него были красивые руки, породистые, ухоженные. На них уже появилось несколько коричневых старческих пятнышек.

— Как вам понравился Болдини?

«Она думает доставить мне этим удовольствие, — с горечью отметил Шарль. — Знает, что я люблю живопись. Но ей и в голову не приходит, что мне уже пятьдесят и я несчастен, как никто на свете».

— Довольно хорош. Работа его лучшего периода. Уильям купил ее за бесценок.

— Уильям вечно все покупает за бесценок, — усмехнулась Люсиль.

— То же самое сказала Диана, — заметил Шарль.

Повисло молчание. «Ну что я замолкаю всякий раз, как речь заходит о Диане или об Антуане, это просто глупо, — подумала Люсиль. — Если б я могла сказать ему правду: да, Антуан мне нравится, мне хочется смеяться с ним, целовать его. Но ведь немыслимо сказать такое мужчине, который тебя любит. Ему было бы легче узнать, что я с Антуаном сплю, чем видеть, как мы вместе хохочем. Для ревности всего страшней смех».

— Диана стала какая-то странная, — выдавила она. — Мы болтали с Клер и Антуаном, она вошла в гостиную, и у нее был такой взвинченный, такой потерянный вид, что мне стало за нее страшно.

Она натянуто улыбнулась. Шарль повернулся к ней:

— Страшно? Вы хотели сказать — жалко?

— Да, — спокойно ответила она, — и жалко тоже. Для женщины приближение старости — тяжелая вещь.

— Для мужчины тоже, — вырвалось у Шарля, — я вас уверяю!

Они принужденно засмеялись, и от этого смеха обоим стало не по себе. «Пусть так, — закрыла глаза Люсиль. — Будем избегать опасных тем, будем шутить, сделаем все, как он хочет. Но завтра в четыре, что б ни случилось, я снова буду с Антуаном».

Люсиль всю жизнь ненавидела жестокость, но сейчас ничего не могла с собой поделать.

Ничто на свете, ни мольбы, ни слезы, не в силах остановить ее. Завтра она вновь обретет Антуана, его тепло, его дыхание, его голос. Обычно планы ее зависели от погоды, от настроения. Сейчас она сама на себя дивилась. Она и не подозревала, что способна так страстно желать. Она любила всего раз, в двадцать лет, и любила несчастливо. С тех пор в душе ее засело настороженное отношение к любви. Почти так же она относилась к религии: растраченные впустую эмоции. И вот на ее жизнь обрушилась любовь во всем цвету, переполненная счастьем. Казалось, человеческое тело просто не в силах вместить столь огромное, бескрайнее, победительное чувство. Обычно она не замечала ход времени, дни незаметно пролетали мимо, и она смотрела им вслед без тени сожаления. Теперь она боялась: хватит ли всей ее жизни на любовь к Антуану.

— Люсиль, у меня дела в Нью-Йорке. Составите компанию?

Шарль произнес это очень спокойно, как если бы ее согласие подразумевалось. Вообще-то Люсиль любила путешествовать, и Шарль это знал. Она отозвалась не сразу:

— Почему бы и нет? А надолго? — «Невозможно, — лихорадочно стучало в висках, — невозможно. Я не выживу и десяти дней без Антуана. Шарль слишком поздно взялся ставить мне условия или слишком рано. И как ни крути, это чересчур жестоко. Я не променяю комнаты Антуана на все города мира, не надо мне других путешествий, других открытий, кроме тех, что мы совершим вдвоем в темноте его комнаты». Воспоминание взволновало ее, она снова отвернулась к окну.

— Дней десять-пятнадцать, — прикинув, ответил Шарль. — Весной Нью-Йорк просто очарователен. Вы его видели только зимой. Помните, у вас от холода даже носик посинел. Вид был как у взъерошенного воробья, а в глазах упрек, точно это я нарочно устроил морозы.

Он засмеялся, в голосе слышались нотки нежности и ностальгии по тем счастливым временам. Люсиль вспомнила, что прошлой зимой в Нью-Йорке и правда была страшенная холодрыга, но никаких нежных воспоминаний у нее при этом не всплыло. Только мелькали какие-то бесконечные переезды на такси из отеля в ресторан и обратно. Всякие романтические, душещипательные воспоминания обычно приходились на долю Шарля. Вдруг ей стало стыдно: даже по части чувств она живет за его счет! Это смущало больше всего. Она не хотела, чтобы Шарль из-за нее страдал, не хотела лгать, не хотела говорить правду. Ей хотелось, чтоб он обо всем догадался сам и ничего не надо было объяснять. Люсиль была чудовищно малодушна.

Они встречались два, иногда три раза в неделю. Антуан пускался на всякие ухищрения, чтобы сбежать с работы. Люсили было проще: Шарль не имел привычки выспрашивать, как она проводит дни. Едва переступив порог его комнатушки, они, дрожа, погружались в темноту. У них почти не оставалось времени на разговоры. Тела их познавали друг друга с такой жадностью, что все вокруг словно исчезало. Расставшись, они тщетно пытались воссоздать в памяти подробности свидания, припомнить хоть слово, хоть один жест. Они покидали друг друга, как лунатики, почти рассеянно, но часа через два уже не в состоянии были думать ни о чем другом, кроме новой встречи — единственной истины, единственной реальности в мире. Все остальное — пустыня. Ради грядущего свидания она научилась следить за временем, только из-за него они замечали других людей — ведь те были препятствием на их пути. Собираясь к Антуану, Люсиль раз по шесть проверяла, не забыла ли ключи от машины, раз десять прокручивала в уме маршрут, раз сто смотрела на часы — это она-то, всегда относившаяся ко времени столь пренебрежительно. Антуан с утра твердил секретарше, что у него в четыре деловая встреча. Он выходил с работы без четверти четыре, хотя жил в пяти минутах ходьбы от издательства. Оба добирались до места едва живые от переживаний. Она — потому что по пути угодила в пробку. Он — из-за того, что еле отделался от назойливого автора. Со вздохом облегчения они бросались друг другу в объятия, как если бы избежали смертельной опасности. Все, чем они рисковали, — пятиминутное опоздание.

В миг наслаждения у них вырывалось: «Я люблю тебя». Но только в эти мгновения. Иногда, в наступившей передышке, Антуан склонялся над Люсилью и, гладя по щеке, нежно шептал: «Ты мне нравишься». Она улыбалась, и он признавался ей, как бесит его эта улыбка, если она адресована другому. «Когда ты улыбаешься, у тебя такой беззащитный вид. Мне становится страшно», — объяснял он. «Обычно я просто думаю о чем-то своем, а улыбаюсь из вежливости. И вид у меня никакой не беззащитный, а отсутствующий». — «Кто тебя знает, о чем ты думаешь, — возражал он. — Иногда кажется, будто ты что-то замышляешь или скрываешь, словно у тебя какой-то

секрет». — «У меня действительно есть один секрет, Антуан...» Положив голову ему на плечо, она шептала: «Не надо много думать, нам
так хорошо». И он замолкал. Он не решался сказать того, что мучило
его, что без конца вертелось в мозгу бессонными ночами рядом с
Дианой, притворившейся спящей. «Так больше не может продолжаться. Почему мы не вместе?» Беспечность Люсили, ее умение от-
гораживаться от любых проблем порой его обескураживали. Она не
желала говорить с ним о Шарле, не хотела строить планов. Неужели
ее удерживает с Блассан-Линьером расчет? Но она казалась такой
свободной. Она уклонялась от любых разговоров о деньгах. (Видит
бог, никто не говорит так много о деньгах, как богачи.) Антуан не мог
поверить, что она способна хоть на что-то из корысти. Она говорила:
«Люблю жить налегке. Ненавижу собственнические инстинкты».
Она говорила: «Я по тебе соскучилась». У Антуана в голове не укладывалось, как все это может сочетаться. В глубине души он надеялся,
что все решится само собой. Например, их застукают вместе, и случай совершит мужской поступок за него. Он презирал себя за это —
при всей своей беспечности и чувственности Антуан не был чужд морали.

Такого, как с Люсилью, он никогда прежде не испытывал, но ув-
лечений пережил много. Запоздалое раскаяние окрасило его связь с
Сарой в трагические тона. Он вообще легко становился жертвой са-
мокопаний, был одинаково готов и к счастью, и к несчастью. Люсиль
оставалась для него загадкой. Он не мог понять, что в отличие от него
она любила лишь раз, десять лет назад, успела забыть это чувство и
их любовь кажется ей чудесным, неожиданным, хрупким подарком,
что она не хочет загадывать о будущем из чувства, близкого к суеве-
рию. Она любила ждать его, скучать по нему. Прятаться ей нравилось меньше, чем понравилось бы жить с ним открыто. Каждая минута счастья казалась самодостаточной. В последнее время ее стали
умилять наивные песенки о любви, но, слушая их, она никогда не
примеривала к себе звучавших там слов о «единственной» и «вечной» страсти. За главное жизненное правило она взяла никогда себя
не обманывать. Ей даже казалось, что из-за этого она нередко впада-
ет в цинизм. Будто способность трезво судить о своих чувствах непременно приводит к цинизму, а все эти любители романтики не пе-
редергивают и так уж держатся своих возвышенных правил в реальной жизни. Она любила Антуана, но была привязана к Шарлю. Антуан
сделал ее счастливой, но ей не хотелось сделать несчастным Шарля.
Она много думала о них двоих, а о себе слишком мало, чтобы почувствовать к себе презрение за неспособность сделать выбор. Она
смутно понимала, что поступает жестоко, но счастье все равно переполняло ее.

Что она не утратила способности страдать, Люсиль обнаружила совершенно случайно.

Они с Антуаном не виделись уже три дня — перипетии светской жизни разнесли их по разным гостиным. На четыре у них было назначено свидание. Люсиль пришла вовремя и удивилась, что Антуан не открыл ей дверь. Впервые она воспользовалась ключом, который он ей дал. Комната пуста, ставни открыты. На миг ей почудилось, что она не туда попала — Антуан всегда закрывал ставни и зажигал маленький ночник, освещавший только кровать и кусочек потолка. Она с любопытством прошлась по комнате, такой знакомой и такой чужой, пробежала глазами по корешкам книг, подобрала с пола галстук, принялась рассматривать очаровательную и насмешливую картину начала века, которой прежде не замечала. У нее было чувство, будто она вторглась в квартиру чужого мужчины, неведомого молодого холостяка, живущего на скромную зарплату. Кто он, откуда, кто его родители? Был ли он счастлив в детстве? Она присела на кровать, вскочила, подошла к окну. Она казалась себе нескромной. Впервые она подумала об Антуане как о другом человеке. Она знала его руки, губы, глаза, его тело. Но этого ведь мало. Уже четверть пятого, они не виделись три дня. Его все не было, телефон молчал. Люсиль прошлась по мрачноватой комнате, взялась за книгу, но сразу отложила. Если не может прийти, хоть бы позвонил! Она сняла трубку в надежде, что аппарат сломан, но услышала гудок. А может, он просто не захотел? При этой мысли она застыла в неестественной позе, как смертельно раненные солдаты на старинных гравюрах. В памяти вихрем пролетали обрывки их встреч: то, что выглядело упреком, могло оказаться скукой. А мягкость объяснима желанием скрыть горькую правду: он не любит ее. Она вспоминала, как и что он ей говорил, выискивая в словах признаки безразличия. «Что ж, он меня не любит», — произнесла она вслух. Люсиль сказала это спокойным голосом, но фраза тут же обрушилась на нее, как удар хлыста, ею самому занесенного. «Как же я буду жить, если Антуан не любит меня?» Жизнь вдруг показалась ей пустой, унылой и безрадостной, вроде покрытой пеплом каменной равнины в Перу на любимой фотографии Антуана.

Люсиль стояла посреди комнаты, ее била дрожь. Это было так мучительно, что она принялась сама себя утешать.

— Спокойнее, — сказала она вслух, — спокойнее.

Она обращалась к своим душе и телу, точно к паре испуганных лошадей. Ничего не получалось. Она обхватила плечи руками и, уткнувшись лицом в подушку, простонала: «Антуан, Антуан». Она удивлялась самой себе, она и не знала, что способна испытывать такую боль. Она уговаривала себя: «Не сходи с ума». Но другой голос все громче кричал: «Дура, как ты будешь жить без золотистых глаз Антуана, без его голоса!» В церкви по соседству прозвонили пять часов.

Ей чудилось, что это в ней самой бьет жестокий и безумный колокол. В эту секунду в дверь влетел Антуан и бросился на кровать. Люсиль все-таки дождалась его! Он чувствовал себя несказанно счастливым, целовал ей лицо, волосы и на чем свет стоит клял своего шефа, от которого не мог избавиться битый час. Прижавшись к нему, она шептала его имя. Она никак не могла поверить своему счастью. Выпрямившись, она села на край кровати спиной к нему.

— Знаешь, Антуан, — сказала она, — я, кажется, люблю тебя по-настоящему.

— Я тоже, так что это весьма кстати.

Минуту они задумчиво молчали. Потом Люсиль снова повернулась к нему и серьезно смотрела, как склоняется над ней лицо мужчины, которого она любит.

Глава 10

Двумя часами позже, выходя из его дома, утомленная любовью и с пустой головой, она подумала, что это был просто нервный срыв. И решила побольше спать, меньше пить, вести здоровый образ жизни. Она слишком привыкла быть сама по себе, чтобы легко смириться с мыслью, что кто-то мог стать для нее столь необходим. Ей казалось, такая зависимость еще хуже одиночества. Она ехала по набережным. Стоял теплый вечер, в воде отражались огни, было такое впечатление, словно светится сама река. Она улыбалась своим мыслям. «Что на меня нашло? В мои-то годы. В моем положении». В конце концов, она ведь женщина на содержании, а значит, циничная женщина. Эта мысль рассмешила ее. Мужчина за рулем соседней машины улыбнулся ей. Она рассеянно ответила на улыбку и снова погрузилась в свои размышления. «Кто я?» Ей было совершенно безразлично, что о ней думают окружающие. Копаться в себе она уже давно отвыкла. Ну и что? Может, это признак отупения? Раньше, в юности, она много читала. До того, как поняла, что счастлива. Раньше она задавала себе много вопросов. До того, как стала красивой, ухоженной, хорошо одетой домашней зверушкой. До того, как научилась избегать любых осложнений. У нее был своеобразный предлог не задумываться о будущем: короткая линия жизни. Когда-то давно ей нагадали раннюю смерть. Так она и полагала, беспечно примирившись с судьбой. А вдруг случится дожить до старости? Она попробовала представить себя старой, брошенной Шарлем, бедной, добывающей хлеб насущный тяжким трудом. Но напрасно пыталась она запугать себя этими картинами. Что бы с ней ни случилось, Сена у Гран-Пале останется все так же сверкать золотом. И это представлялось ей самым главным в жизни. И еще ей казалось, что она может обойтись и без дорогого автомобиля, и без манто от Лароша. Та же мысль приходила в голову Шарлю, и это его расстраивало. Как всегда после свидания с Антуаном, на нее накатила волна нежности к Шарлю, ей захотелось поделиться с ним своим счастьем.

Она не могла подумать, что как раз в эти минуты Шарль, привыкший, что в дневные часы она почти никогда не выходит из дома, метался по квартире, точно зверь в клетке, как она сама три часа назад, мучаясь: «А вдруг она не придет?» Она никогда об этом не узнает. Когда Люсиль вошла, Шарль с «Монд» в руках лежал на диване: он слышал, как она подъехала.

— Хорошо прошел день? — спокойно спросил Шарль.

Она нежно поцеловала его в щеку. От него пахло ее любимым одеколоном. Надо купить такой же Антуану.

— Хорошо, — ответила она, — только мне стало страшно...

Она спохватилась. Ей хотелось поболтать с Шарлем, все ему рассказать. У нее чуть было не вырвалось: «Мне стало страшно, что Антуан не придет, я испугалась, что люблю его». Но так нельзя говорить. И не с кем поделиться переживаниями этого страшного дня. Она не любила открывать сердце и никогда о том не жалела. Сегодня ей впервые сделалось грустно, что не с кем поговорить по душам.

— ...мне стало страшно, что я оказалась в стороне...

— В стороне от чего?

— От жизни. Такое чувство, словно она проходит мимо. То, что люди называют жизнью. Шарль, скажите, неужели правда необходимо любить, страдать в любви, работать, заботиться о деньгах, — неужели без всего этого жизнь не бывает полной?

— Вовсе нет, — ответил Шарль. — По крайней мере, если вы и без того счастливы.

— Так, вы считаете, это возможно?

— Вполне.

Что-то в его голосе, какая-то странная, отрешенная интонация, растрогало Люсиль.

Она подсела к нему на диван и стала гладить это красивое усталое лицо. Шарль закрыл глаза, на губах блуждала улыбка. Люсиль показалась себе доброй, способной сделать его счастливым. Она гнала мысль, что доброта эта проснулась в ней потому, что Антуан пришел. Что, не приди он, она бы возненавидела Шарля. Когда мы счастливы, все окружающие кажутся нам пусть второстепенными, но соучастниками нашего счастья. Только потеряв его, мы понимаем, что то были лишь случайные его свидетели.

— Что мы делаем нынче вечером? — поинтересовалась она.

— Мы приглашены на ужин к Диане, разве вы забыли?

В его голосе прозвучали недоверие и радость. Она поняла почему и покраснела. Ответив «да», она бы сказала правду, но в то же время

про Антуана. Я сейчас от него. И завтра у меня с ним опять свидание».

— Про ужин я помнила, но позабыла, что у Дианы. Какое мне платье надеть?

Она с удивлением обнаружила, что предстоящая встреча с Антуаном ее не радует. Скорее даже раздражает. Сегодня чувства ее достигли такого накала, что ей казалось, чаша переполнена (если так можно сказать о чувствах). Она предпочла бы поужинать с Шарлем вдвоем. И уже открыла рот сказать ему об этом, но передумала: это посеяло бы напрасные надежды. Она не хотела ему лгать.

— Вы собирались что-то сказать?

— Уже забыла.

— Когда вы размышляете на отвлеченные темы, вид у вас еще более безалаберный, чем обычно.

— Обычно я кажусь безалаберной?

— Ужасно. Я бы, например, не отпустил вас одну путешествовать. Через неделю б я нашел вас где-нибудь на полпути в зале для транзитных пассажиров. Рядом — стопка прочитанных книг, и все местные бармены успели стать вашими приятелями.

Он обсуждал эту перспективу с такой искренней тревогой, что она расхохоталась. Он считал ее абсолютно не приспособленной к жизни. Пожалуй, вот это всего сильней привязывало ее к Шарлю. Именно это, а вовсе не его достаток. Он принимал как должное ее безответственность, он поддерживал выбор, бессознательно сделанный ею лет пятнадцать назад: никогда не расставаться с детством. Антуана же это выводит из себя. Созданный ею собственный образ вполне совпадает с тем, какой ее видит Шарль. Он его устраивает. Как знать, не окажется ли это сильнее страсти, если ради нее надо всем этим жертвовать?

— Давайте выпьем виски, я устал, просто с ног валюсь, — предложил Шарль.

— Полина мне не позволяет пить. Попросите двойную порцию, я глотну у вас из стакана.

Шарль улыбнулся и позвонил. «Ну вот, я уже начинаю разыгрывать маленькую девочку. Еще немного, и заведу себе кукол и плюшевых мишек». Она потянулась, прошла к себе и, глядя на свою кровать, подумала: настанет ли день, когда она проснется рядом с Антуаном?

ГЛАВА 11

Гостиная Дианы утопала в цветах. Было тепло, так что высокие окна оставались распахнутыми. Но в обоих каминах пылал огонь. Люсили это сочетание показалось восхитительным. Она то подходила к окну подышать запахами улицы, предвещавшими лето — пыльное, жаркое, томное лето, — то возвращалась к камину с его ароматом горящего дерева. Этот терпкий запах напоминал ей Солонь, куда они с Шарлем прошлой осенью ездили на охоту.

— Дивная мысль. Соединить два времени года, — улыбнулась она Диане.

— Да, только весь вечер чувствуешь себя не по погоде одетой.

Люсиль рассмеялась. Она смеялась искренне и заразительно, говорила с Дианой без тени смущения, и Диане стало стыдно за свою ревность. Люсиль изумительно держится, так не бывает, когда у человека совесть нечиста. У нее, положим, и впрямь такой же рассеянный и отстраненный вид, как и у Антуана, но почему бы этому не быть единственным, что у них общего? Да и Блассан-Линьер вполне спокоен. И Антуан весел. Право, ей просто померещилось. Она посмотрела на Люсиль с симпатией, почти с благодарностью.

— Пойдемте со мной, — предложила Диана, — я покажу вам квартиру.

Люсиль с серьезной миной оценила итальянскую керамику в ванной, восхитилась удобствами стенных шкафов. Диана повела ее в свою комнату.

— Здесь небольшой беспорядок, не обращайте внимания.

Антуан опоздал и переодевался у нее. Рубашка и галстук, в которых он бегал днем, валялись на полу. Диана украдкой бросила быстрый взгляд на Люсиль. Но по лицу той проскользнуло лишь вполне естественное смущение воспитанного человека, не более. И все же что-то не давало Диане покоя. Ей было стыдно за себя, но она ничего не могла с собой поделать. Она подобрала с пола одежду, положила на кресло. Люсиль оставалась невозмутимой. Диана заговорщицки улыбнулась:

— Мужчины такие неряхи...

И посмотрела Люсили прямо в глаза.

— Шарль очень аккуратен, — любезно возразила Люсиль.

Ее разбирал смех. «Может, она еще расскажет мне, что Антуан вечно оставляет открытой зубную пасту?» Она ни капли не ревновала. Галстук взволновал ее не больше, чем случайная встреча с одноклассницей у подножия египетских пирамид. Она подумала, что Диана очень красива, и удивилась, почему Антуан предпочел ее, Люсиль. В этот момент она казалась себе мудрой, беспристрастной, доброжелательной. Как, впрочем, всякий раз, когда случалось выпить лишнего.

— Надо идти к гостям, — вздохнула Диана. — Сама не знаю, зачем устраиваю эти приемы. Роль хозяйки дома — не мое амплуа. Да и гостям, пожалуй, не слишком весело.

— Ну что вы, сегодня у вас просто замечательно, — убежденно возразила Люсиль. — Кстати, Клер дуется, а это хороший признак.

что вы подмечаете такие вещи. У вас обычно вид несколько...

— Безалаберный? — подсказала Люсиль. — Вот и Шарль говорит. Буквально сегодня у нас об этом зашел разговор. В конце концов я и сама поверю.

Они посмеялись. Люсиль подумала, что Диана достойна всяческого уважения. Несомненно, она из редких в этом кругу женщин, способных на благородство. Люсиль никогда не слышала из ее уст ни грубости, ни пошлости. И Шарль хорошо о ней отзывается, а ведь он весьма щепетилен в таких вопросах и совершенно не выносит пошлости, столь распространенной в их среде. Как жаль, что им не суждено стать подругами! Но, может, если Диана и правда умная женщина, когда-нибудь все и уладится? Эта наивная мысль показалась Люсили верхом мудрости. Только появление Антуана удержало ее от откровений, последствия которых было бы трудно предсказать.

— Вас ищет Дестре, — обратился он к Диане, — он рвет и мечет.

Антуан с тревогой посмотрел на женщин.

«Верно, думает, я ревную и пытаюсь что-то выведать, — промелькнуло у Дианы, успокоенной разговором с Люсилью. — Бедный Антуан...»

— У меня совесть чиста. Я показывала Люсили квартиру.

Растерянная физиономия Антуана развеселила Люсиль. Женщины смеялись, точно сообщницы. Антуан почувствовал, что начинает злиться: его мужская гордость была уязвлена. «Одна только что из моей постели. С другой я проведу ночь. А они вместе потешаются надо мной. Это уж слишком».

— Я сказал что-нибудь смешное?

— Да нет, — покачала головой Диана. — Просто вы так переживаете плохое настроение Дестре, хотя всякий знает, что ему вечно что-нибудь не по нутру. Это показалось нам забавным, только и всего.

Она вышла, Люсиль последовала за ней, состроив на ходу уморительно-презрительную гримасу. Антуан не выдержал и тоже расхохотался. Два часа назад она сказала: «Я тебя люблю». Какое у нее было лицо! А теперь смеет корчить ему рожи! В гостиной Люсиль сразу столкнулась с Джонни. Тот скучал и бросился ей навстречу, предложил стакан виски, подвел к окну.

— Я обожаю вас, Люсиль. С вами по крайней мере можно чувствовать себя спокойно. Я знаю, что вы не станете приставать ко мне с глупыми вопросами: что я думаю о последней премьере или о ком-нибудь из гостей.

— Вы мне это каждый раз говорите.

— Будьте осторожны, — Джонни неожиданно перешел на шепот. — У вас вызывающе счастливый вид.

Люсиль провела ладонью по лицу, как если бы счастье было маской, которую можно так запросто снять. Сегодня она сказала «люблю» человеку, который ответил: «Я тебя тоже». Неужели это так бросается в глаза? Ей вдруг показалось, что все вокруг на нее уставились. Она покраснела и залпом выпила едва разбавленный скотч, поднесенный Джонни.

— Просто я сегодня в настроении, — слабо возразила она. — И все вокруг кажутся ужасно симпатичными.

Обычно на такого рода вечеринках Люсиль не стремилась понравиться, считая это пустым занятием. Но сейчас ей захотелось заслужить прощение за свое слишком счастливое лицо. Так некрасивые женщины начинают порой трещать без умолку, отвлекая внимание от своей внешности. Люсиль переходила от группы к группе, расточая любезности, приветливая и застенчивая. Она даже ошарашила Клер, одарив ее комплиментом по поводу платья. Шарль наблюдал за ней издали и не переставал удивляться. Когда они уже собрались уезжать, к нему подошла Диана.

— Шарль, нынче такой чудесный вечер. Никому не хочется спать, и Люсили первой, по-моему. Что, если нам поехать потанцевать?

Она глядела на Люсиль с симпатией. Шарль знал, что Диана ревнует, и видел, как женщины уединялись. Теперь он вздохнул с облегчением, решив, что тревога оказалась ложной. И этот вечер превратился для него в праздник по случаю всеобщего примирения. Он согласился с легким сердцем.

Они условились встретиться в ночном ресторане. Шарль с Люсилью приехали первыми и сразу пошли танцевать. Люсиль была в ударе, она болтала, не закрывая рта. Внезапно она запнулась на полуслове. В дверях появился высокий мужчина, намного выше всех вокруг. Темно-синий костюм, золотистые глаза. Его лицо, его плечи, каждая складка на пиджаке — все в нем было родным. Он подошел к их столику, сел. Диана задержалась внизу у зеркала. Он пригласил Люсиль на танец. Когда рука его коснулась ее плеча, ей стало тепло и чуть тревожно. Танцуя, он чуть отстранялся, словно боясь поддаться искушению. Чтоб скрыть волнение, она напустила на лицо скуку, пытаясь обмануть окружающих, хотя никто на них не смотрел. Она впервые танцевала с Антуаном — под сентиментальную и ритмичную песенку, которую той весной крутили повсюду.

Они вернулись к столику. Диана с Шарлем в это время ушли танцевать. Люсиль и Антуан сели на разных концах стола, друг против друга.

— Тебе весело? — спросил Антуан. Он едва сдерживал гнев.

— Да, — чуть удивленно отозвалась Люсиль. — А тебе разве нет?

— Ни капельки. Мне не по душе такого рода забавы. В отличие от тебя терпеть не могу вранья.

Он не знал, о чем Люсиль говорила с Дианой. Он сгорал от желания. Мысль, что через несколько минут Люсиль уедет с Шарлем, казалась ему невыносимой. В нем проснулся моралист. Неудовлетворенное желание нередко играет с мужчинами подобные шутки.

— Ты же чувствуешь себя просто как рыба в воде.

— А ты?

— А я нет! Есть порода мужчин, почитающих за доблесть крутить сразу с двумя. Но я не могу считать себя мужчиной, заставляя сразу двоих страдать.

— Видел бы ты себя со стороны там, у Дианы, — воскликнула Люсиль. — У тебя была такая растерянная физиономия!

Она засмеялась.

— Не смейся! — Антуан насилу себя удерживал. — Через десять минут ты останешься с Шарлем или одна, только не со мной.

— Но завтра...

— Хватит с меня этих «завтра». Ты должна понять.

Люсиль промолчала. Она тщетно пыталась придать себе серьезный вид. Алкоголь всегда приводил ее в состояние эйфории. Незнакомый молодой человек пригласил ее на танец, но Антуан ему сухо отказал. Люсиль надулась. Ей хотелось танцевать, болтать, веселиться, может, даже уйти отсюда с кем-нибудь третьим. Она не хотела ни о чем думать, она хотела только развлекаться.

— Я сейчас пьяненькая, — жалобно протянула она.

— Это заметно.

— Может, и тебе стоит выпить? А то ты такой мрачный...

Они впервые поссорились. Но стоило ей взглянуть на его упрямое, детское лицо, как к ней вернулась нежность:

— Антуан, ты же знаешь...

— Да-да. Я знаю: ты любишь меня по-настоящему.

Он встал. К столику возвращалась Диана. Шарль выглядел страшно усталым. Он кинул умоляющий взгляд на Люсиль и извинился перед Дианой: завтра рано вставать, к тому же он слишком стар для такого шумного заведения. Люсиль безропотно последовала за ним. Но в машине впервые за два года она почувствовала себя пленницей.

ГЛАВА 12

Диана в ванной комнате смывала с лица косметику. Антуан включил проигрыватель и, усевшись возле него на полу, слушал бетховенский концерт. Дверь в ванную была приоткрыта. Диана с улыбкой смотрела на его отражение в зеркале. Антуан всегда садился на пол у проигрывателя, как язычник перед идолом или дикарь у огня. Она сколько раз объясняла, что это стереосистема и звук динамиков на стене идет к середине комнаты, туда, где кровать. Он все равно норовил усесться ближе к проигрывателю, вращение черного диска зачаровывало его. Диана тщательно смыла дневной макияж и снова взялась за кисточку. Она знала свое лицо наизусть и умело прятала морщинки под гримом. Ей было не до того, чтобы дать коже отдохнуть, как советуют дамские журналы. Ее сердце тоже не знало отдыха. На это не было времени. Ей казалось, что только красота поможет удержать Антуана. Поэтому она не берегла ее на будущее. Есть натуры, кстати, самые щедрые, что живут лишь настоящим и отмахиваются от остального. Диана была из их числа.

Все в Антуане напряглось. Слабые звуки, долетавшие из ванной, раздражали его, заглушая скрипки и трубы Бетховена. Вот Диана вскрыла пакетик с косметическими салфетками, вот провела щеткой по волосам. Через пять минут она вернется. Ему придется встать, раздеться и лечь в постель с этой ухоженной женщиной, хозяйкой этой изысканной комнаты. А ему хотелось быть рядом с Люсилью. Люсиль приходила к нему и падала на колченогую кровать из хозяйской меблировки. Люсиль торопливо сбрасывала с себя одежду. Люсиль торопливо исчезала. Она была неуловима, как ветер, быстра, как воровка. Неуловима. Никогда она не будет жить у него. Никогда им не проснуться в одной постели. Она вечно будет лишь мимолетным видением. Да еще сегодняшний вечер он сам испортил. От всех этих мыслей к горлу подкатывал комок, как у ребенка.

Вошла Диана в голубом пеньюаре. Он не шелохнулся. Секунду она стояла на пороге, разглядывая его спину, затылок. От них словно исходит какая-то враждебность. Но не сметь об этом думать. Она устала. Нынче она позволила себе выпить лишнего, что с ней редко случалось. Она была в прекрасном настроении. Ей хотелось просто поболтать с Антуаном, вместе посмеяться. Хотелось, чтобы он рассказал о своем детстве. Хотелось не физической близости, а просто человеческой. Она не представляла, что его-то как раз терзает мысль о предстоящей постельной сцене. Иных желаний он в ней не предполагал. Она подсела рядом на ковер, по-дружески продев руку ему под локоть. В голове у него промелькнуло: «Да-да, сейчас будет исполнено, сию минуту». Обычно он не был таким циничным. Даже в случайных приключениях у него сохранялась капля уважения к любви. Ему всегда требовалось какое-то время, чтобы настроиться, прежде чем обнять женщину.

— Мне так нравится этот концерт, — произнесла Диана.

— И правда, очень красивый, — вежливо отозвался Антуан. Так отвечает человек на пляже, которого выдернули из сладкой дремоты, призывая полюбоваться красотой моря.

— Правда, удачный вышел вечер?

— Да, это было нечто, — ответил он, вытягиваясь с закрытыми глазами на ковре.

Диане подумалось: «Он выглядит таким одиноким и несчастным». А у него в ушах еще звучали только что произнесенные им слова, верней, их злой саркастический тон, которого он не мог себе простить. Диана затихла у его плеча. «Красивая, старая, размалеванная». Откуда это? Может, из Пеписа?

— Тебе было скучно?

Она встала, прошлась по комнате, поправила цветок в вазе, на ходу провела рукой по мебели. Антуан наблюдал за ней из-под прикрытых век. Она любила вещи, эти проклятые вещи. И он был одной из них. Самой роскошной вещью среди прочей роскоши. Мужчина на содержании. Не совсем, конечно. Но он обедал «у ее друзей», спал «в ее квартире», жил «ее жизнью». И он еще смеет осуждать Люсиль! Она-то по крайней мере женщина.

— Почему ты молчишь? Тебе было очень скучно?

Ее голос, ее вопросы. Ее пеньюар. Ее духи. Невыносимо. Нет, это просто невыносимо. Перевернувшись на живот, он уронил голову на руки. Диана опустилась рядом с ним на колени.

— Антуан, Антуан...

В ее голосе было столько нежности и неподдельной печали, что Антуан повернулся к ней. Глаза ее блестели. Секунду они так смотрели друг на друга. Потом он отвел глаза и притянул ее к себе. Она неловко и осторожно улеглась рядом с ним. Как если б была стеклянной и боялась разбиться. Или как при приступе радикулита. Он не любил ее, но в нем проснулось желание.

Шарль отправился в Нью-Йорк один и всего на четыре дня. Люсиль каталась по городу на машине. Она встречала лето. Она узнавала его приближение в каждом запахе, доносимом ветром, в каждом блике Сены. Она предвкушала парижское лето: запах пыли, листвы и земли вскоре повиснет над бульваром Сен-Жермен. Широкие листья каштанов, почти заслонившие розовое небо. Неуместно ярко горящие фонари. Летом их цеховая гордость ущемлена: такие нужные зимой машинам и людям, теперь они стали едва ли не паразитами. Тщетно пытаются они подыскать себе дело. Им негде вклиниться между никак не желающим угасать днем и занимающейся зарею, которой не терпится воцариться на парижском небе.

В первый же вечер Люсиль натолкнулась в Сен-Жермен-де-Пре на своих приятелей университетских и последующих лет. Они приветствовали ее радостными, но удивленными возгласами, точно явившееся невесть откуда привидение. Однако она быстро почувствовала, что успела стать для них чужой. Когда иссякли воспоминания и старые шутки, Люсиль поняла: все они обременены работой, денежными и личными проблемами, ее беззаботность раздражает их. Им с ней неинтересно. Сломать стену, воздвигнутую деньгами, оказалось

не легче, чем преодолеть звуковой барьер. Все слова доходят до собеседника лишь несколько секунд спустя, слишком поздно.

Люсиль отказалась поужинать с ними в старом бистро на улице
Кюжа. В половине девятого она вернулась домой, слегка подавлен-
ная этой встречей. Полина была рада ее раннему возвращению и
поджарила ей бифштекс. Люсиль распахнула окно и легла в постель.
День быстро угасал, уличный шум становился все тише. Она вспомнила, как месяца два назад ее разбудил ветер. Не вялый и монотон-
ный, как теперь, а дерзкий, быстрый, веселый. Тот ветер разбудил ее,
а этот навевал сон. С тех пор в ее жизнь вошел Антуан. Эти два месяца сами были целой жизнью. На завтра у них условлена встреча, они
решили вместе поужинать. Впервые вдвоем. Было немного тревожно
на душе. Не из-за себя, Люсиль об этом никогда не думала, — а вдруг
ему с ней окажется скучно? Вместе с тем какое-то умиротворение
низошло на нее. Комната постепенно погружалась в темноту. Вытянувшись в постели, Люсиль думала о том, что земля круглая и что,
хотя жизнь — сложная штука, ничего плохого не может приключиться.

Случается порой, что человек совершенно счастлив один, сам по
себе. Воспоминания о таких минутах скорее любых других спасают в
трудный момент от отчаяния. Вы знаете, что способны быть счастливым в одиночестве и без всяких видимых причин. Вы знаете, что это
возможно. И если человек несчастен из-за другого, безнадежно, по-
ти органически зависим от него, такие воспоминания возвращают
уверенность. Счастье представляется чем-то круглым, гладким, совершенным, навеки свободным, доступным — пусть оно далеко, но
достижимо. И это лучше помогает удержаться на плаву, чем память о
счастье, разделенном когда-то с кем-то еще. Та любовь ушла и кажется теперь ошибкой, а связанные с нею счастливые воспоминания —
обманными.

Завтра в шесть вечера Люсиль заедет за Антуаном. Они поедут за
город. У них впереди целая ночь. Она заснула с улыбкой на губах.

Гравий поскрипывал под ногами гарсонов. Летучие мыши шны-
ряли между висящими на террасе лампами. Краснолицая упитанная
пара молча уплетала омлет за соседним столиком. Они находились
километрах в пятнадцати от Парижа. Стало прохладно, и хозяйка
принесла Люсили большую шаль. Они ужинали в одной из тысяч
придорожных гостиниц, где тайные любовники и просто усталые го-
рожане могут рассчитывать на уединение и чистый воздух. Ветер трепал волосы Антуана. Он был в прекрасном настроении. Люсиль рассказывала о своем детстве, о своем счастливом детстве.

— Мой отец был нотариусом. Он обожал Лафонтена. Мы гуляли
с ним по берегу Индра, и он читал вслух басни. Да и сам сочинял, ба-

ловался. Во Франции не так уж много женщин, знающих наизусть «Ягненка и ворону», так что тебе повезло.

— Мне безумно повезло. Я знаю. Продолжай.

— Он умер, когда мне было двенадцать лет. Тогда же мой брат заболел полиомиелитом. С тех пор он прикован к инвалидной коляске. Мать думает только о нем, на шаг от него не отходит. По-моему, ей не до меня.

Люсиль умолкла. Переехав в Париж, она каждый месяц посылала матери деньги, не без труда отрывая их от своего скудного бюджета. Последние два года деньги посылает Шарль. Они никогда не обсуждали с ним эту тему.

— А мои родители ненавидели друг друга. Они не разводились, чтобы у меня была семья. Лично я предпочел бы иметь две семьи.

Антуан улыбнулся, перегнулся через стол и взял ее за руку.

— Представляешь? Весь вечер, всю ночь вместе.

— Мы поедем в Париж очень осторожно. Поднимем верх. Ты будешь вести потихоньку. Я сама стану прикуривать тебе сигареты, чтобы ты не отвлекался.

— Конечно, я буду вести осторожно, ведь рядом ты. Сперва где-нибудь потанцуем, потом поедем ко мне. И завтра утром ты наконец узнаешь, что я пью за завтраком — чай или кофе. И сколько кладу сахара.

— Танцевать? А вдруг встретим кого из знакомых?

— Ну и что? — помрачнел Антуан. — Надеюсь, ты не думаешь, что я собираюсь всю жизнь прятаться?

Она опустила глаза и ничего не ответила.

— Ты должна принять решение, — мягко продолжал Антуан, — но не волнуйся — не сегодня.

На ее лице отразилось облегчение, и он не смог сдержать смех:

— Я знаю, ты рада любой отсрочке. Ты же всегда живешь сегодняшним днем, так ведь?

Люсиль промолчала. Рядом с ним ей было так хорошо, она была самой собой. Ей хотелось с ним смеяться, заниматься любовью. Ей было настолько хорошо, что даже делалось немножко страшно.

Люсиль проснулась очень рано. Обвела глазами комнату. В ней царил беспорядок. Длинная рука Антуана мешала ей приподняться. Она снова закрыла глаза, перевернулась на живот и улыбнулась. С Антуаном она впервые поняла смысл выражения «ночь любви». Они поехали танцевать и никого не встретили. Потом отправились к нему, занимались любовью, курили, болтали, снова занимались любовью. И заснули только на рассвете, опьяненные словами и жестами, умиротворенные и изнуренные. Ночью, в неистовстве любви, им начало казаться, что они вот-вот умрут, не вынеся непомерности чувства. Сон пришел как избавление, как чудесный плот к потерпевшим кораблекрушение. Они взобрались на него, вытянулись на его тверди и впали в беспамятство, но рук так и не разжали. Она смотрела на профиль Антуана, и ей было страшно, что прежде она могла просыпаться не рядом с ним, а где-то еще. Ей нравилось, что он, такой беззаботный и рассеянный днем, становится столь заботливым и внимательным ночью. Как если бы любовь пробуждала в нем язычника, чья единственная и непреложная заповедь — доставлять ей удовольствие.

Антуан повернул голову и открыл глаза. Взгляд у него был как у новорожденного младенца. Многие мужчины первый миг после пробуждения смотрят на мир вот с таким младенческим удивлением. Теперь его тяжелая и теплая со сна голова покоилась на плече Люсили, большие ступни торчали из-под скомканных простыней. Он вздохнул и что-то жалобно простонал.

— А у тебя по утрам глаза совсем-совсем желтые, — сказала она, — прямо как пиво.

— Тоже мне, нашла поэтический образ.

Он взял ее за подбородок и повернул лицом к свету.

— А у тебя почти синие.

— Нет, — возразила она, — серые. Серо-зеленые.

— Хвастунья.

Как были нагишом, они сидели на кровати. Он пристально смотрел ей в лицо. Оба улыбались. У него были широкие плечи. Она выскользнула из его объятий и прижалась щекой к груди. Сердце его колотилось почти так же сильно, как у нее.

— Как сильно бьется. Это что, от усталости?

— Нет, — ответил Антуан, — это шамада[1].

— А что такое шамада?

— Посмотришь в словаре. Сейчас неохота объяснять.

Он нежно опрокинул ее на спину. На улице уже было совсем светло.

В полдень Антуан позвонил в свое издательство и сказал, что у него поднялась температура, однако после обеда он придет.

— Все это сплошное мальчишество, но мне нельзя потерять место. Приходится думать о хлебе насущном.

— Тебе хорошо платят? — небрежно поинтересовалась Люсиль.

— Нет, гроши, — ответил он тем же тоном. — По-твоему, это важно?

---

[1] Ш а м а д а — барабанный бой, означающий сигнал к капитуляции. Второе значение — сильное сердцебиение. — *Примеч. пер.*

Люсиль засмеялась:

— Нет, просто, по-моему, легче жить, когда много денег.

Взгляд Антуана удивил ее.

— Почему ты спросил?

— Потому что хочу, чтобы мы жили вместе. Значит, я должен обеспечивать тебя.

— Прости, — поспешно прервала она, — но я сама могу себя обеспечить. Я целый год проработала в «Аппеле», пока газета не закрылась. Это было даже забавно, только у всех там такой деловой и озабоченный вид, что...

Антуан перебил:

— Ты все слышала. Я хочу, чтобы мы или жили вместе, или больше не встречались. Я живу в этой квартире, мало зарабатываю. Я не смогу обеспечить тебе ту жизнь, что ты ведешь сейчас. Ты слушаешь?

— А как же Шарль? — слабым голосом возразила она.

— Или я, или он. Он ведь на днях возвращается. Так вот: либо ты переезжаешь ко мне, либо мы больше не увидимся. Все.

Он встал и ушел в ванную. Люсиль грызла ногти. Ей никак не удавалось сосредоточиться. В голове крутилась одна и та же мысль: «Так я и знала. Это должно было случиться. Как с мужчинами тяжело!» Через два дня надо принять решение. Решение! Само это слово бросало ее в дрожь.

Глава 13

Аэропорт Орли заливал холодный солнечный свет. Он отражался в стеклах, в серебристых спинах самолетов, разбивался на тысячи мелких осколков в лужах на посадочной полосе, слепил глаза. Рейс Шарля опаздывал на два часа, и Люсиль, вне себя от тревоги, нервно прохаживалась по залу ожидания. Если с Шарлем что-то случится, она не перенесет, это будет ее вина — она отказалась поехать с ним, изменяла ему. Решительное и печальное выражение лица, с каким два часа назад она приехала в аэропорт и которое должно было еще до начала разговора дать Шарлю понять, что что-то неладно, помимо ее воли сменилось на тревожное и нежное. Такой он и увидел ее, выйдя в зал после таможенного досмотра. Издали он послал ей ласковую, успокоительную улыбку, подошел, нежно поцеловал. Краем глаза Люсиль заметила во взгляде какой-то молодой женщины откровенную зависть. Люсиль всегда забывала, что Шарль очень красив. Он слишком любил ее, чтобы она об этом помнила. Он любил ее такой, какая есть, не требовал отчета в поступках, вообще ничего не требовал. Она смотрела на Шарля, и в ней подымалось глухое раздражение против Антуана. Легко ему говорить о выборе, требовать

разрыва. Но ведь нельзя же прожить с человеком два года и не привязаться! Она взяла руку Шарля, сжала в своей. У нее было чувство,
что он нуждается в защите, — ей и в голову не пришло, что защищать его приходится от нее самой.

— Я очень по вас соскучился, — сказал Шарль. Он улыбнулся,
расплатился с носильщиком, кивнул шоферу на свои чемоданы. С жи-
тейскими делами, не в пример душевным, он всегда обходился с легкой непринужденностью. Люсиль давно привыкла, что с ним можно
ни о чем таком не задумываться. Он отворил ей дверцу машины, обошел вокруг и сел рядом. Потом почти робко взял ее за руку и сказал
шоферу «домой» тем радостным тоном, каким говорят люди, радую-
щиеся возвращению. Она почувствовала, что попала в ловушку.

— Не понимаю, отчего вы скучали. Ну что вы во мне нашли?

Голос ее прерывался от отчаяния, но Шарль улыбнулся, усмот-
рев в ее тоне простое кокетство.

— Я нахожу в вас все, вы прекрасно знаете.

— Я этого не заслуживаю.

— Разве можно говорить о заслугах применительно к чувствам? — возразил он. — Я привез вам из Нью-Йорка очень красивый
подарок.

— А какой?

Он не хотел раскрывать секрет, и они ласково препирались до самого дома. Полина приветствовала их возгласами облегчения. Она
полагала воздушные путешествия смертельно опасными. Они вместе
распаковывали чемоданы Шарля. Он привез ей норковое манто. Мех
был светло-серый, под цвет ее глаз, мягкий и шелковистый. Пока
она вертелась перед зеркалом, Шарль радовался, как ребенок. Во
второй половине дня она позвонила Антуану и сказала, что им надо
встретиться, что ей не хватило мужества поговорить с Шарлем.

— До тех пор мы с тобой не увидимся, — отрезал Антуан и бросил трубку. В его голосе прозвучали непривычные нотки.

Они не виделись уже четыре дня, но Люсиль так на него разозлилась, что поначалу даже не ощущала боли. То, что он оборвал разговор, привело ее в бешенство. Люсиль терпеть не могла грубостей.
К тому же не сомневалась, что Антуан скоро позвонит сам. Та ночь
неразрывно связала их: они слишком далеко зашли по дороге любви.
Они сделались двумя жрецами одного культа, и отныне этот культ существовал как бы вне их, независимо от их желания. Умом Антуан
мог сердиться на Люсиль, но тела их уже стали вечными союзниками,
половинками целого. Тела их теперь уподоблялись двум лошадям,
разлученным ссорой хозяев, но уверенным, что скоро вместе ускачут
в солнечные долины блаженства. Она и мысли не допускала, что мо-

жет быть иначе. Она не могла представить, что человек способен сопротивляться своим желаниям, никогда не понимала, ни зачем, ни почему это делается. В этой лицемерной, слезливой Франции она не находила лучшей морали, чем та, которую диктует живая горячая кровь.

Особенно ее злило, что он не дал ей объясниться. Она рассказала бы, что пережила, пока ждала в аэропорту, объяснила бы, что вправду намеревалась порвать. Конечно, ничто не мешало поговорить с Шарлем дома, вечером. Но ей было так трудно решиться на этот разговор, настроить себя на драматическую ноту разрыва, что неудача первой попытки показалась знаком судьбы, дурным предзнаменованием. Когда замышляешь недоброе, легко впадаешь в суеверие. Однако Антуан все не звонил, и она все больше тосковала.

Близилось лето, и приемы начали устраивать на свежем воздухе. Люсиль с Шарлем были приглашены на ужин в Пре-Кателан. Антуан и Диана стояли в центре оживленной компании под деревом. Еще прежде, чем его увидеть, Люсиль услышала его смех. «И он смеется *без меня!*» — пронеслось у нее в голове, но она уже шагнула к нему, еле сдерживая радость. С озаренным лицом она протянула ему руку. Он холодно поклонился и отвернулся. Утопающий в свежей зелени, ярко освещенный Пре-Кателан вмиг потускнел, сделался мрачным, враждебным. Ей стало невыносимо скучно, все вокруг представилось ничтожным, а собственная жизнь — постылой. Без Антуана, без его золотистых глаз, без его комнатушки, где три раза в неделю она познавала с ним несколько часов истины, этот суматошный и веселый мир превращался в декорацию бездарного художника. Клер Сантре показалась ей безобразной, Джонни — нелепым, Диана — зловещей. Она попятилась.

— Люсиль, — позвала Диана своим властным голосом, — не покидайте нас так скоро. Какое на вас красивое платье!

Теперь Диане нравилось расточать Люсили любезности. Ей казалось, что так она укрепляет свои позиции. Зато Клер и Джонни перемигивались у них за спиной: Джонни в конце концов раскололся, Клер немедленно оповестила всех приятельниц. И теперь, когда Антуан и Люсиль стояли друг против друга, бледные, смятенные, страдающие, на них устремились десятки полузавистливых-полуироничных взглядов. Люсиль вернулась.

— Я купила его только вчера, — машинально отозвалась она.

— Но, мне кажется, оно немного не по погоде.

— Все ж не настолько, как у Коко Дуред, — вмешался Джонни. — Сроду не видел так мало ткани на таком большом теле. Она говорит, его стирают, как носовой платочек. Только, по-моему, на это уходит еще меньше времени.

Люсиль поглядела в сторону Коко Дуред, прогуливавшейся под

электрическими гирляндами и впрямь полуголой. Чудный, глубокий запах мокрой земли поднимался от Булонского леса.

— Что-то вы, милочка, нынче как в воду опущенная, — обратилась к ней Клер.

В глазах ее горел огонек. Она взяла Джонни под руку. Тот тоже умирал от любопытства. Повисла неловкая пауза. Теперь и Диана вопросительно посмотрела на Люсиль. «Они как свора гончих на охоте. Любопытства ради готовы меня на куски растерзать», — мелькнуло у Люсили. Она с трудом выдавила улыбку.

— Я что-то замерзла. Попрошу Шарля принести мне манто.

— Я сейчас схожу, — отозвался Джонни. — Там в гардеробе очень милый молодой человек.

Он быстро воротился с манто в руках. Люсиль избегала смотреть на Антуана, но, точно птица, видела его боковым зрением.

— У вас новое манто! — воскликнула Клер. — Что за прелесть, какой дивный серый цвет! Отчего вы раньше его не носили?

— Шарль недавно привез его из Нью-Йорка, — пояснила Люсиль.

В этот миг она перехватила взгляд Антуана. И прочла в нем такое, что почувствовала желание ударить его. Она резко развернулась и пошла к другим гостям.

— В молодости норковые манто производили на меня большее впечатление, — прокомментировала Клер.

Диана нахмурилась: на лице Антуана появилось выражение, которого она так боялась. Неподвижное, пустое лицо, незрячие глаза.

— Принесите мне виски, — попросила она.

Она не смела задавать вопросов и потому отдавала приказания. Это слегка утешало ее.

На протяжении всего вечера Люсиль и Антуан старательно избегали друг друга. Но позже, когда началась музыка и все ушли танцевать, они остались одни за столом. Сидели они на противоположных концах, и этикет требовал, чтобы он к ней подошел. Он был буквально раздавлен переживаниями последних дней. Его преследовало видение: она в объятиях Шарля, говорит Шарлю те же слова, что и ему. Перед глазами стояло ее лицо, лицо женщины, у которой есть тайна. Это выражение появилось из-за него, и он бы отдал все на свете, чтоб вновь его увидеть. Он жестоко ревновал. Обойдя вокруг стола, он сел рядом с Люсилью.

Она отвернулась, и тут что-то в нем оборвалось. Он склонился к ней. Совершенно невозможно, невыносимо, что эта женщина, всего несколько дней назад бывшая с ним, лежавшая рядом обнаженной, держится теперь точно незнакомка.

— Люсиль, — прошептал он, — что ты с нами делаешь?

— А ты? Тебе приспичило, а я должна порвать в один день. Это было невозможно.

Она казалась спокойной, но была в отчаянии и чувствовала себя совершенно опустошенной.

— Что значит приспичило? — взвился он. — Я ревную. И ничего не могу с собой поделать. Я теперь не могу лгать, это просто убивает меня. Поверь, мысль о том... о том, что...

Он оборвал фразу, провел ладонью по лицу, потом заговорил опять:

— Скажи, после возвращения Шарля вы... ты с ним...

Люсиль резко повернула к нему лицо:

— Ты хочешь спросить, спала ли я с Шарлем? А как же, ведь он привез мне норковое манто!

— Ты не соображаешь, что говоришь...

— Нет. Но ты-то подумал именно это. Как ты на меня посмотрел! Ненавижу тебя.

Возвращались их соседи по столу. Антуан вскочил:

— Пойдем танцевать, нам надо поговорить.

— Нет. Разве я сказала неправду?

— Возможно. Порой в голову лезут скверные мысли.

— Но когда лезут вульгарные... — Она снова отвернулась.

«Послушать ее, выходит, я во всем виноват. Она мне изменяет, и я же виноват», — подумал Антуан. Его охватил гнев. Он так грубо схватил ее за руку, что на них начали посматривать.

— Пойдем танцевать.

Антуан почувствовал, что загнал себя в западню — он не мог ни отпустить ее, ни тащить силой. Ее слезы словно зачаровали его. «Никогда прежде я не видел ее слез. Господи, если бы она плакала, прижавшись ко мне, и я мог утешать ее, успокаивать».

— Отпусти меня, Антуан, — процедила она сквозь зубы.

Со стороны они выглядели нелепо. Понятно, он был намного сильней, и ему удалось приподнять ее, она почти висела у него на руках. Слишком нелепо, чтоб она могла улыбнуться этому как глупой шутке. На них глазели. Антуан был вне себя, он был безумен и зол. Ей сделалось страшно. Он нравился ей как никогда раньше.

— Вот это и называется вальс-сомнение? — раздался голос Шарля у них за спиной.

Антуан выпустил руку Люсили и резко обернулся. Он готов был со всей силы врезать по морде этому старому ослу и навсегда покинуть их ненавистный круг. Но рядом с Шарлем стояла Диана, спокойная, улыбающаяся, точно все происходящее ее не касалось. Она выглядела такой далекой.

— Уж не собирались ли вы силком заставить Люсиль танцевать?

— Именно, — ответил Антуан, пристально глядя ей в глаза.

Сегодня же вечером он уйдет от Дианы. Как только он сформулировал для себя это решение, у него сделалось спокойно на душе. И еще ему стало жалко Диану. Ее роль так ничтожна, она никогда не занимала его всерьез.

— Странно видеть у вас уличные замашки, вы уже вышли из этого возраста.

Она повернулась и направилась к столу. Шарль склонился к Люсили и с улыбающимся, но напряженным лицом принялся расспрашивать, что случилось. Люсиль, тоже с улыбкой, что-то ему отвечала. У нее богатая фантазия. Впрочем, тут каждому хватит изворотливости, чтоб выкрутиться из щекотливого положения, чтоб сохранить и уберечь свои секреты. Каждому, только не Антуану. С секунду он постоял в нерешительности, потом развернулся и быстро пошел прочь.

ГЛАВА 14

За окнами лило. В комнату доносился шум, с которым тяжелые капли разбивались о тротуар. Летний дождь, меланхоличный и теплый, напоминал скорее душ, чем разбушевавшуюся стихию. Сквозь ставни просачивался утренний свет. Люсили никак не удавалось заснуть. Сердце колотилось. Она прислушивалась к его неровным толчкам и словно со стороны наблюдала, как тяжелеют пальцы и пульсирует голубая вена на левом виске. Вот уже два часа она никак не могла совладать со своим сердцем. Она прислушивалась к себе со смесью удивления, иронии и отчаяния. Они уехали из Пре-Кателан, как только Люсиль заметила исчезновение Антуана, бледность Дианы и всеобщее оживление по поводу очередного скандала.

Люсиль уже не сердилась. Она даже спрашивала себя, какая муха ее укусила. Во время эпизода с манто его взгляд показался ей оскорбительным. В нем сквозило: ты продажна. Но, может, отчасти он и прав? Живет-то она на содержании Шарля. Ей нравятся его подарки — конечно, не из-за их стоимости, а как знаки внимания. Этого Люсиль не могла отрицать, да и не собиралась. Ей представлялось вполне естественным жить на попечении богатого мужчины, которого к тому же уважаешь. Антуан все извратил: по его выходит, она живет с Шарлем из-за денег и потому-то не хочет от него уходить. Антуан думает, она способна на такую расчетливость, вот и осуждает, и презирает ее. Люсиль знала, что ревность нередко толкает людей на низости, порождает недостойные мысли и суждения. Но ей невыносимо было, что это исходит от Антуана, как бы он ни ревновал. Она верила в него, между ними установилось нечто вроде внутреннего родства, морального сообщества. И потому Люсили казалось, что он нанес ей удар из-за угла.

Что она могла ответить? «Да, Шарль привез мне манто, и мне это было приятно. Да, после мне случалось спать с ним. Конечно, это совсем не то, что бывает у нас с тобой. Подлинная страсть вообще ни на что не похожа. Мое тело становится умным, изобретательным только рядом с твоим, ты должен бы это знать». Но он бы ее не понял. Старая, тысячи раз проверенная истина: в таких делах мужчине никогда не понять женщину. Люсиль поймала себя на том, что рассуждает, как суфражистка, и разозлилась — сперва на себя, потом опять на него. «Я вот не упрекаю его за Диану, не ревную. И что, из-за этого я — урод, чудовище? А если и так, ничего не могу с собой поделать». Но если она оставит все как есть, то навсегда потеряет Антуана. От этой мысли Люсиль похолодела. Слово «навсегда» заставляло ее биться в постели, точно вытащенную из воды рыбу. Было четыре утра.

В ее комнату тихо вошел Шарль и сел на край кровати. Лицо его осунулось. При резком утреннем свете он выглядел на все свои пятьдесят. Домашний халат из дорогой тонкой ткани был скроен в спортивном стиле, но это его не молодило. Он положил руку ей на плечо. С минуту они молчали.

— Тоже не спите? — спросил Шарль.

Люсиль отрицательно качнула головой, попыталась изобразить что-то вроде улыбки, принялась было лепетать какую-то чепуху насчет слишком острой кухни. Но она была чересчур измучена, не было сил на притворство. Она умолкла и закрыла глаза.

— Может, нам стоит... — начал Шарль. Он запнулся, секунду помолчал и продолжал более твердо: — Как вы посмотрите, если вам на время уехать из Парижа? Одной или со мной. Вам хорошо бы съездить на юг. Вы как-то говорили, что море вас от всего излечивает.

Она не спросила, от чего именно, по мнению Шарля, ей следует лечиться. Не стоило затевать такого разговора. Она поняла это по его голосу.

— На юг? — мечтательно переспросила она. — На юг?..

Она лежала с закрытыми глазами. Она представила себе волны, набегающие на берег, вспомнила песчаные пляжи в час заката. Господи, как она это любит! Ей так не хватало всего этого!

— Я поеду с вами, как только вы сможете, — ответила она и наконец открыла глаза. Но Шарль сидел отвернувшись. На миг она этому удивилась, а в следующую секунду удивилась тому, что ощутила тепло бегущих по щекам слез.

В начале мая отдыхающих на Лазурном Берегу негусто. Единственный открытый в это время ресторан, как, впрочем, и чуть не вся гостиница, и пляж были в их распоряжении. Через неделю у Шарля вновь проснулась надежда. Люсиль целые дни проводила на пляже, часами не выходила из воды, много читала и пересказывала ему прочитанное. Она лакомилась жаренной на углях свежей рыбой, играла в карты с немногочисленными пляжными соседями. Она выглядела вполне счастливой. По крайней мере довольной. Правда, по вечерам она много пила. И еще. Однажды она была необычайно страстной в постели, почти агрессивной; прежде с ней такого не случалось. Шарль не знал, что все, что бы она ни делала, питалось надеждой вновь увидеть Антуана. Она загорала, чтобы ему понравиться. Ела, чтобы не показаться слишком тощей. Читала книги, вышедшие в его издательстве, чтобы после с ним обсудить. И пила, чтобы не думать о нем, а иначе ей вообще не заснуть. Она самой себе не признавалась, что живет лишь надеждой на эту будущую встречу. Она жила, как существо, у которого отрезали половину и которое с этим смирилось. Но стоило расслабиться, на миг потерять контроль, вовремя не напомнить себе о горячем солнце, прозрачной воде, желтом песке, как воспоминания об Антуане обрушивались на нее, точно спущенный с горы камень. И она растворялась в этих видениях, лежа на спине с раскинутыми руками, словно пригвожденная к песку. Только не гвозди впивались в ладони, а наплывающие из памяти образы кололи сердце. Удивленно, точно со стороны, она наблюдала, как сердце ее до краев наполняется горечью, она точно видела, как оно опрокидывается, опустошаясь, и тогда, пустое, становится вовсе ненужным. К чему теперь солнце, море, это чувство телесного блаженства — все, чего еще недавно ей было довольно для счастья? Зачем все это, если рядом нет Антуана, если нельзя этого с ним разделить? Они бы вместе уплывали в море. От солнца и соли его волосы совсем бы выгорели. В ложбине между двумя волнами они б целовались. В дюнах, за пустующими домиками в двух шагах от пляжа, занимались бы любовью. Вечерами, тесно прижавшись к нему, она б любовалась ласточками, снующими у розовых крыш. И не надо было бы убивать время. Напротив, его бы следовало беречь, лелеять, тормозить его неумолимый бег. Когда думать об этом становилось невмочь, Люсиль лениво поднималась и брела к бару. Выбрав у стойки место, где Шарлю не было видно, она заказывала один или два коктейля и быстро, почти залпом, выпивала их под ироничный взгляд бармена. Ей было наплевать, что он считает ее тайной алкоголичкой. Все равно в конце концов так и случится. Она возвращалась на пляж, ложилась на песок у ног Шарля. Она зажмуривалась, и солнце обращалось в ослепительный белый круг. Она не чувствовала уже ни его горячих лучей, ни огня алкоголя в крови. Образ Антуана затуманивался, расплывался, он больше не мог причинять ей боль. На несколько часов она освобождалась от него, получала передышку. Шарль выглядел счастливым, а это уже кое-что. Когда он, в безупречных фланелевых брюках, в элегантном темно-синем блайзере, в дорогих мокасинах, с тщательно повязанным на шее платочком, поворачивался к ней, Люсиль изо всех сил гнала от себя мысли об Антуане. Об Антуане в распахнутой на груди рубахе, в полотняных брюках, ловко облегающих длинные ноги, босом, с волосами, растрепанными ветром. У Люсили бывали романы с молодыми людьми. И, конечно, она любила Антуана не за то, что он молод. Будь он старик, она б его все равно любила. Но ей нравилось, что они ровесники. И нравилось, что у него светлые волосы. Ей нравилась требовательность его морали и его чувственность. Ей нравилось, что он любил ее, а теперь больше не любит. Не может быть, чтоб он ее не разлюбил. И любовь ее стеной вставала между нею и солнцем, между нею и беззаботностью. А может, и жизнью вообще. Она стыдилась этого. Ее единственный жизненный принцип вмещался в два слова: быть счастливой. Ей казалось просто недопустимым, что люди сами себе осложняют жизнь. Окружающие не могли этого понять и часто ее осуждали.

«Это расплата», — с горечью думала она. Люсиль всегда презирала понятие долга, всю жизнь отвергала любые моральные и социальные табу. То, как люди себе портят ими кровь, казалось ей отвратительным, точно постыдная болезнь. И вот она сама ею заразилась. Она страдала и даже не могла упиваться своим страданием. А это хуже всего. У Шарля были дела в Париже. Она проводила его на вокзал, обещала держаться паинькой, вообще выказывала нежность. Он обещал вернуться через шесть дней и звонить каждый вечер. На пятый день, около четырех дня, раздался звонок. Небрежно сняв трубку, она услышала голос Антуана. Они не виделись пятнадцать дней.

Глава 15

Покинув Пре-Кателан, Антуан быстрыми шагами пошел через Булонский лес. На ходу он громко, как умалишенный, разговаривал сам с собой. Шофер Дианы кинулся было к нему, но, к его великому изумлению, Антуан протянул ему пять тысяч франков со словами: «Извините, это не бог весть что, но у меня при себе больше нет». Антуану так не терпелось побыстрее избавиться от Дианы, что ему казалось: все должны узнать об этом как можно скорей. На улице Гранд-Арме он заявил проститутке, предложившей свои услуги, что сыт по горло такими, как она. Потом вернулся, чтоб извиниться, и целых полчаса понапрасну ее разыскивал, она как сквозь землю провалилась. Верно, нашелся кто-нибудь ее утешить. С твердым намерением напиться Антуан зашел в бар на Елисейских Полях. Там он чуть не подрался с каким-то пьянчугой под предлогом туманных политических разногласий. А на деле же из-за того, что бедняга прилип к музыкальному автомату. Антуану же хотелось еще и еще слушать вальс, под который он танцевал здесь с Люсилью. «Раз ты несчастен, будь несчастным до конца», — растравлял он себя. Одержав победу над алкашом, он добрался-таки до автомата и, ко всеобщей скуке, раз восемь заводил свой вальс. Потом ему пришлось оставить бармену удостоверение личности, поскольку в карманах не оказалось ни гроша. Домой Антуан вернулся в три часа ночи, совершенно обессиленный и уже протрезвевший от утренней прохлады. Он ощущал себя эдаким подгулявшим молодым холостяком — горе порой подбадривает и освежает, вызывая подобие эйфории.

У подъезда стоял Дианин «Ройс». Антуан заметил машину издалека, но поборол искушение свернуть, подумав о несчастном шофере, что вынужден был, засыпая от усталости, дожидаться, пока соблаговолит вернуться дружок мадам. Подойдя к автомобилю, Антуан открыл дверцу и подал Диане руку. Не проронив ни звука, та вышла из машины. Поджидая его, она успела несколько раз подкраситься, и теперь, когда рассвело, рот казался слишком ярким. Из-за этого лицо ее, несмотря на притворное безразличие, казалось каким-то новым, молодым, растерянным. Диану и правда терзали сомнения, правильно ли она поступила, среди ночи приехав разбираться с любовником. И не ошибку ли она сделала, полюбив его. Прежде тема ошибки звучала в фильме ее жизни постоянным, но приглушенным фоном, как музыка за кадром. Теперь же она грохотала, точно тамтам, жестоко и неумолимо. Как во сне, Диана вышла из машины, опираясь на его руку. Она из последних сил старалась сохранить непринужденный вид, еще чуть-чуть продлить роль любимой женщины, прежде чем вступить в новую, незнакомую и ужасную роль брошенной. Она отпустила шофера, улыбнувшись ему заговорщицки. Словно записала в последние и бесценные свидетели своего счастья.

— Я вам не помешала? — спросила Диана.

Антуан покачал головой. Он повернул ключ в замке и пропустил ее вперед. Она всего второй раз была у него дома. Впервые — вскоре после их знакомства. Тогда ей показалось забавным провести их первую ночь в доме этого неуклюжего и плохо одетого молодого человека. Затем она распахнула перед ним двери своей роскошной квартиры на улице Камбон. В тот раз его комната показалась ей жалкой и неуютной. Сейчас она отдала бы все на свете, чтобы спать на этой колченогой кровати и складывать одежду на убогий стул.

Антуан прикрыл ставни, зажег красный ночник и провел ладонью по лицу. Щетина уже успела отрасти. Казалось, за эти несколько часов он похудел. Он был похож на бродягу. Когда у мужчин горе, они часто выглядят оборванцами. У Дианы вмиг вылетели из головы заготовленные слова. С момента его поспешного бегства она твердила себе: «Он обязан со мной объясниться». Но что значит обязан? Как вообще можно быть кому-то обязанным? С прямой спиной, с гордо поднятой головой, она присела на кровать. С каким удовольствием она бы вытянулась на ней, сказала: «Антуан, мне просто хотелось увидеть вас, я беспокоилась. Я так устала, мне хочется спать, давайте ляжем». Но Антуан выжидающе остановился посреди комнаты. Было ясно, ему не терпится прояснить ситуацию, а это значит — порвать с ней, сделать ей нестерпимо больно.

— Вы слишком внезапно уехали, — произнесла она как можно спокойнее.

— Приношу свои извинения.

Они говорили, как актеры на сцене. Он это сознавал и собирался с силами, чтобы бросить банальную, но неизбежную реплику: «Между нами все кончено». В глубине души он надеялся, что она станет попрекать его, заговорит о Люсили. Тогда бы на него накатил гнев, придал сил быть жестоким. Но у нее был такой нежный, такой кроткий вид, она казалась почти испуганной. И он с ужасом подумал, как плохо он ее знает и даже пальцем не пошевелил, чтобы узнать получше. А вдруг он для нее больше, чем только неутомимый любовник? Всегда он полагал, что ее привязывает к нему лишь удовлетворенная им чувственность плюс неудовлетворенное тщеславие (ибо так и не удалось ей подчинить его, как всех прочих самцов). А может, дело не только в этом? А вдруг Диана расплачется? Нет, немыслимо! Легенда о неуязвимой, гордой Диане так прочно укоренилась в Париже. Антуан слишком часто про это слышал.

В эти минуты им еще не поздно было и в самом деле узнать друг друга. Но Диана достала из сумочки золотую пудреницу и принялась поправлять косметику. За этим жестом крылось отчаяние. Но Антуан увидел в нем лишь признак холодности. «И правда, раз меня не любит Люсиль, кто ж может меня полюбить!» — подумал он с присущим отчаянию мазохизмом. Антуан закурил, резким, усталым движением швырнул спичку в камин. Однако Диана приняла это за выражение скуки, ей показалось, что ему не терпится от нее отделаться. Она задохнулась от ярости. Она забыла про Антуана, про свою любовь. В эту секунду лишь одно клокотало в ней: любовник посмел у всех на глазах бросить ее, Диану Мербель. Дрожащей рукой она взяла сигарету, Антуан поднес огонь. Сигарета неприятно горчила. Перед тем Диана слишком много курила. До нее вдруг дошло, что смутный, разноголосый шум, долетавший с улицы, — просто-напросто пение птиц. Они проснулись и радостно приветствовали первые лучи солнца, встающего над Парижем. Она взглянула на Антуана.

— Могу ли я спросить о причине вашего бегства? Или это меня не касается?

— Можете, — ответил он. Он смотрел ей прямо в глаза, в угол-

ках рта пролегла незнакомая ей складка. — Я люблю Люсиль. Люсиль Сен-Леже, — добавил он, точно могла идти речь о какой-то
иной Люсили.

Диана опустила глаза, взгляд ее упал на сумочку. Сверху — свежая царапина. Надо купить новую. Она смотрела на эту царапину,
пытаясь думать только о ней и ни о чем больше. «Где же я могла так
ее зацепить?» Она затаилась, ожидая, что замершее сердце вновь
начнет биться, что наступит день, что хоть что-нибудь произойдет —
зазвонит телефон, взорвется атомная бомба, что, наконец, ее немой
вопль перекроет уличный шум. Но ничего не происходило, только
птицы продолжали беспечно щебетать, и их веселый гомон был невыносим.

— Вот как... вы могли бы раньше мне сказать.

— Я сам этого не знал, — ответил Антуан. — Я не был уверен.
Мне казалось, я просто ревную. Но теперь, узнав, что она меня не
любит, я очень несчастен.

Он мог бы еще долго продолжать на эту тему. Впервые он говорил о Люсили с кем-то посторонним. Это доставляло ему болезненное наслаждение. С чисто мужским эгоизмом он не думал, каково это
слушать Диане. Особенно задело ее слово «ревную».

— Вы ревновали? Но ревновать можно лишь то, чем обладаешь,
вы же сами много раз говорили. Вы были ее любовником?

Он промолчал. Нараставший в Диане гнев заглушил ее страдание. Ей стало немного легче.

— Вы ревновали к Блассан-Линьеру? Или у нее, кроме вас, еще
любовники? Так ведь вам, мой бедный Антуан, не под силу содержать
ее в одиночку, если это вас может утешить.

— Не в этом дело, — сухо отрезал Антуан.

Он ненавидел Диану, посмевшую судить о Люсили так же, как
сам он несколько часов назад. Она не имеет права ее презирать. Теперь, когда он признался, ей остается только уйти. Ему хочется остаться наедине с воспоминаниями об их последней встрече в Пре-Кателан, о ее слезах. Почему она плакала — ей было больно или она
все-таки любит его?

— И где же вы встречались? Здесь? — будто издалека донесся
голос Дианы.

— Да, здесь. Днем, после обеда.

И он представил лицо Люсили в мгновения любви, ее тело, голос — все, что он потерял из-за собственной глупости, нетерпимо-
сти. Он был готов убить себя за это. Не будет больше ее шагов на лестнице. Не повторятся их вечера, великолепные и жаркие, все в
красном и черном. На его лице отразилась такая тоска, что Диана
дрогнула.

— Я никогда и не думала, что вы меня любите по-настоящему, — произнесла она, — но полагала, что достойна хотя бы уважения. Боюсь...

Он бросил на нее непонимающий взгляд. Мужчина не может уважать любовницу, если не любит. Конечно, Диана многим его устраивала. Конечно, он испытывал к ней долю уважения. Но инстинктивно, в глубине души, относился к ней, как к последней проститутке. Ведь она жила с ним, так и не потребовав слов любви, не сказав их сама. Слишком поздно она разглядела в золотистых глазах Антуана жестокую и сентиментальную детскость, которая не может обойтись без слов, сцен, страстей. Сдержанность и светский такт ничто для молодых. Диана знала: дай она волю своему гневу, начни умолять Антуана, он растеряется, но почувствует лишь брезгливость. Он слишком привык к образу, в каком видел ее все это время. И не захочет менять его. За гордую осанку приходится дорого платить. Но именно гордыня, гордость давали ей в это ужасное утро силы усидеть на краешке кровати с поднятой головой. Гордость, сделавшаяся непременной частью ее светского образа, столь привычная, что она перестала ее замечать, стала ее самым надежным союзником, ее опорой в эту горькую минуту. Так заядлому всаднику навык, обретенный за двадцать лет увлечения конным спортом, в одну прекрасную минуту помогает на городской улице увернуться от летящего автомобиля. Диана с удивлением обнаружила, что именно гордость — сокровище, о котором она не думала, которым почти не пользовалась, — именно она спасает ее от самого худшего — опротиветь себе самой.

Стараясь говорить ровным голосом, она спросила:

— Зачем вы сейчас мне все рассказали? Ведь вы могли еще долго скрывать. Я ни о чем не догадывалась. Верней, отказалась от своих подозрений.

— Наверно, я сейчас слишком несчастен, чтоб лгать.

Он мог бы лгать Диане всю ночь, утешать, уверять, если б знал, что завтра увидит Люсиль и что она его любит. Когда человек счастлив, для него нет невозможного. Теперь он понял Люсиль, то, почему она так легко, так охотно шла на обман. А он-то еще упрекал ее! Но поздно, слишком поздно до него дошло. Он смертельно ее ранил. Она не захочет его видеть. Какого черта здесь делает эта чужая женщина? Когда же она уйдет? Диана прочла его взгляд и нанесла удар вслепую.

— А как же Сара? — вкрадчиво спросила она. — Теперь она и для вас умерла?

Он промолчал. Его душила ярость. Диану это устраивало больше, чем равнодушное, почти дружеское выражение, лежавшее у него на лице минуту назад. Ей хотелось дойти до предела — до отчуждения, злобы, с языка рвались слова, которых не прощают. Так ей было легче.

— Вам лучше уйти, — наконец выговорил он. — Мне б не хотелось расстаться врагами. Вы всегда были ко мне очень добры.

— Я никогда ни к кому не была добра, — отчеканила Диана. — Мне было приятно проводить с вами время — в определенных обстоятельствах. Только и всего.

Она держалась очень прямо, твердо смотрела ему в лицо. Ему и в голову не могло прийти, что, появись на его лице хоть тень раскаяния, сожаления, она бы рухнула в его объятия, заливаясь слезами. Но он ничуть не жалел о разрыве, и она лишь протянула руку для поцелуя. Он машинально над ней склонился. Когда он выпрямился, выражение муки, промелькнувшее по ее лицу при виде этого светловолосого затылка, в последний раз склоненного над ее рукой, уже исчезло. Она прошептала «прощайте», стукнулась, выходя, о косяк и шагнула на лестницу. Он жил на четвертом этаже, но только на площадке второго она остановилась и дала волю слезам, уткнувшись своим прекрасным лицом в грязную влажную стену.

ГЛАВА 16

Две недели Антуан прожил отшельником. Он много бродил по Парижу, ни с кем не общался. Его не удивляло, что при встрече знакомые из числа приятелей Дианы делают вид, что его не узнают. Он знал правила игры: Диана ввела его в чуждый ему круг; порвав с нею, он автоматически из него выбывает. Ему даже показалось излишним, что Клер, столкнувшись с ним как-то вечером, соблаговолила обратить на него внимание. Она сообщила, что Шарль с Люсилью уехали отдыхать в Сен-Тропез. Она воспринимала как должное, что Антуан ничего об этом не знает. По ее понятиям, было очевидным, что, расставшись с одной женщиной, он автоматически теряет другую. Его это немного развеселило, хотя в тот период ему редко хотелось смеяться. Его преследовал отрывок из Аполлинера: «По моему прекрасному Парижу брожу, где нету смысла умирать. Рычащие автобусов стада...» Он не помнил, как дальше, да и не искал. Париж был прекрасен надрывной, синей, щемящей красотой. Антуан тоже не видел смысла здесь умирать, как, впрочем, и жить. Все, что ни делается, к лучшему. Люсиль на Средиземноморском берегу. Она говорила, что обожает море. Наверное, снова счастлива, ибо создана для счастья. Может, изменяет Шарлю с каким-нибудь местным красавцем. Диана повсюду появлялась с молодым кубинским дипломатом. Антуан видел в газете снимок этой парочки на премьере балета. Сам он много читал, не пил. По ночам часто думал о Люсили. И в бессильной ярости метался по постели. Случилось непоправимое, надеяться не на что. Память не в силах была отыскать ни единой зацепки, дающей надежду. Зато она неумолимо являла лицо Люсили, озаренное страстью. Воспоминания не давали покоя, мучили, опустошали. Правда ли, что им было вместе так хорошо? Ведь никогда не знаешь наверняка, насколько с тобой хорошо в постели. И невозможно быть уверенным, что такое же, а то и большее наслаждение не испытают с кем-то другим. О себе Антуан твердо знал, что ему никогда и ни с кем не изведать такого блаженства, как с Люсилью. Но не мог поверить, что стал ей столь же необходим. Иногда он вспоминал ее встревоженное лицо в тот вечер, когда она опоздала на коктейль. Вновь и вновь слышал ее голос: «Ты знаешь, я люблю тебя по-настоящему». Антуан готов был убить себя: упустил счастье. Он познавал лишь тело Люсили и совсем не думал о человеке. Овладев ею физически, не коснулся ее души. Да, они вместе смеялись, а смех — верный спутник любви. Верный, но не единственный. Он понимал это особенно ясно, вспоминая ее слезы в Пре-Кателан. Чтобы мужчина и женщина полюбили друг друга, недостаточно вместе смеяться. Надо еще заставлять друг друга страдать. Вряд ли Люсиль с ним согласилась бы. Но поздно об этом думать — она ушла. Мысленно он вновь и вновь затевал с нею этот спор, прерывал его и снова спорил. Он то резко вскакивал с места, то останавливался как вкопанный посреди улицы. Заколдованный круг.

На пятнадцатый день случайно повстречал Джонни. У того был отпуск, и он без дела слонялся возле кафе «Флора», облюбованного гомосексуалистами, а в последнее время еще и художниками. Джонни страшно ему обрадовался и потащил за столик. Они заказали виски. Антуана забавляло, как горделиво Джонни приветствовал своих знакомых. Антуан знал, что красив, но не придавал этому ни малейшего значения.

— Как поживает Люсиль? — осведомился Джонни.

— Не знаю.

Джонни рассмеялся:

— Я так и думал. Вы правильно поступили, порвав с нею. Она очаровательное, но опасное существо. В конце концов она сопьется, а Шарль будет с нею нянчиться.

— Почему вы так решили? — спросил Антуан с напускным безразличием.

— Да она уже начала спиваться. Один мой приятель видел, как она надралась на пляже. Но удивляться тут нечему.

Заметив выражение, с каким сидел Антуан, он снова засмеялся:

— Только не делайте вид, будто не знаете, что она была в вас влюблена. Это за версту в глаза бросалось. Что с вами?

Антуан хохотал и не мог остановиться. Его переполняли счастье и стыд. Боже, какой он глупец! Ну конечно, Люсиль его любит, помнит о нем! Разве они могли быть так счастливы вместе, если б она не любила его? Как мог он оказаться таким мрачным, эгоистичным дураком? Она любит его! Не забыла! Из-за него она потихоньку спивается. Наверно, думает, что это он ее забыл. А он все эти пятнадцать дней ни о чем другом думать не мог. Она страдает из-за его глупости. Надо немедленно ехать к ней, все объяснить. Пусть будет так, как она захочет, лишь бы обнять ее, вымолить прощение. Где находится Сен-Тропез?

Он вскочил.

— Да успокойтесь же, — тщетно взывал Джонни. — У вас взгляд буйнопомешанного.

— Простите, — бросил на ходу Антуан. — Мне надо срочно позвонить.

Он чуть не вприпрыжку понесся домой. Полаялся с телефонисткой, недостаточно толково объяснявшей, как звонить по автомату в департамент Вар. Он принялся обзванивать местные отели. В четвертом по счету ответили, что мадемуазель Сен-Леже действительно проживает, но сейчас на пляже. Он попросил соединить, когда она вернется. Он прилег на диван и стал ждать, положив руку на телефонную трубку, как Ланцелот Озерный на эфес меча. Он был готов ждать два часа, шесть часов, всю жизнь. Он был счастлив как никогда.

В четыре телефон зазвонил, он сорвал трубку.

— Люсиль? Это Антуан.

— Антуан, — мечтательно, как во сне, протянула она.

— Нам надо... Я хочу тебя видеть. Мне можно приехать?

— Да, — ответила она, — когда?..

Хотя голос ее звучал спокойно, по отрывистой краткости фраз он почувствовал, что нечто чудовищное, жестокое, пятнадцать дней пытавшее, корежившее, истязавшее их обоих, отступает. Он смотрел на свою руку, удивляясь, что она не дрожит.

— Может, я успею на самолет. Я выезжаю прямо сейчас. Ты сможешь встретить меня в Ницце?

— Да, — выдохнула она и после секундного колебания спросила: — Ты дома?

Прежде чем ответить, он трижды пропел в трубку ее имя: Люсиль, Люсиль, Люсиль.

— Приезжай скорей, — сказала она и повесила трубку.

Только теперь Антуану пришло в голову, что там может быть Шарль и что нету денег на билет. Но все это промелькнуло между прочим. Сейчас он был способен ограбить прохожего, убить Шарля, сам усесться за штурвал «Боинга». В половине восьмого стюардесса предложила желающим полюбоваться в иллюминатор Лионом. Но Антуану было не до того.

Повесив трубку, Люсиль закрыла книгу, достала из шкафа свитер, захватила ключи от машины, взятой Шарлем напрокат, и спустилась вниз. На ходу она ободряюще улыбнулась своему отражению в зеркале гостиничного холла. Так улыбаются казавшемуся безнадежным больному, который нежданно выздоровел и выписывается из больницы. Она подумала, что надо ехать очень осторожно — дорога извилистая, да и покрытие плохое. Лишь бы по пути не попалось какой-нибудь глупой собаки или встречного лихача. Их свиданию с Антуаном ничто не должно помешать. Она гнала от себя все мысли, кроме заботы об этих мелочах. До самого аэропорта она усыпляла себя словесным наркозом, возводила стену от самой себя. Первый рейс из Парижа прибывал в шесть. Хотя было абсолютно нереально, чтоб Антуан на него успел, она вышла встречать. Следующий самолет ожидался в восемь. Люсиль купила какой-то детектив и поднялась в бар на втором этаже. Тщетно она пыталась вникнуть в похождения частного сыщика. Герой был проворен и забавен, но ей было не до него. Ей доводилось слышать выражение «трудное счастье», однако на собственной шкуре она испытывала это впервые. Она чувствовала себя такой усталой, разбитой и измученной, что испугалась: вдруг не выдержит и хлопнется в обморок или заснет, сидя на стуле. Она позвала гарсона и сообщила, что встречает пассажира с восьмичасового рейса. Похоже, эта информация мало его заинтересовала. Но ей стало спокойнее: теперь, если с ней что случится, гарсон предупредит Антуана — она не представляла себе, каким образом, но это уже не важно. Ей хотелось все предусмотреть, принять все возможные предосторожности, чтоб не спугнуть то новое, хрупкое, что в ней зарождалось, — счастье. Она даже пересела за другой столик, чтоб лучше видеть часы и слышать объявления. Когда она закончила старательно и бессмысленно перебирать глазами черные знаки букв, так и не вникнув в их смысл, и захлопнула книгу, было еще только семь. Какая-то женщина со слезами на глазах целовала раненного, но одержавшего верх детектива в больнице Майами. Сердце болезненно ныло.

Прошел еще час, а может, два месяца или тридцать лет, прежде чем появился Антуан. Он вышел первым, поскольку не имел багажа. Они шагнули навстречу друг другу. Люсиль заметила, что он похудел, побледнел и плохо одет. Шевельнулась рассеянная мысль, что на деле они едва знакомы, и еще — что она любит его. Он неловко приблизился. Несколько секунд, не поднимая глаз, они держались за руки, потом пошли к выходу. Он что-то пробормотал насчет ее загара. Она вполне по-светски выразила удовлетворение, что он добрался благополучно. Они подошли к машине. Антуан сел за руль, она показала, где у этой модели стартер. Было тепло. В воздухе пахло морем и бензином, ветер колыхал верхушки пальм вдоль дороги. Несколько километров они проехали молча, даже не задумываясь, куда именно едут. Антуан остановил машину и привлек ее к себе. Он не целовал ее, просто прижимал, обхватив руками. Так они и сидели, щека к щеке. Люсиль готова была расплакаться — так ей вдруг сделалось легко. Потом он заговорил очень тихо и очень нежно, как с младенцем:

— Где Шарль? Теперь ему надо все сказать.

— Да, — согласилась она. — Но Шарль в Париже.

— Мы уезжаем ночным поездом. В Каннах есть ночной поезд?

Она кивнула и слегка отодвинулась, чтобы посмотреть на него. Он придвинулся ближе и поцеловал ее. В Каннах они взяли билеты в спальный вагон. Ночь была полна перестуком колес, криками поездов, постукиванием молоточков в руках обходчиков. Они заботились, чтобы колеса были в порядке, чтобы поезд благополучно пришел в Париж, заботились об их судьбе. Казалось, поезду нравится мчаться изо всех сил. Локомотив точно сошел с ума, и адские вопли исторгались из его груди, будоража сонные равнины.

— Я знал, — сказал Шарль. Он стоял к ней спиной, прижавшись лбом к оконному стеклу. Люсиль сидела на своей кровати, еле живая от усталости. Ей казалось, в ушах еще стоит перестук колес. Поезд прибыл на Лионский вокзал очень рано. Накрапывал мелкий дождь. Потом она позвонила Шарлю от Антуана, из их теперь общего дома. Они договорились встретиться у Шарля, и он сразу туда поехал. Она с порога призналась, что уходит, потому что любит Антуана. Шарль стоял у окна, не поворачиваясь к ней. Люсили показалось странным, что вид его затылка ничуть не трогает ее, а вот затылок Антуана, его взлохмаченная светлая шевелюра вызывают такую нежность. Глядя на иных мужчин, никогда не скажешь, что они были когда-то детьми.

— Я знал, но думал, у этого не будет продолжения, — добавил он. — Понимаете, я надеялся...

Не кончив фразы, он наконец обернулся.

— Дело в том, что я люблю вас. Не думайте, будто я смогу кем-то вас заменить. Я слишком стар для таких замен. — Он жалко улыбнулся. — Видите ли, Люсиль, я знаю: вы вернетесь ко мне. Я люблю вас такой, какая вы есть. Антуан же любит вас такой, какая вы с ним. Он мечтает о счастье с вами, это свойственно молодости. А я желаю счастья вам — где бы вы ни были. Так что мне остается только ждать.

Она хотела возразить, но Шарль предостерегающе поднял руку:

— К тому же рано или поздно он начнет, а может, уже начал попрекать вас за то, какая вы: за ваше эпикурейство, беспечность, малодушие. Он полагает, все это — недостатки, они будут раздражать его. Он еще не понимает, что в них сила женщины. Что за это мужчи-

ны и любят ее, даже если порой именно из-за этого бывают несчастны. Антуан поймет это — с вашей помощью. Он поймет, что вы такая
веселая, такая желанная благодаря своим недостаткам, а не вопреки.
Но будет поздно. Так мне кажется. И тогда вы вернетесь ко мне. Потому что вы знаете, что я это знаю. — Он горько усмехнулся: — Вы
не привыкли, чтоб я был столь многословен, верно? Еще чуть-чуть.
Передайте ему от моего имени, что, если вам придется из-за него
страдать, если, вернувшись ко мне — через месяц или через три года, — вы не окажетесь такой же счастливой, как сейчас, я в порошок
его сотру.

В его голосе прозвучала приглушенная ярость, и Люсиль взглянула на него с удивлением. Она не подозревала, что Шарль может
быть таким сильным, властным.

— Я не пытаюсь задержать вас, я знаю, это бесполезно. Но помните: я вас жду. Неважно когда. И что бы вам от меня ни понадобилось, какие бы трудности перед вами ни встали, вы можете всегда
рассчитывать на мою помощь. Вы уезжаете прямо сейчас?

Люсиль утвердительно кивнула.

— Заберите с собой все ваши вещи.

Она хотела возразить, но он опять прервал ее:

— Знаете, мне будет слишком больно видеть ваши платья в моих
шкафах, вашу машину в гараже. Ведь вы, возможно, уезжаете надолго.

Люсиль смотрела на него, не в силах пошевелиться. Она знала,
все так и будет: ужасно. А Шарль будет именно таким — безупречным. Все случилось, как давно ей представлялось. К отчаянию, что
заставляет Шарля страдать, примешивалась гордость за любовь такого человека. Господи, ну разве можно бросить его одного в этой огромной квартире? Она встала.

— Шарль, я...

— Нет, — прервал он, — вы и так слишком долго ждали. Ухо-
дите.

Секунду они, как статуи, стояли друг против друга. Затем Шарль
потрепал ее по волосам и снова отвернулся.

— Идите. Я пришлю ваши вещи на улицу Пуатье.

Ее не удивило, что Шарль знает адрес Антуана. Она ненавидела
себя. Поникшие плечи Шарля, его седеющие волосы — все это ее
рук дело. Она прошептала: «Шарль...» — сама не зная, хочет ли сказать «спасибо», или «простите», или еще какую-нибудь бестактную
глупость. Он, не оборачиваясь, махнул рукой. Это означало, что еще
немного, и он не выдержит. Люсиль вышла из комнаты едва ли не на
цыпочках и только на лестнице заметила, что плачет. Всхлипывая,
она вернулась, зашла на кухню и бросилась на шею Полине. Та сказала, что от мужчин вечно одни неприятности, но не стоит лить из-за
них слезы. Антуан ждал ее на улице, на залитой солнцем террасе кафе.

Часть II
Лето

Глава 17

Люсиль чувствовала, как странная и прекрасная болезнь овладевает ею. Она знала: эта болезнь зовется счастьем, но не решалась называть ее по имени. Казалось чудом, что два таких неглупых и самостоятельных человека способны настолько слиться в одно целое, что каждому, с надрывом выдохнув «я тебя люблю», и правда нечего к этому прибавить. Но так и было, и невозможно было желать чего-то сверх. До нее дошел смысл слов «полнота бытия». Иногда у нее проскальзывала мысль, что когда-нибудь после, когда все кончится, вспоминать об этом будет невыносимо больно. Пока же она ощущала себя настолько счастливой, что ее это даже пугало.

Они рассказывали друг другу прошедшую жизнь с самого детства. Они неустанно перебирали события последних месяцев. Как все влюбленные на свете, они вновь и вновь возвращались к своим первым встречам, к мельчайшим подробностям истории своей любви. И как это всегда бывает, искренно и простодушно удивлялись, что могли так долго сомневаться в своих чувствах. Они совершали длительные вылазки в тревожное прошлое, но никогда не мечтали о спокойном будущем. Люсиль еще в большей мере, чем Антуан, терпеть не могла строить планы и питала отвращение к размеренной, будничной, обыкновенной жизни. Они как зачарованные ловили каждый миг настоящего — встающий рассвет, всегда застававший их спящими в объятиях друг друга, наступление сумерек, в которые они любили бродить по парижским улицам, по теплому, нежному, несравненному Парижу. Порой счастье так переполняло их, что они переставали ощущать самое любовь.

Когда утром Антуан уходил в издательство, Люсиль воспринимала это так равнодушно, что даже закрадывалось сомнение, она ли была в Сен-Тропезе тем загнанным, страдающим, безголосым зверем. Но стоило Антуану задержаться хоть на полчаса, и она уже металась по квартире, осажденная страшными видениями: Антуан под колесами автобуса или что-то еще в этом роде. Тогда она решила, что счастье — это когда он рядом. А все то, что без него, называется отчаянием. В свой черед, стоило Люсили улыбнуться другому мужчине, Антуан бледнел. Хотя ежедневное обладание ее телом вроде успокаивало его вполне, он сознавал, что ночная близость — счастье хрупкое, мимолетное, неуловимое. Даже в минуты наивысшей нежности в их отношениях проскальзывало нечто тревожное, надрывное. Порой эта тревога становилась мучительной, но оба смутно сознавали, что, исчезни она, это будет конец их любви. Во многом их отношения окрашивались двумя эпизодами, двумя потрясениями почти равной силы. Для нее таким было памятное опоздание Антуана. Для него — отказ Люсили переехать к нему в день возвращения Шарля из Нью-Йорка. Вообще-то оба были людьми скорее легкомысленными. Но ее неуверенность по силе почти не уступала эгоизму. Она порой не могла совладать со страхом, что в один прекрасный день Антуан не вернется. А его преследовала мысль, что однажды она изменит ему. Только время могло исцелить их раны, но они почти сознательно бередили их. Так человек, чудом выживший после жестокого ранения, находит удовольствие в том, чтобы полгода спустя ногтем отковыривать корочку с последней царапины: сравнивая ее со всем остальным, он полней ощущает вернувшееся здоровье. Каждый из них нуждался в подобной царапине. Он — по природной склонности, она — потому что ей было совершенно неведомо разделенное счастье, счастье вдвоем.

Антуан всегда просыпался рано. Тело его узнавало о присутствии Люсили еще прежде, чем он осознавал это умом. Не успев открыть глаз, он уже хотел ее. Он поворачивался к ней и зачастую окончательно просыпался только от стонов Люсили, от прикосновения ее рук. Антуан спал очень крепко, как ребенок, у мужчин такое редко бывает. Больше всего на свете ему нравились эти сладостные пробуждения. Первое, что ощущала Люсиль, покидая мир грез, было наслаждение. Она просыпалась, уже удовлетворенная и слегка оскорбленная этим полунасилием. Оно нарушало ее привычный утренний ритуал: открыть глаза, снова закрыть, согласиться с тем, что наступило утро, или игнорировать его — вести нежную битву с самой собой. Она пробовала схитрить, проснуться прежде Антуана. Но он привык спать по шесть часов в сутки и всегда ее опережал. Его смешило, как она дуется. Ему приятно было вырывать ее из тенет сна, чтобы сразу же поймать в тенета наслаждения. Он ловил тот миг, когда она открывала еще полные сна глаза, ее растерянный взгляд, в котором постепенно появлялось узнавание. Она снова смежала веки и обвивала руками его шею.

Чемоданы Люсили стояли неразобранными на шкафу. Только несколько платьев, особенно полюбившихся Антуану, заняли место на вешалке по соседству с двумя его костюмами. Зато полочка в ванной сразу выдавала присутствие женщины. Она была уставлена баночками и флаконами. Люсиль ими почти не пользовалась, зато Антуан получил пищу для шуток. Бреясь по утрам, он громко разглагольствовал о пользе масок от морщин и прочих косметических зелий. Люсиль парировала замечаниями, что скоро ему самому все это пригодится, он ведь стареет на глазах и вообще урод. Он целовал ее. Она хохотала.

В том году парижское лето выдалось на диво. В половине десятого он уходил на работу. Она оставалась в одиночестве, вздыхая о чашке чаю, но не находя сил сбросить оцепенение и спуститься в ближайшее кафе. В комнате по всем углам были навалены груды книг. Она брала первую попавшуюся и принималась читать. Часы на стене, когда-то заставившие ее так страдать, били каждые полчаса. Но теперь она их обожала. Иногда, слыша их мелодичный перезвон, Люсиль откладывала книгу и улыбалась им, как встрече с детством. Антуан звонил между одиннадцатью и половиной двенадцатого. Порой он беззаботно с ней болтал, а то говорил быстро и решительно, как человек по горло в работе. В таких случаях Люсиль отвечала ему очень серьезно, хотя в глубине души его деловитость ее смешила: она знала, что Антуан рассеян и ленив. Но они были на том этапе любви, когда в любимом нравится не только то, чем он на деле обладает, но и то, каким он хочет казаться, — когда нравится принимать не только правду, но и полуправду о нем. Ведь не скрывая, что это не совсем истина, он как бы оказывает тебе высшее доверие. В полдень, в обед, они встречались в бассейне возле площади Согласия. Устроившись на солнцепеке, съедали по сандвичу. Потом он возвращался в издательство. Возвращался, если только солнце, вид полунагого тела, слова, слетавшие с губ, не возбуждали их настолько, что они чуть не вприпрыжку мчались домой. Тогда он опаздывал на работу. А Люсиль отправлялась бродить по Парижу. Она встречала друзей и знакомых, пила томатный сок на открытых террасах кафе. У нее был счастливый вид, и люди к ней тянулись. Вечером они снова соединялись, и все радости жизни открывались им: кино, запорошенные теплой пылью парижские улицы, полупустые кафе, где она учила его танцевать. Неведомое прежде, умиротворенное лицо летнего города. И все слова, что им хотелось друг другу сказать, все жесты, которых желали руки.

Как-то в конце июля они натолкнулись неподалеку от «Флоры» на Джонни. Тот только что возвратился из Монте-Карло, где провел утомительный уик-энд в компании завитого молодого человека по имени Бруно. Джонни сказал, что рад видеть их такими счастливыми, и спросил, отчего они не поженятся. Его вопрос их очень рассмешил.

Они ответили, что не принадлежат к тем, кто задумывается о будущем, и что брак вообще предрассудок. Джонни согласился и посмеялся вместе с ними. Но когда они ушли, пробормотал: «Какая жалость». Его интонация озадачила Бруно, и тот поинтересовался, о чем речь. На лице Джонни появилось меланхоличное выражение, какого упомянутый Бруно никогда прежде у него не наблюдал. «Тебе все равно не понять. Все это слишком поздно». Бруно и правда ничего не понял, да от него никто и не требовал этого.

В августе у Антуана начался отпуск. Но у них не было денег, так что пришлось остаться дома.

Тот август выдался в Париже особенно знойным. Удушливая жара перемежалась бурными ливнями. После них освеженные улицы походили на выздоравливающих тяжелобольных. Три недели Люсиль почти целыми сутками валялась в постели в одном халате. Ее летний гардероб состоял главным образом из купальников и легких брюк. Они годились для Монте-Карло или Капри, где она проводила лето, живя с Шарлем, но не для Парижа. О том, чтобы обновить гардероб, не могло быть и речи. Она много читала, курила, покупала на обед помидоры, занималась с Антуаном любовью, говорила с ним о литературе, ложилась спать. Люсиль панически боялась грозы. Заслышав вдалеке первые раскаты грома, она искала спасения в объятиях Антуана. Его это умиляло. Не скупясь на научные термины, он объяснял, что молния — всего лишь электрический разряд, но она не могла этому поверить. Он растроганно называл ее «моя язычница», однако не в силах был выдавить из нее ни слова, пока гроза не удалялась прочь. Иногда он украдкой бросал на нее вопросительные взгляды. Люсиль была необычайно ленива. То, как мало ей нужно для счастья, ее способность абсолютно ничего не делать, ни о чем не думать, ее дар довольствоваться столь пустыми, бездеятельными, однообразными днями — все это казалось ему странным, почти чудовищным. Антуан знал, что она его любит и потому ей не бывает с ним скучно. Но он догадывался также, что подобный образ жизни вполне соответствует ее натуре, тогда как для него эта пустота была временной паузой, данью страсти. Порой ему казалось, что рядом с ним не женщина, а непонятный зверек, неведомое растение, мандрагора. Тогда он обнимал ее, их дыхание, пот, вздохи смешивались, тела их вновь и вновь познавали друг друга. Так он доказывал себе самым доступным и убедительным способом, что она все-таки женщина. Постепенно каждый до мельчайших секретов изучил тело любимого. Это стало для них почти наукой, хотя не из разряда точных дисциплин. Предметом изучения было наслаждение другого. Но иногда, под натиском наслаждения собственного, эта цель забывалась. У них в голове не укладывалось, как могли они тридцать лет прожить на белом свете порознь. День, когда они признались себе, что в мире не существует ничего, кроме «здесь и сейчас», кроме нынешней минуты, навсегда запал в их души.

Август пролетел как сон. Накануне первого сентября они легли спать в полночь. Бездельничавший целый месяц будильник Антуана был заведен на восемь часов. Антуан неподвижно лежал на спине, рука с зажженной сигаретой свесилась с кровати. Начался дождь. Тяжелые капли лениво спускались с небес и плюхались на асфальт. Антуану почему-то казалось, что дождь теплый, а может, и соленый, как слезы Люсили, тихо скатывавшиеся из ее глаз ему на щеку. Было бессмысленно спрашивать о причине этих слез — что у облаков, что у Люсили. Кончилось лето. Он знал — прошло самое прекрасное лето в их жизни.

ЧАСТЬ III
ОСЕНЬ

Я увидел, что всякий живущий фатально должен быть счастлив. Поступки не жизнь, но лишь способ расходовать силы, снимать напряжение.

Артюр Рембо

ГЛАВА 18

Люсиль ждала автобуса на площади Альма. Она нервничала. Ноябрь выдался на редкость холодным и дождливым. Под навес на остановке набралась целая толпа озябших, угрюмых, раздраженных людей. Люсиль предпочла остаться под дождем. Мокрые волосы липли к лицу. Она забыла сразу купить посадочный талон, и какая-то женщина злорадно усмехнулась, заметив, как минут через шесть Люсиль наконец спохватилась. Вот когда Люсиль пожалела, что осталась без машины. Она представила, как тяжелые капли разбиваются о капот, как на мокром асфальте машину чуть заносит на поворотах. И подумала, что если в деньгах и есть что хорошее, то это возможность избежать вот такого кошмара: очередей, толкотни, нервов. Она возвращалась из кинозала дворца Шайо. Антуан очень советовал, почти приказал, посмотреть очередной шедевр Пабста. Фильм действительно оказался шедевром. Но Люсили пришлось полчаса отстоять за билетами в толпе шумливых и непочтительных студентов. И ей подумалось, что приятней было бы остаться дома и спокойно дочитать завлекательный роман Сименона. Уже полседьмого. Она вернется позже Антуана. Может, это послужит ему уроком. А то у него появилась навязчивая идея вытаскивать ее из дому, вовлекать во внешнюю жизнь. Он утверждает, что после трех лет бурной светской жизни ненормально, даже дико замкнуться в четырех стенах, избегать людей. А она не могла ему объяснить. Нельзя же признаться, что, познав другую жизнь, слишком трудно вновь привыкать к пустому карману, к очередям, к талонам на автобус. Теряешь вкус даже к прогулкам по Парижу, самому прекрасному городу на свете. Такой разговор был бы унизителен для обоих. Когда ей было двадцать, она жила в бедности, но не хотела к этому возвращаться в тридцать.

Автобус наконец подошел. В него залезли счастливые обладатели первых номеров. Ее очередь еще далеко. Оставшиеся понуро побрели обратно к своей стеклянной конуре. Почти животная тоска охватила Люсиль. Если повезет, через полчаса она сядет. От остановки до дома еще пешком метров триста. Все равно придется тащиться под дождем. Она вернется усталая, растрепанная, некрасивая. Антуан примется расспрашивать про фильм, а ей бы хотелось сказать ему про сутолоку, про автобусы, про то, как убивает ее адский ритм жизни людей, вынужденных работать. Но говорить об этом нельзя, Антуан расстроится. Следующий автобус проехал мимо, даже не замедлив хода. Люсиль решила пойти пешком. К очереди подошла и остановилась рядом пожилая женщина. Повинуясь внезапному порыву, Люсиль протянула ей свой талон:

— Возьмите, я, пожалуй, пройдусь.

Ей показалось, что женщина посмотрела на нее вопросительно, почти враждебно. Может, решила, что Люсиль сделала это из жалости. Бог знает что она подумала. Люди так недоверчивы. Они с головой ушли в свои заботы и неприятности. Мозги у них запудрены глупыми телепередачами, идиотскими газетными статьями. Они забыли, что бывают просто бескорыстные поступки.

— Мне тут недалеко. Да и ждать чет времени. А дождь, похоже, стихает, правда? — извиняющимся, почти умоляющим тоном добавила Люсиль.

На самом деле дождь как раз припустил. Люсиль подумала: «Какая разница, что она мне ответит? Не хочет брать талон — выброшу. Охота ей лишних полчаса мокнуть, ей же хуже». Люсиль сама себе удивлялась: «Что со мной? Почему было не сделать как все — просто бросить талон? Что за мания всем нравиться? О каком добросердечии может идти речь на площади Альма, да еще в этот час? С чего я вбила в башку, будто все должны меня любить? Братские отношения, благородные порывы — все это подходит богатым, в уютном баре за стаканчиком виски, или во время революции». Но в глубине души Люсили хотелось поверить в обратное. Женщина протянула руку и взяла талон.

— Вы очень любезны, — сказала она и улыбнулась. Люсиль ответила ей неуверенной улыбкой и пошла. Она шла по набережным, через площадь Согласия, по рю де Лилль, вспоминая, как однажды проделала этот же путь в день знакомства с Антуаном. Тогда было начало весны. Было тепло. Они отправились пешком, потому что им так хотелось. Сейчас она бы с удовольствием поехала на такси. «Хватит ворчать, — одернула себя Люсиль. — Что мы делаем нынче вечером?» Ах да, они приглашены к журналисту Люке Сольдеру. Это приятель Антуана. Он весь какой-то дерганый, болтливый и способен часами рассуждать на отвлеченные темы. Общение с ним забавляло Антуана. Может, оно забавляло бы и Люсиль, если б не жена Люки. Погрязшая в домашних заботах, она всякий раз пыталась развлечь Люсиль разговорами о безденежье и женских болезнях. К тому же Николь одержима манией экономии, так что стряпня ее малосъедобна. «Вот бы поужинать в «Реле-Плацца», — пробормотала Люсиль на ходу. — У стойки я выпила бы с барменом холодный дайкири, а потом заказала бы гамбургер и салат. Вместо жидкого супа, мерзкого рагу, засохшего сыра и вялых фруктов. Неужели только богачи могут позволить себе изысканную простоту?» Она тешила себя этой картинкой: полупустой бар «Плацца», на стойке, как всегда, гладиолусы в вазах, приветливое лицо метрдотеля. Она одна за столиком, листает газету, рассеянно поглядывая на американок в норковых манто. Люсиль спохватилась, что в этих мечтах нет места Антуану, и у нее защемило сердце. Уже давно ей не случалось ужинать без него, но она почувствовала себя виноватой, как если б все было на самом деле. Она ускорила шаг, почти бегом поднялась по лестнице. Антуан валялся на кровати с «Монд» в руках. Видно, это ее судьба — мужчины, читающие «Монд». Антуан встал, она приникла к нему. Он был большой и теплый, от него пахло табачным дымом. Никогда, никогда ей не надоест его длинное худое тело, светлые глаза, большие ладони, ласкающие сейчас ее волосы. Он принялся рассуждать о глупых женщинах, разгуливающих под дождем.

— Как тебе фильм? — наконец поинтересовался он.

— Замечательно.

— Прав я был, что тебя туда отправил?

— Прав.

Люсиль в этот момент была в ванной, вытирала мокрые волосы. Произнося «прав», она посмотрела на себя в зеркало. По лицу блуждала незнакомая прежде улыбка. Секунду Люсиль изучающе ее разглядывала, потом провела по зеркалу полотенцем, словно пытаясь стереть нежелательную сообщницу.

Глава 19

По вечерам, около половины седьмого, они встречались в маленьком баре на рю де Лилль. Поджидая Антуана, Люсиль болтала с гарсоном по имени Этьен. Он был смазлив и ужасно разговорчив. Антуан подозревал, что он питает к Люсили далеко не братские чувства. Помимо того, Этьен считал себя знатоком лошадей. Следуя его наставлениям, Люсиль несколько раз играла на скачках. Результат оказался самый что ни на есть плачевный. Так что подозрительность, с какой Антуан обычно на них поглядывал, объяснялась не только ревностью, но и опасениями финансового краха. У Люсили было прекрасное настроение. Накануне они заснули очень поздно. Всю ночь они строили планы на будущее — туманные, но далеко идущие. Сейчас она уже не могла припомнить, что они там решили, но твердо знала, что осуществление вышеназванных прожектов даст им возможность поехать на отдых к морю или в Африку или снять на лето домик под Парижем. Этьен с пылающим взором расписывал ей некоего Амбруаза Второго (ставка один к десяти), который завтра же, вне сомнений, выиграет скачки в Сен-Клу. Последняя тысячефранковая бумажка, сиротливо покоившаяся в кармане Люсили, уже готова была вот-вот перекочевать к Этьену. Но тут появился Антуан. Вид у него был радостно-возбужденный. Поцеловав Люсиль, он заказал два виски. Учитывая, что было двадцать шестое число, это могло означать лишь одно: случилось нечто из ряда вон выходящее.

— Что стряслось? — поинтересовалась Люсиль.

— Я говорил с Сире, — выпалил Антуан. В глазах Люсили отразилось недоумение. — Ну как же, Сире, редактор «Ревю». Он берет тебя на работу. У них есть место в архиве.

— В архиве?

— Ага. Это довольно занятно, и работа не пыльная. Он будет платить тебе сто тысяч в месяц, для начала совсем неплохо.

Люсиль растерянно посмотрела на него. Теперь она вспомнила, о чем они говорили ночью. Они решили, что то, как она живет сейчас, не жизнь. Ей надо чем-нибудь заняться. Она с энтузиазмом подхватила мысль о работе и даже набросала идиллическую картину грядущих трудовых будней. Она найдет место в газете. Все выше взбираясь по служебной лестнице, станет знаменитой журналисткой, пишущей о женских проблемах. Конечно, придется много работать, но у нее хватит упорства и целеустремленности, она добьется успеха. Они переедут в роскошную квартиру, платить за которую будет газета, — ведь им придется часто принимать разных людей. Но каждый год они хотя бы на месяц станут сбегать от этой суеты и отправляться в плавание по Средиземному морю. Она рассуждала с таким воодушевлением, что Антуан, поначалу настроенный скептически, тоже увлекся ее прожектом. Да и кто в силах устоять перед аргументами Люсили, когда она возводит воздушные замки? Господи, что же она вчера пила, что такое читала, чтобы ввязаться в подобную историю? Сейчас она не ощущала в себе ни честолюбия, ни упорства. Работать ей хотелось не больше, чем, скажем, повеситься.

— Для такого еженедельника это вполне приличная зарплата, — добавил Антуан.

Он чуть не лопался от гордости. Она взглянула на него с умилением: он принял всерьез их ночные разговоры. Ему, верно, пришлось поставить на ноги весь Париж, чтобы найти ей место. В Париже полно светских женщин, страдающих от безделья и впадающих в депрессию на почве скуки. Любая из них сама бы охотно заплатила, чтоб хоть полы мыть, лишь бы это были полы какого-нибудь издательства, газеты или Дома моделей. А этот чокнутый Сире согласен платить зарплату ей, ни о чем, кроме безделья, и не мечтающей. Странная штука жизнь. Люсиль изобразила что-то вроде улыбки.

— Ты не рада? — спросил он.

— Это слишком хорошо, — мрачно отозвалась она.

В его взгляде промелькнуло любопытство. Он знал, что обычно она сожалеет о решениях, принятых ночью. Еще он знал, что она не посмеет об этом сказать. Но он был совершенно уверен, что невозможно не скучать, ведя такой, как Люсиль, образ жизни. В конце концов она от этого устанет, а заодно и от него самого. К тому же внутренний голос нашептывал, что прибавленные к его зарплате сто тысяч франков улучшат их финансовое положение. Со свойственным многим мужчинам оптимизмом он представлял, как Люсиль каждый месяц покупает себе парочку недорогих платьев. Пусть не творения знаменитых модельеров, но она прекрасно сложена, ей все пойдет. Она сможет ездить на такси, будет видеть людей. Постепенно она заинтересуется политикой, происходящим в мире, в ней проснется интерес к людям. Конечно, в минуты возвращения домой ему будет недоставать ее, затаившейся в квартире, как зверек в своей норке. Ему будет скучно без этой странной женщины, живущей лишь книгами да любовью. Но все-таки ему будет спокойней. В ее застывшей жизни не существовало ничего, кроме настоящего, будущее просто отметалось. Это пугало и даже оскорбляло Антуана. Он чувствовал себя декорацией на съемочной площадке, декорацией, которую неминуемо сожгут, отсняв последний кадр.

— Когда начинать? — спросила Люсиль.

Теперь она улыбалась по-настоящему. В конце концов, отчего не попробовать? Работала же она когда-то в юности. Конечно, ей будет смертельно скучно, но необязательно делиться этим с Антуаном.

— В первых числах декабря. Дней через пять-шесть. Ты рада?

Она бросила на него недоверчивый взгляд. Неужели он и правда полагает, что можно этим ее обрадовать? Ей уже случалось замечать в нем черточки садизма. Но у него такой невинный вид, вопрос прозвучал столь простодушно. Она серьезно кивнула:

— Да, конечно. Ты прав, долго так не могло продолжаться.

Он перегнулся через стол и поцеловал ее так порывисто, так нежно, что ей стало ясно: он все понимает. Люсиль улыбнулась, и они вместе снисходительно посмеялись над ней. Она почувствовала облегчение от того, что он сумел ее разгадать. Ей не хотелось, чтобы он обманывался на ее счет. Но в то же время было неприятно, что он разыграл ее.

Вечером, дома, Антуан с карандашом в руках занялся математическими выкладками. Результаты его расчетов оказались самыми обнадеживающими. Он учитывал все — квартплату, телефон, прочую прозу жизни. На свои сто тысяч Люсиль сможет одеваться, платить за транспорт, обедать. В «Ревю» прекрасная столовая, иногда он тоже будет заходить к ней в обед. Люсиль, сидя на кровати, слушала его словно в оцепенении. Ей хотелось сказать, что платье от Диора стоит триста тысяч, что она ненавидит метро, даже без пересадок, что одно лишь слово «столовая» внушает ей неодолимое отвращение. Ее снобизм неизлечим. Но когда Антуан наконец прекратил кружить по комнате и обратил к ней свое вдохновенное, радостно-недоверчивое лицо, она ответила ему искренней, счастливой улыбкой. Он вел себя, как ребенок. Вернее, подсчитывал мелочи, как ребенок, а бюджет составлял, как министр. Как и для большинства мужчин, цифры были для него игрой. Быть по сему! Пусть ее жизнь управляется этими несбыточными расчетами, раз они вышли из-под его карандаша.

Глава 20

У Люсили было такое чувство, точно она провела уже долгие годы в «Ревю», хотя она начала работать всего две недели назад. Архив размещался в большой серой комнате, загроможденной столами, шкафами и картотеками. Единственное окно выходило на узенькую торговую улицу. Ее напарницей оказалась молодая женщина по имени Марианна, очень любезная и деловая. Она была на четвертом месяце беременности. С одинаково нежным и заботливым выражением Марианна рассуждала о будущем еженедельника и своего ребенка. Она была уверена, что родится мальчик. Поэтому всякий раз, когда она высокопарно заявляла что-нибудь вроде «у него большое будущее», Люсиль терялась в догадках, кто имеется в виду — «Ревю» или еще не родившийся Жером. Они делали вырезки из газет и подшивали их по папкам. Им заказывали подборки об Индии, о пенициллине, о Гарри Купере. Они выдавали папки и, получив их назад в растерзанном виде, приводили в порядок и расставляли по местам. Люсиль раздражала не столько сама работа, сколько вечная атмосфера озабоченности, нарочитой серьезности, царившая в офисе, — ненавистный ей дух деловитости. Ей все уши прожужжали разговорами о работе. В начале второй недели в редакции состоялось собрание персонала. Это походило на совещание в улье, где пчелы назойливо жужжат навязшие в зубах истины и куда из лицемерия пригласили еще и муравьев с первого этажа и из архива. Битых два часа Люсиль ошалело созерцала человеческую комедию — то, как подхалимство, самодовольство, показная серьезность и посредственность наперегонки соревновались в заботе об увеличении тиража Жеромова конкурента. Только трое не изрекали глупостей. Первый дулся на весь белый свет. Вторым был сам редактор, и Люсили показалось, что он ошеломлен происходящим не меньше ее. Третий выглядел попросту умным человеком. Дома она нарисовала Антуану эпическую картину этого собрания. Он очень смеялся, но потом сказал, что она все преувеличивает и видит в черном цвете. Люсиль таяла на глазах. Ей было так тоскливо, что в обеденный перерыв она не находила сил доесть сандвич. Первое посещение столовой стало и последним. Она обедала в ближайшей кафешке, но за столом больше читала, чем ела. Рабочий день заканчивался в шесть, а иногда и в восемь (Люсиль, милочка, простите, что я вас задерживаю, но послезавтра у нас выпуск). Люсиль пыталась поймать такси, потом, потеряв надежду, спускалась в метро. Обычно она ехала стоя. Сражаться за сидячее место казалось унизительным. У ее спутников были усталые, озабоченные, суровые лица. В ней подымалось чувство протеста, причем она больше думала о них, чем о себе: ей казалось совершенно очевидным, что она всего лишь в странном сне и вот-вот проснется. Зато дома ее ждал Антуан. Он обнимал ее, и в его объятиях она вновь оживала.

На пятнадцатый день Люсиль не выдержала. В час дня она пошла в кафе и, к великому изумлению гарсона, заказала коктейль. Потом второй. Раньше она никогда там не пила. Полистав взятое с собой досье, она зевнула и захлопнула папку. Ей дали понять, что она может написать несколько строчек на эту тему, и если хорошо получится, их опубликуют. Но она была не в силах написать и строчки. Во всяком случае, сегодня. Вернуться сейчас в эту серую комнату было выше ее сил. Она не могла больше играть навязанную ей роль энергичной молодой женщины перед людьми, изображающими великих писателей или деловых людей. Все это дрянные роли. По крайней мере дрянная пьеса. А если Антуан прав и пьеса, в которой она участвует, вполне нормальна и полезна, значит, нехороша ее собственная роль. Или просто не для нее написана. Но Антуан не прав. Теперь она была в этом уверена. Выпитые коктейли ярко высветили очевидную истину. Иногда алкоголь придает взгляду на жизнь беспощадную зоркость. Сейчас перед Люсилью раскрылись тысячи мелких обманов, которыми она сама себя усыпляла, пытаясь убедить, что счастлива. Она несчастна, и это так несправедливо! Жгучая жалость к себе переполняла ее. Она заказала еще коктейль. Гарсон сочувственно спросил: «У вас что-нибудь не ладится?» — «Все», — мрачно ответила Люсиль. Гарсон сказал, что бывают дни, когда белый свет не мил, и посоветовал заказать сандвич. И вообще побольше есть. А то недолго и туберкулез заработать, как его кузен. Тот уже полгода в горах лечится. Значит, гарсон заметил, что она почти ничего не ест, значит, беспокоится о ней, хотя она с ним едва знакома, значит, он ее любит. У Люсили выступили слезы на глазах. Помимо ясности ума алкоголь прибавлял ей и сентиментальности. Она просто об этом забыла. Она заказала сандвич и прилежно открыла книжку Фолкнера, взятую с утра у Антуана. Ей сразу же попался монолог Гарри.

«Серьезность. От нее все наши беды. Я тут понял, что только беспечности мы обязаны лучшим, что в нас есть, — созерцательностью, ровным настроением, ленью; благодаря ей мы не мешаем жить окружающим и сами можем наслаждаться жизнью: есть, пить, заниматься любовью, нежиться на солнце. Нет в жизни большей радости, чем знать, что свободно дышишь и живешь в тот краткий срок, что отпущен нам на земле».

Люсиль захлопнула книгу, расплатилась и вышла из кафе. Вернувшись в редакцию, она пошла к Сире, сказала, что увольняется, и попросила не говорить об этом Антуану. Она держалась раскованно, улыбалась. Сире был ошеломлен. Поймав такси, Люсиль поехала в ювелирный магазин на Вандомской площади. Там она за полцены продала жемчужное колье, подаренное Шарлем на Рождество. Она заказала копию из фальшивого жемчуга, не обращая внимания на заговорщицкий взгляд продавщицы. Полчаса провела в «Зале для игры в мяч» перед картинами импрессионистов. Потом еще два часа в кино. Вечером она сказала Антуану, что начинает привыкать к работе. В конце концов, лучше обманывать его, чем себя.

Пятнадцать дней Люсиль была счастлива. Она вновь обрела Париж. Она ублажала свою лень, теперь у нее были для этого средства. Она жила, как привыкла жить, только тайком. Она чувствовала себя прогульщицей. Запретный плод всегда сладок. На втором этаже ресторанчика на левом берегу она обнаружила что-то вроде бара-библиотеки. Она стала часто туда заглядывать и постепенно свела знакомство с тамошними бездельниками и пьяницами. Один из них, старик с благородной внешностью, выдававший себя за князя, как-то пригласил ее пообедать в «Рице». Собираясь, Люсиль целый час вертелась перед зеркалом, решая, какой из подаренных Шарлем костюмов меньше вышел из моды. Было нечто нереальное и восхитительное в этом обеде, в обстановке, в обществе человека, с серьезным лицом лгавшего про свою жизнь. Его рассказ напоминал Толстого и Мальро одновременно. Она из вежливости тоже рассказала о себе. То была повесть в духе Скотта Фицджеральда. Итак, он — русский князь и историк. Она — богатая американская наследница, чуть лучше образованная, чем это обычно бывает. В жизни обоих было слишком много любви и слишком много денег. Официанты так и порхали вокруг их столика, а они вспоминали Пруста, которого оба очень любили. Счет за обед, вероятно, подорвал финансы «князя» на весь следующий месяц. В четыре они расстались в полном восторге друг от друга.

По вечерам Люсиль рассказывала Антуану тысячи забавных историй из повседневной жизни редакции. Он хохотал до упаду. Она лгала, потому что любила его, потому что была счастлива и хотела разделить с ним это счастье или хоть как-то сделать его счастливым.

Конечно, рано или поздно все откроется. В один прекрасный день Марианна ответит по телефону, что Люсиль уже месяц как на минуточку вышла. Поскольку каждый день этого безоблачного счастья мог стать последним, он обретал особую ценность, особый аромат. Она покупала Антуану галстуки, пластинки, книги. Она выдумывала авансы, гонорары, сверхурочные. Ей было весело, и она заражала Антуана своим весельем. На деньги, вырученные за колье, можно было позволить себе два месяца праздной жизни, два месяца роскоши и лжи, два месяца счастья.

Полные праздности, одинаковые дни сменяли друг друга. Дни, переполненные пустотой. Дни, бурные оттого, что так спокойны. Ничем не примечательные, бесцельные дни лениво перекатывались в безбрежном океане времени. Они напоминали ей студенческие годы, тогда она часто прогуливала занятия в Сорбонне. Сейчас ей снова было что прогуливать, что преступать. Шарль никогда не спрашивал, как она проводит свободное время, при нем Люсили не приходилось скрываться. С Антуаном все иначе. А лучшие воспоминания детства — память о той сладкой и нежной лжи, когда обманываешь и других, и себя, и будущее. Люсиль знала, что с каждым днем приближается к неотвратимой катастрофе. В конце пути ее неизбежно ожидал гнев Антуана, утрата его доверия. Ему придется примириться — она никогда не сможет жить нормальной, размеренной жизнью, какую он ей предлагает. Она отдавала себе отчет, что, заварив эту кашу, вряд ли сможет потом все уладить, вряд ли сумеет ее расхлебать. Ее переполняла решимость, только она не знала на что. Она не смела себе признаться, что решила делать лишь то, что ей нравится. Когда кого-нибудь любишь, в таком нелегко признаться. Каждый вечер рядом был Антуан, его тепло, его смех, его тело. Люсиль настолько в нем растворилась, что временами ей казалось, что она его вовсе не обманывает. Жить без Антуана было так же невыносимо, как ходить на работу. Необходимость такого выбора казалась ей просто абсурдной.

Дни становились все холодней, и постепенно Люсиль впала в спячку. Она вставала вместе с Антуаном, они пили кофе в ближайшем бистро, иногда она провожала его до издательства. Потом, по официальной версии, она направлялась на службу, а в действительности возвращалась домой, опять ложилась и спала до полудня. Затем читала, слушала пластинки, много курила. В шесть часов она убирала постель, заметала следы своего присутствия и шла в маленький бар на улице де Лилль, где они встречались. Иногда, движимая чем-то вроде садизма, она отправлялась сперва в бар на улице Пон-Руаяль и сидела там до восьми. Тогда при встрече с Антуаном она всем видом выказывала утомление непосильным трудом. Антуан жалел ее, она купалась в его нежности, сочувствии и ласке, не испытывая ни малейших угрызений совести. В конце концов она и правда достойна жалости — из-за этого мужчины с таким непростым характером ей приходится ломать и собственную жизнь. Казалось бы, чего проще сказать: «Я ушла из «Ревю». Не могу больше ломать эту комедию». Но Антуана эта комедия так радовала, так успокаивала, что она не могла так поступить. Временами она казалась себе почти святой.

Поэтому разоблачение застало ее врасплох.

— Я звонил тебе трижды после обеда, — сказал Антуан.

Он бросил плащ на стул. Даже не поцеловав, он неподвижно навис над ней. Она улыбнулась:

— Да, я выходила надолго. Разве Марианна тебе не сказала?

— Как же, как же, сказала. И во сколько же ты ушла?

— Около часа. — Что-то в его голосе встревожило Люсиль. Она подняла глаза, но он избегал ее взгляда.

— У меня неподалеку от «Ревю» была деловая встреча, — выпалил он. — Я звонил тебе предупредить, что зайду. Тебя не было. Тогда я подошел к половине шестого. Вот.

— Вот, — машинально повторила она.

— Ты почти три недели не ходишь в редакцию. Они не заплатили тебе ни гроша. Я...

Он говорил очень тихо, но тут голос его взвился. Он сорвал с шеи галстук и запустил в нее.

— На какие шиши ты купила этот галстук? И пластинки? Где ты обедала?

— Послушай, Антуан, успокойся... Ведь не думаешь же ты, в самом-то деле, что я выхожу на панель... Это смешно.

Антуан залепил ей пощечину. Она была так потрясена, что даже не шелохнулась. С лица не сразу сползла улыбка. Щека горела, и она провела по ней ладонью. Но этот детский жест только взбесил Антуана. Как это часто случается с беззаботными обычно людьми, вспышки гнева бывали у него продолжительными и мучительными. Мучительными для палача даже больше, чем для жертвы.

— Я не знаю, чем ты занималась. Я знаю только, что три недели ты мне врешь без остановки. Больше я ничего не знаю.

Повисло молчание. Люсиль думала о пощечине. К ярости примешивалось что-то вроде любопытства. Она размышляла, как вести себя в такой ситуации. Гнев Антуана всегда казался ей несоразмерным причине.

— Это Шарль, — заявил Антуан.

Она не сразу поняла, про что он.

— Шарль?

— Да, это все Шарль — эти галстуки, эти пластинки, твои кофточки, твоя жизнь...

До нее дошло. Она чуть не засмеялась, но, взглянув на бледное,

потерять.

— Да нет, это не Шарль, — торопливо начала она. — Это все Фолкнер. Подожди, я сейчас тебе объясню. Деньги у меня за колье. Я продала его.

— Я вчера его видел.

— Это фальшивый жемчуг, любой бы заметил. Попробуй раскусить бусинку, сам убедишься...

Момент был явно неподходящий, чтобы кусать бусы и вспоминать Фолкнера. Лгать у нее получалось куда лучше, чем говорить правду. Щека горела.

— Я не могла больше ходить в эту контору.

— Ты проработала всего две недели...

— Да, две недели. Я поехала в магазин Дори на Вандомской площади и продала жемчуг. А вместо него заказала копию, вот.

— И чем же ты целые дни занималась?

— Гуляла, дома сидела. Как раньше.

Он так посмотрел на нее, что ей захотелось куда-нибудь спрятаться. Но всякий знает, что, если прятать глаза при таких разговорах, тебя уж точно заподозрят во лжи. Она заставила себя выдержать взгляд Антуана. Его золотистые глаза потемнели. Ей пришло в голову, что ярость красит его — довольно редкий случай.

— Почему я должен тебе верить? Ты три недели только и делаешь, что врешь.

— Потому что я ни в чем больше не виновата, — устало ответила она и отвернулась. Прижавшись лбом к стеклу, она бессмысленно следила, как по двору прогуливается кот, казалось, не замечающий мороза. Она добавила примирительно:

— Я говорила, что не создана для этого... Я умерла бы. Или стала бы некрасивой. Мне было так плохо, Антуан! Это единственное, в чем ты можешь меня упрекнуть.

— Почему ты ничего мне не сказала?

— Тебе так нравилось, что я работаю, интересуюсь «жизнью». Я не хотела тебя огорчать.

Антуан повалился на кровать. Два часа перед тем он терзался отчаянием и ревностью. Вспышка гнева отняла у него последние силы. Он верил ей. Он знал: сейчас она говорит правду. Но легче от такой правды не делалось. Она вызывала лишь безбрежную тоску. Люсиль всегда была одна и всегда будет одна, до нее не достучаться.

У него мелькнула мысль, не легче ли ему было б, узнай он о ее измене. Тихо и устало он спросил:

— Люсиль, ты мне совсем не доверяешь?

Она бросилась к нему, стала целовать его щеки, лоб, глаза. Она бормотала, что любит его, что он ничего не понимает, что он безумен и жесток. Антуан лежал неподвижно. Он даже слегка улыбался. Он был в полном отчаянии.

ГЛАВА 21

Минул месяц. Люсиль перешла на легальное положение и почти не покидала свою норку. Ей было хорошо. Только когда вернувшийся с работы Антуан по вечерам спрашивал, чем она занималась днем, ей всякий раз было немного стыдно отвечать «ничем». Впрочем, он задавал свой вопрос машинально, без тени издевки. Но все-таки задавал. Иногда в его взгляде проскальзывала грусть, неуверенность. В минуты любви в нем появилась теперь какая-то ярость, надрыв. Потом он откидывался на спину, и когда Люсиль склонялась над ним, она виделась ему кораблем, уходящим в море, или облаком, плывущим по ветру, — чем-то зыбким, ускользающим. Ему казалось, она и впрямь ускользает, и он говорил, что любит ее, как никогда. Она падала на подушки рядом с ним, закрывала глаза, молчала. Нередко сетуют, что люди стали забывать цену словам. Но часто они забывают и то, как много безумства и абсурда может заключать молчание. В ее памяти пролетали обрывки детских воспоминаний, вереницей проплывали давно забытые лица ее мужчин и среди них замыкавшее галерею лицо Шарля. Она видела то галстук Антуана на ковре в Дианиной комнате, то крону дерева — в Пре-Кателан. В пору счастья из этих осколков в ее воображении складывалась мозаика, которую она звала «своей жизнью». Теперь выходило лишь бесформенное крошево. Антуан прав: непонятно, к чему они идут, что с ними будет. Их кровать — еще недавно чудесный корабль, уносивший в прекрасную даль, — вдруг оказалась хлипким плотом, бессмысленной игрушкой волн. Ставшая такой родной комната превратилась в нелепую декорацию. Антуан слишком много говорил о будущем, потому-то у них его и не будет.

Однажды в январе Люсиль проснулась от тошноты. Антуан уже ушел на работу. Теперь он часто уходил, не разбудив ее. Он вообще стал обращаться с ней подчеркнуто бережно, как с больной. Она пошла в ванную, там ее вырвало. На маленькой батарее сушились чулки — последняя целая пара. Глядя на них, Люсиль почему-то подумала, что комната немногим больше ванной. И вообще нельзя этого делать — оставлять ребенка.

От проданного колье у нее оставалось сорок тысяч, она была беременна. Долго она боролась с жизнью, и наконец та настигла ее, зажала в угол. Безответственность наказуема. Так учат книги, так считают люди вроде ее попутчиков в метро, только не она. Антуан любит ее, а значит, только от нее зависит, как он воспримет ее беременность. Если сказать: «У меня прекрасная новость», — он обрадуется. Но она не имеет на это права. Ребенок лишит ее последней свободы, счастья он ей не принесет. И еще. Она не оправдала любви Антуана, сама довела их отношения до той черты, когда любая мелкая неприятность превращается в испытание. Она любит Антуана или слишком сильно, или слишком мало, но ребенка она не хочет. Она хочет только Антуана — счастливого, светловолосого, золотоглазого Антуана, свободного в любой момент ее покинуть. Хотя бы в одном она честна до конца — не желая брать на себя никакой ответственности, она по крайней мере не пытается переложить ее на чужие плечи. Не время мечтать о трехлетнем карапузе Антуане, играющем в песочек, или об Антуане-папе, со строгим лицом листающем дневник сына. Надо трезво взглянуть на вещи: сопоставить размер комнаты и детской кроватки, жалованье Антуана и зарплату няни. Немыслимо. Многие женщины смогли бы ко всему этому приспособиться, но Люсиль не из их числа. Когда Антуан пришел с работы, Люсиль сказала о своей неприятности. Слегка побледнев, он обнял ее, тихо и нежно спросил:

— Ты уверена, что не хочешь ребенка?

— Я хочу только тебя. — Она не стала говорить о материальных проблемах, боясь его унизить. Гладя ее по волосам, он думал, что, захоти она ребенка, он полюбил бы его. Но она неуловима, как вольный ветер. Да ведь за это он ее и любит. Как же ее упрекать? Он сделал последнюю попытку:

— Мы поженимся, переедем на новую квартиру.

— Ну куда мы переедем?! — вырвалось у нее. Она тут же спохватилась: — Ребенок — это так хлопотно. Я буду уставать, стану злой, некрасивой...

— Но все ведь как-то справляются...

— Мы не все, — сказала Люсиль и отвернулась. Это означало: «Другие не одержимы такой всепоглощающей жаждой счастья, как мы». Он промолчал. Вечером они много выпили. Завтра он постарается раздобыть врача.

ГЛАВА 22

Презрительное выражение, похоже, никогда не сходило с плоской, некрасивой физиономии лекаря-недоучки. Не совсем ясно было, относится ли оно к нему самому или к женщинам, которым он помогает «избавиться от неприятности». Он занимался этим уже два года и ценил свои услуги недорого — восемьдесят тысяч франков. Но оперировал на дому у клиенток и без анестезии. Случись осложнение, обращаться не к нему. Прийти он должен был завтра вечером. Одна мысль, что снова придется увидеть эту мерзкую морду, вызывала у Люсили содрогание. Антуан выбил в издательстве аванс на сорок тысяч. К счастью, он не видел этого пресловутого эскулапа. По непонятным соображениям, может, просто из осторожности, тот отказывался встречаться с «кавалерами». У Люсили был еще адрес врача в Швейцарии, под Лозанной. Но у того операция стоила двести тысяч плюс дорога. Это совершенно нереально, она даже не стала говорить Антуану. Это — для избранных. Клиника, медсестры, обезболивание — все это не для нее. Она пойдет под нож к мяснику, авось как-нибудь выкарабкается. Вряд ли после такого скоро придешь в себя. Никогда прежде Люсили не приходилось жалеть о сделанных глупостях, сейчас же она с горечью вспоминала жемчужное колье. Ей суждено умереть от заражения крови, как фолкнеровской героине. Антуана же посадят в тюрьму. Люсиль металась по комнате, точно загнанный зверь. Встречаясь в зеркале со своим отражением, она представляла себя подурневшей, изнуренной, навеки лишившейся здоровья, такого необходимого, чтобы быть счастливой. Эта мысль приводила ее в исступление. В четыре она позвонила Антуану. Он ответил усталым и озабоченным тоном, и ей расхотелось говорить с ним о своих переживаниях. Хотя в этот момент, попроси он оставить ребенка, она б согласилась. Но он показался ей далеким, отчужденным, бессильным. А ей так хотелось спрятаться к кому-нибудь под крыло. У нее не было ни одной знакомой, с кем можно было бы поделиться, расспросить о подробностях предстоящей операции. Пожалуй, единственной близкой ей женщиной была Полина. Подумав о ней, Люсиль автоматически вспомнила Шарля. До сих пор она гнала из памяти это имя, как угрызение совести, как нечто обидное для Антуана. Она сразу поняла, что именно к Шарлю она обратится за помощью и ничто ее не остановит. Шарль — единственный человек, способный рассеять этот кошмар.

Люсиль набрала его рабочий телефон, поздоровалась с секретаршей. Шарль оказался на месте. Услышав его голос, Люсиль испытала странное чувство и не сразу обрела дар речи.

— Шарль, мне надо с вами увидеться. У меня неприятности, — сказала она, овладев собой.

— Через час за вами заедет машина, — спокойно ответил Шарль. — Вам это удобно?

— Да. До свидания.

Секунду она ждала, что он повесит трубку. Потом вспомнила его непогрешимую вежливость и сделала это сама. Она быстро оделась и еще добрых три четверти часа ждала, прижавшись лбом к оконному стеклу.

Шофер приветливо улыбнулся ей. Машина тронулась, и Люсиль поняла, что спасена.

Полина открыла дверь и бросилась ей на шею. В квартире ничего
не переменилось — она была теплой, просторной, спокойной, на полу ее любимый голубой ковер. Среди этого великолепия Люсиль почувствовала себя плохо одетой. Потом рассмеялась: ей пришло в голову, что все это похоже на возвращение блудного сына, вернее, дочери. Притом дочери, несущей в себе другое дитя. Шофер поехал за Шарлем. Люсиль, как и в былые дни, пошла к Полине на кухню и попросила виски. Полина немножко поворчала, что Люсиль похудела и у нее усталый вид. Люсили захотелось положить голову ей на плечо и обо всем рассказать. Люсиль восхищалась тактом Шарля. Он устроил, чтобы она оказалась здесь раньше его, одна, точно пришла к себе домой. У нее было время вспомнить прошлое. Мысль, что в этом может заключаться своего рода уловка, не пришла ей в голову. Когда, войдя в квартиру, он весело окликнул ее, Люсили показалось, что последних шести месяцев в ее жизни вовсе не бывало.

Шарль осунулся и постарел. Он взял ее под руку, и они перешли в гостиную. Не слушая возражений Полины, он заказал ей два скотча, закрыл дверь и уселся в кресле напротив Люсили. Оглядев комнату, она сказала, что здесь ничего не изменилось. Он повторил за ней — действительно, ничего не изменилось, и он в том числе. В его голосе слышалось столько нежности, что Люсиль с ужасом подумала: вдруг он решил, что она хочет вернуться. Поэтому заговорила так быстро, что ему порой приходилось переспрашивать.

— Шарль, я беременна. Я не хочу ребенка. Мне надо съездить в Швейцарию, но у меня нет денег.

Шарль пробормотал, что ожидал чего-нибудь в этом роде.

— Скажите, вы уверены, что не хотите ребенка?

— Я не могу... Мы не можем себе это позволить, — покраснев, поправилась она. — И потом, я хочу оставаться свободной.

— Вы абсолютно убеждены, что дело не только в деньгах?

— Абсолютно.

Он встал, прошелся по комнате, повернулся к ней с печальной улыбкой.

— Жизнь все-таки нелепо устроена. Чего бы я только не дал, чтобы вы подарили мне ребенка. Вы имели б двух нянь и все, что душе угодно... Но ребенка от меня вы, верно, тоже не захотели бы оставить?

— Нет.

— Вы не желаете иметь ничего своего. Ни мужа, ни ребенка, ни дома, совсем ничего. Странно все-таки.

— Вы же знаете, мне претят собственнические чувства.

Шарль сел за стол, заполнил чек и протянул ей.

— У меня есть адрес прекрасного врача в Женеве. Очень прошу вас, поезжайте лучше к нему. Так мне будет спокойнее. Обещаете?

Она кивнула. В горле стоял комок. Хотелось крикнуть ему, что нельзя быть таким добрым и надежным, иначе она заплачет. Слезы уже наворачивались на глаза — слезы облегчения, горечи, тоски по чему-то ушедшему. Она уставилась на ковер, вдыхала запахи табака и кожи, слышала, как внизу Полина смеется с шофером. Ей тепло и хорошо. Наконец-то она почувствовала себя в безопасности.

— Помните, — сказал Шарль, — я жду вас. Я очень скучаю. Я понимаю, неделикатно говорить вам об этом сейчас, но мы так редко видимся.

Последние силы оставили Люсиль. Она вскочила, бросилась к двери, на ходу бормоча слова благодарности. Она сбежала по лестнице вся в слезах, как прошлый раз. Шарль крикнул ей вслед: «Непременно мне потом позвоните. Если меня не будет, передайте хоть через секретаршу. Я вас очень прошу...» На улице шел дождь. Люсиль знала, что спасена, понимала, что погибла.

— К чертям эти деньги! — взвился Антуан. — Ты подумала, кто я теперь в его глазах? Хуже сутенера. Сперва отнимаю у него женщину, потом он же должен платить за мои грехи.

— Антуан...

— Нет, это уж слишком. Я не образчик добродетели, но всему есть предел. Ты не хочешь от меня ребенка, врешь мне, тайком продаешь свои побрякушки. Ты делаешь все, что взбредет тебе в голову. Но брать деньги у прежнего любовника, чтоб убить ребенка от нынешнего... Я не могу допустить. Это невозможно!

— По-твоему, мне лучше под нож к тому мяснику, на которого у тебя хватает денег? Который будет резать по живому без капли наркоза? Который и пальцем не шевельнет, если я стану подыхать? Тебя больше устраивает, чтоб я на всю жизнь осталась калекой, раз платишь не ты, а Шарль?

Они погасили красный ночник. Говорили они едва слышно — настолько этот разговор был ужасен для обоих. Впервые они презирали друг друга. Каждый злился на себя за это презрение, но оба не владели собой.

— Ты малодушна, Люсиль. Не знаю даже, чего в тебе больше — трусости или эгоизма. К пятидесяти годам ты останешься у разбитого корыта. Твои чары уже никого не привлекут. Ты останешься одна.

— Ты тоже трус, Антуан. Да еще и лицемер. Тебя волнует не то, что ты собираешься убить ребенка, а что это сделают на деньги Шарля, а не на твои. Тебе твоя честь дороже моего здоровья. Ты ее в рамочке, что ль, на стену собираешься повесить, свою честь?

Оба замерзли, но избегали касаться друг друга. Раньше в этой постели можно было укрыться от любых невзгод. Теперь вся сила всемирного тяготения припечатывала к ней, не давая шевельнуть пальцем. Перед ними вихрем проносились мучительные видения: неуютные одинокие вечера, безденежье, приближение старости. В огненных столпах взметались ввысь атомные ракеты. Будущее являлось враждебным и безрадостным. И каждый впервые представил жизнь без другого, жизнь без любви. Он чувствовал, что если отпустит Люсиль в Швейцарию, то никогда не простит ни себе, ни ей. Это будет конец их любви. Чувствовал, что и связываться с тем коновалом действительно опасно. А если они оставят ребенка, Люсиль быстро согнется под бременем забот, заскучает, разлюбит его. Она создана для мужчины, а не для ребенка. Она и сама никогда не станет по-настоящему взрослой. А если ей все же случится повзрослеть, она перестанет любить себя, любить жизнь, поблекнет. Сколько раз он уговаривал себя: «Рано иль поздно все женщины через это проходят: рожают детей, сталкиваются с бытом. Такова жизнь, она обязана это понять и переступить через свой эгоизм». Но стоило ему увидеть безмятежное лицо Люсили, как начинало казаться, что не постыдная слабость, а глубокий, потаенный, почти животный инстинкт отвращает ее от обыденной жизни. И он начинал даже испытывать нечто вроде уважения к тому, что минуту назад презирал. Она была неприкосновенна. Такой ее делало неукротимое стремление к счастью, к радостям жизни. Благодаря ему эгоизм превращался в цельность характера, а безразличие — в бескорыстие. Он слегка застонал. Наверное, такой же стон он издал, появившись на свет.

— Люсиль, умоляю тебя, давай оставим ребенка. Это наш последний шанс.

Она промолчала. Он протянул к ней руку, погладил по лицу. По щекам, по подбородку текли слезы. Он неуклюже стал их утирать.

— Я попрошу прибавку к жалованью, — начал он, — выкрутимся как-нибудь. Сейчас полно студентов, готовых по вечерам присматривать за детьми. А днем можно отдавать его в ясли. Не так уж все это сложно. Ему исполнится год, потом десять. Это будет наш ребенок! Я должен был сразу тебя уговорить. Сам не знаю, почему не сказал тебе этого раньше. Мы должны, мы обязаны попытаться...

— Ты прекрасно знаешь, почему ты не сказал. Ты в это не веришь. И я тоже.

Она говорила ровным голосом, но слезы не переставая катились у нее из глаз.

— У нас с самого начала так. Мы долго скрывались, обманывали, мучили других. Мы созданы для обмана и для удовольствий, но не для того, чтоб вместе быть несчастными. Мы вместе для счастья. И ты это знаешь, Антуан. Ни ты, ни я, мы не можем жить как все. — Она перевернулась на живот, прильнула к его плечу. — Солнце, море, беспечность, свобода... Вот что нам нужно. Мы бессильны это изменить. Это у нас в крови. Пусть нас обзывают плесенью, если угодно. Лично я чувствую, что плесневею, лишь когда делаю вид, что верю этим ханжам.

Он не ответил. Уставившись в потолок, в светлый блик от уличного фонаря, он вспоминал, как силой хотел заставить Люсиль танцевать с ним, как ему хотелось тогда, чтоб она плакала, прижавшись к нему. И вот сбылось: она плачет. Но он не в силах ее утешить. Не надо себя обманывать, он не хочет ребенка. Он хочет только ее — свободную и неуловимую. Их любовь с первых шагов замешена на тревоге, беззаботности, чувственности. Он ощутил прилив нежности. Он обнял эту полуженщину-полуребенка, полукалеку, единственную свою любовь, и прошептал ей на ухо:

— Завтра утром я куплю билет в Женеву.

ГЛАВА 23

Минуло пять недель. Операция прошла легко. Вернувшись в Париж, Люсиль позвонила Шарлю. Его не оказалось на месте, пришлось передать, что все в порядке, через секретаршу. Люсиль почему-то расстроило, что не удалось поговорить с ним самим. Антуан теперь много работал — ему поручили выпуск новой серии. В издательстве произошла очередная перетряска, в результате он продвинулся по служебной лестнице. Они часто ходили в гости к его сотрудникам и друзьям. Они никогда не говорили о Женеве, просто стали осторожнее. Это было тем более несложно, поскольку Люсиль чувствовала себя усталой, а Антуан по уши увяз в работе. Иногда они ограничивались теперь лишь нежным поцелуем, прежде чем повернуться друг к другу спиной и погрузиться в сон. Однажды во «Флоре» Люсиль встретила Джонни. Был конец февраля, на улице лило как из ведра. Джонни рассеянно листал какой-то искусствоведческий журнал. Рассеянно — потому что за соседним столом сидел красивый молодой блондин. Люсиль хотела незаметно прошмыгнуть мимо, но Джонни окликнул ее, пригласил за свой столик. Бронзовый от загара, он в ярких красках описал последние приключения Клер на швейцарском курорте. Потом рассказал об остальных. Диана дала отставку кубинскому дипломату и жила теперь с писателем-англичанином. Джонни особенно забавляло, что тот изменяет ей с мальчиками. Затем Джонни мимоходом осведомился о делах Антуана. Люсиль ответила в той же манере. Болтовня Джонни развлекала Люсиль. Давно ей не случалось смеяться так свободно и зло. Друзья Антуана по большей части были люди умные, но утомительно серьезные.

— А ведь Шарль по-прежнему ждет вас, — сказал Джонни. — Клер пыталась подсунуть ему малышку де Клерво, но Шарля с трудом хватило на два дня. Давно не видел, чтобы мужчина так грустил. Он как неприкаянный слонялся по всему отелю — из холла до ресторана и обратно, и так весь день. На всех нагонял тоску. Просто ужас! Чем вы его приворожили? И вообще, что вы такое делаете с мужчинами? Право, ваши советы мне бы пригодились.

Джонни улыбнулся. Он по-прежнему хорошо к ней относился, и ему было неприятно видеть ее в старом платье, с плохой прической. Она, как и полгода назад, была очаровательна и рассеянна, но похудела и побледнела. Джонни встревожился:

— Вы счастливы?

Она быстро, слишком быстро ответила «да». И Джонни сделал вывод, что она скучает. В конце концов, Блассан-Линьер всегда был с ним крайне любезен. Почему бы не попытаться ему подыграть? Это будет добрый поступок. У Джонни и мысли не было связать озарившую его идею с завистью, остро кольнувшей его восемь месяцев назад, на коктейле у какого-то американца, когда он увидел, как Антуан и Люсиль, недавно ставшие любовниками, бледные от желания, не сводят друг с друга глаз.

— Вам надо как-нибудь позвонить Шарлю. Он неважно выглядит. Клер опасается, что он серьезно болен, как бы не...

— Вы хотите сказать...

— Сейчас все только и твердят о раке. Но боюсь, в данном случае есть для этого основания.

Джонни солгал. Он с интересом наблюдал, как Люсиль побледнела. Шарль... Милый Шарль. Такой одинокий в своей громадной квартире... Шарль, брошенный всеми этими людишками, которые не любят его и которых он не любит, покинутый всеми этими женщинами, падкими на его деньги. Шарль болен... Она просто обязана ему позвонить. Кстати, на той неделе у Антуана все вечера заняты — то деловые обеды, то ужины. Люсиль искренне поблагодарила Джонни. Тот слишком поздно вспомнил, что Клер терпеть не может Люсиль. Она придет в ярость, если Люсиль вернется к Шарлю. Но Джонни был иногда не прочь воткнуть шпильку своей покровительнице.

Через несколько дней Люсиль позвонила утром Шарлю. Он пригласил ее в ресторан. Стояла ясная, но холодная погода. Шарль сказал, что для тепла надо выпить. Они заказали по коктейлю, потом еще и еще раз. Руки официантов порхали над столом, как ласточки. Ей стало тепло и уютно. Невнятный ресторанный шум напоминал гудение пчелиного улья. Она подумала, что лучшего аккомпанемента для беседы не придумаешь. Шарль заказал обед. Он помнил все ее вкусы. Люсиль пристально всматривалась в него, пытаясь разглядеть признаки болезни. Но со времени их последней встречи он скорее помолодел. Она ему об этом сказала, это прозвучало почти упреком. Он улыбнулся.

— Да, зимой я неважно себя чувствовал — бронхит замучил. Пришлось поехать на три недели в горы — катался на лыжах, загорал. Теперь все в порядке.

— А Джонни сказал, у вас что-то серьезное со здоровьем...

— Да нет, ничуть. А то я бы, конечно, дал вам знать, — любезно добавил он.

— Вы можете поклясться?

Шарль искренне удивился:

— Господи, ну разумеется. Вот, клянусь. Вы по-прежнему так любите клятвы? Давненько мне не приходилось ни в чем клясться!

Они посмеялись.

— Знаете, а Джонни намекнул, будто у вас рак.

Шарль помрачнел:

— Так вы поэтому мне позвонили? Выходит, не хотели, чтобы я умер в одиночестве?

Люсиль покачала головой:

— Мне просто хотелось вас увидеть.

К своему глубокому изумлению, она поняла, что сказала правду.

— Я жив, дорогая Люсиль. Это прискорбно, но я жив, хотя о покойниках заботятся куда больше. Я по-прежнему работаю. И даже бываю в свете, потому что мне невыносимо одиночество. — Немного помолчав, он заметил: — А у вас все такие же темные волосы и серые глаза. Вы все так же красивы.

Люсиль вспомнила, что уже давно никто не говорил ей ни о цвете глаз, ни вообще о внешности. Антуан считает, что его страсть говорит сама за себя и заменяет любые излияния. Люсили было приятно видеть, что в глазах этого немолодого красивого мужчины, сидящего напротив, она — нечто ценное, недостижимое, не то, чем можно владеть по своему желанию.

— Скажите, вы свободны в четверг вечером? В особняке де ля Моллей будет музыкальный вечер. В программе Моцарт, ваш любимый концерт для флейты и арфы. Играет сама Луиза Вермер. Хотя вам, наверно, трудно будет выбраться.

— Отчего вы так решили?

— Я не знаю, любит ли музыку Антуан. К тому ж его может уколоть, что это я приглашаю.

В этом весь Шарль. Он приглашает ее вместе с Антуаном. Настолько предупредителен, что считает это за долг. И предпочитает видеть ее с Антуаном, чем не видеть вовсе. Он будет ждать ее, что б ни случилось, поможет в любой беде. А она за полгода ни разу о нем и не вспомнила. Только когда услышала, что он при смерти, в ней проснулась совесть. Это, в конце концов, несправедливо! Как может он выносить такую чудовищную неблагодарность? Что питает эту безответную любовь, нежность, щедрость? Она склонилась к нему через стол:

— Почему вы меня еще любите?

Вопрос прозвучал резко, почти зло. Шарль отозвался не сразу.

— Я мог бы ответить: потому что вы меня не любите. В принципе хорошее объяснение, но вам это трудно понять. Вы слишком любите быть счастливой. Но есть в вас нечто еще, страшно притягательное. Как бы сказать... Вечный порыв? Впечатление, будто вы всегда в движении, хотя никуда не едете. Что-то вроде ненасытности, хотя вы не желаете ничего иметь. Что-то вроде веселости, хотя вы редко смеетесь. Знаете, люди так часто выглядят уставшими от жизни, опустошенными. А из вас жизнь бьет ключом. Пожалуй, так. Я не могу как следует объяснить. Хотите лимонного мороженого?

— Да, это очень полезно, — механически кивнула она и, помолчав, добавила: — У Антуана в четверг деловой ужин. Так что я приду одна, если не возражаете.

Он не возражал. Он представить себе не мог ничего лучше. Они условились встретиться дома в половине девятого вечера. Шарль сказал «дома», и ей ни на секунду не пришло в голову, что речь может идти об улице Пуатье. Там была комната. Она не была домом даже в ту пору, когда в ней вмещались и рай, и ад разом.

ГЛАВА 24

Один из де ля Моллей в восемнадцатом веке дослужился до королевского министра. Залы особняка на острове Сен-Луи были огромны, а деревянные панели на стенах просто великолепны. При свечах все помещения казались еще просторней, гостиная — еще пышней. Блеск свечей был беспощаден и милосерден. Беспощаден — ибо явственней высвечивал на лицах как ум, так и его отсутствие. Милосерден, потому что сглаживал возраст. Музыканты расположились на маленькой эстраде в глубине гостиной. Люсиль с Шарлем сидели у окна. В каких-нибудь двадцати метрах несла свои воды подсвеченная огнями Сена. Казалось, она сама светится. Было в этом вечере нечто нереальное. Все вокруг воплощало совершенство: вид из окна, обстановка гостиной, музыка. Год назад все это наводило бы на нее скуку. Звон упавшего стакана или чей-то кашель показались бы ей развлечением. Но сегодня ее радовали покой, порядок и красота, доставшиеся де ля Моллям благодаря колониальной торговле.

— А вот и ваш концерт, — прошептал Шарль.

Они сидели совсем близко. Он протянул ей стакан скотча. В полутьме она различала его белую сорочку, элегантную стрижку, ухоженные руки, длинные веснушчатые пальцы. В зыбком свете он выглядел таким красивым, уверенным в себе и в то же время похожим на ребенка. Он казался счастливым. Джонни заметил, что они пришли вместе, и улыбнулся им. Люсиль не стала спрашивать, зачем он ее обманул. Пожилая дама на эстраде слегка улыбнулась и склонилась к арфе. Молодой флейтист вопросительно взглянул на нее. Было видно, как у него под воротничком рубашки ходит кадык. Сцена вполне в духе Пруста: вечер у Вердюренов, дебют молодого Морелля. Сваном был Шарль. Но в этой чудесной пьесе не было роли для нее. Как три месяца назад в той, что разыгрывалась в угрюмом бюро «Ревю». Как и никогда, ни в одной пьесе мира, не найдется для нее роли. Она ни куртизанка, ни интеллектуалка. Она никто. Первые же ноты, слетевшие со струн арфы, вызвали у Люсили слезы. Она знала, что мелодия будет становиться все нежней, все тоскливей. В ней будет усиливаться тема чего-то все более непоправимого, пусть даже к этому прилагательному трудно применить сравнительную степень. Есть в этой музыке нечто жестокое, как и в том, кто пытался стать счастливым и добрым, а вместо того заставил других страдать и теперь сам не знает, кто он и что. В голосе арфы нарастала жестокость. Повинуясь порыву, Люсиль протянула руку к тому, кто был рядом — а рядом с ней в этот миг был Шарль, — и сжала ему ладонь. Его рука, его живое тепло заслонили ее от смерти и одиночества, от невыносимого ожидания того, что сплеталось и рвалось в споре флейты и арфы. Робкий молодой человек и увенчанная многими лаврами женщина в годах сделались равны перед моцартовским презрением ко времени. Шарль сжимал руку Люсили. В паузах он брал свободной рукой с подноса стакан виски и протягивал ей. В тот вечер было много виски и много музыки, то и другое в равной степени пьянило. Узкая ладонь Шарля казалась Люсили все более надежной и теплой. Кто он, тот блондин, что заставляет ее ходить в кино под дождем, который хочет, чтобы она работала, из-за кого она чуть не попала под нож плоскорожего мясника? Кто он такой, этот Антуан, чтоб называть гнилью всех этих милых людей, эти уютные канапе, музыку Моцарта? Конечно, он так говорил не о свечах, канапе и Моцарте. Но он называл так тех, благодаря кому она всем этим сейчас наслаждается. Этим и еще золотистой, обжигающей жидкостью, глотать которую легко как воду. Она была пьяна и довольна всем вокруг. Она крепко держалась за руку Шарля. Она любит Шарля, любит этого молчаливого, нежного мужчину. Она всегда его любила. Ей не хочется с ним расставаться. Она не могла понять, отчего он так печально улыбнулся, когда в машине она ему об этом сказала.

— Я отдал бы все на свете, чтобы поверить вам. Но вы, к сожалению, слишком много выпили. Вы любите не меня.

И, конечно, стоило ей увидеть светлые волосы Антуана, разметавшиеся по подушке, его длинную руку, лежавшую на ее, Люсили, месте, как она сразу поняла, что Шарль был прав, она любит не его. И она об этом пожалела. В первый раз за все эти месяцы.

В первый, но не в последний. Она по-прежнему любила Антуана, но больше не любила свою любовь к нему. Ей окончательно разонравился их размеренный и спокойный — из-за безденежья — образ жизни, опостылело однообразие дней. Антуан это чувствовал и старался поменьше бывать дома, почти забросил ее. Часы ожидания сделались для нее по-настоящему пустыми, ведь теперь она ждала не чуда, а все ту же обыденность. Иногда Люсиль встречалась с Шарлем, но Антуану о том не обмолвилась ни словом. К чему ревностью усугублять ту муку, что безнадежно поселилась в его золотистых глазах? Минуты близости теперь скорее напоминали поединок, чем акт любви. Они долго познавали друг друга, отыскивали все новые, неведомые пути, продлевающие блаженство. Теперь их умудренность обратилась в бездушную технику, служила тому, чтоб скорее со всем этим покончить. Не от скуки, а от страха. Каждый засыпал, успокоенный стонами другого. А прежде эти стоны, напротив, возбуждали их.

Однажды вечером, когда было выпито особенно много виски — а в последнее время она вообще много пила, — Люсиль осталась у Шарля. Она с трудом понимала, что делает. Только твердила себе, что рано или поздно это должно было случиться и надо сказать Антуану. Вернувшись на рассвете, она разбудила его. Однажды ему уже показалось, что он навсегда потерял ее, и он, безумно влюбленный, метался по этой самой комнате. Тогда, тоже на рассвете, к нему пришла прощаться другая женщина, Диана. Теперь он и правда потерял Люсиль. В нем недостало силы или еще чего-то, чему он не знал названия. Слишком давно он предвкушал чувство поражения, бессилия. Он чуть не сказал, что им не о чем говорить, что она всегда обманывала его — если не с Шарлем, то всей своей жизнью. Но он вспомнил лето, последний день августа, слезы Люсили и промолчал. После ее возвращения из Женевы он ждал, что она со дня на день уйдет. Есть на свете вещи, которые не могут не нанести смертельный удар любви, сколь ни свободны мужчина и женщина от предрассудков. Наверно, для них камнем преткновения стала Женева и все связанное с ней. А может, все было предопределено изначально, еще в тот день, когда, породненные смехом, они вышли из дома Клер Сантре? Не скоро ему удастся выпрямиться. Он думал об этом, глядя в ее усталое лицо, в глаза, обведенные темными кругами, на ее руку, лежавшую на простыне. Он знал каждую черточку этого лица, каждый изгиб ее тела. Такую геометрию забыть нелегко. Они обменялись несколькими банальными фразами. Ей было стыдно, что они в эти минуты ничего не чувствуют. Если бы Антуан накричал на нее, Люсиль наверняка осталась бы. Но он не кричал.

— Ты и правда была несчастлива.

— Ты тоже.

Они улыбнулись друг другу — виновато, расстроенно, почти по-светски, — и Люсиль ушла. Когда за ней захлопнулась дверь, он не смог сдержать стона: «Люсиль, Люсиль...» — и разозлился на себя за это. Она пешком отправилась к дому Шарля, к своему одиночеству.

ГЛАВА 25

Им суждено было еще раз увидеться. Два года спустя они встретились у Клер Сантре. Люсиль в конце концов вышла замуж за Шарля. Антуан стал директором отделения в своем издательстве. В этом качестве его и пригласили. Теперь он с головой уходил в работу. У него появилась привычка немного рисоваться своим красноречием. Люсиль оставалась все такой же очаровательной, выглядела счастливой. Молодой англичанин, некий Соэмс, строил ей глазки. За столом Люсиль и Антуан оказались рядом — то ли случайно, то ли по коварному замыслу Клер. Они вели вежливую беседу о литературе.

— Скажите, что все-таки значит «шамада»? — поинтересовался на другом конце стола молодой англичанин.

— Словарь Литтре дает такое толкование: барабанный бой, означающий сигнал к капитуляции, — объяснил кто-то из эрудитов.

— Как это поэтично! — воскликнула Клер Сантре. — Пусть в английском больше слов, дорогой Соэмс, но, согласитесь, в поэзии пальма первенства у Франции.

Антуан и Люсиль сидели в метре друг от друга, но слово «шамада» им ничего не напомнило и не пробудило в них смеха, как в былые времена.

1965 г.

Ангел-хранитель

Перевод Е. Залогиной

Жаку

Земля пускает так же пузыри,
Как и вода...

Вильям Шекспир

ГЛАВА 1

Дорога в Санта-Монику шла вдоль берега. Прямая и неумолимая, она скользила под колеса урчащего «Ягуара». Было тепло, даже жарко. В воздухе пахло ночью и бензином. Мы мчались со скоростью полтораста километров в час. Пол выглядел слегка рассеянным, как все, кто ведет машину слишком быстро. На нем были дырчатые перчатки, как у профессиональных гонщиков, и от этого было немного нсприятно смотреть ему на руки.

Меня зовут Дороти Сеймур, мне сорок пять лет. Сохранилась я неплохо, возможно, потому, что в моей жизни этому не было серьезных помех. Я сценарист, и достаточно известный. До сих пор нравлюсь мужчинам — вероятно, из-за того, что они мне тоже очень нравятся. Я из тех белых ворон, которых стыдится Голливуд. Когда мне было двадцать пять, я снялась в одном интеллектуальном фильме и имела бешеный успех. А в двадцать пять с половиной укатила в Европу с левым художником транжирить заработаннос. В двадцать семь я вернулась без гроша в кармане, всеми позабытая. К тому же в родном Голливуде меня ожидало несколько судебных исков. Убедившись, что я абсолютно неплатежеспособна, дело замяли и пристроили меня сценаристом — мое прославленное имя уже не производило ни малейшего впечатления на неблагодарную публику. Меня это вполне устраивало. Автографы, фотографы и почести всегда наводили на меня тоску. Я стала «Той, что могла бы» (верно, так бы меня величали, будь я индейским вождем). Мне досталось крепкое здоровье и богатое воображение — и то и другое от деда-ирландца. Так что в конце концов я сделалась довольно популярным сочинителем цветных киноглупостей. И, к своему глубокому удивлению, обнаружила, что за это неплохо платят. Многие исторические картины студии «РКБ» сняты по моим сценариям. Иногда в кошмарных снах мне является Клеопатра и язвительно заявляет: «Нет, сударыня, я бы в жизни не сказала Цезарю: «Приходите, о повелитель моего сердца».

Что до меня, повелителем моего сердца, или уж по крайности тела, нынче ночью должен был стать Пол Брет. И я заранее зевала.

А между тем Пол — завидный кавалер. Он представляет интересы «РКБ» и еще нескольких кинофирм. Элегантный мужчина с приятными манерами и красив, как картинка. Даже Памела Крис и Луэлла Шримп, две самые роковые женщины нашего поколения, уже десятилетие опустошающие с экрана сердца и кошельки представителей сильного пола, и те, каждая в свою очередь, в него влюблялись и проливали слезы, расставаясь. Так что у Пола славное прошлое.

Но в этот вечер, вопреки романтическому антуражу, я видела в нем лишь обыкновенного сорокалетнего блондина, не больше. Увы, делать нечего, пришла пора выкидывать белый флаг. Неделя цветов, полных подтекста телефонных диалогов и совместных выходов в свет — после этого женщина моего возраста просто обязана сдаться. По крайней мере так принято у нас в Голливуде. Настал день «икс», и мы со скоростью сто пятьдесят километров в час мчали в сторону моего дома.

Было уже два часа ночи, и я с сожалением размышляла о непомерной роли сексуальных влечений в человеческой жизни. Лично я хотела спать. Но мне хотелось спать и вчера, и три дня назад, больше я не имела на это права. Иначе «Ну конечно, моя радость» сменится на «Дороти, что с вами происходит? Вы можете мне открыться...». Так что мне предстояла радостная процедура — извлечь из холодильника мороженое, бутылку шотландского виски, протянуть Полу стакан с весело позвякивающими льдинками и наконец в соблазнительной позе а-ля Полет Годар улечься на большом канапе в гостиной. Тогда Пол подсядет ко мне, поцелует и затем проникновенно выдохнет: «Ведь это должно было случиться, правда, дорогая?» И действительно, это должно было случиться.

Я ахнула, а Пол сдавленно вскрикнул. В свете фар мелькнул силуэт. Он походил на сумасшедшего, а еще больше на соломенное чучело вроде тех, что во Франции выставляют вдоль полей. Человек метнулся наперерез машине. Оказалось, у моего блондина мгновенная реакция. Он резко тормознул и рывком руля отправил машину направо, в кювет, вместе со своей прекрасной спутницей (это я о себе). Перед глазами пронеслась вереница странных видений, и я очутилась лицом в траве, сжимая в руках сумочку. Странно, я обычно повсюду ее забываю. Никогда не знаешь, что побудило меня ухватить ее в миг, который мог стать последним. Потом до меня донесся голос Пола. С тревогой (что похвально) он звал меня по имени. Значит, жив-здоров.

Я закрыла глаза, испытывая больше, чем облегчение. Этого психа мы не задавили, я цела. Пол тоже. А учитывая кучу предстоящих формальностей плюс пережитое мною нервное потрясение, у меня все шансы проспать эту ночь в одиночестве. Слабым голосом я отозвалась: «Все в порядке, Пол», — и поудобнее уселась на траве.

— Слава небесам! — воскликнул Пол, вообще питающий склонность к старомодным выспренним выражениям. — Вы не пострадали, дорогая. Мне было показалось...

Я так и не узнала, что ему показалось. В следующую секунду раздался чудовищный грохот, и мы в обнимку скатились метров на десять вниз. Оглушенная, полуослепшая и несколько раздраженная, я высвободилась из объятий Пола, чтобы посмотреть, как горит «Ягуар». Он был похож на пылающий факел, и я надеялась, что этот факел застрахован. Пол тоже приподнялся.

— О боже, — сказал он, — наверное, это бензин...

— Интересно, что еще там могло взорваться? — язвительно осведомилась я.

И тут я вспомнила про того психа. Он же остался у машины! Я вскочила и бросилась туда, на ходу машинально отметив, что оба чулка поползли. Пол бежал следом. Незнакомец неподвижно лежал на асфальте, но в стороне от огня. Сперва я заметила только темные волосы. В свете пламени они казались рыжеватыми. Я легко перевернула его на спину, лицом вверх. Оно показалось мне совсем детским.

Хочу, чтобы меня верно поняли. Я никогда не любила, не люблю и не собираюсь любить зеленых юнцов (в Европе их называют котиками). Меня не перестает удивлять, что они все больше входят в моду. Иные из моих подруг тоже перед ней не устояли. Я нахожу в этом что-то фрейдистское. Юношам, на чьих губах молоко не обсохло, нечего делать в объятиях зрелых дам, от которых разит скотчем. Но это лицо, столь юное, столь суровое и столь совершенное, вызвало во мне странное чувство. Мне хотелось то убежать, то взять его на руки и начать баюкать. Нет, я не страдаю материнским комплексом. Я обожаю свою дочь, она живет в Париже с мужем. У нее куча детей, и она все норовит подсунуть их мне, когда я надумываю провести отпуск на Ривьере. Слава богу, я редко путешествую одна, так что обычно имею благовидный предлог уклониться от обязанностей бабушки. Но вернемся к той ночи и к Льюису. Да, этого психа, это чучело огородное, этого прекрасноликого незнакомца звали Льюис. На минуту я замерла перед ним, мне даже не сразу пришло в голову положить руку ему на грудь, чтобы проверить, бьется ли сердце. Я смотрела на него, и мне казалось, что, жив он или мертв, не имеет значения. Позже я поняла свою ошибку, но не в том смысле, как можно подумать.

— Кто это? — строго спросил Пол.

Что меня восхищает в людях Голливуда, так это их мания при любых обстоятельствах все знать и всех узнавать. Полу, видите ли, было неприятно, что он не может обратиться к человеку, которого чуть не сбил, по имени. Я взорвалась:

— Послушайте, Пол, мы ведь не на коктейле. Как вы думаете, он ранен? Ой!

Темная жидкость, вытекавшая из головы незнакомца мне на руки, была кровь. Теплая, густая, невероятно нежная. Пол заметил ее одновременно со мной.

— Я не задел его, — сказал он, — в этом я абсолютно уверен. Наверное, при взрыве в него отлетел обломок.

Он выпрямился. Голос его был спокоен и тверд. И я начала понимать Луэллу Шримп.

— Оставайтесь здесь, Дороти, я пойду звонить.

Он быстрыми шагами направился к видневшимся вдалеке темным силуэтам домов. Я осталась на шоссе наедине с незнакомцем, который, быть может, умирал. Внезапно он открыл глаза, посмотрел на меня и улыбнулся.

ГЛАВА 2

— Дороти, вы в своем уме?

На подобные вопросы мне всегда было трудно отвечать. А сейчас тем более: спрашивал-то Пол. В темно-синем блайзере он выглядел так элегантно! И смотрел на меня так сурово. Разговор происходил на террасе моего дома. Я была одета как садовник: старые полотняные брюки, выгоревшая рубашка в цветочек, голова перехвачена косынкой. Возней с клумбами и кустами я в жизни не занималась, один лишь вид садовых ножниц приводит меня в ужас, но я обожаю переодевания. Поэтому каждую субботу облачаюсь в старье, как все мои соседи. Но вместо того, чтобы исступленно стричь лужайки или усмирять мятежный бурьян, я поудобнее устраиваюсь на террасе с большим стаканом виски и книгой. Пол приехал ближе к вечеру и застал меня за этим занятием. Я чувствовала себя виноватой и неопрятной — в равной степени то и другое.

— Вы знаете, что весь город судачит о вашей причуде?

— Весь город, весь город... — повторила я отчасти польщенно и в то же время скромно.

— Ради всего святого, что делает у вас этот мальчик?

— Как что? Выздоравливает, приходит в себя после того случая. Вы же знаете, Пол, у него с ногой серьезно. А в кармане ни гроша, семьи нет, вообще ничего нет.

Пол тяжело вздохнул:

— Вот это меня и беспокоит, моя дорогая. Ну и, конечно, то, что

ваш молодчик был накачан ЛСД, когда кинулся мне под колеса. Так
сказали в больнице.

— Но, Пол, он ведь все уже объяснил. В дурмане он принял нас
не за машину, ему почудилось...

Пол побагровел:

— Плевать я хотел, что ему чудилось. Он же ненормальный,
проходимец какой-то. Едва нас не угробил, а вы берете его под крыло, он спокойно себе живет у вас в гостевой комнате, вы его кормите.
А если в один прекрасный день ему помстится, что вы курица, и он
вас прирежет? Или смоется с вашими драгоценностями?

Я возразила:

— Послушайте, Пол! Меня еще никогда не принимали за курицу.
А что до моих побрякушек, то они не бог весть какое богатство.
В конце концов, не могла же я бросить его на улице в таком состоянии!

— Но вы могли оставить его в больнице.

— Ему там не нравилось, и я его понимаю.

Пол не нашелся что ответить и молча уселся в плетеное кресло
напротив меня. Машинально он взял мой стакан с виски и отпил половину. Я была уже на взводе, но промолчала. Похоже, он тоже еле
сдерживался. Он странно на меня посмотрел:

— Вы занимаетесь садом?

Я несколько раз утвердительно кивнула головой. Забавно все-таки, некоторые мужчины буквально вынуждают их обманывать. Но
ведь совершенно невозможно рассказать Полу о моих невинных суб-
ботних развлечениях. Тогда бы уж он точно посчитал, что я свихну-
лась. Я и то начинала задаваться вопросом, а не прав ли он.

— Что-то незаметно, — продолжил он, окинув сад критическим
взглядом.

Несчастный клочок земли, именуемый моим садом, и впрямь скорее смахивает на джунгли. Тем не менее я с оскорбленным видом пожала плечами:

— Я делаю что могу.

— А что это у вас в волосах?

Я провела по волосам рукой и выгребла из них два или три маленьких белых деревянных завитка, тонких, как бумага.

— Стружки, — удивленно произнесла я.

— Вижу, что стружки, — желчно отозвался Пол. — Тут ими все
усыпано. Вы что, помимо садоводства, еще и столярным делом увле-
каетесь?

В этот миг еще одна стружка слетела с неба и опустилась ему на
голову. Я посмотрела вверх.

— А, поняла. Это Льюис. Ему скучно лежать, и он вырезает из
дерева.

— А стружки запросто отправляет в окно? Восхитительно.

Я начинала дергаться. Ну да, возможно, я сделала неправильно, забрав Льюиса из больницы к себе. Но это ведь милосердно, это ненадолго, и поступила я так без задней мысли. И вообще Пол не имеет на меня никаких прав. Я набралась смелости ему про это напомнить. Он возразил, что имеет те же права, что и всякий разумный мужчина в отношении неразумной женщины: мужчина не должен ей позволять делать глупости, обязан опекать ее, и так далее и тому подобное.

В конце концов мы разругались. Взбешенный, он уехал, а я осталась без сил в своем кресле перед стаканом успевшего согреться скотча. Было около шести вечера. Тени на заросшей бурьяном лужайке делались все длиннее. Вечерок обещал выдаться скучным — поссорившись с Полом, я не поехала в гости, куда нас приглашали вместе. Из развлечений оставался телевизор, ничего, кроме скуки, у меня обычно не вызывающий, да пара слов, которые пробормочет Льюис, когда я принесу ему ужин.

Никогда еще не встречала столь молчаливого существа. Только раз он выдавил из себя нечто членораздельное — когда захотел выписаться из больницы на третий день после аварии. Мое гостеприимство он принял как нечто само собой разумеющееся. В тот день у меня было прекрасное настроение, пожалуй, даже слишком прекрасное. Один из редких, слава богу, моментов, когда кажется, что все люди на свете — твои братья и дети одновременно и ты должен заботиться о них.

С тех пор Льюис жил у меня. Целыми днями он неподвижно лежал в постели. Я приносила ему еду, а повязку на ноге он менял сам. Он не читал, не слушал радио, не разговаривал, время от времени вырезал странные фигурки из веток, что я приносила из сада. Но чаще просто с непроницаемым лицом смотрел в окно. Порой я спрашивала себя, не идиот ли он. В сочетании с его красотой это казалось весьма романтичным. Я предприняла несколько робких попыток узнать хоть что-то о его прошлом, его жизни, планах на будущее, но все мои вопросы натыкались па неизменное: «Это неинтересно». Однажды наши пути пересеклись на ночном шоссе. Его зовут Льюис. Все. Точка. Пожалуй, меня это устраивало. Меня утомляет, когда люди начинают подробно расписывать свою жизнь, а они, видит бог, так редко избавляют от своих откровений.

Я пошла на кухню и скоренько соорудила чудесный ужин из консервов. Потом поднялась по лестнице, постучала в дверь его комнаты, вошла и поставила поднос на кровать, усыпанную стружками. Вспомнив, как одна из них упала на голову Полу, я засмеялась. Льюис вопросительно поднял на меня глаза. Разрез у них был кошачий и цвет тоже. Светло-зеленые, под черными бровями. Разглядывая его,

за одни только эти глаза.

— Вы смеетесь? — спросил он низким, чуть глуховатым, неуверенным голосом.

— Просто вспомнила, как одна из ваших стружек упала из окна прямо Полу на голову. Он был возмущен.

— Ему было очень больно?

Я уставилась на него, раскрыв рот. Впервые я слышала, чтобы он шутил. По крайней мере, я надеялась, что это шутка. Я снова засмеялась, но чувствовала себя не в своей тарелке.

В конечном счете Пол прав. Что я делаю с этим мальчиком, с этим психом, здесь, в уединенном домике в субботний вечер? Могла бы сейчас веселиться, танцевать с друзьями. Может, даже немного пококетничала бы с этим милым Полом. А может, и не с ним...

— Вы решили сегодня никуда не ездить?

— Да, — с горечью ответила я. — Надеюсь, не очень вам помешаю?

И сразу же пожалела о сказанном. Это противоречило всем законам гостеприимства. Но Льюис вдруг рассмеялся, точно ребенок, весело, от всей души. И этот смех вернул ему его возраст, вернул душу.

— Вам очень скучно?

Вопрос застал меня врасплох. Многие ли могут сказать, как они скучают — сильно, или так себе, или неосознанно — в этом жутком хаосе, который и есть наша жизнь. Я ответила банальностью:

— Мне некогда скучать. Я работаю сценаристом на «РКБ» и...

Он мотнул головой налево, в сторону залива Санта-Моника, мерцавшего в сумерках, в сторону Беверли-Хиллз, огромного предместья Лос-Анджелеса с его студиями и павильонами. Все это он охватил одним презрительным кивком. Возможно, презрение — слишком сильно сказано, но это было больше, чем равнодушие.

— Да, там. Этим я зарабатываю на жизнь.

Разговор действовал мне на нервы. Из-за этого незнакомца я в течение трех минут почувствовала себя сперва пошлой, затем никчемной. И правда, какой толк от моей работы? Ежемесячная стопочка долларов, которая разлетается без остатка. Но было странно, что это чувство вины вызвал во мне шалопай, наркоман, который наверняка и на это-то не способен. Нет, я ничего не имею против наркотиков, но мне не нравится, когда люди выводят из своих пристрастий целую философию и презирают тех, кто не разделяет ее.

— Зарабатывать на жизнь... — мечтательно повторил он. — Зарабатывать на жизнь...

— Так принято, — отозвалась я.

— Досадно! А я бы хотел жить во Флоренции в те времена, когда там было полно людей, которые содержали других. Просто так, задаром.

— Они содержали скульпторов, художников, поэтов. Вы владеете хоть каким-нибудь из этих искусств?

Он покачал головой:

— А может, они еще содержали тех, кто им просто нравился, за так.

Я цинично усмехнулась, совсем как Бэт Дэвис.

— Ну, это и в наше время бывает.

И так же, как он пару минут назад, я мотнула головой в сторону предместья. Он закрыл глаза.

— Я ведь сказал: просто так. А это — не просто...

Он так убежденно произнес «это», что у меня сразу зародилось множество предположений, одно другого романтичнее.

Что я о нем знаю? Может, у него была безумная любовь? То есть то, что принято называть безумной любовью, а мне всегда казалось единственно разумной формой любви. И что, если не случай и не наркотики, а отчаяние толкнуло его под колеса «Ягуара»? И залечивает он сейчас не только ногу, но и душевную рану? А пристально вглядываясь в небо, находит в нем любимый образ?

Последняя фраза показалась мне знакомой. И тут до меня дошло. Я же сама написала ее в сценарии о жизни Данте для цветного сериала. Каких усилий мне стоило внести в него хоть каплю эротики! Бедный Данте сидит за неотесанным средневековым столом с пером в руке. Он поднимает глаза от рукописи и смотрит в окно. Голос за кадром: «Пристально вглядываясь в небеса, находит ли он там любимый образ?» На этот вопрос зритель должен ответить сам, причем, надеюсь, положительно.

Ну вот, я уже начинаю думать, как пишу. Будь у меня хоть на йоту таланта либо литературных амбиций, я б, вероятно, была довольна. Увы! Я взглянула на Льюиса. Он снова открыл глаза и внимательно меня рассматривал.

— Как вас зовут?

— Дороти. Дороти Сеймур. Разве я не говорила?

— Нет.

Я сидела у него в ногах. Через окно в комнату вливался вечерний воздух, пропитанный запахами моря. Я вдыхала эти запахи уже сорок пять лет, и все эти годы они не менялись, почти жестокие в своей неизменности. Сколько мне еще вдыхать их свободно и бездумно, скоро ли начнется ностальгия по прожитым годам, по поцелуям, по теплу мужского тела? Надо выйти замуж за Пола. Пора расставаться с этой безграничной верой в собственное здоровье и душевное равновесие. Хорошо чувствуешь себя в своей шкуре, пока есть человек, который эту шкуру гладит, согревает ее своим теплом. А что потом? Вот именно, что потом? Начнутся визиты к психиатрам? Одна мысль об этом вызывает во мне отвращение.

— Что-то вы погрустнели, — заметил Льюис.

Он взял мою руку и принялся рассматривать. Я тоже уставилась на нее. Мы оба изучали ее с неожиданным интересом. Он — потому что ее не знал, я — потому что в руках Льюиса она сделалась иной: стала похожа на вещь, словно больше мне не принадлежала. Еще никто не брал меня за руку столь странно.

— Сколько вам лет? — спросил он.

К моему глубокому удивлению, я ответила правду:

— Сорок пять.

— Вам повезло.

Я посмотрела на него с удивлением. Ему-то было лет двадцать шесть, не больше.

— Повезло? Почему?

— Повезло, что дожили до этих лет. Это ведь здорово.

Он отпустил мою ладонь. Вернее (так мне чудилось), возвратил ее запястью. Потом отвернулся и закрыл глаза. Я встала.

— Спокойной ночи, Льюис.

— Спокойной ночи, Дороти Сеймур, — нежно ответил он.

Я тихо прикрыла за собой дверь и спустилась на террасу. Мне почему-то было очень хорошо.

ГЛАВА 3

«— Понимаешь, это не пройдет. Это никогда у меня не пройдет.

— Все проходит.

— Нет. Нас связывает что-то неумолимое, как судьба. Ты сам ведь чувствуешь. Ты... ты должен это знать. Ты не можешь не знать!»

Тут я прервала сей страстный диалог — мое очередное творение — и вопросительно взглянула на Льюиса. Он приподнял брови и улыбнулся.

— Вы действительно верите в судьбу, в неумолимое?

— Речь не обо мне, а о Ференце Листе и...

— Да, но я спрашиваю о вас.

Я рассмеялась. Да, порой жизнь казалась мне неумолимой, и о некоторых чувствах я думала, что они никогда не иссякнут. Но вот мне сорок пять, я сижу в своем саду, у меня прекрасное настроение, и я никого не люблю.

— Раньше верила. А вы?

— Еще нет.

Он закрыл глаза. Постепенно он сделался разговорчивее, и мы стали рассказывать друг другу о себе. Вечерами, когда я возвращалась с работы, Льюис, опираясь на две палки, спускался на террасу и усаживался в кресло-качалку. Потягивая скотч, мы наблюдали, как сгущаются сумерки.

Мне было приятно, приходя домой, видеть его. Он был спокоен и странен, весел и мрачен одновременно, он походил на какого-то неведомого зверька. Приятно, но не больше. Я отнюдь не была влюблена. Мало того, при других обстоятельствах меня бы его красота пугала, отталкивала. Он был слишком тонко отделан, слишком строен, слишком совершенен. Нет, вовсе не по-женски, но он напоминал мне избранную расу, о которой писал Пруст: волосы с отливом, как перья, бархатная кожа. Словом, ему недоставало той детской суровости, которая так нравится мне в мужчинах. Я даже сомневалась, бреется ли он, есть ли в том нужда.

О себе он рассказал, что родился в пуританской семье на севере Штатов. Учился кое-как кое-чему, потом ушел из дома, перебивался случайными заработками, как все молодые бродяги. Добрался до Сан-Франциско. Познакомился там с другими лоботрясами той же породы. Добрая доза ЛСД, прогулка на машине, драка. В итоге очутился у меня. Выздоровеет, снова уйдет куда глаза глядят. Мы часто беседовали с ним о жизни, об искусстве — в его образовании имелись чудовищные пробелы.

Отношения наши оставались сугубо платоническими — полная нелепость с точки зрения толпы. Льюис часто расспрашивал о моих прежних романах, но ни словом не обмолвился о своих. Меня это слегка настораживало. Все-таки странно для его лет. Слова «женщины» и «мужчины» он произносил одинаково — равнодушно и пресно. А я в свои сорок пять не могла выговорить «мужчина» без легкой нотки нежности в голосе и сладкого отзвука в памяти. Возле него я порой ощущала себя бесстыжей.

— Когда жизнь показалась вам неумолимой? — спросил Льюис. — Когда ушел ваш первый муж?

— О господи, конечно, нет. Наоборот, тогда я почувствовала скорее облегчение. Только представьте себе: абстрактная живопись с утра до ночи! Ужасно утомляет. А вот когда ушел Фрэнк... Тогда — да, тогда я была как раненый зверь.

— Кто такой Фрэнк? Ваш второй муж?

— Да, второй. В нем не было ничего особенного, но столько жизнелюбия, нежности, счастья...

— Он бросил вас?

— В него влюбилась Луэлла Шримп.

Льюис вопросительно поднял брови.

— Только не говорите, что вы никогда не слышали о такой актрисе — Луэлла Шримп.

Он неопределенно хмыкнул. Я была возмущена, однако не стала настаивать.

— Ну, в общем, Фрэнку это страшно польстило, он был в упоении и оставил меня, чтобы на ней жениться. Тогда-то мне, как Мари д'Агу, показалось, что это никогда не пройдет. Я так думала больше года. Вы удивлены?

— Нет. А что было дальше?

— Два года спустя Луэлла влюбилась в другого, а Фрэнка бросила. Он снял три неудачных фильма и начал пить. Все. Точка...

Мы помолчали. Льюис слегка застонал и попытался встать. Я встревожилась.

— Вам плохо?

— Болит. Такое впечатление, что никогда не смогу ходить.

Я представила себе, как он остается калекой на всю жизнь у меня. Забавно, однако такая перспектива не показалась мне ни нелепой, ни неприятной. Должно быть, я дожила до возраста, когда человеку пора взвалить на себя какую-нибудь ношу. Ну что ж, я бы справилась. Несла бы ее долго и упорно.

— Тогда вы останетесь жить здесь, — ответила я весело. — А когда у вас выпадут все зубы, я буду варить вам каши.

— Почему у меня выпадут зубы?

— Говорят, так бывает, когда больные долго лежат. По-моему, это парадокс. Понятнее, если б они выпадали у тех, кто стоит, — под действием силы тяжести. Так ведь нет.

Он искоса посмотрел на меня, почти как Пол, но не так сурово.

— Какая вы странная, — произнес он. — Мне невозможно расстаться с вами.

Он прикрыл веки и бесцветным голосом попросил почитать стихи. Я пошла поискать что-нибудь по его вкусу. Это стало уже традицией. Тихо и нежно, чтобы не потревожить и не разбудить, я читала стихи Лорки об Уолте Уитмене:

Есть пляжи на небе, где от повседневности
можно укрыться,
и бренные есть, кого на заре
не заставишь вернуться...

ГЛАВА 4

Мне сообщили об этом в самый разгар дня. Я диктовала секретарше трепетный диалог Мари д'Агу и Ференца Листа, сочиненный вашей покорной слугой. Работала я без подъема, узнав накануне, что на роль Листа приглашен Нодин Дьюк. Я даже не решалась представить этого черноволосого атлета в образе великого музыканта. Но у кинематографа свои заблуждения — фатальные, смехотворные, примитивные. Мы как раз дошли до «чего-то непоправимого», и моя секретарша — она вообще ужасно чувствительная — залилась слезами, когда зазвонил телефон. Она сняла трубку, шумно высморкалась и повернулась ко мне:

— Мистер Пол Брет, мэм, что-то срочное.

Я взяла трубку.

— Дороти, вы уже знаете?

— Нет. Думаю, что нет.

— Дорогая Дороти... Умер Фрэнк.

Я ничего не ответила. Он встревоженно продолжал:

— Фрэнк Сеймур. Ваш бывший муж. Он покончил с собой сегодня ночью.

— Не может быть, — сказала я.

Я действительно так думала. У Фрэнка сроду не было ни капли мужества. Множество достоинств, но только не мужество. А чтобы покончить с собой, как мне кажется, нужно быть очень мужественным. Достаточно вспомнить о тысячах людей, для которых самоубийство — единственный выход, но они не могут решиться.

— Да, — донесся до меня голос Пола, — сегодня утром он покончил с собой в дешевом мотеле неподалеку от вас. Он не оставил никакой записки.

Мое сердце билось медленно-медленно. Оно билось все медленней и все сильней. Фрэнк... Я вспоминала, каким он был веселым, как смеялся, какая у него была кожа... Фрэнк умер... Это странно, но смерть заурядного человека потрясает сильней, чем когда умирает крупная личность. Я не могла поверить, что Фрэнка больше нет.

— Дороти... вы меня слышите?

— Слышу.

— Дороти, вам надо приехать. У него нет семьи, а Луэлла, вы знаете, сейчас в Риме. Мне очень жаль, Дороти, но надо уладить кое-какие формальности. Я сейчас заеду за вами.

Я протянула трубку своей секретарше — бог знает почему, ее зовут Кэнди[1] — и опустилась на стул. Взглянув на меня, она встала (у нее потрясающее умение чувствовать людей, из-за него она и стала для меня просто незаменимой), выдвинула ящик с надписью «Архив» и протянула мне откупоренную бутылку виски — она всегда там стоит. Машинально я сделала большой глоток. Я знаю, зачем человеку в состоянии шока предлагают выпить. Алкоголь в такой ситуации кажется столь гадким, что вызывает инстинктивный физический протест, отторжение. И это выводит из состояния отупения лучше чего угодно другого. Виски обожгло гортань, я вышла из оцепенения, охваченная ужасом.

---

[1] Кэнди — конфетка (англ.).

— Умер Фрэнк, — выговорила я.

Кэнди снова уронила лицо в носовой платок. Мы давно работали вместе, и у меня хватало времени поведать ей свою несчастную судьбу. Впрочем, у нее тоже. Мы болтали, когда вдохновение покидало меня. Так что не было нужды объяснять, кто такой Фрэнк, и от этого мне стало чуть легче. Сейчас, когда я узнала о его смерти, мне было бы невыносимо общество человека, не знавшего о его существовании. А ведь видит бог, несчастный давно исчез из нашего круга. И позабыт тем основательней, что в свое время был известен.

Здесь, в Голливуде, слава вообще ужасна, а уж если оказалась недолговечной, делается просто убийственной. В газете появится коротенькая заметка, состоящая из туманных выражений, пойдут неясные пересуды о самоубийстве. О нем, о Фрэнке, красавце Фрэнке, о его завидной доле мужа Луэллы Шримп, о нем, о Фрэнке, с которым мы столько раз вместе смеялись, — будут сказаны эти рассеянные, злые, почти немилосердные слова, и от этого он умрет вторично.

Пол приехал очень быстро. Он дружески взял меня под руку и воздержался от поцелуев, иначе бы я разревелась. К мужчинам, с которыми я была близка, у меня всегда сохраняется чувство нежности, чем бы наша связь ни кончилась. Кажется, такое случается нечасто. Но я думаю, что мужчина, с которым ты проводишь ночь, неизбежно, хоть на мгновение, становится среди этой ночи самым близким тебе человеком на земле; никто не убедит меня в обратном. Тела мужчин, воинственные или беззащитные, столь разные и столь похожие, и так стремящиеся быть именно непохожими... Я взяла Пола под руку, и мы уехали. Я испытывала некоторое облегчение от того, что никогда не любила Пола. Мне предстояло свидание с прошлым, и присутствие при нем настоящего было бы тягостно.

Фрэнк лежал неподвижно, безразличный ко всему. Он был похож на спящего. Он был мертв. Выстрелил себе в сердце с расстояния двух сантиметров, так что лицо не пострадало. Я попрощалась с ним. Моя боль не была чрезмерной. Думаю, так прощаются с частицей себя, что было тобой, но утрачено при операции, ранении или еще чем-то в этом роде. Фрэнк по-прежнему оставался шатеном. Странно, никогда больше я не встречала столь ярко выраженных шатенов, хотя это весьма распространенный цвет волос.

Потом Пол решил отвезти меня домой. Я подчинилась. Мы сели в его новый «Ягуар». Было четыре часа пополудни, солнце обжигало нам лица. И мне пришло в голову, что никогда больше его лучи не обожгут лицо Фрэнка, а он так его любил. Как мы все-таки жестоки к нашим мертвым! Стоит человеку умереть, как его торопятся упрятать в черный ящик, поплотнее закрыть тяжелой крышкой и зарыть в землю. От них спешат избавиться. Иногда еще их лица подкрашивают, подгоняя под свой вкус, и при бледном электрическом свете выставляют на всеобщее обозрение. Сперва обездвиживают, затем искажают. А по мне, надо хоть десять минут дать им погреться на солнышке, отвезти их к морю, если они его любили, подарить радости земли в последний раз перед тем, как они навеки смешаются с нею. Но нет, их наказывают за то, что они умерли. В лучшем случае им сыграют немного Баха, церковной музыки, которую большинство из них никогда не любило... Я погрузилась в черную меланхолию. Пол остановил машину перед моим домом.

— Может, мне зайти к вам на минутку?

Машинально я кивнула, а потом вспомнила про Льюиса.

Ну и что, какая разница! Мне было безразлично, что они там один про другого подумают, уставившись друг на друга, словно фарфоровые собачки. Я направилась к террасе. Пол шел следом. Развалившись в кресле, Льюис неподвижно созерцал птиц. Издали он приветствовал меня взмахом руки, но, заметив Пола, прервал свой жест. Я поднялась по ступенькам и подошла к нему.

— Льюис, — сказала я, — умер Фрэнк.

Он протянул ко мне руку и неуверенно провел по моим волосам. И тут что-то во мне оборвалось. Я упала на колени и разрыдалась. Я рыдала у ног этого ребенка, не ведающего горестей людских. Он гладил меня по волосам, по лбу, по мокрым щекам. Чуть успокоившись, я подняла голову. Пол уехал, не произнеся ни слова. И тут я внезапно поняла, почему не плакала при Поле. Причина оказалась жалкой и простой: ему этого хотелось.

— Я, наверно, жутко выгляжу, — сказала я.

Я знала, что глаза у меня покраснели, косметика смылась, лицо опухло. И впервые в жизни не смущалась, очутившись перед мужчиной в таком состоянии. В глазах Льюиса, как в зеркале, я видела отражение плачущего ребенка. И этим ребенком была я, Дороти Сеймур, сорока пяти лет. Было в нем нечто смутное, пугающее и успокаивающее одновременно, нечто отрицающее условности.

— Вы расстроены, — задумчиво произнес он.

— Я долго его любила.

— Он вас бросил и теперь за это наказан, — выпалил он. — Такова жизнь.

Я воскликнула:

— Вы рассуждаете как ребенок, а жизнь, слава богу, вовсе не такая!

— Она может быть такой.

Он отвернулся и опять погрузился в созерцание своих птичек. Рассеянный, почти скучающий. Мне пришло в голову, что сочувствие его далеко не безгранично, и пожалела, что Пол уехал. Я представила, как мы вместе вспоминали бы Фрэнка, как он утирал бы мне слезы и как мы играли бы здесь, на веранде, эту ужасную, слезливую и сентиментальную комедию. И я почувствовала себя чертовски гордой, что этого не произошло. Я вошла в дом. Звонил телефон.

Звонки не прекращались весь вечер. Звонили все: мои бывшие любовники, мои друзья, партнеры Фрэнка, журналисты (этих-то было немного). Уже было известно, что Луэлла, узнав о смерти Фрэнка, не преминула лишиться чувств и немедленно вылетела из Рима в сопровождении своего очередного дружка, молодого итальянца.

Вся эта суета действовала угнетающе. Никто из оплакивающих теперь Фрэнка и пальцем не пошевелил, чтобы поддержать, пока он был жив. Только я, в нарушение всех американских законов о разводе, подбрасывала ему денег до самого конца. Окончательно добил меня звонок Джерри Болтона. Он был большой шишкой в Актерской гильдии. Когда я вернулась из Европы, именно этот гнусный тип хотел затаскать меня по судам, пытался довести до голодной смерти. Но я пришлась ему не по зубам, и он обрушился на Фрэнка, когда тот впал в немилость у Луэллы. Злобное ничтожество, но всемогущий. Он знал, что я его ненавижу до глубины души, и все-таки имел наглость позвонить.

— Дороти? Я очень огорчен. Я знаю, вы очень любили Фрэнка, и я...

— А я знаю, что это вы, Джерри, вышвырнули его на улицу, что это вы закрыли перед ним все двери. Будьте любезны повесить трубку, я не люблю говорить грубости.

Он дал отбой. Гнев пошел мне на пользу. Я вернулась в гостиную и рассказала Льюису, за что ненавижу Джерри Болтона, его доллары, его директивы.

— Не будь у меня крепкого здоровья да верных друзей, он бы и меня довел до самоубийства, как Фрэнка. Лицемер из лицемеров. Отродясь никому не желала смерти, но ему почти желаю. Единственный человек на свете, кому я могла бы этого пожелать.

Так я закончила свою пламенную речь.

— Вы просто слишком снисходительны, дорогая, — рассеянно возразил Льюис. — Есть и другие, кто этого заслуживает.

ГЛАВА 5

Мы сидели втроем в моем кабинете на студии. Я места себе не находила и гипнотизировала взглядом телефон. Кэнди побледнела от волнения. Только Льюис, развалившийся в кресле для посетителей, казался спокойным, почти скучающим. Мы ждали результатов кинопробы.

Однажды вечером, несколько дней спустя после смерти Фрэнка,

Льюис вдруг решился и встал. Легко, как будто нога никогда и не была сломана, сделал несколько шагов и остановился передо мной. Я была совершенно изумлена.

— Смотрите, я здоров.

Я настолько привыкла к его присутствию возле меня, к его полуувечности, что и не думала, что рано или поздно это должно произойти. Скоро он скажет мне «до свидания» и «спасибо» и скроется за углом, и я его больше не увижу. Непонятная боль сжала мне сердце.

— Прекрасная новость, — еле выдавила я.

— Вы так считаете?

— Ну конечно. И что вы теперь собираетесь делать?

— Все зависит от вас, — спокойно проговорил он. И снова сел.

Я вздохнула с облегчением. По крайней мере он не уезжает прямо сейчас. Зато его слова меня заинтриговали. Почему вдруг судьба столь летучего, безразличного и свободного существа зависит от меня? Все это время я была для него сиделкой, не более.

— Если я останусь здесь, мне надо найти работу, — продолжил он.

— Вы хотите обосноваться в Лос-Анджелесе?

— Я сказал «здесь», — сурово ответил он, указывая подбородком на веранду и на свое кресло. Помолчав, он добавил: — Если вы, конечно, не против.

Я выронила сигарету, подняла ее, вскочила, бормоча что-то бессвязное вроде: «Надо же, вот это да, ну и ну, вот уж не ожидала» — и тому подобного. Он сидел совершенно неподвижно и смотрел на меня. Я покраснела от смущения (этого только не хватало!) и сбежала от него на кухню. Прямо из горлышка отхлебнула добрый глоток скотча. Еще немного, и я сделаюсь алкоголичкой, если уже не стала. Собравшись с духом, вернулась на веранду. Пора объяснить этому мальчику, что я живу одна, потому что мне это нравится, потому что сама так решила, и вовсе не нуждаюсь в юном спутнике. К тому же из-за него я не могу приглашать к себе поклонников, что осложняет мне жизнь. И в-третьих, в-третьих... В общем, ему незачем здесь оставаться. Как две минуты назад меня пугала возможность его отъезда, так теперь возмущала мысль о том, что он останется. Но мне было не до исследований собственной противоречивости.

— Льюис, — сказала я, — нам надо поговорить.

— Это ни к чему. Если вы не хотите, чтоб я оставался, я уеду.

— Дело не в том, — проговорила я, окончательно сбитая с толку.

— А в чем же?

Я ощущала смятение. И правда, в чем? Я ведь не хотела, чтобы он уезжал. Он мне нравился.

— Дело в том, что это неудобно, — проговорила я слабым голосом.

Он засмеялся, смех очень его молодил. Я выпалила:

— Пока вы болели после ранения, было в порядке вещей, что вы у меня живете. Вы тут один в чужом городе, вы попали в беду, вы...

— А раз я начал ходить, это уже неудобно?

— Этого никому не объяснишь.

— Не объяснишь кому?

— Всем!

— Вы всем отчитываетесь в своих поступках?

В его голосе мне почудилось презрение, я вскипела:

— Но, Льюис, посудите сами. У меня свои привычки, у меня друзья, у меня... ну, словом, бывает, мужчины за мной ухаживают...

Выговорив все это — верх унижения! — я снова покраснела. В сорок пять лет! Льюис кивнул.

— Я прекрасно знаю, что в вас влюбляются мужчины. Например, тот тип на машине, Брет.

— Между мной и Полом никогда ничего не было, — целомудренно сообщила я. — И потом, это не ваше дело. Ваше присутствие меня компрометирует.

— Вы уже достаточно взрослая, — резонно возразил Льюис. — Просто я думал, что если найду работу в городе, то смогу жить здесь и приносить вам деньги.

— Мне не нужны деньги! Я достаточно зарабатываю, мне и без жильцов денег хватает!

— Так мне было бы удобнее, — миролюбиво возразил он.

После долгой дискуссии мы пришли к полному согласию. Льюис попробует найти работу, а затем подыщет квартиру где-нибудь неподалеку, раз уж ему так хочется. Он на все соглашался. Спать мы разошлись, вполне довольные друг другом. Уже засыпая, я вспомнила, что он так и не сказал, почему хочет остаться рядом со мной.

На следующий день я всем на студии рассказывала о молодом человеке с ангельской внешностью. Мне пришлось выслушать несколько плоских шуток, но зато удалось заручиться приглашением для Льюиса. Я привезла его, он снялся в кинопробе, и мой патрон, Джей Грант, обещал просмотреть ее в ближайшие дни.

И вот такой день наступил. Джей засел в демонстрационной, ему предстояло сделать выбор между Льюисом и дюжиной других претендентов. Я грызла ручку. Кэнди, втрескавшаяся в Льюиса с первого взгляда, рассеянно стучала по клавишам машинки.

— Не очень-то живописный вид, — задумчиво произнес Льюис.

Я взглянула на пожелтевшую лужайку за окном. Господи, вот он о чем! Может, ему суждено стать звездой первой величины, героем-любовником номер один американского кино, а он толкует о каком-то виде из окна! Я на миг представила, как он, кумир толпы, обладатель многочисленных «Оскаров», объездивший весь свет, порой заруливает на своем «Кадиллаке» к старушке Дороти, которая некогда наставила его на этот путь. Я уж совсем было растрогалась, как зазвонил телефон. Я схватила трубку.

— Дороти? Это Джей. Дорогуша, ваш малыш просто прелесть. Заезжайте глянуть. Со времен Джеймса Дина не видал ничего подобного.

— Он здесь, — сказала я сдавленным голосом.

— Прекрасно. Приезжайте вместе.

Кэнди расцеловала нас, утирая глаза платочком. Мы вскочили в мою машину. Демонстрационный зал располагался километрах в трех отсюда. Мы преодолели их за рекордное время и бросились в объятия Джея. «Бросились» сказано не совсем точно. Было похоже, что Льюиса все это вовсе не интересует, он еле волочил ноги, что-то насвистывая на ходу. Он вежливо поздоровался с Джеем, уселся в темном зале рядом со мной, и нам снова прокрутили пленку.

На экране его лицо было другим. В нем появилось нечто плохо поддающееся определению, что-то жестокое, необузданное, но страшно притягательное. Мне стало не по себе. На экране кто-то чужой с почти немыслимой непринужденностью встал, прислонился к стене, зажег сигарету, зевнул, улыбнулся. Он держался, точно вокруг не было ни души. Камера совершенно его не стесняла. Да и заметил ли он ее?

Зажегся свет, и Джей обернулся ко мне с видом победителя.

— Ну, Дороти, что вы на это скажете?

Ну, разумеется, это он его открыл! Я несколько раз молча кивнула. Здесь лучше понимают мимику. Джей обратился к Льюису:

— Как вы себе нравитесь?

— Никак, — сдержанно ответил Льюис.

— Где вы учились играть?

— Нигде.

— Нигде? А если серьезно?

Льюис встал, на его лице читалась брезгливость.

— Я никогда не вру, господин...

— Грант, — механически отозвался Джей.

— Я никогда не вру, господин Грант.

Впервые в жизни я видела Джея Гранта растерянным. Он даже слегка покраснел.

— Я же не говорю, что вы врете. Но вы так естественно держались перед камерой. У дебютантов это редко выходит. Дороти может подтвердить.

Он повернулся ко мне с таким умоляющим видом, что я чуть не прыснула. Я пришла ему на выручку.

— Действительно, Льюис, у вас очень здорово получилось.

Он посмотрел на меня, улыбнулся и внезапно склонился ко мне, как если бы мы были одни.

— Правда? Вам понравилось?

Его лицо находилось в двух сантиметрах от моего. Я заерзала в кресле, мне было страшно неловко.

— Ну конечно, Льюис, я уверена, вас ждет блестящее будущее.

Джей тактично кашлянул, как я и ожидала.

— Я подготовлю для вас контракт, Льюис. Если желаете, покажите его своему адвокату. Где вас можно найти?

Я вжалась в кресло. Будто издалека до меня донесся спокойный голос Льюиса:

— Я живу у миссис Сеймур.

ГЛАВА 6

Будь я в Голливуде персоной позначительней, разразился бы скандал. Ну а скромный сценарист удостоилась лишь нескольких доморощенных комментариев да дурацких поздравлений по поводу грядущих успехов «моего протеже». Сплетницы не повалили ко мне толпой. Слухи не пошли дальше моей родной конторы. В профессиональной газете появилось сообщение, что знаменитый Джей Грант взял на роль никому не известного новичка Льюиса Майлса. И только Пол Брет на полном серьезе принялся расспрашивать о моих дальнейших планах относительно Льюиса.

Мы повстречались с ним на импровизированном ленче в баре студии. Пол похудел, что ему очень шло. Вид у него был печальный. Но многие сорокалетние мужчины в наших краях выглядят печальными. И, глядя на него, я вдруг вспомнила, что на свете есть мужчины, существует личная жизнь. Я весело ответила, что никаких планов по поводу Льюиса не строю, что искренне за него рада и что скоро он должен переехать. Пол недоверчиво взглянул на меня.

— Дороти, мне с самого начала в вас нравилось, что вы никогда не лжете и не ломаете идиотских комедий подобно большинству здешних женщин.

— Ну и что?

— Только не говорите, что женщина вроде вас способна прожить месяц под одной крышей с красивым молодым человеком и между ними... А он и правда красив, должен признать...

Я расхохоталась.

— Пол, вы должны мне верить. В этом смысле он меня совсем не привлекает. И я его тоже. Знаю, это может показаться странным, но ничего не поделаешь.

464   — Вы готовы поклясться?

Это пристрастие мужчин к клятвам меня просто умиляет. Я поклялась, и, к моему глубокому изумлению, Пол буквально расцвел. Было от чего изумиться. Во-первых, я никогда не считала Пола столь наивным, чтобы поверить женской клятве. А во-вторых, даже не подозревала, что он настолько мною увлечен, чтобы так моей клятве обрадоваться. И тут я вдруг вспомнила, что уже целый месяц, пока Льюис живет у меня, я почти нигде не бывала, ни разу не была близка с мужчиной. Давненько со мной такого не случалось — то, что называют личной жизнью, для меня всегда играло едва ли не первую роль. Я повнимательнее пригляделась к Полу и пришла к выводу, что он мил, элегантен, с прекрасными манерами. Я назначила ему свидание на завтра. Он заедет за мной в девять вечера, и мы поедем ужинать к «Романофф», а после потанцуем. Мы расстались в полном восторге друг от друга.

На следующий день я вернулась домой пораньше. Я решила вылезти из кожи вон, чтобы выглядеть сногсшибательно и добить Пола. Льюис, как обычно, сидел в кресле. Он протянул мне лист бумаги, я подхватила его на ходу. Это был контракт Гранта. Он предусматривал три фильма с участием Льюиса, вполне приемлемую зарплату в течение двух лет и, конечно, исключительные на него права. Просмотрев документ, я предложила Льюису перестраховки ради проконсультироваться еще и с моим адвокатом.

— Вы довольны, Льюис?

— Мне все равно. Если, по-вашему, тут все нормально, я это подпишу. Вы куда-то торопитесь?

— Еду в ресторан, — весело ответила я. — Через час за мной заедет Пол Брет.

Я взбежала по лестнице, закрылась в ванной. Едва я погрузилась в горячую воду, как будущее предстало предо мной в радужном свете. У меня появилась уверенность, что все мне по плечу: Льюис сделает блестящую карьеру; Пол по-прежнему в меня влюблен; мы едем ужинать, будем развлекаться, потом, возможно, займемся любовью. Так что жизнь прекрасна. Я снисходительно изучила свое отражение в зеркале: тело еще стройное, лицо счастливое. Напевая, я накинула очаровательный пеньюар от Порто, присланный дочерью из Парижа. Сев перед зеркалом, извлекла косметику и принялась наводить красоту. И вдруг я увидела отражение Льюиса позади своего. Он вошел без стука. Это удивило, но не возмутило меня, в таком я была прекрасном настроении. Он уселся на пол возле меня. Один глаз я уже успела намалевать, другой ждал своей очереди, и видок у меня был довольно дурацкий. Так что я поспешила покончить с этой процедурой.

— Куда вы едете? — спросил Льюис.

— К «Романофф». Это голливудский кабак, у нас принято там показываться. Скоро и вам придется в нем бывать.

— Не говорите глупостей.

Он произнес это отрывисто и зло. На секунду я замерла с кисточкой в руке:

— Почему глупостей? Это в самом деле очаровательный ресторан.

Он ничего не ответил. Только, как обычно, смотрел в окно. С глазами я закончила, но красить губы при нем мне показалось неловко. Так же непристойно, как раздеваться на глазах у ребенка. Вернувшись в ванную, я нарисовала себе чувственный рот а-ля Крейфорд и надела любимое темно-синее платье — точная копия с модели Сен-Лорана. Пришлось повозиться с «молнией», так что я совершенно забыла о Льюисе и, возвращаясь в комнату, чуть о него не споткнулась. Он по-прежнему сидел на ковре. Он вскочил на ноги и уставился на меня. Я улыбнулась ему, гордая собой.

— Как я вам нравлюсь?

— Вы мне больше нравитесь, когда одеты как садовник, — ответил он.

Я рассмеялась и направилась к двери. Надо было еще успеть смешать коктейли. Но Льюис схватил меня за руку.

— А что буду делать я?

— Что хотите. — Его вопрос меня удивил. — Посмотрите телевизор, доешьте тунца. Если хотите, можете взять мою машину и...

Он держал меня за руку и выглядел рассеянным и сосредоточенным одновременно. Он смотрел как бы сквозь меня, и я узнала тот незрячий взгляд, что так поразил меня на экране. Взгляд человека, чужого на этой земле. Я попыталась высвободить руку, но безуспешно. И мне захотелось, чтобы скорее приехал Пол.

— Отпустите меня, Льюис, я спешу.

Я говорила тихо, точно боялась разбудить спящего. Заметив, что по его лбу и щекам стекает пот, я подумала, не заболел ли он. Внезапно он очнулся, увидел меня и выпустил мою руку.

— У вас колье не застегнулось, — пробормотал он.

Протянув руку, он ловко защелкнул застежку на моем жемчужном колье и отступил на шаг. Я улыбнулась. Это продолжалось не более секунды, но я отчетливо ощутила, как от затылка вниз, по спине, поползла капелька влаги. Это было совсем не то ощущение, что возникает иногда от прикосновения мужчины к вашей шее — оно мне хорошо знакомо, — нет, это было нечто иное.

Пол приехал точно в назначенный час. Он весьма мило держался с Льюисом, несколько покровительственно, но мило. Втроем мы выпили по коктейлю, и оптимизм вернулся ко мне. Уезжая, я помахала

Льюису рукой, он не шелохнулся. Высокий и стройный, красивый, очень красивый, слишком красивый, он как бы застыл в дверном проеме и глядел нам вслед.

Вечер оправдал мои ожидания. Я встретила множество знакомых, два часа протанцевала с Полом, потом мы поехали к нему. Я была слегка навеселе. И вновь с наслаждением ощутила запах табака, тяжесть мужского тела. В ночной темноте Пол шептал мне на ухо нежные слова. Он сказал, что любит меня, и предложил руку и сердце. Я, разумеется, сказала «да», потому что в постели могу сказать что угодно. В шесть утра я заставила его отвезти меня домой. Ставни в комнате Льюиса были закрыты. Только утренний ветерок колыхал чертополох в моем саду.

Глава 7

Минул месяц. Льюис начал сниматься в каком-то сентиментальном вестерне. Роль ему дали второстепенную, но он и в ней так бросался в глаза, что о нем заговорили. Казалось, это его мало трогает. В свободное время он молча слонялся по студии, стараясь проводить побольше времени в моем кабинете, где за ним нежно ухаживала Кэнди, или же бродил среди старых голливудских декораций. Особенно часто — среди декораций ковбойской «Серии Б», которые никогда не разбирают. Это целые деревни из фанерных фасадов с галерейками и лестницами из дерева, а за ними пустота — зрелище трогательное и болезненно-тоскливое разом. Льюис часами мог ходить по этим фальшивым улочкам, время от времени присаживаясь на крыльцо, чтобы выкурить сигарету. Вечером я привозила его домой, где он все чаще оставался в одиночестве. Полу не терпелось предстать со мной перед священником, и, чтобы сдержать его натиск, мне приходилось мобилизовать все свои дипломатические способности. Окружающие поголовно считали, что я живу сразу с двумя мужчинами. Я приобрела репутацию женщины-вамп. Это возвращало ощущение молодости, хотя и раздражало.

Так продолжалось три недели.

Тому, кто любит жизнь, никогда не хватит слов, чтоб ее описать. Красота дня, очарование ночи. Головокружение от вина и от чувственных наслаждений. Скрипки нежности, азарт работы, здоровье. Немыслимое счастье проснуться утром, имея впереди целый день, огромный день, полный радостей и забот. И можно упиваться им, пока сон, подобно смерти, не скует тебя неподвижностью до следующего утра. Никогда я не найду слов, чтобы отблагодарить небеса, или бога, или мою мать за то, что я явилась в этот мир, где все для меня: свежесть простыней и их помятость, близость с любовником и одиночество, серо-голубой океан, ровная, гладкая, прямая лента дороги на студию, музыка всех радиостанций и умоляющий взгляд Льюиса.

На нем-то я сломалась. Совесть принялась мучить меня. Стала наведываться мысль, что я бросаю его в одиночестве каждый вечер. Когда я заезжала за ним на съемочную площадку, хлопала дверцей машины и медленной и, надеюсь, изящной походкой уравновешенной женщины направлялась к нему, он шагал мне навстречу задумчивый, зажатый, съежившийся. Иногда мне начинало казаться, что, может, я живу неправильно. Что это счастье бытия, эта радость, любовь мужчин, вся моя жизнь — только нелепая ловушка... Что я должна броситься к нему, заключить его в объятия и спросить... спросить о чем? Где-то в глубине души зарождался ужас. Мне казалось, что меня, словно щепку потоком, несет к чему-то неизведанному, извращенному, но подлинно «настоящему». Я брала себя в руки, смеялась, говорила ему: «Хелло, Льюис», и он улыбался в ответ. Раз или два я видела его на съемках. Перед жадным оком камеры он сдерживал движения, как зверь в засаде, выглядел отрешенным и величественным, подобно утомленному льву в зоопарке, чей взгляд невозможно вынести.

Тогда-то Болтон решил его перекупить. Ему это было нетрудно. Ни один продюсер в Голливуде не посмел бы ему отказать. Тем паче Джей Грант. Болтон вызвал Льюиса к себе, предложил лучшие условия и сообщил, что выкупил первый контракт. Узнав про это, я пришла в ярость. Тем более что Льюис без охоты описывал их встречу. Я вытягивала подробности едва ли не клещами.

— У него большой стол. Он сидел за столом и курил сигарету. Предложил мне сесть, а сам стал звонить какому-то типу.

Льюис говорил неторопливо, скучающим тоном. Мы сидели на террасе, в этот вечер я решила побыть дома.

— А вы?

— На столе у него валялся какой-то журнал. Я взял его и стал читать.

У меня сразу поднялось настроение. Молодой человек, листающий журнал под носом у Болтона, — такая сценка не могла не порадовать.

— А дальше?

— Он повесил трубку и спросил, не думаю ли я, что нахожусь на приеме у зубного врача.

— И что вы ответили?

— Что я так не думаю. И что вообще никогда не был у дантиста. У меня хорошие зубы.

Он наклонился ко мне и пальцем приподнял верхнюю губу, чтоб я могла в этом удостовериться. Зубы у него были как у волка: белые и острые. Я кивнула головой.

— А потом?

— Потом ничего. Он стал ругаться и сказал, что оказывает честь, уделяя мне внимание. Что-то в этом роде. Что он меня покупает и обеспечит завидную, так он, кажется, сказал, карьеру.

Внезапно он рассмеялся.

— Завидную карьеру — мне! Я ответил, что меня это не интересует, но мне надо заработать побольше денег. Знаете, я подыскал «Ройс».

— Что подыскали?

— Ну, помните, вы недавно говорили с Полом о «Ройсах». Что в них можно даже стоять. Я нашел для вас «Ройс». Машине двадцать лет, но она высоченная и внутри полно золота. Ее привезут на той неделе. Болтон дал мне довольно денег, чтобы начать за нее выплачивать, и я подписал кредит.

Я не могла прийти в себя от изумления.

— Вы хотите сказать, что купили мне «Ройс»?

— Разве вам не хотелось?

— И вы надеетесь таким образом потрясти мое жалкое воображение? Вы что, за мидинетку меня принимаете? Да вы в своем уме?

Он возразил умиротворяющим и нежным, почти отеческим жестом. Это скорее пошло бы кому-то постарше меня. Мы разыгрывали роль, которую при таких отношениях, как у нас, пусть даже платонических, люди играют по очереди. Это было смешно. Трогательно, но смешно. Он понял это по моему взгляду и помрачнел.

— Я думал, вам будет приятно. Извините, сегодня вечером у меня встреча в городе.

Не успела я и слова вымолвить, как он вскочил и ушел. Я отправилась спать, терзаемая угрызениями совести. А в полночь встала и написала покаянное письмо — благодарила его и извинялась в столь слащавых выражениях, что часть пришлось вычеркнуть. Я сунула письмо ему под подушку и долго не ложилась, ожидая его возвращения. Но в четыре утра его все еще не было, и я то ли с облегчением, то ли с грустью подумала, что у него наконец-то завелась любовница.

Я погасила свет очень поздно и перед тем, как заснуть, отключила телефон. Поэтому узнала о случившемся только в половине первого, когда, все еще зевая, явилась в бюро. Секретарша моя от возбуждения чуть не подпрыгивала на стуле, глаза ее потемнели, впечатление было такое, что, подключи пишущую машинку вместо розетки к ее бедру, она бы заработала. Кэнди бросилась мне на грудь:

— Что вы на это скажете, Дороти? Что вы на это скажете?

— О господи, вы о чем?

Я с ужасом подумала, что мне, вероятно, предложили заманчивый контракт. Кэнди ведь ни за что не позволит мне его упустить, а у меня как раз наступил период лени. Хотя я абсолютно здорова, меня чуть ли не с самого рождения все окружающие пытаются опекать, точно умственно неполноценную.

— Как, вы еще не знаете? — Радость на ее лице удвоилась. — Джерри Болтон помер...

Каюсь, что, как и ей, да и всем на студии, новость показалась мне доброй. Я уселась к Кэнди лицом и заметила, что она уже вытащила бутылку скотча и пару стаканчиков, чтоб отметить это событие.

— Отчего он умер? Ведь еще вчера днем Льюис был у него.

— Его убили.

— И кто же?

Кэнди мгновенно перешла на стыдливый пуританский тон:

— Даже не знаю, как бы это сказать. Похоже, господин Болтон... Его нравы отличались...

— Кэнди, — сказала я строго, — у всех у нас нравы хоть чем-нибудь да отличаются. Не темните.

— Его нашли в одном сомнительном заведении, неподалеку от Малибу. Судя по всему, он там был постоянным клиентом. Он поднялся к себе в номер с молодым человеком, которого до сих пор не нашли. Тот его и убил. По радио сказали, это убийство с целью ограбления.

Выходит, Болтон лет тридцать вполне успешно скрывал свою страстишку. Тридцать лет строил из себя безутешного вдовца, эдакого ревнителя строгих правил. Тридцать лет поливал грязью актеров, склонных к своему полу, калечил им карьеры. И все из самосохранения, для отвода глаз... Нелепо.

— Странно, что дело не замяли.

— Говорят, убийца сам позвонил в полицию и в газеты. В полночь они обнаружили труп. Их уже ничто не могло остановить. Хозяина заведения приперли к стенке.

Машинально я взяла стакан со стола и с отвращением поставила обратно. Было еще слишком рано, чтобы пить. Я решила пройтись по кабинетам. Все были возбуждены. И в возбуждении этом сквозила радость, что мне не особенно понравилось. Я бы не стала радоваться смерти человека. Всех этих людей когда-то обидел, а то и раздавил Болтон, и теперь его разоблачение и смерть вызывали у них нездоровое оживление.

Я поспешила уйти и направилась на площадку, где снимался Льюис. Съемки начались в восемь утра, и после бессонной холостяцкой ночи он должен был выглядеть не слишком свежим. Но нет, он стоял, облокотясь на подставку для софита, и улыбался мне, вид у него был вполне бодрый. Он шагнул мне навстречу.

— Льюис, вы уже знаете?

— Да, конечно. Завтра из-за траура не будет съемок. Можно заняться садом.

Немного помолчав, он добавил:

— Нельзя сказать, чтоб я принес ему удачу.

— Это плохо скажется на вашей карьере.

Он равнодушно махнул рукой.

— Льюис, вы прочли мое письмо?

— Нет, я нынче не ночевал дома.

Я засмеялась.

— Это ваше святое право. Я только хотела сказать, что я в восторге от «Ройса». Просто была так удивлена, что не сумела этого выразить, вот и все. Меня это очень расстроило.

— Вам не надо из-за меня расстраиваться. Никогда.

Его окликнули. Предстояла небольшая любовная сцена с Джейн Пауэр, игравшей роль наивной девчонки. У нее были черные волосы и рот, всегда словно готовый для поцелуя. Она упала к нему в объятия с видимым удовольствием, и я подумала, что теперь Льюис будет чаще проводить ночи вне дома. Это вполне естественно. Я направилась к студийному ресторанчику, где у меня была назначена встреча с Полом.

ГЛАВА 8

«Ройс» оказался громадным и нелепым: грязно-белый драндулет с откидным верхом, с черными подушками (по крайней мере когда-то они были черными) и массой разных блестящих штучек. Модель 1925 года, не позже. Выглядел он просто чудовищно. Поскольку гараж у меня одноместный, пришлось пристроить его прямо в саду, и без того не слишком просторном. В обрамлении чертополоха «Ройс» смотрелся весьма романтично. Льюис был в восторге, он ходил вокруг автомобиля и даже изменил ради его заднего сиденья своему любимому креслу на веранде. Постепенно он перетащил туда свои книги, сигареты, бутылки. Возвращаясь со студии, он шел прямо к машине, разваливался на сиденье, свесив ноги на землю, и с упоением смешивал в своих легких ароматы вечера с тонким запахом плесени, исходившим от подушек. Слава богу, о том, чтобы ездить, вопрос не стоял, а этого я больше всего боялась. Даже не представляю, как удалось дотащить его до дому.

Мы с Льюисом решили мыть машину каждое воскресенье. Если вам не случалось воскресным утром мыть «Ройс» (модель 1925 года), украшающий ваш запущенный сад подобно скульптуре, вам неведомы высшие радости бытия.

На мытье снаружи уходило часа полтора, внутри — минут тридцать. Сперва я помогала Льюису: драила фары, радиатор — в общем, фасад. Потом уже самостоятельно принималась за салон. Это была моя вотчина, там я чувствовала себя хозяйкой больше, чем в собственном доме. Я наносила тонкий слой специального состава на подушки и натирала их замшевой тряпочкой. Затем переходила к приборной доске, полируя ее до блеска. Дохнув на циферблаты, протирала запотевшие стекла и, замирая от восторга, любовалась стрелкой спидометра, застывшей на отметке «80 миль». Тем временем Льюис, облачившись в старье, возился с шинами, спицами, бампером.

К половине первого «Ройс» сиял как новенький, а мы — от удовольствия. Мы ходили вокруг него, потягивая коктейли, и были страшно довольны проведенным утром. Главным образом потому, что оно прошло совершенно бессмысленно. Только что закончилась рабочая неделя. Шесть дней неумолимое время и чертополох осаждали машину, на которой мы никогда не будем ездить. Но каждое воскресенье мы станем приводить ее в порядок. Мы вместе предавались детским радостям: непосредственным, раскованным, единственно подлинным. Завтра понедельник — снова на работу, снова будни. Мы будем зарабатывать деньги, чтобы иметь возможность есть, пить и спать, чтобы «чужие» не совали нос в наши дела. О боже, до чего меня порой достает суетность жизни! Странно: может, именно потому, что я столь ненавижу то, что принято именовать сутью жизни, я так люблю саму жизнь во всех ее проявлениях.

В один прекрасный сентябрьский день я лежала на веранде, закутавшись в огромный свитер Льюиса, толстый, теплый и колючий. Как раз такие я люблю. Мне стоило немалых трудов уговорить его поехать со мной в магазин и потратить часть гонорара на обновление гардероба. По правде говоря, обновлять было нечего. С тех пор я частенько напяливаю его свитеры. Я всегда любила надевать свитеры своих мужчин. Надеюсь, это единственный порок, в котором они могут меня упрекнуть.

Итак, я засыпала над сценарием, к которому мне следовало за три недели сочинить диалоги. Сюжет показался мне ужасно нелепым. Насколько помню, речь шла о глупенькой девушке, познакомившейся с умным молодым человеком и под его влиянием поумневшей. Что-то в этом духе. Беда в том, что эта глупая девица казалась мне куда умней своего умного приятеля. Но поскольку в основе сюжета лежал бестселлер, нельзя было ничего менять. Я отчаянно скучала и с нетерпением ждала, когда же появится Льюис. Но вместо него появилась одетая в скромный твидовый костюм почти черного цвета, но при роскошных серьгах — кто бы вы думали? — знаменитая, неподражаемая Луэлла Шримп, недавно воротившаяся из Италии.

Ее машина остановилась перед моим скромным жилищем, она что-то сказала шоферу-антильцу и толкнула калитку. «Ройс» загораживал дорогу к дому, так что ей пришлось искать обходной путь. Она заметила меня, и в ее черных глазах промелькнуло удивление. Думаю, выглядела я и впрямь странновато: взлохмаченная, в огромном свитере, лежу в плетеном шезлонге, а возле бутылка скотча. Наверно, я походила на одну из героинь Теннесси Уильямса, которых так люблю: одинокую пьющую бабу. Она остановилась у ступенек и тихо позвала меня по имени: «Дороти, Дороти...» Я глядела на нее, раскрыв рот от изумления. Луэлла Шримп — национальное достояние. Она никуда не выезжает без телохранителя, любовника и дюжины фотографов. Как она очутилась тут, в моем саду?

Несколько секунд мы молчали, уставившись друг на друга, как совы. Я не могла не отметить, что Луэлла великолепно выглядит. В свои сорок три она казалась двадцатилетней девушкой: ослепительная красота, гладкая кожа, молодой блеск глаз. Она еще раз повторила «Дороти», и я, с трудом поднявшись из шезлонга, просипела «Луэлла» тусклым голосом, но придав ему, однако, по возможности, оттенок приветливости. Тогда она грациозно, точно юная лань, взлетела по ступенькам. Под строгим костюмом тяжело колыхнулась роскошная грудь. Луэлла упала в мои объятия: и тут я сообразила, что обе мы — вдовы Фрэнка.

— О боже, Дороти, как подумаю, что меня здесь не было... что вам пришлось все одной... я знаю... мне говорили... вы держались замечательно... я должна была, непременно должна была с вами повидаться...

Последние лет пять она даже не вспоминала о Фрэнке и вообще ни разу не виделась с ним с тех пор, как бросила. Наверное, решила я, у нее все равно пропадает день. Или нынешний любовник не удовлетворяет всех эмоциональных запросов. Только очень скучающая женщина может огорчаться по такому поводу.

Смирившись с судьбой, я предложила ей кресло, плеснула скотча, и мы взялись на два голоса петь дифирамбы Фрэнку. Для начала она стала извиняться, что отняла его у меня (но страсть оправдывает все), я ее простила (но время — лучший лекарь), дальше мы заговорили дуэтом. Меня это даже забавляло. Речь ее состояла из штампов, но с вкраплением откровенных признаний, и в них обнажалось что-то хищное. Мы уже дошли до лета 1959-го, и тут появился Льюис.

Он перемахнул через бампер «Ройса». Он улыбался. Он был так строен и красив, что это казалось почти нереальным. На нем была старая куртка и полотняные брюки, черные пряди волос спадали на глаза. Я видела его таким каждый день, но сейчас глянула глазами Луэллы. Это было даже забавно: она запнулась. Она замерла, как скаковая лошадь перед внезапным препятствием. Как женщина —

при виде мужчины, которого она слишком хочет, слишком сильно и слишком внезапно захотела. Льюис заметил ее, и улыбка мигом улетучилась с его лица. Он не любил чужих в доме. Я любезно его представила, и Луэлла пошла в атаку.

Хотя она вечно играла роковых женщин, ни дурой, ни посредственностью она не была. Передо мной сидела женщина светская, рассудочная, профессионал высшего класса. Я любовалась ее игрой. Она даже не пыталась ослепить Льюиса или вызвать его восхищение. Нет, она вела себя как друг дома, говорила о машине, небрежно выпила еще порцию скотча, рассеянно поинтересовалась его планами. Всем видом давала понять, что она просто милая женщина с легким характером. И далека от всех этих интриг («этих» — значит голливудских). По ее взгляду, брошенному на меня, я поняла, что она считает его моим любовником и решила отбить. Не слишком ли, после бедного Фрэнка... Признаюсь, я была слегка раздосадована. Ну ладно, пусть развлекается с Льюисом, это куда ни шло, но настолько не считаться со мной! Ее тщеславие, ее тупость просто ужасающи. И впервые за полгода во мне на минуту проснулась собственница. Льюис сидел на земле и молча смотрел на нас. Я протянула к нему руку.

— Льюис, у вас так спина заболит, лучше обопритесь о мое кресло.

Он привалился спиной, и я небрежно запустила руку в его шевелюру. С неожиданной порывистостью он откинул голову назад и положил ее ко мне на колени. Закрыл глаза и блаженно улыбнулся. Он выглядел таким счастливым. Я отдернула руку, как от огня. Луэлла побледнела, но мне это не доставило ни малейшего удовольствия: было стыдно за себя.

Все же еще некоторое время Луэлла поддерживала разговор. Ее самообладание было тем похвальней, что Льюис так ни разу и не поднял головы с моих колен и не проявил ни малейшего интереса к нашей беседе. Мы с ним походили на пару голубков, и, когда первое смущение прошло, на меня напал дикий смех. Наконец Луэлла утомилась и встала. Я тоже. Это заметно огорчило Льюиса. Он неохотно поднялся, фыркнул и посмотрел на Луэллу холодно и сердито. Всем видом он давал понять, как ему не терпится, чтобы она убралась отсюда. Та в свою очередь бросила ему ледяной взгляд, каким смотрят на неодушевленный предмет.

— Я ухожу, Дороти. Боюсь, я вас обеспокоила. К счастью, вы остаетесь не одна, хотя не скажу, что ваш приятель столь же галантен, сколь красив.

Льюис пропустил сказанное мимо ушей. Я тоже. Антильский шофер уже отворил перед ней дверцу, Луэлла была вне себя.

— Разве вам не известно, молодой человек, что дам принято провожать?

Она повернулась к Льюису, и я с изумлением заметила, что национальное достояние теряет свою прославленную выдержку.

— Так это дам, — спокойно ответил Льюис, не двинувшись с места.

Луэлла занесла руку для пощечины, я зажмурилась. Помимо прочего, Луэлла славится своими пощечинами. У нее это очень красиво получается — и на экране, и в жизни. Сперва она бьет ладонью, потом тыльной стороной, при этом плечи остаются абсолютно неподвижными. Но в этот раз произошла осечка. Я тоже посмотрела на Льюиса. Он стоял совершенно неподвижно, слепой и глухой ко всему. Таким я его однажды уже видела. Он тяжело дышал, по щеке ползла капелька пота. Луэлла отступила на шаг, потом еще на два, точно хотела выйти за черту, где он может до нее дотянуться. Ей было страшно, и мне тоже.

— Льюис, — позвала я и положила руку ему на рукав.

Как бы очнувшись, он отвесил Луэлле старомодный поклон. Она пристально на нас поглядела.

— Вам, Дороти, не следовало бы заводить столь юных любовников, да еще таких неотесанных.

Я ничего не сказала. Вот незадача: завтра весь Голливуд узнает об этом случае. Луэлла станет мне мстить. Это сулило не менее двух недель сплошных неприятностей.

Луэлла уехала, и я не смогла удержаться от упреков. Льюис взглянул на меня с жалостью:

— Вас это и правда огорчило?

— Да. Терпеть не могу сплетен.

— Я все улажу, — миролюбиво пообещал он.

Но он не успел выполнить своего обещания. На другой день по дороге на студию роскошный автомобиль Луэллы Шримп не вписался в поворот и разбился в долине Сан-Фернандо.

Глава 9

Луэлле устроили роскошные похороны. Это была вторая голливудская знаменитость, трагически сгинувшая за последние два месяца. Кладбище утопало в цветах и венках. Я приехала с Полом и Льюисом. Третий раз за короткий срок хоронили знакомых мне людей — недавно Болтона, перед тем — Фрэнка. И вот я снова иду по ухоженным кладбищенским аллеям. Здесь я проводила в последний путь трех человек. Они не походили один на другой, но все трое были слабыми и жестокими, жадными и разочарованными, все трое были охвачены лихорадкой, непонятной ни им самим, ни окружающим.

Меня терзала мысль: что за преграда так часто встает между людьми и их сокровенными желаниями, их невероятным стремлением к счастью? Может, в препятствие вырастает то представление о счастье, тот идеал, что они сами себе создают, — несовместимый с реальной жизнью? Или виновато время? Или нехватка времени? Или взращенный с детства надлом?

Вернувшись домой, я долго рассуждала на эту тему, обращаясь то к моим двум мужчинам, то к звездам. Но ни те, ни другие не могли дать мне ответа. В мерцании светил я находила столь же мало понимания, как и в глазах своих друзей. Я поставила на проигрыватель «Травиату». Эта романтическая музыка — ее ведь можно так назвать — всегда настраивала меня на философский лад. Наконец их молчаливость вывела меня из себя:

— Ну ладно. Вот вы, Льюис, скажите, вы счастливы?

— Да.

Лаконизм ответа привел меня в отчаяние. Но я продолжала упорствовать:

— А почему, вы знаете?

— Нет.

Я повернулась к Полу.

— А ты, Пол?

— Скоро надеюсь стать совсем счастливым.

Этот намек на женитьбу меня встревожил, и я поспешила перевести разговор в другую плоскость:

— Ну, хорошо. Нас здесь трое. Вечер теплый, земля круглая, мы здоровы, мы счастливы. По почему у большинства из тех, кого мы знаем, такой голодный, такой затравленный вид?.. Что с ними происходит?

— Умоляю тебя, Дороти, — простонал Пол. — Я в этом совсем не разбираюсь. Почитай газеты, там много об этом толкуют.

— Ну почему никто никогда не хочет говорить со мной серьезно? Что я, гусыня, что ли? Или круглая идиотка? — взорвалась я.

— С тобой невозможно всерьез говорить о счастье, — улыбнулся Пол. — Ты сама — живой ответ. Нельзя же обсуждать с Богом вопрос о существовании Бога.

— Дело в том, — внезапно вмешался Льюис, — что вы добрая.

Он пробормотал это еле разборчиво, затем резко встал и оказался у раскрытой двери в гостиную. Проникавший оттуда свет освещал его, как софит. С поднятой, точно у проповедника, рукой он выглядел несколько театрально.

— Вы... понимаете... Вы добрая... А большинство людей совсем... совсем не добрые... Они не умеют быть добрыми даже к самим себе...

— О господи! Давайте лучше выпьем в каком-нибудь месте повеселее, — предложил Пол. — Льюис, поедемте с нами?

Он впервые пригласил Льюиса, и, к моему великому удивлению, тот согласился. Мы не были в вечерних туалетах, так что решили махнуть в ночное молодежное кафе неподалеку от Малибу. Втроем мы еле втиснулись в Полов «Ягуар», но я со смехом заметила, что Льюису, верно, все же лучше в машине, чем снаружи в ту нашу первую встречу, — образчик моего тонкого юмора. Пол врубил стартер, дал газ, и мы тронулись. Верх был опущен, ветер свистел в ушах и трепал волосы. Я была безоблачно счастлива. Рядом были двое моих мужчин — любовник и младший брат, почти сын, оба красивые, щедрые и добрые, я любила их обоих. Я вспомнила о несчастной Луэлле Шримп, лежащей в земле сырой, и подумала, что мне безумно везет и что жизнь — чудесный подарок.

Кафе оказалось битком набито. Все там были молоды, в той или иной степени волосаты и бородаты. Нам стоило немалых трудов отыскать свободный столик. Если Пол хотел избавиться от моей болтовни, ему это вполне удалось — музыка так гремела, что не поговоришь. Но все было очень мило: молодежь весело дергалась под звуки джерка, а скотч подавали сносный. Я даже не сразу заметила отсутствие Льюиса. И только когда он вернулся за столик, обратила внимание, что у него остекленевший взгляд, и удивилась: он никогда особо не напивался. Улучив минутное затишье, мы станцевали с Полом медленный танец. Когда я возвращалась на место, все и произошло.

Какой-то потный бородач преградил мне дорогу и толкнул меня почти у самого нашего столика. Я машинально пробормотала «извините», но он обернулся и уставился с вызовом. Взгляд его переполняла такая злоба, что мне сделалось страшно. Ему было лет восемнадцать, и, наверное, на улице его ждал большой мотоцикл. Парень, видать, хватил лишнего. По виду он был из той шпаны, о которой газеты прожужжали все уши. Он протявкал:

— А ты, старуха, чего здесь забыла?

Имелась всего секунда, чтоб оскорбиться, и я успела это сделать. И тут, точно ядро из пушки, у меня из-за спины выскочил человек. То был Льюис. Он схватил бородача за горло, и они покатились по полу среди опрокинутых столиков и ног танцующих. Пронзительным голосом я стала звать Пола и увидела, как он пытается продраться сквозь толпу. Но молодежь, в полном восторге от происходящего, окружила дерущихся плотным кольцом и не давала пройти. Я кричала: «Льюис, Льюис!», но он, не обращая внимания, с глухим рычанием катался, сцепившись с моим обидчиком, не выпуская его горла. Этот кошмар длился минуту, целую минуту. Внезапно оба замерли, лежа на полу.

В темноте их было плохо видно, но эта внезапная неподвижность показалась еще страшней, чем драка. Кто-то крикнул:

— Да разнимите же их!

Полу наконец удалось прорваться. Он растолкал зрителей и бросился к дерущимся. И тут я отчетливо разглядела руку Льюиса. Кисть его длинной и тонкой руки неистово сжималась и разжималась на горле неподвижно лежащего противника. Потом я увидела, как Пол по одному отрывает его пальцы от горла жертвы. В этот момент меня толкнули, и я без сил плюхнулась на стул.

Дальше все происходило очень быстро: Льюиса удерживали в одном углу, хулигана приводили в чувство — в другом. Никто не хотел скандала, поэтому вскоре мы очутились втроем на улице, еще тяжело дышащие и растрепанные. В полном молчании мы погрузились в «Ягуар». Льюис успокоился и выглядел отрешенно. Пол тяжело вздохнул, достал сигарету, раскурил и протянул мне, потом взял еще одну. Он явно не торопился уезжать. Я повернулась к нему и сказала как можно веселее:

— Ну и вечерок выдался...

Он ничего не ответил, склонился к Льюису и не без любопытства спросил:

— Льюис, чем это вы так накачались? ЛСД?

Льюис промолчал. Я вздрогнула и посмотрела на него. Голова откинулась на подушку, застывший взгляд вперился в небо, он был далеко отсюда.

— Нельзя же так, — произнес Пол очень мягко, — вы ведь могли убить его. Дороти, что произошло?

Я колебалась. Нелегко женщине о таком рассказывать.

— Тот парень счел меня слишком... слишком взрослой для этого заведения...

Я ожидала, что Пол возмутится, но он лишь пожал плечами и завел мотор.

Всю дорогу мы молчали. Льюис спал, и я не без содрогания думала про ЛСД. В принципе я не имею ничего против наркотиков, просто мне вполне хватает алкоголя, все остальное меня пугает. Еще я боюсь самолетов, подводной охоты и психиатрии. Мне спокойно только на земле, сколько бы на ней ни было грязи. Когда мы приехали, Льюис первым вылез из машины, пробормотал что-то нечленораздельное и скрылся в доме. Пол помог мне выйти и проводил до веранды.

— Дороти, помнишь, что я говорил про Льюиса в первый раз?

— Да, но ведь теперь ты его любишь, правда?

— Да, конечно... Я...

Он слегка запинался. С ним это бывает крайне редко. Он взял мою руку, повернул ладонью вверх и поцеловал.

— Он... Я полагаю... я думаю, он не совсем нормален... Он ведь чуть не убил того типа.

— Ну как можно оставаться нормальным, накачавшись этой дрянью, — логично возразила я.

— И все-таки меня очень беспокоит, что ты живешь с ним под одной крышей, он же неуправляем.

— Мне кажется, он меня очень любит и не причинит никакого зла.

— В любом случае он скоро станет кинозвездой и ты от него избавишься. Грант говорил мне. Они собираются построить на нем следующий фильм... А поскольку он плюс ко всему талантлив... Дороти, когда же мы поженимся?

— Скоро, — ответила я, — очень скоро.

И поцеловала его. Он вздохнул.

Я повернулась и пошла в дом посмотреть, как там наша будущая кинозвезда. Я нашла его распростертым на моем мексиканском ковре. Он лежал, обхватив голову руками. Я спустилась на кухню, сварила кофе и налила чашечку для Льюиса, мысленно репетируя нравоучительный монолог о вреде наркотиков. Потом вернулась в гостиную, опустилась рядом с ним на колени и слегка потрепала его по плечу. Никакой реакции.

— Льюис, выпейте кофе.

Он даже не шелохнулся. Я тряхнула его сильнее. Видимо, в этот момент он бился с китайскими драконами и разноцветными змеями. Меня это взбесило, но я вспомнила, что час назад он встал на защиту моей чести. За такое женщины склонны многое прощать.

— Льюис, дорогой мой...

Он бросился мне на шею, его сотрясали, душили рыдания. Мне стало за него страшно. Он уткнулся в мое плечо, мой драгоценный кофе пролился на ковер. Растроганная и испуганная, я сидела неподвижно и слушала его исповедь. Он бормотал, уткнувшись губами в мои волосы:

— Я ведь мог его убить... О, я должен был убить... в ту же секунду... Сказать такое... про вас... вам... Он ведь был у меня в руках...

— Но послушайте, Льюис, нельзя же так, это неразумно.

— Свинья, грязная свинья... И глаза скотские... У них у всех... У всех людей глаза скотские... Вы этого не замечаете... Неужели вы не замечаете? Они до нас еще доберутся, вот увидите... Они разлучат нас и до вас тоже доберутся... До вас... Вы, Дороти...

Я поддерживала его затылок, гладила по волосам, целовала. Я жалела его, как жалеют плачущего ребенка. Он и был ребенком. У меня на коленях плакал обманутый жизнью ребенок. Я утешала его, бормотала что-то вроде: «Ну успокойтесь, ничего страшного, все будет хорошо». Он висел у меня на шее, от неловкой позы у меня

затекли ноги, и я подумала, что такие сцены не для женщин моего
возраста. Молодая и чистая девушка могла бы вернуть ему веру в
жизнь. А я слишком хорошо знала, что она такое, эта жизнь.

Наконец он утихомирился. Я осторожно опустила его на пол, он
вытянулся на ковре. Я накрыла его шерстяным одеялом и, совершенно опустошенная, отправилась спать.

ГЛАВА 10

Я вскочила среди ночи вне себя от ужаса, разбуженная внезапной догадкой. Целый час я, как сова, сидела в темноте, сопоставляя
разные факты. Все еще дрожа, спустилась на кухню, сварила себе
чашечку кофе, потом решила, что капля коньяка тоже не повредит.
Занимался рассвет. На востоке расширялась белая, уже начинавшая
голубеть полоска неба. Я взглянула на «Ройс» в саду. Его снова увивал чертополох — ведь была пятница. Потом перевела взгляд на любимое кресло Льюиса, затем на свои руки, лежавшие на перилах балкона. Они слегка дрожали. Не знаю, сколько времени я так простояла. Несколько раз я присаживалась в кресло, но усидеть не могла:
все та же мысль заставляла меня вскакивать, как марионетку, которую дернули за веревочку. Я не могла даже курить.

В восемь утра у меня над головой со стуком распахнулись ставни
в комнате Льюиса. Я вздрогнула. Слышно было, как он, посвистывая,
спустился по лестнице, поставил кофейник на плиту. Похоже, ЛСД
улетучился вместе со сном. Сделав большой глоток свежего воздуха,
я отправилась на кухню. Он удивился моему столь раннему появлению. Секунду я остолбенело его рассматривала: он был так красив,
так молод, так растрепан, так нежен.

— Мне очень жаль, что вчера так вышло, — сказал он. — К этой
дряни я больше не притронусь.

— И правильно, — мрачно отозвалась я и опустилась наконец
на стул. Обретя собеседника, хотя бы и такого, я почувствовала некоторое облегчение. Казалось, он весь поглощен приготовлением кофе, но что-то в моем голосе заставило его поднять глаза:

— Что случилось?

В домашнем халате, с вопросительно приподнятыми бровями, он
выглядел столь невинно, что я засомневалась. Цепочка совпадений,
полуулик, фактиков, которую я сплела ночью, распадалась на глазах.
Я прошептала:

— Льюис... Скажите, ведь это не вы их убили, правда?

— Кого?

Вопрос был по меньшей мере обескураживающим. Не смея поднять на него глаза, я пробормотала:

— Всех. Фрэнка, Болтона, Луэллу.

— Я.

Я слегка застонала и вжалась в спинку стула. Он спокойно продолжал:

— Но не стоит беспокоиться. Я не оставил улик. У вас больше не будет неприятностей.

Он добавил немного воды в кофейник. Я была ошеломлена.

— Но, Льюис, вы что... вы с ума сошли? Людей убивать нельзя, так не делают.

Выражение показалось мне недостаточно сильным, но было не до того, чтоб подбирать слова. В драматических обстоятельствах я начинаю говорить, словно воспитанница монастырской школы, эдакая пай-девочка. Не знаю, отчего так происходит.

— Вы бы знали, сколько всего нельзя, а люди все-таки делают. Нельзя обманывать людей, покупать, унижать, бросать их...

— Но убивать все же не надо, — твердо сказала я.

Он пожал плечами. Я ожидала, что разыграется трагическая сцена, а этот спокойный тон сбивал с толку. Он повернулся ко мне:

— Откуда вы обо всем знаете?

— Я думала, всю ночь думала.

— Вы, верно, умираете от усталости. Хотите кофе?

— Нет, я-то не умираю, — произнесла я с горечью, — Льюис... что же теперь делать?

— Ничего. При чем тут я? Самоубийство. Убийство с целью ограбления — улик не обнаружено. Автомобильная катастрофа. Так что все в порядке.

— А я? — закричала я. — А я? Как мне жить бок о бок с убийцей? Или вы полагаете, я буду спокойно наблюдать, как вы без разбора приканчиваете людей?

— Без разбора? Вовсе нет, Дороти. Я убиваю только тех, кто причинил вам горе.

— Да что на вас нашло? Вы что, вообразили себя моим телохранителем? Я вас о чем-нибудь просила?

Он поставил кофейник и повернулся ко мне со спокойным лицом.

— Нет, но я люблю вас.

Тут у меня все закружилось перед глазами, и я начала сползать со стула. Ослабленная еще и бессонницей, я впервые в жизни грохнулась в обморок.

Очнулась я на канапе, и первое, что увидела, было потрясенное (наконец-то) лицо Льюиса. Некоторое время мы молча смотрели друг на друга, потом он протянул мне бутылку скотча. Я сделала боль-

шой глоток, потом еще. Сердце стало биться ровнее. И меня охватила ярость.

— Ах, вы меня любите? В самом деле? И поэтому вы убили бедного Фрэнка? И несчастную Луэллу? Так что же вы не убьете Пола,
раз так? Он же мой любовник!

— Потому что он любит вас. Но если он попробует бросить вас
или причинит зло, я его тоже убью.

— О боже, да вы ненормальный. Скольких же вы убили прежде?

— До того, как узнал вас, — ни одного. Это было ни к чему, я никого не любил.

Он вскочил, прошелся по комнате, потирая подбородок. Мне казалось, я сплю и вижу кошмарный сон.

— Понимаете, до шестнадцати лет меня били чаще, чем ласкали.
Мне никто ничего не давал задаром. Потом, когда исполнилось шестнадцать, я всем занадобился — мужчинам, женщинам и так далее, но
при одном условии... они хотели... как сказать... Они хотели...

Нет, это уж слишком: целомудренный убийца. Я прервала:

— Я понимаю, о чем речь.

— Ничего и никогда, ничего и никогда просто так, бесплатно,
бескорыстно. Так было всегда до тех пор, пока я не встретил вас. Пока я лежал там, наверху, я сперва думал, что в один прекрасный день
вы... вы захотите, чтобы...

Он покраснел. Я, наверное, тоже. Бред, бред, что-то среднее между Дж. Х. Чейзом и Делли. Я ощущала себя совершенно разбитой.

— Но когда я понял, что это просто от доброты, то полюбил вас.
Вот. Я знаю, вы считаете меня слишком молодым, вы предпочитаете
Пола Брета, я вам не нравлюсь, но я могу хотя бы защищать вас. Вот.

Вот. Как он выразился: «Вот». Вот. Попалась. И ничего нельзя
сделать. Я пропала. Подобрала на дороге, у обочины, психа, убийцу,
маньяка. Пол снова прав. Он всегда прав.

— Вы сердитесь? — мило поинтересовался Льюис.

Я не сочла нужным ответить. Как прикажете «сердиться» на человека, совершившего три убийства, чтоб доставить вам удовольствие? Слово показалось мне слишком детским. Я задумалась, вернее,
сделала вид, что задумалась, голова была совершенно пустой.

— Вы знаете, Льюис, что я должна сдать вас в полицию?

— Пожалуйста, — ответил он безмятежно.

— Я должна немедленно туда позвонить, — произнесла я сдавленным голосом.

Он поставил телефон рядом со мной, и мы еще некоторое время
томно разглядывали друг друга.

— Как вы это сделали? — спросила я.

— Фрэнку назначил от вашего имени встречу в мотеле, в номере,
снятом по телефону. Я залез туда через окно. Что до Болтона, я сразу

понял, что он за птица, и сделал вид, что согласен. Он страшно обрадовался, назначил мне свидание в том подозрительном отеле и дал ключ от комнаты. Так что никто меня не видел. Ну а Луэлла... Я целую ночь отвинчивал гайки с ее машины. Вот и все.

— Этого вполне достаточно. Что же мне теперь делать?

Конечно, можно было бы выгнать Льюиса и никому ничего не говорить. Но это все равно что выпускать хищника на волю. Тогда никто не помешал бы ему следить за мной со стороны и сеять смерть вокруг. Я могла потребовать, чтоб он уехал, но он подписал долгосрочный контракт, и его бы везде разыскивали. И я не могла выдать его полиции. Я никого не могу выдать полиции. Тупик.

— Но никто не страдал, — сказал Льюис. — Все происходило очень быстро.

— Это большое счастье, — язвительно подтвердила я. — А я-то полагала, вы кромсали их на кусочки перочинным ножиком.

— Вы прекрасно знаете, что нет, — мягко произнес он и взял меня за руку. По рассеянности я позволила ему это сделать. Потом я подумала, что вот этой тонкой теплой рукой, что сжимает сейчас мою ладонь, убиты три человека. Почему-то это уже не вызывало ужаса. Тем не менее я решительно отняла руку.

— А вчерашнего мальчика, его вы тоже хотели убить?

— Да. Но это было глупо. Я переборщил с ЛСД и ничего не соображал.

— Ну да, а с ясной головой... Льюис, вы понимаете, что натворили?

Он взглянул на меня, а я всматривалась в его лицо: зеленые глаза, красиво очерченный рот, черные волосы, гладкая кожа. Я искала в нем хоть каплю понимания случившегося либо черты садизма. Но ни того, ни другого не обнаружила. Только безграничную нежность ко мне. Он смотрел на меня, как смотрят на капризных детей, чьи беды и выеденного яйца не стоят. Готова поклясться, в его взоре сквозила снисходительность. Это меня доконало: я разрыдалась. Он обнял меня, стал гладить по голове. Я не сопротивлялась.

— Между вами и мной со вчерашнего вечера не может быть ничего такого, о чем стоило бы плакать, — прошептал он.

Глава 11

Крупные неприятности обычно заканчиваются для меня печеночным приступом. Так случилось и на этот раз. Он продолжался два дня. Меня так прихватило, что все это время я не имела возможности думать о чем бы то ни было. Было просто не до того. Ослабевшая и печальная, я преисполнилась решимости все уладить. Кому-то покажется, что два дня тошноты и боли — невысокая плата за три трупа.

Но лишь тот, кому незнакомы печеночные колики, посмеет бросить в меня камень. Наконец я смогла встать и попробовала передвигаться на ватных ногах. Убийства, совершенные Льюисом, теперь значили для меня не больше, чем мои декларации о доходах. К тому же бедняга провел два дня у моего изголовья, меняя компрессы, заваривая ромашку, и вообще нянчил меня, словно сиделка. Он с ума сходил от беспокойства, и я не могла укусить руку, которая меня выхаживала.

Но я твердо решила раз и навсегда поставить все точки над i. Когда я достаточно окрепла, чтобы съесть бифштекс и запить его стаканом виски, я позвала Льюиса в гостиную и предъявила свой ультиматум:

1. Он твердо обещает никого не убивать без моего разрешения (само собой, я б ему такого сроду не позволила, но мне казалось тонким дипломатическим ходом — не лишать его надежды).

2. Обещает навсегда отказаться от ЛСД.

3. Обещает приискать себе дом.

Самым сомнительным представлялся третий пункт. Но Льюис с необычайно серьезным видом согласился на все.

Кроме того, поскольку мне не улыбалось жить под одной крышей с садистом, я стала расспрашивать его, что он чувствует, совершив три убийства. Его ответ отчасти меня успокоил, хотя, разумеется, не слишком. Ничего не испытывает. Он не был знаком с покойными, поэтому их смерть его не расстроила. Но удовольствия от этого он тоже не получил. Все лучше, чем ничего. Другими словами, его не мучили ни угрызения совести, ни ночные кошмары. Абсолютно аморальная личность! И я начинала опасаться, не становлюсь ли такой же.

Дважды, пока я болела, приезжал Пол Брет, но я категорически отказывалась его принять. Во время приступов я так дурнею! Совершенно исключено, чтобы мой любовник увидел меня с желтой кожей, с мешками под глазами и тусклыми волосами. А вот Льюис меня совершенно не смущал. Потому, конечно, что в наших отношениях не было и тени чувственности. И еще: вспоминая, каким тоном он признался в то утро, что любит меня, я была почти уверена, что, будь я с головы до пят в лишаях, он бы и то не заметил. Это было и оскорбительно, и лестно в то же время. Я попыталась объяснить это Полу, нежно упрекнувшему, когда я вышла на работу:

— Льюис все дни за тобой ухаживал, а мне ты даже не показалась.

— Я так ужасно выглядела! После ты и посмотреть бы на меня не захотел.

— Как странно! Знаешь, я долго не мог поверить, что у вас с Льюисом ничего нет, но теперь-то в этом абсолютно убежден. Да, кстати, с кем же он все-таки спит?

Этого я не знала. Одно время я было подумала, что он встречается со своей партнершей по съемкам, с той молоденькой инженю. Это пришло мне в голову, когда он раза два-три не ночевал дома. Но в те ночи были совершены убийства. Кстати, на Льюиса положила глаз Глория Нэш, восходящая звезда, выдвинувшаяся на первый план после смерти несчастной Луэллы. Она позвала его на вечерний коктейль, заодно ей пришлось пригласить и меня. Пол сказал, что и он там будет.

— Я заеду за вами обоими. Надеюсь, в этот раз все обойдется спокойней, чем в прошлый.

Я тоже очень на это рассчитывала.

— Странно все-таки, Дороти, что ты свалилась из-за банальной драки, я просто дивлюсь. Весь Голливуд знает, что приступы случаются у тебя после серьезных нокаутов. Первый раз, когда ушел Фрэнк. Второй — когда ты обозвала Джерри Болтона грязным скупердяем и он указал тебе на дверь. Третий — когда твоя драгоценная секретарша выпала из окна. Но то ведь и правда крупные неприятности, а нынче...

— Что поделаешь, Пол, старею.

Крупные неприятности... Знал бы он! Господи, если бы он только знал. Стыдно сказать, но эта мысль меня рассмешила. Минут пять я хохотала до слез и не могла остановиться. Наверное, все эти переживания расшатали мне нервы. Пол, спокойный, снисходительный, мужественный американец, протянул мне свой носовой платок — у меня потекла тушь. Наконец я успокоилась, пролепетала какую-то чушь и чмокнула его, чтоб только замолчал.

Мы сидели в моем кабинете наедине. Кэнди вышла, и Пол становился все нежнее. Договорились, что вечером поедем к нему, и я позвонила Льюису, чтоб ужинал без меня. На этой неделе у него не было съемок, он сидел дома в прекрасном настроении и занимался «Ройсом». Я велела ему быть паинькой, и меня снова обуял дикий смех. Льюис обещал никуда не отлучаться.

Весь вечер меня не покидало ощущение, что я живу в каком-то призрачном мире. Мы с Полом отправились ужинать к «Романофф». Там была куча народу, человек, может, пятьсот — «пятьсот человек, которые ни о чем не ведают». Это казалось невероятным. И только потом, ночью, лежа рядом с Полом, спавшим, как всегда, положив мне голову на плечо, а правую руку на талию, я вдруг ощутила себя чудовищно одинокой. И мне стало страшно. У меня появилась тайна, смертельная тайна. Я никогда не любила тайн. Так, без сна, пролежала я до самой зари. А километрах в пяти от меня мирно спал на своей узкой кровати мой сентиментальный убийца и видел во сне цветы и птиц.

Глава 12

Собираясь на вечеринку к Глории Нэш, мы оделись особенно изысканно. Я выбрала платье с черными блестками, купленное в Париже за бешеные деньги. У него глубокий вырез на спине, а спина, если можно так выразиться, по-прежнему один из главных моих козырей. Льюис, в смокинге, с блестящими черными волосами, был восхитителен: он выглядел как юный принц, и вместе с тем в его облике проскальзывало что-то звериное. Пол являл образец элегантного и раскованного сорокалетнего мужчины: светлые волосы чуть тронуты сединой на висках, взгляд слегка ироничный.

Я заранее смирилась, что мои блестки будут помяты, зажатые меж двух смокингов в тесном «Ягуаре». Но Льюис торжественно заявил:

— У меня для вас новость, Дороти.

Я внутренне содрогнулась. Но Пол улыбнулся с видом сообщника:

— Это настоящий сюрприз, Дороти. Пойдем за ним.

Льюис вышел в сад, влез в «Ройс» и что-то там нажал. Автомобиль ровно и мягко заурчал, тронулся с места и подъехал к ступеням. Льюис выскочил из машины, обежал вокруг и с глубоким поклоном распахнул передо мной дверцу. Я была потрясена.

— Ну что ж, досюда она доехала, — засмеялся Пол. — Не удивляйся. Садись в машину. Шофер, пожалуйста, к мисс Глории Нэш, суперзвезде, бульвар Сансет.

Льюис тронул с места. Через перегородку я видела в зеркальце его очарованный, восхищенный, детский взгляд, устремленный на меня: довольна ли? Все же странная штука жизнь, не перестаю удивляться. Я отыскала рожок переговорного устройства и поднесла к губам:

— Водитель, с чего это «Ройс» вдруг заработал?

— Я возился с ним весь отпуск.

Я посмотрела на Пола. Он улыбнулся:

— Последние три дня он только об этом и твердит. Совсем как мальчишка.

Он тоже взял переговорник:

— Водитель, я советую вам поухаживать нынче за хозяйкой дома. Ваша холодность будет неверно истолкована.

Льюис пожал плечами и промолчал. Я изо всех сил надеялась, что сегодня все будут со мной любезны и моему убийце ничего не взбредет в голову. Недаром же я потратила десять дней на подготовку к этому вечеру. Я расписывала своих знакомых в самых идиллических тонах, тонны меда ушли на описание друзей и сотрудников. Я пыталась представить Голливуд, эти мрачные джунгли, в виде райской зеленой лужайки, где все любят друг друга, точно дети. Если с языка ненароком слетало едкое словцо, я тотчас пыталась поправить дело, сочиняя какую-нибудь важную услугу, оказанную мне этим человеком три года назад, или еще что-то в том же роде. В общем, я превратилась в идиотку, чокнутую, если только не стала ею раньше.

Глория Нэш встретила нас на пороге своего скромного 32-комнатного особнячка. Все было идеально: прожекторы в саду, подсвеченная вода бассейна, гигантские жаровни и вечерние туалеты. Глория Нэш была красивой, хорошо ухоженной блондинкой. К сожалению, она родилась лет на десять (как минимум) позже меня и не упускала случая напоминать мне об этом самым любезным образом. Иногда она восклицала: «О Дороти, как вам удалось сохранить такой замечательный цвет лица? Придет время, я попрошу вас поделиться своими секретами». А то вдруг принималась смотреть на меня с таким восхищенным удивлением в глазах, словно то, что в свои сорок пять я еще держусь на ногах, — небывалое чудо.

В этот вечер она избрала вторую линию. Под ее изумленным взором я на миг почувствовала себя Тутанхамоном, случайно забредшим на вечеринку. Вскоре она утащила меня причесываться, хотя это мне было совершенно ни к чему. Но таков один из местных обычаев, самых прочных и докучливых: женщины сбиваются в стайки и каждые десять минут ходят гурьбой причесываться или пудриться. Она сгорала от любопытства, ей не терпелось выведать все про Льюиса. Она засыпала меня вопросами, я машинально от них уклонялась, и это ее страшно нервировало. После нескольких намеков, пропущенных мною мимо ушей, она совсем отчаялась и, когда мы уже покидали ее роскошный будуар, бросилась в решительное наступление:

— Вы знаете, Дороти, как я вас уважаю. Да-да, еще ребенком, увидев в том фильме... Как же он назывался... И потому хочу вас предупредить. О Льюисе ходят странные слухи.

— Что?!

Я похолодела. Наверное, мой вопрос прозвучал как вопль.

Она улыбнулась:

— Как он вам дорог! И правда, он просто обворожителен.

— Между нами ничего нет, — прервала я. — Так что за слухи?

— Ну, в общем, люди говорят... вы ведь знаете нашу публику... Они говорят, что Пол, вы и он...

— Что — мы, что — Пол, я и он?

— Вы всюду бываете с ними обоими, поэтому невольно...

Тут до меня дошло, о чем речь, и я вздохнула с облегчением.

— Только-то? — улыбнулась я весело, как если б речь шла о детских шалостях (по сравнению с чудовищной правдой такая оргия и впрямь представлялась мне школьной забавой). — И это все? О, какие пустяки.

Глория совсем сбилась с толку, я оставила ее и пошла в сад проверить, не успел ли Льюис в паузе между парой бутербродов прирезать кого-нибудь, кому не глянулись мои блестки. Нет, он вежливо беседовал с одной из голливудских кумушек. Успокоенная, я поспешила окунуться в атмосферу праздника: вечеринка и впрямь на диво удалась.

Я повстречала несколько бывших поклонников. Они ухаживали за мною напропалую, хвалили мое платье и цвет лица. Я начинала верить, что нет лучшего средства помолодеть, чем перенести печеночный приступ. У меня, кстати, всегда сохраняются хорошие отношения с прежними любовниками. При встречах они всем видом показывают, как сожалеют, что мы расстались, говорят что-то вроде: «Ах, Дороти, если б вы только захотели тогда...», тонко намекают на общие воспоминания — только я не всегда могу припомнить, о чем речь. Увы, с годами память слабеет.

Пол издали наблюдал, как я резвлюсь, и слал мне улыбки. Раз или два я встретилась взглядом с Льюисом. Похоже, Глория взялась за него всерьез. Но меня это мало трогало. Хотелось просто веселиться, мне и так порядком досталось в предыдущие дни. Я хотела пить шампанское, вдыхать запахи калифорнийской ночи, слышать смех этих милых, и простых, и красивых голливудских мужчин, которые, сколько мне известно, никогда не убивали, разве что на экране.

Когда час спустя Пол подошел ко мне, я была весела, как пташка божия, и слегка пьяна. Рой Дердридж, король вестернов, как раз жалобно вспоминал, как я загубила его жизнь четыре не то пять лет назад. Воодушевленный воспоминаниями и разгоряченный немыслимым количеством поглощенного мартини, он бросил на Пола весьма воинственный взгляд. Но Пол и бровью не повел. Он взял меня под руку и отвел в сторонку.

— Тебе весело?

— Безумно. А тебе?

— Мне даже издали приятно глядеть, как ты веселишься.

Нет, это не мужчина, а просто чудо! Я решила завтра же выйти за него замуж, раз уж ему так хочется. И только мое давнее правило — никогда не говорить вслух о принимаемых на ночь глядя решениях — не дало мне тотчас же сообщить ему об этом. Вместо того я в тени магнолий поцеловала его в щеку.

— А как там наш мальчик?

Пол засмеялся:

— Глория таращится на него, как собака на кость, просто ни на шаг не отходит. Похоже, за его будущее можно не волноваться.

«По крайней мере, если он не убьет метрдотеля», — промелькнуло у меня. Я решила сама посмотреть, как там у него дела. Но не успела: у бассейна поднялся шум, раздались крики, и я почувствовала (как пишут в романах), что волосы у меня на голове встали дыбом, хотя и были покрыты лаком.

— Что случилось? — спросила я слабеющим голосом. Но Пол уже бежал к столпившимся у бассейна. Я закрыла глаза. Когда я их открыла, Льюис стоял возле меня с совершенно спокойным видом.

— Умерла бедная Рена Купер, — бесстрастно сообщил он.

Рена Купер — та самая кумушка, с которой он беседовал час назад. Конечно, язычок у нее был не из ангельских, но среди себе подобных она была далеко не самой худшей.

— Вы же поклялись, поклялись! — накинулась я на Льюиса.

Он удивленно посмотрел на меня:

— Вы о чем?

— Вы поклялись, что не будете убивать без спроса. Вы подлый, бессовестный... просто закоренелый убийца, безответственная личность! Мне стыдно за вас, Льюис, я вас боюсь.

— Но это не я.

— Рассказывайте кому другому, — едко бросила я, погрозив ему пальцем, — не мне! Кто же тогда, по-вашему?

Тут вернулся Пол, выглядевший слегка огорченным. Он взял меня под руку и стал расспрашивать, отчего я так бледна. Льюис смотрел на нас, едва сдерживая улыбку. Мне захотелось его ударить.

— У бедной Рены опять случился сердечный приступ, уже десятый за этот год. Врачи оказались бессильны: она слишком много пила, хотя ее предупреждали.

Льюис развел руками с лукавой улыбкой, как незаслуженно оклеветанный. А я внезапно поняла, что теперь всякий раз, узнав о чьей-то смерти, буду думать, не его ли это работа.

Понятное дело, остаток вечера был скомкан. Рену увезла «Скорая помощь», остальные быстро разъехались. Мы с Льюисом тоже отправились домой. Я чувствовала себя совершенно подавленной. Дома Льюис с покровительственным видом налил мне стакан минеральной воды и посоветовал поскорее лечь. Я безропотно подчинилась. Невероятно, но мне было стыдно. Странная все-таки вещь мораль — такая зыбкая, что я, верно, так и умру, не составив о ней твердого представления. И умру я, несомненно, тоже от сердечного приступа.

Глава 13

И наступил период восхитительного затишья. Три недели прошли гладко, без всяких происшествий. Мы все работали, а по вечерам частенько ужинали дома втроем.

Однажды мы вместе отправились на побережье. У приятеля По-

ла было бунгало километрах в пятидесяти от города, и мы решили
провести там уик-энд. Стояла прекрасная погода. Домик прилепился
на почти отвесной скале, и к морю надо было спускаться по узенькой
козьей тропке. В тот день штормило. Мы с Льюисом купаться не пошли, нам было лень. Мы предпочитали смотреть, как это проделыва-
ет Пол. А ему хотелось выглядеть спортсменом. Многие хорошо со-
хранившиеся мужчины его лет любят строить из себя суперменов.
Это чуть не довело его до беды.

Он плавал метрах в тридцати от берега, пижоня своим элегантным кролем, как вдруг ему стало плохо. Тем временем мы с Льюисом,
облачившись в халаты, похрустывали на террасе тостами. Снизу, от
моря, до нас донесся слабый зов о помощи. Я увидела, как рука Пола
взметнулась над водой и огромная волна накрыла его с головой.
Я вскрикнула и бросилась к тропе. Но Льюис уже скинул халат и
прыгнул в воду с восьмиметровой высоты, рискуя размозжить голову
о камни. Он подхватил Пола, и через пару минут оба были на берегу.
Пола рвало соленой водой, я растерянно похлопывала его по спине.
Случайно я подняла глаза на Льюиса, он стоял совершенно голый.
Видит бог, то был далеко не первый мужчина, которого мне случилось видеть в чем мать родила, но тут я покраснела. Наши взгляды
встретились, он вскочил и кинулся к дому.

— Старина, — растроганно сказал ему Пол немного спустя, уже
согретый и разморенный грогом, — вы храбрый человек. Такой прыжок! Если бы не вы, мне крышка...

Льюис смущенно пробормотал что-то членораздельное. Вот
забавно: этот ребенок проводит время, лишая жизни одних и спасая
других. В новой роли он нравился мне куда больше. Я встала и пор-
висто чмокнула его в щеку. У меня забрезжила надежда со временем
сделать из него хорошего мальчика. Не сразу, конечно, если вспомнить о Фрэнке, Луэлле и других, но лучше поздно, чем никогда. Однако у меня поубавилось прыти, когда чуть позже, воспользовавшись,
что Пол вышел, я похвалила его за добрый поступок и услышала холодный ответ:

— Мне, знаете, было все равно, утонет Пол или нет.

Я остолбенела:

— Тогда почему же вы рисковали жизнью, спасая его?

— Потому что он вам нравится и его смерть вас бы расстроила.

— То есть, не будь Пол моим любовником, вы бы и пальцем не
шевельнули ради его спасения?

— Совершенно верно, — подтвердил он.

Я подумала, что у него странные представления о любви. По крайней мере, его любовь ничем не походила на чувства, какие мне случалось вызывать у мужчин до сих пор, хотя и в них всегда присутствова-
ло нечто необыкновенное. Я попробовала настаивать:

— Но неужели вы не испытываете к Полу ни симпатии, ни уважения?

— Я люблю только вас, — произнес он очень серьезно, — и никто больше меня не интересует.

— В том-то и дело. Вам не кажется, что это не совсем нормально? В вашем возрасте... к тому же вы пользуетесь у женщин... ведь надо же иногда... ну, в общем...

— Вы хотите, чтобы я переспал с Глорией Нэш?

— С ней либо еще с кем. Мне кажется, что, хотя бы для здоровья, мужчине надо время от времени...

Я запиналась. Что на меня нашло, с какой стати я читаю ему нотации, точно мать семейства? Он сурово на меня взглянул.

— А мне кажется, Дороти, что люди придают этому слишком много значения.

— Но ведь это одна из самых больших радостей бытия, — слабо возразила я и подумала, что сама-то посвятила этим радостям три четверти прожитой жизни.

— Только не для меня, — отрезал Льюис.

На секунду его взгляд вновь стал непроницаемым, как у слепого и опасного зверя, и мне сделалось страшно. Я поспешила прервать разговор. Не считая этих происшествий, уик-энд прошел замечательно. Мы загорели, отдохнули и вернулись домой в прекрасном настроении.

Еще немного, и он станет мне необходим. Через три дня заканчивались съемки, в которых Льюис участвовал. По этому поводу режиссер Билл Маклей решил устроить небольшой коктейль прямо на съемочной площадке. Это была бутафорская деревня из одних фасадов, среди которых Льюис пробродил все лето.

Я приехала к шести часам, чуть раньше назначенного, и сразу же наткнулась на Билла, сидевшего в фальшивом салуне посреди фальшивой улицы. Он был мрачен, раздражен и, как всегда, очень груб. Его бригада готовила площадку, и он оставался один в комнате. Он сидел на столе, угрюмо уставившись в какую-то точку. Последнее время он много пил, и ему доверяли только второстепенные ленты. Это его еще больше озлобило. Он меня заметил, и мне пришлось подняться по пыльным ступенькам в салун. При моем появлении Билл ухмыльнулся.

— А, Дороти. Что, пришли посмотреть, как играет ваш дружок? Сегодня у него большая сцена. Не волнуйтесь, с такой внешностью ваш малыш недолго останется сидеть у вас на шее.

Он был здорово пьян, но я не склонна ни к всепрощению, ни к долготерпению, хотя и произвожу иногда ошибочное впечатление. Я ответила любезностью, обозвав его паршивым ублюдком. Он прорычал, что, не будь я женщиной, мокрого бы места от меня не оставил. Я с издевкой поблагодарила его: все-таки вспомнил, что говорит с дамой.

— Кроме того, я помолвлена с Полом Бретом, — надменно добавила я.

— Знаю, — отмахнулся он. — Все знают, что вы занимаетесь этим втроем.

Он гнусно засмеялся. Я уже была готова чем-нибудь в него запустить, ну хотя бы сумочкой, как вдруг распахнулась дверь. На пороге стоял Льюис. Я сразу переменила тон:

— Билл, извините меня, дорогуша. Вы же знаете, я в вас души не чаю, но последнее время стала такая нервная!

Его хватило на то, чтобы удивиться, но он слишком надрался для логических умозаключений, его несло:

— Это ваша ирландская кровь играет. Ох и далеко она вас заведет! Согласен, старина? — обратился он к Льюису, дружески хлопнул его по плечу и вышел.

Я нервно засмеялась.

— Ах, старина Билл... Манеры, прямо скажем, заставляют желать лучшего, но сердце золотое...

Льюис ничего не ответил. Он был в ковбойском костюме с платочком на шее, плохо выбрит, вид довольно рассеянный.

— К тому же прекрасный товарищ, — добавила я и поспешила сменить тему. — Что за сцена осталась напоследок?

— Убийство, — спокойно ответил Льюис. — Я должен пристрелить этого типа, что изнасиловал мою сестру. Хотя, признаться, я б на его месте прежде еще подумал.

Мы не спеша прошли к съемочной площадке. Льюису следовало подготовиться к съемкам, и минут на десять я осталась в одиночестве. Я осмотрелась. Площадка была в полном порядке, но Билл все равно придирался, ругаясь как сапожник: он не владел собой. Голливуд докопал его, Голливуд и выпивка. Прямо под открытым небом расставили коктейльные столики, и самые жаждущие уже прикладывались к рюмкам. В этой игрушечной деревне нас собралось человек сто, и все мы топтались не слишком далеко от камеры.

— Крупный план Майлса, — крикнул Билл. — Где он там?

Льюис приблизился к нему с «винчестером» в руках. Вид у него был отсутствующий, как всегда, когда ему докучали.

Билл нагнулся к камере, уткнулся в глазок и снова сморщился.

— Плохо, все плохо. Ни черта не годится! Ну-ка, Льюис, прицельтесь, цельте в меня. Так, теперь гнев на лице. Да нет же, мне нужен гнев, а не эта идиотская гримаса! Вы собираетесь убить подонка, трахнувшего вашу сестру. Вот так, отлично... Ну, стреляйте!

Я не видела лица Льюиса, он стоял ко мне спиной. Льюис выстрелил, и Билл обеими руками схватился за живот, хлынула кровь, он упал. На миг все застыли, потом забегали. Льюис растерянно рассматривал карабин. Я отвернулась к пахнувшей плесенью стене, меня рвало.

Лейтенант полиции был весьма галантен и столь же логичен. Было очевидно, что кто-то заменил холостые патроны боевыми, и это был один из тысячи людей, имевших все основания ненавидеть Маклея. Было так же очевидно, что им не мог быть Льюис, с Биллом едва знакомый. К тому же он казался достаточно разумным, чтобы не совершать убийства на глазах у сотни свидетелей. Его почти жалели. Его молчание, свирепый вид все склонны были объяснить нервным шоком: кому приятно оказаться орудием преступления. В десять вечера допрос закончился. Когда мы с еще несколькими свидетелями выходили из полицейского участка, кто-то предложил вернуться в павильон и промочить горло. Я отказалась, и мы с Льюисом поехали домой. По дороге мы не проронили ни слова. Я чувствовала себя совершенно разбитой и не могла даже сердиться.

— Я все слышал, — просто сказал Льюис, остановившись у лестницы.

Я ничего не ответила, только пожала плечами. Выпив три таблетки снотворного, я провалилась в забытье.

ГЛАВА 14

В гостиной с озабоченным лицом сидел полицейский лейтенант. Он был хорош собой: серые глаза, полные губы, слегка впалые щеки.

— Это, конечно, простая формальность, — сказал он. — Но не могли бы вы сообщить еще что-нибудь об этом молодом человеке?

— Я ничего больше не знаю, — ответила я.

— Но ведь он живет у вас уже три месяца?

— Да.

Слегка извиняющимся тоном я спросила:

— Вам, наверное, кажется, что я не слишком любопытна?

Он приподнял брови, и на лице появилось выражение, какое я часто замечала у Пола.

— Видите ли, я считаю, что обычно мы чересчур много знаем об окружающих, это утомляет. Знаем, с кем они живут, чем живут, с кем спят, что о себе думают... А по-моему, чем меньше знаешь, тем лучше, как вы полагаете?

Он явно полагал иначе.

— Это ваша точка зрения, но следствие она не устраивает. Конечно, я не думаю, что он намеренно убил Маклея. Похоже, он был единственный человек, с кем Маклей общался сносно. Но стрелял все-таки он. Поэтому для него, по крайней мере для его карьеры, было бы лучше, чтоб судьи смогли составить о нем благоприятное мнение.

— Спросите у него самого. Я знаю только, что он родился в Вермонте. Разбудить его, или выпьете еще чашечку кофе?

Разговор происходил на другой день после убийства. В восемь утра меня поднял с постели лейтенант Пирсон. Льюис еще спал.

— Если можно, чашечку кофе, — попросил он. — Миссис Сеймур, извините за нескромный вопрос: в каких вы отношениях с Льюисом Майлсом?

— Вовсе не в тех, о каких вы могли бы подумать. Для меня он ребенок.

Он пристально посмотрел на меня и неожиданно улыбнулся.

— Давно мне так сильно не хотелось поверить женщине.

Я польщенно засмеялась. Мне было страшно жалко, что этому славному парню, стражу закона моей страны, суждено завязнуть в этой ужасной истории. Мимоходом я подумала, что, будь он пузатым, краснорожим и грубым, мои гражданские чувства не заявляли бы о себе столь громко. Хотя, правду сказать, из-за снотворного все мои чувства не слишком о себе заявляли, я засыпала на ходу.

— Он будет очень знаменит, — заметил Пирсон. — Замечательный актер.

Я застыла с кофейником в руках.

— Откуда вы знаете?

— Мы вчера просмотрели отснятую пленку. Уникальный случай для сыщика — своими глазами увидеть, как было совершено преступление. Это очень облегчает дело, отпадает нужда в реконструкции.

Он был в гостиной, я на кухне и слышала его через приоткрытую дверь. Я глуповато рассмеялась и обожгла пальцы кипятком. Он продолжал:

— Я видел лицо Льюиса крупным планом. Такое зверское выражение, просто мороз по коже!

— Я тоже думаю, что он станет великим актером. Все так говорят.

С этими словами я схватила с холодильника бутылку скотча и сделала большой глоток прямо из горлышка, стараясь при этом не звякнуть. На глазах у меня выступили слезы, зато руки перестали дрожать. Я вернулась в гостиную и вполне по-светски подала кофе.

— Как вы полагаете, могли быть у Майлса мотивы убить Маклея?

— Никаких, — твердо ответила я.

Вот я и стала сообщницей. И не только в своих глазах, но и с точки зрения закона. По мне плачет тюрьма. Что ж, тем лучше: в тюрьме будет спокойнее. И тут до меня дошло, что, если Льюис признается, я предстану перед судом не сообщницей, а подстрекательницей. А это пахнет уже не сроком, но электрическим стулом. На секунду я зажмурилась: за что, за что мне все это?

— К сожалению, мы тоже не видим мотивов, — вздохнул Пирсон. — Извините, я имел в виду — к сожалению для нас. Этот Маклей был хам и самодур. Кто угодно мог войти в реквизиторскую и заменить патроны, там нет даже сторожа. Боюсь, дело затянется. И все это время оно будет висеть на мне.

Он начал жаловаться на судьбу, но это меня не удивило. Такой у меня дар: все мужчины рано или поздно начинают выкладывать мне свои проблемы — сыщики, почтальоны, писатели. Даже фининспектор делится семейными неурядицами.

— Который час? — произнес сонный голос, и на лестнице появился Льюис, в халате, протирающий глаза. Похоже, он неплохо выспался. Я пришла в ярость: убивает людей — это его дело, но какого черта я должна спозаранку принимать полицейских, пока он изволит почивать?!

Я представила их друг другу. Льюис и бровью не повел. Он пожал руку Пирсону, смущенно попросил разрешения налить себе кофе. Я ждала, что он вот-вот томно спросит, не сержусь ли я на него за вчерашнее. Дальше некуда! Я сама налила ему кофе, он уселся напротив Пирсона, начался допрос. И тут я узнала, что мой нежный убийца родился в очень приличной семье, отлично учился, на всех работах им были весьма довольны, и только любовь к путешествиям и приключениям помешала ему сделать блестящую карьеру.

Я слушала его раскрыв рот. Выходит, он был примерным гражданином, пока не повстречался с Дороти Сеймур, роковой женщиной номер один. Из-за нее он совершил уже четыре убийства. Как же так, почему в роли злодейки оказалась именно я, в жизни мухи не пристукнувшая без сожаления, я, к которой вечно льнули потерявшиеся кошки, собаки и люди?

Тем временем Льюис спокойно рассказывал, что взял «винчестер» со стола реквизиторской, где всегда его оставлял. Ему и в голову не пришло что бы то ни было проверять, он ведь в течение всех съемок палил из него налево и направо, и все было о'кей.

— Ваше мнение о Маклее? — внезапно спросил Пирсон.

— Алкоголик, — ответил Льюис. — Бедный алкоголик.

— Какие чувства вы испытали, когда он упал?

— Никаких, — холодно ответил Льюис, — разве что удивление.

— А теперь?

— Я по-прежнему удивлен.

— И вас не мучила мысль, что вы убили человека?

Льюис поднял голову и посмотрел ему прямо в глаза. Я замерла.
Он растерянно развел руками:

— Нет, меня ничего не мучило.

Я знала, что он сказал правду, и, к моему глубокому удивлению, это окончательно убедило Пирсона в его невиновности. Лейтенант встал, вздохнул и закрыл блокнот.

— Мы уже проверили то, что вы нам рассказали, мистер Майлс, по крайней мере, почти все. Прошу простить за беспокойство, но таков порядок. Миссис Сеймур, бесконечно вам благодарен.

Я проводила его до крыльца. Он робко спросил, нельзя ли как-нибудь на днях пригласить меня на коктейль, и я поспешно согласилась. Когда он отъезжал, я улыбалась ему вслед так широко, как если бы во рту у меня росло пятьдесят два зуба. Все еще дрожа, я вошла в дом. Льюис маленькими глотками пил кофе. У него был столь самодовольный вид, что мой страх сменился яростью. Я запустила в него подушкой, потом стала метать все, что попадалось под руку. Я кидала быстро, не целясь, и, конечно же, одна чашка попала ему прямо в лоб. Брызнула кровь, и я снова разрыдалась. Второй раз за этот месяц и за десять последних лет.

Я упала на диван.

Льюис положил голову мне в ладони, по моим пальцам потекла горячая кровь. Я спрашивала себя, почему полгода назад, на пустынном шоссе у пылающего автомобиля, когда эта голова лежала у меня на руках и по ним текла та же кровь, в моей душе не шевельнулось предчувствия. Я должна была бросить его там и бежать без оглядки или прикончить на месте.

Рыдая, я отвела его в ванную, промыла рану спиртом и наклеила на лоб пластырь. Он молча и виновато глядел на меня.

— Вы напрасно испугались, — наконец произнес он.

— Напрасно! — воскликнула я с горечью. — Под моей крышей живет человек, совершивший уже пять убийств...

— Четыре, — скромно возразил он.

— Ну четыре, это ничего не меняет. В восемь утра меня поднял полицейский, а вы говорите, я зря беспокоюсь... Это уж слишком.

— Бояться совершенно нечего, — ответил он весело. — Вы же сами все видели.

— И потом, как это понимать: раньше вы жили, словно примерный мальчик — прилежный студент, добросовестный работник, все у вас было хорошо. А встретив меня... Я что, похожа на Мату Хари?

— Я же говорил, Дороти. Пока я не узнал вас, я был совсем один. А теперь у меня появилось что-то свое, я знаю, зачем живу.

— У вас нет ничего своего, — вспылила я в отчаянии. — Если нас не посадят и не повесят, я в ближайшее время выйду замуж за Пола Брета.

Он резко встал и повернулся ко мне спиной.

— Вы полагаете, что тогда мне нельзя будет жить вместе с ва-ми? — спросил он отрешенно.

Я прикусила язык. Он повернулся ко мне. Опять этот взгляд слеп-ца, который я уже так хорошо знала и так боялась. Я пронзительно закричала:

— Нет, Льюис, нет! Если вы хоть пальцем тронете Пола Брета, то никогда, слышите, никогда больше меня не увидите. Я возненави-жу вас, между нами все будет кончено.

Я и сама не знала, что именно будет кончено. Он провел ладонью по лбу и очнулся.

— Я не сделаю Полу ничего плохого, но я хочу видеть вас всю жизнь.

Он подошел к лестнице и медленно, как человек, получивший жестокий удар, стал подниматься по ступеням. Я вышла на веранду. Солнце весело освещало мой старый сад, и украшающий его «Ройс», и холмы вдалеке — весь этот маленький мир, такой уютный и радост-ный на протяжении всей моей жизни. Всплакнув еще напоследок по своей загубленной судьбе, я, шмыгая носом, поднялась наверх. Пора было одеваться. А все-таки лейтенант Пирсон очень хорош собой.

Глава 15

Следующие два дня прошли как в кошмарном сне. Целыми днями я глотала лекарства, добралась даже до транквилизаторов, чего со мной прежде не бывало. Но в этот раз жизнь меня так приложила, что лучшим выходом из положения стало казаться самоубийство.

А на третий день разразилась буря. Вернее, смерч. Тайфун по име-ни «Анна» (что за дурацкая традиция давать стихийным бедствиям нежные женские имена) обрушился на побережье. Я проснулась на рассвете оттого, что кровать сотрясалась, потом услышала рев воды, все поняла и испытала нечто вроде горького облегчения. В дело вме-шалась стихия, Макбет уже в пути, скоро конец.

Я глянула в окно. По дороге, обратившейся в реку, плыли несколь-ко пустых автомобилей, а следом несло какие-то обломки. Я про-шлась по дому, подошла к другому окну и увидела, что наш «Ройс» дрейфует по саду, точно рыбацкая лодка. Веранда едва выступала из воды, сантиметров на пятьдесят, не больше. Я с удовлетворением по-думала: как хорошо, что я никогда всерьез не занималась садом, а то бы все усилия пошли насмарку.

Я спустилась вниз. Льюис с восхищением смотрел в окно. Он по-спешил налить мне кофе. Взгляд у него был умоляющий. Со дня убийства Маклея он смотрел на меня, как ребенок, выпрашивающий прощения за глупую шутку. Я напустила на себя надменность.

— Сегодня придется остаться дома, ни по одной дороге не проехать, — сказал он радостно. — И телефон не работает.

— Замечательно, — отозвалась я.

— К счастью, я купил вчера у Тоджи два бифштекса и пирожные с сухофруктами, вы такие любите.

— Спасибо, — высокомерно поблагодарила я.

На самом деле я была в восторге. Не надо ехать на работу, можно целый день шляться в халате, да еще мои любимые пирожные... Все складывалось не так уж плохо. К тому ж у меня была презанимательная книжка, напичканная романтическими историями и красивыми чувствами, она отвлекала меня от мыслей об убийствах и прочих неприятностях.

— Наверное, Пол здорово расстроился, — сказал Льюис. — Он хотел свозить вас на уик-энд в Лас-Вегас.

— Ничего, разорюсь как-нибудь в другой раз. Кстати, я собираюсь дочитать эту книгу. А вы чем будете заниматься?

— Музыкой, — ответил он, — потом приготовлю обед. А после, может, сыграем в карты?

Он был на седьмом небе: целый день вдвоем. Наверное, с раннего утра ликовал. Я не смогла скрыть улыбку.

— Ладно, пока я читаю, занимайтесь своей музыкой. Надо полагать, ни радио, ни телевизор тоже не работают.

Совсем забыла сказать, что Льюис увлекался игрой на гитаре и сам сочинял заунывные, меланхолические, немного странные мелодии. Я позабыла об этом, поскольку сама не бог весть как люблю музыку. Он взял гитару и принялся перебирать струны. На улице завывала буря, я пила горячий кофе, рядом был мой милый убийца, мне было так хорошо, что я едва не мурлыкала. Наверно, это ужасно, когда для счастья нужно столь мало. Счастье начинает засасывать, и единственный способ от него избавиться — погрузиться в неврастению. Нас преследуют неприятности, гнетут проблемы, но вдруг, точно камень, брошенный из-за угла, или как солнечный луч, настигает счастье, и мы отступаем перед радостью бытия.

День прошел очень спокойно. Льюис выиграл у меня в карты пятнадцать долларов. Готовку он, слава богу, уступил мне. Он играл на гитаре, я читала. Мне с ним совершенно не было скучно, он был необременителен, как кошка. А вот активность Пола порой меня раздражала. Даже думать не хотелось, как бы прошел этот день, окажись Пол на месте Льюиса. Уж он бы нашел чем заняться. Вздумал бы починить телефон, пришвартовать «Ройс», укрепить ставни, помочь мне дописать сценарий, потрепаться об общих знакомых, заняться любовью и бог весть чем еще. Действовать, действовать, действовать! А Льюису было все равно. Если б дом сорвался с якоря и поплыл подобно Ноеву ковчегу, он так бы все и сидел, томный и счастливый, с гитарой в руках. У нас было так спокойно, а за дверьми бушевал тайфун «Анна».

Ночью стихия совсем разошлась. Ветер по одной отрывал и уносил ставни, они летели, как птицы, с мрачным карканьем. Что происходит на улице, различить было невозможно. Никогда раньше в наших краях не случалось ничего подобного. Время от времени «Ройс» бился то в дверь, то в стену, словно громадный пес, который просится в дом. Меня это пугало. Воистину, в своей бесконечной доброте Господь иногда чрезмерно испытывает свою покорную слугу. Льюис был от всего этого в восторге, его забавляла моя растерянность, он выглядел очень самодовольным. Меня это раздражало, я решила пораньше лечь спать и приняла снотворное. Это начинало входить в привычку — после того как всю жизнь избегала лекарств! Но заснуть не удавалось. Ветер завывал, как поезд, набитый волками, дом трещал по швам и в полночь наконец не выдержал. Ветер отодрал кусок кровли прямо над моей постелью, на меня обрушился поток воды.

Я закричала и, прижав инстинктивно, по-страусиному, к лицу мокрую простыню, выскочила в коридор. И тут же наткнулась на Льюиса. Он притянул меня к себе и в кромешной тьме на ощупь довел до своей комнаты, там крыша каким-то чудом сохранилась. Яростный порыв ветра обезглавил полдома, и, как всегда, я оказалась на той самой половине.

Льюис сорвал с кровати одеяло и принялся меня растирать, точно старую лошадь. При этом он приговаривал таким тоном, каким обычно успокаивают испуганных четвероногих друзей: «Вот так... Ничего страшного... Сейчас все будет хорошо...» Потом, освещая себе путь зажигалкой, спустился на кухню за скотчем. Вернулся он мокрый до колен.

— На кухне полно воды, — весело сообщил он. — А по гостиной плавают диван и кресла. За бутылкой пришлось гоняться по всей кухне почти вплавь. Когда вещи не на местах, они так забавно выглядят. Даже холодильник, такой большой и такой глупый, вдруг вообразил себя пробкой и поплыл.

Лично мне это забавным не казалось, но я понимала, что он изо всех сил пытается меня развлечь. Было абсолютно темно. Мы сидели у него на кровати и глотали скотч прямо из горлышка. Даже закутавшись в одеяло, мы стучали зубами от холода.

— Что будем делать? — спросила я.

— Подождем до утра, — спокойно ответил Льюис. — Стены прочные. Ложитесь на мою кровать, тут сухо, и спите.

Спать... Он с ума сошел. Но от страха и скотча у меня закружилась голова, и я вытянулась на кровати. Он сидел возле, я различала его профиль на темном фоне окна. По небу растерянно носились тучи. Мне стало казаться, что эта ночь никогда не кончится, что я сейчас умру. Детский страх сковал меня, перехватил горло.

— Льюис, — вымолвила я, — мне страшно. Прилягте рядом.

Он ничего не ответил, но через секунду обошел вокруг кровати и лег. Мы лежали на спине, он молча курил.

И тут приподнятый мощной волной «Ройс» с силой ударил в стену нашей комнаты. Она содрогнулась, раздался ужасающий треск, и я бросилась в объятия Льюиса. Совершенно бессознательно — просто в ту минуту мне нужен был рядом мужчина, в чьих объятиях я бы чувствовала себя в безопасности. Льюис прижал меня к себе и с невероятной нежностью стал целовать мне лоб, волосы, губы. Он шептал мое имя, как шепчут молитву, но я с трудом понимала, что он говорит, я зарылась лицом в его волосы и приникла к нему. «Дороти, Дороти, Дороти...» Его голос тонул в шуме бури. Я не шевелилась, меня грело тепло его тела, в голове ни мысли. Разве только о том, что это должно было случиться и что все не так уж страшно.

Но оказалось, случиться этого не могло. Внезапно я поняла. И поняла наконец Льюиса, причину всех его поступков. И убийств, и неистовой платонической любви ко мне. Я резко, слишком резко отпрянула, он сразу разжал руки. На миг мы оба застыли, окаменев от ужаса, точно между нами проползла змея. Я не слышала больше завываний ветра, только оглушительные удары собственного сердца.

— Теперь вы все знаете, — медленно произнес Льюис.

Он щелкнул зажигалкой. Пламя осветило его лицо. Он был очень красив и очень одинок, навсегда одинок... В порыве бесконечной жалости я протянула к нему руку. Но его лицо вновь стало непроницаемым, незрячим, он не видел меня. Он положил зажигалку и обеими руками взял меня за горло.

Я не самоубийца, но на мгновение мне захотелось, чтобы он это сделал, сама не знаю — почему. Моя жалость, моя нежность к нему толкали меня на смерть, как к спасению. Я совершенно не сопротивлялась, может, это меня и спасло. Пальцы Льюиса, сдавившие шею, напомнили, что у меня нет ничего дороже жизни, и я стала говорить спокойно. Каждый мой вздох мог оказаться последним:

— Если вам хочется, Льюис, то пожалуйста... но не надо этого делать. Я всегда любила жизнь, вы знаете, я люблю солнце, своих друзей и вас, Льюис...

Он продолжал сжимать мне горло. Я начинала задыхаться.

— Льюис, что вы станете делать без меня? Вы будете скучать, вы же знаете... Льюис, дорогой, пожалуйста, отпустите.

Внезапно он разжал пальцы и, рыдая, упал рядом на кровать.

Я прижала его к плечу, гладила по волосам. Мы долго молчали. Немало мужчин, припав к моему плечу, искали во мне утешения. Ничто на свете не вызывает у меня такой нежности, такого сочувствия, как прорвавшееся горе мужчины. Но ни один из них не вызывал во мне такой теплоты и любви, как этот мальчик, только что едва меня не убивший. Слава богу, я давно уже отреклась от логики.

Льюис быстро заснул, вскоре буря улеглась. Всю ночь его голова покоилась на моем плече, а я так и не сомкнула глаз. Я наблюдала, как белеет небо, разлетаются тучи и над разоренной землей встает яркое солнце. Это была одна из лучших ночей любви за всю мою жизнь.

ГЛАВА 16

Подойдя назавтра к зеркалу, я первым делом обнаружила отвратительные черные синяки на шее. Малость поразмыслив, я взялась за телефон.

Я сказала Полу, что согласна за него выйти, он страшно обрадовался. Затем я сообщила Льюису, что мы с Полом женимся и уезжаем в свадебное путешествие в Европу. На время моего отсутствия я поручила ему следить за домом.

Свадебная церемония отняла десять минут, свидетелями были Кэнди и Льюис. Потом я сложила чемоданы, обняла Льюиса и долго прижимала его к сердцу. Я обещала скоро вернуться, а он мне — хорошо себя вести, прилежно трудиться и каждое воскресенье ухаживать за «Ройсом».

Несколько часов спустя мы уже летели в Париж. В иллюминатор видно было, как серебристые крылья самолета разрезают бело-серые облака, и мне казалось, я тоже разрываю путь кошмара. Теплая и твердая ладонь Пола лежала на моей.

Мы собирались провести в Париже месяц. Но сперва Джей прислал телеграмму с просьбой смотаться в Италию и помочь моему несчастному собрату, такому же рабу пера, с застопорившимся сценарием. После Пол летал по делам в Лондон, где «РКБ» собиралась открывать филиал. Так целых полгода мы только и сновали между Парижем, Лондоном и Римом.

Я была счастлива: у меня появилась куча новых знакомых, я часто виделась с дочерью, купалась в Италии, праздники проводила в Париже и Лондоне, полностью обновила свой гардероб. Пол оказался весьма приятным спутником жизни. Европу я обожала.

Изредка приходили письма от Льюиса, написанные совсем по-детски: он рассказывал о саде, о «Ройсе», жаловался, что наша отлучка затянулась и что ужасно по нас соскучился. Смерть Маклея сделала фильму скандальную рекламу. Поскольку на деле лента получилась серенькая, перекроить ее поручили классному режиссеру Чарлзу Вогту. Так что Льюису пришлось снова облачаться в ковбойский наряд. При этом роль его заметно расширили. Впрочем, его это совсем не радовало, скорее наоборот. Так что, узнав недели за три до возвращения, что фильм в конце концов вышел весьма удачный, а исполнитель главной мужской роли Л. Майлс имеет все шансы получить «Оскара», я просто обалдела от удивления.

Льюис встречал нас в лос-анджелесском аэропорту. Он бросился на шею мне, потом Полу. Он радовался как ребенок и сразу принялся плакаться на жизнь. Все к нему пристают, подсовывают какие-то контракты, в которых он ни черта не смыслит, сняли ему громадный дом с бассейном, донимают по телефону. Выглядел он подавленным и озлобленным. Не вернись я в этот день, он бы просто сбежал. Пол хохотал до слез, но, по-моему, Льюис и правда плохо выглядел, похудел. На завтра была назначена церемония вручения «Оскаров».

По сему случаю собрался весь Голливуд, расфуфыренный и радостно возбужденный. Льюис с бесстрастным лицом поднялся на сцену за своей наградой, я философски взирала, как три тысячи человек оглушительно аплодируют убийце. Чего в жизни не бывает! После церемонии Джей Грант устраивал прием в новой резиденции Льюиса. Страшно гордый собой, Джей провел меня по всему дому: шкафы набиты костюмами с иголочки, в гараже дремали подаренные Льюису новенькие автомобили; вот комнаты, где он будет спать, а тут — принимать гостей. Льюис бродил за нами по пятам, что-то ворча под нос. Я обернулась к нему:

— Вы уже перетащили сюда свои старые джинсы?

Он отрицательно помотал головой, в глазах промелькнул ужас. Его поведение никак не соответствовало роли виновника торжества. Несмотря на все мои увещевания, он совсем не обращал внимания на гостей и ходил за мной как привязанный. На нас начали коситься, и я решила поскорее уехать домой. Улучив миг, когда кто-то отвлек Льюиса, я взяла Пола под руку и прошептала, что с ног валюсь от усталости.

Мы с Полом решили обосноваться у меня, потому что его квартира была в центре города, а я ни за что не хотела расстаться с пригородом. Было часа три ночи, когда мы тайком ретировались к машине. Глядя на огромный освещенный дом, на мерцание воды в бассейне, на силуэты людей в окнах, я вспомнила, как год назад мы ехали той же дорогой домой и незнакомец бросился нам под колеса. Да, прошел всего год. Но что за год! Слава богу, все кончилось благополучно, если, конечно, не брать в расчет Фрэнка, Луэллу, Болтона и Маклея.

Пол ловко проскользнул между двумя новенькими «Ройсами» и тронул с места. И тут, прямо как год назад, в свете фар мелькнул темный силуэт. Раскинув руки, кто-то ринулся наперерез машине. Я вскрикнула от неожиданности. Льюис (конечно же, это был он) забежал с моей стороны, открыл дверцу и схватил меня за руки. Его била дрожь:

— Возьмите меня с собой, — взмолился он. — Дороти, возьмите меня с собой, я не могу больше там оставаться.

Он уткнулся лбом мне в плечо, потом поднял голову. Дышал он так тяжело, словно получил удар под дых.

Я пробормотала:

— Но послушайте, Льюис, ваш дом теперь здесь. Вас ждут люди...

— Я хочу домой, — был его ответ.

Я посмотрела на Пола. Он тихо смеялся. Я предприняла последнюю попытку:

— Ну подумайте о бедном Джее, он так старался... И рассердится, если вы так вот уедете...

— Я убью его, — сказал Льюис, и я вздрогнула.

Я поспешила подвинуться, и Льюис плюхнулся на сиденье рядом со мной. Пол включил зажигание. Мы вновь оказались втроем на этой дороге. Мне нелегко было прийти в себя от такого поворота событий. Все же я нашла силы прочитать Льюису нотацию. Я втолковывала, что одну ночь — куда ни шло: он перенервничал, и на то были причины. Но потом, дня через два-три, ему нужно будет вернуться, люди не поймут, почему он не живет в таком прекрасном доме, и т. д.

— Я буду жить у вас, а туда мы вместе будем ездить купаться, — как нельзя рассудительней предложил Льюис.

С этими словами он заснул у меня на плече.

Мы с Полом почти на руках вынесли его из машины и довели до комнаты. Когда его клали на кровать, он на секунду открыл глаза, посмотрел на меня, улыбнулся и опять погрузился в сон с блаженным выражением на лице.

Мы с Полом пошли к себе и стали раздеваться. Я повернулась к Полу.

— Как ты думаешь, надолго он к нам?

— На всю жизнь, — небрежно ответил Пол. — Ты это прекрасно знаешь.

Он улыбался. Я пыталась возразить, но он опередил:

— Разве ты теперь не счастлива?

— Очень, — ответила я.

Это было правдой. Конечно, нелегко удерживать Льюиса от новых убийств, но если получше за ним присматривать, да еще если повезет... «Поживем — увидим». Эта навязшая в зубах пословица, как обычно, утешила меня, и я, напевая, направилась в ванную.

1968 г.

И ПЕРЕПОЛНИЛАСЬ ЧАША

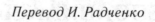

Перевод И. Радченко

Моему сыну Дена

ГЛАВА 1

Даже погода в том, 1942, году поблажек не давала. Уже с мая луга изнывали от летнего зноя. Высокая трава, размякнув на солнце, клонилась, сохла и никла до земли. Поодаль, над сумеречной котловиной пруда, курился тонкими полосками туман; да и сам дом с его розовым морщинистым фасадом, сомкнутыми, словно над тайной, ставнями второго этажа и в изумлении отверстыми застекленными дверьми первого — сам дом уподобился старушке, сомлевшей от прихлынувшей неопределенности.

Шел уже десятый час; уповая на прохладу, кофе накрыли в саду перед ступеньками крыльца, но свет был таким ярким, а воздух таким теплым, что казалось, стоит полдень и лето в разгаре.

— А ведь еще только май! — сокрушенно произнес Шарль Самбра. — Что же будет в августе?

И кинул прямо перед собой окурок; его короткий и неотвратимый полет как бы предвосхитил для Шарля их будущее, однако, откинувшись в кресле-качалке, Алиса Файат проводила взглядом летящую в никуда и на гравий горящую сигарету безо всякой тревоги, оттого что брошена она была могучим жестом. От темневшего на фоне вечернего света силуэта мужчины и его энергичного движения веяло жизнью, а никак не роком: чуть раскосые карие глаза, полные губы и мясистый нос Шарля Самбра, хотя и обрамленные и оттененные на удивление черными и на удивление тонкими бровями и волосами, приличествующими более женщине или какому-нибудь Валентино, не таили в себе, несмотря на несколько старомодный стиль ловеласа девятисотых годов, ничего тревожного, ни даже пророческого. Ни даже раздражающего, что удивительно, подумала Алиса. И правда, бьющее через край здоровье и жизнелюбие этого человека почему-то не раздражали ее своей несвоевременностью и слепотой, постыдными в том мае 1942-го. Даже если в принципе и возмущало ее полнейшее его безразличие к судьбе отечества, существовало определенное согласие, о каком и помыслить-то гадко, и в то же время разительное, очевидное между этим человеком и запахом его дома и луга, линией тополей, холмами, такое согласие, которое могло бы примирить — если бы она хоть на миг могла себе подобное представить — великолепные речи Петена, окрашенные в цвета национального триколора, и его же — «зеленые», о возврате к земле. Алисе на мгновение почудился степенный зычный голос старика, а за ним исступленный вопль маньяка, она заморгала, откинула голову назад и инстинктивно повернулась к Жерому.

Жерома, как видно, тоже сморило от запаха разогретой травы. Он закрыл глаза, светлые пряди волос едва различались на усталом, беззащитном, ранимом и напряженном лице. Лицо Жерома... Ему она сегодня была обязана всем, включая и эту траву, и усеянное звездами небо, и неожиданную возможность расслабиться; всем, даже и тем безотчетным и сомнительным удовольствием, той безотчетной тоской, какую вместе со стыдливой робостью внушало ей сугубо мужское обаяние друга детства Жерома, этого Самбра, к которому они нагрянули в тот день безо всякого предлога, благо дружба в таковых не нуждается.

Она заморгала и тряхнула головой, чтобы привлечь внимание Жерома, и не сразу осознала, что он тоже давно смотрит на нее широко открытыми глазами. По отношению к нему Алисе случалось впадать в эдакую близорукость,что представлялось ей проявлением не то ее собственного эгоцентризма, не то его, Жерома, легкого нрава. За спиной у них как-то по-чудному запела птица, и Шарль рассмеялся.

— Поет, как извозчик, — пошутил он. — Мне всегда кажется, что она ругается неприличными словами. Ведь правда? В ее руладах — ни романтики, ни изящества. Даже ярость какая-то слышится, и это меня смешит.

— Верно, — отвечала Алиса поначалу из вежливости, а после заинтересованно, так как замечание не лишено было меткости. — Может, это утренняя птица: сбилась со времени, вот и злится?

Да почему они здесь, она, Жером? Почему разглагольствуют о пении дурацкой птички с этим бедолагой, хозяином обувной фабрики в провинции Дофинэ?

— Я вас прескверно угощаю, — констатировал Шарль тоном, в котором не слышалось и тени беспокойства, и оттого чуть ли не циничным.

Этому человеку, похоже, ни в коей мере не доступны стеснение и укоры совести, подумалось Алисе; но она, ненавидевшая самомнение и даже просто душевную успокоенность столичных и провинциальных фатов, зазнаек, самонадеянных весельчаков, почему-то улыбалась, вспоминая, как Шарль был ошеломлен и восхищен их появлением и как рискованно управлялся на кухне с нечаянной яичницей.

С тех пор прошел уже час — целый час! — а отзвук его смеха лишал ее, по крайней мере на тот вечер, всякой способности критически мыслить. В сущности, он был попросту добрым парнем — редкое по тем временам качество, столь же старомодное, как и его наружность, но оно-то во всяком случае пригодится для осуществления ее с Жеромом планов. А в доброте Шарля Алиса не сомневалась: она читалась на его лице, угадывалась во всем его поведении. Красивый малый, но сверх того еще и добрый. В точности как его описывал Жером. И снисходительность, которую она уловила тогда в голосе Жерома, вдруг показалась ей несправедливой и неуместной. В конце концов, будь этот Шарль Самбра хоть сто раз бабником, простаком, ограниченным материалистом, убаюканным в своей прекрасной Франции, он рисковал благодаря сегодняшним своим гостям в один прекрасный день оказаться поставленным к стенке или замученным палачами-садистами, сам не зная ради чего. И хотя недопустимо, недозволительно было объяснять ему «чего ради», не удостоверившись предварительно, что данную цель он и они понимают одинаково, Алиса вдруг почувствовала себя бесчестной осквернительницей векового священного гостеприимства... Она на мгновение ощутила себя волком в овчарне, но тут вдруг поймала неотрывно устремленный на ее собственное тело влажный взгляд карих глаз овечки по имени Шарль Самбра, и от этого взгляда она разом позабыла о своей роли большого злого волка.

— О чем ты говоришь! — запротестовал Жером. — Яичница была просто потрясающая. В Париже, дружочек, такую с руками бы оторвали!

— Ты не преувеличиваешь? — спросил Шарль не без иронии. — Со снабжением, я думаю, все наладится, — добавил он. — Немцы, они, знаешь, чертовски организованный народ.

— Ты так полагаешь? — голос Жерома звучал рассеянно, будто издалека, и чуточку насмешливо.

Итак, он уже приступил к дознанию, устало подумала Алиса. Сразу к делу; не мог подождать один вечер, один-единственный вечер обойтись без всего этого? И сотни кадров, прыгающих, плохо освещенных, вереницей проплыли под ее опущенными веками: двери жалких гостиниц, темные улочки, перроны вокзалов, временные квартиры, едва распакованные чемоданы — грустные, грязные, безымянные картины, мизерабилистские, с неизменными острыми углами, одним словом, картины Сопротивления, казавшиеся здесь, на этой округлой поляне, под выпуклым небом, на фоне волнистой линии тополей, еще чудовищней. На глаза у Алисы навернулись слезы. Зря они сюда приехали. Не следовало останавливаться, отдыхать, надо было бежать дальше от угла к углу, от подъезда к подъезду, петляя, падая на ходу. Ни в коем случае нельзя было расслабляться здесь, где земля так покойна и кругла, в присутствии этого мужчины, у которого такая округлая шея, округлая и прямая, как те пресловутые березы и шеи, что описала одна чувственная женщина в своих изысканных романах. Шея прямая и загорелая под черными нестрижеными волосами — волосами брошенного мужчины, подумалось ей вдруг.

— Шарль, вы не женаты? — спросила она чуть ли не с тревогой, скорее даже не спросила, а услышала свой собственный вопрос и покраснела в темноте, возненавидела себя смертельно за любопытство, за вопрос, который Жером, кстати, — намеком, третьего дня, — не советовал ей задавать, возненавидела еще и за свое глупейшее умиление, нелепое по отношению к этому жалкому провинциальному соблазнителю, с нескрываемым самодовольством безмятежно наслаждающемуся своей холостяцкой жизнью. К этому фабрикантишке, находившему, что немцы — очень организованный народ, что Франция ест досыта, а ее, Алисы, тело весьма аппетитно. Полагавшему, что все к лучшему в этом лучшем из миров.

— Жена меня бросила, — ответил Шарль, не глядя на Алису. — Она живет сейчас в Лионе. Я не очень хороший хозяин, но у меня есть Луи и его жена Элиза, она приходит стряпать каждый день, кроме воскресенья... потому-то ужин и был таким отвратительным. Если бы вы меня предупредили...

— Помилуйте, — пробормотала Алиса, вжавшись в кресло, чтобы скрыть заливавшую ее лицо краску, — я ж не про яичницу, я...

— Я понимаю, — сказал Шарль, — понимаю прекрасно. — И улыбнулся смущенно, но как бы и поощряюще, что окончательно повергло Алису в смятение.

— Простите меня, — проговорила она, вставая, — я совсем засыпаю, говорю сквозь сон, не знаю, право. Ужин был великолепен, но я должна лечь, я с ног валюсь, поезд шел бесконечно долго. Двадцать четыре часа мы ехали, да, Жером?

Молодые люди поднялись, словно по команде, однако Жером, неуклюжий, как всегда, зацепился за кресло, в результате чего Шарль, подтянутый и трепещущий, очутился возле Алисы первым — «как в американской комедии», — внезапно развеселившись, подумала она, наблюдая за двумя не сводящими с нее глаз мужчинами, и, чтобы скрыть смех, круто повернулась к дому.

— Я покажу вам вашу комнату, — сказал Шарль, — или нет, пусть это сделает Жером, он лучше моего сумеет вас устроить; к моему удовольствию, он знает мой дом, как я сам. — Шарль положил руку на плечо подошедшего к ним Жерома, который подоспел, прихрамывая. — Но, к моему великому сожалению, он лучше меня знает, что вы любите, — добавил он с неожиданным и старомодным изяществом и, отступив на шаг, изогнулся перед Алисой, не прикланываясь, однако, к руке, в сухом и каком-то отстраненном поклоне, показавшемся вдруг молодой женщине гораздо более эротичным, нежели самое продолжительное и страстное целование рук. Желая сохранить самообладание, она улыбнулась ему в лицо и встретила взгляд его карих, таких мужских и таких ребяческих глаз, в сущности, взгляд животного, напрочь лишенный как двусмысленности, так и наглости.

Такой взгляд, насколько ей помнилось, она видала только у охотников до женского пола; в ранней юности ей доводилось встречать на пляже мужчин, в которых все — и поведение, и взгляд — откровенно и невозмутимо говорило о безудержном желании обладать женщиной и выдавало скуку и глубокую неприязнь по отношению к собратьям по полу. Она знавала двух или трех подобных джентльменов, необыкновенно красивых, спокойных, воспитанных, сдержанных, иной раз совсем неприметных, из-за которых женщины умирали и кончали самоубийством, при том что никогда и никто, включая и самих страдалиц при их жизни, не мог упрекнуть этих обольстителей в жестокости. Искусители эти не водили дружбы с мужчинами, их не влекли ни спорт, ни карты, ни другие пороки. Для них единственными обитателями планеты были, без сомнения, женщины: женщины, которых они любили и которых бросали, за счет которых иные из них жили, преспокойно, не зная стеснения и не корысти ради. Но только эта праздношатающаяся разновидность, подробно описанная у Колетт, давным-давно перевелась, а ее потомки, если таковые существовали, наверняка не изготовляли башмаков в окрестностях городка Роман.

— Нет, нет, — возражал Жером, — это твой дом, ты сам и покажи его Алисе. По-моему, ей придется по вкусу спальня в бледно-желтых тонах. Я зайду к вам через несколько минут, Алиса, — продолжил он, понизив голос, — пожелать вам спокойной ночи, если будет еще не слишком поздно и я вас не побеспокою.

Вместо ответа она улыбнулась. И, разомлев от усталости и неги, шагнула в разливавшийся по дому запах сушеных фруктов и воска, запах, который, она полагала, уже навсегда исчез из ее жизни. Вслед за Шарлем, который церемонно и безмолвно выступал впереди нее неторопливым шагом, заложив руки за спину, будто гид или агент по недвижимости, она прошла через большую залу, по-видимому, гостиную, где на полу красовались пантерьи шкуры с протертыми боками и стеклянными глазами, а по стенам — косо повешенные, сочащиеся киноварью портреты; затем через вестибюль, потом по лестнице, где дремали не потревожившиеся при их появлении охотничьи собаки. Потом наконец она достигла порога огромной квадратной спальни, по стенам которой вяли крупные розовые цветы, вымученные и блеклые, обрамляя широченную, накрытую стеганым одеялом ручной работы кровать, предназначенную для роженицы или для медового месяца. Но поначалу она увидела только полыхающий жарко, словно в разгар зимы, огонь в камине и бросилась к нему. И еще Алиса, больше всего на свете любившая живой огонь летом, распахнутые двери балконов зимой и купанье в озерах под осенним дождем, бросила на хозяина дома — рикошетом, через зеркало, висевшее над камином, — заинтригованный взгляд: после ужина он отлучился всего на несколько минут, и, оказывается, именно для того, чтобы развести огонь, и именно в той комнате, которую Жером рекомендовал Алисе в самую последнюю минуту. Шарль смотрел на нее, она видела его силуэт у порога — видела отражение, — его подтянутую фигуру с заложенными за спину руками и, главное, взгляд, неторопливо скользнувший по комнате, окнам, огню, кровати, блистающему паркету, взгляд собственника, пресыщенного знатока, — этот взгляд остановился на ней, не изменив своего выражения до тех пор, пока не встретил в зеркале ее собственный: тут он моргнул. Она резко обернулась, в смущении и раздражении оттого, что он подсмотрел, как она за ним подсматривает, в приливе враждебности и даже злобы при мысли о том, что их заранее разработанные планы и шутливые прогнозы Жерома оказались такими верными, а его советы — излишними. И еще злило то, что теперь, когда она в кои-то веки рассчитывала быть полезной и желала этого, отведенная ей роль выходила такой незначительной или, по крайней мере, так мало от нее зависящей. В ней закипал старинный, давно позабытый гнев, извечный бунт женщины-вещи; желание этого мелкого буржуа, собственника, безмятежно счастливого, довольного своей мебелью, своими домами, фабриками, любовницами, его взгляд, осмеливающийся и ее заранее причислить к предметам первой необходимости и роскоши, неожиданно привели ее в бешенство. Стой он ближе, она б его ударила. Но Шарль Самбра, не говоря ни слова, точно кто его предупредил, предостерег, широкими шагами пересек комнату, распахнул окно, раскрыл ставни и, высунув голову наружу, не оборачиваясь даже, произнес: «Глупость, конечно, но вы непременно должны это увидеть, сегодня, знаете, полнолуние. Потрясающее зрелище. Не забудьте посмотреть и загадать желание. И воздухом подышать», — уже ретировавшись к двери, добавил он, точно они весь вечер провели в подвале, а не в саду.

Алиса Файят заснула сразу после его ухода, позабыв и взгляд, и зеркало, и как она попала в эту комнату. В середине ночи, полупроснувшись, она вспомнила только крупного мужчину с большими руками, широким жестом распахнувшего ставни в черноту листвы, вырисовывавшейся на трепещущем темно-синем небе. И еще вспомнила, что на секунду мир пошатнулся от его руки, его голоса, смеха, его скромности и что она сама, Алиса, пошатнулась вместе со ставнями и опрокинулась в Млечный Путь, в тихую ночь, в сон и безопасность. Они с Жеромом уже год как скрывались. Весь этот год она боялась и презирала себя за это. И вот теперь, стоя на скрипучем полу сельской спальни и слыша, как шуршит в ночи гравий под мохнатыми лапами собак, она на мгновение забыла, как хрустит гравий под сапогами и как однажды на рассвете захрустит, быть может, и здесь.

— Твоей приятельнице, похоже, дом понравился, — сказал Шарль, усаживаясь в кресло напротив Жерома: в опустившемся сумраке он различал теперь только его вытянутый силуэт, блеск глаз и белые руки, но он знал на память его угловатое тело, бледные глаза и волосы и чересчур тонкие черты лица. Все вместе взятое делало его в глазах Шарля таким же неприглядным, как и любого другого мужчину.

— А как тебе понравилась моя приятельница? — спросил Жером.

Шарль так и остолбенел. С того самого дня, когда он отвел Жерома, пребывавшего тогда еще в девственности, в публичный дом — кстати, это произошло на той же неделе, когда Жером отвел Шарля, уже тогда прозябавшего в невежестве, в Лувр (и надобно признать, что познание женщин сильнее сказалось на жизни одного, нежели открытие живописи на жизни другого), — с того давнего времени они ни разу словом не перемолвились о своих многочисленных победах; в особенности Жером — он никогда не искал одобрения Шарля, тем более что Шарлю девушки друга казались очень скучными, хотя и красивыми. И надо же, чтобы именно теперь, после пятилетней разлуки, когда он привез к нему прекраснейшую, наижеланнейшую, единственную существующую отныне для Шарля женщину, чтобы именно в этот вечер Жерому вздумалось поинтересоваться его мнением! В первую секунду Шарль чуть было не выложил всю правду, едва-едва у него не сорвалось: «Алиса создана для меня, она моя, она мне нужна, я хочу ее, я ее люблю. Я жажду ее обольстить, хуже того, я жажду оставить ее себе. С твоей стороны было безумием привозить ее сюда. Пусть у меня только один шанс из ста, я все равно попытаю счастья». Однако он промолчал. Не из осторожности — из суеверия. Ведь он и сам не знал, на чем основан этот шанс, единственный из ста. Шарль, надо сказать, не слишком рассчитывал на свою внешность, вот уже более пятнадцати лет беспроигрышно приносившую ему успех. Он знал, что нравится женщинам, но это представлялось ему чем-то вроде справки о здоровье или временной визы, дозволявшей ему исследовать страну, но не обосновываться в ней постоянно. Полагая, что все мужчины уродливы, он воображал, что может нравиться женщинам только веселым нравом и умением наиполнейше разделять с ними физические наслаждения, каковые ставил превыше всего. Словом, красота его была исполнена такой скромности, что ненавидеть его не представлялось возможным. Те редкие женщины, которых он не желал, а также мужчины, которым принадлежали все прочие, даже и не помышляли в чем-либо упрекать Шарля Самбра. В разговорах с ним они выказывали эдакую снисходительность, пренебрежение, легкую рассеянность — мстили ему таким предельно пошлым, но и предельно осторожным способом за внимание, которое оказывали ему прочие женщины. Понемногу Шарль Самбра привык считать себя не слишком умным или, во всяком случае, считать, что ум не входит в число его основных достоинств; он безотчетно от этого страдал, словно от некоего безобидного увечья, над которым посмеиваются окружающие и которое вы сами за собой с улыбкой признаете, но которое иной раз причиняет вам неизъяснимую боль.

Жером хорошо знал в Шарле эту скромность тела и ума и, возможно, потому долгие годы терпел и даже любил его общество.

— Алиса неотразима, совершенно неотразима, — в конце концов ответил Шарль невыразительным голосом и после паузы, которая им обоим показалась затянувшейся — Жером даже слегка заерзал в кресле, забеспокоился, вспомнив вдруг, что Алиса, несмотря на всю свою утонченность, все-таки женщина, а женщины, даже самые утонченные, редко остаются безразличными к Шарлю.

— Ну, а как твое производство? — ни с того ни с сего спросил Жером, чем снова поверг Шарля в недоумение. Все, что касается производства, всегда вызывало в Жероме глубокое отвращение или, по меньшей мере, наводило глубокую скуку. Это была одна из редких запретных тем в их беседах.

— Кожа, знаешь, нынче...

Он как будто оправдывался, и это насмешило Жерома.

— Скажи, Шарль, ты по-прежнему сомневаешься в своих деловых качествах? И все так же сомневаешься в своих интеллектуальных способностях?

— От меня их, знаешь ли, никто никогда не требовал, — ответил Шарль. — Разве что ты, когда пытался заняться моим образованием. Но это было давно.

Он закурил сигарету, обратив взгляд на Жерома, и тому показалось, что из темноты на него устремлены печальные и добрые глаза несмышленого животного. Жером даже на мгновение растрогался. Все, что говорил или делал Шарль, радушие, с каким он их принял, его веселый нрав, все его поведение подтверждали и даже полностью совпадали с той картиной, которую Жером рисовал Алисе, подготавливая ее к встрече. Жером заметил, как улыбалась Алиса, сличая описание с действительностью, и даже почувствовал себя чуть ли не виноватым, что глупо, в конце концов, ведь если для Шарля не существует иных запросов, кроме тех, что диктуются темпераментом, и иных устремлений, кроме собственного благополучия, то представить его красивым, обходительным и посредственным ничуть не по-

— Ты умный, Шарль, но живешь среди кретинов, где ж тут сохранить интеллектуальные способности? У тебя всегда были одни и
те же дружки, лионские бармены, здешние лекари, всякие там игро-
ки да бабники. Ты все так же неразборчив, старина.

— А ты все так же высокомерен? — прервал его вдруг Шарль,
да так резко, что Жером прикусил язык. Как это он забыл, что вяло-
му, умиротворенному и, казалось бы, неглубокому уму Шарля случалось блистать вспышками интеллекта и иронии?

Так или иначе, Жером в тот вечер менее всего собирался выяснять отношения; он нуждался сейчас в дружбе Шарля и его поддержке, ему важно было не потерять в нем друга и приобрести сообщника.

— Не сердись, — сказал он. — Я неправильно выразился. Я не
вкладывал ничего уничижительного в слово «неразборчив».

— Вкладывал, — ответил Шарль. — И я тоже вкладывал, когда
говорил «высокомерен». Но мы же всегда друг друга в этом обвиня-
ли, так что, бог с ним, поговорим о чем-нибудь еще.

Наступило молчание, потом Жером рассмеялся своим неуверенным, смущенным, юношеским смехом, а Шарль подхватил с величайшим облегчением, не потому, что дорожил мнением Жерома о себе —
оно было ему глубоко безразлично, — а потому, что безрассудная
ярость закипала в нем и росла с каждым часом, с каждой минутой,
пока он смотрел на белобрысого мужчину, студента-перестарка, который сейчас поднимется и ляжет — неизбежно, неминуемо — в бе-
лоснежную постель Алисы. Прикоснется к ней, обнимет, разбудит.
Вот этот мужчина, сидящий в двух метрах от него и называющийся
его другом, ляжет на ее такое гибкое, такое тонкое тело и станет целовать ее серые-пресерые глаза, черные-пречерные волосы и, главное, губы, красные-прекрасные. Губы, обрисованные четкой каймой,
будто бы запружавшей в них наполняющую их кровь, приливы и от-
ливы которой делали их такими красными и полными.

Шарль знал, что если он прижмется губами к этим полным губам,
то почувствует, как в них, точно в сердце — незнакомом, независимом и бешено стучащем, — бьется теплая, соленая и сладкая кровь
этой женщины. Да, он ненавидел Жерома. Уж лучше б он их сразу вы-
ставил вон из своего дома, порога бы переступить не позволил, нежели ввергать себя в ночные фантазии и видения, на которые он теперь обречен. Выставить их сейчас мешала ему отнюдь не давняя
дружба и не воспитание, а надежда, безумная надежда, смертельное
желание самому в один прекрасный день очутиться с Алисой на этой
кровати под стеганым одеялом ручной работы. Если бы когда-нибудь
ему представилась такая возможность, он, Шарль, не стал бы расси-
живать со старым приятелем и лепетать банальные фразочки. Он

давно был бы уже наверху, склонился бы над своим двойником, своей женой, сестрой, дочерью, любовницей, возлюбленной. Он не сидел бы здесь, не разглагольствовал бы о всякой ерунде с чужаком, убогим калекой, короче — с мужиком.

Желание его, по всей вероятности, было заразительным: Жером потянулся в кресле, демонстративно зевнул, распрямил колени. Он собирался встать, и Шарль отчаянно искал способ его задержать: политика, ну разумеется, только политика! Жером, несомненно, был за или же против Петена, а учитывая, что Петен воплощал установленный порядок, — скорее всего против, даже наверняка.

— А что ты думаешь о Петене? — спросил Шарль.

Спросил беспечным тоном, откинувшись в кресле и не глядя на Жерома из опасения, что тот застигнет его врасплох и разгадает. Не утратив охоту делать глупости, Шарль не перестал, однако, заботиться о том, чтоб они оставались незамеченными. Разменяв четвертый десяток, он даже начал всерьез об этом беспокоиться. Итак, не видя Жерома, он почувствовал, как тот расслабился, снял руки с подлокотников, уселся поплотнее. В то время как Шарль радовался своей находчивости, Жером радовался своему терпению. Наконец-то он узнает, как эволюционировали взгляды Шарля.

— По правде говоря, я ничего особенно хорошего о нем не думаю. А ты? — спросил он осторожно.

— Не так уж он плох, не так уж плох, — заговорил Шарль, обретя вдруг бодрость и словоохотливость. — Да, да, я нахожу, что он вовсе не плох, в общем-то, он избавил нас от худших бед.

Жером заставил себя дышать размеренно; такого рода разговоры ему приходилось выдерживать в Париже последние два года и уже года три-четыре выслушивать, что Гитлер, в сущности, просто истинный немец, заботящийся о благе своей страны; временами он даже опасался, что в один прекрасный день не вынесет и вцепится в горло кому-нибудь из таких собеседников. Изрекавшие эту чушь, кто по невежеству, кто из лицемерия, заботились в первую очередь о собственном благополучии и душевном покое, что больше всего и возмущало Жерома.

— Стало быть, ты считаешь, что наша беда не так велика? — спросил он, сдерживаясь и даже силясь изобразить заинтересованность.

В ответ Шарль повел рукой, словно призывая взглянуть на дом, луга и холмы, на себя самого, стройного и сытого, на все, что он сохранил в неприкосновенности и что радовало глаз, несмотря на потоки крови, заливавшие Европу.

— Ну, я, как ты знаешь, живу в свободной зоне, — сказал он, —

возможно, здесь все иначе. А что такого ужасного творится в оккупированной? Я слыхал, что германцы ведут себя пристойно.

— Бывает, в самом деле, что кто-нибудь из них уступит место старушке в автобусе, — отвечал Жером, — и все не нарадуются, и все переглядываются, будто поздравляя друг друга с тем, что выбрали хорошего оккупанта. А в это самое время их тайная полиция, СС, гестапо забирают без разбору евреев и коммунистов и отправляют всем скопом, включая женщин и детей, в лагеря, откуда никто не возвращается.

Шарль подметил, что Жером говорит чуть срывающимся, севшим от негодования голосом, и убедился, что избрал правильный путь: так он, глядишь, продержит Жерома до рассвета. Если действовать осторожно, не заходя слишком далеко, он имел на то все шансы.

— Ты говоришь «никто не возвращается», а на самом деле просто еще не вернулись, следует, видимо, подождать окончания войны. Существует еще Англия и, слава богу, Соединенные Штаты, и другие тоже вмешаются. Не будут же они, в конце концов, сидеть тут всю жизнь, — парировал Шарль тоже вдруг с раздражением. — Ты сам посуди, они ж не могут жить в двух странах одновременно, дома их ждут жены, надо делать им детей для фюрера, а они будут целую вечность околачиваться в Париже и Версале?

— Я думаю, что будут, вообрази. Они уже отняли детей от материнской груди, поместили их в свои специальные школы, откуда юноши выходят строем — и прямиком в армию, сменять старших на поле боя и в оккупированных городах. Охранники наши, так сказать, тюремщики станут моложе, но, будь спокоен, они никуда не денутся. Пока в нашей прекрасной Франции будет что грабить и кого убивать, они отсюда не уйдут.

— Да, грабить они умеют, — признал Шарль: хоть с чем-то согласился. — Ты даже и представить не можешь, из чего только я вынужден делать обувь: из соломы, из дерева, из отходов резиновой промышленности, из старых шин — просто жуть что такое! Да, старина, скажу тебе, грабить они умеют! Во всей Европе ни клочка кожи не осталось.

Воцарилось молчание, потом Жером неожиданно поднялся с усталым видом.

— Видишь, вот мы и договорились, — заключил он. — Захватчики грабят нас, но когда-нибудь они отсюда уберутся, если только их дети не придут на смену! Замечательная перспектива: нравится тебе — на здоровье! А я пошел спать.

— Ну, погоди, погоди, — удрученно залепетал Шарль. — Вот уж и поспорить нельзя! Не горячись так!

Жером стоял перед ним, переминаясь с ноги на ногу. Он выглядел усталым и немного озадаченным и, как показалось Шарлю, смотрел на него, словно видел впервые, отчего Шарль невольно опустил глаза.

— Так вот каким ты стал, Шарль? — Жером заговорил неожиданно юным голосом, впервые со времени их приезда заговорил откровенно. — Вот каким ты стал! Ты страдаешь, когда тебе не хватает кожи на ботинки, а что малых детей увозят на край света, потому что у них не та горбинка на носу, — это тебе безразлично? Вот до чего ты дошел? Но ты хоть слышал о еврейских погромах или нет? На евреев тебе наплевать, да?

Шарль с негодованием вздернул голову.

— Тихо, Жером, успокойся. Ты прекрасно знаешь, что для меня не существует евреев и никогда не существовало, я даже не знаю, что это такое и чем они отличаются. Если выяснится, что ты еврей или что я еврей, меня это нисколько не взволнует, я не вижу разницы. Это ты, по крайней мере, понимаешь, Жером?

— Возможно, — отвечал Жером, — возможно, в самом деле ты не видишь разницы, но они-то видят, понимаешь, видят, и огромную. Еврей для них не немец, он не ариец, а следовательно, не имеет права на существование. Понимаешь ты или нет?

— Ты преувеличиваешь, — машинально возразил Шарль. — Послушай, сядь, пожалуйста, а то у меня голова кругом идет, о таких вещах не говорят на ходу, стоя на одной ноге. Сядь, говорю, — настойчиво повторил он. — Сядь, черт побери, мы пять лет не виделись, и ты не можешь поговорить со мной пять минут! В общем-то, знаешь, — продолжил он, — я одинок, мне не больно весело живется с тех пор, как ушла Элен.

И сам уже всерьез проникся жалостью к себе, почувствовал, как у него сжимается сердце от того портрета, который он нарисовал Жерому. Позабыл, как с облегчением вздохнул после отъезда Элен, как радовался, как пустился в разгул по всем окрестным городкам на своем стареньком автомобиле. Позабыл о Лали, о киоскерше из Верона, о мадам Маркес, о... короче, проявил черную неблагодарность. Он проявлял неблагодарность, он лгал, а Жером, судя по недоброму саркастическому смешку, прекрасно это видел. Смешок смешком, но он снова сел, а Шарлю только это и нужно было.

— Помилуй, — отозвался Жером, — помилуй, Шарль, это же я! Очнись: это я, Жером. Элен — дура набитая. Как она там поживает, в Лионе? Ты что-нибудь о ней знаешь? В жизни подобной зануды не встречал. И где только ты, Шарль, откопал такую интеллектуалку? Что это на тебя нашло?

— Она воображала из себя бог весть что, — отвечал Шарль печально, глядя на свои ногти, что обычно означало у него пристыженность. — Она воображала, ну а я счел ее неотразимой! Понимаешь, в то время я не знал, куда себя девать, ты был в Париже, учебу я бросил, из-за твоей скарлатины мы не уехали на войну в Испанию, короче, я влюбился, ну, во всяком случае, мне показалось, что влюбился. Вот. А поскольку она была из тех, на ком женятся, я и женился. А поскольку я ей не подходил, она уехала. А когда она уехала, я остался один и стал бегать за бабами, но это не означает, пойми, что я не одинок.

— Ты сейчас говоришь: одинок, а все остальное время думаешь: свободен, — безжалостно возразил Жером. — Ты создан, ты рожден для того, чтобы быть свободным двадцать три часа в сутки и полчасика чувствовать себя одиноким.

— Послушай, — жалобно протянул Шарль, — ты что, приехал мне нотации читать? А?

— Нет, — отвечал Жером, — я приехал совсем не для того, чтобы читать тебе нотации! И вообще, я пошел спать!

Сейчас он встанет, собака, сейчас уйдет! Нет, только политика, его интересует, как всегда, одна политика. И Шарль затараторил:

— Я, понятно, моральный аспект не беру, но скажи, Жером, ты в самом деле считаешь, что в нацизме нет ничего привлекательного?

Он, разумеется, перегнул палку, сам это чувствовал, но выбора не оставалось. Либо пороть несусветную чушь, либо в течение часа или полутора — он не знал, сколько времени продлится его бессонница, — воображать Жерома в объятиях Алисы, воображать, как Алиса раскрывает объятия Жерому, прижимает его к себе, целует щеки, глаза, рот. Нет, нет, нет и нет, это невозможно.

— В нацизме? — переспросил Жером как будто издалека. — В нацизме? Ты что, рехнулся? Да ты понимаешь, что такое нацизм? И вообще, разве мы не были всегда одного мнения по этому вопросу?

— Я размышлял, — проговорил Шарль, — я думал, словом, я задаюсь вопросом, эта теория, которая провозглашает порядок и сверхчеловека, понятно, что она вроде как не очень демократична, но, может, следует иногда в трагические времена прибегать к жестоким средствам? Говорят, цель не оправдывает средства, и ты тоже так считаешь, но, может, следует иногда, я не знаю...

Жером чуть повел головой, отсвет из окна упал на его лицо, оно сделалось еще бледнее, чем давеча, если такое возможно. Должно быть, он и в самом деле крепко устал, он выглядел изможденным, бедняга Жером! Шарль вдруг разжалобился. Если б не Алиса, великолепная, прекрасная, неотразимая Алиса, как радовался бы он встрече с другом, с каким бы удовольствием повез его кутить и куролесить к мамаше Пьеро в Валанс, к доктору Лефебюру в Роман, и Жером хочешь не хочешь смеялся бы! Ведь Жером, что бы он там ни говорил, тоже умел смеяться, по крайней мере прежде. Не следовало перегибать палку! Жером знал его достаточно хорошо, они вместе не раз говорили о политике и вместе собирали чемоданы в Мадрид.

— Конечно же, я не люблю нацизм, я ненавижу нацизм, и ты это знаешь, просто я подумал, нет ли в нем чего-нибудь хорошего, полезного, что ли, для немцев после стольких лет нищеты и голода. Я подумал, может, Гитлер им, как бы это сказать... помог в повседневной жизни, понимаешь?

— Что ты называешь повседневной жизнью?

В голосе Жерома, почти не различимого теперь в ночи, звучала подавленность и горечь. Это был голос зрелого человека, и Шарль, к своему удивлению, вдруг почувствовал себя стариком. Почувствовал себя стариком впервые в жизни, ровесником своего собеседника, этого зрелого мужа, говорившего о мировых проблемах, о людских бедствиях, о бремени, об ответственности и, разумеется, возлагавшего ответственность и на него, на Шарля, тоже. Шарль не сомневался, что Жером считает его, как и себя, ответственным за страдания еврейских детей. А ведь, бог видит, он тут ни при чем, черт побери! Жером просто невыносим, вечно он втягивает Шарля в переделки, в безысходные ситуации, правда, слава богу, и себя самого тоже, как честный человек. Но сегодня, пока он будет выпутываться, встанет розовоперстая заря, и Алиса проспит ночь одна!

Он отыскал в кармане сигарету, закурил и веселым голосом спросил:

— А почему ты, собственно, так уверен насчет еврейских детей?

Вот так, желая как можно дольше удержать Жерома на расстоянии от Алисы, Шарль далеко за полночь пробеседовал с ним о политике. И упорно, с убежденностью, которой не испытывал, отстаивал заслуги маршала Петена и благовоспитанность оккупантов. Лишь перед самым рассветом он с облегчением, с ликующей душой расстался с Жеромом, совершенно расстроенным и удрученным его абстрактными разглагольствованиями, которые он, Жером, обычно от Шарля даже и не давал себе труд выслушать.

Глава 2

Алиса проспала как убитая, ни разу за ночь не проснувшись, словно бы даже и во сне ее тело ощущало себя в безопасности. Открыв глаза, она почти не удивилась и неторопливо оглядела просторную сельскую спальню. На утомленные цветы обоев сквозь неплотно притворенные ставни лились лучи не по-весеннему яркого солнца, майского солнца сорок второго года. До нее доносились звуки, совсем непохожие на городские. Вдалеке неравномерно щелкал секатор: кто-то подрезал деревья. Низкий неразборчивый мужской голос спорил со смешливой женщиной, отчаянно кудахтали куры па соседней ферме. Только ропот реки, протекавшей за лугом, звучал постоянно. Закрыв глаза, Алиса представляла себе людей, их движения, разнообразные и отчетливые, и находила удивительное отдохновение после глухо урчащей, безымянной суеты, в какую погружен Париж.

Она протянула руку к часам. Было уже одиннадцать. Она проспала двенадцать часов и чувствовала себя превосходно, великолепно. Она готова была месяцы, годы пролежать на этих грубоватых простынях, в комнате, где со вчерашнего вечера витал еще запах огня в камине. Но Жером, наверное, уже поджидал ее внизу вместе со своим оригиналом-приятелем, донжуаном из Дофинэ.

Алиса встала, распахнула ставни. Осененная платанами площадка перед домом дремала на солнце. Чуть дальше среди тополей поблескивал пруд. Вчерашние кресла-качалки оставались на своих местах. Только кофейные чашки на железном столике сменились подносом с завтраком. Разглядев поставленные прямо под ней хлеб, масло и варенье, она ощутила, что умирает с голоду. Из-за угла дома появился Шарль. Он поднял голову, точно на зов, и заслужил ее радужную улыбку.

— Уже проснулись?

Он стоял внизу под ней, уперев руки в бока, задрав голову, и глядел на нее с такой неподдельной радостью, что не улыбнуться было невозможно. Вдобавок он был красив: расстегнутый ворот рубашки, загорелая шея, копна черных блестящих на солнце волос, влажные карие глаза, белые зубы. Он походил на очень красивого и очень здорового зверя и еще на счастливого человека: возможно, в сущности, он и был не кем иным, как просто счастливым человеком. Возможно, он обладал особым даром — быть счастливым, а Алиса в глубине души всегда восхищалась этой редчайшей категорией избранных.

— Я спала как убитая, — отвечала она. — Утром ваш дом еще красивее, чем вечером.

Наступило молчание. Улыбаясь, откинув голову назад, Шарль смотрел на нее и всей своей наружностью выражал удовлетворение тем, что видит. Он выдержал паузу, а потом спросил:

— Вы не проголодались? Я принесу вам завтрак наверх.

— Нет, нет, — отвечала Алиса, отпрянув от окна. — Не беспокойтесь, я сейчас спущусь.

С этими словами она юркнула в кровать, застеснявшись прозрачности своей ночной рубашки.

— А где Жером? — глупейшим образом крикнула она в сторону окна.

Ответа не последовало. Укладываясь, она смеялась тихим неудержимым смехом. Завтрак Алисы Файат, остерегающейся авансов услужливого кожевенника! Ей было тридцать лет, и расстрел угрожал ей с большей вероятностью, чем насилие. Так отчего же она, словно перепуганная девчонка, бросилась прятаться под одеяло? Бред!

— Ну вот! — произнес Шарль Самбра, протискиваясь боком в дверь с огромным подносом в руках. — Еще одно чудо: я ничего не опрокинул! Я поставлю его вам на колени? Вы действительно пьете чай? Или Жером снова попытался навредить мне в ваших глазах?

Он поставил поднос на колени Алисе, сам присел у нее в ногах на краешек кровати, налил ей чаю, протянул сахар, начал было намазывать хлеб маслом, но неожиданно бросил и с наслаждением закурил.

Алиса упивалась давно позабытым вкусом хорошего чая, куска масла на тарелке, белого почти что хлеба. Она позабыла чуть ли не обо всем на свете. Теперь она видела в Шарле только щедрого дарителя всех этих несказанных благ; она ела, пила, не произнося ни слова, и взгляд ее, хотя и приветливый, был устремлен куда-то далеко.

А Шарля Самбра, сидевшего с сигаретой в уголке губ, совсем как в гангстерском фильме, распирали гордость и удовольствие.

— Вы курите, как бандит в кино, — сказала она неожиданно.

Он взглянул на нее обеспокоенно, с обиженным видом вынул сигарету изо рта.

— А вы — вы едите, как проказница Лили. У вас варенье на подбородке и, похоже, еще яичный желток.

— Не может быть! — вскричала Алиса в ужасе. Она приподнялась и принялась изо всех сил тереть лицо салфеткой, безо всякого, впрочем, результата, пока он не расхохотался, довольный собственной шуткой.

— Это неправда! — воскликнула она. — Вы вдобавок еще и лжец!

— Вдобавок к чему?

Она осеклась и замолчала, и Шарль продолжил сам:

— К тому, что я лентяй, эгоист, буржуа и фашист?

— Почему фашист? — удивилась она.

— Ага! Из этого следует, что вы не виделись с Жеромом со вчерашнего вечера, — отвечал он, удовлетворенно и даже как бы одобрительно покачивая головой, чем привел Алису в замешательство. — Я всю ночь до зари изображал фашиста и коллаборациониста. И все для того, чтобы помешать ему... словом, чтоб он вас не будил. Я думал, лучше вам поспать спокойно... — пробормотал он, — с дороги, и потом — перемена климата...

Алиса откинулась на подушку.

— Жером был, верно, вне себя, — сказала она невозмутимым тоном. — Он не переносит фашистов. И никак не может смириться с тем, что в Париже теперь повсюду натыкаешься на немецкую форму.

— Я бы тоже с ума сходил! — сочувственно поддакнул Шарль. — Уверяю вас, когда б не важные дела, я бы тоже непременно поиграл бы в партизана с мушкетом двоюродного дедушки.

Алиса глядела на него, чуть мигая от яркого света. «Очаровательна, — думал Шарль растроганно, — очаровательна — не то слово».

— Вот как, — сказала она и, как подметил Шарль, в десятый раз намазала маслом один и тот же кусок хлеба. Туда, сюда, с одной стороны, с другой. — Вот как... А что же за важные дела мешают вам поиграть с мушкетом?

— Я должен управлять семейной фабрикой, — ответил он сумрачно. — Эта фабрика кормит восемьдесят человек: рабочих, их жен и малолетних деток; кроме того, акционеров и моих родственников; в придачу еще меня самого. Но что об этом: женщины от подобных разговоров умирают от скуки.

— Потому что женщины не созданы для дел, им больше пристало говорить о детях и сидеть дома, так? — спросила Алиса и положила на поднос бутерброд, к которому так и не притронулась, положила очень аккуратно — будто сама боялась, что запустит его ему в физиономию, подумал Шарль.

— Вовсе нет! Нет! — отвечал он убежденно, с горячностью. — Женщины, напротив, созданы, чтобы выходить в свет, ходить по улицам, нравиться мужчинам, сводить их с ума, разбивать им сердца. Они созданы для того, чтобы плавать на судах, ездить на поездах, бывать повсюду и повсюду кружить мужчинам голову. Нет, им совсем не пристало сидеть дома... Вот уж чего я никогда не говорил!

— Вероятно, потому ваша жена и живет в Лионе без вас? — неожиданно для нее самой сорвалось у Алисы, в то же мгновение она почувствовала, что краснеет, и поднесла руку к лицу, словно хотела себя ударить. — Простите, — проговорила она, — я не хотела, я не подумала...

— Моей жене было со мной скучно, — спокойно ответил Шарль. — Она очень любит общество, а здесь, понятно...

И повел рукой в сторону окна и полей, где, разумеется, народу было немного. Он нащупал в кармане сигареты, достал одну, постучал ею о пачку, не поднимая глаз. И все-таки он успел заметить, как сильно побледнела Алиса, и испытать от этого удовольствие.

— Не знаю, что это на меня нашло, — проговорила она тихо. — Я сказала ерунду, грубость. Вы не сердитесь, Шарль?

И поскольку вместо ответа он уставился на простыню, он увидел, как тонкая рука с длинными пальцами и длинными овальными ногтями потянулась в его сторону, к его руке, так и лежавшей на пачке сигарет, и успел сравнить ту хрупкую кисть и свою могучую, ту белую и свою, покрытую загаром, прежде чем почувствовал, ощутил всем телом прикосновение мягкой и теплой кожи... и все это за секунду, за миг до того, как в комнату вошел Жером и узкая рука Алисы отдернулась так виновато, что Шарль испытал восторг, восторг и шок одновременно, — а через мгновение, через полсекунды он уже вскочил на ноги и демонстративно встал на почтительном расстоянии от Алисы, будто нарочно подчеркивая, подумалось Алисе, что у них от Жерома существует тайна, что, дескать, они провинились.

Где ему, бедняге, было знать, что Жером и не собирается ревновать и что сладкие любовные баталии бесконечно далеки от той борьбы, в какую погружен он. Оценить это могли только сам Жером и Алиса. Она искренне удивилась, заметив, как Жером залился краской, что служило у него верным признаком гнева или смущения.

— Мы говорили о бутербродах, — солгал Шарль без всякой необходимости, намеренно солгал при ней, вовлекая и ее в эту ложь и делая ее в еще большей степени — если бы такое было возможно — своей сообщницей.

Хоть он и напрасно старается, думала Алиса, для провинциального соблазнителя он весьма утончен. И угрызения совести, которые она испытала секундой раньше от своего вульгарного выпада относительно его семейной жизни, растроганность его скромной и простодушной реакцией тотчас уступили место ощущению иного рода, пронзительному и настороженному, которое, впрочем, тоже мгновенно рассеялось, поскольку мужчины уже весело дурачились, изо всей силы хлопали друг друга по спине — точь-в-точь ровно мужики из довоенных фильмов о деревенской жизни.

— Ну что, старина, — говорил Шарль, — хорошо спится в деревне? Птички разбудили? Тебе небось не хватало шума мусорщиков или, может, еще топота нацистских сапог под окнами на бульваре Распай? Хайль бум, хайль шнель пум-пум-пум-пум-пум. Ein, zwei, ein, zwei, ein, zwei, ein, zwei, хайль Гитлер, ein, zwei, пум-пум-пум...

И он, болван, еще смеется, подумала Алиса. Он смеялся и даже заговорщически ей подмигивал, словно антипатия Жерома к немцам была всего-навсего легким капризом, забавной причудой. Жером, со своей стороны, только присвистывал, точнее, выдувал со свистом воздух, безо всякой мелодии, с отчаявшимся и стоическим видом человека, принужденного к молчанию. В сущности, выглядел комично... Комичной была его физиономия, нарочито вытянувшаяся от жутких, чудовищных, неосознанных, возможно, но все же прискорбных глупостей, какие изрекал его сверстник, его лучший друг Шарль. Ха! Эти два балбеса и впрямь созданы друг для друга! И Алиса расхохоталась, поначалу просто нервно, но уже в следующую секунду что-то в ней надломилось: в силу простой звуковой ассоциации идиотские «пум-пум-пум» и два жалких немецких словечка, которые Шарль произнес до смешного осипшим голосом, разом сделали мрачным, устрашающим, ужасным все вокруг — и солнце, и завтрак, и мужчин, стоявших у ее ног, и зеленые ветки в окне, и свет дня. Алиса поднесла руки к лицу, зажала рот, будто сдерживая крик, перевернулась и уткнулась носом в подушку.

Наступило молчание. Алиса еще смеялась, но отрывисто, точно всхлипывала. Мужчины застыли и уставились на нее.

— Выйди, — прошипел наконец Жером, даже не глядя на Шарля, а тот, не взглянув на него, развернулся и вышел из комнаты.

Жером сидел на кровати, левой рукой он обнимал Алису за плечи, правой гладил ее по волосам. Он говорил очень тихим, очень спокойным голосом. Голосом, хорошо знакомым Алисе, умиротворяющим, привычным к ее неожиданным приступам отчаяния, нежным и внимательным голосом отца и брата, кем он и стал для нее за последние два года. Она в очередной раз призналась себе, что предпочитает этот голос другому — более высокому, взволнованному, юному — голосу любовника. И она продолжала рыдать, теперь уже от раскаяния и печали.

Чинно плывущее по небу солнце перевалило через дерево и легло на не прикрытую одеялом правую руку Алисы, свисавшую с кровати вне поля зрения Жерома и вне его тени; Алиса ощутила на руке сухое жгучее солнечное тепло и даже каким-то таинственным образом распознала, что тепло это было ярко-золотисто-желтым. На дворе стоял ясный день, и все было хорошо. Она обернула к Жерому припухшее, обезображенное слезами лицо, которое она уже больше не стыдилась ему показывать. Жерому гораздо чаще доводилось утирать ей слезы, нежели слышать ее смех — что ж, по крайней мере, в это утро он получит и то, и другое.

— Простите меня, прости меня, — оправдывалась она. Они были близки полгода, но прежде еще полтора прожили вместе под одной крышей, и Алиса иногда забывала говорить ему «ты», хотя Жером этим очень дорожил, несмотря на то или как раз потому, что она никогда не обращалась к нему на «ты» при посторонних.

— Это ты должна меня простить, — сказал Жером. — Шарль гнусный тип. Я сам во всем виноват, я не должен был тебя сюда привозить. Я и не подозревал, что он сделался таким мерзавцем.

— Почему мерзавцем? — удивилась Алиса. — Он многого не понимает, не осознает, он поразительно неловок, но...

— ...Ты представить себе не можешь, что он мне наговорил ночью, — резко оборвал ее Жером. Он встал и принялся расхаживать по комнате. — С меня довольно, я тебе скажу! Вечная песенка: немцы в конце концов уберутся, вопрос времени, и вообще, они ведут себя вполне прилично, насчет евреев — это все пропаганда, ну а Петен... вот, цитирую: «Петен, в общем-то», погоди, сейчас вспомню... да, вот... «Петен — славный поистаскавшийся старикашка». Почему ты смеешься?

— Ай-ай-ай! — на этот раз Алиса смеялась от души. — «Славный поистаскавшийся старикашка»! Сказал тоже! С ума сошел! На самом деле ты всего не знаешь! Он тебя вчера одурачил. Он не хотел... Ха-ха-ха... — прыснула она, поймав на лету едва не опрокинутый поднос... — Шарль твой — просто умора... Он не хотел, чтобы ты шел ко мне, вот и все! Он бы тебе и «Horst Wessel Lied» спел, если б ты захотел... лишь бы задержать тебя подольше. Правда, правда, он мне, можно сказать, признался.

Оторопелый вид Жерома только пуще рассмешил Алису. Она уже начала успокаиваться, но когда он, воспользовавшись ее молчанием, поднял руку, словно хотел выступить на собрании, Алиса его опередила.

— Это правда, — сказала она. — Так что первая часть твоего плана, считай, удалась. Обольстить я его уже обольстила! Впрочем, мне нечем особенно гордиться: несчастный парень живет один в деревне... Тут любая женщина сгодилась бы.

— Ты шутишь? — воскликнул Жером с раздражением. — Шарль одинок? Шарль неприкаян? Да у него две любовницы в деревне в пяти километрах отсюда, три в Валансе, еще две в Гренобле, а в Лионе, наверное, дюжина! Не смеши меня. И поверь, дорогая моя, если он и обольстился, то никак не из-за отсутствия выбора, уж я-то знаю.

— Ну что ж, ты меня успокоил, — равнодушным голосом сказала Алиса. — Если он полюбил во мне человека, а не просто самку, мы спасены. И потом, для меня это все-таки более лестно...

Она потянулась, простерла руки к окну, к солнцу, глубоко вдохнула, выдохнула, и во всех ее движениях сквозило такое физическое блаженство, какого Жером никогда у нее не видел. Он улыбнулся. Его улыбка выражала и смущение, и тревогу, и одновременно счастье от того, что счастлива она, а потому она вдруг замерла и посмотрела на него очень серьезно. Глаза ее, еще красные от слез — слез, вызванных смехом, и слез, пролитых от страха, — исполнились нежности, которую он подметил прежде, чем она развернула к нему параллельно вытянутые руки, коснулась его, обняла за шею, притянула к себе на плечо. «Ах, Жером, вы любите меня, Жером», — говорила она, задыхаясь, с интонацией, явно не содержащей вопроса, но в то же время лишавшей его всякой возможности указать ей на отсутствие словечка «ты», которое он так ценил. Он распрямился, или, может, это она его незаметно оттолкнула: он никогда не понимал, каким образом и когда именно прерывались их объятия.

— Ну ладно, — сказала она, — перейдем к вещам более серьезным. Позабудем на минуту нашего донжуана. Что место? Действительно ли оно нам так подходит, как это рисовалось тебе в воспоминаниях?

— Место превосходное, — кивнул Жером, — превосходное. — Он начал говорить нехотя, словно сожалея, что оторвался от плеча Алисы, но постепенно оживился. — Превосходное, вообрази, демаркационная линия в двадцати пяти минутах отсюда, всего в двадцати пяти километрах — сущие пустяки. Поезд идет по холму, по верху склона, стало быть, со скоростью пять километров в час: любая старушка может спрыгнуть или запрыгнуть в него с легкостью молодой козочки. Ближайшее селение в пяти километрах, в нем восемьсот жителей, славный в основном народ, значительная часть работает на Шарля, они его любят, потому что он «хорошо платит и не гордый». Вся жандармерия состоит из одного парня, который иногда проезжает тут на велосипеде, живет один на ферме неподалеку, раз в три недели заглядывает перекинуться словечком к Шарлю. Они распивают бутылку бордо (иногда две, иногда три), а вино, как известно, развязывает язык. Ближайший городишко, Роман, — в двадцати километрах. Шарль туда ездит и коробки свои возит, для этого у него есть один маленький грузовичок, три больших и собственный легковой автомобиль. Наконец, местность тут лесистая, гористая и труднодоступная. Что касается менталитета здешних обитателей, я его немного знаю, поскольку проводил каникулы у Шарля. Народ мирный, прижимистый, но не злой. Полагаю, что слово «антисемит» им незнакомо.

— Ну, а ты представляешь себе, — вздохнула Алиса, — ты представляешь, сколько евреев можно переправить сюда, в этот дом, потом на поезд, дальше на другой, потом на автомобиле и наконец по морю... Море, корабль, мир и покой. Ты думаешь, мы сможем это осуществить, Жером, думаешь, у нас получится?

— Безусловно, — засмеялся Жером, — безусловно, получится. А что мы делали все последние годы?

— Делал ты. Я никогда ничего не делала, ты сам знаешь; я никогда никому не помогала, всегда только мне помогали. А вот ты, ты всем все время помогал.

Жером нисколько не гордился своей жизнью, не был высокого мнения о своей особе. Он был всегда в числе опоздавших, всегда всего боялся и перебарывал свой страх, отступал на шаг перед тем, как прыгнуть, и вообще перед всем, что его страшило, он был обделен умением жить, таким вот увечным и родился, со скептическим умом и переполненным сожаления и тоски сердцем, родился разочарованным, встревоженным и влюбленным. Даже если бы он знал, что Алиса никогда его не разочарует и что он сам будет любить ее всегда, даже если бы он знал, что ему придется смертельно страдать от этой любви, он понимал, что таков его удел и что мечта о счастливой любви к женщине, которая бы только о нем и грезила, — эта мечта не имеет к нему никакого отношения и рождена в сновидениях другого человека.

Он встряхнулся.

— Для начала надо убедить Шарля, — сказал он с улыбкой. — Он должен смириться с тем, что его завод может быть сожжен, рабочие расстреляны, он сам подвергнут пыткам, его дом обращен в пепел. Он должен смириться с тем, что он все это ставит на карту, если хочет сохранить наше уважение.

— Или мою благосклонность, — вставила Алиса.

— Или надежду заполучить твою благосклонность, — поправил Жером.

— Словом, мы должны потребовать от него все и не дать ничего. Так, по-твоему? И ты думаешь, это получится?

— Безусловно, — отвечал Жером. — Такие мужчины, как Шарль, готовы на все ради женщины, которая им сопротивляется. Сопротивление удесятеряет их желание. И, напротив, если она уступает...

— Уступать, уступать, какое скверное слово, — сказала Алиса, — пораженческое.

Жером нервничал.

— Ты сама прекрасно знаешь: чтобы жертвовать всем ради женщины, иным мужчинам необходимо испытывать неутоленный голод, быть отвергнутыми...

— ...Или обласканными, — протянула Алиса.

И отвернулась. Она улыбалась той двусмысленной улыбкой, какую он помнил по Вене, где встречал ее в обществе еще до ее болезни. Улыбкой загадочной, от которой мужчины цепенели, когда Алиса проходила мимо, застывали на месте и смотрели ей вслед, раздувая ноздри, словно она источала какой-то диковинный, неведомый, но узнаваемый ими запах. Удивительная эта улыбка, которая в свое время заворожила Жерома и которая сегодня снова вселяла в него страх.

— Ну, полно... — усмехнулся он, беря Алису за руку и вытаскивая ее из постели. — Мы уже начинаем жонглировать словами, мы не для того сюда приехали, чтобы играть в «опасные связи».

— Ах, боже мой, вы совершенно правы, — засмеялась Алиса. — Вы заметили, как ощущаешь себя смешным, если только начинаешь говорить о чем-нибудь, кроме войны. Какой ужас! Будьте добры, Жером, позвольте мне одеться и проведайте беднягу Шарля, он, должно быть, сидит где-нибудь в саду и убивается. Скажите ему, что мое отчаяние было вызвано вовсе не его пум-пумами, что он никакой оплошности не допускал и мои истерические рыдания не имеют к нему никакого отношения. Или нет, лучше наоборот! Начните рассказывать ему о моей печальной жизни, а продолжение я ему сама нашепчу. Бегите, Жером, летите, но не мстите. Я сейчас встану, оденусь и умчусь в луга.

Глава 3

Шарль сидел на крыльце, у ног его лежала собака, но сидел он в непривычной для себя позе: по обыкновению он широко расставлял руки и ноги, сейчас же, наоборот, весь поджался, обхватил колени руками, уткнул в них подбородок. Он смотрел вдаль остановившимся взглядом, лицо имело выражение решительное, что, как правило, свидетельствовало о его неуверенности.

Жером тоже пристроился на ступеньках, но в метре от Шарля, и молча закурил. Сгорбленная спина, всклокоченные на затылке волосы, серьезный вид — все говорило Жерому, хорошо знавшему Шарля, что тот глубоко опечален, а такое случалось с ним крайне редко. И все-таки Жером садистски выждал, чтобы Шарль заговорил первым. Затаенное недоброжелательство примешивалось к его состраданию, поскольку знал, что, будь ситуация несколько иной, вернее, будь Алиса несколько иной, не будь она на сто голов выше его давнишнего приятеля и выше любовных приключений, какими их понимал Шарль, короче, будь у Шарля хоть малейший шанс соблазнить Алису, он бы не задумался, он бы у него ее отнял или попытался отнять. «Все права и все обязанности», — вспомнилось вдруг Жерому. Таков был девиз странного кодекса, который составили они вдвоем сами для себя много лет назад, в том переходном возрасте, когда лозунги бойскаутов еще довлеют отроку, но они уже подточены цинизмом; вот с этим-то наивным цинизмом подростков они и предусмотрели все обстоятельства своей жизни; один из законов, к примеру, гласил, что, так же, как дом друга — твой дом, и не требуется никаких предлогов, чтобы в нем поселиться или заявиться среди ночи, точно так же и женщина друга есть добро, которое с легкостью можно у него отобрать, не навлекая на себя упреков, если она согласна, — в добродетель возводилось безразличие и полуанглийские-полуварварские нравы, прельщавшие воображение юных девственников (или наполовину девственников, поскольку Жером подозревал, что Шарль уже успел поладить с дочкой булочника).

В восемнадцать лет они еще во многом руководствовались своим кодексом: ни один, ни другой не спешил расставаться с отрочеством, во всяком случае, не настолько, чтобы открыто отречься от принятых законов или сжечь их. В результате они их сохранили. Впрочем, вплоть до описываемого времени оба нарушали их, полагая, например, что, когда едешь к другу, приятнее, чтоб он встретил тебя у поезда. Что касается женщин, то ни у одного из них никогда не возникало желания заполучить избранницу другого, и романы их развивались параллельно. Но сегодня, увлекшись Алисой, Шарль очень кстати вспомнил давний кодекс и ухаживал за ней в открытую. Между тем несчастный соблазнитель был явно не в лучшей форме, тонус его приближался к нижней отметке.

— Кончай вздыхать, — сказал Жером, — а то прямо смотреть больно.

Шарль живо обернулся к нему:

— Ты не сердишься? Нет, кроме шуток, ты на меня не в обиде?

Он выглядит встревоженным всерьез, подумал Жером и невольно улыбнулся. Вернее, он бы выглядел встревоженным, когда б имел другой цвет лица, когда б белки его глаз не были такими белыми, кожа — такой загорелой, натянутые мускулы под ней — такими крепкими и выпуклыми, а густые блестящие волосы не скрывали б нахмуренный лоб. Выражение тревоги могло лишь скользнуть по его лицу, но задержаться — нет. Такие лица теперь уже не встречались.

Такими цветущими физиономиями, таким животным здоровьем обладали только гитлеровские солдаты, восседающие на танках до пояса обнаженные эсэсовцы. Жители оккупированных стран бледны, промелькнуло в голове у Жерома. Можно подумать, что молодые солдаты германской армии вместе со свободой, миром и жизнью конфисковали у Европы солнце, ветер, море и даже поля. Но за спинами тысяч юных атлетов — Жером это знал — поднимались из-за руин, из подвалов, отовсюду их антиподы, их негативы, блеклые, изнуренные, чей удел — мрак, норы, подполье, а то и колючая проволока. Словно каждый из молодых красавцев, созданных для войны, для того, чтобы наступать и рубить без жалости, порождал, сам того не ведая, другого человека, отличного по крови, по возрасту, одержимого иной идеей, и этот человек, живой или мертвый, являл собой оборотную сторону, изможденную и окровавленную, их боевой арийской медали. К самым стойким, самым яростным из этих последних и принадлежали люди, работавшие с Жеромом и вместе с ним помогавшие другим выжить в грязных гостиницах, на черных лестницах, в неотапливаемых комнатах, до отказа набитых поездах, темных каморках, жутких коридорах метро, повсюду. И постепенно повсюду собиралась армия отверженных. Целое поколение мужчин и женщин, с которым Жером сблизился в тридцать шестом году и о немыслимом существовании которого мир еще не подозревал. Новая разновидность человека со своим отличным от других языком, не имеющим ничего общего с языком словарей. В их лексиконе под словом «отдых» понималась тюремная камера, глагол «бегать» означал скрываться, слово «встреча» подразумевало катастрофу, а слова «завтра» или «послезавтра», и в мирной-то жизни употреблявшиеся со знаком во

проса, сопровождались здесь еще пятью многоточиями. В этом кругу
ада Жером жил уже пять лет, сюда хотела спуститься вслед за ним
Алиса.

— Коли ты на меня не злишься, давай, что ли, выпьем по стаканчику, — сказал Шарль, побледневший, несмотря на загар, и сильно
расстроенный. — Выпьешь со мной?

— Ну разумеется, — отвечал Жером.

Шарль возвратился так же мгновенно, как исчез. Он потрясал
бутылкой молодого очень сухого вина с привкусом фруктов и гальки,
показавшегося изысканным Жерому и еще в большей степени Шарлю, одним духом опорожнившему два, а то и три стакана: дело в том,
что Шарль благородно дождался прощения, прежде чем прибегнуть к
сему бодрящему душу средству, не пошел тайком на кухню в поисках
легкого утешения, и эта робкая щепетильность в мелочах, в деталях,
которую Жером всегда искал в других (ровным счетом ничего не требуя по вопросам, которые интересовали его всерьез), тронула его.
Он ежеминутно обнаруживал в Шарле что-то от того немного угло-
ватого юноши, симпатичного и открытого, юбочника и рыцаря, зади-
ристого и мягкого, ленивого, но деятельного и отчаянно храброго,
который некогда был его другом. Из него бы вышел отличный кадр,
не будь он так привязан к своей кожевенной фабрике и жалкому Пе-
тенишке. Впрочем, коль у него самого ума не хватило, Жером подумает за него. Он рассмеялся своим мыслям.

— Почему ты смеешься? — строго спросил Шарль. — Как ты
можешь смеяться, когда она плачет!

— Кто? — переспросил Жером.

— Алиса!

— Да что ты, она давно уже перестала! Это она так, от нервов, от
усталости; видишь ли, жить в Париже непросто, у нее нелегкая
жизнь.

— Но почему? Что я мог такого сказать, что она заплакала? Я
хочу уберечь ее от этого, старик, я не хочу, чтоб вместо отдыха у меня
в доме она плакала, это невозможно! Какое именно слово на нее так
подействовало? Может, «пум-пум-пум-пум»?

«Пум-пум-пум-пум» получилось у него неплохо, но уже не с тем
вдохновением, как давеча; теперь оно изображало не чеканный шаг
марширующего отряда, а тяжелую скорбную поступь умирающего
слона.

— Да нет, дело не в «пум-пум-пум», — возразил Жером. —
Впрочем, ты прав, это из-за «пум-пум-пум». Я должен тебе кое-что
объяснить, Шарль. Видишь ли, мужа Алисы звали Герхард Файат, он
был известнейшим австрийским хирургом, лучшим хирургом Вены...

— Ну, а потом? Он умер? Что с ним случилось?

— Нет, — сухо ответил Жером. — Он не умер. Хотя должен был бы по нынешним временам! Нет, он в Америке. Он был... он еврей.

— Ах, да, — протянул Шарль. — Да, верно, я слыхал, что в Австрии немцы вели себя довольно-таки гадко.

— Довольно-таки, — подхватил Жером, которому претили подобные риторические фигуры, — довольно-таки. А поскольку Алиса в это самое время была не в лучшем состоянии, у них... не знаю, в общем, вышел разлад; короче, они развелись. Он уехал в полном отчаянии, она в полном отчаянии осталась. Более того, она возненавидела... себя, не его, он, по правде говоря, был ни в чем не виноват.

— Она тоже еврейка? — спросил Шарль.

Жером испытующе взглянул на Шарля, но не нашел в его глазах ничего такого, чего ему не хотелось бы видеть.

— Не знаю. Не думаю, — ответил он. — А что, тебя это смущает, у тебя могут быть неприятности?

— У меня? Да ты что, с ума сошел?

— А у тебя на заводе и вообще в округе — я не знаю, давно здесь не бывал — нет антисемитизма? Не читают люди «Гренгуар»? Не слушают речи Петена, Лаваля, не знают, что еврейская раса очень опасна, что евреи отняли у них деньги, картошку, шерстяные чулки и вообще заправляют всем во Франции? Они здесь всего этого не знают?

— Да нет, — отвечал Шарль, — откровенно говоря, не думаю, что в Формуа найдется хоть один человек, который бы читал эту чушь или верил в нее. Скажи, а что немцы сделали Алисе в Вене?

Жером едва не рассмеялся: если сказать сейчас, что какой-нибудь эсэсовец дал Алисе три пощечины, наверное, этого будет достаточно, чтобы сделать из Шарля самого искреннего, самого убежденного участника Сопротивления. Но Жерому требовалось другое. Ему не нужен был джентльмен, взбеленившийся по личным, сентиментальным мотивам. Ему нужен был человек, который знает, за что борется и за что, возможно, рискует жизнью. Попросту говоря, ему требовался другой Шарль, но который бы при этом жил здесь и был тем самым Шарлем, с его лицом, умом и его эгоизмом. Затея эта, вполне вероятно, не имела ни малейшего шанса на успех.

— А для чего ты вчера комедию разыгрывал, сторонника Петена из себя строил? — произнес Жером, задумчиво позевывая и показывая тем самым, как мало значения он придает этому невинному фарсу, из-за которого, между прочим, он все утро выл от ярости у себя в комнате. — Зачем до четырех часов валял дурака и изображал коллаборациониста?

Шарль взял стакан и стал не спеша потягивать вино, подняв другую руку, словно беря передышку на сочинение лжи: так поднимают руку в покере, блефуя. Когда Шарль поставил стакан, у него уже был готов ответ, и Жером понял это по его глазам.

— Все очень просто, — смеялся Шарль, — все очень просто.
Должен тебе признаться, я старею, да, старею, вот какая странная
штука. Я так давно живу здесь один, я, знаешь, хандрил, когда вы
приехали, мне хотелось человеческого общения — вот и все! И я
стал говорить о политике, потому что не знал, о чем еще мы могли бы
поговорить: ведь если б мы были согласны друг с другом, мы бы легли спать с птичками... до наступления ночи.

— Разве нет у нас с тобой тем, на которые мы могли бы поговор-
рить, не споря? — спросил Жером.

— И много ты таких знаешь? — возразил Шарль.

Они взглянули друг на друга холодно, агрессивно, но тотчас вдруг
заулыбались. Несмотря ни на что, в них еще жила, искрилась старая
дружба, их так и подмывало ткнуть друг друга кулаком в бок, похло-
пать по спине, обнять за плечи. Особенно удивительно это было со
стороны Шарля при его отвращении к мужчинам, их образу мысли и,
главное, внешнему облику.

— Стало быть, если я правильно понимаю, ты наврал все от слова до слова, — осторожно продолжил Жером. — Наврал так, что
дальше некуда. Может, теперь ты признаешься, что руководишь се-
тью Сопротивления, разбросанной по дивным холмам Валанса? А?
Скажи, ты часом не подпольщик? Или ты действительно всерьез за-
нимаешься своей кожевенной фабрикой?

— Я действительно всерьез занимаюсь своей кожевенной фабрикой, — твердо ответил Шарль. — И прошу тебя усвоить, что я не
шучу. И не собираюсь играть в войну с кем бы то ни было. Не может
быть и речи о том, чтобы я ввязался в войну, ты слышишь, Жером,
речи быть не может!..

— Но почему? — теперь Жером и в самом деле удивился. — Ты
обожаешь оружие, любишь риск, драку, ты...

— Я не хочу убивать и еще меньше хочу быть убитым, — признался Шарль с милой откровенностью. — Я не желаю видеть это
снова.

— Видеть что?

Шарль встал, прошелся по площадке, носком башмака раскиды-
вая гравий, и Жером поймал неодобрительный взгляд выглянувшего
из-за угла дома садовника, целых полчаса этот гравий ровнявшего.
Швырнув в разные стороны несколько пригоршней камней и вызвав
тем самым отчаянный курино-лебединый крик, Шарль возвратился к
сидевшему на крыльце Жерому, встал перед ним, расставив ноги, за-
сунув руки в карманы, и, откинув голову назад, принялся рассматривать небо.

— Видишь, — прошептал он, — посмотри на небо, ты видишь
это небо? Видишь, вот, тополя, луга, деревья, чувствуешь, какой запах, представь себе все это в разные времена года, подумай только, с

тех пор, как я родился, а особенно с тех пор, как я здесь живу, сколько раз я видел эти пейзажи, розовые осенью, бледно-голубые весной и черные холмы зимой... И достаточно пустячка, острой металлической штучки... Она пронзит меня... И меня бросят в землю и навалят грязной бурой земли между моими глазами и этими пейзажами, все затмят, я буду там внизу и больше ничего не увижу; ничегошеньки из того, что видел, чем дышал, что сейчас мое, вот оно, тут, понимаешь? Это преступление, преступление, никто не имеет права этого делать.

Он выглядел таким удрученным и возмущенным, что Жером, поначалу лишь слегка озадаченный эдаким приступом поэтичности у такого далекого от поэзии человека, затем всерьез заинтересовался:

— Когда же ты все это обдумал? Где? Почему? Что произошло?

Шарль рассмеялся, сел, решительно осушил бутылку, предварительно сделав вид, что предлагает ее Жерому. Его карие глаза заблестели, засветились от вина, зноя и возмущения.

— Я расскажу тебе, что произошло, если ты расскажешь мне все об Алисе. Ну, все, чего я не должен делать, что могло бы причинить ей боль. Обещаешь?

— Хорошо, хорошо, обязательно, — отвечал Жером. — Рассказывай, что случилось.

— Так вот, вообрази, что в сороковом году меня с отрядом угораздило оказаться в Арденнах, ну, не в Арденнах, а под Мецем; там сражались долго, до самого конца. Я был в дозоре, и в день перемирия, ну, за сутки до него у нас вышла самая жестокая за все время схватка. Нас было двенадцать, а вернулось шестеро. Мы напоролись на немецкий танк, а в руках у нас только винтовки Шаспо; засели мы на ферме, где укрывались тихо-мирно от солнца, и палили по нему. А он по нас! Да как! Это было глупо, понимаешь, глупо! А что нам оставалось делать под таким шквалом огня?

— Почему было не сдаться? — спросил Жером. — Офицеру вашему не пришло в голову сдаться?

— Так ведь он ушел! — воскликнул Шарль в ярости. — Ушел, не знаю за чем, не знаю куда. Сказал мне, понимаешь, мне, чтобы я командовал дозором (я!), велел удерживать ферму; я, значит, спрашиваю других: что будем делать? Они отвечают: не знаем. Вот и остались, как последние мудаки. А на рассвете те прекратили огонь, и мы узнали, что объявлено перемирие. Вот так. Но я-то в течение двенадцати часов думал, что вот-вот подохну, отдам концы, и все тут; стрелял из-за двери по танку, как кретин, и думал, что умру, умру из-за балбесов-генералов, по вине офицеров, которые сами не знают, куда нас ведут, думал, что умру из-за этого идиота ненормального, который вот уже девять лет вопит по радио на немецком языке и всем осточертел, думал, что я, Шарль Самбра, любящий жизнь, женщин, воду, корабли, поезда, брюнеток и блондинок, собак, кошек, лошадей, —

умру в тридцать лет, как болван, неизвестно ради чего, ради вещей, которые меня совершенно не интересуют, да еще за несколько часов до перемирия. Вот. Я был вне себя!

Жером расхохотался. Он представил себе, как разъяренный Шарль оскорбляет подчиненных, стреляет куда попало, воображает себя героем, ползает на карачках, бросает гранаты, мечется туда-сюда, бормочет что-то себе под нос, ругается, как извозчик. Он просто не мог удержаться от смеха. К его великому удивлению, Шарль вовсе не смеялся. Напротив, он сжал губы, и на лице появилось лживое коварное выражение, какое бывало у него в минуты гнева. Все непривычные для него чувства выступали фальшью на его лице.

— Но кончилось все благополучно, — сказал Жером.

— Для меня да, — ответил Шарль. — А вот Леша́...

— Какой левша?

— Фамилия такая — Леша́, — громко рявкнул Шарль. — Несчастный парень, молоденький совсем, мы с ним три месяца вместе были. Бедолага работал в Монтрейе. Родители у него были без гроша, рабочие. Он всю жизнь трудился. Корпел ночи напролет — право изучал. Задумал, вообрази, сделаться адвокатом. И добился-таки своего — трудом. Стал адвокатом, диплом получил, как раз перед самой войной. Собирался вернуться в Париж, там у него приятель контору открывал и брал его к себе. Леша этот в люди выбился, родители его очень довольны были, и он тоже... он, скажу я тебе, просто счастлив был. Я даже больше тебе скажу, последние три месяца он был счастлив вдвойне: тут, на войне, он получил первые в своей жизни каникулы! Представляешь? Он с ребятами по полям носился, мы пили, развлекались как могли, палили в воздух по пролетающим немецким самолетам и думали, что в конце концов, наверное, кому-нибудь сдадимся, а когда все кончится, он, Леша — оп-ля! — станет адвокатом, звездой парижской коллегии. Потому что он, ко всему прочему, был влюблен в свою профессию, он не ради денег, он бедных собирался защищать.

— Ну, и что дальше? — спросил Жером.

— А дальше, дальше он погиб, кажется, предпоследним. Понимаешь, не знаю, что там у них произошло с наступлением ночи, путаница какая-то. То ли они хотели ферму хитростью взять, не знаю; короче, вдруг у нас вылетела дверь, в нее ворвался какой-то тип и наткнулся прямо на Леша, тот как раз винтовку отложил, покемарить хотел. Здоровый такой детина, одного с Леша роста, и возраста такого же, немец, в руках у него ничего не было... не знаю, в чем дело... винтовку снять не мог — зажат оказался, выхватил нож, Леша пошел на него, а мы все — мы далеко от двери были, спали уже — встать пытались, не получалось, прикладами стучали и орали. Я ближе всех лежал, и я увидел, как Леша и тот тип бросились друг на друга, сцепились, знаешь, как боксёры на ринге, когда уже бить друг друга не могут, сцепились, за шею друг друга обхватили, как два пацана, два ровесника. Держат друг дружку за шею, чтоб не так больно было, и одновременно — потому что их, идиотов, так учили — одновременно руками на боку ножи нашаривают, кинжалы в ножнах. Достали. И я видел, как они, видел собственными глазами, Жером, как эти два идиота, держа друг друга за шею, обнимаясь, да, да, как дети, стали — ох, идиоты — тыкать ножами друг другу в бока и кричать «нет», «найн», «нет», один по-французски, другой по-немецки. Кричали «нет» не когда удар получали, а когда наносили, потому что самим жутко было. Я видел, как Леша кричал «нет, нет», вонзая кинжал немцу в сердце, и как тот стонал «найн, найн», всаживая лезвие Леша в живот и падая на него. Все продолжалось одну минуту, а кажется — сто лет. Я всю ночь ухаживал за Леша. Ему было очень больно: это больно, когда в живот. А под конец — мне уже плевать было, умру я или нет, — под конец он мне сказал, только это и сказал за всю ночь, в темноте, пока лежал, и повторил несколько раз... а пахнуть начинало все хуже и хуже и... Война — это кошмар...

— Так что ж он тебе сказал? — спросил Жером, слушавший как зачарованный.

— Он говорил: «А все-таки жаль, а? Все-таки жаль, месье Самбра», — он звал меня месье Самбра, потому что у меня фабрика, не знаю уж, откуда он узнал про фабрику, он говорил: «А? Месье Самбра, жаль, да? Очень жаль, а?» А я все думал о несчастном парнишке, о его жизни, представлял себе, как он старается, заботится о матери, кормит братьев и сестер, носится целый день, а ночь проводит за толстыми книгами по праву, которые понимает с трудом, как только выдается минутка, бежит в библиотеку, читает, глотает, чтобы в люди выбиться. А эта подлая война — она продолжалась-то всего три дня и неизвестно чего ради, эта война убила Леша, и ему было жаль. Только это и говорил: «Жаль, да, жаль, месье Самбра». Черт знает что! — выругался Шарль.

И резко отвернулся. Наподдал ногой проходящего мимо гуся — бац! — тот с воплем отлетел на шесть метров, но зрелище это, которое в любое другое время рассмешило бы Жерома, оставило его равнодушным. Он не шелохнулся и продолжал стоять на крыльце. Когда Шарль снова повернулся к Жерому, его лицо было совершенно спокойно и серьезно — Жером редко видал его таким.

— Вот поэтому, старина, — сказал Шарль, — я, видишь ли, и не хочу ввязываться в твою борьбу. Не держи меня за дурака, я знаю, что ты в ней участвуешь, ты всегда был идеалистом. Помнишь, ты чуть не увлек меня на испанскую войну, собственно, мы б и поехали, когда б не твоя скарлатина. Но не рассчитывай, что втянешь меня во что-нибудь подобное теперь. Немцы рано или поздно уберутся отсюда. Их американцы выпихнут, или русские, или англичане, не беспокойся, мы подождем. Подождем, пока они уйдут. Я, во всяком случае, подожду. Я не стану сцепляться с неизвестным мне парнем из Мюнхена или еще откуда-нибудь, посланным сюда бог весть зачем, ему самому неведомо зачем, не стану втыкать ему нож в живот, выкрикивая «нет, нет», в то время как он будет кричать «найн, найн». Я с этим покончил. Я уже не ребенок, а мужчина. Мужчины не любят подобной мерзости, мужчины моего склада. Для этой хреновины, старик, для того, чтобы играть в эту хреновину, нужны люди поумнее меня, или поглупее, не знаю, сам выбирай. Но не такие, как я, нет, не такие.

Он уселся рядом с Жеромом, словно переутомившись от своей речи. Действительно, за все время их знакомства это был самый длинный монолог, который Жером слышал от Шарля. И самый интересный тоже — Жером вынужден был это признать, хотя он и не пришелся ему по вкусу.

ГЛАВА 4

Единственный ресторан в Формуа помещался в гостинице «Современный заяц», на площади перед церковью. Шарль обедал там ежедневно с толстяком доктором Контом и хозяином гостиницы Флавье. Купив заведение, Оноре Флавье предполагал сохранить его первоначальное наименование «Современный отель», но жена его непременно настаивала на «парижском» названии «Прыткий заяц», так что в конце концов он уступил и начал перекрашивать вывеску. Но тут жена возьми да и погибни глупейшим образом под колесами автомобиля, он с горя забыл про вывеску, а после привык. «Современный заяц» предлагал посетителям приличный, но не более того, стол, а в смысле современности — ровным счетом ничего. Стены держались на честном слове, и только редкий заблудившийся турист отваживался тут заночевать.

В тот день подавали форель, одно из любимых блюд Шарля, тем не менее и доктор, и хозяин были изумлены его появлением в обеденное время.

— Что ты здесь делаешь? — спросил доктор: в свои семьдесят лет он даже самого Шарля перещеголял по обилию воспоминаний о былых похождениях. Жерома и Шарля он знал еще мальчишками, разговаривал с ними отеческим тоном, и Шарль это очень ценил. — Обедать пришел?

— Обедать, — лаконично, по своему обыкновению, ответил Шарль. — Пожалуй, Флавье, я б выпил пастиса.

— Пастис на тебя плохо действует, — начал было Конт с укором, но решительный вид Шарля остановил его: тот был явно не в духе.

— А что твои гости? — продолжил Конт. — Да, да, Жером и эта женщина! Старик Луи сообщил мадам Клейе, та рассказала Жюлю, он — своей жене, а та — моей. Как поживает Жером?

— Хорошо, — сухо отвечал Шарль. — Заходите как-нибудь вечерком, выпьем по стаканчику, завтра, послезавтра.

— Так почему же ты обедаешь здесь?

— Чтобы оставить их в покое, — рявкнул Шарль, не сдержавшись. — Некоторые люди любят покой, понятно?

Флавье принес стаканы, расставил их, сопровождая свои действия смешком старого пьяницы, хлопнул обоих приятелей по спине, да так, что они чуть не стукнулись подбородками о стол.

— Что, ребята, — засмеялся Флавье, — повздорили уже? А правда, Шарль, что у тебя в доме появилась неотразимая красотка?

— У Жерома, а не у меня, — прорычал Шарль.

— Что ж, жаль Жерома! — сказал Конт. — Она тебе нравится? Хороша собой?

— Недурна, — отвечал Шарль и, опорожнив стакан, за спиной у доктора знаком попросил Флавье принести еще.

— Жаль Жерома, — не унимался Конт, — он рискует лишиться ее в короткий срок, или я ошибаюсь? Ваш с ним кодекс еще действует?

— Понимаешь, — Шарль начал понемногу расслабляться, — понимаешь, может, еще она меня отвергнет, вот чего я боюсь.

Пастис всегда действовал на него оглушающе, и, залпом осушив второй стакан, Шарль вдруг почувствовал себя размякшим, умиротворенным и пьяным. Утро не задалось, чудовищным образом не задалось: сначала из-за него рыдала Алиса, потом он своим ворчанием довел до слез секретаршу, а потом наверняка и Брижит, тогдашнюю свою подружку, поскольку не пожелал разговаривать с ней по телефону. К удивлению всей своей конторы, он набросился на какие-то старые изнуряюще скучные счета и в порыве мазохизма позвонил домой сказать, что работы много и он не придет обедать. О чем, впрочем, тотчас пожалел. В результате и очутился на этой старой террасе со старой мебелью, покрытой облупившейся зеленой краской, в обществе своих неизменных заурядных собеседников. Жером прав: он, Шарль, не интеллектуал, невежда, мещанин. Работа у него скучная, такие же любовницы, такие же развлечения; предел мечтаний — поехать в Париж, фанфаронить в борделях, выставлять напоказ и тратить заработанные на башмаках деньги. Действительно, в самом деле, Жером прав. Жизнь его начисто лишена величия, лишена всего того, к чему они стремились, будучи лицеистами и студентами. Полумертвый живчик — вот кто он такой! Единственное, что имело ценность в его жизни, единственное, что было в ней возвышенного и ради чего он был готов на возвышенные поступки, — это лицо женщины, появившейся накануне. Лицо, совершенное по красоте и изяществу. Он вскочил с места, поглядел на опешивших Конта и Флавье — те уже занесли вилки и устремили было взоры на блюдо золотистой форели.

— Что с тобой? — спросил Конт. — Форель не нравится?

— А вдруг она уедет? — глядя в пространство, произнес Шарль.

— Я буду потрясен, — ответил Конт.

— Какой же я идиот! Она, может статься, уедет завтра, — продолжал Шарль. — А может, она уже уехала, может?.. Я ведь не знаю... Я идиот, простите, извините меня, — протараторил он и бросился к двери, оставив обоих приятелей сидеть с поднятыми вилками в знак полнейшего изумления и с такими же, как у него, вытаращенными глазами.

На свежевыровненную гравиевую площадку перед своим домом он въехал чересчур лихо, хотя и эффектно, затормозил в последний момент и едва не раздавил задумчивого павлина, поубавив ему таким образом спеси и перьев. Луиза, ломая руки, выбежала из кухни, подхватила незадачливую птицу, а в дверях показались перепуганные Жером с Алисой. Лица всех троих, ошарашенные и удрученные, показались Шарлю потешными донельзя, за исключением разве что лица Алисы, да и то не совсем. Входя в гостиную, он уже помимо своей воли смеялся.

— Интересно, так же ли быстро вы среагируете, если подкатит СС!

Он старался сдержать приступ безудержного смеха, старался не смотреть на них, но Жером оказался на его пути и наклонил к нему свое лицо.

«Не хватало еще, чтоб этот кретин меня поцеловал!» — промелькнуло в воспаленном уме Шарля, но Жером уже медленно, неправдоподобно медленно, как виделось Шарлю, распрямлялся.

— Да... ты выпил, — холодно произнес он. Строгий и справедливый тон врача, выносящего диагноз, окончательно взвинтил Шарля.

— Ну да, да, выпил...

Он повалился на диван и залился безумным смехом, хохотал до умопомрачения, чуть ли не до обморока — так ему самому казалось. Он никогда так не смеялся, по крайней мере, очень давно. Какой тон, боже, какой тон, и движение тоже: лицо склонил озабоченно так — и чуть презрительный приговор человека далекого, чуждого всему этому... Ох! Надо бы успокоиться, он изнемогал, он задыхался, сердце готово было лопнуть, и бока сжимались до боли, надо бы прекратить смеяться! А Алиса, что подумает Алиса? Да плевать на Алису, плевать на Жерома, плевать на себя самого, на СС, на маршала Петена и на Дю Геклена, на все плевать! Одна такая минута стоила всего, служила оправданием целой жизни, всей жизни, оправдывала и блаgословляла все катаклизмы на земле, и все тревоги, трагедии, смерти казались ничтожными, ничего не значащими. Все отлично, все прекрасно и нереально, если вдуматься, во всяком случае, ничто не могло устоять перед коротенькой фразой Жерома: «Да... ты выпил». Особенно если учесть, что он не вложил в интонацию ни вопроса, ни возмущения, ни даже укора — в конце фразы стояла точка, всем точкам точка. Точка холодная и окончательная в своей холодности. Только вот — бог мой, опять его разбирало, какая глупость, каким он выглядел дураком! — как он мог подумать, что Жером хочет его поцеловать! Что за безумие! Какая безумная мысль! Жером в тенниске, с чисто выбритыми щеками, бросающийся к нему на шею в присутствии Алисы! Жером, милейший Жером, да как бы он его поцеловал? Он ведь втянул воздух, аккуратненько к нему принюхался, прежде чем ему открылась страшная истина: «Да... ты выпил». О боже, надо подумать о чем-нибудь другом, но уж больно смешно.

— Жером, повтори, пожалуйста, — тихо простонал он, снова усаживаясь на диван и приоткрывая глаза, полные слез, — он чувствовал, как слезы текут у него по щекам, чувствовал, что он смешон, но это ему было совершенно безразлично.

Он вытерся рукавом, «как ребенок», подметила Алиса, не в силах противостоять долее безумному и заразительному смеху. Жером тем временем без особой охоты, но и без напряжения вежливо улыбался им обоим, точно больным.

Обед подходил к концу, они приятно провели время. Алиса чистила яблоко, и Шарль, глядя на ее длинную шею, тонкие запястья, узкую ладонь, завидовал и лезвию ножа, и яблочной кожуре. Он был еще под хмельком, но чувствовал себя совершенно счастливым и с трудом сдерживал желание протянуть руку, схватить эти длинные ловкие пальцы с накрашенными ногтями и больше не выпускать.

Жером рассказывал о какой-то их давней проделке с холодным юмором, как он умел, а Шарль смеялся. Надобно отметить, что, когда Шарль, смеясь, закидывал голову назад, его черные как смоль волосы над ухом казались такими густыми и шелковистыми, а приоткрытый рот обнаруживал такие белые (в том числе и один надломанный сбоку) зубы, — так вот, когда Шарль запрокидывал голову, показывая вздутые вены на шее, его мужская суть и бьющее через край здоровье наносили укол в сердце всякому, кому доступно ощущение радости жизни. Спору нет, Шарль Самбра вызывал желание; он вызывал желания вполне конкретные, а также более неопределенные; грубо говоря, он вызывал у женщин желание лечь, а у мужчин желание встать, словом, у каждого — желание переместить свое тело, и чаще всего — в направлении другого. Так думала Алиса, рассеянно и мечтательно, аккуратно откусывая яблоко краешками зубов, точно белка. От яркого солнца ее черные волосы вдруг сделались еще черней, а серые глаза — еще серей. Во всем ее облике было что-то ребячливое, хрупкое и веселое. Мужчины время от времени окидывали ее одинаково покровительственными взглядами, только во взгляде у Шарля читалось сладострастие, а у Жерома — грусть.

Жером вспоминал свою первую встречу с Алисой, перед глазами вставало ее испуганное, отчаявшееся тонкое лицо, которым он увлекся с первой минуты. В тот период, когда он ее встретил, Алиса пребывала в глубочайшей, жесточайшей депрессии, непонятной ни для кого, кроме него, Жерома, которому самому в юности слишком часто доводилось изнемогать от отчаяния, разочарования и одиночества; состояние Алисы не удивляло; он знал, что красота, деньги, любовь и здоровье могут иной раз ровным счетом ничего не значить в жизни, могут даже обострять ощущение стыда и насмешку над собой, сопровождающие такого рода беспричинные отчаяния. С того первого вечера он решил помочь Алисе, помочь жить, вернуть ее к жизни, и с тех пор делил свою собственную жизнь между ней и другими чудовищными жертвами, обнаруживая их все больше и больше. Теперь уже и Алиса желала сражаться с выпущенными Гитлером демонами. Но даже выздоровев, Алиса все еще хранила печать неизбывного, непреодолимого кошмара ненависти к себе самой, она стала, как ей казалось, нечувствительной к страданиям других, не могла себе представить, что другие могут мучиться так же, и сильно заблуждалась: ее бывший муж Герхард и некоторые их друзья, ставшие одними из первых жертв нацизма, с лихвой убедили Жерома в обратном. Уже с тридцать третьего года повсюду в Европе поднимали головы палачи-изуверы; Герхард знал это, но тем не менее Жерому стоило большого труда убедить его бежать в Америку; Герхард, несмотря на развод, не хотел разлучаться с Алисой. В конце концов Жером его уговорил, и Герхард уехал, а не то «арийцы в сапогах» заставили бы его дорого заплатить за то, что не носил сапог и не был арийцем; уезжая, он взял с Жерома слово, что тот позаботится о его жене, то есть о бывшей жене, и Жером не мог, чувствовал себя не вправе после всего, что она вынесла, снова бросить ее в круги ада.

— Шарль, — произнес вдруг Жером самым что ни на есть обычным тоном, — не мог бы ты одолжить мне автомобиль, а я тебя подброшу до фабрики?

— Да, конечно, — мгновенно отреагировал Шарль, — конечно, если ты одолжишь мне Алису, — и в ответ на их недоуменные взгляды объяснил: — Я на работе все за час уладил и, прямо скажу, премного доволен собой. А потому, если Алиса не возражает, мы можем поехать с ней на велосипедах, куда ей заблагорассудится. Можно искупаться в Лоране. Алиса, вы любите плавать? Сегодня жарко, вы не желаете искупаться?

— Это горная река, — тоном гида пояснил Жером смотревшей на него Алисе. — Это ледяной поток, вода в нем несказанно прозрачна. В него нужно броситься пулей и тотчас выскочить, но от места вы будете в восторге.

— Что ж, — ответила Алиса, — если в восторге...

— Так, значит, едем? — Шарль глядел на Алису оторопело, чуть улыбаясь, не веря своему счастью. Алиса не помнила, чтоб с тех пор, как ей минуло семнадцать (а то и двенадцать), хоть один мужчина смотрел на нее подобным образом.

— Едем, — отвечала она. — К тому же я умею плавать, и вам не придется меня спасать.

— Обещаю вернуть тебе ее в целости и неприкосновенности, — протараторил Шарль в порыве, страстность которого осталась бы незамеченной, если б он сам не задержался на слове «неприкосновенность» и не забормотал бы, оправдываясь: — Я хотел сказать, в целости и сохранности. — Поправка эта повергла Алису в безумный хохот, скрывая который она кинулась искать под столом салфетку, преспокойно лежавшую у нее на коленях.

При этом Жером даже бровью не повел, а Шарль принялся нарочито медленно раскуривать сигарету до тех пор, пока Алиса не распрямилась, чуть растрепанная и красная от смеха, демонстративно промокая губы коварной салфеткой. Шарль по рассеянности уже собрался выйти из-за стола.

— Может быть, вы все-таки выпьете кофе? — поинтересовался в эту минуту Жером любезным тоном хозяина дома, и Шарль сконфуженно и с благодарностью согласился, словно он был гостем, а Жером хозяином дома и стола. В какой то мере так оно и получалось, поскольку единственное, чем желал обладать Шарль, была отныне Алиса — собственность Жерома, и по отношению к ней Шарль надеялся поступить, как подлейший из гостей.

Луиза одолжила «молодой даме» свой велосипед без рамы, той после нескольких зигзагов удалось его обуздать, и они с Шарлем устремились на берега Лорана, протекавшего в пяти километрах. Этот яростно бурлящий поток, такой чистый, такой белый, что взгляд с удовольствием отыскивал в нем голубые и желтые — в зависимости от освещения — отблески; поток этот низвергался в свободном падении с Веркора, временами отдыхая и набираясь сил в обрамленных скалами естественных бассейнах, откуда бросался вниз с удвоенной прытью. К одному из таких бассейнов — куда в молодости Жером и Шарль нередко завлекали одних и тех же юных дев — Шарль и привез Алису. Вопреки обыкновению ему не пришлось в этот день перебарывать воспоминания о лицах и визге боящихся щекотки девиц. Он видел и слышал только Алису; он по-новому, критически, оглядывал до мелочей знакомое место, с недоброжелательством отыскивал недостатки: и правда, кустов, травы, мха и веток по бокам стало больше, но по-прежнему плавный спуск подводил к самой воде, причем как раз в том месте, где сразу глубоко, а главное, самое главное, по выходе из воды вас по-прежнему ожидали на берегу все те же длинные плоские камни, накалявшиеся на солнце всю вторую половину дня.

Они стали раздеваться каждый за своим деревом, Шарль в одно мгновение остался в плавках и принялся терпеливо ждать, спиной к Алисе, устремив взгляд на воду, такую светлую у берегов и такую темную на глубине, словно бы она отражала его благородную душу и низменные инстинкты.

Так он ждал и ждал, пока наконец Алиса не возникла бесшумно за его спиной, ее присутствие он ощутил тотчас и через плечо бросил на нее беглый взгляд, по его разумению ободряющий и бесстрастный: Алиса была обернута огромным банным полотенцем, которое привезла с собой в сумке и которое закрывало ей плечи, торс и ноги.

— Как вам нравится моя река, не правда ли, красивое местечко?

— Восхитительное, — отозвался голос за его спиной. — Только не оборачивайтесь, Шарль, я жутко выгляжу: тощая и белесая. Ужасно видеть себя такой с ног до головы при ярком солнце, просто жуть.

— Да нет же! — воскликнул Шарль, разворачиваясь на сто восемьдесят градусов. — Уверяю вас, нет...

— Пожалуйста, отвернитесь! — взмолилась Алиса. — Вы-то загорелый, то есть, можно сказать, одетый, а я чувствую себя обнаженной и отвратительной, только не смотрите на меня: мне стыдно.

— Это пройдет, — сказал Шарль, снова погружаясь в созерцание водоема. — Обязательно пройдет! — прибавил он с жаром. — Если хотите, я лягу вон там, за кустами, вы будете полностью скрыты, невидимы.

— Ах, будьте так любезны, — проканючила она жалобно.

Шарль пробрался сквозь заросли, царапаясь о ветки и чертыхаясь вполголоса.

— Я ушел! — прокричал он. — Я вас нисколько не вижу. С вами очень весело купаться...

— Извините, — отозвалась Алиса. — Я не знала, я не задумывалась: я ж бледна как смерть и костлява в придачу.

Так, значит, она не задумывалась о форме и цвете своего тела, ликовал про себя Шарль. Вот уж, право, жалкий любовник этот Жером!.. Женщины, которых обнимал он, Шарль, выходили из его объятий уверенными в себе, уверенными в том, что они желанны и искусны в любви, даже если это было неправдой или перестало быть правдой. Помимо физического влечения, Шарль испытывал к женщинам душевное расположение, а потому многие из его похождений, которые Жером приписывал его дурному вкусу, объяснялись скорее избытком доброты; кроме того — и в этом одна из причин его популярности, — он любил чувствовать и всегда чувствовал «после» искреннюю благодарность, приводившую к тому, что он даже иногда возвращал изумленных и растерянных мужей в постели своих любовниц, так что мужья в конечном счете оказывались более польщены, нежели озлоблены тем, что им наставил рога Шарль Самбра. Короче говоря, теперь он не сомневался в том, что бедняга Жером заслуживает поражения, грядущего поражения, поражения возможного. Шарль уткнул лицо в руки и постарался думать о чем-нибудь другом.

В самом деле, очаровательный мужчина, думала Алиса, укрывшись за кустом акации и миллиметр за миллиметром стягивая с себя банное полотенце. Лежа, она находила себя чуть менее уродливой, чем давеча, когда стояла, дрожа, в тени за деревом. Она знала, что прежде была красива и что, вероятно, и сейчас еще недурна, но красота эта стала для нее абстрактным понятием. Она так долго, так яростно ненавидела и презирала свое лицо в зеркале, что и тело тоже стало казаться ей гадким, она лишь последние три месяца стала без отвращения погружаться в ванну. Разумеется, Жером считал ее красивой, но Жером любил ее, любил безумно, любовью, так долго по ее желанию остававшейся платонической, что теперь, несмотря на всю страстность своего любовника, она воспринимала его объятия лишь как концентрированное выражение его чувства, вернее, их чувств, ведь она не любила никого на свете, кроме Жерома, только он придавал ей сил, только его отсутствие огорчало ее. Алиса и представить себе не могла — и никто из ее знакомых не мог, — что мало-мальски чувствительная женщина способна жить и по своей воле заниматься любовью с мужчиной, не любя его, кроме случаев мелодраматической физической страсти, какие описывают в романах и которая Алисе — в этом она нисколько не сомневалась — не грозила.

Жером, как ни странно, был очень чуток к ее физическому наслаждению, внимателен к ее реакциям и притом слишком чувствителен к состоянию ее истерзанных духа и сердца, которые он сам так долго лечил, и оттого ее тело (ее дикая, животная плоть, игравшая когда-то и так давно умолкшая) не пробуждалось в их любовных утехах. Ну а если это была не страсть, не необходимость, что, как не любовь, заставляло ее разделять жизнь и ложе с человеком, глубоко ею уважаемым? Она не находила ответа, потому что ответа не существовало. Мыслимо ли, чтобы женщина из одной только ненависти к себе позволила обожать себя мужчине, который не был ей мужем, чтобы из одного только болезненного страха окунулась в то, что на языке обывателя называется развратом. Однако Алиса не могла не ощущать себя виноватой в апатии и немоте своего тела, когда ее сжимал в объятиях страстный и полный сил мужчина, озабоченный тем, чтобы она разделяла его удовольствие. Увы! — вздыхала она, полагая, что уже больше никого не любит и, наверное, не может любить такой любовью.

Иногда — и она себе в этом сознавалась, — иногда она готова была все отдать за то, чтобы Жером не был ночью тем, кто в течение многих месяцев был так необходим ей днем, чтобы он перестал наконец быть таким преданным. Самка, вульгарная, непристойная самка, просыпалась в ней, когда он задавал ей иные вопросы в форме мольбы; однако она не припоминала, чтобы ей когда-либо доводилось уступать требованиям и желаниям этой самки, которую она от ярости и стыда кусала за руки и запястья, будто бы они принадлежали не ей, а совсем другой женщине. Могла ли она подозревать, что только появлявшиеся на другой день синяки от укусов и придавали надежду Жерому. Они, как ему представлялось, служили единственным свидетельством, единственным доказательством наслаждения, смутного, неосознанного, но достаточно сильного, коль скоро оно заставляло ее кусать себе руку, заглушая стон, которого он, наверное, просто не расслышал.

Зато Алисе нравилось спать, прижавшись к длинному телу с почти лишенной растительности, чересчур нежной для мужчины кожей; ей нравилось к нему прикасаться, нравилось его тепло, нравились волосы и голос Жерома, его светлые глаза, выражение его лица, то детское, а то старческое, нравилась абсолютная доброта, которую она читала в его глазах, и смиренная любовь к ней. Алисе было хорошо с Жеромом, с ним она никогда не испытывала ни стыда, ни страха, он никогда не причинял ей боль, никогда не изменял. С годами это становится единственным, чего мы ждем от близкого человека, говорила она себе, и, если подумать, это даже непомерно завышенное требование.

Стояла небывалая жара, солнце палило немилосердно, угрожающе, подставлять ему спину было опасно. И он, и она перевернулись лицом вверх, будто распятые в одинаковых позах, руки и ноги врозь, и точно невидимыми цепями прикованные к пахнущей пылью, травой и горячей землей почве. Сами того не зная, они лежали головой к голове, разделенные только душистым зеленым кустом акации. Шарль, который во всяком другом случае целое поле оползг бы по-пластунски, лишь бы до мелочи разглядеть объект вожделения, сейчас ни о чем таком не помышлял. Он был вконец измучен пастисом, волнениями, поездкой на велосипеде и нынешней комичной ситуацией. Сердце его билось, струйка пота текла с затылка вдоль шеи на плечо, за ней другая. Перед глазами мелькали желтые и красные пятна, красные и желтые, потом только красные, потом только желтые в зависимости от того, сжимал он веки или расслаблял. Ему казалось, что он плывет с закрытыми глазами и слипшимися от пота волосами, расслабленный, но чуткий, чувствующий поверхность земли, поверхность своей кожи, поверхность своего сознания: этакое незрячее, обуглившееся на солнце, удовлетворенное животное — да, как ни странно, он чувствовал себя удовлетворенным. Из молчания его и Алисы вытекала уверенность, твердое ощущения согласия. То была не ложная слепая уверенность несчастного влюбленного, зиждущаяся только на том, что она ему жизненно необходима, то была холодная, рассчитанная, абстрактная уверенность вдохновенного игрока.

Шарлю Самбра, разумеется, не впервые доводилось испытывать предчувствие, но он впервые относился к нему так внимательно и с таким доверием. Последняя мысль взволновала его, он почувствовал необходимость встряхнуться морально и физически, вскочил на ноги, подбежал к берегу и бросился в ледяную воду. Сначала ему почудилось, что его ударили кулаком в солнечное сплетение, затем — что тысяча пираний гложут его со всех сторон, и наконец — что его кидают связанного в раскаленную печь. Энергично взмахнув руками и проплыв два метра, он с глухим стоном выскочил из воды так же быстро, как нырнул в нее, дрожа от запоздалого ужаса. Жером был совершенно прав, вода слишком холодная. Помереть можно.

Выскакивал он вслепую, наугад, однако прибило его аккурат к Алисиным ногам; впрочем, он ее даже не видел, он стучал зубами, ему казалось, что кровь, то обжигающая, то ледяная, с бешеной скоростью циркулирует в его теле, он трясся, согнувшись пополам, и, не видя себя, чувствовал, что синеет самым настоящим образом.

— Бог мой! — сказала Алиса. — Бог мой, да вы с ума сошли, Шарль! Вода ледяная, вы дрожите, сядьте!

Он подчинился и почувствовал облегчение, сев на теплую траву, в то время как Алиса энергично растирала ему полотенцем плечи, голову, торс, ноги. Все тело его было тщательно обтерто и обогрето тонкими нежными руками, о которых он столько мечтал и прикосновение которых не мог сейчас оценить, будучи во власти внутренней дрожи, в каком-то полуобмороке, причину которого сам не понимал. Был ли виной тому пастис, вода, зной или старость? При мысли о старости ему вдруг захотелось захныкать, уткнуться мокрой головой в такое на вид теплое и мягкое плечо Алисы, поплакаться, объяснить ей, что река эта слишком холодна весной, невыносимо, нечеловечески холодна...

— Бог мой, — говорила Алиса, — как вы меня напугали! Что за прихоть, броситься вот так в воду, надо было сначала хоть ногой попробовать!

— Если б я попробовал ногой, я б ни за что не окунулся, — отвечал Шарль.

— Именно это я вам и говорю, — рассудительно отчитывала его Алиса. — Именно это. Вы сошли с ума, Шарль, теперь полежите на солнце, расслабьтесь.

Надо думать, она позабыла о своем костистом теле и белесой коже. Вынужденная забота о Шарле придала ей уверенности в себе или, вернее, изменила ее роль: играя мать, она позабыла о роли наяды, думал Шарль. Очарованный, он поспешил — опасаясь, что она спохватится, — растянуться рядом с ее полотенцем и, подложив руки под голову, закрыть глаза.

Он глядел на нее сквозь ресницы привычным взглядом опытного охотника, однако без былой самонадеянности, поскольку охотник в нем отсутствовал, а дичью, готовенькой уже, на блюде, так сказать, был на этот раз он сам. Он давно это заподозрил и теперь ясно осознавал; он уже без памяти любил довольно широкие, но худенькие плечи Алисы, грудь, вытянутую линию тела, тонюсенькую талию, узкие бедра, длинные ноги, длинную шею. Все у нее было такое вытянутое и напоминало жирафу — удивительное животное, о существовании которого Шарль узнал в школе и с тех пор неизменно восхищался его необычным строением. Он не помнил, кто, Ламарк или Дарвин, но кто-то из них утверждал, что своей необычностью, своей длинной шеей они обязаны чревоугодию, желанию во что бы то ни стало отведать лакомых листьев, росших высоко на деревьях, побуждавшему их отчаянно вытягивать коротенькую изначально шею. Алиса же вдобавок обладала от рождения изящнейшими очаровательнейшими ручками и ножками, локтями и коленками; и еще он видел, даже сквозь целомудренный купальник из джерси, прямую линию его излюбленной подвздошной кости, той, что окаймляет бедро и к которой после любовных услад он прижимался головой; он лежал в неподвижной задумчивости на пляже рядом с женщиной, так что ее рука могла бы теребить его волосы, а его голова помещалась на середине пути между двумя полюсами, двумя самыми жгучими точками ее тела, по отношению к которому чувствовал себя эфемернейшим обладателем и преданнейшим рабом.

Некоторое время они лежали молча, но куст акации не разделял их больше, и, как ни странно, им обоим его не хватало. Так необходимо бывает иногда присутствие третьего лица, лишнего и одновременно очень нужного, при котором можно скрытым текстом высказать больше, нежели осмелишься произнести открыто с глазу на глаз.

— Хотите сигаретку? — спросил Шарль. — Сейчас я принесу, только предупреждаю, табак темный, крепковат немного.

— С удовольствием, — отвечала Алиса, не открывая глаз.

Она проследила взглядом за удаляющейся фигурой Шарля: он шел так же естественно, как если б был в полном облачении. Его физическая непринужденность и уверенность в себе при очевидном непонимании собственной красоты даже вызывали у Алисы зависть. Малейший признак самодовольства в Шарле показался бы ей верхом гротеска, равно как и малейший комплекс — смехотворным. Так, как он, ходили мальчики, которых ей доводилось видеть на пляжах в Италии, юные-преюные, красавцы писаные, равнодушные, напрочь лишенные сознания своей красоты, однако их ловкость и раскованность говорили о том, что они внутренне, эгоистически наслаждаются игрой своих мускулов, рефлексов, всей гибкой и проворной механикой своего тела, тела пока еще одинокого и тем счастливого, не ведая того, какую власть оно приобретет в дальнейшем. Любопытно, что в далеко не целомудренном Шарле было что-то совершенно невинное. Он возвратился с улыбкой на лице, сел возле Алисы, зажег две сигареты, протянул одну ей и впервые со времени их высадки на берегу взглянул ей в лицо. Взгляд его откровенно выражал одобрение и полное удовлетворение тем, что он видел, отчего Алиса почувствовала себя скорее успокоенной, нежели взволнованной или смущенной. Она затянулась, гортань ее заполнилась крепким, едким, недурным на вкус дымом, с непривычки она тотчас выдохнула его через рот.

— Я два года не курила, — сказала она. — Разучиваешься очень легко.

— Это как с велосипедом, — поддакнул Шарль и сам, неторопливо затянувшись, с наслаждением заглотал дым.

В сущности, этот Шарль был своего рода фотографической пластинкой, хамелеоном, барометром ощущений и наслаждений. Что-то в нем сигнализировало, что на улице холодно или жарко, что воздух прян, а вино качественно, и, надо сказать, это его свойство было привлекательно. Алиса тряхнула головой: она приехала сюда только затем, чтобы убедить Шарля превратить свой мирный дом в пересыльный пункт, завод — в укрытие, досуг — в серию боевых заданий. Задача представлялась нелегкой особенно здесь, на природе, в атмосфере каникул, попеременно ассоциирующейся в ее глазах то с романами графини де Сегюр, то с «Любовником леди Чаттерлей». Она размышляла о том, как бы ей подступиться, как лучше подойти к делу, но Шарль, будто кто его таинственным образом предупредил, завязал разговор сам.

— Я хочу извиниться за сегодняшнее утро, — сказал он, — за это «пум-пум-пум-пум».

Но, как и утром во время объяснения с Жеромом, «пум-пум» получилось у него мрачное и жалостливое, а потому, видя растерянность Алисы, он прибавил:

— Ну, понимаете, «пум-пум» немецких сапог на улице по ночам.

— Вам не за что извиняться, — живо откликнулась Алиса. — Это я выглядела смешной. Я...

Шарль перебил ее:

— Я понятия не имел, что вы евреи, вы или ваш муж, не помню, что сказал Жером, но в любом случае, поверьте, я не предполагал, что это так на вас подействует.

Он оттарабанил все скороговоркой и только в конце поднял глаза на Алису. Она смотрела на него глазами, чуть расширенными скорее от удивления, нежели от обиды — так, во всяком случае, ему показалось.

— Разумеется, вы не могли догадаться, — проговорила она медленно, глядя на него в упор. — Фамилия Файат звучит как английская, но Герхард Файат, мой муж, мой бывший муж, на самом деле еврей.

— Вам это, кажется, доставило много неприятностей, — сказал Шарль и продолжил с неожиданной горечью: — Здесь, в деревне, ничего не знаешь.

— Тяжело было главным образом Герхарду, — отвечала Алиса. Она ждала, что он прямо спросит о ее происхождении, ведь Жером нарочно напустил туману, чтобы понаблюдать за реакцией Шарля, но тот и бровью не повел.

— Он был лучшим хирургом Вены, да, кажется, и Европы. Его отец и дед тоже были знаменитыми хирургами и чувствовали себя в Австрии маленькими князьками. По счастью, нацисты это знали, а у кого-то из их чинов обнаружились неприятности со здоровьем — потому-то нас не забрали в первый же месяц и не депортировали, как это случилось с тремя четвертями наших друзей-евреев.

— Они и женщин депортируют? — недоверчиво переспросил Шарль.

— И женщин, и детей, — подтвердила Алиса и, поскольку он глядел на нее с тем замешательством, какое еще изредка встречалось на лицах некоторых европейцев, англичан, например, или французов из глубинки, как Шарль, тех, короче, кто еще не был в оккупации, добавила: — Они и грудных младенцев депортируют, я своими глазами видела.

Она говорила сухо, тем тоном, каким привыкла произносить эти две фразы, одну за другой, потому что, хотя правдивы были обе, вторая не позволяла усомниться в первой, какой бы жуткой та ни казалась, по крайней мере, не позволяла усомниться в ней в присутствии Алисы. Но Шарль и тут остался верен своим предпочтениям. Дети его явно не интересовали.

— Уводят женщин? Неужели? Какие скоты! Как вам удалось этого избежать?

И поскольку он так и не задал главного вопроса, хотя поводов она тому предоставила десяток, ей показалось вдруг, что она в кои веки встретила человека, для которого слово «еврей» не несло в себе никаких дополнительных нагрузок, как, скажем, и слово «шатен», показалось, что для этого человека предположение о ее еврейской крови нисколько не влияло на его к ней влечение, она решилась:

— Поначалу им нужен был Герхард; кроме того, в Вене они забирали в первую очередь евреек, а не жен евреев. К тому же я, можно сказать, католичка по рождению.

— Ах, вот оно что! — воскликнул Шарль. — Так, значит, вы не еврейка! — Он с удовлетворением качал головой, отчего у Алисы пошел мороз по коже, а потом взглянул на нее радостно и доверчиво: — Мне не хотелось говорить, — он вздохнул с облегчением, — но так мне больше нравится. Правда...

На секунду наступило молчание. Алиса почувствовала, как кровь приливает у нее к голове, как ярость стучит в венах на запястьях и в висках; если глаза ее и оставались опущенными, то лишь потому, что она искала на земле какой-нибудь предмет — палку или камень, все равно, — чтобы ударить этого гнусного лицемера, лживого добряка. Прочь отсюда и поскорее, сказала она себе. Она медленно поднялась с земли и с удивлением услышала свой собственный голос, спокойно задающий вопрос, в то время как ей хотелось орать во всю глотку:

— Интересно... почему же вам так нравится больше?

— Да потому, — отвечал Шарль, — что вы таким образом меньше подвергаетесь опасности, вот и все! Мне бы совсем не хотелось, чтобы они увели вас в лагерь, и, кстати, я бы им не позволил, уж поверьте, — решительно произнес он и неожиданно спохватился: — Боже мой! Как вы бледны, Алиса. Сядьте. Какого страха эти сволочи заставили вас натерпеться, я б их убил своими руками!..

Алиса опустилась на землю, на мгновение закрыв лицо руками: теперь настала ее очередь испытать радость и облегчение и удивиться этому. Ей нестерпима была мысль, что Шарль мог оказаться мерзавцем, и это было странно с ее стороны по отношению к человеку, с которым она и знакома-то была не более суток. Она отняла руки от лица и, обнаружив устремленный на нее обеспокоенный взгляд Шарля, сама вдруг устыдилась своих подозрений.

— Простите меня, — сказала она. — Это ужасно, но когда вы сказали, когда вы сказали, что вам так больше нравится, ну, нравится, что я не еврейка, я подумала, уж не относитесь ли вы к числу людей...

— Каких людей? — спросил Шарль. — Антисемитов? Да вы шутите, Алиса! Какая дикая мысль! У меня, знаете ли, отец был дурак, а дядя очень умный — он умер два года назад, и я занял его место на фабрике. Он однажды разговаривал со мной на эту тему. Он объяснил мне, что на мало-мальски обозримом отрезке нашей истории, начиная с Карла Великого, всякий человек, знаменитый или незнаменитый — взять, скажем, какого-нибудь потомка Людовика XVI, — насчитывает обязательно, неизбежно, по меньшей мере двадцать миллионов предков, это не считая неизвестные нам племена и всех предшествующих обезьян. И если кто-нибудь, сказал он мне, станет уверять, что среди двадцати миллионов его предков не нашлось прапрабабушки, соблазненной евреем, или прапрадеда, женившегося на юной еврейке, — это учитывая миграции и переселения народов, происходившие за двадцать веков, — «если кто-нибудь, дорогой мой Шарль, станет клясться тебе, что он чистокровный ариец, дай ему пинка под зад, потому что он кретин». И ведь прав был, нет? Антисемитизм — чистейшее безумие.

— Возможно, и безумие, но он существует, — сказала Алиса, укладываясь на спину и закрывая глаза, в то время как Шарль, опершись на локоть, вытянулся возле нее, но на почтительном расстоянии. Он пожевывал травинку, разглядывая то деревья, то воду. Когда же он повернулся к Алисе, она лежала с открытыми глазами и смотрела на него. Что-то влажное сочилось из-под ее век, собиралось во внешних уголках глаз и медленно стекало на виски. Через секунду Шарль сообразил, что эта влага называется слезой, и содрогнулся. Он нащупал руку Алисы — она не отдернула ее — и, не оставляя места экивокам, приник к ней нежными горячими губами. Алисе впервые доводилось видеть, чтоб на зеленой траве почти обнаженный, в одних плавках, мужчина целовал руку готовой разрыдаться женщине.

Однако вместо комичности данной сценки она ощутила только ее нежность. Весь замысел Жерома, их планы и маневры показались ей вдруг чудовищными, несправедливыми, недостойными. Как можно этого чувствительного, нежного, доброго человека, человека, к которому жизнь была так добра, как можно лишить его радости, веселья и каждодневной неги. Необходимо переубедить Жерома, думала она, вставая и неторопливо отряхиваясь; но в глубине души она уже знала, что бунт ее уляжется и что Шарлю вместе с другими придется встать между сегодняшними палачами и их завтрашними жертвами, и это несмотря на бронзовый загар и шелковистые волосы, несмотря на всю его бесхитростность и на то, что она сама начинает в самом деле испытывать к нему нечто вроде слабости.

А потому, когда, одевшись, они обнаружили, что заднее колесо Алисиного велосипеда непригодно для дальнейшего передвижения — Шарль, пока ходил за сигаретами, успел применить старую испытанную уловку, — Алиса доверчиво и даже с удовольствием и некоторым волнением устроилась на раме перед Шарлем и на протяжении нескольких километров, отделявших их от дома, ощущала, как он погружает лицо в ее растрепанные встречным ветром волосы, и как, нагибаясь и с несколько преувеличенной энергией налегая на педали, прижимается телом к ее спине. Природа, как и их щеки, уже окрасилась в розовые тона, когда они подъехали к дому. Сарказмы Жерома относительно их приключения с велосипедом совершенно зря рассердили Алису. Она ведь не подозревала, что в пору их бурной молодости «проколотая шина» была у них обоих излюбленным приемом невинного волнующего флирта.

ГЛАВА 5

В тот же вечер чуть погодя она стояла перед зеркалом и впервые за долгое время с удовольствием разглядывала уже чуть золотистое и еще чуть красноватое под иссиня-черной копной волос отражение своего лица. Она любовалась посвежевшей физиономией, живым насмешливым выражением глаз смотревшей на нее женщины, женщины, которую так явно желал и так подчеркнуто уважал красавец Самбра, спонтанный, чувствительный, неловкий и нежный Шарль, о котором еще вчера она не имела никакого представления и которого сегодня знала «наизусть» — это детское словечко пришлось здесь как нельзя кстати.

На ней была черная с белым полосатая юбка в складку, стального цвета блузка, бусы и золотые серо-голубые серьги. Она снова почувствовала себя элегантной, вовсе к тому не стремясь, хотя против тоже ничего не имела. Жером постучал в дверь и тотчас вошел. Лоб его был нахмурен, губы сжаты, глаза холодно смотрели из-под насупленных, но слишком светлых, для того чтобы казаться устрашающими, бровей. Подобное выражение недовольства на лице было ему несвойственно, и Алиса поспешила его рассеять.

— Что вам удалось сделать? — озабоченно спросила она, сердясь на себя за эту поддельную озабоченность.

— Я посетил две фермы, одну пустую и другую, где живет хозяин обеих, старик Жело, в свое время он учил нас удить рыбу. Он лишился руки на войне четырнадцатого года и потому затаил на бошей, как он выражается, основательную обиду. Он спрячет кого угодно, как угодно, когда угодно... Еще я поговорил со старшим мастером на фабрике у Шарля, которого я тоже знаю. Если будут документы, он устроит нашим «проезжим» работу, вполне даже правдоподобную. Единственное условие, разумеется, это чтоб Шарль позволил своим работникам, как он говорит, «валять дурака».

— Сдается мне, он на правильном пути, — сказала она, улыбаясь и глядя Жерому в глаза (как она сама подметила, впервые за этот вечер).

В ответ Жером засмеялся, но каким-то странным, неестественным «желтым» смешком, в то время как Шарль смеялся открытым «красным» смехом, подумала Алиса ни с того ни с сего, не к месту, некстати. Она все чаще ловила себя на неожиданных поворотах мысли и резких перепадах настроения, чего никогда не случалось с ней после кризиса, того «большого кризиса», и что в свое время очень рано сделало ее одной из самых необычных и привлекательных женщин Парижа и Вены. В ее тогдашней веселости было что-то особенное, свободное, занятное, смесь холодного юмора и пылкого воображения, не говоря уж о сокрушительных ляпах в адрес отдельных лиц.

Между тем смех Жерома, независимо от его цвета, был невеселым и оборвался внезапно. Они пристально глядели друг на друга, словно чужие (а ведь за последние три года они сотни, тысячи раз подолгу смотрели друг другу в глаза, она — вопросительно, со смертельным страхом перед жизнью, он — заботливо и бесконечно нежно. Теперь все изменилось: они бросали друг другу вызов). Немедленно остановить это, подумала Алиса, происходит что-то ужасное, и это надо пресечь как можно скорее.

— Я не сомневаюсь, что вы уже соблазнили Шарля, — произнес он деланым светским тоном. — Фокус с проколотой шиной означает у него подлинное, серьезное увлечение.

— Как это? — спросила Алиса.

Спросила небрежно, но сама застыла перед зеркалом с губной помадой в поднятой и одновременно безжизненной руке, словно остановленный крупный план в фильме, который только ответ Жерома мог привести в движение.

— Когда мы с Шарлем только начали волочиться за юбками, — сказал Жером, — в переходном, что называется, возрасте, успехи наши были не слишком очевидны, и мы всевозможными способами помогали Венере: предполагалось, например, что трюк с проколотой шиной очень воспламеняет девушек. Мы везли их домой на раме, вдыхали аромат их волос, касались грудью их спин — действовало безотказно, во всяком случае на нас... Не самый, понятно, утонченный способ ухаживания, но все же...

— Не может быть! — воскликнула Алиса, сверкнув глазами. — Нет! Не хотите же вы сказать, что Шарль тащил в гору лишние пятьдесят килограммов моего веса на своей раме только для того, чтобы, как вы говорите, вдыхать аромат моих волос! Это было бы слишком трогательно.

— Очень трогательно для семнадцатилетнего мальчика, — саркастически подхватил Жером, — но для тридцатилетнего мужчины...

— Еще более трогательно! — перебила его Алиса. — Во-первых, в тридцать лет Шарль уже не в такой хорошей спортивной форме; кроме того, такой поступок со стороны зрелого, обласканного женщинами мужчины стоит дороже, нежели проделка юнца, преследующего химеры. Да, да, дорогой Жером, я нахожу, что ваш красавец предприниматель Самбра — совершенно героическая личность.

Но, видя, что Жером, не поддавшись на юмор, уже открывает рот для суровой отповеди, Алиса вспомнила испытанную уловку, не сказать чтоб совсем невинную, зато, насколько она знала, весьма действенную: встречное обвинение.

— Послушайте, Жером, — произнесла она с возмущением, — уж не хотите ли вы сказать, что ревнуете к Шарлю, обвиняете меня во флирте? Да за кого же вы меня, в конце концов, принимаете? За кого?

В голосе ее звучала мелодраматическая нотка, которая ей самой понравилась. Известное макиавеллиевское ухищрение — бумерангом возвратить обвинение обвинителю, обвинить его самого в том, что он понапрасну вас обвиняет, — вдруг снова показалось ей гениальным. Увы, Жерому было не до софизмов.

— Да, я ревную к Шарлю, — сказал он. — Когда я увидел вас вдвоем на велосипеде, так близко друг к другу, таких веселых и счастливых...

Когда целомудренное возмущение не возымело успеха, Алиса инстинктивно ухватилась за другой прием, более сентиментальный и, возможно, более искусный.

— Да вы же сами говорили, что больше всего на свете хотите видеть меня веселой и счастливой!

— Стало быть, я ошибался, — холодно парировал Жером. — Да, я хотел видеть вас веселой и счастливой, но со мной. А не с Шарлем.

В ту же минуту ему самому стали очевидны эгоизм и жестокость его фразы. Одним взмахом щетки Алиса опустила волосы на лицо, так что теперь он не видел ни ее выражения, ни, как знать, может, даже и слез. Наступило молчание.

— Я не понимаю. Я не понимаю вас, Жером, — прозвучал наконец голос из-за черной портьеры волос. — Разве не вы поручили мне убедить и для того соблазнить вашего друга? Разве не вы сами все спланировали, не вы привезли меня сюда? И отправили в лес с мужчиной, имеющим репутацию бабника? Даже если он по простоте душевной и проколол шину, чтобы понюхать мои волосы, это пустяк в сравнении с тем риском, на который вы меня обрекли, отпуская с ним вдвоем! Вы чудовищно несправедливы, Жером, несправедливы и неблагодарны.

Откинув волосы, она поспешно вышла из комнаты, так что Жером не успел разглядеть, были ли на ее лице следы слез. Она совершенно права: он глуп, гнусен и низок, он злился на себя безмерно. Четверть часа он укорял себя и распекал и только потом, все еще пристыженный, спустился к ним в гостиную. Как человек рассудочный, Жером в общем-то никогда не доверял своим впечатлениям, ощущениям, опасениям или страхам. Он верил только в разум и логику, и это ему уже дорого обошлось.

Алиса и Шарль сидели на ковре перед камином и играли в кункен. Смех Алисы поначалу успокоил Жерома, опасавшегося последствий давешней сцены, но затем, тотчас почти, вызвал новый приступ ярости.

Да что же с ним такое происходит? Только что он десять минут терзался от стыда и угрызений совести, перебирая в уме свои идиотские обвинения. В эти ужасные минуты он был готов отдать все, лишь бы не видеть Алису расстроенной, не думать, что понапрасну причинил ей боль — для него не существовало худшей муки. Но теперь, когда он слышал ее смех — доказательство того, что она не расстроена, — он не только не успокоился, но и готов был отдать все, лишь бы найти ее рыдающей где-нибудь в углу и утешить самому. Попросту он не мог перенести, что Алиса смеялась, в то время как они, можно сказать, находились в ссоре.

— Вы плохо выглядите, Жером, — сказала Алиса, оборачиваясь к нему и глядя на него совершенно спокойно, будто ничего не произошло. Он поспешно опустил глаза, дабы она не поймала его взгляд, как ему представлялось, взгляд ненормального, психически больного.

Они продолжили кункен, не обращая больше внимания на его бледность, и смех Алисы звучал теперь каждые три минуты в ответ на вздор, изрекаемый окончательно потерявшим голову Шарлем: опасный игрок, прославившийся в Альпах и Дофинэ своей бесстрастностью и дерзостью при игре в покер (и вообще в карты), он играл сейчас, как четырехлетний ребенок, притом не слишком способный для своих лет. Он, разумеется, проигрывал, но это его нисколько не огорчало, потому что Алиса смеялась, а для того, чтобы соблазнить женщину, как он полагал, ее надо сперва рассмешить. Средство в самом деле эффективное, хотя Шарль при своей наружности мог бы обойтись и без него. Тем не менее он продолжал строить из себя смешного чудака, представая в своих рассказах этаким простачком, которого бросают и обманывают женщины и обставляют мужчины и который вечно остается в дураках. Такой образ придавал ему особый шарм по контрасту с его внешностью, и в его наигранной невезучести было что-то неотразимо привлекательное.

Итак, Алиса смеялась, она потягивалась, как кошка у огня, ложилась на ковер, скидывала туфли, будто находилась в доме, где провела свое детство. Жером, привыкший видеть ее забившейся в угол комнаты и проходящей по коридору с затравленным видом побитой собаки, Жером дивился ее повадкам довольной кошки, беззаботной, игривой, кошки, что гуляет сама по себе, словом, что там говорить, счастливой кошки. Он никогда ее такой не видел. Трудно поверить, чтоб этот дом с его псевдодеревенской и псевдостилизованной мебелью, собиравшейся родителями, дедами и прадедами Шарля с неизменным катастрофическим отсутствием вкуса, мог хоть в какой-то степени стать для Алисы уютным коконом. Здешняя обстановка представляла собой уродливую и претенциозную коллекцию хлама, которая хранила некоторую прелесть разве что для того, кто, подобно Шарлю и ему самому, знал ее с детства, то есть хранила прелесть воспоминаний, но никоим образом не могла внушить сегодня очарование новизны. Между тем Алиса с самого утра не переставала меняться: Алиса не боялась, Алиса не стучалась к нему в комнату, не приникала больше к его плечу, не брала его руку, не держала ее чуть дрожащими руками, время от времени сжимая изо всех сил, как сжимает бревно или доску утопающий, цепляясь за жизнь. Алиса больше не боялась войны и не говорила о ней, Алиса изменилась, изменилась до неузнаваемости в один день. Но могут ли сутки, проведенные в деревне, преобразить чувствительную, напуганную, скрытную, мягкую и нежную женщину? Могут ли они сделать ее другой женщиной, еще более скрытной, но дерзкой, веселой, ироничной и независимой? Нет, не могут, ни этот дом, ни Шарль Самбра, уже с уверенностью твердил себе Жером, невзирая ни на что, невзирая на инстинктивную ревность, примитивную ревность самца, — нет, Шарль не может изменить Алису, самое большее, он может ей понравиться, может взять ее у него в один прекрасный вечер, но не здесь и не сейчас, когда Жером живет у него в доме. Этого и Алиса не допустит из уважения к нему. И где-нибудь в поле не может, потому что Алиса не из тех, с кем спят в поле. Следовательно, он ничем не рискует, не рискует ничем, кроме недостатка внимания со стороны Алисы. А внимание — оно возвратится само собой, как только они снова погрузятся в борьбу, в угрюмую ночную схватку, в сточные канавы и тоннели, словом — в Сопротивление, куда, как он теперь понял, он обязан был ее вовлечь: не для себя, а для нее, для того, чтобы она снова стала самой собой, такой, какой должна быть, какой была все эти три года, когда он любил ее любовью, которую сегодня, возможно, ощущал еще сильней. Он поведет ее за собой, он сумеет уберечь ее от всего. Кроме как от нее самой... разумеется, хотя именно от нее самой он ее уже однажды спас. Жером спас Алису от тоски — неужели не сможет он спасти ее от легкомыслия?

Жером не учел одного: тоска и тягость жизни, от которых он из-
лечил Алису, были знакомы ему с детства, а знакомые болезни ле-
чить куда проще: иное дело незнакомые. Сам Жером никогда не был
ни легкомысленным, ни беззаботным, не знал безумной жажды жизни. Ликование было для него пустым словом, словом, почерпнутым
из книг, в то время как Алиса до своей болезни, в детстве и в юности,
была влюблена в жизнь. Она знавала взлеты, минуты умопомрачи-
тельного счастья и необъяснимой эйфории, которыми жизнь иной
раз одаривает человека. Жером, выпади ему такой благодатный миг,
не узнал бы его, а вот Алиса бы его не упустила. Так человек, слепой
от рождения, повстречав человека, ослепшего по несчастью, поймет
его и даже поможет сносить увечье, но никогда не сможет, если тот
обретет зрение, помешать ему запрыгать от радости и побежать навстречу солнцу.

— Бог мой! — воскликнул Шарль. — Блиц!

Он прервался и посмотрел на дверь. Оттуда появилась одна из
его собак, бедняга семенила к нему, хромая, с жалобным видом. В ту
же секунду Шарль оставил карты, Алису, Жерома и все на свете и
склонился над несчастным псом. Он положил его на спину, взял лапу
и стал ощупывать ее кончиком пальца, пока пес не заскулил. При
этом Шарль приговаривал нараспев:

— Что с тобой стряслось, дурила ты эдакий? Бедненький глупышка, подожди, где, здесь, здесь больно? Нет? Дальше? Ага, вот
здесь.

А потом сказал ему:

— Да, здесь, старина. Погоди. Опять по зарослям бегал! Очень
умно! Замечательно! Хм, извините, это не заноза, это... Что ж это такое? Вроде как гвоздь... Ты теперь еще и гвозди себе в лапы всажива-
ешь? Как в шину? Ай-ай-ай! Блиц, старина, надо быть осторожней!
Потерпи минутку! Секунду, одну секунду!

Шарль достал из кармана маленький перочинный нож — ну прямо бойскаут, подумал Жером, — и открыл в нем что-то вроде пинце-
та для выдергивания волос. Затем наклонился над собакой, но та
взвыла так душераздирающе, что Алиса вздрогнула и бросилась
к ним.

— Держите ему лапы, задние лапы, — приказал Шарль отрыви-
стым властным тоном, какого трудно было от него ожидать. Алиса ух-
ватила дрожащие собачьи ляжки и сжала их. Она увидела, как Шарль
наклонился, подцепил что-то черное в розово-черной лапе и резким
движением вытащил. Собака дернулась и вскочила. Побежала к двери, потом пристыженно вернулась, положила морду на колени Шарлю и на секунду, перед тем как выйти, на ходу уже — на колени Алисе.

— Собака знает, как себя вести, — саркастически прокомментировал Жером. — На первом месте хозяин, затем медсестра. Могла бы и мне, как ассистенту, раскошелиться на чаевые.

— Ты никогда не любил животных, — неприязненно отозвался Шарль.

— Ну почему, — возразил Жером, — я люблю животных, но предпочитаю людей. И с подозрением отношусь к тем, кто предпочитает животных.

— Значит, не ко мне, — заметил Шарль, смеясь.

Смех разрядил обстановку.

— Между прочим, с твоей английской физиономией, — добавил Шарль, — ты должен был бы питать слабость к животным. Не правда ли, Алиса?

— Мне никогда не приходило в голову, что у Жерома английская физиономия, — улыбнулась Алиса. — Кстати, к вопросу об Англии, Шарль, вы не могли бы поймать здесь «Радио-Лондон»?

— «Радио-Лондон»? Да сколько угодно! В определенный час все французы, задвинув поплотнее шторы, садятся семьей вокруг стола, локоть к локтю, и слушают, как французы обращаются к французам. Нынче никто не крутит столы, чтоб вызывать умерших, — вызывают живых, так веселей! Впрочем, ты и сам знаешь!

— Увы, я в этом не уверен! — сказал Жером.

— А я тебя уверяю! — Шарль смеялся. — «Радио-Лондон» не слушают только истинные участники Сопротивления — из осторожности! Пройдись вечерком хоть по нашей деревне, где ставни держат открытыми из-за жары, — только это и услышишь! Короче, — прибавил он, — приемник у меня в библиотеке, и в нужное время мы туда поднимемся. Ты слушаешь каждый вечер?

— Да, если могу, — ответил Жером. — Но сегодня это совершенно необходимо, мы можем получить сообщение, услышать кое-что, касающееся непосредственно нас, я, во всяком случае, буду слушать, даже если вы продолжите кункен...

Его последняя колкость осталась незамеченной.

Глава 6

Итак, в назначенный час они собрались втроем перед булькающим приемником, откуда доносились голоса свободных людей, говорящих из свободной страны. Шарль расположился в своем кресле, утомленный велосипедными подвигами, и смотрел на близкий и далекий силуэт Алисы. Он курил какую-то старую сигару, обнаруженную в подвале, и, как всякий вечер, находил, что время тянется слишком медленно, пока всегда один и тот же юный голос издалека посылает вам идиотско-поэтические сообщения, которые, кажется, слава богу, удовлетворяли непритязательному вкусу его сегодняшних гостей. Он был чрезвычайно изумлен, когда Жером вскочил и сделался таким бледным, каким Шарль его никогда не видел. Голос в радиоприемнике повторял монотонно и как бы незаинтересованно: «Пастухи ушли, и стадо его ждет. Пастухи ушли, и стадо его ждет. Мы повторяем: пастухи ушли, и стадо его ждет... Голубка раскинула сеть на деревьях. Голубка...»

Для Жерома речь шла, очевидно, не о голубке. Он так и стоял, Алиса стояла рядом с ним. Она была рядом с Жеромом, и Шарль, по-видимому, для нее больше не существовал. Тошнота подступила ему к горлу, не от ревности, скорее от чувства отвергнутости; он тоже медленно поднялся, из вежливости, как если б вдруг у него в доме за чашкой кофе заиграли «Марсельезу», не сказать — неуместную, но, во всяком случае, неожиданную.

— Боже мой! Боже мой! — прошептал Жером. — Вы слышали, Алиса? Вы тоже слышали?

— Да, — тихо отвечала Алиса.

Она медленно опустилась в кресло и закрыла лицо руками, а Жером, повернувшись к ней спиной, стал перед камином и принялся яростно стучать кулаком по мраморной облицовке.

— Они ведь ясно сказали... — повторял он, будто переспрашивая, — ведь сказали ясно: стадо, пастухи... — И, не дожидаясь ни от кого ответа, он развернулся к неподвижно и изумленно уставившемуся на него Шарлю. Бледное, тонкое, рафинированное и, по мнению Шарля, вяловатое лицо Жерома вместе с покрывшей его мертвенной белизной обрело мужественность: сжатые челюсти, жесткий взгляд, проваленные щеки, к неудовольствию Шарля, делали его красивым. Он был красив в гневе, красив в действии, возможно, даже красив в постели, думал Шарль с обидой обманутого мужчины. Между тем Жером вцепился рукой в его пиджак и тряс его с силой, которую тоже трудно было в нем заподозрить.

— Послушай меня, Шарль, мне нужна твоя машина. Мне надо позвонить, но не отсюда. Я обернусь за час, ну за два. Алиса, вы останетесь здесь. Вручаю ее тебе, Шарль; если через пять часов я не вернусь, забудьте обо мне на некоторое время. Вручаю ее тебе. Но я вернусь раньше.

Поймав на лету брошенные Шарлем ключи, Жером вышел. Машина отъехала тотчас.

Как только треск выхлопной трубы растворился в ночи, сверчки возобновили прерванный концерт. Алиса смотрела в огонь. Смотрела печально и отрешенно.

— Вы можете мне объяснить... — робко начал Шарль.

— Да, — отвечала Алиса с грустью, глядя на Шарля и не видя его. — Да, я могу объяснить. Фраза, которую вы слышали, означает, что трое из сети арестованы, находятся у немцев в руках, и, может быть, сейчас их уже пытают или ведут на расстрел, не знаю. Это наши друзья, в первую очередь друзья Жерома, но немного и мои. И еще это означает, — продолжила она медленней, будто рассуждала вслух, — это означает, что евреи — или не евреи — которые ждут нас, меня или Жерома, которые нас знают и верят нам и никому другому, могут прийти на встречу, никого не найти, всполошиться и попасться. Если же кто-то другой, кроме меня или Жерома, назначит им новую встречу, они подумают, что это ловушка, и не пойдут, а поскольку Жером не может теперь ехать в Париж, где его, должно быть, уже ищут, это означает... это означает... что я поеду туда сама. Поеду на встречу, чтобы предупредить их и назначить другой день и другого связного. Вот. Вот что это значит. Я должна сама ехать в Париж, немедленно, ну, то есть завтра. Полиция меня не знает, гестапо тоже, я ни в чем не была замешана и ничем не рискую, — добавила она, улыбаясь, потому что теперь побелел Шарль.

К ее великому удивлению, он заорал:

— Ехать туда вместо него? Так вы видите свою роль? Думаете, Жером пошлет женщину туда, где эти маньяки могут ее схватить, истерзать, убить? Если он так сделает, то он безумец и подлец! Роль женщины, я вам уже говорил, Алиса, для меня не в том, чтобы шить и плодить детей, роль женщины в том, чтобы жить, быть красивой, молодой, такой, как вы, Алиса, Алиса... Мужчины не посылают женщин умирать вместо себя! Я б убил Жерома, если б он вас отпустил! Я этого не допущу, Алиса, вы не поедете в Париж вместо него!

Они смотрели друг на друга. Смотрели не дружески, а словно двое посторонних: мужчина и женщина.

— Послушайте, Шарль, — сказала она, — мне и без вас нелегко будет убедить Жерома. Он вот уже полгода отказывается давать мне задания. Но в данном случае мне известно и место встречи, и время. И поверьте мне, Шарль, хочет он того или нет, хотите ли вы того или нет, я поеду. Я никакая не героиня, просто мне ничего не грозит. И потом, там женщины, дети, мужчины ждут, чтоб кто-нибудь их увез, спас от уничтожения. Все очень просто, поверьте мне, поверьте, — и она засмеялась. — Поверьте мне, я впервые в жизни могу заняться кем-то, кроме меня самой, впервые могу быть полезна, могу помочь, а не принимать помощь, впервые вместо того, чтобы портить жизнь влюбленному в меня мужчине, я могу спасти от смерти незнакомых мне людей, поверьте мне, Шарль, и оставьте меня в покое. Я подожду возвращения Жерома у себя в комнате. Прошу прощения, Шарль, — сказала она уже с порога и оставила его ошарашенным, изумленным, раскрасневшимся, кипящим яростью; взгляд его блуждал, руки сжимали угол камина.

В какое-то мгновение Алиса подумала, что Шарль Самбра, движимый праведным гневом, должен быть опасным противником или ценным союзником. Вот уже сутки она наблюдала за этим соблазнителем, которого ей надлежало соблазнить, за этим симпатичным парнем, немного чересчур красивым и слишком откровенным волокитой, наблюдала с эстетическим удовольствием, лишенным всякой чувственности. Сейчас она впервые увидела в нем не актера из гротескного и старомодного водевиля, а возможного соратника по борьбе. И она сама не поняла, почему в дверях, когда она уходила, ее объяла и захлестнула волна желания, острого, непристойного и настолько конкретного, что она пошатнулась на пороге и тоже залилась краской.

Когда Жером вернулся три часа спустя, в середине ночи, Шарль поджидал его в дверях. Они долго спорили, мешая оскорбления с излияниями дружбы. В результате наутро, когда Алиса спустилась вниз и наткнулась на Жерома, тот сообщил ей спокойно и ясно, что роль подруги фабриканта кожаных изделий, направляющегося в столицу на поиски инженера, в самом деле была идеальным прикрытием для начинающей подпольщицы и что он, Жером, будет признателен и благодарен Шарлю, если тот сопроводит ее в Париж и обратно. Шарль молчал, он слушал Жерома и даже не смотрел на Алису, но от него исходило невидимое сияние, знакомая Алисе неуловимая вибрация воздуха, которую ей случалось прежде улавливать вблизи иных людей и даже излучать самой — то был подобный солнцу над Аустерлицем бледный и светящийся шлейф счастья.

Глава 7

Путешествие в переполненном поезде вышло изнурительным, и Париж, куда они прибыли наконец к вечеру да еще под дождем, показался Шарлю темным, мрачным, громыхающим эхом мерного шага немецких патрулей. Даже его излюбленная гостиница на улице Риволи, исполненная для него прежде духом роскоши и фривольности восемнадцатого века, представилась ему теперь угрюмой, обветшалой, старомодной. Может, Жером и в самом деле прав, что жаждет ускорить уход этих гуннов. За всем тем, коль скоро адюльтер был и впрямь наилучшим прикрытием для начинающей подпольщицы, Шарль попросил для себя и для Алисы две смежные комнаты с видом на Тюильри. Но когда в первое утро радужное солнце озарило парк, свежий воздух и едва заметный ветерок, какой не встречается больше нигде, вернули Шарлю ощущение любимого им летнего Парижа с уличными кафе, длинными-предлинными днями, теплыми синими вечерами, пустынными улицами, деревьями, статуями — сообщниками его утех и мечтаний.

Сегодня вечером он покажет Алисе свой Париж, он будет ее слушать, говорить с ней, забавлять ее, постарается отвлечь от всего: от войны, евреев, нацистов, Жерома, ее прошлого и даже от себя самого. Сегодня вечером он скроет от нее свое желание, отдаст ей все и ничего не попросит взамен. Подобного рода планы на вечер зарождались в воображении Шарля впервые: до сих пор он больше заботился о том, чтобы доставить женщине удовольствие, а не о том, как сделать ее счастливой. Возможно, потому, что полагал себя способным скорее на первое, нежели на второе; и еще потому, что галантность и чувственность, привычки и инстинкт так прочно соединились в нем, что он не отличал одно от другого. Понадобилась встреча с Алисой, чтобы разделяющая их пропасть стала для него очевидной. «Она мне не просто нравится, я мог бы ее полюбить», — говорил он себе, и ликование, страх, недоверчивость и возбуждение сменяли друг друга в его душе. Неужели он, как школьник, отважится на нелепое в его возрасте сентиментальное путешествие? Посетит ли снова райский край любви, позабытый, как ему казалось, со времен девственного отрочества? Помолодеет — или же впадет в детство?

Он тщательно оделся, напялил дорогой приталенный костюм из альпаги, приобретенный как раз перед войной и оттого почти новый. Открыв дверь, Алиса вознаградила его старания быстрым смеющимся взглядом, в котором он, увлекшись своими мечтаниями, усмотрел восхищение. До сих пор она держала его за провинциала, так вот, теперь он ей покажет!

— Как вам спалось? — спросил он.

Он подошел к окну, окинул Тюильри многоопытным взглядом и только потом обернулся к Алисе.

— Боже мой... вы великолепны, — произнес он изменившимся голосом.

Входя, он против света не разглядел Алису, теперь же она предстала перед ним в лучах солнца и оказалась совсем не той женщиной в юбке и свитере, с которой он познакомился в Дофинэ. На ней было бледно-желтое платье из тонкого шелка, она была сильнее накрашена и выглядела старше и желанней. Ее рот был краснее, глаза еще более раскосы, тело более явно обозначено. Шарль вспомнил вдруг, что находится в комнате любовницы Жерома и что Жером отсутствует. Он встретился взглядом с Алисой, и она, подхватив сумочку, на удивление ненатурально прошествовала к двери.

— Вам нравится мое платье? — спросила она. — Это платье от Гре, кажется... или от Айма. Оно очень легкое, очень... удобное по нынешней жаре, — продолжала она, будто оправдываясь за свои обнаженные руки, обнаженную шею, обнаженное почти что тело под платьем. — Вы куда-нибудь идете, Шарль?

Вне комнаты Шарль почувствовал себя уверенней и ответил:

— Да, *мы* идем. Уж не думаете ли вы, что я вас выпущу одну в

Он болтал невесть что, запинался, но в нем чувствовалось такое
упоение жизнью, что оно передалось и Алисе. Она стерпела и даже
оценила безмолвную комедию, которую он разыграл перед швейцаром, возращая ему оба ключа и со скромной покорностью на лице и в
голосе отвечая на немой вопрос последнего: «Да, мы оставляем за
собой обе комнаты».

Он действительно трогателен, подумала Алиса в приливе нежности, даже и в этом странном костюме, в котором он похож на разбо-
гатевшего берейтора. Как бы он был хорош, если б его прилично одеть,
скажем, в твидовый пиджак, черно-коричневый, как его глаза, или в
смокинг прямого покроя, который подчеркнул бы его силу, строй-
ность, прямизну осанки, манеру держать голову. Ей казалось, что, в
отличие от прочих мужчин, проскальзывающих в двери, Шарль в них
входит и выходит. Она удивлялась, что нисколько не боится идти на
встречу, которую назначила утром и где, как знать, могла и попасть в
ловушку: в нынешних обстоятельствах ни в чем нельзя быть уверенной, ни в чем. Но присутствие Шарля делало нелепой саму мысль об
опасности: их пребывание в Париже обещало быть чарующим, он в
этом не сомневался и заражал ее своей уверенностью.

Он повел ее завтракать в большой ресторан, славившийся некогда роскошью, но теперь еда там оказалась отвратительной; Шарль,
для которого понятие карточек оставалось вполне абстрактным в его
«зеленой» сельскохозяйственной провинции, пожаловался доброде-
тельному метрдотелю, тот обиделся, а Шарль вконец расстроился.
Алиса смеялась, но он сказал себе, что вечером обязательно отведет
ее в какое-нибудь злачное заведение черного рынка...

На улице они переглянулись и улыбнулись друг другу. Стоял один
из прекраснейших дней, какие только случаются летом в Париже.

— Какие у вас на сегодня планы? — спросил он.

— Да так, кое-какая беготня, — уклончиво отвечала она. —
Встретимся в гостинице?

— Да, разумеется. Не разоряйте магазины, — усмехнулся он.

Ведь еще до того, как расстаться с Алисой, он прекрасно знал,
что свидание с подпольщиками состоится у нее в первый же день в
неизвестном ему бистро. Каком именно? Из ее утреннего разговора
по телефону он понял, что это то самое кафе, где Жером в последний
раз праздновал день рождения со своими подручными — адрес не
слишком точный; до того неточный, что придется ему выслеживать
Алису, точно детективу из агентства Дюбли, которое так заворажи-
вало его в детстве. Итак, в три часа они расстались, дружески рас-

прощавшись, и Алису даже шокировало слегка, что он так беспечно устремился по своим коммерческим делам, рискуя больше никогда ее не увидеть. До чего же легкомыслен наш милейший Самбра; он, конечно же, влюблен, но какой все-таки эгоист. Она попетляла по улицам, вернулась в гостиницу и вышла через черный ход, который показал ей Шарль. В конце концов она оказалась на террасе «Кафе Инвалидов», где они с Жеромом и друзьями так весело пьянствовали на его тридцатилетие. На террасе было спокойно, солнечно и очень жарко; несколько утомленных парижан, два провинциала и немецкий солдат сидели тут в этот майский день, одинаково отрешенные и поглощенные созерцанием своих теплых напитков. Странно, думала Алиса, до какой степени летний зной стирает различия национальности и социального положения. Немногочисленные клиенты составляли небольшую провинциальную семью, угнетенную палящим солнцем, а потевший вместе с ними юноша в серо-зеленой форме казался чуть ли не дальним родственником.

Она изнывала, медленно тянулись бесконечные минуты, и постепенно ее начинали терзать сомнения, а вместе с ними их неизбежный спутник — страх. Было двадцать минут пятого, Карно опаздывал на четверть часа, что в любой подпольной организации означало: «смывайся». Но Алиса все не решалась: ей нестерпимо трудно было смириться с мыслью, что она попусту приехала в Париж, зря спешила, собиралась, волновалась. Тьма, анонимность, безответственность, за которые она так отчаянно цеплялась до сих пор, больше ее не удовлетворяли. Она не желала больше жить бесцельно, биться понапрасну и понапрасну умереть на излете долгой молодости, которую она и без того уже сама себе испортила. Слезы подступили к глазам, и Алиса встала из-за стола из страха показаться смешной, а не из страха перед гестапо.

Она пошла наискось в сторону Военной школы; на солнце покачивалась сквозь слезы широкая эспланада. Алиса споткнулась. Чья-то ладонь коснулась ее плеча, остановила ее, и она в ту же секунду, не успев испугаться, узнала Самбра. Шарль стоял перед ней в своем дурацком светлом костюме, со своей дурацкой фатоватой физиономией и дурацкой самодовольной улыбкой. Шарль, понятно, таскался за ней повсюду и вспугнул того, кто, по указаниям Жерома и по заведенной тактике, должен был идти за ней и отслеживать слежку. Шарль сорвал ей первую встречу, и по его милости ей придется теперь идти на вторую и снова ждать двадцать минут, а потом, возможно, и на третью, если у связного не рассеются подозрения. Она ненавидела Шарля.

Тот же был вполне доволен собой. Мало того, что ему удалось выследить Алису издали и потом, сидя в кафе напротив, наблюдать за ее долгим ожиданием — ожиданием, покоробившим в нем джентльмена и приведшим в отчаяние влюбленного, — ко всему прочему, он оказался рядом с ней в нужную минуту и теперь уведет ее в безопасное место подальше от всяких необязательных и компрометирующих типов. Внезапная бледность Алисиного лица под загаром и холодный взгляд сбили его с толку, а после болезненными ударами посыпались слова, произнесенные незнакомым ему голосом (таким в иных фильмах богатый злодей разговаривает с добрым бедняком или жестокий фабрикант — с преданным садовником), голосом, какого уж никак нельзя было ожидать от Алисы.

— Что с вами? — сказала она. — Вы с ума сошли?

Она опустилась на ближайшую скамейку, он в изумлении последовал за ней. Она глубоко вздохнула, прежде чем продолжить, с явным усилием сдерживая себя и все же не скрыв презрения:

— Как, по-вашему, может кто-нибудь ко мне подойти, если вы повсюду таскаетесь за мной, точно я шлюха? Идет война, Шарль, даже если вы не желаете этого замечать, несмотря на все, что видите вокруг: черноту ночей, людское горе, очереди на улицах и ужасные эти плакаты тут, там, везде!..

Она указала на деревянные щиты, исписанные немецкими словами, которые и в самом деле наводняли Париж и которых он в самом деле не заметил. Что ей ответить? Ничего. Как объяснить, что он видел только ее и что, случись ему завтра повезти ее в Канны, он бы точно так же не заметил море, как не заметил немцев в Париже.

— Но я же только хотел обезопасить вас, убедиться, что никто за вами не следит, что...

— Не лезьте в это дело, Шарль. Очень мило, что вы решили меня проводить, но вместо помощи это оказывается помехой, так что лучше я обойдусь без вас.

Она встала. Краски понемногу возвращались к ней, и на фоне парижского неба, на фоне купола Инвалидов ее элегантное тонкое тело вырисовывалось недосягаемым предметом грез. Снисходительная ирония, звучавшая теперь в ее голосе, нисколько не облегчала его участи.

— Идите, встречайтесь с этими вашими тюремщиками или с приятелями (могла бы сказать «приятельницами», и то заманчивей). А вечером мы с вами пойдем ужинать в дорогой ресторан, где под салатами прячут бифштексы и громко-громко смеются. Все остальное вас не касается, вы мне и сами это объясняли.

С тем она ушла, не обернувшись даже, уверенная, абсолютно уверенная, что больше он за ней не последует, что он раскаивается и против своей воли попустительствует ее опасным приключениям. Он возвратился в гостиницу пожинать в одиночестве горькие плоды преданности.

Вечер, в который он рассчитывал дать волю чувствам и даже

любви, пришлось и в самом деле предоставить чувствам, но горестным. Ему оставалось только напиться, что он и попытался безуспешно сделать, приобретя у швейцара разорительно дорогой и преотвратный коньяк. Он лег рано и безнадежно трезвым, написал Алисе три письма с извинениями: одно страстное, другое саркастическое, третье жалобное, — разорвал все три и стал прислушиваться.

Алиса возвратилась около полуночи, к нему не зашла. Полчаса Шарль ждал в темноте, пока наконец все шорохи в соседней комнате не стихли. Тогда он поднялся и в халате пошел стучать в дверь из коридора, сам ужасаясь тому, что делает. Алиса не ответила, притворилась спящей, и он впоследствии был ей за это благодарен. В плохо освещенном коридоре, дрожа от холода и обливаясь по́том под дверью женщины, которой он докучал, Шарль Самбра с отвращением представил себе, что такой вот Самбра мог бы в другую ночь ломиться в дверь и выкрикивать имя вместо того, чтобы, как сейчас, лечь спать и не шуметь. В такую ночь родился бы другой Самбра, которого Шарль не уважал, который даже был ему заранее противен.

Глава 8

К утру погода испортилась под стать настроению Шарля. Он проснулся грустным, удивился этому, несколько минут не мог вспомнить почему. «Мадам ушла сегодня очень рано, месье Самбра», — ответил ему по телефону швейцар театральным голосом, оттенки которого Шарль смог бы оценить по достоинству, не будь он так поглощен своими мыслями. Само слово «мадам», просто «мадам», вместо обычного «мадам Самбра», означало восхищение и даже почтение к Алисе, в которой швейцар интуитивно признал светскую даму, хотя ему и не часто доводилось встречать таковых. «Ушла сегодня очень рано» содержало в себе сомнение, сигнал тревоги и толику сарказма. Спутницы Самбра, то ли от избытка усталости, то ли от избытка восторга, обыкновенно покидали номер после него. Наконец, торжественное и напыщенное «месье Самбра» выражало сочувствие, сострадание проигравшему и на всякий случай немного соболезнования и сожаления о том, чего больше нет. Люди уважают несчастья и не прощают успехов; чужое счастье трудно выносить долго, а потому, несмотря на щедрость Шарля, швейцар всегда смотрел на него косо. Впрочем, нельзя сказать, что сами по себе его интонации были неверны: восхищение относилось к Алисе, сомнение — к Шарлю, к нему же и сострадание. (Так нередко случается с самыми, казалось бы, рискованными комментариями событий независимо от того, исходят ли они от знаменитых историков или газетных сплетников, от консьержей или людей высшего света: в них всегда содержится некая схема, с истиной весьма схожая и в то же время от нее далекая, поскольку истина, как известно, слагается из нюансов; иными словами, те, кто обвиняет Кола Портера в том, что его «Ночь и день» заимствована из Пятой симфонии Бетховена — до, ре, до, до, до, ре, до, ре — бесспорно правы и абсолютно неправы.) Единственной ошибкой швейцара, но ошибкой капитальной, была игривость его тона, создающая образ легкомысленной женщины, беспечной, в коротеньком платье убежавшей выбирать себе в Париже драгоценности и меха. Дело обстояло иначе: Алиса спала очень скверно, ей снились кошмары, ей было страшно; не столько легок, сколько поспешен был ее шаг, уносящий ее, может статься, навстречу року. Тем не менее она в точности исполнила все указания Жерома: после несостоявшегося, сорванного по вине Шарля первого свидания позвонила в другую ячейку другой подпольной сети, назначила новое, встретилась-таки с членом организации — другом Жерома — и объяснила ему ситуацию. Они договорились, что он будет ждать ее на следующий же день неподалеку от конспиративной квартиры, и, если там не окажется ловушки, она приведет его и представит тем, кто их ждет. К сожалению, когда речь идет о людях, претерпевших столько злоключений, неисповедимыми путями пробравшихся сюда через объятую пламенем Европу, людях с истрепанными нервами и зачастую с разбитыми сердцами, недостаточно было просто представить, надо было, чтоб они поверили; Алиса не знала, добьется ли она успеха и удастся ли ей убедить их ехать дальше. Отсутствие Жерома делало ее миссию трудноосуществимой и подозрительной для тех, кто знал его, общался с ним, но в ней, в Алисе, видел скорее подружку, нежели помощницу.

Явившись в условленное место, она трижды обошла квартал, зашла в аптеку купить лак для ногтей, хотя он был ей и не очень нужен, но, как ни глупо, сама по себе покупка в последнюю минуту достаточно никчемной вещицы — которая, может, даже вовсе никогда уже не пригодится (кому будут интересны ее накрашенные ногти, когда она будет прикована к столбу с повязкой на глазах), — сама эта покупка, возвращавшая в беспечное прошлое, успокоила ее. Она решительным шагом направилась к дому номер 34 и вошла в подворотню.

Перед ней протянулась длинная галерея с чередой дверей по сторонам, на дальнем конце которой пламенели в лучах парижского солнца маки — полевые цветы, высаженные здесь консьержем-поэтом. Алиса медленно приближалась к чахлому садику, казавшемуся ей чудом, прекраснейшим из живописных полотен, самым красочным шедевром таможенника Руссо, и точно так же ей казалось перед каждой дверью, что из нее сейчас выскочит человек с ножом вместо лица и каменными зрачками, какие стали сниться ей по ночам. Дойдя до садика, Алиса не удержалась и сорвала мак, обокрав консьержа, обокрав землю, обокрав смерть. Она остановилась перед невысокой деревянной дверью, на которой имя жильца — Мигон — держалось четырьмя кнопками, и постучала три раза, затем два, потом опять три. Немного выждав, повторила стук, потом еще раз, зная, что так условлено, и все-таки волнуясь, что ей не откроют, и потому, в силу старинного, довоенного еще рефлекса, стуча с каждым разом все нервознее. Дверь распахнулась одним махом, и она отпрянула. Столь резким приемом она была обязана маленькому седому человеку в очках; он низко поклонился, представился месье Мигоном, улыбнулся и повел левой рукой, приглашая ее войти. Она переступила порог и тут увидела тех, кого пришла спасать, кому хотела не дать умереть. Их было восемь, нет, десять, нет, двенадцать: она сбилась со счету, взгляд ее перебегал с одной группы на другую. Двенадцать молчаливых фигур, почти безликих, почти без различий пола и возраста — их сравняли страх, жажда выжить, тревога и беды. То были самые ужасные и самые прекрасные лица, какие Алиса когда-либо видела. В первую минуту ей захотелось пасть перед ними на колени и долго и смиренно просить прощения за каждого из своих братьев-арийцев, так называемых арийцев, за каждого, кто во Франции, в Германии и других странах считал себя отличным от этих людей. Робость и самолюбие, по счастью, удержали ее, тем более что все вперили в нее взгляды, полные почтения и абсолютного доверия.

— Вы узнаете меня? — спросила она. — Я жена Жерома.

Слово «жена» вырвалось у нее невольно, она сперва подивилась живучести буржуазного инстинкта, но тотчас поняла, что только этим могла их успокоить. Поняла, что в период, когда все шатается и рушится, когда карточные домики социальных и человеческих законов, общественных устоев, критериев и табу взлетели на воздух, когда слова «приличие» и «добродетель» безвозвратно устарели, вышли из употребления и подходили женщине не более, чем солдату маргаритки на каске, этим людям спокойнее думать, что она жена Жерома, а не любовница.

— А я и не знала, что Жером женился! Как я за него рада! Он, вы знаете, так об этом мечтал! Он нам столько говорил, столько говорил о вас, Алиса, вот мне и Жан-Пьеру, — отозвалась очень красивая молодая женщина, указывая на своего мужа, высокого худого мужчину, и Алиса вспомнила, что Жером называл его лучшим архитектором площадей в Париже.

— А где сам господин Жером? — спросила, решительно выступая вперед, грузная матрона, в доказательство своей значимости державшая за руки двух малолеток, судя по физиономиям, сильно простуженных. — Он обещал мне спасти детей! Пусть он спасет детей! Мне самой все равно!.. — заключила она и, рыдая, опустилась на стул, как показалось Алисе, к великому стыду окружавших ее людей, собственных детей и хозяина дома.

— Послушайте, — сказала Алиса снисходительным и властным тоном, тоном старшей, нисколько не соответствующим истинному состоянию ее души, — послушайте, мы обещали, и мы это делаем. Жером участвует в исключительно важной операции, заниматься вами поручено мне. Мы несколько изменили планы, чтобы быть уверенными, что с вами ничего не случится. Если вы согласны, я сейчас приведу другого проводника и познакомлю вас. Вот. Понятно теперь? Все успокоились?

Она улыбалась, улыбалась особенно молодой женщине, которой Жером столько рассказывал о ней, говорил, что хотел бы на ней жениться; чудной он, Жером, всегда такой скрытный, а тут вдруг — доверчивый и, главное, полный надежд. Она не могла представить себя замужем за Жеромом, да, собственно, и ни за кем вообще. Как все-таки странно. Что ей здесь нужно, почему она оказалась в незнакомой обстановке, возле садика с маками, что делает вместе с женщиной, которая называет Жерома ее мужем, со всеми этими женщинами и детьми, которых какие-то дикие люди хотят убить? Что за безумие? Все это было слишком необычно, голова у нее шла кругом, ноги подкашивались. Молодая женщина, видимо, заметив ее состояние, поспешно подставила ей стул и усадила, надавив на плечи.

— Вы измучены! — сказала она. — Я Лидия Штраус. Жером, наверное, говорил вам о нас.

— Конечно, конечно, — солгала Алиса и закрыла глаза.

— Вы, должно быть, умираете от усталости, а мы тут глазеем на вас и даже выпить не предложили! — воскликнул старик Мигон, искренне расстроенный происходящим.

Он подошел к низкому буфету и достал бутылку старого-престарого бордо, старее его самого, если судить по покрывавшей ее пыли.

— Сейчас мы все вместе выпьем.

— Прекрасная мысль, — сказала Алиса. — Выпьем! Знаете, самое трудное уже позади. Теперь все уладится, главное, что мы сегодня здесь встретились, — договорила она и качнулась вперед.

Приклонив голову на стол, она полностью расслабилась: она понимала, что слишком натерпелась страху, она чувствовала, как тело ее разжижается, как волосы отделяются от черепа, как невидимые руки сдирают с тела кожу, чувствовала, что сейчас, сию минуту потеряет сознание.

— Бог мой, — охнула Лидия, — Жан-Пьер, помоги мне...

Они подняли ей голову, обтерли лоб водой, толстуха хлопала ее по рукам, сопливые дети глядели на нее сочувственно. Нет, они не были красивее других, не были хитрее других, не были злее, ничем особым не отличались, были такими же людьми, как она, совершенно такими же, разве что, наверное, менее смешными и, без сомнения, менее удачливыми. Она робко улыбнулась. К ее удивлению, понемногу заулыбались все, начали смеяться, сначала тихо, потом громче, громче, видно, даже слишком громко, так как любезнейший Мигон, поставив бутылку и стаканы, мигом оказался в середине комнаты, стал на цыпочки и поднял руки над головой, осаживая веселье, будто дирижер, призывающий музыкантов прервать концерт.

Погода разладилась на целый день; солнце сменяло ливни с такой скоростью, полосы мрака и света на тротуаре чередовались так быстро, что казалось, на Париж упала тень огромной зебры. Где это он такое читал? Любовь делала из него неудачливого соблазнителя и скверного поэта.

Официально Шарль приехал в Париж для того, чтобы вызволить из немецкого плена одного из своих инженеров. Он долго таскал из кабинета в кабинет свое брюзгливое и раздраженное настроение, отчего дела его продвинулись успешнее обычного, и, осознав это, он вконец вышел из себя. Теперь, стало быть, чтоб спокойно заниматься производством, прикажете лаять вместе с этими тевтонами и вслед за ними щелкать каблуками — в таком случае Жером прав: пора выставить наглецов-горлопанов из прекрасной Франции подальше. Что б он там ни говорил тремя днями раньше, повсеместное присутствие на улицах, в будках, в министерских коридорах солдат, постовых, часовых становилось в конце концов нестерпимо. К ним не привыкаешь, они с каждым разом только сильнее режут глаз, по нервам да и по гордости тоже. Естественная надменность немцев доставляла Шарлю меньше унижений, нежели их деланая любезность. Что-то было в них такое — то ли в натуре, то ли попросту в форме, — от чего Шарль обильно потел, хотя от природы был вовсе к тому не склонен, и выходил из их кабинетов обессиленный. Сама по себе забота о репатриации, о досрочном освобождении не могла его до такой степени измотать. В гостиницу он возвратился взвинченный и злой. Если так заводиться и дальше, то в один прекрасный день и в самом деле схватишь охотничье ружье и станешь прятаться по пампасам родного Дофинэ в компании желторотых юнцов. Хорошенькое мнение сложится о нем на фабрике у рабочих и у акционеров!

Было шесть часов, Алиса запаздывала, ну разумеется, ворчал Шарль, забывая о том, что если она кому и называла час своего возвращения, так только швейцару, и имела полное право опоздать. Половина седьмого, без четверти семь: обида Шарля сменилась беспокойством. Она, конечно же, совершила какой-нибудь безрассудный поступок и, несмотря на всех своих «друзей», возможно, сидела уже за решеткой во власти солдатни; Шарлю вспомнилось ледяное, каменное лицо одного постового, и холодная тошнота подступила к гор-

лу, он опустился на постель, дрожа, словно девица. «Где она? — повторял он. — Что это со мной творится? — переспрашивал сам себя. — Где она? Что со мной творится?» — оба вопроса звучали
одинаково жестоко. Трясущейся рукой он закурил сигарету, и в эту
минуту дверь соседней комнаты открылась, затворилась, и по паркету застучали шаги Алисы. Шарль глубоко затянулся, откинулся на
прохладные подушки, закрыл глаза, спичку уронил на коврик. Он не
помнил, чтобы когда-либо в жизни испытывал такой страх и такое
облегчение, облегчение, правда, преждевременное, ведь из двух вопросов он получил ответ только на один: он знал теперь, где Алиса,
но по-прежнему не знал, что с ним происходит.

Он курил в тишине, присутствие Алисы за стеной не волновало
его, не волновали ее планы, ее судьба, их судьба. Ему было хорошо,
он чувствовал себя усталым и спокойным, как очень старый человек,
и одновременно ему хотелось вернуться назад в свои десять лет, оказаться рядом с матерью на лугу за домом. Вся его последующая жизнь
была во всех отношениях лишь затянувшимся фарсом; услышав стук
в дверь, он испытал чуть ли не досаду. Он встал, открыл дверь, увидел лицо Алисы, взгляд Алисы и заново изведал, как приятно быть
зрелым мужчиной; в то же время он ощутил беспомощность и чувство протеста оттого, что, войдя в комнату, Алиса, как всякий раз, уничтожила тысячу Алис, созданных его памятью, его воображением, его
желанием, и те тысяча Алис сделались таким образом недоступными.
Все те гипсовые Алисы оказались бесцветными, безликими, скучными перед Алисой присутствующей, притягательной, прекрасной, не-
призрачной, непреложной и непредсказуемой. «Когда-нибудь она будет моей!» — в порыве нетерпения подумал он с несвойственной ему
банальностью: он не признавал игриво-презрительного отношения к
женщинам и ненавидел эту черту в других мужчинах. Но укорять себя
ему было недосуг: он витал уже где-то далеко, мчался, сам не зная
куда, но зато на всех парусах.

— У вас все в порядке, Шарль?

Голос Алисы звучал немного взволнованно, обеспокоенно. Он
улыбнулся ей. Между тем он чувствовал, как судорога искажает нижнюю часть его лица, образуя болезненную складку, очень похожую на
неприглядную гримасу, одинаковую у взрослых, младенцев и стариков, гримасу, предшествующую слезам.

Когда она вошла, он машинально поднялся, предложил ей стояв-
шее у камина кресло якобы в стиле регентства и тотчас снова опустился на кровать. Ноги его стояли на полу, руки лежали на коленях.
У него был вид провинившегося или, по крайней мере, пристыженно-

го школьника. От сознания того, что она провела день с пользой, Алиса преисполнилась снисходительности.

— Как ваши дела, Шарль? — улыбнулась она. — Удалось что-нибудь узнать об этом вашем инженере?

— Да, думаю, все уладится, — произнес он исключительно серьезно и доверительно, так что неуместность его тона сразу стала очевидна им обоим; они озадаченно переглянулись, причем Алиса готова была рассмеяться, а он — смешаться окончательно.

— Ну, тогда в чем же дело? — спросила она.

— Ни в чем, — отвечал он, машинально потягиваясь, словно был один, и, словно себе самому, добавил: — Ни в чем, кроме того, что я понял, до какой степени могу быть несчастен из-за вас. И что это не имеет никакого значения... то есть это меня не остановит.

— Как это не имеет значения? — прекокетливо рассмеялась Алиса. — Как это? Вы же созданы для счастья! Я не хочу, чтоб вы были несчастны.

— Докажите, — сказал Шарль без тени дерзости и даже нежно.

Он раскрыл дверь и отступил, пропуская ее вперед. Лампочка с таймером погасла прежде, чем они дошли до лифта. В полутьме Алиса обернулась к Шарлю и, удивившись, испугавшись даже, что он так близко, отшатнулась. На ее оборонительное движение он отреагировал только грустноватой улыбкой мужчины, связанного по рукам и ногам, — все это в конце концов начинало ее беспокоить. Она не хотела видеть Шарля проигрывающим и несчастным. Это ее пугало. Это причиняло ей боль и разочаровывало ее. Она почти сразу, возможно, даже чересчур скоро, привыкла держать оборону против Шарля, против его обольстительности, против влечения, которое он к ней испытывал. Обезоруженность противника приводила ее в замешательство. Да что ж это такое, она ведет себя как девчонка! Ей бы радоваться, что он наконец образумился! В эту минуту она поняла, что никогда не желала нейтралитета с его стороны, что нейтралитет был бы ей до крайности неприятен. Этот мелкий буржуа, жадный до жизни, естественный, подкупающе простодушный в своем мужском цинизме, оберегающий свой комфорт и свои ничтожные радости, этот мелкий буржуа воплощал для нее — на очень ограниченном поле, на котором она до сих пор никогда не играла, на поле физического наслаждения, — воплощал заманчивое приключение...

Темные коридоры и псевдороскошь гостиницы, швейцар с его непристойными шуточками, номера с чересчур широкими кроватями и скабрезными гравюрами XVIII века, приобретенными в универмаге «Бон Марше», открытый автомобиль и разноцветные кресла-качалки на террасе в Формуа — вся эта обстановка, пропитанная ложнопоэтическим, а на самом деле фривольным духом буржуазии, волновала ее. Волновала больше, нежели любая другая из тех, какие она знала до сих пор, более изысканных и более простых, изысканных той изысканностью, какую только большие деньги выкупают у роскоши, простых той простотой, какую только большие деньги уподобляют естеству. Изысканностью длинных дворцовых коридоров, удобных для встреч, невидимой и молчаливой прислуги, ковров, более мягких, чем постели, и еще пустынных лугов, закрытых лимузинов, в которых не видно пассажиров, девственных пляжей; если для того, чтобы заинтересовать публику, необходимо значительное состояние, то для того, чтобы освободиться от нее, требуется неизмеримо большее. Алиса принадлежала к иному кругу, нежели Шарль, и впервые подумала об этом только теперь, в самое, надо сказать, малоподходящее время: в разгар войны и нищеты. Подобные мысли никогда не приходили ей в голову по отношению к Жерому, но Жером чурался внешних отличий как своего круга, так и прочих. Если бы ее это волновало, она бы подумала, что с Жеромом может появиться где угодно, а с Шарлем вряд ли... И все же ей нравилась прыгающая на ветру прядь волос на голове Шарля, нравилось, что он гордится своим автомобилем и гостиницей, куда ее привез, и щеголяет своим чудовищным приталенным пиджаком. Не важно, хорошего или дурного вкуса были предметы, которые он любил, важно, что он любил их крепко... И вот теперь он готов был все разлюбить и страдать из-за нее. Это ошибка судьбы... если только не маневр хитроумного соблазнителя. Так или иначе, она не стала долго сопротивляться, когда он после тайного совещания со своим чудовищным сообщником — швейцаром заявил ей, что они будут ужинать под скрипки. Она даже согласилась подняться и отыскать на дне наспех собранного чемодана сильно декольтированное вечернее платье во вкусе Шарля и надеть его; Шарль между тем, обезумев от радости и позабыв любовные печали, затягивался в смокинг, сшитый по мерке лучшим портным Валанса.

Глава 9

Ресторан «Орленок» на улице Берри был, по словам швейцара и по циркулировавшим в Париже слухам, модным ночным заведением. Слаженный оркестр услаждал слух разнообразными мелодиями, а скрипач, выдававший себя за венгра, хотя всякий, невзирая на его упорные и необъяснимые протесты, легко угадывал в нем цыгана, пробирал до слез. Все тогдашние знаменитости, звезды кино, театра, литературы и прессы регулярно туда наведывались, будто для того, чтобы получить ausweis[1] на свою звездность. Немецкие офицеры из

[1] Удостоверение (*нем.*).

тех, что побогаче, приводили туда своих возлюбленных-француженок, а поелику музыка смягчает нравы, весь цвет Парижа премило проводил там вечера. Чтобы получить столик без предварительного заказа, потребовалась кругленькая сумма, но Шарль, расточительный от природы, был готов снять с себя последнюю рубашку, лишь бы потанцевать с Алисой, на две минуты заключить ее в свои объятия, ощутить ее тело, повести ее за собой в своем ритме, ну и в ритме оркестра тоже. Он давно об этом мечтал.

Он мечтал давно, но с той минуты, как он увидел Алису выходящей из комнаты в вечернем платье того же серо-голубого оттенка, что и ее глаза, увидел ее тело, обтянутое узким чехлом, оставлявшим обнаженным одно плечо и руку, его мечты конкретизировались, и, пожалуй, даже слишком: им овладело грубое, животное желание, болезненное и оглупляющее, усиливающееся от любого произнесенного Алисой слова, любого ее движения и взгляда. В ресторан вошел и между столиков проследовал за Алисой и метрдотелем немой. Голоса, смех, музыка, хрусталь, немецкие мундиры, смокинги, женщины — все сделалось никчемной и шумной декорацией, декорацией абстрактной и наспех расставленной вокруг единственного, что было в этот вечер реальным и осязаемым: вокруг Алисы, выступающей впереди него, Алисы, сидящей перед ним, Алисы, которую ему придется в один из ближайших дней взять силой, если она не уступит сама. Дрожащей рукой он раскрыл меню и обратил к ней такое расстроенное и такое бледное лицо, что она снова забеспокоилась:

— Вам нездоровится, Шарль?

В ответ он залепетал какие-то жалкие извинения, и Алиса снова от него отвлеклась, потому что и сама в эту минуту внутренне преодолевала малоприятные ощущения, не физиологические, как он, но столь же острые. В ней вызревала ненависть к этому ресторану, смешанная со страхом. За соседним столиком, позади Шарля, сидели два немецких офицера, одинокие волею обстоятельств и вполне пристойные, в отличие от прочих своих соотечественников. Алиса оценила изысканность их немецкой речи, а подняв голову, увидела, что оба недурны собой, что в глазах их нет ни надменности, ни презрения и что если они и скучают, то весьма корректно. Шарль между тем упорно продолжал избегать ее взглядов, избегал их вот уже час, собственно говоря, с того времени, как они переоделись.

— Вам, как видно, не по вкусу мое платье? — предположила она с улыбкой и наполовину искренне: она давно отвыкла чувствовать себя желанной. Прочитав на лице Шарля возмущение, она поспешно добавила:

— Вы не разговариваете со мной с тех пор, как я его надела, стало быть, оно вам не нравится?

— Оно мне слишком нравится, — выпалил Шарль. — Послушайте, Алиса, я вел себя как последний дурак, я знаю, я не привык общаться с женщинами, с такими, как вы, не привык влюбляться, — прибавил он, выдавливая из себя улыбку и поднося к губам стакан белого вина, пятый за последние десять минут и, вероятно, столь же малоэффективный, как и четыре предыдущих.

— Но, я полагаю, вам ужс приходилось влюбляться? — произнесла Алиса, тоже улыбаясь через силу, потому что теперь немецкий офицер в упор смотрел на нсе.

— Да, разумеется, — отвечал Шарль, — так мне, по крайней мере, кажется, но раньше меня это не страшило.

— Не потому ли, что вы были уверены в скором достижении цели? — спросила она. В голосе ее звучала грустная ирония, больно уколовшая Шарля. Она и вправду считала его деревенским донжуаном.

— Нет, конечно, — сухо парировал он. — Я не был уверен в ответной любви. Кто может быть в ней уверен? Но я не сомневался, что в любую минуту могу спастись бегством.

— А тут сбегу я?

Шарль принял предположение за утверждение — Алиса поняла это по его взгляду и неожиданно для себя самой взяла его за руку.

— Я бы сбежала, даже если бы любила вас, Шарль, я должна была бы уйти, вы сами это знаете.

— Ну уж нет, — решительно возразил Шарль. — Если б вы меня любили, вы бы не ушли. Никогда не поверю, что женщина может предпочесть идею мужчине! Мужчина — тот может, потому что мужчины глупы, а женщина — нет!

— Ошибаетесь, — прошептала она, едва шевеля губами, потому что поднявшийся из-за соседнего столика офицер направлялся к ним. Он остановился и отвесил низкий поклон.

— Могу ли я пригласить вас на танец? — произнес он с легким акцентом и исключительно галантно.

Шарль взглянул на него с изумлением. А ведь и вправду играл оркестр, люди танцевали, а он даже и не заметил. Шарль встал.

— Эта дама со мной, — сказал он коротко.

Офицер обернулся к нему и посмотрел в глаза. Это был красивый блондин с печальным, но оттого не менее высокомерным лицом, и желание полезть в драку охватило Шарля, возвратив ему на мгновение полноту всех пяти чувств. Наступило молчание, за время которого Алиса побледнела до полуобморочного состояния.

— Если дама с вами, — отозвался офицер, — тогда другое дело. Я только хотел проверить, достойны ли вы ее. Иные ваши соотечественники одалживают нам своих дам. Извините, сударыня, — сказал он, склоняясь перед Алисой, и развернулся на сто восемьдесят градусов.

Шарль сел, удивленный и слегка разочарованный. Он взглянул на Алису: к ней постепенно возвращались краски, она ответила ему улыбкой.

— Он совершенно прав, — сказал Шарль, — давайте потанцуем. Я ведь вас даже не пригласил танцевать.

С тех пор как Шарль Самбра достиг возраста, когда молодые люди посещают танцплощадки, он почитался если не изысканным танцором, то, во всяком случае, приятным кавалером. Он танцевал увлеченно и грациозно, темпераментно и достаточно технично; он избегал столкновений, не выделывал слишком сложных па, откровенно заботясь прежде всего об удобстве и удовольствии партнерши и не стремясь заслужить восхищение публики. Но Алиса рисковала остаться в неведении относительно танцевальной репутации Шарля и уж тем более не проверить ее на себе. Он обхватил ее, споткнулся и дальше упорно держал ее на расстоянии вытянутой руки, зажатый и жалкий. Он тяжело дышал ртом и бороздил площадку, точно старая кляча, слева направо, от центра к краю, без устали, то замедляя, то ускоряя шаг в зависимости от ритма. Алиса попробовала было в первом танго изобразить фигуру наподобие аргентинской и даже легонько откинулась назад на руку Шарля, но с изумлением, постепенно перешедшим в ужас, увидела, как он, точно завороженный, наклоняется вместе с ней, так что ей лишь чудом удалось извернуться и спасти их от совместного падения. Отказавшись в дальнейшем от пируэтов, она стала покорно оттаптывать вслед за партнером расстояние по прямой.

По ее подсчетам, они отшагали таким образом добрых пять или шесть километров, и на всем их протяжении она не уставала виновато улыбаться парам, которые расталкивал Шарль, по всей очевидности, не признававший никаких препятствий на своем пути. Форсированный этот марш порядком наскучил Алисе, и она подняла глаза на Шарля: тот насвистывал «Розовый цвет вишни и белый яблонь», в то время как трепетные скрипки в оркестре уже, наверное, в десятый раз выводили «Я сегодня одинок». Желая привести в чувство своего исступленного глухонемого партнера, она крепко сжала руки, лежавшие на рукавах его рубашки, и скрестила ноги — тогда Шарль окинул ее невидящим взором, замедлил шаг и наконец застыл прямо посреди площадки (чем заслужил недоброжелательные взгляды нескольких пар, и без того уже настроенных враждебно в результате неоднократно полученных толчков).

— Что вы сказали? — спросил он. — Я не расслышал.

— Я сказала, — прокричала Алиса, перекрывая распалившийся оркестр, — что если одна из ваших арабесок раскидает нас в стороны, мы могли бы встретиться за столиком. Вы не возражаете?

Он кивнул с серьезным видом. Что сказала Алиса, он не слышал. Вот уже полчаса он пытался скрыть от нее нелепое, неуместное возбуждение своего неподатливого тела, не показать этой изысканной женщине, что он дрожит, как изголодавшийся школьник. Он чувствовал, что ведет себя непристойно и смешно. Похоже, этот вечер, как и все путешествие, закончится крахом.

До этой минуты он старательно оглядывал стены ресторана, не решаясь опустить глаза на поднятое к нему спокойное доверчивое лицо. Метнув на него взгляд перепуганной лошади, он с вдохновенной и бессмысленной улыбкой уставился на оркестр.

— Что-то я не понял, — пробормотал он. — Вам не нравятся мои арабески? Они, наверное, старомодны?

Раскатистый смех Алисы его немало удивил. Она прямо-таки захлебнулась от хохота и теперь все еще сотрясалась и тихонько икала, уронив голову ему на грудь.

— Я пошутила, пошутила. Арабески? Боже мой, да я же пошутила, Шарль! Какие арабески?.. Мы уже четверть часа маршируем с запада на восток и с севера на юг!.. Уверяю вас, это была шутка. Какие там арабески!

Она смеялась так искренне и так весело, что и Шарль вдруг расслабился и залился смехом, правда, иным: в нем звучали нервное напряжение и облегчение одновременно, и оба, не сговариваясь, повернули к столику и с удовольствием сели. Каждый из них не понимал толком, чему смеется другой, они смеялись над собой, над двумя потерянными и чудовищными для обоих днями. Смеялись тому, что они вместе, а Шарль еще и тому, что снова стал самим собой, Шарлем Самбра, счастливым человеком. Он злился на того, другого Самбра, напуганного и униженного из-за пустяка. Злился, как на незнакомца. Но к досаде примешивался страх. Ведь вся его теперешняя прозорливость не могла помешать его смешному малодушному двойнику появиться снова где угодно и в любую минуту, вынырнуть невесть откуда и занять его место.

Тем временем по другую сторону стола Алиса смеялась, как дитя. Дитя весьма соблазнительное, но все же дитя, а потому его надлежало изумлять. И, как ни странно, позабыв наконец о своем мужском начале, Шарль снова почувствовал себя мужчиной. Он пил, танцевал, пел, касался плеча Алисы, ее щеки, ее волос. Одним словом, он флиртовал со всем вдохновением, на какое был способен, с использованием всех мыслимых и немыслимых приемов и советов, какие нашептывали ему, заключив между собой союз, его прошлое и настоящее. Алиса немного захмелела. Алиса опиралась на него в танце, от вина ее зрачки расширились, а губы чуть припухли. Алиса скоро будет принадлежать ему, не сегодня, так в другую ночь, если только на него снова не найдет комичный и страстный бред, если он не будет забывать, что она такая же женщина, как другие, тем более что, судя по всему, в последние двое суток он ей не слишком неприятен.

Под занавес оркестр заиграл мелодии тридцатых годов, мелодии времен их отрочества и первых влюбленностей, мелодии десятилетней давности, разбередившие в них воспоминания, воспоминания смутные и безликие, на каких не сосредотачиваются люди, счастливые в настоящем, меньше сожалея о том, что прошлое так безвозвратно далеко, нежели о том, что настоящее заставило себя так долго ждать. Воспоминания, в которых видишь себя танцующим, счастливым и грустным одновременно, видишь себя одиноким и коришь сегодняшнего своего партнера за то, что он не разделил с тобой ушедшую юность. Воспоминания сентиментальные, несправедливые и в высшей степени эгоистичные, побуждающие нас без малейшего цинизма сказать спутнику исключительно банальную, но предельно бесчестную фразу: «Почему тебя тогда не было со мной?» То есть упрекнуть нового возлюбленного за то наслаждение и то счастье, которое мы испытали с другими, будто в том проявился его изъян, а не наше собственное заблуждение, будто, ревнуя задним числом, он должен был пенять себе за опоздание, а не нам за поспешность. Подобная бесчестность, конечно, неосознанна и в общем-то естественна: кто же помнит, что алкал и искал, в ту минуту, когда нашел и насытился. В воспоминаниях мы сами себе представляемся дичью, одинокой, растерянной, затравленной и пойманной, хотя бы и с нашего же согласия. Никто никогда не помнит, что был одновременно и охотником. Мы забываем, что в любви — коли уж сравнивать ее с охотой — наступает минута, когда охотник и дичь меняются местами, как правило, к великому удовольствию обеих сторон.

Глава 10

Из-за комендантского часа кабаре закрылось без четверти двенадцать, а поскольку гостиница располагалась неподалеку, Алиса и Шарль решили вернуться пешком. Вокруг них сомкнулась голубая ночь, она была чем дальше, тем синей, темно-серые неосвещенные здания на Елисейских Полях с удивлением взирали на двух веселых одиноких прохожих. Улицы были пустынны, воздух не по-городскому чист: пока они танцевали, над Парижем пронеслись шквалы и ливни, и теперь он предстал им свежим, обновленным, сияющим. Ветер, видно, посвирепствовал изрядно, оборвал с каштанов молодую листву, и ее распластанная по мокрым тротуарам нежная зелень с негодованием глядела в небо.

Алиса запросто взяла Шарля под руку, по пустому городу они шагали в ногу, точно старая супружеская пара. Париж принадлежал им, Елисейские Поля плавно понижались в направлении их гостиницы. Алиса и Шарль скользили вниз, ноги их изныли от танцев, голос от смеха, уши от громкой музыки, глаза и губы от едкого дыма и плохого коньяка. Они вспоминали, смеясь, надменных оккупантов, угодливых метрдотелей и дам, одних — возбужденных и скованных, других — естественных и непринужденных. Шарль находил, что немцы вели себя вполне пристойно, если не считать несуразного приглашения того офицера, Алиса же находила пристойным поведение одного лишь этого офицера. Но спорить ей не хотелось: за много лет она не помнила, чтобы так хорошо провела время и чувствовала себя так молодо и весело. Разумеется, на нее подействовало вино и, кроме того, хорошее настроение, возвратившееся к ее едва знакомому, но бесхитростному и беззаботному спутнику — Шарлю. Однако никакое вино и никакой Шарль, думала она, не помогли бы ей еще год назад. Она выздоравливала, выздоравливала на глазах, у нее все еще поправится! Или, может, все дело в сознании выполненного долга, в преодоленном страхе перед зловещей подворотней, пересиленном минутном ужасе перед закрытой дверью, в первом выполненном задании, первом усилии, совершенном ради других, а не ради себя, усилии, направленном вовне, а не в ту взбудораженную и обволакивающую магму, в какую превратилось ее собственное сознание уже много лет, много веков назад.

Какой кошмар! Как она могла сносить это так долго? И как другие могли сносить ее, как мог Жером любить ее, вернее, как мог довести свой мазохизм до любви к ней? Вот! Вдобавок ко всему она еще называла мазохизмом и эксцентричностью безмерную нежность и нескончаемое терпение, в которых воплотилась необыкновенная любовь, и ненавидела себя за это, так же как давеча в ресторане не могла не презирать себя за то, что увлеченно отплясывала чарльстон, зная о гибели Тольпена, Фару и Дакса — трех лучших помощников Жерома. В ее жизни они лишь промелькнули, как три тени, три мужских силуэта с серо-белыми лицами, какие только и встречались среди друзей Жерома. Их расстреляли. Как рассказать об этом Жерому? Хорошо, по крайней мере, что сегодня она рисковала оказаться в их числе — это ослабляло чувство ее собственной вины, однако не делало их гибель менее болезненной для Жерома. Да нельзя же, в конце концов, смешивать свои мелкие эйфории и депрессии с судьбой страны и свободой родной земли, а ведь как раз этим она сейчас невольно занималась. Ах, если бы она могла хоть на минуту перестать думать о себе, только о себе! Перестать ныть и копаться в себе! Если б она только могла!.. Сделав над собой усилие, она прислушалась к Шарлю. Что он говорит?

— Если мы все-таки чудом каким-то выживем, — звучал голос у нее над ухом, — я поведу вас туда танцевать и пить настоящее шампанское. Только слабо верится, что мы уцелеем...

— Но вы-то почему? — воскликнула Алиса, шокированная, перепуганная мрачным обреченным тоном Шарля. Почему вдруг оптимист, не желающий к тому же вмешиваться в войну, предрекает им такой скорый конец?

— Почему? — рассмеялся он. — Да потому что я всего лишь человек, и вы это отлично знаете, — а вынести такое способен разве что верблюд.

Его спутница взглянула на него с неожиданным изумлением.

— О чем вы? — спросила она дребезжащим, испуганным старушечьим голосом. Голосом старухи, безнадежно цепляющейся за жизнь.

— Да я все об этой гадкой жидкости, которую нам выдавали за коньяк. — ответил Шарль. — Мы почти целую бутылку распили на двоих, а вы и не заметили?

У Алисы отлегло от сердца, причем так явно, что Шарль взял ее под руку и повел дальше, проговорив только: «Вот как?» — тоном, исполненным недоуменного сострадания, от которого Алиса едва не бросилась к нему в объятия со слезами на глазах. Едва не залепетала, словно героиня бульварного романа: «Мне было страшно, так страшно, так страшно». И еще она простодушно удивилась, обнаружив в себе вслед за способностью наслаждаться жизнью способность испытывать ужас при мысли о расставании с ней.

Произошло это на углу площади Согласия и улицы Руаяль. Тишина и темнота вмиг оказались мистификацией. Словно на гигантской сцене по мановению руки ополоумевшего режиссера прожекторы осветили безымянных статистов; грузовики с ревом затормозили на полном ходу, едва не задев обелиск, затем — что-то уж совсем несуразное — со стороны Сены раздались выстрелы и превратили мирный буколический город, уже два года как отданный фиакрам и пешеходам и двигавшийся в ритме девятисотых годов, в современную охваченную войной, чреватую опасностями столицу. Шарль держал Алису за руку. Он обалдело смотрел, как на них, слепя фарами, надвигается грузовик. Он успел лишь, повинуясь инстинкту, заслонить собой Алису от этих фар. Из грузовика выскочили два солдата в серо-зеленых гимнастерках с насупленными и бесчувственными лицами и наставили на них винтовки. В это время за спиной у них тоже раздались свистки, обернувшись, они увидели второй патруль («И чего орут, как кретины?» — буркнул Шарль) — у этих винтовки были нацелены не на них, а на бледную фигуру без возраста, с окровавленным, как они разглядели позже, лицом и связанными за спиной руками. Арестованного мотало от одного солдата к другому, те всякий раз грубо отпихивали его с хохотком и каким-то довольным подтявкиванием, будто псы на охоте. От одного особенно резкого толчка он пошатнулся и упал к ногам двух неподвижно стоящих офицеров, и вся свора застыла навытяжку. Алиса опустила глаза, она была бледна, она сжимала руку Шарля и, казалось, прислушивалась к чему-то далекому, гораздо более страшному, чем все, что видела сейчас, к чему-то давно ей знакомому.

— Документы, schnell[1], — говорил офицер. — Вы шли на встречу с этим человеком, nein?[2] Вы есть террористы? В машину, schnell, schnell...

— Да нет же, нет, мы идем из «Орленка», — раздраженно отвечал Шарль, — мы танцевали! Позвоните туда, вам подтвердят. Мы возвращаемся в гостиницу на улице Риволи. Вот мои документы.

— В машину, schnell, schnell, полезайте, schnell, — блондин ни с того ни с сего рассвирепел. Он только сейчас заметил Алису, скрытую прежде в темноте за спиной Шарля, и вид молодой, красивой, внешне невозмутимой женщины вывел его из себя. Пока Шарль раздумывал и вопросительно смотрел на Алису, словно у него был выбор, офицер мотнул подбородком, и свора бросилась на них. Они схватили Шарля под локти и, так как он стал отбиваться, швырнули к ногам Алисы одновременно с незнакомцем, пресловутым террористом, каковым он и сделался теперь в глазах Шарля; этот человек разрушил все: заинтригованное ожидание, и почти неприкрытое влечение Алисы к Шарлю, и хрупкую, очень хрупкую надежду Шарля провести с ней ночь в белоснежной постели гостиничного номера с шумящими под окнами каштанами парка Тюильри и зарей, встающей слева, над мостом Толбиак; зарей, завершающей их первую бессонную ночь, зарей, которую бы они, дрожащие, усталые и расслабленные, встретили вдвоем на балконе, мечтая о тысяче других таких же зорь. Вот что невольно разрушил этот несчастный, он и эти скоты со свастиками.

В грузовике пахло бензином, мокрыми тряпками, блевотиной. В нем пахло страхом, и Шарль тотчас узнал этот запах — запах фермы, где он укрывался со своим отрядом, когда они по глупости напоролись на танк, запах фермы, где погиб Леша. Впрочем, ехали они недолго.

Казарма на площади Святого Августина представляла собой без-

---

[1] Быстро (*нем.*).
[2] Разве нет (*нем.*).

образное помпезное сооружение, там даже и в этот поздний час попадались по коридорам лишь тщательно выбритые лица и щелкали каблуками до блеска начищенные сапоги. Коридоры тянулись бесконечно, холлы, лестницы; их сопровождала щетинившаяся штыками свора, в конце концов втолкнувшая их в белую комнату с ожидавшим хозяина кабинета письменным столом под портретом Гитлера. Солдат указал им на стулья, они присели, а террориста бросили на пол и за ноги поволокли в другое помещение. Потом его снова провели мимо них: лицо его было обезображено ударами, одежда изорвана в клочья, он держался руками за грудь, корчась от боли. Шарль предложил ему сигарету, тот попытался ее взять, силясь изобразить улыбку, но с разбитой челюстью не улыбнешься.

— Вам больно? — спросила Алиса.

Караульный огрызнулся на нее по-немецки, Алиса пожала плечами. Тут появился офицер в сопровождении другого чина — капитана: этот выглядел старше, спокойнее, а потому опаснее. Мужчинам он оглядел нижнюю часть лица, как смотрят скот. Алисе же, напротив, иронически и церемонно поцеловал ручку.

— Итак, — сказал он, усаживаясь за стол, — наряжаемся, значит, светским человеком, гулякой и отправляемся на свидание с террористами? — Эта речь адресовалась Шарлю. — Не так ли? Гуляем ночью по Елисейским Полям? Документы безупречны, с чем вас и поздравляю. Вы, кажется, изготовляете туфли из картона? — спросил он резко.

— Да, с тех пор как появились вы, — ответил Шарль. Он понемногу начинал ненавидеть этого типа и уже не мог хранить спокойствие, несмотря на безмолвную мольбу Алисы. Все равно ночь загублена, так хоть потешиться над этими тупицами.

— Вы замужем, сударыня?

— Да.

— Да, майн капитан, — поправил тот мягко. Он вообще был мягкий, слишком мягкий голосом, движениями, взглядом.

— Но не за этим господином? И не за тем, который тут был? — спросил он, указав сначала на Шарля, а после на следы крови на полу.

— Нет, — ответила она.

— Нет, майн капитан. Но это не составляет препятствия? — продолжал он, закуривая. — Вы гуляете с этим господином, и муж доволен? Или он не в курсе?

— Я разведена, — холодно сказала Алиса. — И муж мой проживает в США... майн капитан.

— Зачем же выходить замуж за американца, когда столько европейцев не чают в вас души? Не так ли, господин... господин Самбра? — произнес он, листая бумаги Шарля, а тот старался дышать чаще, чтобы успокоиться. — Я б и сам был рад — да и любой из нас — на вас жениться. Так зачем же было выходить замуж за американца?

«Куда клонит этот упрямый алкаш своими замысловатыми оборотами?» — спрашивала себя Алиса, почувствовав вдруг, что силы ее на исходе и нервы напряжены до предела. Она не думала сейчас о подполье и о том немногом, что было ей известно о Сопротивлении, не думала и о том, что ей необходимо на людях оставаться Алисой Файят, чью личность удостоверят в парижских салонах некоторые влиятельные снобы, которых невозможно заподозрить в бунте и в наличии мужества, но зато известные склонностью к фривольной жизни, каковая и почитается порядком в этом мире. Она была без сил, и абсурднейшая мысль, что вместо всего этого она могла бы сейчас лежать рядом с Шарлем в аляповатой кровати ее номера, пронеслась у нее в голове. Она взглянула на Шарля, увидела его напряженное, окаменевшее, стиснутое, мрачное лицо, серьезные внимательные глаза и нашла его красивым.

— Мой супруг был не американцем, а австрийцем, — сказала она устало.

— Стало быть, этот австриец оставил такую красивую женщину танцевать в Вене вальсы одну? Потому вы и развелись?

Он смеялся, но невеселым смехом, а шутки, похоже, были столь же тягостны ему самому, как и слушателям. Алиса отвечала ему чуть ли не сочувственно:

— Мой супруг был австрийцем, но он был также евреем, теперь понимаете, майн капитан?

Наступившая пауза продлилась несколько дольше, нежели предыдущие. Капитан, казалось, не мог перевести дух.

— Удостоверение арийки, — потребовал он сухо и без всякой игривости.

Алиса, неожиданно расслабившись, открыла сумочку, достала продолговатую бумагу со штампами и марками и протянула стоящему рядом солдату.

Офицер изучил ее, ни разу не взглянув на Алису, положил на стол и процедил, все так же не поворачивая головы:

— Полагаю, теперь вы предпочитаете арийцев? Или же вам недостает маленького шрама, который отличает евреев? Может, из-за него вы их и любили? Или вам больше нравились их деньги? А что уж там в карманах штанов, женщины особенно не разбирают? Achtung[1], — прорычал он, в то время как Шарль вскочил со стула и, перегнувшись через стол, схватил его за горло.

---

[1] Внимание (*нем.*).

В завязавшейся драке Шарль, разумеется, потерпел поражение, но все-таки не сразу. Алиса закрыла лицо руками при первом же обрушившемся на Шарля ударе и отняла их только тогда, когда стихло прерывистое дыхание дерущихся мужчин и звуки ударов по бесчувственному телу. Шарль наискось сидел на стуле, голова была откинута назад, волосы растрепаны; он дышал шумно и немного постанывал, струйка крови стекала к виску, склеивая блестящие, чистые, гладкие волосы; и, как ни странно, незначительный внешний ущерб потряс Алису намного сильнее, нежели болезненно искаженное лицо и хрипы. «Сейчас придем в гостиницу, и я вымою ему голову, — вертелось у нее на уме, — швейцар, надеюсь, даст мне горячей воды, в кране вода еле теплая, и я его как следует помою».

Шарля держали за плечи два солдата, тоже заметно потрепанные, а один — с фонарем под глазом. Когда Шарль открыл глаза, они вцепились в него еще крепче. Придя в сознание, он увидел Алису и машинально улыбнулся ей и уж только потом, заметив капитана за столом, насупился, как школьник. Все это выглядит пародийно, думала Алиса, и нереально.

— Стало быть, шуток не любим? — проговорил капитан, приближаясь к Шарлю. — Может, ты тоже еврей? Сейчас проверим.

Он сделал знак третьему солдату, тот расхохотался и, невзирая на брыкания и ругань Шарля, принялся стаскивать с него брюки. Алиса отвернулась: яростные крики Шарля раздирали душу и приводили в отчаяние.

— Поглядите, сударыня, и сравните с вашим мужем, — сказал капитан, а поскольку она не шелохнулась, добавил: — Или вы предпочитаете продержать его в таком виде до утра...

Она повернулась к Шарлю. Он стоял полураздетый, спущенные брюки лежали на щиколотках, рубашку и смокинг солдаты оттянули назад. Алиса увидела его потупленные глаза и униженное, пристыженное лицо.

Тогда она позвала его по имени самым соблазнительным тоном, на какой была способна. Встретившись с его глазами, которые он все старался отвести, она демонстративно опустила взгляд на нижнюю часть его тела, потом нарочито медленно подняла. С нескрываемым уважением одобрительно кивнув головой, она улыбнулась Шарлю сияющей, восхищенной, многообещающей и призывной улыбкой, улыбкой, которая повергла в изумление и бросила в краску как Шарля, так и его истязателей.

Они вышли только на рассвете, проведя в казарме еще три часа, понадобившиеся для того, чтобы влиятельнейшая госпожа Б... поручилась за светскую даму Алису Файат, а помощник начальника кабинета в Виши Самбра поручился за своего племянника Шарля Самбра. Когда они вышли на площадь Святого Августина, им чудом повстречался фиакр, доставивший их на улицу Риволи.

ГЛАВА 11

Всю дорогу до гостиницы Шарль не проронил ни слова. Он держал Алису за руку и мрачно насвистывал «Розовый цвет вишни и белый яблонь», совсем как пятью часами раньше. Пять часов! Всего пять часов назад! Алиса шла как оглушенная, однако у нее достало проницательности удержать Шарля за руку перед своей дверью, впустить его в комнату и, прижавшись к нему в темноте, проговорить: «Давайте спать», — нежно, но повелительно. Настолько повелительно, что поначалу он подчинился. Но и достаточно нежно, чтобы он осмелился ослушаться ее часом позже, как только тело его вновь обрело уверенность в себе.

Уже давно проснулась заря на белой, слегка подсиненной простыне неба; было уже совсем светло, когда Шарль разбудил Алису или она сделала вид, что пробуждается, и посмотрела ему в глаза, снова светившиеся восхищением. Он лежал на ней и вопрошающе на нее смотрел: ее серо-голубые затененные глаза, безоружные, испуганные, но не противящиеся ему, ранимые, уязвимые даже и для наслаждения, видели его, видели и приняли. Теперь он знал, что рано или поздно они познают истинное наслаждение, знал и улыбался от счастья, ликовал от предвкушения. Шарль слишком любил женщин и оттого в иных интимных вопросах был далек от тщеславия; он никогда не воображал, что сможет удовлетворить Алису, как, впрочем, и любую другую более или менее утонченную женщину, с первого раза. Он больше всего боялся, что вынужден будет любить Алису, не разделив с ней «этого» и не имея возможности об «этом» говорить. В предвоенные годы нравы сделались значительно свободнее, однако, если связь со случайным мужчиной, как у Алисы с ним, сделалась для женщины менее скандальной, говорить о наслаждении «после» по-прежнему считалось недозволенным, а уж если и говорили, то либо высокопарно, либо натуралистично, а он и то, и другое равно не терпел. Что же до неудач или полупровалов, их не признавали и тем более не комментировали.

Шарль уже знал, что если Алиса пока еще не любила его за «это», то по крайней мере она любила любовь. Приступ ревности оборвал на мгновение радость покорителя, омрачил его безумное счастье. Кто же до него, кто?.. Ну, уж во всяком случае, язвительно успокоил он себя, наслаждаться ее научил не Жером. Он подумал это с презрением и жестокостью, но сама мысль, что Алиса могла стонать от ласк Жерома, показалась ему столь же отвратительной и гротескной, сколь и невероятной. Мужчины, как мы уже говорили, вызывали у Шарля неприязнь, и Жером в первую очередь, Жером, которого он знал с детства, знал слишком хорошо — большой, костистый, белобрысый. Все победы друга — их насчитывалось, разумеется, меньше, чем у Шарля, но зачастую они были более лестными — не могли убедить его в обратном. Он не мог вообразить Алису и Жерома вместе. Как, впрочем, не смог бы представить себе Алису ни с кем другим, но, увы, речь шла не об игре воображения, а о реальном прошлом. И от всего, что влекла за собой красота и обольстительность Алисы и ее расположенность к наслаждению, от всего, что он знал и что открылось ему этой ночью, у него кружилась голова и захватывало дух от ужаса и волнения.

Алиса же, Алиса с самой первой этой ночи осознала, что не позволит себе сделать Шарля несчастным — равно как и Жерома, — и, напротив, она допустила, что сможет сделать его счастливым. И даже более того.

Около полудня он увидал рядом с собой повернутое к нему лицо спящей Алисы. Шквал счастья вмиг унес первое удивление. Где-то на уровне сердца произошел выброс адреналина и блаженства, погнавший по артериям и венам и заставивший биться в висках, на запястьях, на шее кровь, такую густую и неподатливую накануне в «Орленке» и такую легкую и быструю сегодня утром.

Шарль лежал на спине с открытыми глазами и в который уже раз пересчитывал лепные узоры потолка, получая все тот же неопределенный результат, что и накануне (целую вечность назад), когда он из глубины своего отчаяния, из мрака многострадального дня машинально предавался такой же нехитрой арифметике. Теперь он улыбался этому потолку, сделавшемуся вдруг благожелательным к нему, снова наконец просветлевшему, как и его судьба. Он уже начал было погружаться в счастливый сон, но воспрявшая ото сна Алиса, захлопав ресницами у него на плече, отвлекла его. Она резко поднялась, села на постели и уставилась на него с таким испугом, что он, хоть и обеспокоился, смеха сдержать не смог:

— Ну да, — произнес он, не осмеливаясь на нее взглянуть, — да, мы в одной постели.

В последнюю секунду он выбрал нейтральное «мы» вместо «вы в моей постели» или же «я в вашей постели», поскольку оба других местоимения были совершенно неуместны в этой не требующей подтверждения констатации. Она молчала, и Шарль переполошился: неужели она удивлена? Неужели она была до такой степени пьяна? Неужели злится на него смертельно? И он ей противен? Она сама себе противна? Он совершил гнусность? Эти и другие вопросы пронеслись у него в голове, прежде чем теплая шелковая пелена Алисиных волос легла на его лицо нежданным нежным занавесом, который, вопреки общепринятым нормам, опустившись, открыл второй акт драмы. Руки его сомкнулись на спине Алисы.

Чуть позднее, в одну из тех минут душевного покоя, какие следуют за физическим удовлетворением, когда чувствуешь себя бесконечно близким другому и притом бесконечно свободным, в одну из таких редчайших минут, когда дух, как кажется, наконец-то воссоединился с плотью в мудрости и интуиции и когда касаешься любимого тела без волнения, без обожания и без муки, а вовсе наоборот, с симпатией, Шарлю достало смелости — или достало естественности — рассказать Алисе о давешнем своем страхе.

— Я думал, — сказал он, — что мне надо бежать, укрыться в своей комнате, не докучать тебе моими желаниями и моим присутствием.

Он говорил беспечно, крутя в руках руку Алисы, сгибая и разгибая ее, любуясь игрой мускулов, рисунком вен, счастливый внезапно явленной — и, как он полагал, завоеванной — реальностью. Алиса лежала не шевелясь. Она глядела на собственную повисшую на конце руки кисть, как на посторонний предмет.

— Вы ошибались, — сказала она, — хотеть, желать, сметь — это не постыдно. Постыдно перестать желать, не хотеть, не сметь. В избытке нет ничего ужасного, ужасен недостаток. «Чересчур» — слово куда более пристойное, чем «недостаточно». Поверьте мне, я точно это знаю, я долго жила «недостаточным» и до сих пор этого стыжусь.

Он откинулся назад и закрыл глаза, он думал о том, что Алиса впервые обращается к нему не как к соблазнителю, а просто по-человечески. Между ними протянулась ниточка дружбы: такой дружбы, вкрадывающейся вослед наслаждению, он обычно остерегался, но сейчас, напротив, не мог и не хотел избежать исходящей от нее нежности.

— Почему ты это говоришь? — спросил он. — О ком ты думаешь? О Жероме или о твоем муже, Герхарде?

— Я думала о Герхарде, — призналась Алиса.

Она села на кровати, обхватила руками согнутые колени, положила голову на руки. Она была похожа на ребенка, и, как тогда в деревне, ему захотелось намазать ей бутерброд, велеть ей забыть все остальное, забыть мужчин, которых она не любила или любила недостаточно и которые слишком любили ее — не важно, в общем!.. они не сделали ее счастливой — мужчин, чье несчастье она теперь хотела возложить на себя.

— Расскажи мне, — попросил он. — Расскажи мне все, я хочу, чтобы ты мне все рассказала. Как только ты вошла ко мне в дом, я захотел, чтобы ты мне все рассказала, мне хотелось одновременно, чтобы ты не говорила ничего и рассказывала все. Говори со мной, Алиса, прошу тебя, говори. Кстати, можно я буду·называть тебя на «ты»?

— Вы можете говорить мне «ты» и делать со мной все, что хотите, — сказала она, уклончиво улыбаясь. — Но не сердитесь, если я сначала буду говорить вам «вы». Я не хочу причинять вам боль, Шарль, я хотела бы никогда не причинить вам боли, никогда. Знайте это. Я не хочу, чтобы получилось как с Герхардом.

— А что получилось с Герхардом? — спросил он, сам удивляясь спокойной ясности своего голоса. Герхарда он ненавидел с самого начала за то, что у него достало наглости, вернее, подлости бежать и бросить жену в стране, кишащей немцами, фашистами, сволочами — а сам, поди, преспокойненько устроился в коттедже на берегу Миссисипи...

— Получилось так, что я его уже не любила, а он меня любил; я, кажется, вам уже рассказывала, я, кажется, тебе, — поправилась она, — рассказывала, как они с ним обращались. И вот однажды вечером он вернулся домой с работы. Открыл дверь, захлопнул ее ногой и прошел прямо на кухню. Я за ним. Он был очень бледен. Открыл помойку, раскрыл свою сумку с инструментами и вытряхнул содержимое, все: шприцы, лекарства, стетоскоп, аппарат для измерения давления — все-все вытряхнул в помойку с очистками и отбросами, молча, без всяких объяснений. Потом он ушел к себе в комнату, а сумку бросил расстегнутой перед дверью. Я думаю, он не выдержал. Он, думаю, даже с нетерпением ждал последней своей операции, запланированной на следующий месяц, после которой, он знал, его тоже отправят на смерть. Мне в самом деле кажется, что с нетерпением.

— А потом?

— А потом приехал Жером. Взял все в свои руки. Не знаю, Шарль, известно ли вам это или нет, но Жером уже с тридцать шестого или тридцать седьмого года следит за всем, что происходит в Германии, за всем, что творили нацисты, начиная с тридцать третьего, и, рискуя жизнью, спасает людей, переправляет их через границу, чтобы спасти от гибели. Чаще всего это, разумеется, евреи. С Герхардом он познакомился случайно, кажется, в Байрете, и очень его полюбил. Короче, он уговорил Герхарда уехать, ему это удалось. В одну прекрасную ночь мы покинули Вену с поддельными документами, самым бана, а оттуда — в Америку.

— И вы не поехали с ним? — спросил Шарль, и очевидность превратилась таким образом в нескромный вопрос, но Алиса и не думала скрытничать. Заподозрив однажды Шарля в антисемитизме, она теперь ощущала себя виноватой и оттого не допускала других обвинений в его адрес. Он сделался в ее глазах окончательно и бесповоротно невиновным.

— Нет, — ответила она. — Я не поехала с ним, мы как раз разводились. Собственно, поэтому...

Она не договорила, и Шарль продолжил за нее задумчивым голосом:

— Поэтому он и вытряхнул медикаменты в помойку, поэтому закрылся один в комнате, оставив сумку валяться в коридоре. Понятно. Вы его больше не любили?

— Я его не... Не то чтоб я его не любила, я вообще никого не любила, — сказала Алиса с отчаянием. — Главное, я не любила себя, а это ужасно, поверьте мне. Я знаю, что мужчины думают о женских депрессиях; знаю, это кажется смешным, когда ты богата, молода, недурна собой и замужем за человеком, который тебе нравится. Я понимаю, что отчаяние в такой ситуации выглядит комично, но поверьте...

— Да я вам верю! — воскликнул Шарль с такой живостью, что Алиса вздрогнула. — Я вам полностью верю! Жерому я этого не говорил, но мой дядя Антуан, о котором я вам рассказывал, — я опять про дядю, подумаете вы, смешно, конечно, но я от него многое узнал, больше даже, чем он хотел, — так вот, мой дядя Антуан пережил депрессию. Это было ужасно. В конечном итоге, я думаю, он от этого и умер, потому что, когда человек хочет жить, он не умирает от бронхита. С ним это случилось вдруг: «затосковал», как у нас говорят. Перестал интересоваться чем бы то ни было: друзьями, погодой, охотой, а ведь заядлый был охотник, уж поверьте. И насчет женщин тоже! А как работу любил!.. — добавил он с сожалением, будто это качество, к его огорчению, не передалось ему, как прочие, по наследству, а потом продолжил: — Я знаю, что это за болезнь, поверьте мне, Алиса. Я видел, как он долгими часами просиживал в кресле и смотрел в окно. Я видел, как он в отчаянии ложился и в отчаянии вставал. Я ничем не мог ему помочь, я с ним почти и не говорил, чувствовал, что ему это скучно, хотя он только меня и любил на свете. Я видел, как он мучается, как бьется об стенку тихо-тихо, потому что даже и причинять себе боль ему было неинтересно. Верно я говорю, даже и убить себя не можешь? Нет, поверьте мне, Алиса, я знаю, что это такое: если я чего и боюсь на свете, так именно этого — разлюбить себя самого. Не то чтоб я себя особенно любил, — добавил он поспешно, — я к себе спокойно отношусь, иногда посмеиваюсь над собой.

Он говорил страстно и убежденно, а закончил очень тихо:

— Я знаю, я плохо рассказываю об этой болезни, мне ее не понять по-настоящему, пока сам не пережил... Я только хотел избавить вас от необходимости описывать ее мне... Я подумал, вам так будет легче... Наверное, я путано изъясняюсь, но клянусь, Алиса, я вовсе не нахожу эту болезнь смешной: я нахожу ее страшной.

Он замолчал; ему казалось, что он и в самом деле немного смешон и неловок, но он чувствовал, что допустил именно те неловкости, какие следовало. В глубине души он был даже горд и доволен собой. Он испытывал давно позабытое ощущение, что сделал другому добро; он привык заботиться о своих собаках, лошадях, о своих людях, как он говорил, о своих деревьях и лугах, но не о женщинах. То есть не о тех, кого он называл женщинами, пока не появилась эта и не воплотила собой нечто иное, нежели странную, смутную, полуабстрактную реальность. В голове у него существовал примитивнейший образ женщины, ничего общего не имеющий с легким, но обладающим весом существом, тихо посапывающим у него на плече. Алиса заснула или сделала вид, что спит, ничего не прибавив к его описанию болезни. Только время от времени она касалась приоткрытыми губами его тела, и он всякий раз трепетал от счастья, вздрагивал, как взрагивает всей кожей лошадь, ублаженная прикосновением хорошо знакомой руки.

Он забылся, как ему показалось, на мгновение, но проспал, должно быть, несколько минут, несколько долгих минут, потому что, когда он открыл глаза, она уже снова сидела в ребяческой позе, черные волосы падали на серые глаза, она силилась их сдуть, при этом губы ее складывались в презабавную мальчишескую гримасу, делавшую ее красоту более человечной, грешной, доступной.

— О чем вы думаете? — спросил он.

— Я думала о тебе, — ответила она, и от этого нежданного, нечаянного «ты» Шарля словно током ударило.

— О чем ты думаешь? — повторил он медленно.

— Я думала о тебе, как ты сегодня утром, там у немцев... Как ты... — И она вдруг невольно расхохоталась, как школьница.

— Да, я был смешон, — сказал Шарль. — Я думал, ты всегда будешь помнить меня таким: смешным, непристойным, брюки гармошкой на щиколотках. Что ты тогда подумала, скажи мне! — воскликнул он с внезапной яростью, и она перестала смеяться, рука ее коснулась лица Шарля и замерла: большой палец на щеке, другие за ухом, касаясь ногтями основания волос.

— Я подумала, что ты очень красив, — сказала она. — Загорелое до бедер тело — ты стоял очень прямо, — коричневые ляжки и 589

полоска белой кожи — это было очень, очень волнующе. Не будь там
«майн капитана», я бы так и свистнула от восхищения; впрочем, я,
кажется, это ясно показала?

— Да, верно, — отвечал Шарль, и шокированный, и испуганный
одновременно, — этот чертов улан тоже своим глазам не поверил.
Тогда ты и решила... решилась?..

— Нет, нет, — оттараторила Алиса фальшивым голосом, — решилась я, когда мы танцевали в ресторане.

Она откинулась назад, сдержанная, отстраненная: она наверняка
потешалась над застенчивостью Шарля, и это его задело. Недавно
еще у нее и в мыслях не было лечь с ним в одну постель, а теперь она
уже чувствовала себя в ней так свободно! Прежние возлюбленные
Шарля из числа приличных женщин поступали как раз наоборот: вызывающе вели себя до и дичились после, с первой же ночи превращая застенчивых ухажеров в циничных совратителей. «Интересно,
что ты теперь обо мне подумаешь» — такова была фраза, которую
Шарль слышал едва ли не чаще всего в жизни и никогда на нее не отвечал. Алиса не задает этого вопроса, никогда не задаст, никогда не
задавала. Может, дело в среде, в таком случае среда, из которой вышла она, лучше.

— Я хочу есть, — сказала Алиса, открывая глаза. — Где там их
гнусное пойло и гренки, сухие, как подметка?

Как раз постучали в дверь. «Войдите», — пренебрежительно
крикнул Шарль, однако же испуганно натянул простыню на обнаженные плечи и на лицо Алисы. Бедолага-официант поставил поднос, не осмеливаясь взглянуть на постель, и вышел боком, как и
вошел.

Завтрак они в конечном итоге сочли сносным, так же как и бутылку белого вина, за бешеные деньги доставленную сварливым
швейцаром — скорее, впрочем, просто жадным — в три часа вместе
с бутербродами с неизвестно чем; так же как и вторую бутылку, которую они выпили вечером. В отставленных недопитых стаканах отражались косые лучи заходящего солнца, а рассыпанные по простыням
крошки нисколько не мешали их блаженству. Они заснули очень
поздно, за весь день ни разу не встав с постели, даже и не подумав об
этом, поскольку, ни словом о том не обмолвясь, оба знали, что завтра
уезжать. И оба, словно бы они случайно встретились на перроне вокзала, говорили только о настоящем, ни разу не употребив будущего
времени.

С того дня Париж перестал быть в памяти Шарля столицей наслаждений, сделавшись средоточием счастья. С того дня, вспоминая
Париж, Шарль рисовал себе не солнечные дни, открытые кафе, бес-

численных женщин, не каштаны, оркестры, зори, не город, а только полумрак гостиничного номера и один-единственный женский профиль: сердце — плохой турист.

ГЛАВА 12

Поезд уходил только в полдень, но, следуя инструкциям Жерома, они уже в половине одиннадцатого прибыли на Лионский вокзал, правда, не без труда. Накануне они заснули очень поздно, измученные и, как они полагали, пресыщенные друг другом. Но ненасытный зверь любви, затаившийся в их телах и нервах, еще не раз будил их и снова бросал навстречу друг другу, причем никто из них не чувствовал себя инициатором объятий.

На подгибающихся ногах, с пересохшим ртом и бьющимся сердцем они долго бродили, мечтали, слонялись по перрону, потом по коридору поезда, потом наугад забросили в багажную сетку одного из купе чемодан с поддельными документами, который везли Жерому. Компрометирующий чемодан рекомендовалось держать подальше от себя, что они и исполнили послушно, хотя совесть их была неспокойна.

Затем они пристроились в малоприглядном грязном привокзальном буфете и заказали по цикорию; каждый с изумлением и состраданием взирал на сидящую напротив бледную и помятую тень жгучей ночной любви. Из глубины сумрачного пустынного буфета они видели, как далеко в конце платформы под стеклянной крышей сияет и разливается светлое, незнакомое деревенское солнце, напоминавшее им скорее о далеком детстве, чем о близком будущем. А ведь скоро, очень скоро, через несколько минут, поезд понесет их к этому самому солнцу, зелени, лету, траве, реке. Но они об этом не думали; притаившись за стойкой и за чемоданами, они сидели как две напуганные и недоверчивые ночные птицы, в то время как в памяти всплывали картины, затмевавшие все остальное, поскольку соответствовали их чувствам. В памяти всплывали моментальные снимки, отдельные кадры: простыня, тело, лицо, вздох, полутень, ослепительная тьма, блаженство; память их стала ночной, она отмела и стерла настоящее, будущее, воображение, разум и даже ослепительное солнце.

Ни он, ни она ни разу не упомянули Жерома, но голос в репродукторе, объявивший, что поезд задерживается более чем на час, прозвучал для обоих голосом ангела милосердия.

В купе, рассчитанное на шестерых, их набилось двенадцать, а сам поезд, казалось, мучился спазматическим прострелом, который они оба благословили. Между тем от невозможности говорить с Алисой и от скуки Шарль всерьез задумался над тем, что он намерен делать дальше. Как ему поступить? Ему или ей следует поговорить с Жеромом? Он не мог себе представить, что по приезде отведет Жерома в сторонку и поговорит с ним, как мужчина с мужчиной. Мужчина с мужчиной! Ну и выражение! И что он должен ему сказать? «Я люблю твою любовницу, и она меня тоже немного любит, во всяком случае, не возражает против моей любви». Такое решение он, не задумываясь, выбрал бы еще месяц назад, предпочел бы всякому другому, когда речь шла о его деревенских и лионских похождениях, но в данной ситуации оно казалось ему неприемлемым и вульгарным. Говорить, разумеется, следовало Алисе, а ее, должно быть, от этой мысли бросало в дрожь. Шарль ее понимал: из обойденного вздыхателя превратившись в удачливого соперника, он снова воспылал братской дружбой, симпатией и состраданием, какое всегда испытывал по отношению к Жерому и его несчастливым любовным приключениям. Судьба Жерома представлялась воображению Шарля узенькой, совершенно прямой тропинкой, светлой и печальной. Жером был, так сказать, наделен даром несчастья, и то, что на этот раз несчастье ему принес Шарль, было чистой случайностью, досадной, разумеется, но случайностью. С Шарлем или без него, Жерому все равно не удержать Алису, во-первых, потому, что женщины, которых Жером любил, всегда его оставляли, во-вторых — но этого Шарль еще и сам для себя не формулировал, — потому, что Алиса никогда не останется ни с кем. Такое интуитивное чувство временами бередило душу Шарля, но тотчас проходило, улетучивалось, как только он ощущал на своей руке запах Алисиного тела.

Шарль отдавал себе отчет в том, что везет своему лучшему другу женщину, которую тот безумно любит и которую он, Шарль, у него отнял, но вовсе не ощущал себя виновным: он чувствовал себя свидетелем, зрителем и телохранителем Алисы. Всерьез он боялся лишь одного: боялся, что угрызения совести замутнят начало их любви, их новорожденное счастье. В просвет между двумя плечами, чьей-то шеей и чемоданом Шарль встретился взглядом с Алисой. Он посмотрел на нее успокаивающе и ободряюще, и его глаза рассказали ей о состоянии его души больше, нежели длинная речь. Нет, не следовало ожидать от Шарля, что он будет мучиться и ставить себя на место Жерома. Шарль родился невинным точно так же, как он родился брюнетом, и невинным умрет, даже если волосы его к тому времени сделаются белыми как снег.

Он не понимал, что Жерому она обязана всем, что Жером с первого взгляда влюбился в нее без памяти и целиком посвятил ей свою жизнь уже тогда, когда она даже не подавала ему никакой надежды. Жером два с лишним года выхаживал ее, дежурил около нее часами в

Вене, в Париже, в поездах, в клиниках — везде. Жером ее выслушал, простил и оправдал. Жером разговаривал с ней, нянчился, как с ребенком. Жером помог ее мужу выжить, ей — найти смысл существования. Жером спас ее, ему она была обязана всем, он никогда от нее ничего не требовал и был безмерно благодарен, получив от нее ничтожно скромный подарок: ее тело. Жером всегда думал только о ее благе, а она... она намеревалась причинить ему самое большое зло, какое только можно было ему причинить.

Итак, она снова оказывалась в плену у принципов. Вся жизнь ее была нескончаемой борьбой, незримой, но ожесточенной, между условностями и ее собственной натурой. Будь ее воля, Алиса бы ничего не сказала Жерому, она бы уступала, предоставляла ему свое тело нежно, рассеянно, ласково, как делала это последние полгода, и отдавалась бы Шарлю со всей чувственностью, любопытством, радостью и даже уважением, какие пробуждал в ней этот человек. Жером не пришел бы в отчаяние, она бы не страдала, не чувствовала себя виноватой, и жизнь текла бы вполне гармонично. Но есть одно «но»! Оба мужчины — один распутник, другой гуманист, и тот, и другой почитающие себя терпимыми и умными, — не примирятся с таким положением. Делить ее? Нет, это невозможно! Какой абсурд! Чтобы делить, надо иметь, а и тот, и другой, наверное, понимают, что она не их собственность. Можно ли владеть человеком? Случается, что вы кем-то очень дорожите, и он вас этим держит, но лишь то время, что длится ваше к нему чувство. Человек не может кому-то принадлежать! А между тем Жером и Шарль готовы делить ее уважение, ее нежность, ее привязанность, но ни за что не пожелают делить ее тело, будто тело важнее души. Из-за этого абсурдного априори принципа она вынуждена причинить боль дорогому для нее человеку, из приличия вынуждена поступить жестоко.

Вся жизнь ее была сплошным притворством. В связь со своим первым мужчиной она вступила не по любви, а из любопытства. Забеременела от Герхарда не из потребности в материнстве, а случайно, по неопытности. Вышла за него замуж, щадя чувства ближних, а не потому, что хотела разделить с ним жизнь. У нее случился выкидыш в результате несчастного случая, а не потому, что она не желала ребенка и принимала какие-то меры. В Вену она переехала, чтобы не огорчать Герхарда, а не потому, что ей нравилась Австрия. Любовника завела, уступив, можно сказать, из галантности, а не по чувственному влечению. Нервная депрессия стала у нее следствием любви к жизни и разочарования. С собой она не покончила не потому, что держалась за жизнь, а из трусости, из боязни причинить себе боль.

Она позволила Жерому любить ее из страха перед одиночеством, а не для того, чтобы полюбить его в ответ. В Европе осталась и сделалась участницей Сопротивления из страха перед Америкой, перед неизвестностью, а не из мужества и протеста против зверств нацистов. Она отдалась Жерому из усталости, а не по влечению. В сущности, по естественной склонности она сделала в жизни только одно: отдалась Шарлю, потому что ей этого хотелось, потому что он ей нравился, потому что его желание передалось и ей.

И она останется с ним потому, что он ей по-прежнему нравится, смешит ее и вселяет уверенность в себе. Наконец, она впервые сделает что-то, потому что ей хочется это сделать; она оставит Жерома потому, что хочет жить с Шарлем, а не из жестокости. Что нет, то нет! Беспощадность поступка холодила ей кровь, и она ненавидела общество, принуждавшее ее к жестокости, почитая чудовищной саму возможность делить. Ну что ж, значит, она чудовище! Алиса была женщиной хрупкой и мягкой, все ее друзья, родные, супруг и немногочисленные любовники могли засвидетельствовать это от всего сердца, но никто из них не подозревал, какая неколебимая решительность наполняла эту головку, поддерживаемую нежной шейкой. Алиса никогда не позволила бы себя обмануть и сама бы осознанно не обманулась относительно собственных чувств и мыслей. Ей случалось смеяться над собой, изливать на себя яд холодного юмора за эту заносчивую наивность, которую она считала своим изъяном и которая уже довела ее до отчаяния, отчаяния неизбывного, поскольку самого себя питающего, неподвластны которому только наслаждение и смех, по сути своей неподконтрольные и абсурдные. По счастью для Алисы, в ее жилах текла ирландская и венгерская кровь, и оттого у нее эти две отдушины приоткрывались чаще, чем у других женщин; она всегда знала, какая именно склонность движет ею, а склонности эти были достаточно многочисленны и разнообразны, так что ей не было с собой скучно, если только она не предавалась саморазрушению.

Поезд ехал теперь с равномерной скоростью, до демаркационной линии оставалось полтора часа. Это сообщение пронеслось из вагона в вагон, из купе в купе, словно бы весь состав был длинной камерой на колесах с гуляющими по ней шепотком и напряженным ожиданием, какими полнятся тюрьмы. Пассажиры выказывали беспокойство, поглядывали на часы, на чемоданы; они иначе смотрели друг на друга: усталые, измученные взгляды субъектов, которым им подобные досаждают своим присутствием, сменились озабоченными, недоверчивыми и пуританскими взглядами людей, которых любой из присутствующих собратьев может скомпрометировать. Шарль, который уже два часа стоял, уцепившись руками за багажную сетку и прижавшись ногами к коленям Алисы, с изумлением увидел сверху, как лица сидящих позакрывались. Он не удивился, когда Алиса, ущипнув его за руку, знаком попросила наклониться к ней.

— Шарль, — прошептала она, — не могли бы вы... не мог бы ты посмотреть в том купе, знаешь, где мы оставили чемодан, что там за пассажиры, понимаешь... если вдруг...

Шарль понимал. По голосу угадал, на что намекает Алиса, и улыбнулся ей растроганно и весело, хотя заранее почувствовал себя разбитым при мысли о том, что ему придется пробираться сквозь людскую толщу коридора, отделявшего их от упомянутого чемодана. Однако он без возражений устремился этот коридор штурмовать. Путешествие заняло у него три четверти часа, даже больше, Алиса сидела уже бледная как смерть, когда он появился, взъерошенный, и всем своим видом успокоил ее. Наклонившись к ней, он прошептал:

— Я все внимательно осмотрел, на первый взгляд, я повторяю, на первый взгляд, в купе не было ни евреев, ни маленьких детей, ни возможных подпольщиков. Попахивало скорее черным рынком. Но поскольку там сидела толстуха-молочница, — прибавил он с улыбкой, — симпатичная такая, из тех, что на Рождество раздают хлеб беднякам, я сделал, что должно.

Он рассмеялся и достал из-за спины правую руку, в которой держал чемодан. Потом закинул его поверх беспорядочно наваленного багажа в сетке и взглянул на Алису. Она улыбнулась так благодарно, что он даже смутился.

— Вы бы все равно меня за ним послали, — засмеялся он громко, — а ходить по вагонам — сущий ад.

— Вам повезло, что вы его нашли, — сказала она вслух, и соседи, глядевшие поначалу заинтриговано и подозрительно, а теперь успокоенные его смехом, отвели глаза от запоздалого неблагонадежного чемодана. Алиса же взяла руку Шарля, опущенную на уровень ее лица, и прижалась к ней щекой. А Шарль, закрыв глаза, в порыве безумного восторга пожелал, чтоб их расстреляли вместе на следующей станции. Надо заметить, что желание умереть за компанию с кем бы то ни было возникало у него не часто... Насколько он помнил — только один раз, когда дочка галантерейщика променяла его на ученика старшего класса в день его, Шарля, четырнадцатилетия. Чудно́... Шарль никогда не думал, что от счастья возникают те же мечты, что и от горя.

Когда они подъехали к демаркационной линии, стояла угнетающая жара, и, открыв дверь купе, немецкий офицер скривился от отвращения при виде славного французского народца, скученного на сомнительно серого цвета банкетках и обливающегося по́том. Ни

один мускул не дрогнул на его лице, пока он проверял документы. **595**
Сам он был маленький, черноволосый, с лицом южанина, и отсутствие идеальной арийской внешности, должно быть, делало его злобным вдвойне: периодически он громко рявкал на всех сразу и ни на кого в отдельности. Он буквально вырвал пропуск из рук Шарля, отпустил несколько шуточек по-немецки, подбородком указывая на Алису, посмотрел на Шарля — тот с легкостью запутался, сочиняя историю про секретаршу, лживую от начала до конца, а потому как раз подходящую, — после чего с игриво-презрительной усмешкой, ко всеобщему облегчению, покинул купе. Никто не обратил внимания на натянутые и смущенные лица Алисы и Шарля. На пути в Париж они бы без всякого стеснения весело посмеялись над вульгарными шутками немца, теперь же сочли их непристойными.

Поезд наконец тронулся, но очень скоро стал пошаливать. Он икнул, остановился, качнулся назад, тронулся снова, снова остановился — и так всю ночь; машинисты и начальник поезда, по-видимому, ничего не могли поделать. В Валанс он прибыл только на рассвете.

Жером ожидал их, прислонившись к платану, а увидев, побежал навстречу с непосредственностью студента, чем внес смятение в душу и память Шарля. К счастью, Жером сохранил достаточно целомудрия и в присутствии друга поцеловал Алису только в лоб. Он так сиял, что Шарль нахмурился. А между тем Шарль был счастлив, он испытывал странное, неведомое ему прежде счастье при мысли, что снова увидит свои луга, дом, собак, испытывал подлинное облегчение оттого, что оказался в безопасности и что сюда, в безопасное место, целой и невредимой привез Алису. Ощущения тем более нелепые, что он-то сам ни на секунду не чувствовал себя в опасности, не считая той, что грозила его чувствам.

Поезд уже трогался, и на сей раз быстро, когда Шарль вспомнил про чемодан. Он сумел запрыгнуть в вагон и благополучно выпрыгнуть, но сердце его бешено стучало, а ноги сделались ватными. Похоже, он не помолодел, подумал он с радостью. Победоносно потрясая трофеем, он возвратился к Жерому — тот делал ему знаки, призывая к осторожности, однако, воспользовавшись его отсутствием, успел обнять Алису за плечи. К удивлению Жерома, Шарль резко и сухо сунул ему чемодан, вынудив прервать объятия. Жером вопросительно поднял брови.

— Извини, — сказал Шарль, — я просто без сил, совершенно без сил. Сущий ад, а не путешествие.

— Ну, а в остальном?

Глаза Жерома весело блестели, и на лице читалось такое неописуемое облегчение, что Шарль отвернулся, ужаснувшись себе самому. Это был первый укор совести, первый, минутный, но острый.

ГЛАВА 13

Старенький автомобиль ожидал их совсем рядом, развернутый, как, между, прочим подметил Шарль, носом к дороге, точно в детективных фильмах. Он собрался было сесть за руль, но Алиса вдруг проскользнула впереди него.

— Шарль, позвольте мне разочек повести ваш драндулет. Я ни разу в нем за рулем не сидела.

Они расселись, слегка ошарашенные, Шарль впереди, а Жером сзади с чемоданами, и Алиса тронулась с блеском. Шарля приятно удивило, что она даже скорости переключала без скрипа.

— У меня была в свое время «Тальбо Лаго», — заметила она, смеясь, и чуть слишком круто вывернула, объезжая велосипед. — Лет в девятнадцать-двадцать я даже выиграла гонки в Ла-Боль. В то время женщина за рулем была редкостью. Бог мой, до чего ж это было давно, страшно подумать...

— У вас нет более свежих впечатлений, нежели эта «Тальбо Лаго»? — спросил Жером мурлыкающим голосом.

— Сколько угодно, — опередил Алису Шарль. — Мы должны рассказать тебе море всего увлекательного. Чемодан набит фальшивыми паспортами, мы его положили в другой вагон, а потом Алиса испугалась, что из-за него кого-нибудь расстреляют. Пришлось мне идти за чемоданом. Представить себе не можешь, сколько я из-за него натерпелся, — добавил он игриво и в простоте своей с чрезвычайной неловкостью дружески похлопал Алису по лежащей на руле руке. Алиса вздрогнула, машину занесло.

«Хорошее начало, — подумал Шарль, — замечательное».

Предусмотрительная Луиза приготовила настоящий пир с настоящей яичницей, настоящей колбасой, настоящим красным вином и настоящим кофе на десерт. Она накрыла стол на площадке перед домом, и Шарль почувствовал себя наверху блаженства. Ветер тихо шелестел листьями платанов у них над головами, белесое рассветное небо голубело, обретая обычные для жаркого дня краски, после бурной встречи пес Блиц лениво трусил по гравию, издавая ласкающее слух шуршание. Алиса и Жером молчали, они, казалось, тоже наслаждались красотой утра, а также колбасой. Шарль бросил на них двойной взгляд: сначала, украдкой, на Алису, откинувшуюся в шезлонге с закрытыми глазами, затем дружески-сострадательный на Жерома, который сидел с открытыми глазами и глядел на край луга. Что и говорить, Алисе предстояло нелегкое объяснение.

А пока что Шарль находил себя безупречным: по отношению к

Алисе он держался настолько же отстраненно и сдержанно, насколько до отъезда был, как ему помнилось, взволнован и предупредителен. О Париже он упоминал мимоходом, будто они ездили посмотреть Эйфелеву башню, Триумфальную арку и дворец Инвалидов, об их подрывной деятельности он не обмолвился вовсе, поскольку этот, так сказать, сентиментально-исторический сюжет принадлежал Алисе и Жерому, а не ему. Сопротивление — их дитя, исходная точка и смысл их былого совместного существования, — так, по крайней мере, предпочитал думать Шарль.

Положа руку на сердце, он не мог не признать, что заведи Жером разговор о маршале Петене, Франции и оккупантах сегодня, возразить ему было бы трудно. Сегодня Шарль не смог бы противопоставить Жерому прежнюю иронию и флегматичность. Он слишком отчетливо помнил их приезд в Париж — в зловещий город с пустынными улицами. Что же касается памятной ночи, то, хотя развязка превзошла всякие ожидания, все предшествующее отложилось в памяти неизбывным кошмаром. Он не мог больше спорить с Алисой и Жеромом, ибо они были правы. С другой стороны, ему не хотелось лить воду на их мельницу, в особенности на Алисину. Все, что грозило опасностью ей — хрупкому созданию, недавно ставшему для него очень даже телесным, — опасностью, как он теперь понимал, совершенно реальной, — все это следовало отбросить подальше. Принципиальный оптимизм, питавший его воображение и память со времени окончания боевых действий, оставил его. Он был довольно воинственным мальчишкой лет до двадцати пяти, но с тех пор уже порядочное время ни разу не дрался. А главное, его уже порядочное время не били, грубо и дико, люди в форме. Представив себе, что к белому, нежному, теплому телу Алисы прикасаются — бьют его, терзают — мужланы, солдатня, садисты, он ужаснулся и вынужден был поднять на нее глаза, дабы удостовериться, что с ней ничего не случилось. Он чувствовал себя глупо, оттого что ему приходилось смотреть на Алису мельком и, быстро отведя глаза в сторону, разглядывать стенку, скатерть, собственные руки.

Жером между тем выглядел совершенно спокойным, говорил без напряжения и без увлечения, со свойственным ему флегматичным видом юного или не очень юного англичанина, видом, вызывавшим нарекания Шарля еще в колледже. Неплохо было бы, если б лорд в нем уступил место подпольщику и любовнику и он начал бы задавать вопросы — тогда на них можно было бы ответить, ответить правдой, какой бы жестокой она ни была. Шарль прекрасно понимал, что Алиса заговорит, только если ее вынудить. Она не способна была лгать, но не способна также и выложить всю правду с бухты-барахты, а надобно было, поскольку Шарль намеревался провести эту ночь в ее объятиях.

Шарль в нерешительности покачивался на стуле. Его природная лень и боязнь всяческих драм протестовали в нем против сцены, которую предстояло пережить, но впервые в жизни любовь оказалась сильнее лени; вспоминая о том, сколько раз он отпускал своих возлюбленных, возвращал их на время мужьям, лишь бы избежать истерик и упреков, Шарль со смехом и стыдом одновременно сознавал, до какой степени он был спокойным, покладистым и удобным любовником и как легко это ему удавалось. А заодно он удивлялся и тому, что в последние дни неизменно употребляет по отношению к себе самому прошедшее время.

— Полагаю, теперь я могу рассчитывать на рассказ, — произнес вдруг Жером, — и на рассказ обстоятельный. Для начала скажи мне, Шарль, кто тебе, бедолаге, поставил фингал под глазом? Неужели Алиса?

— Что ты, что ты! — воскликнул Шарль и с жаром замахал руками, прямо скажем, не к месту. — Немец один, немцы, в общем.

— Стало быть, ты дрался с немцами? — поинтересовался Жером простодушным голоском. — Ну и ну, прямо-таки пикантный анекдот...

— Вы нашли совершенно точное слово, Жером, — улыбнулась Алиса. — Уверена, что Шарль расскажет вам историю о двух подвыпивших гуляках, нарвавшихся на жандармов, нисколько в этом не сомневаюсь. Рассказывайте, Шарль, я не стану вас перебивать, но после расскажу по-своему.

— Я не собираюсь этого делать.

— Почему? — спросил Жером. — Ты боишься?

— Я боюсь? Чего я боюсь? — пронзительно запротестовал Шарль. — Чего, по-твоему, я должен бояться? Если бы ты услышал, как эти черти оскорбляли Алису, ты поступил бы так же.

— Какие черти? — Жером выглядел все более заинтригованным.

В разговор вмешалась Алиса:

— Чертями Шарль называет эсэсовцев, которые отвели нас на допрос в комендатуру на площади Святого Августина.

Жером побелел и вскочил с места.

— В комендатуру? Вас? И вы мне ничего не сказали! Ничего не сказали! Что произошло?

— Сейчас Шарль все расскажет. Ну же, Шарль, смелее! — подбодрила его Алиса.

— Я начну, но расскажу только до того места, как мы вышли из комендатуры, — произнес Шарль очень твердо. — Закончит Алиса.

И ему самому, и Алисе фраза эта показалась верхом безумия, они уставились друг на друга, не моргая, ошарашенные и готовые прыснуть со смеху.

— Вот как все получилось, — начал Шарль, запинаясь. — Я обещал Алисе повести ее танцевать, понимаешь, чтобы ее... ну, развлечь, что ли, и спросил у швейцара в гостинице... Знаешь гостиницу, где мы когда-то останавливались, то есть где я останавливался? Не знаешь? «Денди», на улице Риволи. Да знаешь ты, я тебе давал телефон.

— Давай ближе к делу, — перебил его Жером. — Что ты спросил у швейцара?

— Ничего. То есть я спросил у него, где можно потанцевать. Мы были в «Орленке» на улице Берри, последний крик моды. Там кого только не набилось: немцы, даже генералы, бизнесмены, один драматург, два актера, верно? — обратился он к Алисе.

Ее подчеркнуто безразличный и даже скучающий вид раздражал Шарля.

— Да, да, в самом деле, там были известные физиономии, — подтвердила она.

— Мы, значит, танцевали, — продолжил Шарль. — Что мы, кстати, танцевали? В общем, что они играли, то мы и танцевали.

— По правде говоря, — перебила его Алиса, — мы напоминали скорее благочестивых пахарей Милле, до Фреда Астера и Джинджер Роджерс нам было далеко. В первую половину вечера мы благодаря Шарлю пропахали по площадке добрых три-четыре километра без единой остановки...

— Вы преувеличиваете, — сказал Шарль, — мы же не все время так топтались, я потом наверстал упущенное.

— Да, слава богу, он немного выпил, — сказала Алиса Жерому, — немного выпил и позволил себе некоторые вариации и отклонения от маршрута. Потом, перед наступлением комендантского часа, мы пошли в гостиницу пешком, чтобы не прерывать тренировки. И тут нам попались немцы, вернее, мы им попались. Шарль, продолжайте, пожалуйста, я же обещала не вмешиваться!

— Эта женщина все искажает! — сказал Шарль Жерому. — Но ты меня знаешь, ты знаешь, что я танцую совсем недурно! Помнишь, я даже вышел в финал на конкурсе танцев... Как же он назывался, этот бал в Пантеоне? Помнишь?

— Послушай, — строго оборвал его Жером, — мне наплевать на то, как ты танцевал, меня интересует история с немцами, так что продолжай.

— Что продолжать? Ты уже все знаешь, все, — устало пробурчал Шарль. — Нас задержали, отвезли в Kommandantur, спросили, кто мы, откуда и все такое!

Я сказал, что мы идем из «Орленка», живем на улице Риволи. Они потребовали удостоверения личности, Алиса предъявила документы, из которых следовало, что она еврейка, ну, в общем, нет, что ее муж еврей, а она — нет. Тут они принялись отпускать шуточки насчет еврейской расы, скорее в стиле Геббельса, нежели Саши Гитри. А потом, — добавил он поспешно, — потом они нас отпустили, ну, там понадобилось еще засвидетельствовать, что мы добропорядочные французы и, следовательно, обожаем немцев. Вот.

— И кто же это засвидетельствовал? — спросил Жером.

— Госпожа не знаю как ее там — за Алису, а за меня мой дядя Самбра, который из Виши, заместитель Лаваля, что ли. Ты его знаешь, кретин этот, дядя Дидье. Мы с ним однажды на охоту ходили, не помнишь? Он даже и стрелять-то толком не умеет!

— Алиса, — взмолился Жером, — Алиса, он так никогда не кончит, объясните вы мне.

— Хорошо, я начну сначала, — сказала Алиса. — Из «Орленка» мы возвращались через площадь Согласия и на углу улицы Буасси-д’Англа оказались в одной подворотне с террористом, которого искали немцы. Они увидали его с нами, подумали, что мы его сообщники, и забрали нас для проверки. Один из них, посмотрев мои документы, стал грубо насмехаться над моей слабостью к Герхарду и вообще к мужчинам, подвергшимся обрезанию. Шарль возмутился и бросился на них, будто бы мы имели дело с нормальными полицейскими. Они его избили до потери сознания, и мы вернулись в гостиницу. Вот и все. А чтобы закончить со всей этой ерундой, я должна признать, что, выпив пять или шесть рюмок коньяку, Шарль оттаял, и мы восхитительно танцевали с ним пасодобль, танго, фанданго и вальс под аплодисменты публики.

Произнося последнюю фразу, Алиса в упор глядела на Шарля, всем своим видом показывая, что ему следует удалиться, и как можно скорее, что его дальнейшее присутствие нежелательно, но он победоносно смотрел то на нее, то на Жерома, довольный тем, что не ударил в грязь лицом. Невероятно, думала она, он совершеннейший безумец. Дурак. Он ей и в самом деле очень нравился.

— Хорошо, а что произошло после, после этой ерунды, как вы говорите, после Kommandantur, как ты сказал, Шарль? Что ты мне не хотел говорить?

Шарль перевел взгляд на Алису. Она прошептала:

— То, что я узнала позавчера утром, Жером, и что не касается Шарля. Не могли бы вы нас оставить? — обратилась она к Шарлю.

Он немедленно ретировался, а за спиной услышал тихий и дрожащий голос Алисы, называющий имена, ему неизвестные, но показавшиеся почему-то знакомыми, близкими, — Тольпен, Фару, Дакс, — а вся фраза жестокой: «Тольпен, Фару, Дакс расстреляны», — тем более что Алиса произнесла ее грустно и нежно, словно бы говорила: «Поверьте, я вас всегда любила».

Шарль был так измучен, что заснул мгновенно. Алиса же, наоборот, долго ворочалась без сна. А Жером, за трое суток напряженного ожидания уставший не меньше, чем они, растянулся под любимым с детства тополем.

Только не радовали его, как прежде, тысячи сверкающих на солнце пляшущих листочков, обещавших много-много счастья. Он ощущал одновременно облегчение и тошноту. Облегчение, оттого что Алиса вернулась живой и невредимой, и тошноту, оттого что испытывал облегчение, ведь теперь он знал — ему Алиса сказала, — он больше не сомневался, его предчувствия оправдались: Тольпен, Фару и Дакс погибли, расстреляны. Тольпен, рыжий, курчавый, краснолицый, веселый; Фару, неловкий, сдержанный, благовидный: не верилось даже, что такого могли арестовать; Дакс, с горделивым видом маленького человека глядевший будто сверху вниз на всех, кто выше ростом. Все они — три человека, которых Жером случайно повстречал на жизненном пути, потому что у них с ним были общие взгляды и общая убежденность в недопустимости иных вещей, — все трое были приговорены к смерти и казнены.

А он себе живет! Он, их, можно сказать, командир — в той мере, в какой он вообще мог чувствовать себя командиром, — он вот лежит, отдыхает под деревом, любуется листьями тополя, радуется, что его красавица возлюбленная вернулась к нему целехонькой. Хуже всего то, что его, Жерома, человека порядочного, чувствительного, ответственного, возможная измена этой женщины мучила в тысячу раз больше, нежели реальная гибель друзей. Смерть друзей повергала его в грусть и отчаяние, вызывала глухую мужскую боль от непоправимой утраты — потому что он, разумеется, никогда не забудет ни Тольпена, ни Фару, ни Дакса, — но в его памяти их образы сольются с его собственным, оставив отпечаток горечи пополам с гордостью. Напротив, об Алисе и Шарле он будет вспоминать с болью невыносимой, острой, назойливой, позорной, потому что она замешена на сомнениях, подозрениях и других низменных чувствах. В три отрывочных мгновения: в машине, на лестнице и в гостиной (совсем не те, заметим в скобках, о которых Шарль думал, что выдал себя), в три коротких мгновения у него промелькнуло ощущение перемены, произошедшей в отношениях Алисы и Шарля, и теперь, когда их не было рядом и он не пытался больше собирать доказательства за и против, — эти три мгновения множились и раздваивались перед глазами.

Он перевернулся, уткнулся носом в траву и яростно стукнул несколько раз кулаком по неподвижной, теплой, пахучей земле, которая вечно его отвергала. Сейчас он снова был уверен, убежден, что Алиса с Шарлем были близки в Париже, изменили ему, что она обманула его, что они счастливы и нравятся друг другу. Что Шарлю удалось то, чего не удавалось ему: доставить Алисе наслаждение. Шарлю, простачку, болвану и бабнику, удалось вырвать у женщины в тысячу раз более тонкой и умной, чем он, крики, которых так ждал, которые так надеялся услышать Жером. Но неужели в самом деле существуют мужчины, созданные для женщин, и женщины, склонные этим мужчинам верить, неужели и такая женщина, как Алиса, попалась в расставленную Шарлем низменную, водевильную, пошлую ловушку?

Мало того, она ведь еще станет объясняться с ним, говорить, скажет ему всю правду, скажет так: «Я очень сожалею, Жером, но это была чистая физиология. Я по-прежнему люблю вас, вы мне дороги, я вас понимаю, мне с вами хорошо, с Шарлем — это просто чувственность. Это несущественно, не будем ссориться, Жером». Неужели она настолько глупа и жестока, чтобы вообразить, что ему нужен прежде всего ее рассудок, душа, чувства? Неужели она не понимает, что для него, как и для любого мужчины, женщина — это прежде всего земля, глина, кровь, кожа, плоть? Неужели она не знает, что если тело без сердца — это не рай, то сердце без тела — ад? Неужели не знает, что ему случалось рыдать, пока она спала, рыдать от бешенства и отчаяния, от того, что она лежала в его объятиях такая нежная, спокойная, доверчивая? Ведь известно же ей, что женщинам бывало с ним хорошо и что в свои тридцать лет он умел отличить по их лицу и телу симпатию от наслаждения?

Или она считала его бесстрастным, неумелым, новичком, идиотом? Он сжимал в руках траву, пытался зарыться в землю подбородком, носом, лбом, бился о нее щекой. Чего бы он только не отдал — голову, десять, двадцать лет жизни, — чтобы хоть раз, один-единственный раз услышать от Алисы стон любви! Один только раз! Ради этого он был готов на все! Он почувствовал тошноту, рвотный спазм, только идущий не из горла, а из всего тела, перевернулся на спину, потом на бок, поджав колени к подбородку, обхватив голову руками, закрыв ладонями лицо, словно хотел скрыть ярость и омерзение ото всех, а поскольку вокруг никого не было, скрыть их от жестокого тупого бога, в которого он, впрочем, не верил.

ла фраза Ницше, над которой он в свое время любил порассуждать: «С ума сводит не сомнение, с ума сводит определенность». И он ус-лышал, как его собственный голос, на секунду было пропавший, про-изнес: «Жером, бедный Жером, ты же лежишь в зародышевой позе! В пресловутой зародышевой позе!» Разум его, не в силах более вы-носить смертельных страданий, принялся искать лекарство, успокои-тельное средство, что-то, что могло бы притупить мучительную боль, и нашел только одно: сомнение. Он задышал ровнее. Вернее, он про-сто снова стал дышать. Ей-ей, он сходил с ума, обалдел совсем! От-чего такой нервный срыв? Видимо, на него подействовала смерть друзей. Подействовали горе, волнение, укоры совести оттого, что его не было с ними. И еще страх, что Алису могли арестовать в Париже. В состояние страстного бреда его привели три бессонные ночи. У не-го слишком богатое воображение, это его порок, порок тяжкий, по-тому что воображение его чаще всего направлено было на беду. Если память у него была скорее веселой и ему вспоминалось чаще хоро-шее, то воображал он всегда худшее.

В нем жил кто-то, смешливый и доверчивый, готовый оболь-щаться и очаровываться. А рядом — кто-то другой, мрачный, отстра-ненный, терзаемый изнутри... Этот дуэт существовал всегда, с само-го его рождения. Только теперь ему казалось, что второй побеждает, и, хуже того, в нем крепло убеждение, что второй — пессимистич-ный — прав. Жером никогда не умел, подобно Шарлю, скользить по гладкой плоскости, именуемой счастьем; он ощущал нечто вроде хро-моты. Он и в самом деле был калекой, и война позволяла ему скрыть увечье. Жером это знал, боялся этого и желал: воссоединиться с людьми ему суждено лишь на виселице — корчащимся в судорогах телом и отлетающей душой. Все остальное — лишь погоня за обра-зом, за лубочной картинкой счастливого Жерома. Единственными минутами, когда жизнь била в нем, лилась свободно, точно молоко или вино, он был обязан Шарлю, своему антиподу, своему брату. Воз-можно, своему сопернику.

Глава 14

После двух бессонных часов Алиса наконец погрузилась в сон. Семь часов спустя ее разбудил автомобильный клаксон: Шарль, мир-но заснувший, как только голова его коснулась подушки, вскоре встал и уже успел съездить на фабрику. Возвращаясь, он надеялся в душе, что Алиса уже объяснилась с Жеромом, но у ворот его постигло раз-очарование: ставни все еще были закрыты. Тогда он принялся будить ее громкими гудками, для чего, выйдя из машины, нашел неправдоподобный смехотворный предлог.

— Луиза! — закричал он. — Луиза, я в конце концов передавлю всех этих птиц, если они будут продолжать бросаться под колеса! Отчего, скажите на милость, они так нервничают?

Повинуясь бессознательному рефлексу, Алиса вскочила с постели и бросилась к окну. То, что она увидела, вызвало у нее гнев и смех одновременно: Шарль размахивал руками перед капотом автомобиля и перед носом растерянной Луизы, укоризненно смотревшей на своих кур — те, между прочим, мирно паслись во дворе — и перемежавшей «цып, цып, цып, цып» с незаслуженным ворчанием. Сквозь щели ставен Алиса глядела на своего возлюбленного, на его черные волосы и длинную-предлинную в закатном солнце тень и удивлялась так скоро сложившемуся у нее ощущению близости и привычности.

— Вы думаете, погода еще продержится? — во весь голос кричал Шарль ошеломленной Луизе. Столь нелепый вопрос он задавал впервые: небо было чисто и безоблачно на всей протяженности с запада на восток. Луизе не приходило в голову, что Шарль попросту искал предлога, чтобы поднять голову и сквозь ставни увидеть Алису в окне. Он вел себя как провинившийся: с самого своего приезда он всячески строил из себя невинного так усердно, что мог в кого угодно заронить подозрения. Он старался изо всех сил и совершенно понапрасну, поскольку все равно необходимо было открыться Жерому.

Ну а она сама, думала Алиса, оборачиваясь к туалетному столику, она-то что делала со времени приезда: молчала, уклонялась от разговора и тем обманывала Жерома еще больше. Однако на ее отражении в зеркале муки совести не запечатлелись: у нее была розовая, чуть загорелая кожа, широко открытые сияющие глаза и насмешливое, несмотря ни на что, выражение лица, молодившее ее на десять лет. Она удивилась и тотчас удивилась своему удивлению. Давненько не смотрелась она в зеркало и не радовалась благотворному влиянию чувственности на свой внешний вид. Она улыбнулась сама себе и тут же пришла от себя в ужас, вообразив лицо Жерома во время их объяснения, которое должно было состояться через час или два, самое большее — три. Она представляла себе лицо своего любовника и друга, такое ранимое при внешнем спокойствии и холодности. Лицо это обезобразится, черты исказятся, губы задрожат, все, что составляет его личность, все, чего он достиг упорством: его великодушие, доверчивость, сдержанность, стремление к совершенству, требовательность, — все это разом стушуется, сделается гадким, жестоким, неприличным, точно слишком густой грим на лице старой кокетки, растекшийся от жаркого солнца. Жером к тому же не станет реагировать, как реагирует большинство мужчин: Алиса знала, что он не способен на низость, не способен на драку, скандал, мольбы. Как он поведет себя, что станет делать?

Тут она увидела свое с головы до ног отражение в зеркале-психе и в ту же секунду поняла, что выбора нет, как нет и сомнений. Сегодня ночью она будет спать в объятиях Шарля, и точка. Это ясно как день. С каких это пор желания, импульсы, запросы и неприязни Алисы стали столь очевидными? Разве такими они были раньше? Во всяком случае, на этот раз она им последует, послушается своего тела, а не маниакального измученного мучителя, каким был ее разум. С ненавистью к себе она закрыла глаза и в ту же минуту почувствовала себя спасенной. Спасенной через желание, которое испытывали к ней эти двое мужчин, два каждый по-своему красивых, «два слишком красивых самца для одной безмозглой бабешки», шепнул ей давно уже молчавший саркастический голос. Из яростных трагических битв подсознания она окунулась в бульварную мелодраму. Жаль только, что это происходит во время войны, когда все кругом убивают друг друга, и никому в голову не придет убивать из-за женщины — так, по крайней мере, она надеялась. И на нее снова накатил приступ безудержного, неуместного и непроизвольного внутреннего смеха. Она представила себе, как Шарль и Жером снимают со стены старинные кавалерийские сабли, принадлежавшие некоему дедушке, убитому при Райхшоффене, и в белых рубашках сражаются при луне, а она стоит у окна, бесстрастная, безучастная, аплодирует удачным выпадам, чтобы потом, порыдав над телом умирающего, броситься в объятия победителя...

Да что с ней такое? Вроде бы она еще не пила, так что же ударяет ей в голову и откуда эта бездумная веселость? Неужели в ней два года дремала голодная, неутоленная самка, ожидавшая объятий более удачливого самца для того, чтобы вернуть ей радость жизни? Жизнь, счастье, равновесие — неужели все это покоится на столь примитивных основаниях? Поиски Бога и смысла жизни — неужели они провоцируются железами внутренней секреции? Она не могла ответить на этот вопрос, но, в сущности, он ее не слишком беспокоил, коль скоро и железы и метафизика были в порядке. Все шло хорошо, счастье, оно безгрешно — она это всегда знала; оттого-то, потеряв его, и впала в такое отчаяние. В этом мире только несчастье не прощается. А несчастье обрушится не столько на нее, сколько на Жерома. Он ее выходил, а она вместо благодарности заразит его своей чудовищной болезнью. По крайней мере, говорила она себе с жестокой искренностью, по крайней мере, он будет знать, из-за чего страдает и из-за кого, а это уже огромное преимущество, которого он, разумеется, не сможет оценить.

Она вошла в гостиную и остановилась на пороге: Жером лежал на своем излюбленном диване, обтянутом потертой материей, видимо, расписанной некогда цветочками в стиле Луи-Филиппа, увядшими еще при своем появлении. Его длинная рука свисала на пол, и зажатая в длинных пальцах сигарета почти касалась лакированного паркета. Она присела на край дивана и поглядела на него, словно бы он был совсем другим Жеромом, Жеромом, которого она оставила, Жеромом, которого с ней нет. Она смотрела на него, но между ее зрачком и лицом Жерома вставали десятки кадров. Жером в Спа, Жером в Байрете, Жером, склонившийся над ней в клинике, Жером, обнимающий Герхарда за плечи на мосту, Жером удивленный, сияющий в гостиничном номере в Вене, Жером решительный, уверенный в себе с другими и запинающийся в ее присутствии. Эти картины на большой скорости проносились у нее перед глазами, как в скверном фильме, где, желая показать течение времени, снимают разлетающиеся по ветру листки календаря; эти картины закрывали от нее лицо, долгое время бывшее ее единственным прибежищем и для которого, она знала, не существовало в мире иного лица, кроме ее собственного.

Как сказать ему, как? Стыд, злость на саму себя, отчаяние терзали ее, и слезы подступали к глазам. Жером истолковал их по-своему, приподнялся, наклонился к ней, обнял ее. Она прильнула к нему, положив голову ему на плечо, как делала это сотни, тысячи раз, закрыв глаза, вдыхая запах его одеколона, такой знакомый, почти родной, увы! На шее у него был повязан белый с красным шарфик, купленный ею у Шарве в один из последних дней, когда еще продавались шелковые шарфики, красно-белый шарфик, с которым он никогда не расставался, никогда не терял, который был ему дороже всего остального гардероба, шарфик, символизирующий скрытый романтизм, идеализм и страстность его натуры.

— Жером, — простонала она с закрытыми глазами, — Жером, мне так грустно, Жером!

Он слегка приподнял лицо, она ощутила щекой прикосновение его чуть шершавой, привычно теплой щеки, почувствовала, как напряглись желваки, и в ту же самую минуту услышала слова:

— Я знаю, Алиса, знаю, вы их тоже любили. Вы были мало знакомы, но они вас просто обожали. Они считали вас очень красивой и завидовали мне, называли счастливчиком. Это я-то счастливчик! — усмехнулся он. — Раньше мне такое и в голову никогда бы не пришло! Но с вами, да, я действительно счастливчик, Алиса!

— Жером, — выпалила она скороговоркой и очень тихо, — Жером, выслушайте меня.

— Мне было так одиноко без вас, — продолжал он. Она чувствовала щекой неумолимую работу его желваков, а также всей головы, не желавшей понять, представить себе, вынести то, что она собиралась ему сказать.

— Мне было так одиноко, я так боялся за вас, вы представить себе не можете, как я боялся. Я вас даже не поцеловал. С тех пор как вы приехали, я вас ни разу не поцеловал! А ведь я мечтал о вас трое суток, четверо, не знаю уже сколько, вечность...

Он запрокинул лицо Алисы и, судя по всему, нисколько не удивился, увидев ручеек теплых, частых слез, стекавших на подбородок, шею, блузку, слез, прямо-таки брызгавших из-под опущенных ресниц. Он не стал задавать вопросов, а наклонился над ее заплаканным лицом и приник губами к ее губам, которые дернулись, сжались, а потом вдруг раскрылись с рыданием, на что он впервые не обратил внимания.

В эту самую минуту вошел Шарль и, как в водевиле девятисотых годов, застал их в объятиях друг друга. И он, как в водевиле, но водевиле каменного века, стукнул себя кулаком в грудь, затем испустил глухое рычание, бросился на Жерома, опрокидывая мебель на своем пути, и буквально оторвал его от Алисы, а та, не поднимая головы, соскользнула на диван, не проронив ни слова, ни звука, с закрытыми глазами, обхватив голову руками, чтобы ничего не видеть, ничего не знать, ничего не слышать. Прокатившись по полу, Шарль и Жером стали медленно подниматься друг против друга, чувствуя себя глупо и сконфуженно, что делало их впервые очень и очень похожими друг на друга. Два пещерных человека, промелькнуло в голове у Жерома, и в ту же секунду последняя безумная смехотворная надежда, что Алиса по-прежнему принадлежит ему одному, трепыхнулась и угасла.

— Ты с ума сошел, — сказал он Шарлю, — сошел с ума, что с тобой?

— Ты не имеешь права, не имеешь права, она моя, — ответил Шарль.

Он обливался по́том, и сквозь загар было видно, как кровь прилила к его лицу.

— Она моя, — выпалил он резко, жестко, — ты больше не имеешь права к ней прикасаться! Моя, слышишь! Моя, Жером!

Он замер, быстро взглянул на Алису, по-прежнему прятавшуюся за своими руками, затем на Жерома, неподвижно стоявшего на месте; они застыли все трое в нелепых испуганных позах, точно горемычные помпеяне.

— Что это значит? — спросил Жером. — Алиса, Алиса, что он говорит?

— Я вам все объясню, — сказала Алиса. Она медленно открыла лицо, и руки ее соскользнули на колени с изяществом, неосознанно отмеченным обоими мужчинами.

— Алиса, — спросил Шарль, — Алиса, он не сделал вам больно?

Она улыбнулась. Улыбнулась его исключительной и вместе с тем встречающейся довольно часто доверчивости: полюбив женщину, Шарль, как видно, не мог вообразить себе, чтобы она изменила ему по своей воле.

— Нет, — отвечала она, качая головой, — нет, он не причинил мне боли. Нисколько. Прошу вас, Шарль, оставьте нас, я должна поговорить с Жеромом.

— Погоди, — остановил Жером направляющегося к двери Шарля и пошел ему навстречу с опущенными руками. — Подлец, — процедил он сквозь зубы, — ничтожный подлец. Дерьмо. Ты всю жизнь только этим и занимался! Жулик, бабник, обманщик. И трус в придачу! Иди отсюда, подонок!

Голова Шарля моталась справа налево, словно под ударами. Он закрыл глаза и не отвечал. И только когда Жером замолчал, он развернулся по-военному и быстро вышел.

ГЛАВА 15

Когда Жером шагнул на Шарля, Алиса инстинктивно встала и простояла, пока тот не вышел. Теперь Жером повернулся к ней лицом, оба ощущали боль от разделяющего их пространства, от их трагикомического положения и банальности разыгрывавшейся драмы. Алиса впервые видела Жерома в роли, его недостойной, и происходило это по ее вине. Ее охватило отчаяние. Ей хотелось обнять этого старенького мальчика, серьезного, ответственного, но ведь и ранимого. Что она ему скажет, что тут можно сказать? Сам он был не настолько жесток, чтобы оскорблять ее, и не настолько глуп, чтобы упрекать. Он молчал, в глазах его читалось настороженное ожидание и паническое недоумение.

— Извините меня, — произнес он наконец прерывающимся и более низким, чем его обычный баритон, голосом, — извините меня, Алиса, я хотел бы сесть. Все это так тяжело...

Он повел рукой, указывая на гостиную, где окончилась его великая любовь, и на мир за окном, где повсюду нагромождались трупы.

Так мало места... мы, в сущности, занимаем так мало места, думала Алиса, на этом огромном шаре, где раскручиваются и закручиваются наши судьбы. Когда стоишь, занимаешь ничтожную площадь, не больше поломанного фонаря, эдакий цилиндр диаметром в восемьдесят сантиметров, а высотой — в метр или два, не более. Потом, когда положат, будет наоборот. Если бы тела не разлагались, Земля была бы покрыта многими слоями умерших мужчин и женщин.

Алиса любила обрушивать на Жерома такого рода разглагольствования, а он находил их нравственными, поэтичными и не лишенными юмора. Шарль бы от подобных бредней отшутился или же с карандашом в руке принялся бы за хитроумные вычисления и в результате с гордостью объявил, что Земля в таком случае увеличилась бы на метр в окружности. Да о чем она думает? Что за дурь лезет в голову в то время, как Жером стоит перед ней, страдает из-за нее, а сама она с трудом сдерживает слезы? Что за неумолимый бесчувственный зверек поселяется время от времени у нее в голове и хозяйничает там?

— Послушайте, Алиса, — сказал Жером, глядя на воображаемый огонь в камине, по счастью, не горящем, потому что, несмотря на закрытые ставни и наступающий вечер, она слышала, как гудит от зноя гравий и беззвучно полыхает трава.

— Послушайте, — говорил Жером, — расскажите мне по порядку все, что произошло.

— Шарль все рассказал верно, — ответила она полушепотом, словно бы в комнате повсюду были расставлены микрофоны. — Часов, наверное, около шести мы вышли из комендатуры, каким-то чудом нашли фиакр, ведь было очень поздно: уже занимался великолепный день, — добавила она, не подумав.

Голос ее звучал зачарованно, и Жером отчетливо себе все представил: пустынный, им одним принадлежащий Париж, весенний рассвет, цоканье копыт по мостовой, дремлющая Сена, усталость, облегчение, общие переживания. Он закрыл лицо рукой, ладонь при этом развернул к ней, как если бы хотел смягчить удар. Логичней было бы ему приложить ладонь к своей груди. Потому что муки его подпитывались его собственными воображением и памятью, исходили из его собственного сердца. Алиса увидела руку, выставленную между нею и им, руку, долгое время согревавшую ее руки, часами гладившую ее волосы, руку, открытую для нее, протянутую ей в течение трех лет. Она вдруг отчетливо вспомнила прикосновение этой горячей, надежной, немного костистой руки к своей руке и оттого подтянула к себе колени, обвила их, скорчилась. Кто-то в ней кричал: «Жером, Жером, помоги мне! Помоги мне, Жером!» Но этот кто-то больше не был ею: то был послушный, хрупкий, весьма утонченный ребенок, и с ним она теперь расставалась.

— А потом? — спросил Жером.

— Потом? Шарль вам не рассказал, в комендатуре произошла кошмарная сцена. Офицер стал посмеиваться над моим пристрастием к евреям: дескать, это из-за обрезания. Шарль на них набросился, они его избили до потери сознания. Когда он очнулся, они решили проверить, не еврей ли он, то есть хотели, чтобы я проверила... Сорвали с него брюки и оставили без ничего. Он стоял передо мной в смокинге и в носках, сгорая от стыда. Чтобы его подбодрить, я сделала восхищенное лицо вместо целомудренного, чуть даже не присвистнула от восхищения. Но все равно он претерпел чудовищное унижение. И по возвращении в гостиницу...

— Если я правильно понимаю, вы из сострадания позволили...

— Нет! — Алиса говорила очень четко, такой голос означал у нее гнев, этот голос Жером узнал тотчас, хотя ему редко доводилось его слышать. Однако он сейчас утратил всяческую осторожность. — Нет, я не позволила! Я сама привлекла его к себе, я сама увлекла его в свою постель, потому что он мне очень нравился, — она сделала паузу. — Жером, не вынуждайте меня говорить таких вещей.

— Прошу прощения, — растерянно пробормотал Жером.

Сердце его билось так, что едва не оглушало его самого, билось глухо и равномерно, производя адский шум. Эх, умереть бы сейчас, не сходя с места! И никогда больше не видеть, никогда больше не мечтать об этом прекрасном, расстроенном, виноватом лице! Лице, на котором ему ни разу не случилось видеть судорогу наслаждения! И никогда больше не слышать, не слушать, не прислушиваться к звукам чуть хрипловатого негромкого голоса! Голоса, которого он также ни разу не слышал запыхавшимся или резким, визгливым или низким, надломленным, страждущим, изнемогающим, пресыщенным!.. Голоса, который ни разу не выкрикнул в постели его имени: «Жером! Жером!» — и который прошлой ночью, возможно, кричал: «Шарль!»

Почему? Отчего? Он был готов схватить Шарля за горло, приставить к груди нож и потребовать объяснить ему в подробностях все тонкости наслаждения, которого сам он не сумел дать Алисе. Собственная низость угнетала его, но навязчивые мысли не отступали.

— Вы намереваетесь остаться здесь с ним?

— Да, Жером, — отвечала Алиса.

На глазах у нее снова выступили слезы, покатились по щекам, потому что сказанное ею «да» было необратимым, официальным, окончательным. Это «да» оформило и удостоверило нечто неуловимое и невыразимое; это «да» означало разрыв и потерю человека, бывшего самым близким ей существом, ее единственным оплотом против одиночества и безумия. Да, она безумна, совершенно безумна, она сошла с ума! Как, скажите, как жить без Жерома? А если снова ее станут мучить кошмары, если ей захочется поговорить, чтобы избавиться от бреда и страха, к кому она обратится, кто сможет, кто захочет ее понять? Какой любовник, будь он сто раз без ума от ее тела, вынесет ее душу? Это убийственное умопомрачительное безрассудство; вот именно: она потеряла рассудок. Она вспоминала свое прошлое с Жеромом, пыталась представить себе будущее их обоих.

Она перебирала в голове картины, словно отыскивая среди них аргумент, способный вернуть ее к Жерому, и между двумя из них, одной реально бывшей — Жером в дверях этой жуткой клиники в горах, Жером, приехавший за ней, — и другой воображаемой — коктейль на открытой террасе, они с Жеромом стоят, прислонившись к перилам, и смотрят на проходящих мимо с иронической усмешкой, одинаковой у обоих, — между этими двумя картинами вкралась третья, совершенно абсурдная — спящий Шарль бормочет какие-то успокаивающие слова и в конце концов устраивается у нее на плече, точно младенец-гигант, чувствующий здесь себя в безопасности, и время от времени ободряюще похлопывает ее по волосам, попадая при этом то по носу, то по щеке, всякий раз прерывая начинающийся сон. В этой последней картине Алиса не ощущала себя такой защищенной, как в двух предыдущих, но лишь ее одну она видела в цвете.

— Алиса, — Жером заговорил вдруг ясно и отчетливо, — Алиса, вы с Шарлем не будете долго вместе; вас соединила война, вы разные люди, из разной среды, из разных миров в нравственном смысле слова. Говоря о среде, я не хочу обидеть Шарля, напротив, я нахожу, что его среда внушает больше доверия, нежели ваша. Но он, Алиса, не знаю, как сказать... вы и он — это так странно. О чем он будет с вами говорить, что вы станете ему отвечать, что вы в нем нашли?

Он так неподдельно недоумевал и выглядел таким встревоженным, что Алисе стало смешно.

— Я нашла в нем... Я нашла в нем то же, что и вы, Жером, вы ведь его лучший и единственный друг вот уже двадцать лет. Не знаю, что сказать! Шарль веселый, смешной, с ним не скучно, он любит жизнь, любит людей... не знаю я...

— Это верно, — согласился Жером; он был раздосадован и заинтригован одновременно. — Это верно, с ним не скучно: он легкий человек. Он легкий, я боюсь, оттого что пустой. Нет, Алиса, вы прекрасно знаете, что вас влечет к нему нечто совсем иное.

— Это нечто я не собираюсь ни с кем обсуждать, — сказала она сухо, — особенно с вами. И потом, вы только подумайте, Жером: то, что нас с вами связывает, — это так важно, так редко... нежность, доверие, общность интересов, подумайте обо всем, что нас связывает...

Он махнул рукой, и Алиса запнулась. Она покраснела, когда Жером коснулся этой темы, и краска все еще не сошла с ее лица. «Чудно́, — подумал он, силясь не утратить ясность мысли, — я не смог доставить ей наслаждение, а ей стыдно. Она стыдится, чего она стыдится? Ощущала бы она стыд, если бы скучала с ним так же отчаянно, как и со мной? Нет, она стыдится удовольствия, которое он ей дал, а я не смог; стоны, слова и жесты, выдающие наслаждение, — их вызвал, почувствовал и услышал милейший Шарль, красавец, первый парень на деревне». Чудовищно, и все тут! Жером повернул к Алисе ровное, спокойное от отчаяния лицо: она узнала это выражение, такие лица она уже видела дважды. Первый раз, десять лет назад — лицо в гробу, второй раз — собственное отражение в зеркале два года назад.

— Жером, — окликнула она его шепотом: он по-прежнему не поднимал глаз. — Жером, что я могу для вас сделать?

— Ответьте мне, Алиса, ответьте! Он вам доставил удовольствие? Он вам нравится? Вы хотите его, вам хочется к нему прикоснуться? И чтоб он к вам прикоснулся? Вы все время думаете о нем? Вы стонали? Алиса, Алиса, — он повысил голос, потому что она сдвинула брови и хотела уже встать, — Алиса, вы должны мне ответить, я должен услышать это из ваших уст, чтобы больше не мучить себя вопросами. Ведь правда же, дело не в том, что вы меня не любили... что... Алиса, умоляю вас, я должен знать, что это я, что это по моей вине... Будьте жестоки со мной, Алиса, будьте беспощадны, прошу вас! Если, конечно, у вас есть на то основания...

Слабое, неосознанное, едва теплящееся сомнение, угадывавшееся в последней фразе, подвигло Алису на ответ сильнее, чем все мольбы.

— Да, — сказала она, — да, Шарль мне почти сразу понравился. Я считала, что уже не способна на чувства, вы сами знаете. А потом эта ночь в Париже, вино, переживания, я...

— Я не прошу у вас извинений, — сухо перебил ее Жером, — я прошу объясниться точнее.

Он говорил с придыханием, голосом, какого Алиса не слышала у него раньше, и это вывело ее из себя. Деликатный, тонкий, чувствительный мужчина требует от нее эротических подробностей! Ей показалось, что ее собственный голос словно доносится через стекло.

— Если вас интересует техническая сторона, обратитесь к Шарлю. И если вам так это надо, знайте, что с Шарлем Самбра я получала удовольствие один день и две ночи, со вторника до четверга. Да, я шептала и стонала, просила и требовала. Вот.

— И вы ему об этом сказали?

— Не знаю. Я знаю только, что кричала. Сама я не помню этого, но знаю, мне Шарль сказал. Я не помню — разве этим не все сказано? Что может быть красноречивее такого провала в памяти?

Вопрос, разумеется, остался без ответа. Жером понимал только одно: ровно неделю назад, день в день, час в час, они приехали сюда к Шарлю, а сейчас он должен уехать один.

Глава 16

Лето в том, 1942, году выдалось одним из самых прекрасных, какие только случались на нашей планете, словно бы она хотела своей красой и лаской усмирить людские ярость и безумие. На необъятном небе то размытого, то ярко-голубого цвета вставало белое, промерзлое с ночи солнце, потом его сменяло солнце желтое и ослепительное, рассыпавшееся к вечеру косыми нежно-розовыми томными лучами, приветствовавшими окончание длинного изысканного дня. На самом деле солнце было одно: белое, неизменное, застывшее, оно смотрело, как вращается вокруг него планета, прозванная людьми Землей, и видело на ней чудовищные картины. Повсюду лежали груды тел, приникнув под воздействием силы притяжения к незнакомой им в большинстве случаев Земле. В свою лупу солнце видело, как повсюду судорожно сжимаются и разжимаются руки умирающих, руки ухоженные и грубые, руки детей, артистов, мужские и женские, руки с поломанными ногтями, а то и с поломанными пальцами, руки окровавленные, напрягающиеся в последний раз, прежде чем навсегда открыться ему. Солнце беспомощное, ослепительное, обомлевшее знало, что при следующем витке этот безумный шарик покажет ему уже другие руки и новые трупы.

Земля и сама еще не знала, что замышляли в далеких пустынях несколько тупо гениальных ученых, а ведь она была предана своим безумным детям, недолговечным, страстным и хрупким, плоть которых она неустанно питала и пригревала, прежде чем принять их кости (и делала это уже на протяжении стольких веков, эпох, эр, что они и представить себе не могли), она сохраняла верность и нежность, несмотря на потрясавшие ее кровопролития, ураганы, битвы, и, чтоб утихомирить людей, она, быть может, в последний раз дарила им ярчайшие весны, жарчайшие лета, золотейшие осени и сухие-пресухие зимы. Дарила им полноценные времена года, каких уже не будет никогда. Потому что скоро Земле суждено будет узнать, что ее дети, ее постояльцы открыли не только способ умирать быстрее на ее груди, но и способ погубить ее вместе с ними, взорвать, разрушить их мать-кормилицу и единственную подругу.

В это самое время в райском, буколическом и еще не тронутом войной уголке Франции Алиса наслаждалась смуглым телом своего возлюбленного и знойным летом. В обед они ходили на реку, купались, перекусывали на траве. Потом Шарль уезжал на фабрику, а Алиса плелась домой. Она читала, слушала пластинки, какие имелись у Шарля, ласкала кота и собаку, беседовала о жизни с кухаркой, о мужчинах с горничной, о погоде с садовником, садилась за пианино, тихонько что-то наигрывала, вздыхала, улыбалась, вставала, шла в поле, собирала цветы, ложилась под деревом и забывала там свой букет, возвращалась домой, готовила коктейль, становившийся с каждым днем все диковинней из-за продуктового лимита, но Шарль всякий раз выпивал его с восторгом. Она смотрела, как он подъезжает на полной скорости и только гравий летит из-под колес, как он выскакивает из машины, взбегает по ступенькам, видела его глаза, губы, протянутые к ней руки, потом не видела в темноте ничего, кроме кусочка его хлопчатобумажного пиджака у себя под носом. А если чуть откинуть голову — прямой угол его шеи и плеч. Но она почти никогда не поднимала глаз, она держала их закрытыми, утопая в потемках его объятий, вдыхая запах Шарля, его мыла, его кожи.

Она испытывала чувство собственности, обладания, которого не знала раньше. Чувство, которого она никогда прежде не знала, потому что презирала, а потом и сознательно отвергала из уважения к свободе и независимости ближнего. Возможно, чувство собственности пробудилось в ней именно благодаря общению с Шарлем, человеком свободным, так естественно свободным, таким одиноким при всей своей общительности, так мало одомашненным жизнью и в конечном итоге изолированным от других своей влюбленностью в жизнь; человеком полнокровным, раскованным, цельным в противоположность другим ее возлюбленным; человеком, отличным ото всех, кого она знала и кому отвечала взаимностью, непохожим на хрупкого Герхарда, на ранимого Жерома... на всех этих раздвоенных людей, терзающих самих себя, нуждавшихся в ней и готовых многое отдать за то, чтобы быть нужными ей. Людей, которые словно бы просили ее доставить им страдание и через него почувствовать, что они существуют. И никто из них не смог добиться от нее того, что получал Шарль, которому она нужна была не для того, чтобы жить, а для того, чтобы быть счастливым.

И хотя все его порывы могли показаться исключительно чувственными, она знала, что за ними скрывается нечто другое, более нежное и труднее выразимое. Нечто такое, что она найдет однажды в старости — если доживет, — покопавшись среди всякого случайно хранящегося в памяти хлама и обнаружив там чрезвычайно редкую — это она уже знала — этикетку: «страсть», и страсть разделенная.

Сухой и холодный голос разума почти никогда не нарушал тихое покойное течение дней, не спрашивал ее ни о Герхарде, ни о Жероме и крайне редко задавал более жестокие вопросы о том, что она делает здесь с этим человеком, который ничего не читал, не знал ничего из того, что она любит, не интересовался тем же, чем она. Но тотчас что-нибудь: луч солнца или взгляд Шарля, или трущийся о ее ноги кот —

что-то теплое и нежное вставало между ней и ее прошлым, ее будущим и всякими «если бы», что-то, что она уже сейчас могла бы назвать счастьем, если б это пришло ей в голову, если б у нее на это хватило сил.

Итак, в то лето Алиса и Шарль прожили вместе несколько благословенных недель. Потом наступил сентябрь, и дожди со шквалами принялись сотрясать дом и пейзаж. Друзья Шарля заходили их проведать. Алиса принимала их, была с ними мила. Много рассуждали о Гонкуровской премии, немного о театре, о политике — совсем нет. В середине сентября Алиса каждый день говорила себе, что ей бы съездить в город за книгами, она уже перечитала все, что имелось в доме, и надо же было ей чем-то заниматься в течение долгих дней, когда Шарль возвращался только в семь, а дождь не выпускал ее из дома. Но ей не удавалось истосковаться по книгам настолько, чтобы отправиться в Гренобль. Не удавалось настолько соскучиться из-за дождя, чтобы роптать на погоду. Не удавалось расшевелить себя настолько, чтобы выйти за пределы комнаты, гостиной, кухни, чердака, где она бродила в сопровождении кота и собаки, неотлучно следовавших за ней, как сказочные животные за феей. Она напевала, и слонялась по просторному сельскому дому, и в глубине души немного удивлялась, когда ей случалось увидеть себя в зеркало. Ей казалось, что жизнь может продолжаться так бесконечно — только она сама не понимала, заключается ли в этом просто возможность, надежда или же угроза. Она, впрочем, и не стремилась это узнать.

Она не знала этого и тогда, когда получила письмо, извещавшее ее, что Жерома взяли под Парижем и сейчас, наверное, пытают в гестапо, и тогда, когда решила немедленно ехать и стала собирать чемодан с помощью заливавшейся слезами кухарки. Шарль находился в Лионе, связаться с ним не было возможности, она оставила ему записку.

Алиса была женщиной трезвой, и все-таки, обернувшись на пороге комнаты, где прожила пять месяцев, она посмотрела на нее так, словно бы ей предстояло через две недели спать в этой постели в объятиях Шарля, как она и обещала ему в записке. Но два месяца спустя Шарль по-прежнему не имел от нее никаких известий.

Два месяца спустя, 11 ноября 1942 года, немцы, нарушив вишийские соглашения, перешли демаркационную линию. Франция оказалась оккупированной целиком. 19 ноября отряд гестапо прочесывал окрестности Романа и обнаружил в деревушке Формуа человека

616 по имени Жозеф Розенбаум, старшего мастера на обувной фабрике, еврея, чья семья жила в этих краях с 1854 года. Несмотря на протесты владельца фабрики, они его арестовали и отправили в лагерь Аушвиц, успев предварительно надругаться над его женой и сжечь его дом.

И переполнилась чаша терпения Шарля: и он вступил в ряды Сопротивления.

1985 г.

Рыбья кровь

Перевод И. Волевич

Франсуазе Верни, с обожанием,
благодарностью и симпатией

ЧАСТЬ I

ГЛАВА 1

— Внимание! Последний кадр! Снимаем без репетиции!

Возвращаясь обратно к камере, Константин фон Мекк, в течение двадцати лет самый знаменитый режиссер в Голливуде и Европе, а за последние три года — в одной лишь Германии, пересек съемочную площадку, и в свете юпитеров ярко блеснули его огненные волосы, медно-рыжие усы и длинные узкие глаза: все это вместе с высокими скулами, крупным носом и мясистым ртом придавало ему — при высоченной, под два метра, гибкой, типично американской фигуре — сходство с казаком, правда, с казаком вполне цивилизованным и улыбчивым.

В свои сорок два года Константин фон Мекк прославился как фильмами, так и эксцентрическими выходками, и лишь благодаря его таланту и сказочному успеху пуританская нацистская Германия закрывала глаза на его сомнительные эскапады, а заодно и на равнодушие к политике. Сделав головокружительную карьеру в Голливуде, женившись там на суперзвезде Ванде Блессен и прожив двадцать пять лет в Калифорнии, он вдруг в 1937 году вернулся в Германию под предлогом съемок фильма «Медея», который заказала ему студия УФА[1], и тем самым бесконечно шокировал и великую Америку, и прочий свободный мир. Все, кто знал Константина фон Мекка — своевольного, остроумного, необузданного Константина, — теперь с изумлением и грустью называли и даже считали его в некотором смысле предателем, тогда как Германия, напротив, отнеслась к его поступку с восторгом и гордостью. Но все это время он снимал только развлекательные комедии, да и те от раза к разу становились все менее притязательными, а уж политика в них и не ночевала. Ходили слухи, будто Константин фон Мекк отказался от съемок «Еврейки», как и других антисемитских «шедевров», причем отказался настоль-

---

[1] У Ф А - ф и л ь м (Universumfilm Aktiegesellschaft) — германский киноконцерн, основанный в 1917 г. (*Здесь и далее прим. перев.*)

ко решительно, что до глубины души возмутил главарей «третьего рейха», и не сносить бы ему головы, если бы его фильмы не смешили до слез всемогущего гитлеровского министра культуры и пропаганды доктора Геббельса. Покровительство последнего было признано официально, к великому счастью Константина. Ибо, не говоря уж о слабости к еврейскому сброду, полнейшем политическом невежестве и весьма прохладном отношении к национал-социалистской партии, Константина фон Мекка подозревали также в чрезмерном пристрастии к алкоголю, наркотикам, женщинам и даже мужчинам, хотя слухи об этой последней склонности развеселили бы немало особей во многих столицах мира. И тем не менее достаточно было бы Геббельсу поморщиться на очередном кинопросмотре, и Константин тут же обнаружил бы, что Мюнхен отделяют от Дахау всего двадцать километров.

Ну а пока Константин фон Мекк, могучий, чуть неуклюжий и улыбчивый гигант в старых ковбойских сапогах, перемежающий свои приказы и советы английскими словечками, машинально — как надеялись присутствующие, — но неуместно, казался воплощением беззаботной радости на земле.

— Ну, поехали! — возгласил он. — Мод, деточка, напоминаю вам: мы снимаем самый последний кадр этого превосходнейшего любовного фильма, где ваш текст — один из самых «волнительных» среди всех прочих диалогов. Мне нужно, чтобы вы превзошли самое себя. Начали! Hurry up![1] Мотор!..

Мод Мериваль, хрупкая хорошенькая блондинка, начинающая «звездочка» на ролях инженю, запущенная на небосвод УФА мощными усилиями рекламы, возвела горе взгляд, который, по ее мнению, изображал пылкую муку, а по мнению Константина — ужас кролика, зачарованного удавом. Вдобавок ассистент просунул между нею и камерой хлопушку точно таким жестом, каким предложил бы меню удаву, и, выкрикнув: «Скрипки судьбы», кадр 18, дубль первый!», исчез из поля зрения.

— Нет, я не могу принять эти розы! Даже эти бедные цветы из ваших рук, граф, терзают мне душу. Их аромат мгновенно умирает. Как я могу?! — вопросила Мод напыщенным тоном, еще сильнее подчеркнувшим весь идиотизм текста. Константин давно уже оценил извращенное очарование сценариев и диалогов, напичканных сентиментальной чепухой, по которым его вынуждали делать фильмы в ожидании согласия на съемки чего-нибудь более серьезного, соответствующего «линии партии». И все-таки фраза «Как я могу?!»,

---

[1] Живо, быстрее! *(англ.)*

произнесенная подобным тоном, грозила рассмешить даже самых чувствительных Гретхен.

— Послушайте, Мод, — сказал он, — пойдемте-ка со мной и давайте разберемся, что за отвращение испытывает к графу ваша юная героиня.

— О, конечно, конечно! — воскликнула Мод. Константин машинально взял ее за руку, и молодая актриса тотчас уподобилась крошечной куколке в нарядном кринолине рядом с человеком-великаном. Спохватившись, он попытался высвободить руку, но не тут-то было. Он на минуту запамятовал, что юная Мод, убежденная и матерью, и импресарио в роковой неизбежности постельной связи актрисы со своим режиссером — особенно если режиссер этот «сам» Константин фон Мекк, — столкнувшись с его вежливым отказом переспать с ней, вообразила себя женщиной с разбитым сердцем. Он же, хорошо зная, что разница между настоящей и придуманной любовью, между настоящим и придуманным страданием очень невелика, выказывал Мод дружелюбную и ровную учтивость. По внезапному наитию он поймал за руку болтавшегося рядом декоратора и потащил его за собой, словно дуэнью. Покинув залитую светом юпитеров площадку, они втроем зашагали в глубину павильона.

— Что-то не то в этой вашей реплике... — начал Константин, но Мод опять проворно перехватила у него инициативу.

— Да-да, именно что-то не то! — убежденно заявила она, смутно надеясь свалить всю вину на сценариста. — Я не чувствую ее вот тут! — продолжала она и, остановившись, ткнула пальчиком в ложбинку между грудями, давая понять, что именно там вызревает скрытое сопротивление непокорной фразе. Константин бросил на ее грудь вежливый, но мимолетный взгляд.

— Видите ли, — сказал он, — меня очень смущает это ваше «как...». Вы слишком уж форсируете первое «к», в результате создается впечатление, будто вы возмущенно зовете нерасторопного официанта в кафе, примерно так: «Кккакямогу, подойдите же сюда!» Или вы произносите с чрезмерным изумлением, словно обнаружили перед собой невиданный экзотический фрукт: «Боже, да ведь это «кккакямогу!». Словом, ваше «как я могу» слишком вылезает, понимаете?

Мод не поняла ровным счетом ничего. Она с тоской силилась уразуметь, каким образом в фильме, задуманном в жанре оперетки, появились вдруг какие-то официанты и экзотические фрукты. Но, так и не поняв, все равно героически закивала в ответ.

— Да-да, вот теперь мне ясно! Боже, как все просто, когда вы объясняете, не правда ли? — обратилась она к декоратору, прятавшемуся за Константина, и тот кивнул, не поднимая глаз; он увидел, как Константин закинул голову, словно решил проверить, правильно ли поставлен свет; рука его, выпустив наконец запястье декоратора, потянулась к усам и принялась безжалостно ерошить их, собирать к центру, что, по ошибочному мнению их владельца, помогало скрыть усмешку. Декоратор, давно знакомый с этими предвестиями хохота Константина фон Мекка и знавший, насколько хохот этот заразителен, тщетно прислушивался.

— Да... — продолжала Мод Мериваль, цепляясь обеими руками за Константина; тот уж подошел к дверям студии и вдруг круто обернулся, почти оторвав Мод от пола: в этот момент она уподобилась рыбацкому челноку, взятому на буксир мощным теплоходом. — Да-да, — твердила Мод, — я поняла: вам не нравится первое «к» в реплике: «Как я могу?!» Но, простите, куда же прикажете мне его вставить?

Константин и декоратор остановились было, но тут же зашагали дальше, не глядя друг на друга и не отвечая Мод; наконец Константин пробурчал:

— Да не вставляйте его никуда, просто будьте попроще... понежнее, что ли... В конце концов, чем цветы-то виноваты? Они ничуть не хуже любых других. А кстати... Анри, нужно заменить букет, этот завял. Так вот, Мод, деточка, ваши злополучные цветы тут совершенно ни при чем, они вам ненавистны лишь потому, что их преподносит граф. — Константин говорил с явным усилием, как заметила Мод, воспламенявшаяся от его речей тем больше, чем отвратительнее, по ее мнению, вел себя декоратор — тот равнодушно отвернулся от них, словно ему наплевать на откровения из уст гениального Константина фон Мекка.

— О, вы знаете, так часто случается! — воскликнула она. — И даже в жизни! Однажды один человек — большая шишка! — решил не то купить меня, не то прельстить с помощью драгоценностей. Это меня-то! — добавила она с усмешкой, скорее удивленная, нежели возмущенная столь тяжким психологическим промахом. — Ну так вот, едва только он выложил на стол это колье, — а оно было в шикарном футляре и все такое прочее, — едва я взглянула на его лицо и руки, как у меня сразу же возникло подозрение, что колье фальшивое, — невероятно, правда? Ну просто в тот же самый миг! С первого же взгляда эти камни стали мне ненавистны, как вы сказали.

Мод выдержала эффектную паузу и торжествующе закончила:

— И самое интересное, что колье и вправду оказалось фальшивое! Представляете — стекляшки, и ничего больше!

Но это потрясающее сообщение не произвело на слушателей того убийственного впечатления, на которое рассчитывала Мод. Декоратор просто-напросто повернулся к ним спиной и исчез, а Константина фон Мекка, казалось, буквально зачаровал свет юпитеров. Все так же не отрывая глаз от потолка, он холодно попросил актрису вернуться на свое место.

— Теперь, когда мы обо всем договорились, пора наконец отснять этот эпизод, — сказал он хрипло, махнув рукой в сторону камеры, будто Мод еще неизвестно было, где ей предстоит исполнять свой долг. Удивленная таким обращением, она уже двинулась в сторону площадки, как вдруг Константин взглянул на двери студии, и что-то в этом взгляде заставило Мод обернуться туда же. В дверях — надменные, чопорные, примолкшие из почтения к чужой работе, но в то же время явно уверенные в том, что присутствующие заметили и их появление, и их тактичные манеры, — стояли два офицера и два ординарца. Блики на их околышах и сапогах сверкали, метались в темной глубине павильона, а в дверях, за спиной у немцев, возникали, исчезали и вновь появлялись юркие фотографы из французских газет.

— Господа! — произнес Константин, и Мод опять, в который уже раз, удивилась: отчего во время официальных церемоний голос великого режиссера всегда меняется до неузнаваемости, теряя обычный теплый тембр и становясь трескуче-сухим? В таких случаях Константин полностью преображался в напыщенно-высокомерного чиновника, а ведь он принимал своих же соотечественников.

— Well, давайте, please, go on![1] — скомандовал Константин. Он упорно говорил по-английски во время подобных визитов, и это вызывало улыбку у Мод: какой же он все-таки ребенок, думала она. И уже собралась заговорить, в полной уверенности, что на сей раз ее не оборвут, ибо в присутствии немцев Константин неизменно демонстрировал прямо-таки восторженное преклонение перед своими актерами и съемочной группой: его «русские» всплески гнева бесследно исчезали, превращаясь в безудержный поток похвал.

— Господа, мы заканчиваем. Последняя съемка! Мадемуазель Мериваль, — добавил он, на сей раз по-французски, — давайте снимать! А потом будем пить шампанское, мы все заслужили это сполна. Мы все заслужили это сполна, — повторил он тотчас же на безупречнейшем немецком — не оборачиваясь к нежданным посетителям, но явно специально для них, будто эти офицеры после двух лет пребывания во Франции не в состоянии были понять три несчастные коротенькие фразы на языке завоеванной страны. Ответом Константину были смешки и понимающие взгляды сотрудников; он вдруг ощутил себя отцом любящих детей. И верно: съемочная группа и актеры очень любили его, и, разумеется, ему было это приятно. Вообще-то Константин, даже самому себе в том не признаваясь, обожал очаровывать людей, утешать их, забавлять, поражать, защищать, холить и лелеять. Да, он любил нравиться им и мысленно отмечал это с благодушной самоиронией — так он скрывал от самого себя, насколько

---

[1] Ну... продолжаем, прошу вас! (англ.)

нуждается в любви. То была интуиция, или, вернее, неодолимая внутренняя убежденность, которую рассудок даже не мог четко сформулировать, выразить в словах — по крайней мере Константин таких слов не знал.

— Мотор! — крикнул Константин.

— Нет! Нет! Эти бедные розы из ваших рук, граф, источают опасный аромат. О нет, я не в силах принять эти цветы. Как я могу?! — На этот раз Мод, вопреки указаниям режиссера и даже собственному желанию, взвизгнула с удвоенной силой: до сих пор она выступала со старым букетом, но по просьбе Константина декоратор заменил его свежим, второпях не закрутив как следует металлическую проволочку, и когда актриса сунула цветы графу под нос — чтобы он оценил и ее личное к нему отвращение, и невинность роз, — острый конец проволочки скользнул ей под ноготь и на словах «как я могу?!» безжалостно вонзился в палец. Поэтому в ее голосе прозвучала отнюдь не меланхолия, а совсем напротив, изумление, гнев, даже благородное негодование, словно граф, позабыв о своей двусмысленной роли, вдруг нагло запустил руку ей под кринолин.

Эта внезапная смена интонации переполнила чашу хладнокровия Константина: скорчившись за огромным роялем — частью реквизита — с очень кстати поднятой крышкой, он уткнулся лицом в шарф и зарыдал от смеха вместе с электриком. В шести метрах от них трясся от хохота декоратор, этот сунул голову в пустые картонки и так и не вылезал из них, весьма походя на торчащую из помойки донышком кверху пустую бутылку. Зато офицеры и их свита не увидели в сцене ровно ничего смешного и, одобрительно глядя на Мод, вежливо зааплодировали.

— Константин! — закричала та, замерев в свете юпитеров. — Константин! Герр доктор фон Мекк, — исправила она со сконфуженной гримаской оговорку, показывающую господам офицерам вполне допустимую симпатию актрисы к режиссеру и к мужчинам вообще. — Константин, ну что теперь? Вы хотите отснять еще один дубль? Мне кажется, я сыграла слишком... слишком живо, не так ли? Потому что я укололась.

Мод собралась было, воздев кверху пальчик, продемонстрировать выступившую на нем капельку крови и изобразить хрупкое раненое дитя, но все-таки воздержалась. В конце концов, эти офицеры вернулись с войны, с фронтов России, Африки или еще откуда-нибудь, где кровь льется рекой, и ее рыдания из-за пустяковой царапины не умилят их, а скорее неприятно удивят. Константин выбрался из-за рояля; весь красный и запыхавшийся, с мокрыми глазами, он держался за бок.

— Ну ладно, — выговорил он, — ладно... если хотите... давайте... ох, боже мой! Ну конечно, может быть, вы... вы постараетесь быть более careful... Ах, да! Более... более внимательной, более собранной, не так ли, Мод? Ты была великолепна, моя дорогая, вот именно, великолепна! Но мы отснимем еще один дубль — просто для удовольствия, ладно? И специально для этих господ.

Константин мямлил, заикался, наверное, у него начинался жар, и Мод решила покончить со съемкой как можно быстрее; не успела отзвучать команда: «Мотор!», как она ринулась в бой.

— Нет, я не могу принять эти цветы. Эти розы из ваших рук, граф, источают опасный аромат. Нет, я не в силах. Как я могу?! Как я могу?! — взвизгнула она дважды, трепыхаясь, словно вспугнутая курица, и Константин, без сомнения, в восторге от ее игры, ураганом ворвался на площадку и, согнувшись вдвое, стиснул Мод в объятиях; он бормотал: «Браво, деточка, браво, браво, малышка!» Его огромное тело содрогалось от коротких подавленных всхлипов, от немых рыданий, столь трогательных у мужчин. И Мод нежно, как маленького мальчика, баюкала на своем плече этого верзилу, которого весь мир считал бесстыдным, развратным циником. «В этом гигантском теле, под личиной тирана я ощутила трепет детского, но гениального сердца», — поведала она на следующей неделе корреспонденту журнала «Сине мондьяль» в словах, от начала до конца продиктованных ей импресарио; на сей раз они точно передавали ее собственные чувства.

— Ну ну, — пролепетала Мод, даже слегка напуганная столь бурной реакцией, — что случилось, Константин? Что вам не понравилось? Вы хотите отснять еще один дубль?

В ответ она услышала, между двумя всхлипами: «Нет, нет!.. Нет! Нет!.. Последний кадр!..» Поразмыслив с минутку, Мод, как ей показалось, постигла причину скорби режиссера: то был конец его фильма, конец «их» фильма. Можт быть, он все-таки любил ее? Можт, его печалила предстоящая разлука, неизбежная при их профессии? Или в этом фильме было что-то, напоминавшее Константину его собственную жизнь, его жену? Пока Мод ломала голову над этой загадкой, Константин беззастенчиво утирал помятое лицо и мокрые от слез усы локончиками и белой батистовой косынкой своей героини.

— Ну что вы, Константин, — утешала его та, — не расстраивайтесь так, мы еще увидимся. Поверьте, я разделяю ваше волнение. Но надо держать себя в руках, там ведь эти люди, эти военные, Константин!

Режиссер с трудом высвободился из ее объятий, но тут Мод Мериваль шепнула ему на ухо несколько слов, от которых он дернулся, словно от удара хлыста, и вновь припал к ее плечу, несказанно удивив этим продюсера УФА Дариуса Попеску.

Ибо Константин, при всем своем ужасающе разнузданном образе жизни, со стыдливым упорством держал ее в секрете и категорически запрещал фотографировать себя в интимной позе с кем бы то ни было. Самое большее, что режиссер позволил однажды газетчикам, — это сделать снимок, где он, сидя в полуосвещенном ресторане, держит за руку свою супругу Ванду. И вот вдруг, нежданно-негаданно на глазах у Попеску он сжимает в объятиях юную Мод Мериваль, пряча лицо в ее волосах. Да это же просто scoop[1] в жизни Дариуса Попеску как продюсера, так и мужчины. Было от чего впасть в экстаз!

Между тем Мод не сказала Константину ничего такого потрясающего, она просто шепнула ему: «Вы маленький мальчик, господин фон Мекк, мальчик-с-пальчик, который превратился в великана». И Константин, чей рост был метр девяносто пять, Константин, который в отелях, салонах и на улицах предпочитал сделать крюк, лишь бы не встретиться с бывшей любовницей, опять — в который уже раз! — поддался на эту нехитрую уловку; скорее всего, у него сдали нервы или рассудок. В конце концов, он уже чертову пропасть времени снимал эти идиотские штуки — плоды дебильной фантазии сценаристов УФА, пропитанные тошнотворным духом немецкой добропорядочности и чувствительности в худшем смысле этого слова. Но на сей раз чаша его терпения переполнилась. Нет, хватит уж соглашательства, теперь он потребует своего: пускай УФА даст ему снять «Пармскую обитель», и тогда, может быть, Ванда — Ванда Блессен! — сыграет у него герцогиню Сансеверину. Ах, то была, конечно, недостижимая мечта, но слишком уж соблазнительная, чтобы ее не лелеять.

Если Константин позволял себе сетовать на тупую сентиментальность сценаристов и германский конформизм, то Дариус Попеску, напротив, имел все основания поздравлять себя с ними. Родившийся в Ливане от матери-ливанки и неизвестного отца, Попеску из-за своего горбатого носа и курчавых волос не однажды попадал в критическое положение во время проверок и облав. По счастью (которое пока неизменно сопутствовало ему), он если не являлся в глазах гестапо полноценным арийцем, все же был в достаточной мере левантинцем, чтобы снисходительный германский расизм не уступил места другому — смертоносному. И, стремясь подчеркнуть перед нацистами эту ставшую для него жизненно важной разницу между евреями и прочими уроженцами Ближнего Востока, Попеску год назад по собственной инициативе вызвался поставлять им неоспоримые доказательства своей расовой лояльности — неоспоримые, поскольку то были живые люди.

Вот почему в свете данной научной проблемы ему пришлось недавно донести гестапо на двух чистокровнейших представителей еврейской нации, то есть на декоратора Вайля, по документам Пети, и

---

[1] Сенсационная новость (*англ.*).

электрика Швоба, по документам Дюше, — оба они были взяты в группу Константином фон Мекком — «незнайкой» Константином, который на сей раз оказался информированным не хуже Попеску, более того — нанял обоих ассистентами именно потому, что узнал об их национальности. Но чиновникам по расовым вопросам во Франции пришлось еще некоторое время «погрызть удила», прежде чем они смогли дать ход доносу Попеску, ибо министр информации и пропаганды Йозеф Геббельс тремя годами раньше самолично запретил хоть в чем-либо препятствовать съемкам Константина фон Мекка. Попеску дрожал целых три недели, боясь, как бы его «живые доказательства» не сбежали до ареста; хотя и тот и другой выглядели куда большими арийцами, чем он сам, их имена — Вайль и Швоб — звучали совсем иначе, нежели «Попеску», фамилия, по мнению ее владельца, вполне двусмысленная, а значит, и невинная.

Ну, а пока суд да дело, съемки фильма завершились, ординарцы немецких офицеров уже втаскивали на площадку ящики с шампанским, Константин импровизировал короткий прощальный спич, а Швоб-Дюше и Вайль-Пети в последний раз — в неведении своем — поздравляли себя с тем, что выжили и, стало быть, им, счастливчикам, везет.

— Эй, друзья! Давайте-ка выпьем шипучки, забудем о делах да повеселимся немного!

Прислонясь к штативу камеры, Константин одной рукой обхватил его за верх, как женщину за шею, а в другой — сжал бутылку шампанского; потрясая ею, словно знаменем, он одновременно пальцем расшатывал пробку, которая наконец с оглушительным шумом вылетела, пробив фальшивое окно декорации и ударившись в огромный, фальшивый же, донжон[1], куда выходило это окно; донжон тут же съежился и выпустил воздух, как проколотый шарик на ярмарке; при этом хлопке немцы автоматически схватились за револьверы, а тем временем из бутылки вырвалась шипящая пена и окатила плащ, руки и плечи Константина; тот, глазом не моргнув, спокойно поднял бутылку и опрокинул ее себе на голову; белая пена пузырилась и лопалась у него на волосах, заливала глаза, а он хохотал вовсю, бурно и заразительно, словно восемнадцатилетний мальчишка.

— Камраден! — вскричал он, обращаясь к своей группе драматическим фальцетом, воздев руки и вращая глазами, словно буйный сумасшедший, что придало ему сходство с неким другим современным оратором и заставило слушателей испуганно поежиться; потом он заговорил нормальным тоном: — Друзья мои, я благодарен вам за вашу работу и терпение. Без вас я никогда не снял бы такое кромеш-

---

[1] Средневековая сторожевая башня.

ное идиотство, такую вселенскую чушь, как наши «Скрипки судьбы». Спасибо! Браво! — закончил он, бурно аплодируя и от всей души надеясь, что слова «идиотство» и «чушь» не входят в лексикон стоящего сзади переводчика. Так оно и оказалось, ибо офицеры захлопали, пока все кричали «ура», а вернувшиеся фотографы, не подозревая о том, какие кадры они упустили, усердно снимали режиссера и его красотку актрису, которых теперь разделяли добрых пять метров.

Мало-помалу присутствующие стянулись в центр площадки, в декорацию — освещенный юпитерами квадрат, единственное место в павильоне, где было чуть теплее и зубы не стучали от холода. И поскольку все сидели или стояли, прижавшись друг к другу, а шампанское лилось рекой, усталость, раздражение, враждебность, страх — все эти чувства, властвовавшие над городом целых два года, на миг исчезли, растворились в радости от завершения дурацкого фильма. На краткое мгновение они сменились весельем, дружелюбием, человечностью, согревшей сердца этих людей — таких разных, ненавидящих или презирающих друг друга; эта минута напомнила всем им мирное время и заставила умолкнуть даже злоречивых «ласточек» — незваных, но неизбежных прихлебателей на открытых приемах, охотников до дармовщины, чье число удвоилось с началом военных лишений. Это мгновение мира разбудило память Константина, как разбудили бы ее пейзаж, музыка, аромат, и внезапно явило его глазам безлюдный бассейн, увядшую пальму, огромный «Бьюик» с откинутым верхом и спину женщины, идущей к воде. Кто она была? Откуда взялся этот образ? Может, это символ мирной жизни, его американского прошлого? Если так, то слащавый же выбран был символ и, уж во всяком случае, вполне безликий.

Константин давно уже привык к тому, что его память превратилась в полупустую, заброшенную камеру хранения. Он свыкся с тем, что от самых пламенных его любовей в ней оставались лишь бледные подобия, стертые лица, бессвязные обрывки фраз. Да, он свыкся, но еще не смирился с этим, ибо — говорил он себе — если бы никто в мире больше не знал, что с ним происходило, если бы никто больше не помнил всю его жизнь, все, чем он был, что сделало его таким, все, что делал он сам; если бы никто ему этого не напоминал, то как мог бы он в один прекрасный день составить тот знаменитый счет, подбить знаменитый итог деяний своей жизни, вывести цифру, долженствующую стать оправданием и смыслом этой жизни? Когда и каким образом осуществит он тот пересмотр — вечно желанный и вечно откладываемый на потом, когда погрузится он в прошлое и сделает подсчет, который наконец скажет ему, был ли необходим или безразличен миру факт его существования? И сможет ли он хотя бы перед смертью проследить мгновенный и слепой путь кометы, обезумевшей от собственной скорости, — кометы его жизни? Мысль о невозможности сделать это сводила его с ума.

И в десять, и в двенадцать, и в шестнадцать, и в двадцать лет он давал себе нелепую клятву: непременно узнать, прежде чем умереть, стоило ли труда доживать до смерти, и хотя все говорило ему о том, что на этот никчемный, бессмысленный вопрос нет ответа, давнее прошлое — бойскаут, неуклюжий подросток, который был так дорог ему и которому предстояло так скоро разочароваться в жизни, — судорожно цеплялось за память, отказывалось исчезать бесследно; и все же воспоминание о свершенных деяниях, об их результатах и отголосках блекло и расплывалось, он, упорствуя, требовал от своей памяти сделать усилие, высветить пережитое, повернуть его другой гранью, но разбитый ее юпитер был темен и пуст, и во мраке прошлого лишь слабо маячили силуэты некогда любимых, ныне обратившихся в смутные тени. «А ведь я по ней с ума сходил... — говорил он себе с чем-то вроде презрительного сочувствия к тому влюбленному безумцу, каким был когда-то. — Да нет, вот тут у меня наверняка найдутся другие воспоминания, другие крупные планы, другие символы, ведь то была моя первая любовь, я чуть не умер из-за нее!..» Но — увы! — оказывалось, что склад памяти давно опустел.

Тогда он мысленно возвращался к более недавней любви и... выходил на неведомую туманную дорогу, или же перед ним — вот здесь-то четко, во всех подробностях — вставало лицо автомеханика, который чинил им машину, — лицо, виденное какие-нибудь две минуты, но зачем-то заботливо сбереженное этой бессмысленной памятью вместо лица женщины, которую он любил тогда целых два года и которую теперь заслонила фигура хозяина автостанции. А ведь воспоминание об этой любви было еще так свежо! Нет, память-безумица, память-растратчица ни на что путное не годилась, если, конечно, не считать Ванды, его жены, величайшей из кинозвезд, женщины, которая некогда подчинила себе его собственную волю, как нынче подчинила еще и память, послушно выдававшую своему хозяину при одном лишь упоминании ее имени крупный план чувственного и переменчивого лица, где до боли ясно виделись ему ослепительный серп ее улыбки, нежная кожа, смятение в глазах, когда она призналась наконец самой себе, что их любовь отличается от предыдущих мимолетных романов.

Спустя десять минут опустошив две бутылки шампанского, насладившись предсказаниями продюсеров по поводу своего фильма — в будущем времени, рассказом немецкого офицера о сражении под Тобруком[1] — в прошедшем времени и, главное, упорным молчанием

---

[1] Т о б р у к — портовый город в Ливии, где в 1941—1942 гг. шли кровопролитные бои немцев с англичанами.

второго немецкого офицера по поводу Сталинграда — в настоящем времени, Константин фон Мекк отправился выпить с членами съемочной группы; их было двадцать, и, чокаясь с последним, он уже порядком захмелел, — тут-то он и обнаружил исчезновение Мод и, сам себе удивляясь, порешил непременно отыскать ее. Что же это такое с ним творилось? Миг назад, укрывшись в объятиях этой малютки по необходимости — чтобы спрятать свой сумасшедший хохот, — он задержался в них, как ему помнилось, не без удовольствия. С самого начала съемок, когда Мод стала навязываться Константину, она пробудила в нем лишь жалостливую симпатию — чувство, весьма далекое от любовного желания. Сперва она предложила себя как чудесный, нежданный дар, очаровательный сюрприз, но, столкнувшись с удивленным безразличием Константина, обернулась женщиной, сгорающей от страсти, эдакой Федрой, и наконец спустилась с этих высот до равной ему современной женщины, заигрывающей просто шутки ради. Константин, доселе поглощенный началом съемок, едва успел среагировать и остановить ее в тот самый момент, когда она уже согласна была сделаться случайной забавой, игрушкой на один вечер. И поскольку его приводила в ужас перспектива унизить женщину, по собственной ли воле или по воле обстоятельств, он решил предвосхитить события и подробно поведал Мод о своей несчастной, отвергнутой, а потому ни с чем не сравнимой страсти к бывшей жене, к Ванде Блессен. Ему, впрочем, не пришлось слишком уж притворяться: он действительно тосковал по ней — по Ванде. Ни одна женщина ей и в подметки не годилась. Конечно, у него был Романо. Да, кстати, а куда подевался Романо? Вечно он где-то пропадал, этот Романо, и никто никогда не знал, где его искать.

То ли дело Майкл — этот всегда был рядом: умница, мягкий, спокойный Майкл, Майкл в своей качалке на террасе, тихонько насвистывающий джазовый мотивчик. Константин всегда боялся, что он вот-вот умрет, и в начале их знакомства таскал его по врачам, чтобы убедиться в нелепости, безосновательности своих опасений. К несчастью, интуиция не обманула его, но для этого понадобилось, чтобы жизнь, как третий лишний, неожиданно, как наглый, лощеный, назойливый лакей, вмешалась в их судьбу и в один прекрасный полдень вышвырнула через дорожное ограждение в ров Майкла, сидевшего в черном автомобиле, который стремительно мчал его в студию. Эта смерть, эта катастрофа под ярким летним солнцем оказалась тем ужаснее для Константина, что она разрушила не только тело Майкла, но и его образ, его личность и, главное, их общую идиллию, которая с самого зарождения была окрашена в нежные, пастельные тона, такие же блекло-серые, как те качалки на террасе в сумерках, как море под дождем. Кровавая, огненная развязка, окрашенная в дикие цвета трагедии, не имела ровно ничего общего с теплыми и нежными, вюй-яровскими[1] тонами их любви.

Да, но теперь речь шла не о Майкле и не о Романо, а о Мод. Наконец Константин разыскал ее в гримерной — горько рыдающую. Он не впервые заставал Мод в слезах, но они впервые испугали его, ибо на сей раз это были настоящие, жгучие слезы, от которых у нее покраснели глаза, вспухло лицо; они обезобразили ее, вот почему Константин понял: Мод постигло настоящее, искреннее горе.

— Что случилось? — спросил он, становясь на колени так, чтобы их лица оказались на одном уровне. — Мод, да что же стряслось? — повторил он уже обеспокоенно, ибо увидел в ее глазах огоньки гнева — чувства, на которое он считал ее абсолютно не способной.

— Дюше!.. — прорыдала Мод, уронив голову на плечо Константину, на сей раз без всяких двусмысленных поползновений. — Дюше и Пети... они их увели, эти негодяи, — еле выговорила она, давясь слезами.

Константин замер в полном изумлении; наконец до него дошло, что она говорит о Швобе и Вайле.

— Но почему? — тупо спросил он. — Почему!..

— Потому что они евреи! — яростно крикнула ему в лицо Мод. — А вы будто не знали?

В ее голосе звенело презрение, вызвавшее у Константина, в ком тайно дремал актер, сардоническую усмешку, достойную немого кино, — усмешку, которой, впрочем, он тут же устыдился.

— Да нет, конечно, знал, Мод, — ответил он, — тем более что это именно я раздобыл им фальшивые документы. Но как это их вообще посмели тронуть без моего ведома?

— Они только-только успели выпить шампанского! — простонала Мод. — Теперь они пропали! У меня был один приятель, тоже еврей, немцы увезли его... — Тут она опять начала судорожно всхлипывать. — И никто из них не возвращается назад... никогда! За два года ни один не вернулся. Вот увидите...

— Да, верно, — отозвался Константин. — Сейчас пойду узнаю.

И он быстро зашагал по коридору. Он шел в обратном направлении, от гримерных к съемочной площадке, и его сапоги, старые ковбойские сапоги, звонко цокали подковками по цементному полу. Но еще долго после первого поворота коридора до него доносились отдаленные рыдания, горестные всхлипы Мод, которые, один бог знает почему, напомнили ему пронзительные вскрики ласточек в деревен-

[1] Эдуар-Жан Вюйяр (1868—1940) — французский художник, график и декоратор, чьи произведения отличаются мягкими пастельными тонами.

ских сумерках, когда они стрелой проносятся над полями и домами — так низко, словно смертельно боятся спускающейся тьмы.

Когда Константин уходил со съемочной площадки, там кипело веселое возбуждение; вернулся он в мрачную тишину. Звук его приближающихся шагов слегка встревожил присутствующих; их торопливая ярость заставила людей постепенно, одного за другим умолкнуть, и молчание это стало поистине гробовым, когда он показался в дверях павильона: огромный, залитый резким светом юпитера, чьи отблески плясали в зеркале, на волосах Константина, в его бешеных, гневных глазах, на всей фигуре, устремленной вперед в юношеском порыве, столь же неукротимом теперь, в сорок два года, как и двадцать лет назад. По странной прихоти случая гнев его обрушился именно на Попеску, который, опьянев от похвал гестаповцев, а затем и представителей УФА, и трепеща от пережитых волнений, поспешил к нему навстречу. Константин грубо схватил его за галстук:

— Где они? Почему их увезли без моего ведома?

— Но... о ком вы?

— Я говорю о Дюше и Пети, — яростно выкрикнул Константин ему в лицо. — Куда их дели? Почему меня не предупредили?

— Но, господин фон Мекк, — заверещал Попеску, вырываясь, — вам же еще неизвестно, что вас обманули! У этих двоих были фальшивые документы, на самом деле они...

От злости Константин едва не оторвал Попеску ворот.

— Они евреи, и мне это известно. Тем более что я сам снабдил их липовыми документами, лишь бы они могли спокойно работать со мной, ясно вам?

Попеску даже подпрыгнул от ужаса:

— Это вы достали им фальшивые бумаги? Боже вас упаси, господин фон Мекк, говорить такое вслух! Вас же арестуют. Вы же...

— Идиот! — крикнул Константин и безжалостно шваркнул Попеску об стену; тот рухнул наземь и, с трудом поднявшись на четвереньки, замер, не решаясь встать: он чуть было не проболтался о своем участии в случившемся, чуть было не стал оправдывать этот арест и теперь, испугавшись задним числом, ясно понял, что Константин способен убить его за содеянное. Он увидел это по его глазам: перед ним стоял не человек, а бешеный зверь, грубый мужик — ну что взять с полурусского! Попеску облегченно вздохнул, но тут же со страхом увидел, что Константин направляется к немецким офицерам и продюсерам, застывшим в некотором смущении чуть поодаль, в то время как съемочная группа, отступив от них и робко перешептываясь, сгрудилась на другом конце площадки. — У меня забрали двух человек! — выкрикнул Константин в лицо этим четырем людям, самый рослый из которых — немецкий офицер — едва доставал ему до плеча. — У меня забрали двоих, моего лучшего декоратора и моего лучшего электрика, только потому, что они якобы евреи! Я требую, чтобы мне их вернули! Иначе я не сниму больше ни единого фильма — ни для УФА, ни для кого другого, ясно вам?

— Но послушайте... — начал французский продюсер, — послушайте, господин фон Мекк! У нас же была договоренность — и вы о ней наверняка знали — не брать на работу представителей семитской расы...

— Мне плевать на ваши договоренности, — высокомерно отрезал Константин. — В первый раз слышу, что французы способны на подобные гадости!

— Ну хорошо, предположим, это условия немецкой стороны, — вмешался продюсер УФА, как всегда, с легкой, довольной, таящейся в углу рта усмешкой, которую обычно скрывала толстая сигара, добавляющая ему сходства с известной карикатурой на его корпорацию.

Константин обернулся к нему:

— Господин Плеффер, вы, кажется, ученый, не так ли? Стало быть, вам довелось слышать о теории эволюции Дарвина, согласно которой человек происходит от обезьяны, — эта теория, насколько мне известно, давно признана во всем мире. Но, я надеюсь, вам никогда до сих пор не приходилось слышать о «еврейских обезьянах»? Так вот, не будете ли вы настолько любезны употребить власть и вызволить из-под ареста этих двух потомков обезьян — моего электрика и моего декоратора? Вызволить и привезти их сюда, вот на эту площадку, пока я не послал вашу УФА ко всем чертям! И поторопитесь, старина!..

И Константин фон Мекк нарочито театральным жестом великого режиссера указал обоим продюсерам с их свитой на телефоны. Лишь один из них не двинулся с места, словно не слышал приказа, — капитан, прибывший из-под Сталинграда, грустный, усталый человек с отрешенным лицом.

— А вы, — спросил Константин, — вы не пользуетесь влиянием в гестапо или в СС?

— Нет, — ответил офицер ровным невыразительным голосом, который неизвестно почему успокоил Константина. — Нет, я до сих пор служил в вермахте.

Константин смерил его взглядом, но в облике этого человека — в каждом его движении, в каждой черте лица — сквозила такая бесконечная и явная усталость, что с ним невозможно было говорить тем тоном, каким Константин сейчас командовал остальными.

— Господин фон Мекк, — сказал офицер неожиданно мягко, — вы, по-моему, слишком нервничаете... или слишком многого не знаете...

Константин несколько раз глубоко вздохнул, пытаясь прийти в себя.

— Можете вы мне наконец объяснить, почему немецкий народ ополчился против евреев? — спросил он тоном, который и ему самому показался детским. — Что же это творится кругом?

Голос офицера, прозвучавший в ответ, был бесстрастен и почти по-учительски назидателен:

— А творится то, господин фон Мекк, что, когда мы захотели избежать Версальского договора 1919 года, уничтожавшего Германию, нам понадобилась поддержка денежных тузов и прессы. Так вот, и деньги, и пресса, насколько вы знаете, находились в руках евреев.

— В том числе и немецких евреев, как я полагаю, — заметил Константин, — и некоторые из них погибли под Верденом, не так ли?

— Вполне возможно, — ответил капитан, — но то были немецкие евреи, чьи собратья работали в Лондоне, Милане или Нью-Йорке. И вам известно, что их банкирские семьи рассеяны по всему свету, а это препятствовало укреплению истинного патриотизма, абсолютного и полного, в каком нуждалась Германия. И пресса попала в те же руки, уж поверьте, господин фон Мекк. Вы, надеюсь, согласитесь, что мы не могли оставить бразды правления страной людям, которые являются — возможно, по вине истории, из-за давнишних кровавых погромов — по сути своей не патриотами, а космополитами.

Константин не отрываясь смотрел на офицера; он тщетно пытался закурить сигарету: руки у него тряслись от раздражения.

— Ну и что? — спросил он. — Разве это причина для того, чтобы арестовывать заодно и лавочников, парикмахеров, красильщиков?

— Мы не могли издавать законы, касающиеся исключительно богатых евреев, — сказал капитан все так же бесстрастно, — не могли! Это противоречило бы нашему принципу всеобщего равенства.

Он даже не улыбнулся при этих словах, он просто излагал материал. Константин сделал последнее усилие:

— Но скажите... скажите наконец, что же это сталось с вашими — с «нашими» — принципами, если они приводят к таким зверствам?

Воцарилось молчание. Капитан слегка постукивал каблуком левого сапога о правый. На шее у него багровел страшный шрам, совсем свежий, — Константин увидел его, когда капитан повернулся к собеседнику.

— Видите ли, господин фон Мекк, — снова заговорил капитан, — мы лишились одного поколения между побежденными в Первой мировой войне и их детьми тридцать девятого года, между озлоблением и яростью; мы лишились мира — поколения, которое хотело бы мира. Германия прямо перешла от воспоминания о войне к жажде следующей войны. Тогда царили нищета и озлобление, а сразу же вслед за ними возникло новое, дрессированное поколение, созданное, чтобы воевать, — и это дало нам самую прекрасную армию в мире, самую мощную и непобедимую. По крайней мере, мы так считаем, — вдруг пробормотал он как бы про себя. Вслед за чем прекратил сложные маневры ногами и, оставив Константина в полном недоумении, вышел из студии.

Две минуты спустя вернулся продюсер, успокоенный, даже обрадованный, и заверил Константина, что завтра же все будет улажено, что он переговорил с нужными людьми и что к концу недели столь необходимые режиссеру ассистенты будут ему возвращены. Константин поднял крик, требуя, чтобы их доставили к нему завтра же, и продюсер тут пообещал и это, даже поклялся, что завтра обоих привезут прямо к нему в отель. Но обещание было дано с такой подозрительной любезностью и готовностью, что встревоженный Константин решил обратиться куда-нибудь повыше. Нужно поговорить с генералом Бременом — Геббельс рекомендовал ему сделать это в случае каких-либо затруднений; а генерал Бремен именно сегодня ужинал, как всегда по понедельникам, у Бубу Браганс, старинной приятельницы Константина.

Элизабет Браганс, или Бубу — так называли ее ближайшие друзья, — была хозяйкой самого блестящего из парижских салонов еще лет пятнадцать тому назад, задолго до начала войны, — таковым он оставался и по сей день. Завсегдатаями его были все видные коллаборационисты[1] и сливки вермахта. Взглянув на часы, Константин сообразил, что еще успеет вернуться в отель, принять ванну, переодеться и вовремя явиться в особняк на Анжуйской набережной. Но перед уходом он забежал в гримерную и, схватив за руку Мод, потащил ее за собой.

— Пошли! — командовал он на ходу. — Быстренько наведите красоту и бежим в «изячный» салон мадам Браганс умолять одного всемогущего генерала о помиловании наших друзей. Я беру вас с собой, Мод, деточка!

И Мод, которая читала о роскошных апартаментах на Анжуйской набережной (не говоря уж о фотографиях чуть ли не в полусотне газет и журналов, правда, не в таких, как «Сине мондьяль», скорее — в «Комеди»), пришла в восторг. Посещать тамошние приемы, как внушали ей и мать, и импресарио, считалось еще шикарнее, чем ужинать «У Максима». Печаль ее на мгновение улетучилась. А ведь именно из-за этой печали Константин и брал ее с собой. Ему очень хотелось напиться нынче вечером, и, зная себя, он боялся, как бы хмель не заглушил голос долга, как бы вино не заставило его забыть о крови, которая могла пролиться; он брал в спутники Мод, как берут с собою совесть, — так Пиноккио не расставался со Сверчком[2]; поистине,

---

[1] Так во Франции называли людей, сотрудничавших с немецкими оккупантами.

[2] Герой написанной для детей повести Карло Коллоди «Приключения Пиноккио» (1883).

злосчастной Мод впервые приходилось играть подобную роль. Тем не менее, сидя в машине (Константин вел ее сам и не зажигал света), она вдруг повернулась к нему, и глаза ее блеснули любопытством.

— Знаете, Константин, вся наша группа ломает себе голову над такой загадкой: когда вы жили в Голливуде, вы ведь пользовались сумасшедшим успехом! Так почему же вы бросили студию, ваших кинозвезд, вообще все и вернулись снимать в Германию? Ведь вы же стопроцентный американец, разве нет?

— О, это долгая история, деточка. Я приехал в Германию в 1937 году, полный отвращения ко всему, и в первую очередь к самому себе. Американская пресса писала обо мне всякие гадости; жена, как я вам уже говорил, отвергла меня; отвернулись и друзья; в кармане не было ни гроша — словом, я плюхнулся с небес в грязь — и все потому, что вздумал сделать мало-мальски серьезный фильм. Америка — это страна денег, Мод! И людей, которые забывают об этом, жестоко наказывают...

Благородная печаль, звучавшая в голосе Константина, на какой-то миг убедила даже его самого и, уж конечно, произвела потрясающее впечатление на Мод: ее глаза опять наполнились слезами.

— Бедненький мой Константин, — прошептала она, — расскажите мне... расскажите хоть что-нибудь. Может, вам от этого станет легче.

Константин фон Мекк пожал плечами.

— Почему бы и нет? Все произошло, когда я приехал из Мексики. Так вот, когда я вернулся в Лос-Анджелес...

ГЛАВА 2

Константин, в ярости покинувший студию и увлекший за собой Мод Мериваль как грустное напоминание о долге, конечно, ошибся. Мод, которая уже была наэлектризована бурным концом съемок великосветской сцены, окончательно впала в экстаз при упоминании изысканнейшего салона Бетти Брагане — салона, регулярно поминаемого в газетной светской хронике. Она тут же осушила слезы умиления, возмущения и жалости, вызванные рассказом Константина, и спрятала уже ненужный носовой платочек.

— А вы близко с ней знакомы? — жадно выспрашивала она. — Говорят, у нее там потрясающе!

Потом, испугавшись, что это сочтут за восторги мещаночки, торопливо добавила: «Потрясающе, конечно, для снобов!» Слово «сноб» звучало для Мод столь же лестно, сколь и туманно. Константин неопределенно тряхнул головой, и они поехали к Мод, чтобы она могла переодеться.

Мод побила все рекорды скорости, нарядившись и накрасившись меньше чем за три четверти часа; затем она поехала с Константином в его отель «Лютеция», где он, движимый скорее запоздалым гневом, нежели желанием, занялся с ней любовью, ухитрившись притом не помять ей платье, что показалось бедняжке Мод верхом галантности. Поэтому, когда он попросил было прощения за свой бурный порыв, Мод с сияющими от восторга глазами тут же прервала его:

— Ах, я так долго ждала этого мига!

— Я вас не слишком разочаровал?

— Меня... разочаровали?! Да неужто я выгляжу разочарованной?!

И Мод рассмеялась томным смехом, на который не последовало ответа.

Особняк Бубу Браганс на острове Ситэ ночью выглядел темным кубом в окружении чуть более светлой воды. Подъезд был виден издалека благодаря паре высоченных канделябров, в которых горело по гигантской свече; другие, еще более роскошные канделябры обрамляли длинную лестницу, пламя свечей отбрасывало на широкие, плоские ступени причудливые черные арабески теней от великолепных кованых перил. И Константин увидел во взгляде Мод, вцепившейся в его локоть, восхищение и испуг Золушки, попавшей в королевский дворец, — увидел и невольно умилился...

— Константин, вы не знаете, где тут можно причесаться? — прошептала Мод. Константин указал ей на нужную дверь, пообещав подождать в вестибюле.

Он стоял, разглядывая гостей, потоком вливавшихся в гостиную, как вдруг из глубины бального зала на него налетел ураган. То была хозяйка дома Бубу Браганс собственной персоной; еще миг назад она льнула в танце к оробелому и скованному кавалеру и вдруг безжалостно бросила его прямо посреди толпы, чтобы кинуться к Константину.

— Константин! Да это же Константин! — воззвала она, перед тем как цепко, наподобие лассо, обвить руками талию своего друга. Откинув голову, она озирала его своими круглыми блестящими глазками хищной птицы. — Константин, скажи мне сразу: ты уже развелся, ты наконец свободен!

— А ты, — откликнулся ласково Константин, — ты скажи мне сразу: генерал Бремен здесь?

— Я первая спросила! — с жаром возразила Бубу Браганс. — Сперва ответь ты!

Константин рассмеялся: вращаясь всю жизнь в высшем обществе, Бубу ухитрилась сохранить дерзкие замашки школьницы.

— Ладно, отвечаю: я свободен, но пришел не один.

— Тогда и я тебе отвечу, — сказала Бубу, — генерал Бремен здесь, но он тоже пришел не один, его осаждают со всех сторон.

И они оба рассмеялись.

— У нас с тобой, как видно, разные устремления, — констатировала Бубу Браганс. — Да и странно, если бы было иначе. Ну ты и проказник! — воскликнула она, пытаясь дружески хлопнуть Константина по спине, но, не достав своей коротенькой ручкой даже до лопаток, ткнула его вместо этого в солнечное сплетение, получив в ответ зверский взгляд своего обожаемого друга.

Одетая, а вернее, туго запеленутая в черное атласное платье от Пакэна, несомненно считавшееся шедевром в 1935 году, Бетти Браганс удивительно напоминала кругленький бочонок на двух подпорках. Но это был бочонок, полный золота и могущества; никому и в голову не пришло бы посмеиваться над ней, такой почтительный страх внушала она окружающим. Ее первым мужем был один из совладельцев сталелитейного концерна «Дюваль»; он умер еще молодым, перед тем завещав ей все свои капиталы; затем она вышла замуж за Луи Браганса, безвестного писателишку, также довольно скоро канувшего в небытие, — этот оставил ей в наследство сомнительный салон, из которого она сотворила самый престижный салон в Париже. В нем-то она и царила вот уже два десятка лет, и люди не знали, чему больше дивиться: то ли безраздельному влиянию Бубу, то ли ее сказочному богатству, то ли уму и проницательности. Бетти Браганс и в самом деле была далеко не глупа и обладала безошибочным чутьем на моду и на тех, кто должен был войти в моду — даже сейчас, при оккупации.

Она постепенно разработала целую серию очаровательных фраз-недомолвок, весьма убедительных именно в силу своей туманности. Например, таких: «Моя фамилия Браганс, но я не ставлю перед ней частичку «де». Это было чистой правдой, но как бы подразумевало, что она имеет право на упомянутое «де», — и это уже была ложь. Или она заявляла: «Должна честно признаться, мне давно уже за сорок, — что было более чем правдой, поскольку ей уже стукнуло шестьдесят, но позволяло самым наивным из слушателей думать, будто ей под пятьдесят. И все же, какова бы ни была Бубу, она полновластно царила в Париже и его салонах, командуя интеллектуалами, газетчиками, политическими деятелями, к чьему бы лагерю они ни принадлежали.

При этом за два года оккупации в доме Бубу никто не видел немецких мундиров. По ее требованию все гости, что военные, что штатские, обязаны были являться во фраках или прочей гражданской одежде. Поэтому в салоне Бубу можно было встретить немецких офицеров в смокингах — лощеных, прекрасно воспитанных людей, и явно не все они были фанатично преданы Гитлеру. Однако если кто-нибудь из них все же высказывал свое обожание фюреру чересчур шумно, Бубу Браганс тут же подавляла выскочку своим незыблемым хладнокровием и авторитетом хозяйки дома. «Ш-ш-ш! У меня о политике не говорят!» — бросала она нежнейшим голоском, со снисходительной усмешкой, словно Гитлер был всего лишь претендентом на пост мэра в какой-нибудь деревушке. Потом, взяв провинившегося под руку, она уводила его в свой будуар и цинично приступалась к нему со столь недвусмысленными авансами, что нацист быстренько приходил в себя. То была одна из граней могущества Бубу: она пускала в ход всю себя, вплоть до физических недостатков; более того, ей даже нравилось откровенно и беззастенчиво расписывать эти недостатки красивым молодым людям, коль скоро она заключала, что кого-то из них можно купить. Вот уже десять лет, как Бубу Браганс открыла для себя — и весьма охотно практиковала — этот новый вид сладострастия: низкое удовольствие бесстыдно и неторопливо демонстрировать свою непристойно-жирную, обвислую, отвратительную наготу испуганным юношам, которые поспешно натягивали на себя шелковые покрывала ее ложа и скрывали иронический или ненавидящий взгляд под длинными — всегда слишком длинными — ресницами.

— Бубу, — сказал Константин без дальнейших околичностей, — я привел к тебе свою актрису Мод Мериваль. Ей, конечно, далеко до Эйнштейна, но в своем роде она прелесть. Не обижай ее!

И он умолк, ибо в дверях туалетной появилась Мод, счастливая и возбужденная.

— Ты подумай, там ванная вся из мрамора и хрусталя! — воскликнула она, обращаясь к Константину и еще не уразумев, что находящийся рядом жирный бочонок с хищными глазками и есть хозяйка дома. А поняв это, так и застыла на месте, испуганно приоткрыв хорошенький вишневый ротик. Бетти Браганс бросила на Константина дружески-свирепый взгляд, словно говоря: «Браво, браво, мой милый! Девочка хороша — глупа, конечно, как пробка, но хороша!» И Бубу пожала плечами, что означало: «Ишь ты, «не обижай ее»! Чего ты боишься? Что я наброшусь на эту беззащитную овечку? С ума сошел!» После чего — воплощение материнской доброты и гостеприимства — сжала пухлыми пальчиками обе руки Мод.

— Ну конечно! — провозгласила она трубным голосом хозяйки дома, в высшей степени приветливым голосом, ясно дающим понять всем окружающим, что Мод — новенькая здесь и находится под ее покровительством. — Ну конечно! Мы уже так давно слышим о ней! Мы уже так давно ждем, когда же этот противный Константин перестанет прятать ее от нас!.. Ах, какой чудный сюрприз она сделала нам, какой приятный сюрприз! Мы сейчас выпьем за ее здоровье! — добавила она, обращаясь к гостям, заполнившим ближайший салон, и те охотно устремились к ней. — Дорогие друзья! Вот вам наш сюрприз: Мод Мериваль!

Поднялся восхищенный гул, и Константин увидел, что шею и щеки Мод залил румянец смущения, а сияющая Бетти — само благодушие, сама щедрость! — впилась в него глазами, ища ответного одобрения...

Бремен оказался меланхоличного вида старцем с лицом, испещренным мелкими морщинками; правда, живой взгляд и беспокойные руки слегка молодили его. По первому впечатлению он больше походил на персонажей оперетт Иоганна Штрауса, нежели на гитлеровского бонзу. Его сухое хихиканье, странная манера по-птичьи вертеть головой и потирать ладошки почему-то воскресили в памяти Константина героиню одной из венских опереток. Бремен знаком пригласил его сесть рядом на широкий диван, где восседал сам среди сонма юных арийцев в смокингах, подобострастно склонившихся к своему повелителю; гигантский рост Константина явно подействовал им на нервы, и они один за другим удалились с оскорбленным видом. Константин уселся напротив генерала и встретил его взгляд, в котором сквозили симпатия и любопытство — главным образом любопытство.

— Итак, господин фон Мекк, вот и вы наконец пожаловали к нам... Но вы нигде не бываете! Наша милая Бубу жалуется на это, и я ее вполне понимаю, — проговорил генерал с легкой приветливой улыбочкой, которая слегка сбила с толку Константина.

— Я никуда не хожу, когда работаю, — ответил он, — съемки фильма, знаете ли, штука утомительная...

— Ах, какой вы счастливый человек! — перебил Бремен, не слушая Константина. — Жить среди нарисованных декораций, в иллюзорном мире, не видеть реальной жизни и ее ужасов... Война — это же кошмар! — воскликнул он с такой театральной убежденностью, что его слова прозвучали просто комично.

— Да, разумеется, — с силой сказал Константин, — впрочем, именно по этому поводу я и хотел поговорить с вами, генерал. Мне...

Но генерал Бремен по-прежнему не желал его слушать:

— Видите ли, господин фон Мекк, война ужасна для человека не только оттого, что накладывает на него ответственность, но еще и потому, что заставляет его бояться, если он одарен воображением; война особенно ужасна для человека ночью, до и после сражения; одиночество — единственная спутница солдата, вот так-то! Да, именно одиночество, — повторил он, нахмурив брови, и, деревянно выпрямившись, хлопнул ладонью по колену, словно пытался вколотить в него эту банальную истину, которой, по мнению Константина, действительно место было скорее в колене, чем в голове. Бедняга явно выжил из ума.

Константин решил предпринять обходной маневр и пуститься в общие рассуждения:

— Одиночество, увы, существует на всех уровнях, генерал. Режиссер также страдает от него; мне так тяжело вдали от повседневной жизни, от друзей, от моего окружения и...

— Да, верно! — внезапно воскликнул Бремен. — Вы ведь тоже женаты! Ужасно, не правда ли? Оставить где-то вдали семейный очаг!.. Моя жена, мои дети, мои дети, моя жена — я непрестанно думаю о них — только не в часы работы, разумеется, — добавил он с сумрачной гордостью. И обеспокоенный Константин спросил себя: неужели нацизм делает всех без исключения дебилами? Он поискал глазами Бубу Брагане, но та была далеко, она порхала среди гостей, словно пчелка, усердно собирая сомнительный мед их болтовни.

— Лично я разведен, — равнодушно ответил он.

— Разведены? Какая ужасная ошибка! — генерал был шокирован. — Развод — это же профанация! Как можно покинуть свою жену?! Как можно развестись с женщиной, с которой поклялся не расставаться до самой смерти?!

— Увы! — прошептал Константин, не зная, что еще сказать. — Увы! Трижды увы! — выкрикнул он громогласно. Его уже тошнило от этой развалины, разукрашенной железными побрякушками, военными крестами и нашивками (а в передней этого вояку еще небось дожидается традиционный стек). Генерал бросил на Константина взор, в котором наконец промелькнула озабоченность.

— Наша милая Бубу сказала, что вы хотели о чем-то переговорить со мной? — спросил он. — Могу ли я узнать, о чем речь?

— Речь идет о двух моих друзьях, — ответил Константин, — о моих декораторе и электрике, которых гестапо арестовало сегодня днем под тем предлогом, что они евреи; я хотел просить, чтобы их освободили.

Наступило молчание. Бремен заботливо массировал нос сверху вниз, потом рука его замерла на уровне ноздри; вид у него был крайне заинтересованный.

— А они и в самом деле?.. — спросил он.

— Что в самом деле? — осведомился Константин. — Вы хотите знать, евреи ли они?

— Да.

— Ну конечно, — ответил удивленный Константин. — Конечно, в самом деле. Я ведь сказал: евреи — не мазохисты же они!

— Хорошо, — откликнулся генерал, — хорошо! То есть, что я говорю — «хорошо»... я бы предпочел, чтобы они евреями не были, для положительного решения вашего дела.

— Но в таком случае их бы и не арестовали, — возразил Константин, на сей раз следуя логике. — Я вас не совсем понимаю, генерал.

Бремен залился тихим смехом, хитро прищурясь и грозя пальчиком; нет, ему было не больше пятидесяти пяти, максимум шестьдесят, и не годы — что-то другое старило это лицо.

— Гестапо иногда случается совершать ошибки «сознательно», дорогой друг, так сказать, «с умыслом». Я сам видел одного молодого человека, называющего себя ни больше ни меньше — Шнейдером; его посадили в Дранси[1] как еврея... Так вот, евреем он не был! Шнейдер, подумать только! А? Как вам кажется: «Шнейдер» звучит по-еврейски?

Константин отчаялся: слабоумие, дряхлость и эпилепсия всегда внушали ему страх.

— Шнейдер, — повторил он машинально. — Шнейдер... Не знаю. Мне лично трудно отличить еврейское от нееврейского. Что вообще означает расизм?

— Ну так вот, мой бедный друг, — сказал посмеиваясь генерал, — расизм означает, что вы увидите своих друзей не ранее чем через несколько месяцев или уж, во всяком случае, через несколько недель: пока Германия — наша великая Германия — окончательно не выиграет войну.

Константин удержался от замечания, что «их» Германии это как будто не грозит; он принялся настаивать на своем:

— И вы думаете, что я их вскоре увижу опять? Каковы, собственно, планы «третьего рейха» относительно евреев? И прежде всего, где они? Их увозят куда-то целыми эшелонами, и никто никогда не возвращается — это начинает пугать людей.

Бремен торжественно выпрямился на своем диване, в результате чего его макушка оказалась на уровне подбородка Константина. Он вновь воздел палец, но на сей раз направил его, как пистолет, на собеседника.

— Как это?! — строго вопросил он. — Как это «никто никогда не возвращается»?! Вас это пугает, господин фон Мекк? Могу сообщить вам, что мы увозим не только евреев-мужчин! Мы увозим также еврейских женщин и детей! Мы увозим даже еврейских грудных младенцев! И что же, по-вашему, мы с ними делаем! Неужто вы, господин фон Мекк, считаете немцев, наших соотечественников, способными на негуманные поступки? Неужто считаете германскую армию бандой садистов?

К счастью для Константина, голос Бремена, поднимаясь до визга,

---

[1] Концлагерь для евреев на территории Франции.

одновременно слабел, в то время как лицо его багровело от возбуждения. Генерал продолжал:

— И вы полагаете, что мы допустили бы это — мы, офицеры «третьего рейха»? Мы, герои Эссена, Йены или Эллендорфа?

— Нет, нет, конечно! — успокаивал его пораженный Константин. — Я уверен, что нет. Но ведь дело в том, что немецкая армия состоит не только из вермахта, в нее входит еще и СС. И я лично очень опасаюсь этих молодых людей.

— Я с 1942 года командую частями СС во Франции. Так же, как и гестаповцами. Вся политическая полиция работает под моим началом, — сказал Бремен таким тоном, будто хвастался, что у него дома есть персидский кот. Он вдруг словно упал с высоты своего величия: сгорбился, осел на диване, устремив куда-то невидящий взгляд, уронив руки между колен, и снова стал похож на слабоумного старичка, и еще, подумал Константин в мгновенном прозрении, у него вид смертельно напуганного человека. Напуганного кем? Или — чем? Как знать?.. Но Константин вдруг во внезапном порыве жалости, удивившем его самого, положил руку на рукав генерала.

— Генерал, — спросил он тихо, — вам нехорошо? Я могу чем-нибудь помочь?

Бремен слегка приосанился, попытался снова воинственно сверкнуть глазами, но только поморгал и, отвернувшись от Константина, почти прошептал:

— Нет, господин фон Мекк, вы ничем не можете помочь. Как и я не могу помочь вашим друзьям. А впрочем... Обратитесь к моему адъютанту, — добавил он, помахивая аристократической рукой, тем самым как бы отпуская Константина и одновременно указывая ему на вялого молодого человека с невыразительным лицом, который, стоя в сторонке, хладнокровно поглощал эрзац-пирожное.

Бремен повторил свой не слишком учтивый, а скорее усталый жест трижды. Растерянный Константин наведался в буфет, чтобы приложиться к бутылке с водкой (за которой бдительно следил все время беседы с генералом и которую теперь прикончил в два счета); это помогло ему в конце концов счесть адъютанта весьма симпатичным парнем и даже полностью поверить в обещание все уладить: Бремен, по его словам, имел для этого все необходимые полномочия, да и сам он почел бы за счастье освободить обоих друзей Константина (он тут же занес имена в блокнотик) и привезти их к нему в отель «Лютеция». На последнем адъютант настоял особо.

Вот таким-то образом, невзирая на всю фантастичность подобного обещания, Константин и уверил себя, что ему завтра же вернут Швоба и Вайля. Рассудок его иногда вступал в противоречие с оптимизмом, но и оптимизм временами затмевал проницательность. Неужто он действительно уверовал в то, что вопреки безжалостным — и безжалостно соблюдаемым — законам «третьего рейха», вопреки безжалостной роли гестапо два его еврея, арестованные с фальшивыми документами, когда-нибудь вернутся к нему?! И тем не менее он в этом даже не усомнился. Во-первых, потому что желал их возвращения, а его желания почти всегда исполнялись; во-вторых, потому что даже если он не верил в могущество своего имени — имени знаменитого режиссера, то был убежден в своем чисто человеческом везении. Итак, Константин беспечно напился в этот вечер, отмахиваясь от плаксивых, сентиментальных увещеваний бедной Мод, безуспешно пытавшейся увести его домой. И наконец, мертвецки пьяный и умиротворенный, он очутился на кровати у себя в номере...

1939
Берлин

Хотя апрель только-только вступил в свои права, Берлин нынче купался в теплом полуденном солнечном воздухе преждевременно нагрянувшего лета, достаточно, впрочем, мягкого, чтобы город продолжал жить в обычном ритме: на улицах по-прежнему царило лихорадочное напряжение, похоже, никак не зависевшее от времени года.

Сидя за рулем великолепного черного «Дизенберга» с откидным верхом (подарок Геббельса по случаю возвращения в Германию, за который нужно будет позже поблагодарить), Константин фон Мекк ехал по улицам города и невольно улыбался: уж больно опереточный вид был у этого чересчур воинственного Берлина. Пятнадцать лет режиссерской работы в Голливуде сразу позволили ему подметить некоторый перебор в декорациях и постановке спектакля «третьего рейха»: слишком много солдат, слишком много знамен, слишком много приветствий! А какое изобилие свастик, монументов и воинственного пыла! Константин посмеялся надо всей этой безвкусицей.

Только нынешним утром прибывший самолетом на аэродром Темпельхоф, еще оглушенный Грецией, ее неистовым солнцем, Константин чувствовал себя счастливым, измотанным и довольным, несмотря на газетные статьи, комментировавшие его отъезд из Штатов: он прочел их лишь теперь, полгода спустя, ибо не успел он ступить на землю Германии, как УФА тут же отправила его в Грецию, на остров Гидра, подальше от всякой цивилизации, писать сценарий «Медеи» и снимать по нему фильм — великолепный, потрясающий фильм, который он сам же потом смонтировал в Афинах, и фильм с триумфом прошел по всей Европе, прежде чем удостоиться успеха в Америке. Константин ощущал радостный подъем, несмотря на смутное впечатление экзотичности, возникавшее у него при виде любой иностранной столицы, хотя какая же она иностранная — он находился на родине, среди соотечественников, говоривших на языке его детства, и сердился на себя за это неосознанное снисходительное любопытство туриста, куда более сильное, чем в Париже или в Нью-Йорке. По если забыть об этих патриотических изысках, такой Берлин был гораздо более приемлем для Константина, чем тот, который он видел здесь в свой предыдущий короткий приезд: нищих людей тогда, в 1921 году, уныло бродивших среди развалин, сменила солидная, хорошо одетая толпа, возбужденно — на взгляд Константина, слишком возбужденно — спешившая куда-то по улицам. Казалось, в Берлине больше нет места лениво фланирующим зевакам, женщинам, любующимся заманчивыми витринами. Эта толпа состояла словно бы из одних солдат и офицеров да их матерей, жен и отпрысков.

Разумеется, Германия воевала или собиралась воевать, но демонстрировала это чересчур явно — во всем, вплоть до отеля, где он остановился, старинного отеля «Кампески»: горничные, вместо того чтобы приветливо поболтать с постояльцем, как во всех гостиницах мира, или восхищенными (в данном случае вполне уместными) возгласами оценить его роскошный гардероб, молча, безо всяких комментариев развесили его костюмы в шкафу, будто расторопные и покорные денщики. О нет, невеселая это была страна — воюющая Германия! Ну да ладно! В конце концов, он же не развлекаться сюда приехал... Но вот только что, когда Константин направлялся к министерству информации и притормозил на перекрестке, какая-то женщина, увидев в открытой машине рыжего великана, взглянула в его зеленые глаза и вдруг невольно ответила ему улыбкой на улыбку, чем и вернула Константину фон Мекку вкус к жизни и патриотическую гордость.

Весело насвистывая, он въехал во двор министерства пропаганды, где его пропуск, подписанный лично Геббельсом, позволил ему насладиться целым десятком воинственных, шумных приветствий часовых — они выбрасывали руку вверх и щелкали каблуками. Но эта глупая солдатня, пресыщенная своими танками и вездеходами, даже не удостоила взглядом огромные фары, удлиненные борта, изящный абрис, всю породистую красоту его великолепной машины! Рядом мгновенно возник офицер, он открыл дверцу, также не забыв отдать знаменитое военное приветствие и вдобавок сопроводив его громовым «Хайль Гитлер!», на что Константин ответил намеренно жеманным помахиванием кисти — явно издевательским жестом, который, однако, ничуть не смутил бесстрастного провожатого. Зато тот испуганно вздрогнул миг спустя, когда почти двухметровый гигант — косая сажень в плечах — вышел из машины: костюм-тройка Константина, классического стиля и безупречного покроя, был сшит не больше не меньше как из рыжего вельвета — даже не коричневого, а именно рыжего.

— Этот цвет называется «сиена», — разъяснил Константин с очаровательной улыбкой. — Костюм мне сшили в Беверли-Хиллз, у «Квикерз Тейлорс». Did you have to wait long?[1] — учтиво осведомился он, но тут же хлопнул себя по лбу и огорченно извинился на чистейшем немецком: — Ах, извините, бога ради! Мне давно пора расстаться с привычкой говорить по-английски! Как поживаете, господин фон Брик? Лейтенант фон Брик... так, кажется?

Это был тот самый адъютант Геббельса, который десять месяцев назад встречал Константина на аэродроме Темпельхоф и потом весьма почтительно сопроводил его к самолету, отбывшему в Афины. И ему же, без всякого сомнения, поручено было наблюдать за Константином и разведать, почему этот блестящий известнейший режиссер, имевший и огромный успех, и все мыслимые блага в Америке, вдруг возымел нелепое желание покинуть свою вторую родину, вернуться в Германию и снимать фильмы для нацистов, бросив тем самым вызов своей обожаемой Европе и приняв те принципы и этику, которые были противны всем его предыдущим убеждениям, всему его творчеству. Итак, невзирая на безупречное воспитание, фон Брик не удержался и вздрогнул при виде огненно-рыжего Константина: прошла целая минута, прежде чем он заговорил с обычным спокойствием.

— Господин фон Мекк, — сказал он, — господин министр Геббельс ждет вас в своем кабинете. Будьте добры следовать за мной.

— С удовольствием, дорогой мой, с удовольствием! — воскликнул Константин и, подпрыгнув на месте, чтобы размять ноги, под испуганными взглядами солдат и часовых зашагал за своим провожатым. Их путь растянулся чуть ли не на километры по бесконечным мраморным коридорам, где с интервалом в двадцать метров были расставлены часовые, точно фруктовые деревья в саду, только увешаны они были не плодами, а оружием. Часовые выпячивали грудь и щелкали каблуками перед проходящими, и тут Константин прогудел в спину фон Брику:

— Да что за чертова мания у ваших парней лупить каблуками об пол! Может, их стоит обучить бить чечетку или проделывать еще какие-нибудь трюки? А то что с ними будет после войны?

Последний вопрос, естественно по-немецки, Константин задал намеренно громко, но фон Брик, не оборачиваясь, ускорил шаг. Константин гнул свое:

— Ведь когда война окончится, вы разошлете этих парней по домам, и на что они сгодятся с такой дурацкой, бесполезной привычкой? У них и сапоги-то сотрутся в прах от поминутного щелканья каблуками. А ведь мир когда-нибудь да наступит, верно?

---

[1] Долго вам пришлось ждать? (англ.)

Он намеренно повышал голос, а фон Брик так же намеренно набирал скорость. Они мчались мимо солдат и унтер-офицеров, замерших по уставу, но пораженно взиравших на дерзкого огненно-рыжего чужака, что беспечно шагал по их коридорам.

— Скажите, пожалуйста, лейтенант, — не выдержал наконец Константин, — мы, по-моему, прошли уже не меньше трех километров. Скоро ли мы прибудем?

Фон Брик, бледный, но невозмутимый, простер руку вперед, указывая куда-то в конец коридора.

— Скоро, господин фон Мекк. Кабинет его превосходительства господина министра сразу за поворотом.

И через мгновение они оказались в приемной, также охраняемой двумя часовыми с примкнутыми штыками. Часовые все тем же заученным приемом отдали честь фон Брику, полностью проигнорировав Константина. В этих сжатых челюстях, рыбьих глазах и твердых лбах нет ничего человеческого, подумал он; тут солдаты деревянно расступились перед ним и фон Бриком, чтобы пропустить в святая святых — кабинет. На пороге провожатый его покинул.

Константин с удовольствием припомнил гигантоманию голливудских киномагнатов: до того отвечала этому духу необъятная пустынная комната с письменным столом, двумя креслами и огромнейшим портретом Гитлера, висящим за спиной маленького, просто-таки крошечного Геббельса. Карликовая скрюченная фигурка выбралась из-за стола ему навстречу.

— Господин фон Мекк, — сказал Геббельс, — вы не представляете, как я счастлив принимать вас у себя, в Берлине. К сожалению, я находился в Берхтесгадене[1], когда вы прибыли сюда в прошлый раз...

И поскольку они были слишком уж несоразмерны по росту, оба поспешили к креслам, словно к спасительной гавани, и, только усевшись по разные стороны стола, осмелились взглянуть друг другу в лицо — Геббельс водянистыми серо-голубыми глазами, Константин — светло-зелеными. Эти двое были разительно непохожи друг на друга абсолютно во всем, но на короткое мгновение каждый испытал удовольствие от взгляда другого, как случается иногда при встрече двух умных, проницательных людей, уставших от назойливой глупости окружающих.

Плотно сжав губы и вздернув брови, что придавало ему слегка высокомерный вид, министр Геббельс изучал своего гостя, следуя испытанной тактике молчания — прежде она всегда приносила пло-

---

[1] Берхтесгаден — загородная резиденция Гитлера.

ды, но с Константином решительно не удалась. Презрев этикет, тот первым нарушил тягостную тишину — вполне, впрочем, любезной фразой.

— Этот «Дуизенберг», — сказал он по-немецки, — великолепный, прекрасный подарок. Просто не знаю, как вас благодарить.

Геббельс — удивленный, но удивленный приятно — скромно потупился.

— О, какие пустяки, господин фон Мекк. «Третий рейх» в неоплатном долгу перед вами — вспомним хотя бы о точке зрения международной прессы. Ваш отъезд из Голливуда и возвращение сюда были расценены как протест против агрессивной политики врагов рейха и как поддержка нашего народа, а вы и не представляете себе, насколько это важно.

На лице Константина не отразилось никакой радости. Причины его возвращения были совершенно иными и слишком личными; он вовсе не собирался враждовать с целой Европой. Вероятно, и Геббельс заподозрил это, ибо продолжил:

— В противоположность тому, что пишут некоторые газеты, нет таких денег, которыми можно было бы вознаградить вас за это, к тому же ни один банкир не способен создать «Медею». Вы удостоились большого и вполне заслуженного успеха. Этот фильм произвел на меня впечатление черно-красного, господин фон Мекк, хотя снимался как черно-белый. Это великолепный фильм.

Константин признательно улыбнулся: своим комплиментом Геббельс верно оценил его замыслы.

— Благодарю вас, — сказал он, — теперь я хотел бы снять фильм «Эдип» в черно-золотой гамме, если мне это удастся.

— Я полагаю, что УФА строит относительно вас иные планы, — заметил Геббельс.

Константин выпрямился в своем кресле.

— Я и слышать не желаю об этих планах. УФА хочет заставить меня снимать «Еврейку», а это антисемитский фильм.

— Ну и что? — бросил Геббельс.

— А то, что это противно моим чувствам, — с улыбкой объяснил Константин. — И поверьте мне, здесь любые деньги окажутся бессильными: не найдется в мире такого богача, который заставил бы меня изменить моим убеждениям.

Наступило короткое молчание.

— Вам не следовало бы излагать свои мысли... таким образом, — мягко заметил Геббельс. — Еще передо мной, пожалуй... Но только не публично. И, уж конечно, не перед полицией.

— Меня не испугаешь даже самым ужаснейшим орудием пытки, — возразил Константин, иронически подчеркнув слово «ужаснейшее», чтобы лишить свою фразу всякого мелодраматического оттенка. — Я не стану снимать «Еврейку», уж лучше вернуться в Америку.

Вот где был его главный козырь, и Константин понимал это. Геббельс ни в коем случае не мог допустить, чтобы он уехал и нанес тем самым оскорбление «третьему рейху». По крайней мере, именно на это Константин и надеялся.

— Было бы жаль, — сказал Геббельс, умиротворяюще подняв руку, — если бы вы вернулись в Америку до выхода там вашей «Медеи». Лучше вам явиться туда в разгар успеха, «со щитом», так сказать. Вы согласны?

— Да, конечно, — ответил Константин.

Он сказал правду: ему хотелось вернуться в Голливуд только триумфатором.

— Да и для «третьего рейха» это было бы весьма огорчительно, — продолжал Геббельс. — Весьма! Ваш отъезд показал бы всему миру, что «третий рейх» — государство, где трудно или невозможно жить артисту, и, не стану скрывать от вас, господин фон Мекк, это нанесло бы огромный урон нашей репутации.

Константин был поражен. Хитрый человечек раскрывал перед ним карты, сам вкладывал ему в руки оружие против них. Этот Геббельс был предельно искренним. И напрасно он так волнуется по поводу моего намерения уехать, подумал Константин, никогда не придававший особого значения ни своей персоне, ни своей известности, ни впечатлению, которое могли бы произвести на публику его убеждения или поступки. Он ответил уклончиво:

— Ну ладно, посмотрим. «Медея» выйдет в Штатах месяца через два... Может, я пока проедусь, погляжу на родные места. В конце концов, я заслужил небольшой отпуск...

Геббельс медленно закурил, пристально глядя на Константина.

— Вам нужен вовсе не отпуск, господин фон Мекк. Представьте себе, я знаю, зачем вы сюда приехали.

И, сменив сухой тон на дружеский, Геббельс продолжил:

— Господин фон Мекк, неужто вы не понимаете, что я наводил справки о вас с тех пор, как все газеты мира стали писать о вас на первой полосе? Неужто не понимаете, что и я спрашивал себя: зачем вы вернулись в Германию именно сейчас, когда вы достигли там, в США, вершин карьеры, когда весь мир недоумевает, почему вы все бросили и приехали сюда? Узнать это было моим долгом, господин фон Мекк, и, я полагаю, мне удалось его выполнить.

Константин взглянул ему в лицо.

— Ах, вот как! — усмехнулся он. — Вам известны причины моего приезда? А уверены ли вы в том, что они ведомы мне самому?

Геббельс залился смехом. То был тихий, отрывистый, как кашель, смех, приглушенный, ибо министр прикрыл рот ладонью.

— Если вам неведомы ваши собственные побуждения, господин фон Мекк, вы, быть может, окажете мне честь, позволив изложить их? Вы покинули Соединенные Штаты не из-за обиды или уязвленного самолюбия, как намекали некоторые газеты. Ваши мотивы имеют куда более глубокие корни, не так ли? Давайте же разберемся! Вы покинули Германию в 1912 году, когда ваша матушка, русская по национальности, развелась с вашим отцом — немцем. Вам тогда было лет одиннадцать-двенадцать, верно?

— Именно так, — подтвердил, заинтересовавшись, Константин.

— А когда Германия в 1914 году объявила войну Франции, вы уже находились в Голливуде. Ваша мать вновь вышла замуж — за продюсера. Война уже шла полным ходом, но мать удержала вас в Америке; впрочем, тогда вы были еще действительно слишком молоды, чтобы воевать.

— Все точно.

— Война продолжалась, а для вас это время стало началом карьеры, не так ли? Вы уже заслужили репутацию хорошего ассистента среди режиссеров того времени. Вы вышли на прямую дорогу к успеху — и это в пятнадцать-то лет! Да, такое бывает только в Америке!

Константин молча кивнул.

— Вы не знали, что Германия обескровлена, что у нее не осталось больше солдат, что курсанты офицерских училищ от пятнадцати до восемнадцати лет все поголовно мобилизованы и посланы на фронт...

Константин фон Мекк опустил голову, теперь он очень внимательно разглядывал свои руки.

— Да, — ответил он, — этого я не знал.

— В результате, когда в 1921 году вы вернулись в Германию, господин фон Мекк, и вам пришла в голову мысль наведаться в свою старую школу в Эссене, вы обнаружили, что за время вашего отсутствия все ваши товарищи погибли на фронте. Конечно, кое-кто был старше годами, но большинство — ваши ровесники, и ни один из них не захотел влачить жалкую жизнь побежденного. Вы поняли, господин фон Мекк, что из всего класса в живых остались вы один, если не считать некоего молодого человека — офицера с ампутированной ногой. Ибо вы ведь учились в знаменитой кадетской школе, не так ли, господин фон Мекк?

— Да, правда, — ответил Константин. Он стал шарить по карманам в поисках сигареты, долго-долго вынимал и раскуривал ее, не поднимая глаз. Геббельс наблюдал за ним с нескрываемым удовольствием и, когда Константину удалось наконец закурить, продолжил ледяным тоном:

— И этот офицер без ноги, ваш бывший соученик, назвал вас трусом в эссенском кафе, при всем честном народе; он даже вызвал

вас на дуэль. Вот тогда-то вы и почувствовали себя виноватым; в этот
день вам стало ясно, что вы в долгу перед Германией, в настоящем
долгу, ибо подобное оскорбление в тогдашнем вашем возрасте —
сознательно или неосознанно, это уж другое дело, — не забывается.
Я не ошибаюсь?

Константин курил, выпуская густые клубы дыма и по-прежнему
не поднимая глаз.

— Как вы узнали об этой истории? — спросил он трагически-
надломленным голосом, смутившим его самого.

— От одного из ваших преподавателей — он был свидетелем
этой сцены. И потом, я всегда знаю все, господин фон Мекк, знаю из
принципа, понимаете? Это мой принцип!

Константин вскинул глаза: Геббельс больше не улыбался.

— Все, что вы рассказали, чистая правда, господин министр, —
признался он. — Я храню в памяти это происшествие, и оно толкает
меня на странные поступки...

— Поздравляю вас с одним из таких поступков! — перебил его
Геббельс пронзительным голосом — голосом оратора, совершенно
неожиданным для такого худосочного недомерка. — Ибо они делают
честь и вам, и всей Германии в целом!

Константин облегченно вздохнул: слава богу, с 1921 года ему
впервые напоминали об этом унижении — случае, конечно, неприят-
ном, но вообще-то давным-давно позабытом. Разумеется, какое-то
время его совесть терзало воспоминание о классной фотографии
1912 года, где были сняты Константин и его двенадцатилетние свер-
стники, чьи лица потом перечеркнули траурные кресты — все, кроме
двух, его собственного и того обидчика, — но потом этот инцидент,
как и прочие грустные события, улетучился из памяти: в конце концов, он всего-навсего пренебрег нелепым средневековым предрас-
судком, именуемым «долгом перед родиной», зато с тех пор множество раз имел возможность доказать, что он отнюдь не трус. Но тот факт,
что Геббельс приписывал его возвращение значительности школьно-
го воспоминания 1921 года, а не значительности гонорара УФА в
1937 году, вполне устраивал Константина. До чего же все-таки сентиментальны и романтичны эти нацисты с их «моральными принципами» и примитивной героикой! Режиссеры и сценаристы, недавно
изгнанные из Европы и приехавшие в Калифорнию с рассказами о
всяческих ужасах, творящихся в Германии, о ее кровавых чудовищах-
правителях, явно не принимали в расчет Йозефа Геббельса: этот
тщедушный раздражительный человечишка, перед которым трепета-
ла вся Германия (а он наверняка трепетал перед какой-нибудь женщиной), этот крошка-министр, несомненно, отличался острым умом
и твердыми нравственными принципами, даже если он обожал и поддерживал паяца Гитлера, чей портрет висел у него за спиной, — дик-
татора с жидкими усишками и чубчиком, довершавшим смехотвор-

ный его облик. Впрочем, если Геббельс по каким-то скрытым мотивам и преклонялся вместе со всей страной перед этим горластым бесноватым лавочником, у него наверняка были на то свои причины. Константин на миг размечтался: а не сделаться ли ему другом маленького министра? Он бы научил его обхаживать женщин и прилично одеваться, посоветовал бы сбросить эти дурацкие сапоги, делающие его меньше ростом; он внушил бы ему желание засвистать от счастья, подобно дрозду, в пустых продезинфицированных коридорах. Ах, до чего же, наверное, тягостно человеку с живым артистическим умом таскать на себе всю эту воинскую дребедень!.. Константин во внезапном душевном порыве обратил к Геббельсу сияющую улыбку, но тот удивленно дернулся, мигнул и нервно уткнулся в толстенное досье, лежавшее перед ним на столе.

— Вот источник моей осведомленности, — сказал он, подтолкнув папку поближе к Константину. — Здесь все ваше прошлое — предки, друзья, фильмы — словом, полная биография. Теперь это досье ваше, господин фон Мекк, я в нем больше не нуждаюсь.

— Я тоже! — беспечно откликнулся Константин.

И, даже не заглянув в папку, он швырнул ее под стол, в корзину для бумаг.

Затем Геббельс принялся обсуждать со своим гостем «Стальной дождь», «Золотые слезы», «Мирные трапезы» — иначе говоря, фильмы Константина, всякий раз высказывая едкие, но в конечном счете восхищенные замечания, которые в иные времена привлекли бы к нему сердце любого режиссера. За беседой о кино они провели целый час, и первым опомнился Константин... Теперь они двинулись к дверям будто лучшие друзья, хотя по-прежнему один из них был ростом метр девяносто пять, а другой — метр пятьдесят пять.

На пороге Геббельс протянул Константину руку, но тот не пожал ее и даже отвернулся, глядя назад; Геббельс не разозлился, а скорее растерялся, ибо Константин устремил взгляд на портрет Гитлера, висевший на другом конце комнаты; медленно простерев вверх, к портрету, правую руку и постаравшись как можно громче щелкнуть каблуками кожаных мокасин, он изобразил перед разочарованно уставившимся на него Геббельсом безупречное нацистское приветствие, но вдруг, переведя глаза на свою вытянутую руку, изо всех сил растопырил пальцы, повернулся к министру с идиотски-радостной миной и доверительно шепнул:

— А дождик-то все не идет, ваше превосходительство!

Застывший, словно соляной столб, Геббельс впился в него глазами и внезапно залился нервным, визгливым истерическим хохотом; этот звук еще долго преследовал Константина в бесконечных коридорах, и попадавшиеся навстречу подчиненные министра глядели на него озадаченно, с удивлением, а еще чаще, как он заметил, с явным ужасом, вызванным этими непривычными отголосками.

Телефон в отеле звонил невыносимо пронзительно; заспанный Константин протянул руку к ночному столику и опрокинул множество предметов, пока не нашарил трубку. Он приложил ее к уху с крайней осторожностью: хотя ему чудилось, что голова его плавает где-то за сто миль от тела, она была чудовищно тяжелой и одновременно хрупкой, как стекло.

— Алло! — простонал он.

Свежий, хрустальный голосок — голос юности, голос Мод — вызвал у него болезненную гримасу: это эхо весны, этот живой задор только усугубили муки его похмелья.

— Боже мой, это вы, Константин? Как я счастлива слышать вас! Ах, я так переволновалась! Да вы меня слушаете?

— Кто говорит? — пробормотал он, движимый больше любовью к порядку, нежели любопытством.

— Но... это я, Мод! Мод! Это Мод!

— Мод? Какая еще Мод? — спросил он сиплым басом непроспавшегося алкоголика.

— Да Мод же! Господи, Константин, сколько у вас знакомых Мод?!

Голос ее зазвенел так возмущенно, что Константин поспешно отодвинул трубку от уха.

— Ну и что же, что Мод? — сказал он насмешливо. — Вы думаете, вы одна-единственная Мод на всей земле? В некоторых странах — в Кении, например, — Мод водятся дюжинами! Да во всех колониях — в восточных, я имею в виду, — все женщины только и носят это имя — Мод. Это звучит так по-английски, так пикантно и свежо — Мод! Это даже слегка...

Но Мод Мериваль, субтильная звездочка французского экрана, вдруг перебила его с неожиданной силой:

— Прекратите сейчас же! Вы что, издеваетесь надо мной? Ну прошу вас, Константин, будьте посерьезнее! Куда вы запропали вчера вечером? Знаете ли, что я целый час искала вас в этом заколдованном замке вместе с хозяйкой дома мадам де Браганс? Знаете ли, как она на вас рассердилась? Знаете ли...

— Да ничего я не знаю, моя милая! — остервенело прорычал Константин.

Откинувшись на подушки, он боролся с ощущением невыносимой чугунной тяжести в голове; каждая косточка, каждый мускул лица ныли на свой лад. Ох уж эта водка! Он отлично знал ее парфянское коварство.

— А что мы пили вчера? — спросил он тупо. — Водку, что ли?

— О да! — ответила Мод решительно. — О да! Вы пили только

водку. И вдобавок Бубу Браганс сообщила мне, что это была настоящая, натуральная водка, иначе вы бы давно богу душу отдали. Вы просто с ума сошли, господин фон Мекк! — заключила она тоном маленькой девочки, еще раз заставившим Константина поморщиться.

Но отчего бедняжка Мод бранила его так нежно? И вдруг его осенило: да ведь он вчера вечером лежал с ней в этой самой постели: она просто-напросто звонила ему как новому любовнику! Ох, черт, в хорошенькую же переделку он вляпался! И это в последний-то день съемок... Пристыженный, но зато почти проснувшийся Константин заговорил с Мод чуть ласковей:

— Мод, деточка, я прошу прощения за вчерашний вечер... то есть за вечер у Бубу... а что мне оставалось, как не напиться? Эти ходатайства за Швоба и Вайля перед немцами... ну, то есть... перед этим офицерьем — они меня совсем выбили из колеи.

— О, главное, вы добились своего, Константин! Вы просто молодец! Подумайте только, ведь генерал обещал помочь! И через неделю благодаря вам мы опять увидим у нас в студии Пети и Дюше. Вы их спасли от этих ужасных трудовых лагерей! Нет, вы были просто ФАН-ТАС-ТИЧ-НЫ!

— Н-да... По крайней мере надеюсь, что так оно и будет, — отозвался Константин сухим, почти официальным тоном, словно стараясь не слишком обнадеживать Мод. — Да-да, к концу недели; мне клятвенно обещали: именно к концу недели.

Но сомнение уже овладело им — как мог он быть вчера таким доверчивым и праздновать, точно уже одержанную победу, это туманное обещание, которое вытянул за пять минут у двух неизвестных? Почему не добился от них подробностей, письменных обязательств? Почему так быстро удовлетворился их посулами, если не из чистого эгоизма, из вечной боязни обременить себя чужими заботами, от маниакальной жажды удовольствий и забвения всего, что не способно их ему доставить? И он всегда был таким — отважно спешил в крестовый поход за справедливость, удовлетворялся первой же мелкой победой, первым же крошечным успехом, расценивая это как крупный триумф, и... тут же бросал начатое.

— О чем вы думаете, Константин? Какая печаль вас гнетет? — лепетала тем временем Мод на другом конце провода. — Что происходит? Какие мысли скрываются под вашей рыжей львиной гривой? — вопросила она неожиданно элегическим тоном.

Константин, удивленный, а затем польщенный, окончательно стряхнул с себя сон.

— Под моей львиной гривой, как вы изволили выразиться, меня поминутно словно током шибает — это мне мстит вчерашняя водка. Ну, а что там творится под вашей белокурой гривкой, милая Мод?

Чего это вы начитались нынче утром, коль скоро изъясняетесь столь романтично? Неужто «Книгу джунглей»?[1]

— Ну вот еще! Я ее прочла давным-давно, в детстве! — возразила Мод (вне себя от счастья, ибо Константин весьма удачно назвал одну из трех сосен ее литературного заповедника). — Но вообще-то я просто хотела послать вам мой скромный утренний поцелуй. Вот он! А теперь до свиданья! Вы позвоните мне попозже, дорогой?

— Да-да, — пробурчал Константин, яростно зажмурившись и сжав кулаки от хлюпающего звука «скромного утреннего поцелуя» в трубке. Отныне это невинное жеманное чмоканье грозило сопровождать все его утренние пробуждения. Он так поспешно бросил трубку, словно она жгла ему пальцы, и, заметив это, невесело ухмыльнулся. Ему срочно требовалось глотнуть кофе или водки, чтобы прочистить мозги. Потянувшись всем телом и поразмыслив, он склонился в пользу аспирина — в первую очередь, затем ванны, а после нее — стаканчика спиртного.

Протирая на ходу глаза, он добрался до ванной, но по пути уловил свое отражение в большом, до полу, зеркале комнаты. Остановившись, он оглядел себя сверху донизу, потом снизу доверху критическим, хотя и благосклонным взором: этот могучий поросший волосами торс, эти усы, эти зубы и ногти, все это огромное поджарое мускулистое тело, верно служащее хозяину и — по счастливому везению — столь привлекательное для других, принадлежало ему, ему! Тело человека в расцвете здоровья (если и не всегда здорового), который мог не запыхавшись пробежать с десяток километров, выпить подряд две бутылки водки и притом твердо стоять на ногах, безумствовать целую ночь над другим телом, спать всего по три часа в сутки в течение месяца... Тело человека, способного выпивать с жадным восторгом — равно как отвергать или покорно переносить — людей, удары, катастрофы, любые излишества. Ох уж эти излишества!.. Один бог знает, скольким из них он предавался, сколько их, самых причудливых, наизобретало его тело, подстегнутое возбужденным мозгом!.. И Константин рассмеялся, не отрывая глаз от зеркала: его забавлял собственный взгляд, изучающий это отражение, точно верного сообщника, но как бы иронически, свысока. Что он представлял собой, если не эту вот машину из плоти и крови, чьи ощущения зависели от молниеносных импульсов, передаваемых нервами к маленькой костяной коробочке, где таился мозг, а от него, с той же скоростью, обратно, только уже в виде рефлексов, приводящих в конечном счете к какому-нибудь благородному или неблаговидному человеческому поступку. И так ли уж необходимо было придавать этому чудесному уст-

---

[1] «К н и г а д ж у н г л е й» написана английским поэтом и романистом Джозефом Редьярдом Киплингом (1865—1936).

ройству еще и вечную душу? Константину казалось вполне достаточным обладать на какой-то срок живущим инстинктами телом да маленьким мыслящим устройством в голове, и срок человеческого существования тоже вполне устраивал его — пусть он иногда казался телу, равно как и рассудку, то слишком долгим, то слишком кратким, но зато всегда был реально обозрим.

Глава 4

Несмотря на подлинные документы, украденные Константином у другого человека, документы, свидетельствующие о принадлежности к немецкой нации — единственной в Европе, исключающей обыск и личный досмотр, — Романо был чистокровным цыганом. При Гитлере еврейская национальность автоматически превращала вас сперва в преступника, а затем во что-то вроде багажного тюка с этикеткой в виде желтой звезды, который отправляли поездом в никому не ведомые лагеря — почти сразу же или чуть попозже, но все же с некоторой отсрочкой. Зато принадлежность к цыганскому племени незамедлительно превращала человека в мишень, тем более что людей этой национальности было немного, и это позволяло расправляться с каждым из них безо всяких затруднений.

Итак, Константин преобразил Романо в молодого немца, своего ассистента по подбору натуры, с соответствующим удостоверением и кучей прочих проштемпелеванных бумажек для беспрепятственного прохождения всевозможных проверок; однако короткий ежик белокуро-льняных волос на узкой голове не то ангела, не то проходимца, хрупкие запястья и тонкая шея, стебельком встающая из грубого суконного ворота серо-голубого френча, сияние угольно-черных глаз под льняными же бровями, которые Константин обесцвечивал ему перекисью вместе с волосами каждые десять дней, — все это временами, особенно нынешними временами, делало Романо существом крайне экзотическим. Но, как ни странно, подобная внешность работала на него: в глазах какого-нибудь недоверчивого полицейского Романо выглядел слишком неправдоподобно, слишком «эклектично», чтобы его можно было заподозрить в обмане. А для других людей его природная красота, смесь латинской изворотливости со славянским проворством, блеск черных глаз и сияние белокурых волос, это сочетание света и тени, изощренной хитрости и дикарской простоты казались столь привлекательными, что окружающие — и мужчины и женщины — куда больше интересовались желаниями и прихотями Романо, нежели его национальностью. Что же до Константина (он давно уже устал, в силу своей профессии, от капризных актеров, но пунктуально, каждые десять дней, по два часа трудился над головой Романо с ножницами и таким количеством перекиси, какого хватило бы на двадцать шевелюр), то он считал свое творение истинным шедевром и гордился этим белокурым цыганом не меньше, чем создатель Франкенштейна — своим детищем.

— Хорошенький же у тебя видик, нечего сказать! — заметил Константин. Он лежал на кровати, подложив руки под голову, совершенно не заботясь о том, что его великолепный костюм безжалостно смят, и весело поглядывал на Романо.

— Ну и вид! — повторил он и рассмеялся.

— Да, вид черт знает какой! — признал Романо.

Высокий, мускулистый, худой, почти тощий, он в свои двадцать три года все еще продолжал расти. Слоняясь по комнате, он на ходу бросил на себя в зеркало строгий, подозрительный, почти враждебный взгляд. Константину нравилось, что Романо, живший в основном своими прелестями, совершенно не ценил и не понимал собственной красоты — красоты юноши, становящегося мужчиной, а иногда мальчика, становящегося юношей. Кожа у Романо была гладкой, матовой, хотя и с синими прожилками бурно бегущей под ней цыганской крови; ее бледность перекрывал несмываемый загар, нажитый им скорее под ветрами странствий, нежели под солнцем, — прочный загар путника, двадцать лет вдыхавшего вольный воздух дорог; загар, от которого не избавиться, который мог бы стать самым опасным признаком его расы, если бы нынче он не покрывал лица всех солдат гигантской немецкой армии, которых война швырнула в ледяные бураны или знойные вихри фронтов.

Вот уже два года Романо разделял жизнь и скитания Константина фон Мекка, а началось все с того момента, как охранники киностудии «Викторина» в Ницце однажды ночью застукали его на краже дорогостоящей оптики. Лишь втроем им удалось одолеть его, связать и бросить в угол студии, как загнанного дикого зверя. Он и смотрел зверем, когда впервые предстал перед Константином со своей спутанной жестко-курчавой гривой, взглядом исподлобья, смуглой матовой кожей, под которой ходуном ходили мускулы, и судорожно бьющейся синей жилой на длинной шее; его грациозные движения, отказ слушать и отвечать, жестокость и необузданность, которыми дышало все его существо, так же как тщательно скрываемая и все же явная детская беззащитность, пробудили в душе Константина не отцовские и не любовные чувства, а скорее инстинктивное стремление защитить этого загнанного зверька, этого хищника, этого голодного волчонка, заплутавшего на дорогах войны и ворующего «Кодаки» из темной студии. Короче говоря, вместо того чтобы доставить мальчишку в жандармерию, Константин привел его к себе, накормил, напоил и уложил спать. Он даже пообещал своему гостю раздобыть фальшивые документы, хотя тот так и не вымолвил ни слова. В общем, Константин взял парня под свое крыло — насколько можно взять под крыло опытного хищника, ибо Романо, которому тогда еще и двадцати лет не было, знал о жизни и ее превратностях куда больше самого Константина. С самого своего рождения скитаясь вместе с семьей в цыганской повозке по дорогам Центральной Европы, он постиг все: спал с женщинами, девочками, мальчиками и зрелыми мужчинами, воровал, грабил, обирал, да, вероятно, и убивал. Он не поддавался никакому влиянию, был круглым сиротой и явно впал в отчаяние — которое изо всех сил пытался скрыть, — ибо если до войны его жизнь была игрой в прятки с нищетой, то теперь она стала игрой в прятки со смертью, и он знал, что ему суждено проиграть, когда вдруг встретил Константина. И этот всемогущий человек сделал его немцем, дал имя Романа Вилленберга — одного из своих кузенов, умершего при неясных обстоятельствах в жалкой конуре Гамбурга, — и вполне официально взял к себе на службу в качестве шофера, камердинера, секретаря, доверенного лица и ассистента по подбору натуры во время съемок — должность, убедительно объяснявшую непрестанные отлучки Романо, поскольку тот вечно скитался по городам и весям, дабы обеспечить себе существование. Ибо если он и соглашался принимать от Константина кров и иногда пищу, то больше не принимал ничего. С этой целью он соблазнял и обирал тех, кто соглашался стать его жертвой, — мужчин или женщин, независимо от их привлекательности и возраста, и устраивал свои дела с равной долей пыла и холодного расчета. Впрочем, это началось уже довольно давно, лет пять назад, с тех пор как вся его семья — родители, братья, сестры и прочие родственники — погибла во время погрома в какой-то деревушке Центральной Европы, возле которой они остановились на ночлег в своей повозке. Все эти годы Романо жил, торгуя своим телом. Мало-помалу он сделал это своей профессией — профессией, а не игрой, — но занимался ею с таким искренним нескрываемым цинизмом, что она выглядела почти благим делом.

— Я предлагаю им ощущения, — объяснил он однажды Константину, озадаченному его хладнокровием, — а не чувства. А если этому все же примешиваются — не по моей вине — чувства, я отчаливаю.

Проведя у Константина первую неделю и за это время так и не раскрыв рта, Романо, то ли успокоенный видимым безразличием своего хозяина, то ли зачарованный обещанием раздобыть фальшивые документы, в один прекрасный вечер спокойно и грациозно откинул одеяло, чтобы лечь в его постель. Константин, к великому изумлению Романо, как, впрочем, и к своему собственному, выпроводил его спать к себе.

— Когда обзаведешься документами и деньгами, — сказал он

И Романо пришлось ждать, пока у него будет выбор, чтобы предаться Константину — и вместе с Константином — чувственным, извращенным играм, которые поначалу всего лишь развлекали их, а затем подвели к началу любовной привязанности, мужской, мужественной, скорее жестокой привязанности, и та оборачивалась наслаждением лишь тогда, когда хотя бы один из них желал этого, хандрил или нуждался в тепле. Это эротическое содружество обладало теперь в глазах Константина большим очарованием, чем многие так называемые поэтические любовные романы. Ему очень хорошо было с Романо. Он полностью доверял ему, даже если время от времени видел, как тот возвращается домой на рассвете, насвистывая, с темными кругами под глазами; Константин смутно ощущал в этом и свою вину, словно выпустил в общество беззащитных людей свирепого, дикого волка.

На сей раз волк пропадал по своим делам больше трех дней, что бывало довольно редко, но, как всегда, не нуждалось в объяснениях. Ни тот, ни другой не делился с партнером никакими подробностями своих любовных похождений. Случалось, конечно, что Романо, толкнувшись в дверь Константина, заставал его в обществе женщины и, рассеянно бросив короткое «извините», удалялся. А иногда Константин тщетно разыскивал Романо по всей квартире, ругаясь, как извозчик, если не находил его. Но в любом случае они были так же сдержанны во взаимных излияниях, как двое незнакомых пассажиров, которых случай свел в спальном вагоне на одну ночь...

— Мне нужно переодеться, — сказал Константин, уходя в ванную. — Послушай, Романо, как это ты ухитрился забыть, что у нас вчера был последний день съемок? Оставил меня одного хандрить по вечерам! Неужели тебя не терзают угрызения совести?!

Константин говорил как бы шутливо, но при этом подпускал в свою речь малую толику меланхолии, которая, как он знал, пристыдит Романо. В общем-то, он научился «объезжать» этого своенравного жеребенка; и в самом деле, Романо ответил извиняющимся тоном:

— Да знаю, но я впутался в одну длинную историю... в дело, которое никак не могли решить... ну, в общем, мне пришлось потерпеть, оно того стоило: помнишь фальшивого Дюфи[1], что ты купил у своего обидчивого приятеля-бродяги, — такая маленькая голубая картинка... помнишь? Ну так вот, я ее перепродал.

— Не может быть! — воскликнул пораженный Константин. Он только что вышел из ванной, сменив жеваный костюм на нормальную

---

[1] Рауль Дюфи (1877—1953) — известный французский художник и график.

одежду — свитер и черные брюки. — Не может быть! Эту кошмарную копию?! Да кому она нужна? Ты шутишь, Романо? Сколько же ты за нее выручил?

— Двадцать тысяч! — ответил тот победоносно, и Константин рухнул на кровать, раскинув руки.

— Двадцать тысяч?! Кто это тебе заплатил за такое дерьмо двадцать тысяч? Неужто на свете еще водятся подобные идиоты? Она что — слепая, твоя клиентка?

— Это клиент, — невозмутимо ответил Романо. — И он прекрасно видел, что покупает подделку, да я, впрочем, и не особенно скрывал... — Тут он рассмеялся. — Но этот тип еще целых два дня ни мычал ни телился, хотя его первая цена была всего десять тысяч. Пришлось мне попотеть, чтобы он накинул еще столько же, и все-таки я из него выжал эти денежки.

— «Целых два дня» — это недурно, — заметил Константин, — но даже десять тысяч за эту мазню... Признайся, Романо, ты приврал?

Романо тут же полез в бутылку.

— Почему это приврал? Я никогда не лгу! — заявил он с твердостью, удивившей Константина. Потом, вскочив на ноги, вытащил из кармана висевшего на вешалке пальто длинный конверт и с пренебрежительным смехом бросил его на кровать. Из конверта выпали две пачки кредиток, заботливо стянутых резинками, а вместе с ними — маленькая фотография, скользнувшая прямо под нос Константину изображением книзу. Константин не шевельнулся. Романо замер, удивленно глядя на снимок.

— Можно? — спросил Константин утомленно-пресыщенным голосом. Романо кивнул, и он, подняв фотографию, повернул ее к себе. На него с мягкой улыбкой смотрел солидный пожилой человек в спортивной рубашке.

— Боже ты мой! — произнес Константин. — Боже ты мой! Нет, я глазам своим не верю. Да ведь это же Бремен! Сам Бремен! Ну, мой дорогой, ты просто гений. Представь себе, что... Кстати, который час?

— Полдень, — сказал Романо.

— Ну так вот, представь себе, что ровно двенадцать часов назад этот почтеннейший господин рассказывал мне о своей жене и детках, детках и жене, хныча по поводу одиночества мужчины на войне. Бог ты мой, ну и лицемер! Да, с него стоило содрать двадцать тысяч. — И, швырнув деньги в воздух, как цветы, он захохотал. Романо мрачно глядел на него, не трогаясь с места.

— Что это с тобой? — спросил наконец Константин. — Тебя что-то огорчает?

— Мне не нравится, — сквозь зубы процедил Романо, — мне не нравится, что ты представляешь... можешь себе представить кого-

— Это еще почему?

Потому что мне не хотелось бы, чтобы я мог вот так же вообразить тебя с кем-то, — ответил Романо устало и вновь принялся бродить по комнате. Константин опустил глаза, он был смущен и почти обрадован этим признанием. Впервые он услышал от этого дикого волчонка слова о чувстве. И он был доволен — вот только Романо теперь расстроился. Значит, Константину следовало извиниться перед ним за рану, от которой он мог бы страдать, но по вполне естественной причине не страдал вовсе: Константину была чужда банальная ревность, он не понимал ревности, он не был ревнив в мазохистском смысле этого слова. И мысль о том, что Романо мог ревновать и говорить об этом, удивила его, заставила почти ликовать, словно они, как пара влюбленных, строили планы на будущее.

— А я ничего и не воображал, — сказал он. — Впрочем, этот тип недурен... Его стыдиться нечего.

Нет, не так ему нужно было говорить, он ясно чувствовал фальшь своих слов, но не находил лучших доводов, чтобы успокоить этого воришку, вдруг ставшего сентиментальным и жестким, этого нового Романо.

— Я не то имел в виду, — пробурчал Романо и смахнул с покрывала красивые французские кредитки, веером разлетевшиеся по всей комнате. Но предварительно он подобрал и сунул в карман фотографию Бремена, к большому утешению Константина, вдруг испугавшегося, как бы Романо не сбросил ее вместе с деньгами тем же небрежным, презрительным жестом, который даже неизвестно почему не понравился бы Константину; он был счастлив, что и его любимый друг инстинктивно ощутил ту легкую, почти неуловимую вульгарность, какой отдавало бы это движение...

Романо уснул блаженным сном прямо на ковре, а Константин продолжал маяться похмельной бессонницей, от которой звенело в ушах. Наконец он встал и, подойдя к балконной двери, с отвращением глянул на бульвар Распай и улицу Севр, одинаково пустынные в этот час... При виде нового, такого непривычного Парижа, где все улицы и проспекты были завешаны плакатами и афишами на непонятном для парижан тарабарском языке, Константин чувствовал себя скорее угнетенным французом, нежели гордым завоевателем. Не зря же он два года снимал здесь фильм за фильмом, притом большей частью в свободной зоне или, вернее, там, где она была до недавнего времени. Там, среди пустынных пейзажей и бутафорской мебели, он мог ощущать себя нейтральным лицом. Тем более что окружение его отличалось такой же пестротой и многообразием, как декорации. Живя бок о бок с вечными бродягами — членами съемочной группы, с продюсерами — заведомо экзотическими личностями, с актерами — людьми без роду, без племени, чьи место и дата рождения, день свадьбы или смерти не имеют ничего общего с реальностью и чье иллюзорное бытие обретает конкретное воплощение лишь на страницах «Сине мондьяль», Константин не собирался заниматься политическими проблемами и пристрастиями, если только они ему их не навязывали — эти самые эсэсовцы, из особой группы СС, не принадлежавшей к вермахту, которых он всегда считал способными на самую отвратительную жестокость. Только вот Романо был абсолютно непреклонен в данном вопросе, утверждая, будто эта «особая» группа в тысячу раз многочисленнее, чем думал Константин, а его выражение «отвратительная жестокость» — просто стилистический изыск. Они никогда не углублялись в эту тему, и Константин иногда спрашивал себя: кого из них двоих она задевала серьезнее и больнее?..

— Ты так и не спал? — донесся до него голос Романо.

Константин обернулся. Романо глядел в небо над крышами и на голубей с благодарным восхищением, умилившим Константина. Сейчас Романо выглядел ребенком — внешне взрослым, конечно, и все-таки ребенком. Константин заказал по телефону завтрак и встретил фатальным вздохом мерзкую бурду, заменявшую таковой. Его внимание привлекла лежащая на подносе «Пари-суар». Он величественным жестом развернул ее и, спросив: «Хочешь послушать последние новости?» — принялся торжественно вещать:

— «Все идет прекрасно. Вермахт, как всегда, непобедим. Мы скоро возьмем Сталинград, а пока что с твердой решимостью откатываемся назад по всей России... Мы с триумфом изгнаны из Северной Африки и успешно отступаем в Сицилии...» Что еще?.. Ну-ка поглядим... «Маршалу Петену исполняется восемьдесят шесть лет... До сих пор не найден убийца капитана Кольбера, на которого было совершено покушение на улице Соссэ... Десять заложников, арестованных наугад из числа гражданских лиц, будут расстреляны завтра утром».

Константин поднял голову.

— Представляешь себе? Расстрелять десяток ни в чем не повинных граждан! Нет, ей-богу, странный способ поддерживать у населения эту самую пресловутую любовь к оккупантам... Да что с тобой? — удивленно вскричал он, увидев, как Романо кинулся в ванную, откуда тут же донеслись звуки рвоты вперемежку с судорожными всхлипами, столь неожиданными для крайне сдержанного юноши. Наконец тот вышел и, задержавшись на пороге ванной, вызывающе глянул на Константина. Прислонясь к косяку, он вытирал рот полотенцем —

это малоэстетичное зрелище скорее обеспокоило, чем покоробило Константина. Что такое стряслось с Романо? Завтрак, хоть и отвратный, тут ни при чем: у Романо был луженый желудок; ни при чем и поражения вермахта: они его могли только порадовать; и, уж конечно, его не мучила совесть от того, что он позабыл день рождения Петена. Значит, история с убийством на улице Соссэ? Странно: Романо всегда говорил о казнях, обо всех ужасах войны с пугающим хладнокровием... Но на сей раз это, видно, напрямую касалось его. И Константина вдруг прошиб холодный пот. В общем-то, никакой особой тайны тут не было: на самом деле он отлично знал, что Романо интересуется не только постелью и бумажниками своих многочисленных покровителей и покровительниц. Чем же еще он занимался? Что его так сильно потрясло?

Константин решил предпринять обходной маневр.

— Он, наверное, в отчаянии — тот тип, что прикончил Кольбера? Представляешь, знать, что из-за тебя погибнут десять невинных...

— Это еще как посмотреть, — возразил Романо. — От такой сволочи, пока она живет на этом свете, куда больше зла, чем от убийства десятка невинных. Только, конечно, не их невинных близких.

Константин поднял глаза:

— Ты думаешь, у Кольбера таких близких не было?

Романо усмехнулся.

— Нет. У него были только жертвы, — ответил он твердо. — И вообще, Константин, я слабо разбираюсь в твоем странном гуманизме, зато твердо знаю другое: таких людей нужно убивать. Ведь это Кольбер допрашивал участников Сопротивления на улице Соссэ — мужчин, а иногда и женщин. Обычно после допросов людей даже приканчивать не требуется, это уже излишне. Но вот совсем недавно он допрашивал одну женщину из Сопротивления, а потом ее забыли ликвидировать, и перед смертью она успела рассказать подругам по камере, как именно обошелся с ней Кольбер; это стало известно на воле. И тогда было решено убрать Кольбера — в отместку за тех, кто прошел через его руки, и в защиту тех, кому еще предстояло пройти.

— А ты-то, дружок, откуда все это знаешь? — спросил Константин, надеясь, что голос его звучит бесстрастно.

— Знаю, потому что, кроме «Пари-суар», есть еще и другие газеты, представь себе! — бросил Романо. — И есть другие салоны, кроме салона твоей драгоценной Браганс, и другие борцы, кроме доблестных офицеров вермахта. Вот почему я кое-что знаю, представь себе!

И он не то улыбнулся, не то ощерился; в его улыбке смешались гнев и отвращение, она обезобразила его, подумал Константин, отвернувшись — только бы не видеть этого искаженного лица. И ему пришлось сделать над собой усилие, чтобы ответить:

— Все равно... Я считаю, что расстреливать этих женщин и мужчин из-за кого-то другого несправедливо.

— Несправедливо! Да неужели?!

И Романо рассмеялся незнакомым Константину горьким смехом. Старческим, безнадежным...

— Несправедливо! — повторил он. — Несправедливо... Значит, ты считаешь своих соотечественников «несправедливыми»... Бедный ты мой друг, да ведь Германия и немцы давным-давно позабыли разницу между несправедливостью и справедливостью. Эти слова уже много лет как вышли из моды. Ну а что касается убийцы этого Кольбера, «ответственного» за смерть заложников, то я тебе сейчас расскажу, что его ждет, если он вздумает честно-благородно сдаться немцам. Несколько эсэсовцев, отобранных из числа самых «злых» — согласно твоей теории, — возьмутся пытать его, и когда они вырвут ему ногти, половые органы и глаза, то поинтересуются именами и адресами его приятелей, чтобы поступить с ними точно таким же манером. И вполне возможно — заметь, я повторяю: вполне возможно, поскольку никогда нельзя сказать заранее, до чего доведет боль, — он заговорит; так вот, я думаю, что этот «негодяй» именно потому и не спешит сдаваться. А может быть, еще и потому, что он хочет убивать других кольберов. Ибо, видишь ли, Константин, их нужно убивать — этих кольберов, — даже вслепую, даже такой дорогой ценой. Иначе большие кольберы наплодят маленьких, которых станет еще больше, чем нынешних. И весь мир будет заполнен маленькими кольберчиками — легионами послушных садистов и убийц.

— Легионами послушных — кому? Гитлеру? Ты думаешь, что можно вот так просто взять да оболванить целый народ? Послушай, Романо! — взорвался Константин. — Я, представь себе, вырос в Германии. Провел там все свое детство. И прекрасно знаю немецкий народ. Знаю немецких крестьян: это тяжелодумы с грубыми руками, простоватые на вид, но они любят свою семью и свою страну, и они выхаживают своих животных, когда те заболевают. И знаю немецких женщин — кротких и белокурых. И знаю скромных немецких служащих с пенсне на носу, робко семенящих по улицам, — воплощение честности. Кроме всех этих, есть еще и богатые люди, пусть и с причудами, но вполне хорошие и милые. Я не верю тебе, Романо. Так же, как не верил в сказки об уланах, которые в Первую мировую войну якобы отрубали руки у французских младенцев. Глупости все это!

Романо опять рассмеялся: невеселый то был смех.

— Да, такое вообразить трудно, верно, Константин? И все-таки речь идет обо всех немцах — обо всех, а не только об эсэсовцах! Запомни это: там, на твоей родине, они теперь все поголовно сделались свирепыми, мерзкими, ненасытными гиенами. И остановить их можно, только убивая, понятно? Эсэсовцы не одиноки, Константин! В этом-то и заключается самое страшное. В твоей родной стране нынче есть те, кто убивает, и те, кто позволяет себя убивать, вот и все. Ты не можешь мне поверить, да? Поверить, что твоя кроткая Германия превратилась в гадючье гнездо? Ты отказываешься мне верить, потому что эта правда помешает тебе наслаждаться жизнью, разве не так?

И Романо под удивленным взглядом Константина пнул ногой стоявший на полу поднос с завтраком, расплескав содержимое чайника на красивый, сливового цвета ковер отеля, и без того уже безжалостно прожженный окурками Константина и местами заплесневевший от воды — результат его купаний в вечно переполненных ваннах. Константин даже глазом не моргнул. Он глядел в сторону Романо, туда, откуда доносился голос Романо, но его широко открытые глаза, казалось, ничего не видели.

Зато теперь он слышал. Неужто Романо говорил ему правду? Сквозь дурман ужаса и бесконечной усталости, что, подобно налетевшему внезапно сну, лишили его сил, к Константину пришло прозрение: да, то была правда. Теперь им завладела тяжелая, подспудная уверенность в этом, теперь он увидел все, от чего до сей поры отвращал взор, все, что, будучи немцем и добровольным соратником немцев, отказывался знать, оценивать и судить. Он отказывался судить свою родину, особенно эту родину, которую невозможно теперь было защитить и оправдать... Обессиленный и потрясенный, он смутно услышал то, что напоследок бросил ему Романо с порога:

— Бедный ты мой дружище... бедный дружище... Ты иногда упрекал меня, что я не все тебе рассказываю, ну вот, теперь можешь быть доволен... — И он исчез. Но Константин уже не слышал его затихающих шагов. Водка и похмелье наконец смилостивились над ним: головная боль растаяла, отпустила его, и он безвольно соскользнул в сладкий, глубокий, бескрайний сон.

Константин пробудился в четыре часа дня в превосходном настроении и спросонья решил отнести свою размолвку с Романо на счет недоразумения или склонности цыгана все преувеличивать; вот почему его передернуло, когда, вновь взявшись за газету, он еще раз увидел прямо посреди страницы ставшее причиной их спора объявление о расстреле, обведенное черной каймой и вполне недвусмысленное. Он уже собрался отшвырнуть газету, как вдруг взгляд его, случайно упав на список заложников, выхватил из него два имени: Вайль, иначе Пети, и Швоб, иначе Дюше. Вместо того чтобы отбросить газетный листок, Константин просто разжал пальцы, и тот, уже слегка скомканный, все-таки мягко спланировал к его ногам.

Первой реакцией Константина было изумление. Он знал, что Бремен всемогущ, а потом, ведь адъютант генерала обещал режиссеру жизнь его подчиненных. Так почему же фон Брик переменил решение и вдобавок солгал? Гестапо проводило столько облав, хватало столько заложников, что вряд ли заметило бы отсутствие двух человек. И зачем, зачем Бремен солгал ему? Ведь он, Константин, поверил Бремену, он вообще склонен был верить людям, во-первых, чисто инстинктивно, во-вторых, из упрямства. И когда жизнь доказывала ему опасность подобной позиции или друзья подсмеивались над его легковерием, он высокомерно заявлял: «Лучше быть обманутым, чем недоверчивым». В действительности он просто считал недоверие слишком утомительным и мрачным — доверять было куда приятнее и легче. Но его друзья, как и вообще все его окружение, полагали невыносимым и позорным для себя быть обманутыми; они не понимали, как он может так быстро утешаться после очередного разочарования, и сочли бы его извращенцем, узнав, что ему заранее наплевать на результат; вот почему приходилось заявлять им: «Я еще в ранней молодости поспорил сам с собой, что человек добр!» — и действовать в соответствии с этими словами, лишний раз выдавая свои неосознанные побуждения за твердую решимость, а собственный характер — за высоконравственный.

Итак, Константин был сильно угнетен, но, к великому своему стыду, не столько возможной казнью своих друзей, сколько теми энергичными хлопотами, на которые ему предстояло решиться. Больше всего на свете ему хотелось теперь полеживать на ковре, слушая пластинки Эдит Пиаф, покуривая английские сигареты и попивая холодные мятные коктейли. Лень и скука навалились на него при мысли о том, что сейчас придется выйти на улицу и ехать умолять о чем-то Бремена. А Константин хорошо знал, что лень и скука — чувства такие же неодолимые и захватывающие, как любовь или честолюбие. Ему-то это было прекрасно известно: слишком часто оба порока одерживали в его душе верх над обеими страстями; лень мешала пойти на важную встречу со всесильным продюсером; скука вгоняла в сон рядом с молодой женщиной, стоило ей на миг умолкнуть; а ведь только что, казалось, он был в нее безумно влюблен. Нет, эти псевдочувства владели им, и владели цепко.

И все-таки нужно было встряхнуться — ведь он уважал Вайля, любил Швоба и не мог без дрожи представить себе их обоих завтра на заре с белыми от ужаса глазами, с небритыми застывшими лицами перед двенадцатью черными зрачками смерти. Не мог без муки думать о двух людях, доверившихся ему — ему, который попытался взять их под свою защиту... «Да нет, я мог бы! — подумал он. — Я мог бы...» — и его обуял нервный смех. Конечно, он мог бы — забыть об их судьбе, если бы... если бы некий добрый и храбрый, верный и благородный рыцарь — Константин фон Мекк — не потеснил этого Константина — ленивого верзилу, которому только и дайте почитать

Сашу Гитри[1], а на остальное наплевать. Если уж быть откровенным
до конца, то смерть что Вайля, что Швоба в данный момент была ему
глубоко безразлична; он чувствовал, как крепнут и по-хозяйски за-
владевают им равнодушие, спокойствие и цинизм — пороки, которые сильно обеспокоили бы его, не будь он столь же мало уверен как
в них, так и в своих добродетелях. Он хорошо знал, что сейчас станет
тем, другим — преданным, бесстрашным и испуганным собственным
бесстрашием достойным человеком, с которым сам не знал, что делать — презирать ли его, восхищаться ли им, цепляться ли за него?
Этот человек жил в Константине, был им самим, ибо почти всегда
действовал как он, согласно его принципам, и именно этому человеку
предстояло победить в разладе между сердцем и рассудком или, вернее, между долгом и ленью...

Константин достал из шкафа свой единственный классический
костюм-тройку серого цвета с черными галунами — в этом наряде он
выглядел совсем худощавым и откровенно напоминал русского террориста. Итак, еще более высокий, стройный и царственно-небреж-
ный, чем всегда, Константин сошел вниз по ступеням отеля «Лютеция» и, сев в свой «Дуизенберг», отправился в гестапо.

* * *

Особняк, где располагалось гестапо, имел мрачную репутацию — явно не без оснований; во всяком случае, Константин не знал
никого, кто бы там работал или хотя бы мог принять его. Он долго
пытался дозвониться в Берлин Геббельсу, но это ему не удалось и
обеспокоило его еще сильнее. Предпоследний фильм Константина
пользовался оглушительным успехом во всей Германии и в оккупированных странах, министр даже прислал режиссеру собственноручно написанное поздравительное письмо, но вот «Скрипки судьбы»
выглядели настолько идиотской мелодрамой, настолько явным издевательством, что Геббельс не мог этого не заметить. И теперь Константин ехал к генералу Бремену, не заручившись ничьей поддержкой.

Коридоры парижского гестапо как две капли воды походили на
берлинские: такие же нескончаемые и могильно-холодные, с такими
же часовыми в стальных касках через каждые десять метров. Константина провели в приемную и оставили там созерцать в окне озяб-
шие каштаны оккупированного Парижа. Он стоял и ждал в своем
темном костюме, не смея шевельнуться, чувствуя себя раздражен-
ным и неуверенным, словно родитель, вызванный в школу классным
наставником, — с той лишь разницей, что родителям вряд ли прихо-

---

[1] Французский актер и драматург (1885—1957).

дится умолять директора пощадить жизнь своих детей. Прошло десять минут, потом двадцать, Константин совсем изнервничался; наконец за ним явился адъютант — другой, не тот, с кем он говорил накануне в доме Бубу Браганс. Этот был хрупкий смазливенький блондинчик, и Константину сразу припомнился рассказ Романо о нравах генерала. Его ввели в огромную комнату, и он внутренне усмехнулся при мысли о том, что, невзирая на все усилия, генералу Бремену далеко до великолепия министра пропаганды: его письменный стол — разумеется, поставленный на другом конце зала, дабы посетителю пришлось преодолевать огромное пустое пространство, — все-таки был вполовину меньше, чем у Геббельса. Адъютант шествовал перед Константином, виляя задом, как девица; неспроста Бремен посещал парижские салоны без него: мальчик смотрелся слишком уж вызывающе. Доведя гостя до Бремена, который учтиво поднялся навстречу, юный адъютант повернулся к Константину.

— Я хотел вам сказать, господин фон Мекк, — промолвил он, очаровательно зардевшись, — что просто обожаю ваши фильмы.

Константин слегка поклонился.

— Тысячу раз вам благодарен...

— Будьте добры оставить нас, капитан, — вмешался Бремен, явно раздраженный этими светскими любезностями.

Адъютант побагровел, выбросил вперед руку и проорал «Хайль Гитлер!», так оглушительно щелкнув каблуками, что Константин вздрогнул. По знаку Бремена он опустился в кресло у стола и нервно стиснул руки. Нехороший дух витал в этом доме — словно вы очутились разом и в булочной, и в больнице. Здесь пахло не эфиром, не ванилью, а тем и другим вместе, и сочетание это было тошнотворным.

— Прошу прощения за беспокойство, генерал, — начал Константин, — мне следовало бы предупредить вас о своем визите заранее, но я случайно прочел сегодня в газете, что мои друзья, за которых я ходатайствовал вчера, должны быть расстреляны завтра утром. И меня это крайне удивило, учитывая наш вчерашний разговор и данное вами обещание.

Он говорил, делая долгие паузы между словами, в надежде, что Бремен прервет его, но тот молчал. Церемонно положив руки на подлокотники кресла, генерал пристально смотрел на посетителя, сощурясь от желания понять и брезгливо опустив уголки рта.

«Старый педик! — яростно выбранился про себя Константин. — Старый сволочной педик! И как только Романо мог спать с этой мразью! Вот кошмар-то!»

Он пробовал подстегнуть себя конкретными образами, но тщетно: Романо никак не сочетался с этим старикашкой, который выглядел на все сто лет, хотя ему едва ли было пятьдесят. Наконец Бремен

ответил — с недоброй натянутой улыбкой, словно кюре, отпускаю-
щий грехи прихожанину на исповеди:

— Вы, без сомнения, имеете в виду ваших друзей... евреев?

Бремен сделал нарочитую паузу между двумя последними словами, словно считал их несовместимыми. Константин нахмурился.

— Именно так, — ответил он. — Швоб и Вайль входят в число
завтрашних жертв под фамилиями Пети и Дюше.

По оптимистическим представлениям Константина, все было
очень просто: сейчас Бремен возьмет со стола листок, напишет на
нем имена Пети и Дюше и вручит его Константину, который вручит
его адъютанту, который вручит его еще бог знает кому, а потому внизу, в вестибюле, Константин найдет двух своих ассистентов и быстренько увезет их отсюда на машине. Но дело оказалось не таким легким. Константин дружески улыбнулся генералу, но ответа не получил.
Выставив вперед руки, тот с преувеличенным вниманием разглядывал свои ногти.

— Знаете ли вы, господин фон Мекк, что подложные документы
ваших друзей могут им стоить очень дорого? Ведь это конкретная попытка обмануть власти... избежать конкретной кары, если встать на
их точку зрения. Разве нет?

— Ну, в таком случае единственный виновный — я! — торопливо возразил Константин. — Это я раздобыл им фальшивые бумаги.
Послушайте, генерал, — сказал он, наклоняясь к собеседнику, —
послушайте, давайте рассуждать как деловые люди. Эти двое — прекрасные ассистенты, в высшей степени достойные личности, умные,
способные люди. Они были незаменимы при съемках, а сейчас необходимы мне для монтажа фильма.

— Господин фон Мекк, — сдавленным голосом вымолвил генерал, — господин фон Мекк, постараемся забыть то, что вы сказали.
Постараемся забыть, что это вы снабдили их подложными документами. Впрочем, постараемся забыть и все остальное, — решительно
закончил он.

— Я вас не понимаю, — сказал Константин.

Он почувствовал, что бледнеет, сердце тяжело заколотилось у
него в груди. В голосе этого маленького, но всемогущего старичка
прозвучало что-то угрожающее, что-то бесповоротное, очень похожее на отказ.

— Да, господин фон Мекк, вам придется забыть о ваших... ваших евреях, боюсь, что так. Впрочем, по документам они ведь арийцы. И по вашей просьбе мы перевели их как арийцев в тюрьму для
арийцев. В этом и заключался смысл ваших хлопот, не так ли?

Константин, которого передернуло от слова «хлопоты», тем не
менее кивнул.

— Конечно, генерал. Только я не хлопотал о том, чтобы их расстреляли и...

— Позвольте мне продолжить, господин фон Мекк, — прервал его Бремен. — По вашей просьбе мой адъютант прямо среди ночи весьма любезно распорядился о переводе ваших друзей в другую тюрьму, но так случилось, что нынче утром там были взяты заложники из числа гражданских лиц, среди коих случайно оказались ваши друзья. Неприятный случай, в этом я готов с вами согласиться.

Бремен говорил с явным удовольствием, смакуя мерзкую холодность тона, которую, видимо, находил восхитительной. Константин выпрямился.

— Я не понимаю, генерал, — сказал он. — Вы сообщаете мне, что этих двух человек убьют за то, что они евреи, или за то, что они не евреи? Или потому, что они скрывали свое еврейское происхождение? Тут какая-то путаница, знаете ли!

Бремен, который вздрогнул и привскочил с места, когда Константин шевельнулся, сел обратно, но как-то боязливо, на краешек сиденья, ибо в голосе его собеседника прозвучала неприкрытая угроза.

— Успокойтесь, пожалуйста, господин фон Мекк, — пролепетал он испуганно, ища глазами звонок.

Константину вдруг безумно захотелось, чтобы по звонку явился адъютант: вот уж он тогда сделает отбивную разом из адъютанта и из Бремена! А потом зашвырнет их в камин, точно пару обнявшихся марионеток! Кровь бурными толчками стучала в висках, в запястьях, в горле, как всегда бывало в приступе ярости; на какой-то миг ему почудилось, что сердце вот-вот откажет, остановится, и он подумал: «Когда-нибудь меня вот так удар хватит. Ванда мне часто это предсказывала. И подохну, как идиот, прямо тут, на паркете, у ног этого подонка. Ну и мерзость же эта жизнь! И немцы мерзавцы! Все они мерзавцы, Романо прав — будь то офицерье с их светскими курбетами или солдаты, гавкающие не хуже псов... мерзавцы, все до единого! А я-то, что я здесь делаю?» — вдруг спросил он себя в безнадежном отчаянии.

— Господин фон Мекк, — нетерпеливо повторил Бремен из-за стола, — я ничем не могу вам помочь.

Зазвонил телефон, и генерал снял трубку. Константин откинулся назад, беспомощно уронив руки, галстук у него распустился и съехал вниз. Как сквозь сон услышал он слова Бремена: «Ах, так? Поберегите его, слышите? Это очень нужный человек, не бейте его слишком сильно. Поаккуратней там!.. Полагаюсь на вас».

И у Константина мелькнула смутная мысль: «Ну ведь должна же в нем остаться хоть капля сострадания...»

— Вам не в чем упрекнуть себя, — обратился к нему Бремен. —

Даже если бы ваших друзей не расстреляли, они были бы отправлены в Освенцим.

— Но согласитесь, — отозвался Константин упавшим голосом, — согласитесь, генерал, что между расстрелом и трудовым лагерем есть небольшая разница.

Однако ироническая усмешка Бремена и пожатие плеч погасили в нем надежду на милосердие.

— Послушайте, генерал, — сказал Константин, подавшись к столу, — прошу вас, окажите мне любезность, позвольте позвонить от вас Геббельсу, я передам вам трубку, и он скажет...

Но тут вновь затрезвонил телефон, и Бремен, закативший было глаза к потолку, снял трубку. Вдруг Константин увидел, как он побелел.

— Господи боже! — воскликнул генерал. — Я иду! Сделайте пока все необходимое, отвяжите его, уложите, вызовите врача. Сейчас буду. — И он с невероятной скоростью побежал к двери в глубине кабинета. Константин провожал его изумленным взглядом: дробная рысца, прижатые к бокам локти, вздернутый подбородочек. Смешон! Он был просто смешон!..

Постояв с минуту в одиночестве, Константин бросил взгляд на стол, надеясь — чем черт не шутит! — найти там бланк с грифом «Приказ к исполнению», «Просьба об освобождении» или «Приказ об освобождении», в общем, какую-нибудь ерунду такого рода, хотя и сам понимал наивность своих надежд. Ничего похожего он там не обнаружил — одни только распоряжения о поездах, грузовиках, вагонах, рейсах, словно попал в министерство путей сообщения. Легкое покашливание заставило его отпрянуть назад, словно вора, пойманного с поличным, но это оказался всего лишь адъютант — он появился из двери в глубине кабинета, еще розовый от недавнего волнения.

— Господин фон Мекк, — произнес он свистящим от полноты чувств тенорком, — господин фон Мекк, я хотел бы прежде всего выразить вам свое восхищение и зависть. Как подумаю, что вы женаты на Ванде Блессен!.. Какая потрясающая судьба, ах, господин фон Мекк! — сыпал он, то и дело озираясь на дверь, в которую выскочил генерал. Константин раздраженно тряхнул головой: что правда, то правда — Ванда почему-то всегда возбуждала восторг в педерастах всех мастей. — Господин фон Мекк, — продолжал адъютант, подойдя поближе, — я должен вам сообщить... я слышал... простите, я случайно слышал ваш разговор с генералом и... я хочу сказать вам... заложники... они были расстреляны сегодня утром.

— Как?! — вскричал Константин. Вот тут-то он и понял на деле классическое выражение: у него буквально подкосились ноги. Ему пришлось опереться о стол, чтобы не упасть. Нет, о нет, он не был безразличен к судьбе Швоба и Вайля! Каким дураком, каким фантастическим дураком он был там, в гостинице, когда на миг вообразил себе, будто они ему безразличны! Сердце у него разрывалось от горя.

— Видите ли, — объяснил адъютант, — это делается специально: в газете пишут, что заложники еще живы, поскольку часто находятся люди, которые хотят их выручить и для этого приходят в тот же день или накануне и либо выдают кого-нибудь, либо поставляют другую важную информацию, в общем, это дает результаты. Но на этот раз их уже расстреляли всех утром. Так что вы напрасно просили Генриха... о, простите, генерала, — испуганно поправился он.

Несмотря на ярость и отчаяние, Константин все же заметил, как мальчик покраснел, принужденно улыбнулся и замер с открытым ртом, уразумев, что означало вырвавшееся у него имя Бремена и его собственное смущение, а заодно и то, что смущение это не ускользнуло от внимания собеседника.

— Осмелюсь ли я попросить у вас автограф? — продолжал адъютант, и ошеломленный Константин расписался на бледно-голубом листочке, где ему пришлось, по просьбе своего юного поклонника, добавить: «Дитеру — Константин фон Мекк», как будто этот самый Дитер был не адъютантом генерала, а самым близким другом режиссера, что и заверялось данной надписью.

Молодой человек удалился, пятясь и сияя улыбкой, от радости он даже позабыл свое прощальное «Хайль Гитлер!». Константин остался один, и его охватила непонятная паника: что он тут торчит? Ведь парень сказал правду, это яснее ясного. Ему хотелось прибить генерала до смерти: ощущение бессилия, только что испытанное перед Бременом — чувство, доселе ему неизвестное, — душило его, сдавливало горло. И наплевать, если потом он будет убит или арестован и брошен в тюрьму, другое останавливало его: он не один, у него есть Романо, и Романо нуждается в нем, чтобы выжить. Нужно уходить отсюда. Нужно обязательно уходить, пока не вернулся тот дебил и пока сам он не дал волю своему гневу.

Константин вытер лоб рукавом и удивился при виде мокрого пятна на ткани пиджака; он вышел из кабинета, но, ошибившись дверью, попал на галерею, окружавшую лестничный пролет, и решил спускаться пешком. Вдруг над ним, сверху, раздался грохот, зазвенели выкрики: он вскинул голову и увидел какой-то окровавленный мешок, перевалившийся через перила галереи; с воплем пролетев мимо Константина, он рухнул десятью метрами ниже, на плиточный пол вестибюля, и вокруг него тотчас расплылась кровавая лужа. В какую-то долю секунды Константин успел увидеть лицо падающего — нет, уже не лицо, а то, что раньше было лицом, бесформенное месиво, лишенное черт и взгляда, — и туловище, настолько густо покрытое черными и багровыми пятнами, ранами, ссадинами, что лишь по рукам, в последнем отчаянном рывке простертым к нему, понял, что человек этот — не негр, а белый. Константин судорожно отшатнулся, потом, не обращая внимания на странный звон в ушах, ринулся обратно, наверх. В несколько прыжков одолев лестницу, он расшвырял каких-то людей и оказался лицом к лицу с Бременом. Он схватил его за шиворот и почти вбил в стену. Чьи-то руки вцепились ему в плечи, в волосы, в бока, оттаскивая прочь, но он все же успел ударить Бремена еще два-три раза; он бил куда попало, не то ребром ладони, не то кулаком, бил со свирепой энергией, с веселой удалью человека, отринувшего осторожность, ощутившего себя всемогущим. Константин бил в это надменное, лживое лицо с сухими чертами, искаженными вечным лицемерием, притворной жалостью и непритворной жестокостью. Он бил в это лицо, которое, наверное, вот уже три года было его собственным, а он-то этого не знал!..

С большим трудом его оторвали от генерала.

Спустя неделю режиссер Константин фон Мекк в сопровождении своей новой «пассии» — юной кинозвезды, надежды французского кинематографа Мод Мериваль отбыл на отдых в Экс-ан-Прованс, на виллу, предоставленную в его распоряжение одной из его старинных приятельниц, элегантнейшей мадам Элизабет Браганс. Режиссер, впрочем, собирался не только отдыхать, ибо увез с собою мсье Бруно Вальтера и мсье Жан-Пьера Дану — хорошо известные публике киносценаристов, а также мсье Романа Вилленберга, своего ассистента по подбору натуры. Знаменитый режиссер намеревался снимать на натуре и при весьма желаемом участии великой кинозвезды Ванды Блессен в роли Сансеверины «Пармскую обитель» по роману Стендаля — произведению, которое, как с отчаянием констатировал продюсер УФА Дариус Попеску, насчитывало целых пятьсот страниц. Прекрасно, конечно, что Стендаль настрочил их всего за три недели и что краткость этого срока вызвала восхищение Константина фон Мекка, но Дариус Попеску не скрыл от последнего своих опасений: ведь столько же времени у него может уйти и на чтение.

ЧАСТЬ II

ГЛАВА 1

Куда только девались неотразимая красота и естественная грация, которыми природа наделила героя-любовника Люсьена Марра, выбранного Константином фон Мекком на роль Фабрицио дель Донго: стоило актеру сесть на лошадь, как все его очарование бесследно улетучивалось. Едва он оказывался в седле, лицо его искажалось, плечи ссутуливались, и аристократической непринужденности персонажа как не бывало. Тщетно представители УФА разыскивали сперва в местах съемок, потом в Париже подходящего дублера: похоже было, что СПР[1], плен или уход в Сопротивление начисто выкосили именно французских наездников... Оставались слишком малорослые, слишком толстые или коренастые — во всяком случае, ни один из них не способен был изобразить стройного и прекрасного юношу. Итак, Константин фон Мекк решился на отсрочку, сняв сперва пейзажи Прованса, напоминающие итальянские, а затем, по приезде Ванды Блессен, несколько сцен на натуре с Сансевериной — одной или в сопровождении графа Моски. Так прошло две недели, а тем временем мастера манежа пытались преподать хотя бы начала верховой езды совсем приунывшему Люсьену Марра.

Нынче утром, когда пошла третья неделя съемок, злополучному красавцу предстояло сесть на одного из тех великолепных неукротимых скакунов, коих Константин фон Мекк счел достойными блистательного наездника, описанного Стендалем. Ибо если в битве при Ватерлоо Фабрицио дель Донго еще мог, по необходимости, скакать на какой-нибудь случайной кляче, то, уж конечно, ему неприлично было гарцевать на смирной манежной лошадке под балконом красавицы Фаусты. Итак, ему подвели норовистого вороного жеребца-полукровку, заранее взмокшего от возбуждения, и несчастный Люсьен Марра в жемчужно-сером нанковом камзоле, тоже взмокший, но от

---

[1] Служба принудительных работ, отправляющая французов на работу в Германию.

страха, вынужден был подойти к этому страшилищу. Тренер по вер-

ховой езде держал жеребца под уздцы; Люсьен Марра вдел левую ногу в стремя и, побуждаемый всеобщим ожиданием, перенес правую;
на секунду он утвердился было в седле, но тут жеребец легким взбры-
ком отправил своего всадника в воздух, за три метра от себя. Это
произошло молниеносно, а затем последовали десять минут криков,
охов и ахов, тем более разнообразных, что съемочная группа являла
собою настоящее вавилонское смешение языков. Юные звезды Мод
Мериваль и Люсьен Марра были французами, великая голливудская
кинозвезда Ванда Блессен — шведского происхождения, а Людвиг
Ленц, в высшей степени красивый и благовоспитанный мужчина, ис-
полнявший вторую мужскую роль, — немец родом из Венгрии. Остальные актеры и технический персонал были под стать им. Так что
беднягу Люсьена Марра подняли на ноги и отчистили от пыли с самым невероятным разноязыким гомоном. Актер медленно и неловко
взобрался на коня и через мгновение вновь плюхнулся в траву — к
счастью, довольно мягкую. Осыпаемый ругательствами Константина
и уязвленный неэффективностью своих уроков, тренер попытался
укротить жеребца, сев на него самолично, но только усугубил ярость
животного. Не успел он опуститься в седло и ехидно улыбнуться, как
тем же манером был сброшен лицом в пыль. Взбудораженную лошадь долго выводили, стараясь успокоить, но когда десять минут
спустя юный Фабрицио дель Донго под прицелом камеры в свою очередь сел на жеребца, ему удалось лишь коснуться седла — он тут же
кубарем вылетел из него прочь.

Этот прискорбный инцидент поверг в отчаяние продюсера УФА
господина Попеску, для которого каждая потерянная секунда отдавалась похоронным звоном. Зато режиссер Константин фон Мекк, из-
лив в крике всю свою ярость, нашел отдохновение в смехе и покорности судьбе. Пока Дариус Попеску в отчаянии рвал на себе волосы и с
воплями метался от лошади к актерам и от актеров к лошади — так,
словно его посредничество способно было вдруг создать таинствен-
ное молчаливое согласие между нею и окружавшими ее двуногими, —
помощь пришла с самой неожиданной стороны: ассистент по подбору
натуры, молчаливый, скрытный красавец Роман Вилленберг, одним
прыжком вскочил на коня и прогарцевал мелкой рысью — легко,
изящно, красиво — с одного конца луга на другой. Молодой человек
божественно держался в седле, кроме того, своей худощаво-строй-
ной, но крепкой фигурой он как две капли воды походил на героя-любовника. Съемки были спасены! Вилленбергу предстояло скакать туда-сюда на лошади вместо Люсьена Марра, которого в крупных планах ассистенты станут весело трясти и подбрасывать на стуле —
старинная уловка, известная еще со времен немого кино. Правда,
Роман Вилленберг был блондин — убийственно светлый блондин, и

он категорически отказался, один Бог знает почему, перекрашиваться в брюнета, но кивер, надетый на голову, мог уладить дело.

Если сей неожиданный талант Романа Вилленберга вызвал уважение у мужской половины группы, то благосклонность женщин была завоевана этим прекрасным юным кавалером давным-давно и доказывалась ему достаточно часто — столь же часто, сколь и незримо для посторонних. Во всяком случае, именно такое впечатление вынес Дариус Попеску из весьма игривых комментариев для съемочной группы: похоже, что спортивные таланты Романа Вилленберга не ограничивались верховой ездой под открытым небом. Но за этим небольшим исключением о самом юном Романе никто ничего не знал. Он входил в число тех преданных Константину фон Мекку людей, которых тот повсюду возил с собой, — декоратора, главного оператора и секретаршу. И Попеску в жизни не заприметил бы этого неуловимого юношу, если бы его подвиги в верховой езде и смешки женской половины группы не привлекли к нему внимание продюсера. В самом деле: долгое время послужив немецкой науке в качестве этнолога и выдав всех знакомых евреев, Попеску был теперь нанят гестапо в совершенно конкретном качестве осведомителя. К несчастью, с тех пор как они прибыли на юг Франции, Попеску не посетило ни одно подозрение, не попался ни один сомнительный тип, и хотя единственной наградой за доносительство были его собственная жизнь и безопасность, Попеску начинали мучить угрызения совести перед его временными хозяевами.

— Ну что, господин Попеску? — раздался сзади рокочущий бас. — Теперь УФА спасена?

Попеску обернулся на голос своего истинного хозяина, нынешнего и каждодневного хозяина, то есть Константина фон Мекка, который возвышался над ним, небрежный, нескладный, в экстравагантном, давно уже не модном костюме из небеленого льна, в курортном стиле тридцатых годов, с бело-голубой косынкой на шее вместо легендарного красного шарфа; он стоял и улыбался своей улыбкой счастливого человека. Дариус Попеску невольно загляделся на Константина: высокий выпуклый лоб, густые брови и ресницы, пышные усы и шевелюра, слишком большие удлиненные глаза, слишком торчащие скулы, слишком волевой орлиный нос, слишком белые зубы между слишком длинными и мясистыми губами над твердым мужским подбородком с чувственной ложбинкой посередине. В этом лице не было ни одной смазанной, неясной черты, и Попеску, благо что абсолютно не женоподобный, все же смутно почувствовал, как должны стремиться женщины укрыть этот застывший вихрь на своем плече, сохранить для себя, у себя на груди, в темной бездне желания это первобытно-грубое лицо, которое жизнь, интеллект, время и морщины сделали одухотворенным и даже, если приглядеться получше, по-детски беззащитным.

— О да, — согласился Попеску, подняв глаза к темному силуэту, заслонившему от него солнце, — признаюсь вам, господин фон Мекк, у меня прямо гора с плеч упала. Это у вас, наверное, наследственное, да? Мне кажется, вы и сами прекрасный наездник?

— Как это — наследственное? Что наследственное? — с враждебным подозрением осведомился Константин.

Попеску всполошился:

— Да я только хотел сказать, что элегантная посадка — это наверняка талант, свойственный многим знатным семьям, не так ли? А ваш кузен так великолепно держится в седле... Прошу прощения, но в карточке господина Вилленберга записано, что он ваш родственник. Поэтому я позволил себе...

— Ну да, родственник... дальний, — ворчливо подтвердил успокоенный Константин.

И он отошел, не обернувшись и оставив Попеску в полном недоумении. С чего вдруг Константину вздумалось отрицать свое родство с этим членом семьи, выказывать странный снобизм, которого Попеску никогда не замечал в нем?

Пока с Люсьена Марра снимали роскошный камзол Фабрицио и надевали его на Романа Вилленберга, Константин фон Мекк пересек лужайку, где суетилась его команда, и постучал в гримерную — а проще говоря, в фургон на колесах, — где его бывшая супруга Ванда Блессен читала, сидя в шезлонге у открытого окна. Ее изумительное, известное во всем мире лицо даже под безжалостным ярким июньским солнцем не оскверняла ни одна лишняя морщинка. За все десять лет, что Константин знал Ванду, любил Ванду, он всегда видел ее не старше чем тридцатилетней: ей было тридцать навсегда. Когда он вошел, Ванда обернулась и встретила его улыбкой, нежной улыбкой, которая вывела его из себя. С самого своего приезда Ванда отказывалась спать с ним, и это казалось Константину издевательством, если не извращением. Они были любовниками по природе своей, от рождения, и, даже разведенные, все-таки навеки принадлежали друг другу. Кроме того, между ними не стоял третий, им не мешали сожаления о прошлом, словом, ничто не оправдывало этот отказ — отказ, который полностью противоречил ее присутствию здесь. Константин ровным счетом ничего не понимал. Америка много месяцев назад вступила в войну, а Ванда была американской подданной. Болезнь отца привела ее в Швецию — это было естественно, но то, что из Швеции она приехала прямо в оккупированную Францию, согласившись сниматься для Германии, вражеской страны — пусть даже в такой желанной роли, — казалось Константину совершенно необъяснимым и могло быть оправдано только их взаимной страстью. Константин всегда плохо понимал мотивы поведения своей жены и даже довольно долго делал это непонимание предметом какой-то глупой гордости. Слава и популярность Ванды Блессен подогревались еще и ее причудами, загадочными исчезновениями и взбалмошными выходками, и Константину всегда нравилось заявлять: «Я ничего не понимаю в своей жене», тем самым наводя собеседника на мысль: «Но она любит его!» — и мысль эта была для него и лестной, и в конечном счете удобной. Мало-помалу он привык считать забавным и даже нормальным свое непонимание характера собственной жены, восхищаться — вместе с газетами — ее сумасбродствами и игнорировать вместе с окружающими всю глубину ее натуры. Мало-помалу и сама Ванда — пленница своих привычек, актерского инстинкта и желания нравиться Константину — согласилась с тем, чтобы он любил ее за то, что больше всего любил в ней: за непостоянство и изменчивость настроений. Оба они смутно понимали это, и каждый сожалел о своем отношении ровно настолько, чтобы упрекать в нем другого больше, чем себя...

Стоя в ногах шезлонга, Константин рассматривал Ванду. Он глядел на ее черные волосы, отливавшие на солнце синевой, на лицо с такими безжалостно четкими, хотя и непроницаемыми чертами и такой белоснежной — тугой от скул до подбородка — кожей, что она розовела от малейшего слова. Он глядел на ее длинный нос с трепещущими ноздрями, на ее рот с опущенными уголками губ, который говорил «нет». Все это лицо жаждет любви, глаза мечтают о ней, но рот сурово говорит лицу «нет». Как писал один из банды слабоумных критиков и как говорили все зрители ее фильмов, да и все ее продюсеры, коим надлежало, однако, изображать пресыщенность, невозможно было не любоваться Вандой, и Константин помимо воли любовался ею. Уж он-то знал, что веселое оживление и смех, приподнимавший уголки этих губ, освещали детским простодушием слишком страстное ее лицо.

Да, это прекрасное создание, думал с нежностью Константин, прекрасное, сложное, непостижимое. Но у нее еще и прекрасное лицо, лицо, чувственность которого удваивает ум.

И с уст Константина сорвался преждевременный стон наслаждения. Встряхнувшись, он поймал мимолетно-беспокойный, мимолетно-нежный взгляд Ванды.

— Что случилось? — спросила она своим хрипловатым, циничным, знаменитым, как и ее лицо, голосом.

Пожав плечами, он ответил: «Ничего» — и сел у нее в изножье. Из открытого оконца на них пахнуло ароматом перегретой травы, земли, деревни, и Константин, взяв руку Ванды, приник к ней щекой с юношеским пылом. Какой далекой становилась война, когда он оказывался рядом с этой женщиной! Подле нее он вновь обретал свое прошлое, свое ремесло, свою жизнь, вновь обретал необъятные пляжи Америки — золотистые или серые, знойные лучи солнца, запахи ветра и бензина, весело звенящие голоса; он вновь обретал ее слишком просторные дома, растрепанные пальмы, машины, пахнущие кожей, бары и пианино; он вновь обретал все то, что было основой его существования, музыкой и ароматом его жизни, плотью, облекающей костяк. И иссушающая тропическая ностальгия сжимала ему горло возле этой женщины, хотя она-то родилась на берегу бесцветного тусклого фьорда, среди ночи — северной белой ночи...

— Знаешь, — сказал он тихо, — я скучаю по Америке.

— Вот странно-то! — откликнулась Ванда ровным, без всякого волнения голосом. — А мне нравится здесь, я до сих пор не знала Франции или знала ее очень плохо.

— Но то, что ты видишь, не Франция, — ответил Константин, — а оккупированная Франция. Это совсем разные вещи.

— Да неужели?! — заметила она, как будто без иронии, и сделала паузу, дав место молчанию, которое — он это ясно почувствовал — было вопросительным, если не строгим.

Чего она ждала от него? На какой ответ рассчитывала? Неужели она хоть на минуту понадеялась на то, что сегодня он способен объяснить свою грандиозную ошибку 1937 года лучше, чем любую другую глупость, совершенную двадцатью годами раньше? Могла ли думать, что он постарел, что он созрел, что у него теперь есть ответы на все ее вопросы? Ей ведь хорошо было известно, что только две женщины во всем мире могли отвечать за него, вместо него на любой вопрос, и эти женщины были сперва его мать, а потом она сама. И потому Ванде не о чем было спрашивать его, а ему не пристало ей отвечать, тем более что она вздумала разыгрывать недотрогу. Так неужели же он, Константин, станет говорить с ней «только в присутствии адвоката»? Нет, он подождет того момента, когда они окажутся вдвоем в постели. И лишь тогда, в темноте, меж теплых простынь, возле этой женщины и после любви, он сможет ей ответить на все. Так он думал, и это вовсе не было шантажом — просто закон жизни.

Рука Ванды легла на его волосы.

— Знаешь, в чем заключается благородство графа Моски у Стендаля? — спросила она внезапно, подняв к нему книгу, которую читала и перечитывала со дня своего приезда. — Любой пятидесятилетний мужчина, англичанин или американец, в его положении сказал бы себе: «Моя любовница предпочла этого юного ветрогона? Значит, она просто шлюха». А Моска думает: «А почему бы ей не предпочесть такого прекрасного юношу мне, старику?» Он предоставляет Сансеверине полную свободу и эстетический выбор, в котором мужчины до сих пор отказывают женщинам. Мужчины, видишь ли, верят женщинам, то есть они хотят видеть их, женщин, более зачарованными деньгами или властью, нежели мужской красотой, — в сущности, они-то и делают из женщин шлюх, поскольку стремятся купить, а потом сохранить их для себя с помощью денег. Но называют их шлюхами как раз тогда, когда женщины перестают вести себя как таковые, когда они расстаются с покоем и роскошью, чтобы последовать душевному порыву, когда деньгам они предпочитают юного красавца. А вот Моска ни минуты не верит, что его состояние стоит гладкого лица и свежих уст Фабрицио. Он справедливо полагает, что в глазах Сансеверины они обладают большей властью, но все равно чтит ее и ставит неизмеримо выше любого другого человека на земле. И знаешь, что я скажу тебе: из всех своих героев Стендаль любит только Моску. Фабрицио дель Донго раздражает его!

Константин изумленно воззрился на Ванду.

— С каких это пор ты размышляешь о Стендале? С каких пор ты вообще размышляешь?

— С самого рождения, — ответила Ванда, грациозно обмахиваясь книгой.

— Ну, если ты столько размышляешь, то зачем приехала сниматься сюда? — вырвалось у Константина. — Ведь Америка воюет с Германией. И у тебя будут неприятности, знаешь ли, когда Германия проиграет войну... когда мы проиграем войну, — благородно поправился он.

— А ты, значит, рассчитываешь проиграть ее? — расхохотавшись, спросила Ванда. — Ты думаешь, что Германия проиграет войну, несмотря на твое верное сотрудничество начиная с 1937 года? А кстати, можешь ты мне объяснить, какая муха тебя тогда укусила?

— Я сейчас говорю о тебе. Я волнуюсь за тебя, — сказал Константин.

Ванда спокойно взглянула на него:

— И напрасно! Какие еще неприятности? Этот мой промах прекрасно объяснят моей безумной страстью к тебе.

— Тогда как тебя интересует только Сансеверина, не правда ли? — подхватил Константин беззаботным, как ему казалось, тоном, который тем не менее заставил Ванду рассмеяться.

Она провела рукой по волосам Константина, пригладила ему усы и брови — весело и по-хозяйски, что ему очень не понравилось.

— Ты узнаешь, — сказала она, — скоро ты узнаешь мотивы моего приезда. В любом случае нельзя доверять ни первому, ни второму. В этом я готова тебе поклясться... А теперь иди снимать, милый, иди! Слышишь, тебя уже зовут. Наверное, твой юный Люсьен наконец выучился сидеть на лошади.

— Нет, — мрачно ответил Константин, — не выучился. Его будет дублировать Романо, ассистент по подбору натуры.

— Ах, Романо! — протянула Ванда, и в ее смеющихся глазах

мелькнула ирония: этой негодяйке всегда были известны привязанности Константина. — Ах, этот красавчик Романо! Вообще-то именно ему следовало сыграть Фабрицио, — добавила она с улыбкой вслед Константину, в ярости покинувшему фургон.

Его и в самом деле звали — Фабрицио дель Донго, он же Романо, гарцевал на своем скакуне посреди лужайки, в ярких лучах солнца. Константин издалека увидел, как он приподнялся на стременах, удерживая коня, вставшего на дыбы, и вздрогнул от страсти и восхищения перед этим юным цыганом, приговоренным к смерти и взлетающим из травы к небу в беззаботном ликующем порыве. Конь дрожал от бешенства, это был один из тех породистых жеребцов, которых, вероятно, объезжал некогда с помощью берейторов аристократ Фабрицио дель Донго, и в то же время одно из тех неукротимых злобных созданий, которых несколько лет назад этот нищий, упивающийся опасностью мальчишка, наверное, нахально угонял на венгерских равнинах под громкие вопли хозяев. Но каковы бы ни были — в прошлом и ныне — преимущества одного и недостатки другого, оба они — Фабрицио и Романо — были юношами с горячей кровью, но слабым сердцем. Ибо в конечном счете Фабрицио дель Донго всего лишь огорчался, признаваясь себе, что никого не любит. Романо же почти бахвалился этим. И тем не менее, глядя, как он впервые в жизни вышел из тени на яркий свет перед зачарованными зрителями, а быть может, и перед удивленными доносчиками, глядя, как взмывает к нему, к верхушкам деревьев, к радости жизни этот юный цыган, не знаемый никем, даже им самим, Константин вдруг на какой-то миг вообразил, будто ему показывают сцену из оперы, лирическую, благородную сцену... И ведь это впервые доводилось ему видеть, как человек гарцует перед лицом смерти. В Голливуде он часто наблюдал людей, гарцующих перед жестокими превратностями общественной жизни, и еще иногда как гордо гарцующих. Да и в Европе за эти несколько последних лет ему пришлось повстречать немало людей, смело гарцующих перед расставленными ловушками, страхами, опасностью доноса. Но он впервые видел, как юный, ни в чем не виновный, сияющий красотой человек гарцует перед лицом смерти и дразнит ее, сам упиваясь этим. И, быть может, в каком-то смысле Романо выглядел романтичнее Фабрицио дель Донго, который и рисковал-то всего-навсего однажды поддаться смерти, в которую, в отличие от Романо, не мог верить.

— Мотор! — коротко приказал Константин.

Итак, всю вторую половину дня Романо снимали дальним планом в роли Фабрицио дель Донго. Как и его герой, он падал из седла и терял своего коня при Ватерлоо; он спасался от полиции на другом коне; он топтал Джилетти; он гарцевал под балконом красавицы Муффы и мчался вдогонку за Сансевериной. Чуть ли не шесть часов кряду он скакал перед камерой то на одном, то на другом коне, и только к восьми вечера съемка закончилась. Романо направил своего жеребца, ставшего покорнее ягненка, к фургону для лошадей, спешился под строгим взглядом Константина и глянул на него искоса и виновато, и радостно.

— Ну и денек! — вырвалось у него. — Ну и денек! Лошадь потрясающая! Захочет — и двухметровый барьер возьмет!

Он ослабил подпругу, сорвал пучок травы и умелой рукой обтер ею дымящиеся бока лошади.

— Зачем ты вылез? — зло спросил Константин. — Глупо обращать на себя внимание.

— Да я и не собирался, — быстро ответил Романо. — Просто, когда я увидал этого актера или нет, другого, тренера... ну вот, когда я увидал, что он собирается надеть на жеребца вторую узду и цепочку в придачу к трензелю, я не выдержал — ведь он бы ему весь рот разорвал.

— А тебе не кажется, что твой рот поважнее лошадиного? — спросил Константин с благодушием, которого отнюдь не испытывал.

— Ну конечно, нет, — возразил Романо с хитрой усмешкой, — конечно, нет, бедный мой господин! Конь для цыгана — дело святое, знаешь ли. Или тебе это не известно? Ты ведь всего лишь руми. Лошади, Святые Марии-у-Моря да острые кинжалы — вот в чем истинная душа нашего племени!

Романо сорвал с шеи косынку, завязал ее наискось, через лоб, прикрыв ею один глаз, потом схватил руку Константина, словно решил прочесть по линиям ладони его судьбу, и затянул странную, дикую цыганскую песню. Константин в замешательстве вырвал руку: трудно было угадать, какая доля ностальгии примешивалась к шутовству, когда Романо пускался в свои цыганские фокусы.

— Перестань лизать мне руки, цыган несчастный, — огрызнулся Константин, пожимая плечами. — Я всего только и сделал, что спас тебя от верной смерти благодаря моим званиям и храбрости. Откровенно говоря, тебе должно быть стыдно за твои выходки, за то, что ты нарочно лезешь на рожон. Даже здесь доносчиков и соглядатаев хватает.

— Да ладно, — со смехом прервал его Романо, — еще неизвестно, что сейчас опаснее: скрываться или лезть на рожон. Не уверен, что первое лучше. Да и вообще, послушай, я же это не нарочно. Я провел отличный день. Не порть мне его.

Не дожидаясь ответа Константина, Романо отошел от него и постучался к Ванде. Она открыла ему — такая прелестная в сине-бежево-золотистом свитере, который подчеркивал ее собственные сине-бело-черные краски.

— Входите, — сказала она, — входите, прекрасный юноша! И вы, благородный старец, войдите тоже, выпьем капельку этого синтетического портвейна, который преподнес мне добрый господин Попеску. Романо, заведите патефон и поставьте для меня пластинку Эдит Пиаф, от которой я плачу горючими слезами. Входите, входите же!

Константин последовал за Романо, удивляясь и радуясь дружескому согласию, связавшему два самых дорогих ему существа, которые глядели друг на друга и робко и доверчиво, словно каждый из них был приручен другим. И это придавало изысканный привкус их отношениям — так, по крайней мере, казалось Константину. Романо завел патефон и поставил песню Пиаф; ее слова, довольно-таки бесхитростные, тем не менее вызывали у Константина холодный озноб. Но Ванда позабыла, что хотела заплакать над ними.

— Романо, — говорила она между тем. — Романо, я видела в окно, как ты скачешь на коне, ты был просто бесподобен. До чего же ты хорош верхом! Прекрасен, как бог! Ах, если бы ты и вправду играл Фабрицио, всю роль целиком, вместо этого несчастного Люсьена Мареля... нет, Марра — так, кажется? — уверяю тебя, мне бы это очень помогло. Ты что, не слышишь меня, Константин? Ты уверен, что не можешь отослать своего француза в родные пенаты и выкрасить волосы нашего юного друга в черный цвет или, вернее, восстановить их, ибо перекись в конце концов загубит его чудесную шевелюру? Ну-ка, дай посмотреть, — обратилась она к Романо, который, опустившись перед ней на одно колено, словно перед королевой, подставил ей свои белокурые волосы — волосы, в который раз два дня назад высветленные рукой Константина.

— Вот ужас-то! — воскликнула Ванда. — Да ведь они станут ломкими, тонкими, сухими, ты их испортишь вконец! Нет, это просто недопустимо!

И она бросила на Константина исполненный упрека взгляд, который поверг его в смятение и заставил отвести глаза.

— Ладно, ладно, — проворчал он, — а скоро ли мы будем ужинать? Я голоден как волк.

— Ты всегда голоден как волк, стоит в чем-нибудь упрекнуть тебя, — с улыбкой заметила Ванда.

— А что ты хочешь от меня услышать? — забормотал Константин. — Ну что? «Третий рейх» предпочитает блондинов, при чем тут я?

— Да, правда, я об этом слышала. Но тогда отчего немцы выбрали себе в вожди брюнета-недоростка? Это ты мне можешь объяснить? Нет? Ну конечно! — заключила Ванда. — Что ж, пошли ужинать. Бедняжка Бубу, наверное, вся уже истосковалась без нас в своей скромной хижине.

Дом, унаследованный Бубу Брагамс от первого мужа, представлял собою огромную ферму средиземноморского типа, выстроенную из охряно-желтого песчаника в форме буквы «М»; в центре двора, переименованного в патио, красовался бассейн со слишком голубой водой и серыми холщовыми «американскими» шезлонгами. Зато в доме громоздились друг на друга китайские ширмы, чиппендейловские комоды, сельские «Людовики XVI», и только какая-нибудь соломенная шляпа или плетеное кресло среди этой свалки напоминали гостям о кипарисах, виноградниках, южных пейзажах и лете — словом, обо всем, что окружало этот дом. Сегодня вечером на ужин должны были подать цыпленка — благодаря Романо, который, наполовину для развлечения, наполовину от голода, демонстрировал свои таланты цыгана и мошенника, регулярно обчищая соседние птичники. Ибо все величественные манеры Константина, все угодливо-липучие подходцы Попеску оказались бессильны — невозможно было вырвать хоть крошку еды у жадных недоверчивых крестьян. В результате Романо крал и грабил по ночам, бросая вызов древним самопалам фермеров и клыкам их собак и принося то яйца, то — правда, значительно реже — птицу, как правило, изловленную после долгого и трудного преследования в темноте. Но вот что странно: куры и прочие пернатые неизменно попадали на стол одноногими, и Романо, отлично помнивший, с какой скоростью они улепетывали от него, страшно удивлялся этому факту и даже поделился своим недоумением с другими. Спустя несколько дней Бубу Браганс вскричала в ответ на изумленные взгляды присутствующих:

— Я знаю, знаю, друзья мои, что одной ножки не хватает. Но если бы я вам сказала, для кого мы отрезаем ее на кухне, вы бы одобрили меня. И даже зааплодировали бы! — заключила она, тут же завладев второй куриной конечностью.

Надо сказать, что тут Бубу немного перехватила по части цинизма, ибо если сказанное ею подразумевало, что она кормит какого-нибудь больного ребенка, умирающего старика или беременную женщину, то через несколько дней Константин узнал правду, обнаружив, как Бубу на кухне собственноручно отхватила ножку у курицы и принялась пожирать ее, торопясь поспеть затем к общему столу. Константин немало повеселился, но никому не рассказал о своем открытии: прибережем-ка его на будущее, думал он, вот отличный повод для шантажа — незаменимое средство держать в руках Бубу Браганс. А впрочем, за это-то он ее и любил — за бесстыдный, свирепый цинизм. Кроме того, оккупация, как он хорошо понимал, ей очень и очень нравилась: огромное состояние Бубу в течение многих лет вынуждало ее быть расточительной, даже купаться в роскоши, а нынешние продуктовые талоны и прочие лишения обязывали ее — или скорее позволяли ей — проявлять скупость, глубоко заложенную в ее натуре. Однако, несмотря на это, Бубу всегда отличалась естественным и приятным гостеприимством.

Съемочную группу распихали на жительство по маленьким окрестным гостиничкам. В доме Бубу остановились четверо главных актеров, режиссер Константин, ассистент по подбору натуры Романо и, конечно, продюсер УФА Попеску. Вместе с Бубу Браганс их было восемь человек, и на ужин едва хватало двух кур. Поэтому легко понять огорчение постояльцев Бубу, в особенности Романо, нагулявшего волчий аппетит после своих верховых экзерсисов, когда взорам их предстал новый гость, иначе говоря, новый едок, вдобавок — офицер вермахта, некий капитан фон Киршен, который, завидев входящих, запыленных и замученных, с молодецким видом вскочил на ноги, тогда как Бубу Браганс с сияющим взором вспорхнула и полетела им навстречу, размахивая коротенькими ручками, точно сигнальными флажками.

— Вы только угадайте, кого нам бог послал! Или вернее, кто приехал к нам из Драгиньяна! Угадайте, кто будет с нами ужинать! Ни за что не угадаете! Это капитан фон Киршен!

— Трудновато было бы угадать, — заметил Константин, — если принять во внимание, что мы не знакомы.

— Ну вот, теперь и познакомились! — воскликнула Бубу, ничуть не растерявшись. — Капитан фон Киршен был так любезен, что пришел поужинать вместе с нами. Не правда ли, капитан?

Каковой капитан, не имея возможности возразить, склонил голову и щелкнул каблуками, хотя, слава богу, не воздел руку к небу и не заорал «Хайль Гитлер!», что уже было не так-то плохо, подумал Константин, несмотря на раздражение и усталость. Каждый из присутствующих, усевшись за стол, повел себя на свой лад: Романо уткнулся в тарелку, Константин стал рассеян, Бубу Браганс возбудилась до крайности, а Ванда, как всегда, принялась соблазнять гостя. Именно ему достался самый нежный взгляд, самое ласковое прикосновение руки и все то неотразимое очарование, которое исходило от нее, приводя в восторг миллионы зрителей плюс нескольких избранных. И офицер сдался без боя: он рассыпался в остротах и комплиментах, он пыжился и красовался вовсю, а после ужина, на балконе, где Ванда рассеянно попеняла ему на то, что он так скоро покидает их, признался, что весь следующий день проведет поблизости, на железной дороге, и будет думать только о ней.

— И вы даже не зайдете поздороваться с нами? — небрежно проронила Ванда. Она полулежала в шезлонге, откинувшись назад, и на пестром фоне тюльпанов и гладиолусов, обрамляющих окно, ее лицо светилось, точно нежная белая орхидея.

— Увы! Не могу же я спрыгнуть с поезда! — простонал капитан. — Нас отправляют на юг. Но, клянусь, я буду думать о вас, когда проеду мимо, ровно в полночь!

И он вновь пустился в бесконечные бредовые разглагольствования по поводу Гейне, Бетховена и Райнера Марии Рильке; пока Константин зевал за компанию со всеми присутствующими, а Бубу Браганс размышляла над тем, не слишком ли опасна ей Ванда как конкурентка по части обольщения мужчин, Романо лихорадочно высчитывал, сколько часов остается ему до завтрашней полуночи.

— Я не имел права сообщать вам эту информацию, дорогая Ванда Блессен, — продолжал офицер с упорством бестактного собеседника, глубоко убежденного в том, что достаточно повторить бестактность, дабы исправить ее. — Я не должен был, но, посудите сами, кому же и довериться в этой стране, если не вам, мадам Блессен, или нет, Ванда, если позволите, и не вам, Константин фон Мекк, — человеку, отвергнувшему свое американское прошлое, чтобы прийти на помощь нашей стране, и не вам, мадам Браганс, — вы принимаете нас и здесь, и в Париже не как врагов, но как верных союзников.

— Ну вот что, дети мои, — воскликнула Бубу, внезапно почуяв, что разговор принимает опасный оборот, — по-моему, пора баиньки. Я хочу, чтобы вы завтра утречком были такими прекрасными, как хотелось Стендалю. Ах, Стендаль!.. Я думаю, никто не любит его больше меня, ну, может быть, только Андре Жид, да и то я не уверена... А ну-ка, быстро все в кроватки! Доброй ночи, доброй ночи!

И гости скрылись в многочисленных коридорах, ведущих из огромного салона в спальни; каждый из них вынашивал свой план действий, но при этом не забыл учтиво распрощаться с другими.

Глава 2

Приняв душ и побрившись, Константин смочил волосы и шею чудесной, совершенно исчезнувшей во Франции туалетной водой, которую Ванда позаботилась привезти ему из Америки; аромат этих нескольких капель из флакона тотчас одурманил его. Бережно хранимые в душе воспоминания, которые горечь и обида, бессмысленная война и неостановимое время вырезали из контекста существования и свалили к нему в память, как старый хлам в дырявые ящики, — все эти застывшие клише, эти выцветшие почтовые открытки вдруг сложились в стройный ряд, в живой, осязаемый и больно жалящий сердце фильм его прошедшей жизни. Америка внезапно перестала быть абстрактным географическим понятием, которое его жажда счастья слепо отодвинула вдаль, за горизонт, и вновь превратилась в напоенный жарким солнцем и свежими водами континент, в место, где он мог жить, откуда мог быть изгнан, чтобы потом тосковать по нему, поскольку Ванда приехала из этого рая и собиралась вернуться туда, оставив его здесь. Уже то было чудом, что она пробилась к нему сквозь стальные смерчи, град бомб и опасность в свою очередь стать отверженной! Когда она появилась в особняке Браганс, закутанная в меха, несмотря на теплую погоду, в солнечных очках, во всем своем обличье голливудской дивы, и Константин сжал ее в объятиях, он задрожал от счастья и неверия в это чудо; зарывшись лицом в пышный мех роскошного манто Ванды и в ее душистые волосы, коснувшись щекой нежной напудренной щеки, а губами — гладкой и теплой шеи, он напрочь позабыл о Сансеверине — бог с ней, с Сансевериной! Ванда, его Ванда вернулась к нему! Он потребовал, чтобы УФА пригласила ее на эту роль, ни секунды не надеясь на успех, и что же! — две недели спустя с изумлением узнал о согласии Ванды и приезде ее из Швеции, где она уже полгода ухаживала за больным отцом.

Но та же Ванда целую неделю упорно отказывалась от близости с ним, и хотя отказ этот еще не омрачил огромного счастья Константина, вызванного ее приездом, он все же начал мало-помалу раздражать его. Постучав в дверь, он вошел к Ванде, не дожидаясь ответа. Она лежала в постели и опять — в который раз! — читала свою «Пармскую обитель»; при виде его она нарочито изумленно подняла брови.

— Здравствуй, — сказал Константин, — вернее, добрый вечер. Я пришел узнать, не нужно ли тебе чего, — добавил он с сарказмом, заставившим его бывшую супругу пожать плечами.

— Да нет, — ответила Ванда устало, — мне ничего не нужно. Садись, пожалуйста. — И она указала ему на кресло у кровати. Но сама тотчас же предусмотрительно встала, прикрывая ноги, словно опасаясь этой двусмысленной ситуации, и принялась складывать и убирать разбросанные по комнате вещи; Константин машинально начал помогать ей. За свою совместную жизнь они повидали столько пароходных кают, столько гостиничных номеров, столько квартир в Нью-Йорке, Венеции или Лондоне, столько спален, где каждый из них убирал вещи другого то из любви, то из злобы, что теперь Константину казалось диким, да просто непристойным, не разделить после этого с Вандой ложе. Она была его достоянием, его женой, его любовницей, его подругой. И ее отказ спать с ним представлялся теперь глупым детским капризом. Константин дал ей это понять, когда она снова улеглась в постель, тем, что развалился не в кресле, а в ногах кровати, а потом и поперек ее, почти на коленях Ванды, завладев одной подушкой и закурив сигарету, точно калиф у себя в гареме; на Ванду он не глядел.

— А тебе не кажется, что ты ведешь себя вызывающе и вульгарно? — спокойно спросила та. — Ты забыл, где находишься? Мы ведь больше не женаты, мой милый!

— Только не уверяй меня, будто ты оставила в Нью-Йорке или в Швеции свою самую большую любовь и будешь верна ей до гроба. Ты всегда жила только настоящим, моя дорогая.

— А ты всегда жил одним лишь прошлым, — отпарировала Ванда. — Сообщаю тебе, что малышка Клелия Конти — твоя Мод —

влюблена в тебя как кошка и полностью в твоем распоряжении. А я читаю, Константин. Я работаю и читаю!

— Ванда, милая моя девочка, послушай, — взмолился Константин, выпрямившись и обхватив колени жены. — Это я. Это ты. Это мы, тут, вместе. Подумай хорошенько! Ты что, с ума сошла? Посмотри на меня!

Ванда с улыбкой наклонилась вперед, коснувшись губами рта Константина, и тот инстинктивно зажмурился, словно от неожиданного удара. Но лицо Ванды — молочно-белое, расплывчатое, нереальное пятно — отодвинулось и снова обрело прежнюю четкость. «Ох, до чего же она все-таки надменна и порочна!» — подумал он.

— Ты порочная женщина!

— Ну, это уж слишком, — отозвалась Ванда, — я порочна, потому что отказываюсь спать с тобой, так?

— Да, так, — подтвердил Константин. — Ты ведь принадлежишь мне, как и я тебе. Все это просто глупо.

— Нет, никому я не принадлежу, я даже не знаю хорошенько, кто ты на самом деле. Хороший любовник, хороший режиссер — это верно. Но что ты за человек? И зачем, почему попал в это осиное гнездо? Поверь, Константин, мне иногда становится страшно здесь, будто нас все время подстерегает какая-то опасность. А что ты думаешь об этой стране? Что ты о ней думаешь? И что делаешь здесь?

Константин по-прежнему опирался подбородком о колени Ванды, но теперь он поднял глаза и встретился с ее бледно-голубым взглядом, в котором светилась недобрая, жесткая прозорливость. Этот взгляд удивил и встревожил его: что еще затевает эта безумица?

— Ванда, — умоляюще сказал он, — прошу тебя, только не ты, только не ты. Ты — это пальмы, это Америка, это Атлантический океан и пароходы. Пароходы!.. Пожалуйста, не говори со мной больше о Европе, я и так слишком долго прожил в ней, ты понимаешь? Целых пять лет!

— Но ведь этот душка Геббельс, кажется, без ума от тебя, — съязвила Ванда.

— Не знаю, — ответил Константин, — наплевать мне на него! Впрочем, нет, не наплевать, потому что я буду жив до тех пор, пока ему не наплевать на меня.

Наступило молчание; глядя на Константина, Ванда легонько гладила его лицо по старой привычке, по привычке, которую он помнил и любил, и теперь покорился ей, позволяя длинным нежным пальцам скользить по своей крутолобой голове и массировать каждую точку лица; оно поддавалось им, расслаблялось, вновь обретало человеческую форму. «Только руки моей жены возвращают мне человеческое лицо», — подумал Константин.

— Ванда! — почти простонал он. — Ванда, ты права, что не хочешь меня; я жалкий кретин, в моих жилах течет не кровь, а вода, я человек с рыбьей кровью!

Ванда улыбнулась ему.

— Завтра я это проверю, — сказала она, оттолкнув его голову кончиками пальцев. — Завтра посмотрим, чего стоит твоя кровь.

Растерянный Константин очутился за дверью, в коридоре. Тут он слегка приободрился: все-таки его визит прошел не впустую, Ванда готова сдаться, она вернется к нему — может быть, из жалости, или из страха, или из сочувствия, какая разница; главное, она пообещала, а Ванда, несмотря на все свои причуды, никогда не изменяла данному слову — по крайней мере, в этой области.

Горько сожалея о Ванде и ее огромной квадратной постели с тончайшими простынями, которую предоставила великой голливудской звезде Бубу Брагане, Константин лениво поплелся по коридору. Остановившись у распахнутого окна, выходящего в патио, он выглянул наружу. Бортик бассейна, облицованный белой плиткой, слабо светился в темноте; шезлонги, казалось, стояли на страже вокруг поблескивающей воды. Да, только Бубу Брагане способна воссоздать голливудскую декорацию в старом провансальском доме, подумал Константин. Но даже и луна, похоже, пыталась внести свою лепту в этот антураж: слишком круглая, слишком крупная, слишком желтая, чуть затененная с одной стороны, что делало ее похожей на недобритое лицо. Константин невольно поднес руку к собственной щеке, удивился, встретив гладкую кожу, и подосадовал на то, что целых полчаса потратил на бритье да вдобавок израсходовал столько драгоценной туалетной воды, дабы выглядеть красавчиком, а в результате бродит по коридорам — в его-то годы! — подобно влюбленному подростку, подобно юному Вертеру. Он испустил скорбный вздох, одновременно спросив себя, для кого ломает эту комедию. «С какой стати я тут изображаю меланхолика перед самим собой, когда вполне доволен?! Завтра Ванда будет у меня в постели, и вообще мне хочется спать!» Нет, спать ему совсем не хотелось, и он заколебался, не пойти ли ему к Романо. Все-таки жаль, если все его приготовления пропадут втуне. Но бедняга Романо после целого дня езды в седле, наверное, вконец разбит и теперь спит мертвым сном поперек кровати. Однако не столько жалость к Романо, сколько разбуженная чувственность удержала Константина от этого визита. Сегодня ему нужна была женщина, тело женщины, наслаждение с женщиной. Он вернулся к себе в спальню и, еще не успев ничего толком разглядеть, услышал льющийся из открытого окна, с окрестных холмов, оглушительный треск цикад; от неожиданности он даже приостановился, но тут заметил в своей постели дрожащую в ночной сорочке Мод Мериваль с растрепанными волосами и испуганными, как у маленькой девочки, глазами. К величайшему своему удивлению, Константин, ни секунды не думавший о ней, страшно обрадовался.

— Деточка моя, — спросил он весело, — что это ты тут делаешь?

И, сам того не замечая, прежде чем подойти к кровати, запер дверь на ключ. Нет, ему решительно везет. Одна женщина, самая желанная во всем свободном мире, будет принадлежать ему завтра; другая, самая желанная во всем нацистском мире, будет принадлежать ему через миг. Ему — внуку прусского юнкера! И этих двух женщин разделяли какие-нибудь пятьдесят метров, что, к великому стыду Константина, лишь еще больше возбуждало его. Он быстро пересек комнату, сел в ногах кровати и нежно взглянул на Мод; потом обнял ее. Каждый раз его удивляло, как он может спать с этой маленькой блондиночкой, о которой почти не думал, которую почти не желал. И каждый раз его удивлял собственный пыл; он не догадывался о том, что еда и многие часы, проведенные им в беготне на свежем воздухе, придают ему силы, Константин с давних пор привык объяснять свои редкие печали физическими причинами, а счастливые события — только психологическими.

— Ах ты моя птичка! — сказал он, ласково целуя Мод в щеку. — Я тебя обожаю! Так что же ты здесь делаешь?

И он начал целовать эти белокурые волосы, этот тоненький носик, эту маленькую грудь с острым чувством жалости и нежности, со смутным, поднимающимся желанием.

— Я пробовала... но я не в силах жить без тебя! — простонала Мод ему в плечо. — Нет, больше не в силах! Ах, и смогу ли когда-нибудь? Как ты думаешь, Константин?

— Ой, не надо! — пробормотал тот. — Не надо, не говори со мной больше в вопросительной форме. Хватит с нас, деточка, — «Скрипки судьбы» уже отсняты, теперь ты — Клелия Конти.

— Ты прав, — ответила Мод серьезно. — Кстати, твой Фабрицио — настоящий олух! — добавила она перед тем, как вернуться к прежней теме. — Нет, серьезно, Константин, я пробовала соблюдать наш уговор, но как я могу?! То есть я не могу.

Ясно было, что, возьми Мод на себя руководство их любовными отношениями, эти последние очень быстро набрали бы скорость торнадо. Но приезд Ванды и страстная, пламенная, безответная любовь к ней, о которой Константин неустанно твердил Мод, послужили спасительным тормозом для романа с последней. В день появления Ванды Мод проявила столько истинной деликатности, достоинства и душевного благородства, что Константин был в равной мере и ошарашен и восхищен ею.

— Нет, — заявила она тогда с пылом, тем более неожиданным, что он ни о чем не просил ее, — нет, Константин! Когда ты будешь

свободен — если тебе удастся освободиться, — я вечно буду рядом с
тобой как любовница, если Бог того захочет, или как подруга — вечно!

Она все-таки провела с ним тогда ночь — ночь, которая должна была принести ему горестную бессонницу, а в конечном счете получилась весьма приятной. Константин, довольный приездом Ванды, разошелся и дал волю веселой похотливости, которой раньше Мод не замечала за ним — по крайней мере, не в такой степени. Так что если Мод и плакала в ту ночь, то только от смеха да еще — как она утверждала — от наслаждения. Больше между ними ничего не было, если не считать мимолетных объятий в амбаре несколькими днями позже и взглядов — у Константина весьма целомудренных, а у Мод — умоляющих... разумеется, когда она сама того хотела...

Вопреки видимости и несмотря на то, что ставни темных окон дома были закрыты или распахнуты, никто из его обитателей еще не спал.

В комнате, некогда принадлежавшей первому мужу Бубу Браганс, ныне покойному владельцу этого жилища, нервно ходил взад-вперед капитан фон Киршен, полностью одетый.

Авансы, сделанные Бубу Браганс капитану в коридоре, когда она провожала гостя в его спальню, были более чем недвусмысленны. Киршен не отважился раздеться и теперь, пытаясь избежать предстоящей и, как он понимал, решительной атаки, лихорадочно изыскивал — и не находил — подходящих аргументов для защиты. Однако паниковал он зря. Лежа в спокойном одиночестве в своей постели, Бубу Браганс благоговейно поедала шоколадные конфеты, каким-то чудом обнаруженные днем в ночном столике мужа — человека, у которого хватило хорошего вкуса на то, чтобы любить шоколад и спрятать коробочку конфет в ящик еще до войны. Капитан фон Киршен был целиком и полностью забыт.

Чуть дальше по коридору в своих спальнях также бодрствовали двое актеров, исполнявших мужские роли, — Фабрицио и Моски. Первый, юный Люсьен Марра, ощупывал перед зеркалом прыщ, который грозил перерасти в фурункул; прыщ уже побагровел и горел огнем; Люсьен впился глазами в свое отражение, хотя для молодого человека его репутации и профессии не отличался особым нарциссизмом. Что же до графа Моски, иначе говоря, Людвига Ленца, то он в сотый раз перечитывал немецкую газету, привезенную из Драгиньяна: из нее следовало, что Гамбург бомбят днем и ночью, а у Людвига Ленца был там дом, жена и двое сыновей, слишком молодых для армии, но, увы, вполне взрослых для того, чтобы погибнуть под бомбами. Людвиг Ленц тоже без устали шагал по комнате; сейчас в нем не осталось ровно ничего от благородного графа Моски, да и от красавца Людвига Ленца: это был просто пятидесятилетний мужчина со слезами на глазах, которого вряд ли признали бы его былые поклонницы.

И наконец, еще дальше, чуть ли не в самом конце дома, неутомимый Попеску записывал в тетрадку, в свой тщательно ведущийся дневник: «Сегодня Роман Вилленберг, ассистент по подбору натуры, заменил Люсьена Марра в конных эпизодах. Константин фон Мекк как будто открещивается от родства с ним. Позвонил в вермахт Драгиньяна, чтобы известить их. Беседовал с весьма любезным капитаном по имени Штайнхауэр. Он обещал передать эту подробность — может быть, важную, а может быть, и нет — генералу Бремену, которого я еще не имею чести знать. Поглядим, что будет дальше. Да хранит нас Господь, и да окончится война!»

А еще чуть дальше находилась спальня Романо. Там жалюзи тоже были подняты, окна открыты, а дверь крепко заперта на ключ.

В четыре часа утра Константин учтиво сопроводил Мод до дверей ее спальни — вполне ублаготворенную или притворяющуюся таковой; впрочем, истина его ничуть не интересовала, поскольку чувственность Мод явно уступала ее воображению...

Через два часа ему нужно было вставать, так что времени для сна оставалось не то слишком мало, не то слишком много; поэтому, пройдя через салон, где столы и стулья в полумраке походили на опрокинутые статуи или тотемы, Константин вышел на террасу. Еле теплящаяся заря еще не разогнала ночные сумерки. Стоя в халате у перил, Константин медленно, с наслаждением вдыхал знакомый, напоенный самыми разнообразными ароматами запах влажной земли, озябшей от утренней росы; в порыве охватившего его счастья он вдруг нагнулся и прильнул губами к уже потеплевшей каменной плите террасы. «Спасибо тебе, камень, и спасибо тебе, земля; спасибо вам, деревья и небо, спасибо тебе, жизнь!» — промолвил он тихо. Склоненный к полу, укрытый тенями, падающими на террасу, он был не сразу замечен человеком, который чуть поодаль перелез через низенькую садовую ограду и прокрался по аллее к дому, где и столкнулся с Константином, как раз когда тот выпрямлялся: оба от неожиданности отпрянули назад, встали в боевую стойку... И тут узнали друг друга.

— Что ты здесь делаешь в такое время? — воскликнул Константин, позабыв о людях, еще крепко спавших в доме.

Романо не ответил; вид у него был измученный, лицо бледное даже в полумраке, дыхание хриплое, точно у загнанного зверя; Константин, сам того не заметив, схватил его за плечо. Откуда он возвращался, этот парень? В их захолустье не приходилось рассчитывать ни на галантные приключения, ни на иную добычу. И к тому же почему он шел пешком?

— Так, гулял, — вполголоса сказал наконец Романо, — никак
не мог заснуть, вот и решил подышать воздухом.

— И поэтому у тебя руки и ноги ободраны в кровь, а волосы стоят торчком? — с улыбкой спросил Константин. — Только не уверяй меня, что в округе нашлась красивая пастушка, — я их уже разглядел, все они стары, безобразны и беззубы.

— Нет, — ответил Романо уже более непринужденно, — конечно, нет. И потом, если бы мне захотелось этого, то тут, в доме, для мужчины всего найдется с лихвой, верно?

— Кого ты имеешь в виду? — Константин все еще смеялся, но уж нехотя: его захлестнула волна любви, нежности, испуга — захлестнула и обволокла вместе с ним деревья, камни, террасу, небо и этого стоящего перед ним юношу, изнуренного, скрытного, похожего сейчас на подростка, каким он, конечно же, и был до того, как прошел через бури и ад войны.

— Романо, — сказал он, — будь осторожен, Романо! Скажи мне... — И он опять порывисто опустил руку ему на плечо — столь целомудренным, почти материнским и оттого неловким жестом, что тут же остановился.

К его изумлению, Романо не вырывался, напротив, тесно прильнул к нему. Константин все так же непроизвольно обнял его правой рукой, а левой — доселе праздной и неуклюжей — стал гладить жесткий ежик волос, тонкую прямую шею мальчика. Долго стояли они так, прижавшись друг к другу, с закрытыми глазами, гладкая щека к щеке, где уже пробивалась щетина, — стояли, всем существом ощущая отсутствие желания, огромную усталость, огромное облегчение и, главное, бесспорную и взаимную убежденность в том, что их общая жизнь и началась и окончилась сейчас, в этот миг. Так по крайней мере подумал Константин, да, видимо, и Романо тоже, ибо у него вырвалось хриплое, лающее рыдание, и он, еще крепче прижавшись к своему другу, обхватил его обеими руками.

— Константин, — проговорил он, — Константин... да... я осторожен!

Заря уже заливала небо, и теперь они видели друг друга, различали черты лица, но не находили смешным это объятие в холодных рассветных ароматах: один из них недавно вышел из постели женщины, другой — из постели ночи, и каждый знал, что ни о чем не спросит другого. Они даже не осмеливались разомкнуть руки, боясь взглянуть друг другу в глаза.

— Романо, прошу тебя, будь осторожен, — повторил Константин. — Будь осторожен, ты же знаешь, что я не хочу... что я не перенесу...

— Не беспокойся, — ответил Романо, слегка повернув голову, так что его губы коснулись шеи Константина, и у того дрогнули ве ки. — Не беспокойся, — выдохнул он в эту знакомую и незнакомую ему кожу, — я не смог бы жить без тебя.

Отвернувшись друг от друга, они медленно разошлись и удалились каждый в свою сторону, исполненные удивления, покоя и странного удовлетворения. Константин фон Мекк никогда еще так близко не касался истинной любви. И Романо, конечно, тоже, но в его возрасте это было куда понятнее.

Глава 3

На следующий день, в два часа пополудни, Константин фон Мекк, отделившись от съемочной группы, быстро зашагал один по дороге, ведущей в овраг. Он закинул голову назад; деревья и облака в небе понеслись ему навстречу. Это бездонное, прекрасное небо, угрожающе равнодушное к его существованию, казалось ему таким же роскошным и незаслуженным даром, как нынешнее счастье: он любил и был любим...

А еще у него был Стендаль и «Пармская обитель»... Константин взглянул на часы — он шагал всего минут десять: за это время техники, конечно, не успели уложить рельсы для тревелинга[1], зато актеры наверняка уже изнервничались до предела... Константин остановился, прислонился к дереву и поглядел на свою ладонь: линия жизни была совсем короткой, и это его позабавило. Он пожал плечами и, насвистывая, повернул назад. Дойдя до луга, он подошел к фургону Ванды, стукнул в дверь и вошел. Еще с порога в лицо ему ударил запах сандала, который так остро напоминал Голливуд, покой, солнце и море: когда-нибудь они все трое поселятся там и он опять мало-помалу обретет счастье мирного бытия; его перестанут мучить кошмары, он больше не увидит падающих окровавленных и посиневших тел, забудет про Швоба и Вайля. Повернувшись, чтобы уйти, он заметил на столе распечатанную телеграмму: «Отец тяжело болен тчк боимся летального исхода тчк целую мама». Константин замер на месте: глазами он стал отыскивать Ванду, словно она могла спрятаться где-то здесь, словно горе спрятало ее от него, — ведь она наверняка в отчаянии. Константину довелось однажды провести пару недель в доме своего тестя и удить вместе с ним рыбу в Балтийском море: никогда в жизни он так отчаянно не скучал, и Ванда до сих пор со смехом вспоминает его выражение лица за столом, во время ужина с их шведскими друзьями; но он знал, что Ванда нежно любит отца.

Выйдя из фургона, Константин, к великому своему изумлению, услышал смех Ванды, тот низкий грудной смех, который возбуждал в

---

[1] Отъезд кинокамеры.

равной мере и школьников и стариков, не говоря уж о зрелых мужчинах; смех этот никогда не слабел, не затихал, а прекращался внезапно. Он подошел поближе и обнаружил Ванду в компании Мод, Людвига Ленца и Люсьена Марра; они беспечно болтали, сидя в заботливо восстановленном старинном тильбюри, за которым бдительно следил неизменный Попеску. Все пятеро встретили его приветливыми веселыми взглядами.

— А, вот и ты! — сказала Ванда. — Ты бродил по лесам? В поисках вдохновения или пастушек?

— О нет, только не пастушек, — возразила Мод тоном любовницы, сидящей перед законной супругой, — на них он даже и не смотрит!

Это наивно-уверенное заявление вызвало добродушную, хотя и чуточку снисходительную улыбку Ванды Блессен — в эту минуту кинозвезды с головы до ног.

— Ну и слава богу, — сказала она, — не хватало еще искать пастушек, когда рядом с тобой такая прелестная женщина — это уж было бы настоящее хамство!

Мод поглядела на нее, разинув рот от изумления, потом смущенно завертелась и рассыпала пронзительный смешок, точно приняла слова Ванды за остроумную шутку.

— Ах, Ванда, да вы просто потешаетесь надо мной! Как будто Константина фон Мекка может интересовать дебютантка вроде меня — уверяю вас, он меня считает просто гусыней!

— Ну, это вполне возможно, — согласилась Ванда с легкой улыбочкой, извиняющей строгую проницательность ее супруга. — Ему всегда нравились перышки, особенно красивые перышки... Ты хотел поговорить со мной, Константин?

— Да, именно так! — ответил тот, безжалостно терзая свои усы. — Конечно, мне нужно с тобой поговорить. Пойдем-ка!

И, повернувшись, он широкими шагами устремился к фургону. Спотыкаясь в своем кринолине, но неизменно грациозная, Ванда последовала за ним, весьма довольная своей последней парфянской стрелой.

— Неужели это было так уж необходимо? — спросил, нахмурившись, Константин. — Бедняжка Мод...

— Бедняжка Мод просто очаровательна, — перебила его Ванда. — Но я не желаю, чтобы она разговаривала со мной тоном снисходительной жалости. Этого еще не хватало!

И она расхохоталась, отчего Константин помрачнел еще больше.

— Смеешься? — сказал он. — Не понимаю, как ты можешь веселиться — я только что был у тебя и нечаянно увидел телеграмму. Твой отец, твой бедный отец... это верно, что ему совсем плохо?

Ванда изумленно взглянула на него и легонько хлопнула себя по лбу.

— Ах, боже мой, и правда... эта телеграмма! Нет, милый, не беспокойся, это... это фальшивая телеграмма, это код.

— Код? — удивился Константин. — Какой еще код?

— Дело вот в чем, — начала Ванда, в свою очередь невольно приняв тот неискренний тон, который Константин тотчас распознал: она всегда говорила этим умильным и вместе с тем рассудительным голоском, когда лгала, — понимаешь, мой отец совершил одну биржевую операцию одновременно со мной, и, поскольку сейчас из страны в страну передают только очень важные телеграммы, мы с ним условились, что «тяжелая болезнь» будет означать успех, вот и все! Теперь я богата, — добавила она, изобразив удовлетворение — столь неискреннее, что любая дебютанточка на сцене театра сгорела бы от стыда от подобной фальши.

— С каких это пор ты играешь на бирже? — с недоверчивой ухмылкой осведомился Константин. — И потом, хочу тебе напомнить, что мы воюем, и биржа сейчас не действует, — бросил он злорадно.

— А в Швеции действует, — бесстыдно возразила Ванда. — Хоть и частично, но действует. Ну, короче говоря, я хорошо заработала, вот и все. Надеюсь, что ты не станешь меня в этом упрекать? — враждебно спросила она и, увернувшись от руки, которую озадаченный Константин положил было ей на плечо, отошла прочь.

Слова Константина застигли ее на полдороге к тильбюри.

— Ты просто обманщица! — крикнул он ей в спину.

Ванда обернулась, лицо ее порозовело.

— А ты разве не любишь обманщиц? — крикнула она в ответ.

— Нет! — взревел Константин.

Не прошло и двух секунд, как до нее долетел голос Константина — громкий и четкий:

— Нет! Нет! Нет!

— Даже по ночам?

— По ночам — да. Впрочем, и днем тоже.

Он помедлил, не решаясь подойти, смутно недовольный случившимся: поистине, он здесь единственный прямой и искренний человек, и он устал от недомолвок Романо, уловок Бубу Браганс, мифоманий Мод, кривляний Попеску и вот теперь еще лжи Ванды. Но тут смех Ванды, ее грудной смех, который никогда не слабел постепенно, а смолкал вдруг, внезапно, опять привел его в благостное настроение. Она будет принадлежать ему сегодня вечером, он вновь обретет ее, и от этого сознания он почувствовал себя разом и утешенным, и разочарованным: теперь ему незачем стараться обольстить Ванду. Но часом позже, когда снималась сцена прощания, где Сансеверина глядела на своего уезжающего юного племянника, на Фабрицио, которого она, сама еще того не зная, безумно любит, недовольство Константина развеялось как дым. Ванда Блессен сыграла блестяще; она была так правдива в этой сцене, так весела и одновременно трагична, что и Константин, и вся съемочная группа в восторге зааплодировали ей. Ванда-Сансеверина невольно тянулась к племяннику, потом, отдернув руку, стряхивала пыль с его плаща; она раскрывала зонтик и отворачивалась к холмам, чтобы скрыть слезы; она пыталась смеяться, но смех вперемежку с рыданиями превращался в судорожный кашель, заглушенный платком. И Константин, стоя у камеры и глядя на нее, сиял от гордости и сходил с ума по Ванде; мысль о том, что сегодня же вечером он заключит ее в объятия, и мысль о том, что некогда он уже держал ее в объятиях и что она так долго принадлежала ему, казалась фантастической; он обожал Ванду, как только может мужчина обожать женщину, а режиссер — актрису, и обожание его перешло все границы, когда, снимая в конце дня последний крупный план — сцену, где она глядит вслед уезжающему юному Фабрицио, ставшему взрослым, он вдруг увидел — то есть камера увидела — новую незнакомую морщинку в уголке ее губ; это след их разлуки, решил он с нежностью и обещал себе непременно поцеловать эту морщинку тайком, позже, к исходу ночи...

Наконец немецкие истребители, с адским воем прошивавшие небо, вынудили их свернуть съемку. Сияющая Ванда пригласила всю группу на аперитив, в кафе на маленькой площади деревушки Салерн, мимо которой они всякий раз проезжали, возвращаясь домой к Бубу Браганс.

— Уже начала пропивать свои прибыли? — съязвил, ухмыльнувшись, Константин, но Ванда сделала вид, что не слышит.

В это время Попеску разыскал дом почтовой служащей и, рассыпавшись перед ней в мольбах, уговорах и денежных посулах, добился того, что она провела его на почту через заднюю дверь. Дозвонившись в гестапо Драгиньяна, он попросил к телефону своего вчерашнего собеседника, хотя сильно побаивался беспокоить «третий рейх» информацией о подвигах безвестного ассистента в верховой езде; однако радости и удивлению его не было предела, когда выяснилось, что она вызвала большой интерес. Ему посоветовали соблюдать крайнюю осторожность и осмотрительность ввиду опасности, какую может представлять сам Константин фон Мекк. Эта рекомендация сильно озадачила и даже обеспокоила Попеску: все-таки, помимо гестапо, его хозяевами в данный момент являлись УФА и означенный Константин фон Мекк. Так перед кем же ему следовало выполнять свой долг в первую очередь — перед ними или перед эсэсовцами? Разумеется, перед ними! Но СС имела на него больше прав, чем они. И инструкции, данные ему из Драгиньяна, звучали вполне определенно: доносить о малейших беспорядках и изменениях в работе съмочной группы в ожидании прибытия офицеров парижского штаба, чтобы проконтролировать ее на месте. (Проконтроливать — что? — спрашивал себя Попеску. — Посадку на лошади Романо Вилленберга? Его кровные связи с фон Мекком?) Наконец, весьма гордый вызванным им переполохом, Попеску расстался со служащей, вручив ей царские чаевые, на которые она и не рассчитывала и которые удвоили ее желание во всем содействовать этому щедрому господину. Не может ли мсье Попеску сказать, полюбопытствовала она, как великая кинозвезда мадам Блессен приняла грустные вести? Звезда звездой, а мать-то с отцом она, наверное, любит.

— Какие вести? — удивился Попеску. — Те, что в телеграмме?

— Да ведь пришла еще одна!

И служащая, гордясь своей осведомленностью перед важным кинодеятелем, который пока ничего не знал, доложила ему, что приняла сегодня днем другую телеграмму, передав ее затем для доставки мальчику-рассыльному: в ней Ванде сообщали о смерти отца и похоронах, назначенных через несколько дней.

— Боже мой! — воскликнул Попеску. — Боже ты мой!

Он был одновременно и в восторге от своей причастности к семейной трагедии, и в ужасе от того, что отъезд Ванды прервет съемки.

— Пожалуйста, передайте мои соболезнования бедняжке мадам Блессен, — говорила между тем служащая. — Какой удар для нее! А ведь она еще не вернулась со съемки! Ее отец скончался нынче утром, а она даже не знает об этом! Да и поспеет ли она на похороны, при такой-то обстановке...

— Она сейчас в кафе «Де ла Пост», — смущенно проговорил Попеску. — Я ее извещу.

— Только вы уж, ради бога, поосторожнее, — попросила служащая, умиленная волнением Попеску, поскольку не поняла ни слова из диалога между ним и драгиньянскими гестаповцами.

Но, оказавшись на площади, где царила мирная идиллия, и увидев спокойную, счастливую Ванду, Попеску, с его чувствительной душой, не нашел в себе храбрости выполнить печальную миссию. Ему очень нравилась Ванда, и сколько же волнений, сколько страхов он пережил из-за нее! Он так боялся, что эта взбалмошная кинозвезда нарушит всю налаженную работу и устроит ему «веселую» жизнь, но ничуть не бывало: Ванда оказалась изумительной актрисой и пунктуальнейшим человеком, обаятельным и добрым со всеми и во всем, до мелочей, — счастливая женщина, составившая счастье Константина фон Мекка, ибо очевидно было, что они созданы друг для друга. И Попеску искренне захотелось, чтобы Константина не смогли обвинить ни в чем, кроме неосторожности. Он скромно уселся за маленький столик в углу и заказал свой любимый аперитив — крепленое вино под названием «Возвращение с полей», где на этикетке красовалась фермерша с младенцем на одной руке и с бутылкой — в другой, встречающая своего фермера, чья согбенная спина ясно указывала на то, что он сполна заслужил домашний отдых и прочие услады; вино, впрочем, было слишком приторное и самым роковым образом действовало на печень. Константин окликнул продюсера и пригласил за свой стол; перед тем как пересесть туда, Попеску хлебнул побольше «Возвращение с полей», чтобы взбодриться, а потом засыпал собеседников забавными, хоть и глупейшими анекдотами, которые сперва рассмешили одну Мод, а потом уж, на следующем этапе, и Ванду с Константином. Один Романо не смеялся — он явно думал о своем и встрепенулся лишь тогда, когда на площадь въехал на велосипеде какой-то деревенский парень, который, тренькнув звонком, поманил его к себе. Романо вскочил и извинился: его зовут сыграть партию в шары деревенские приятели, парни его возраста — того возраста, философски подумал Попеску, который сам по себе уже другая партия.

Романо исчез; вместе с ним исчезло предзакатное тепло, и голод — неотвязный спутник людей в течение последних трех лет — поднял на ноги всех членов группы. На террасе кафе остались лишь Константин и Ванда. Они собирались вернуться на «Тальбот-Лаго» Константина — старенькой машине, обгонявшей тем не менее все прочие автомобили благодаря тому, что бак был полон бензина, отпускаемого ему вермахтом, — привилегия, от которой Константин не в силах был отказаться. Но у человека, пользующегося привилегиями, вдруг погрустнели глаза и голос.

— Посмотри, Ванда, — сказал он, — посмотри на эту площадь, на деревья и фонтан, на вытянутые тени, на весь этот вечерний пейзаж, исполненный покоя. Гляди хорошенько, больше у нас никогда такого не будет или, вернее, не будет у меня. Это зрелище не повторится: ведь счастье и покой — анахронизм в наше время.

Ванда протянула руку и опустила ее на ладонь Константина, которую не смогла закрыть целиком, так она была велика. И вид этой большой мужской руки — мощной и в то же время по-юношески гладкой — почему-то вдруг заставил ее сердце больно сжаться.

— Давай вернемся, ладно? Возвратимся домой, — сказала она мягко.

Глава 4

Взрыв произошел в час ночи — его услышали все, в том числе Ванда с Константином, которые не спали и тихонько переговаривались в темноте, а также Попеску, который, в противоположность своему дневному козлиному блеянью, во сне испускал ужасающий громкий храп, подобный тигриному рыку.

За первым взрывом последовали еще три с интервалом в пятьдесят секунд, и когда обитатели дома подбежали к окнам, они успели увидеть, как бледно-серое небо сразу в нескольких местах окрасилось в кровавые цвета пожара. Захлопали двери, и в коридор высыпала целая толпа: гостей Бубу Браганс отличали от прислуги только растрепанные головы. Напуганные люди спорили, утверждая каждый свое: «Это жандармерия!.. Да нет, это в Драгиньяне, просто ветер донес сюда шум!.. Это дело рук макизаров!.. Наверняка гестапо!.. Долго это не продлится!.. Ну, теперь это на всю ночь!..» — и прочее. Посреди собравшихся, возвышаясь над толпой на целую голову, стоял Константин фон Мекк: он был облачен в красный пеньюар Ванды, едва доходивший ему до колен, и выглядел живым символом супружеской любви; одна лишь Бубу осмелилась обратить на это внимание. Впрочем, остальные спросонок ничего и не заметили, они дрожали от страха. Война давно уже гремела где-то вдали, по крайней мере для парижан; о ней узнавали только из газет да еще из визитов каких-нибудь немецких офицеров — вот как позавчера; редко кто пытался слушать хрипящий радиоприемник, что стоял в салоне, — почти всем, если не считать Людвига Ленца, война представлялась чем-то абстрактным, о ней было лишь известно, что она идет «где-то там», в окрестностях действуют макизары, время от времени немцы казнят каких-то отчаянных парней. Они жили своей жизнью, как бы на нейтральной территории, в счастливом неведении и безразличии киношников ко всему, что не относилось к кино: актеры — в маниакальном стремлении проникнуть в образ, режиссер — в истерическом вдохновении на съемках; словом, во всем, что способствовало изоляции этих людей от жестокой и опасной действительности, их окружавшей. Дом Бубу Браганс, мягкое лето и смех Константина надежной степой ограждали их от войны, и вот теперь ночной взрыв разрушил эту стену.

Коридор был объят паникой, и Бубу Браганс, чье влечение к радостям жизни на сей раз взяло верх над скупостью, велела принести бутылку крепчайшей сливовой настойки для гостей и слуг, которая одних тут же успокоила, а других взбодрила. Все разошлись по комнатам, обуреваемые самыми противоречивыми, но невысказанными чувствами. Все — за исключением Романо, которого никто не видел: похоже, только он один не проснулся от грохота взрыва и от галдежа в доме. Когда свет был погашен, Константин на цыпочках прокрался к его комнате и постучал в дверь. Ответа не последовало, и он не удивился. Он был уверен, что Романо нет в доме, знал это с самого начала. Константин бесшумно вернулся в спальню Ванды, точно в спасительную гавань, и, только прильнув к ее губам, измучив ее поцелуями,

ощутил прежнее спокойствие. Он вновь обрел в ее объятиях истинную жизнь, истинное счастье жить и любить; за все время их разлуки с ним, казалось, ровным счетом ничего не произошло — разве что медленное неуклонное погружение в вязкий кошмар, от которого, что бы ни случилось, ему не уйти, — а больше ничего, никакого отличия прежней Ванды от Ванды настоящей. Это ему, ему пришлось перенести пять последних лет лжи, угроз и мук совести. Это ему теперь невозможно было отрешиться от них, стряхнуть с себя их гнет...

— Я видела в коридоре массу пижам, — сказала Ванда позже, — но только не пижаму Романо. А ты?

— Да нет, — пробормотал он, — мне кажется, я его видел... ну конечно, видел.

В начале ночи они закрыли ставни, чтобы без помех насладиться любовью, потом, в момент взрыва, распахнули их и так и оставили; Ванда погасила свет, и ночь, воспрянув после переполоха, опять потихоньку забормотала на все голоса. Через час или два защебечет та, вчерашняя птаха, снова приветствуя своими причудливыми руладами новую зарю, думал Константин. И, может быть, я опять выйду на террасу и увижу, как возвращается этот юноша, злодей эдакий, цыган беспутный, бедный мой сирота.

— Нет, — выдохнул он, — нет, все-таки я его не видел.

— Очень жаль, — отчеканила Ванда, и этот холодный тон разом согнал дрему с Константина. — Это, вероятно, означает, что твой приятель Романо — один из тех негодяев, из ФСС[1], о которых говорят повсюду, не так ли?

Константин окончательно стряхнул с себя сон и насторожился.

— Почему же они негодяи?

— Милый, я так выразилась из чистой вежливости, — проворковала Ванда, — ведь они убивают твоих соотечественников, разве нет?

— Моих соотечественников? Но они убивают и своих тоже, — отрезал он.

Ванда неожиданно для него рассмеялась:

— Ну ладно, ладно, Константин, раз уж ты настолько терпим, тебе бы следовало подумать, не взять ли этого мальчика вместе с нами в Лос-Анджелес. Иначе они его быстренько прикончат здесь, независимо от того, цыган он или не цыган, еврей или не еврей, макизар или нет. Поверь мне, он на подозрении и пропадет ни за грош.

— В Лос-Анджелес?! — воскликнул пораженный Константин. — Да ты шутишь! Меня же там линчуют на месте! Явиться в Лос-Анджелес! Мне — фон Мекку, ярому нацисту, работающему на УФА с 1937 года!

---

[1] ФСС — Французские внутренние силы движения Сопротивления.

Ванда тоже приподнялась и села, прислонясь к стене; теперь она заговорила серьезно:

— А вот тут ты ошибаешься, Константин. Ты забыл, что после твоего отъезда в Голливуд приехали Карл Вернер, Таня и Эрик Ширеры, Бунтаг, супруги Пари, Эрнсты, Поль — все, кому ты доставал документы и помогал бежать из Германии, кого ты прятал и спасал. И, представь себе, они об этом прекрасно помнят и говорят о тебе как о герое, милый мой мальчик! А что касается твоих фильмов, сделанных для УФА, то наши продюсеры считают их наилучшей сатирой на венскую сентиментальщину — такой, я думаю, мы не видывали со времен Любича[1]. Чтобы не навредить тебе, их просматривают только в тесном кругу профессионалов; но, в общем, могу тебя заверить, что по возвращении ты получишь интересные предложения от любой фирмы, а друзья и спасенные устроят тебе триумфальную встречу. Поверь мне, Константин, я не шучу.

Константин, иронически усмехнувшись, пожал плечами. Он повернулся к Ванде, схватил ее за плечи.

— Ну, теперь ты понимаешь, что такое моя жизнь, Ванда? Что бы я ни натворил, все оборачивается в мою пользу, к моей выгоде. Черт побери!.. Я пять лет кряду обнимаюсь с нацистами... За это меня должны гнать отовсюду, как собаку, плевать мне в лицо! Но нет, куда там! Мне, оказывается, предстоит совершить триумфальный въезд в Голливуд, где я буду принят как спаситель евреев и угнетенных, как американский шпион в Германии, чего доброго, как двойной агент!

Ванда молча слушала его, опустив глаза, и Константин на секунду прижался щекой к ее волосам, словно жалел ее за то, что она его любит и любима таким человеком, как он.

— Вот такие дела! — произнес он с какой-то саркастической нежностью. — Но в общем-то тебе нечего стыдиться, моя дорогая. В глубине души я сопротивлялся, о да, сопротивлялся! Я даже говорил по-английски на съемочной площадке в присутствии немцев, я приветствовал Геббельса, как истый нацист, а после сообщил ему, что дождик не идет. Я насмехался над всеми этими генералами и свастиками, можешь мне поверить.

ГЛАВА 5

Первые новости поступили к Бубу Браганс в восемь утра — конечно, от почтальона. Макизары взорвали состав с немецкими частями, отправлявшимися к югу: акция была проведена в довольно пус-

---

[1] Эрнст Любич (1892—1947) — немецкий, а позднее американский кинорежиссер.

тынной местности, в трех километрах от маленькой деревушки Вассье. Случилось это в час ночи, а уже к шести утра два отряда регулярных войск вермахта прибыли из Драгиньяна и поднялись в горы, чтобы провести облаву.

Съемки в этот день были назначены в узкой долине как раз неподалеку от Вассье, и, отправляясь туда в восемь часов, пестрый обоз киношников с грузовичками, повозками и лихтвагеном повстречал немецкий взвод, состоявший из тридцати человек; солдаты медленно спускались с холма в гробовом молчании, без обычных бодрых маршей. Оно было и к лучшему: эти гортанные песни, иногда довольно мелодичные и поначалу вызывавшие восхищение у французов, теперь приводили их в ужас. Так что молчание шедшего вразнобой небольшого отряда в зеленовато-серой форме разочаровало одного лишь Попеску.

А горестям Попеску не было конца. Ему, и без того задерганному сотрудничеством с Константином, предстояло теперь в полной мере изведать все муки продюсерства. Нынче снималась сцена, в которой на глазах у Клелии Конти пока не знакомый с ней юный Фабрицио дель Донго вынужден был защищаться от злодея Джилетти и его ножа. Клелия Конти должна бросать на красивого юношу удивленные, тревожные и притом восторженные взгляды — восторженные, но боязливые, стыдливые и застенчивые, — короче, взгляды робкой лани. Мод без труда изображала взгляд лани: глаза у нее были не круглые, коровьи, и не узкие, безумные, козьи. Беда заключалась в другом: ей катастрофически не хватало мыслительных способностей, при наличии коих не страшны ни коровьи, ни козьи, ни беззлобные овечьи глаза. Тщетно несчастный Люсьен Марра вихрем носился туда-сюда под самым ее носом, преследуемый актером, который играл Джилетти; тщетно группка статистов на заднем плане старательно изображала ужас и интерес к происходящему: камера, нацеленная на дверцу коляски, где сидела Мод, ловила лишь прелестный, но абсолютно невозмутимый профиль сонной овцы. Под саркастическими взглядами членов съемочной группы Константин испробовал все средства воздействия — мягкость, иронию, гнев, угрозы, — но, увы, безрезультатно; Люсьен Марра, он же Фабрицио, надулся, ибо ему надоело прыгать до изнеможения перед бесчувственной партнершей. Попеску исстрадался вконец: съемка длилась целых два часа, эпизод еще не был отснят — значит, денежки летели на ветер, а вместе с ними улетучивалась и его репутация. В полном отчаянии Попеску пролез в первые ряды статистов, в данный момент праздных, поскольку камера снимала главных героев, и, делая отчаянные знаки Мод Мериваль, попытался помочь ей войти в образ — так в школе зубрила подсказывает двоечнику. Он усиленно изображал всей своей пухлой физиономией то, что полагалось чувствовать сейчас юной девице: интерес, беспокойство — все, вплоть до намека на вожделение; в назидание Мод он даже устремил свои маленькие поросячьи глазки, загоревшиеся воодушевлением, на юного Люсьена Марра, который как раз завершал очередной пробег мимо коляски; заметив этот огненный взгляд, актер даже остановился, сперва напуганный, а потом возмущенный не на шутку: вызывать зевоту у партнерши и одновременно возбуждать любовь у продюсера — это уж было слишком для столь молодого и прекрасного героя. И он решительным шагом направился к режиссеру. Расставив ноги, запрокинув голову к небу, Константин обеими руками щипал и терзал свои усы; из глаз его от смеха медленно текли слезы: он имел удовольствие наблюдать урок актерского мастерства, преподанный продюсером Мод Мериваль.

— Я отлично знаю, что обезображен, — мрачно заявил Люсьен, — но это не причина для того, чтобы мадемуазель Мериваль позволяла себе игнорировать меня так... так грубо; даже мадам Блессен по-прежнему вежлива со мной и... и...

— Да о чем вы? — изумленно спросил Константин.

— Я говорю о... об этой вот штуке на лице! — взорвался Люсьен Марра, указав на злосчастный прыщ. — Что я могу поделать?! Вот результат нашего гнусного питания, всех этих эрзацев, которыми кормит нас господин Попеску... если он еще достоин называться господином!

Константина наконец прорвало, он захохотал как сумасшедший. С трудом объяснил он молодому актеру причины своего бурного веселья и профессиональное, более чем простительное рвение, подвигнувшее Попеску на кривляния. Все это затянуло съемку еще на четверть часа. И тогда Константин попросил юного Марра, уже пришедшего в себя, прислать к нему Мод. Она подошла в своем дорожном плаще, слегка побледнев — все-таки она побаивалась Константина, — и спросила сладеньким голоском:

— Ты на меня сердишься, да? Я так и знала!

Этот голосок, которым она обычно улещивала кретинов-преподавателей из Консерватории[1] или пыталась очаровать мужчин «У Максима», действительно привел Константина в ярость.

— Ну что ты, с чего бы мне сердиться? Ведь сейчас только десять часов, никак не больше! Мы потеряли всего лишь полдня, потому что мадемуазель изволит спать, вместо того чтобы работать как следует. Так зачем же мне на тебя сердиться?!

— Я плохо спала сегодня ночью... — начала Мод дрожащим голосом.

---

[1] Школа актерского мастерства в Париже.

взрыв.

И он свирепо уставился на Мод: в его «русском» взгляде сейчас не было и намека на «русское тепло».

— Идет война, представь себе, — продолжал Константин. — Но если всякий раз, как взрывают поезд, ты не в состоянии будешь играть, мы никогда не кончим этот фильм. Ну вот, теперь ты еще и реветь вздумала! Успокойся, — добавил он уже мягче, видя, как Мод выпятила губки, сощурилась, сморщила нос и разом подурнела, изо всех сил стараясь «переживать» насколько можно правдоподобнее.

— Да мне не шум помешал спать, — прорыдала Мод, — не шум, а ты...

— Я? — изумился Константин. — Как это я? Я же тебе ничего не сказал, ничего не сделал... Я даже не видел тебя ночью. Да меня и в комнате-то не было!

— Вот именно! — ответила Мод, всхлипывая еще горше. — Вот именно, не было в комнате, а потом я увидела тебя в коридоре вместе с Вандой.

Константин взял было ее за руку, но она упорно не поднимала головы, чем напоминала теперь не сонную овцу, а упрямую козу.

— Да, ну и что из этого? Я был у своей жены, представь себе, — сказал он с достоинством.

Но, произнося эту фразу, он вдруг оценил ее интонацию и неуместность этого достоинства, да и весь их смехотворный диалог так поразил его, что гнев тут же бесследно испарился.

— Ладно, — сказал он, — так что будем делать? Если ты отказываешься играть всякий раз, как я ночую на стороне, мне придется искать другую Клелию Конти — и завтра же, не важно, сплю я со своей женой или с кем-нибудь еще.

— Ты можешь изменять мне сколько угодно, — заявила Мод с непререкаемой и одновременно, по мнению Константина, абсолютно идиотской логикой. — Ты можешь изменять мне сколько угодно, но я не желаю об этом знать.

— А откуда же ты об этом узнала? — спросил он раздраженно. — Кто это тебе напел?

Мод подняла на него невинные, укоризненные глаза.

— Никто мне ничего не напел, но, когда я увидела тебя в коридоре ночью в красном пеньюаре Ванды, я сразу все поняла. Я не так уж глупа, представь себе!

— Я оказался в коридоре только потому, что случился взрыв, — медленно и мягко ответил Константин. — Не думаю, что такие взрывы будут повторяться каждую ночь — по крайней мере, очень надеюсь; таким образом, есть шанс, что ты не каждый раз будешь знать о моих изменах. Вот так-то. Значит, договорились? Если взрывов не будет, ты согласна сниматься?

И пока Мод сморкалась и с улыбкой кивала ему, Константин спрашивал себя: неужели он так и не разобрался в ней? *Может, она вовсе не в себе или глупа как пробка? Может, прав был Попеску, кинувшись подсказывать ей роль?*

— А ты видела, как Попеску помогал тебе только что? — улыбнулся Константин. — Как он изображал Клелию Конти?

— Да-а-а, — протянула задумчиво Мод, — но знаешь, что интересно: я почему-то вижу Клелию другой. А ты? Я представляю ее более... как бы это выразиться... ну, более развратной, что ли... Как ты считаешь?

Но Константин не ответил, он широкими шагами устремился к коляске, таща за собой Мод. И там она сыграла наконец так, как требовалось: прекрасно, изысканно, убедительно; если кто-нибудь и мог в то утро соперничать в очаровании с Сансевериной, то это была Мод.

В результате утро затянулось для всех, а в особенности для Ванды, согласно плану съемок она была готова — одета, загримирована и надушена уже к половине десятого, чтобы сыграть сцену с Моской, следующую после эпизода с Клелией в коляске. Итак, она просидела все утро в своем фургоне, раскладывая пасьянс за пасьянсом, к великому восхищению и страху Попеску, которому долгий опыт работы в кино подсказывал, что знаменитые кинозвезды не очень-то любят терять время по вине скромных дебютанток. Наконец Ванда вышла и, смерив испуганную группу с высоты трех ступенек ледяным взглядом, остановила его на Константине:

— Ну, мы будем наконец снимать что-нибудь или нет? — осведомилась она. — В расписании как будто указано, что в половине десятого мы с Людвигом, вот в этих костюмах, должны говорить друг другу разные пустяки. Я вижу, эта перспектива уже никого не прельщает?

Ванда говорила своим знаменитым, ровным, без модуляций голосом, так медленно и едко, а главное, так неестественно спокойно, что даже самых завзятых весельчаков пробрала дрожь. Осветители — из тех, что потолще, — вдруг проявили пристальный интерес к собственным ногам, а более худые спрятались за толстых. Один лишь Константин остался стоять, где стоял, то есть лицом к лицу с Вандой. Она ткнула в его сторону кружевным зонтиком, который держала в руке.

— Ну, а ты долго собираешься мариновать здесь всех нас? Боже, до чего отвратительный день, до чего отвратительны эти съемки, а уж «Обитель» твоя — настоящая богадельня! Все пошло, все скучно до тошноты, слышишь, Константин, это я тебе говорю! Публика заснет на твоей «Обители». И вообще, с меня хватит, я ухожу, удаляюсь в свой фургон — самое уютное место на этой съемочной площадке — и буду там играть в карты. Ну, кто тут умеет играть в джин?

И взгляд ее остановился на Романо.

— Ты, — указала она, — вот ты! Пошли со мной. Бросай свои веревки и иди за мной. Да-да, я знаю, на съемочной площадке не принято говорить о веревке, так что приглашаю всю группу на выпивку сразу после работы.

И Ванда, разъяренная, как фурия, повернулась и исчезла за дверью повозки. Романо оставил свои электрокабели, бросил на Константина смеющийся и одновременно полный покорности судьбе взгляд и, насвистывая, последовал за ней. Он не был ни удивлен, ни обеспокоен. Да и другие, откровенно говоря, ему скорее позавидовали, чем посочувствовали, особенно мужчины. Константин с улыбкой повернулся к оцепеневшему Попеску и похлопал его по плечу.

— Не паникуйте, старина. Через час, самое большее — через два у Ванды улучшится настроение. Да притом нам, кажется, уже пора обедать, разве нет? Так что прервемся-ка и за стол! А я пока проветрюсь, съезжу поглядеть на Вассье, — объявил он всем, — должно быть, красивое местечко.

— На машине туда не добраться, — предупредил его один из осветителей.

— Ну ладно, проеду часть дороги, а дальше пройду пешком, — сказал Константин, залезая в свой «Тальбот».

ГЛАВА 6

— Так ты умеешь играть в джин? — спросила Ванда, войдя в фургон.

Она закрыла ставни, и благодаря этому здесь было прохладно — сумрачно и прохладно.

— Я играю во все карточные игры, — ответил Романо, с улыбкой подняв на нее вопросительный, но спокойный взгляд.

— Мне нужно с тобой поговорить, — сказала Ванда, — подожди только, я сниму грим, парик и все эти тряпки.

Она прошла за ширму и быстро разделась там со стыдливостью, странной для актрисы и безупречно сложенной женщины. Романо успел разглядеть лишь краешек плеча и обнаженную грудь, да и то лишь потому, что хитроумно извернулся и вытянул шею. Ванда поймала этот взгляд в зеркале и нахмурилась было, но глаза Романо сияли таким неподдельным мальчишеским восхищением, что она невольно улыбнулась ему.

— Ты знаешь, что тоже хорош собой? И даже очень хорош. Я вчера сказала Константину и теперь повторю тебе: ты должен был бы потом поехать с нами в Лос-Анджелес и сделать там блестящую карьеру.

Она вышла из-за ширмы в легком бледно-голубом халате, который подчеркивал голубизну ее глаз, полулегла в свой любимый шезлонг, шлепнув ладонью по стоявшему рядом табурету; Романо послушно уселся.

— Ну, что ты об этом думаешь? — спросила она.

— Почему бы и нет, — ответил юноша, — почему бы и нет? Только бы выбраться отсюда...

— А ты не надеешься отсюда выбраться?

— Вам-то, думаю, это удастся, — сказал Романо, — вы, конечно... нет никаких оснований...

— Есть, — возразила Ванда, — основания есть.

И внезапно она устало сникла; теперь она действительно выглядела на все свои сорок лет.

— Есть основания, знаешь ли. Они ведь шныряют повсюду, и информация у них поставлена отлично. А Попеску — настоящий доносчик и, я уверена, докладывает им обо всем. Разве тебе это не известно?

Романо возмущенно привскочил с места.

— Попеску? Да Константин ни одной минуты не потерпел бы доносчика у себя в группе!

И тут же осекся.

— Ах, Константин, — улыбнулась Ванда, — да он не способен подозревать людей. А вот ты... ты уверен, что никто не подозревает тебя в связи с этим поездом?

— С поездом? С каким еще поездом? — медленно переспросил Романо, словно Ванда задала ему трудную арифметическую задачу.

Но Ванда раздраженно тряхнула головой.

— С тем самым поездом, который ты взорвал вчера ночью, — тихо пояснила она, бросив сперва настороженный взгляд на дверь, — и расписание которого узнал от фон Киршена за ужином у нашей дражайшей Бубу. Ах, как я жалею, — добавила она, — как я жалею, что вытянула из него эти сведения!

Романо пожал плечами.

— Есть о чем жалеть! Этот поезд был набит солдатами и оружием и шел на юг, чтобы помешать высадке союзников. Только не уверяйте меня, что вы нацистка, — я за вами наблюдаю со дня приезда.

— Ну разумеется, нет, — отрезала Ванда все так же раздраженно. — Я работаю на секретную службу Ее Величества, представь себе. И сюда я приехала с заданием, и мне вовсе ни к чему такой трамтарарам — этот взрыв и расследование, которое он за собой повлечет. Вот почему я и жалею о том, что случилось, а все остальное тут абсолютно ни при чем. Но на тебя я, конечно, не сержусь.

Романо слегка присвистнул сквозь зубы, скорее удивленно, чем восхищенно; Ванда даже бровью не повела.

— Так, значит, вы работаете на англичан? — переспросил он. — И давно? С самого начала?

— Да, — ответила Ванда, грациозно потянувшись, — с самого начала, даже еще до начала. Да и мой отец тоже... Ну, словом, я приехала сюда с заданием, и заданием куда более важным, чем твой поезд, дружок. И ты мне нужен, чтобы завершить дело. У нас произошла неприятность. Я узнала о ней из телеграммы, которую получила вчера, и теперь только ты можешь мне помочь. Мне нельзя прерывать работу, ведь я снимаюсь каждый день. Тебе придется разыскать для меня одного человека неподалеку, в ста километрах отсюда, человека, который срочно требуется в Америке, а точнее, в Аризоне; это ученый, физик. Его сопровождающие по глупой случайности попали в облаву. Они, конечно, не проговорятся, но он-то застрял там один, без них, а больше он никого в тех местах не знает. Нужно, чтобы ты или кто-нибудь из твоих отправился за ним и доставил сюда, а тут самолет заберет его... заберет нас, — поправилась она, — потому что все это наделает шуму; так вот, самолет захватит нас четверых, — его, тебя, меня и Константина, причем завтра же, ибо мы живем, можно сказать, на вулкане, мой мальчик.

Романо пристально поглядел на Ванду.

— Но почему вы доверились именно мне? — спросил он.

— Я навела справки, — ответила Ванда. — Здесь, недалеко, есть передатчик. Уж не думаешь ли ты, что я явилась бы сюда без надежной организации? Да никогда в жизни, даже ради Стендаля, даже ради Константина.

— Даже ради Константина? — переспросил Романо, с сомнением приподняв брови. Ванда пожала плечами и отвернулась.

— Ну... конечно, частично из-за него, — призналась она. — В общем, я все равно приехала бы. А теперь послушай: мы должны улететь завтра, а сегодня ночью нужно отправиться за этим человеком. Он находится в Драгиньяне. Если ты не поедешь за ним и не привезешь сюда или если попадешься и будешь арестован, значит, мы проиграли. Да и война, вероятнее всего, будет проиграна из-за этого. А если предашь нас или бросишь его на произвол судьбы, наши убьют тебя еще до того, как схватят немцы. Понял?

Романо придвинул свой табурет к шезлонгу и наклонился над Вандой. Секунд десять они спокойно смотрели друг на друга. Ванда видела темные корни волос Романо и пыталась представить его себе брюнетом, но у него и без того был достаточно решительный и жесткий вид; он выглядел старше и суровее, чем положено было в его возрасте. Двадцать три года — а характер замкнутый, беспощадный, закаленный безжалостной действительностью. Хоть единожды в жизни Константин сделал хороший выбор, недаром же он так держался за Романо; будь Ванда ревнивой, она наверняка приревновала бы его к этому мальчику, вот только она была полностью уверена в Константине, да и сам он, даже в вихре своих измен, дал ей слишком много доказательств преданной любви, чтобы она могла опасаться чего бы то ни было.

— Так ты слышал, что я сказала? Если ты возьмешься за это дело и не выполнишь его, мы убьем тебя. Не я сама, вряд ли. Но если я умру раньше, другие сделают это за меня.

— А вы уверены, что гестаповцы не опередят нас? — спокойно спросил Романо.

И Ванда вдруг смертельно устыдилась своего жестокого недомыслия: грозить убийством юноше, который и эти-то последние четыре года прожил чудом!

— Прости меня, — тихо сказала она. — Но дело крайне важное. Это самый гениальный физик в Европе. Его ждут в Америке, чтобы закончить работу над бомбой, она называется бомба «А». И если Гитлер захватит его раньше американцев, это будет гибельно для всех, для всего мира, Романо.

— Что же это за бомба «А»? — спросил тот с улыбкой. — Она что, больше теперешних? На грузовике-то ее можно увезти?

— Нет, она очень маленькая, — ответила Ванда, — но это будет самая страшная, самая разрушительная из всех бомб, какие только можно себе представить. Или, вернее, пока это даже представить себе невозможно... Никто на свете никогда не осмелится использовать ее — ни американцы, ни европейцы. Даже немцы, наверное, не решатся; словом, никто, за исключением Гитлера. Вот почему нужно, чтобы она была сделана у нас и чтобы Гитлер об этом знал.

— Ладно, я разыщу вашего физика, — сказал Романо. — Разыщу сегодня же ночью и доставлю к вам, клянусь. Но вот с завтрашним отлетом будут проблемы... Вы думаете, Константин так легко расстанется со своим фильмом?

И Романо, с усмешкой наклонившись еще ниже, положил голову на плечо Ванды.

— Знаете, — прошептал он, — если бы вы не были женой Константина и если бы вы не любили его, я...

— А ты, — прервала Ванда, — если бы ты не был другом Константина...

И оба почувствовали, как по их лицам проскользнула улыбка.

— Это мы уладим в Лос-Анджелесе, — сказала Ванда. — В тот день, когда Константин опять погонится за кем-нибудь другим, как тогда, в Мексике, мы с тобой разыграем Федру и Ипполита.

— Не знаю таких, — с сожалением отозвался Романо.

Ванда ласково погладила его по щеке.

— А жаль, — сказала она, — ну да ничего, я тебя с ними познакомлю. Всегда мечтала почитать Расина молодому человеку... особенно такому прекрасному юноше, как ты... Да, мы совсем забыли про карты, а ну-ка, тасуй!

Романо послушно взял в руки колоду.

— Так куда мне нужно ехать?

Взгляд Ванды мгновенно стал ледяным.

— Это я скажу тебе в последнюю минуту, перед самым отъездом. Эй, что за гнусные карты ты мне сдал?!

— Скажите-ка, — смеясь спросил Романо, — вы специально устроили этот скандал? Для того, чтобы поговорить со мной?

— Да, и, как видишь, Константин этому поверил. Он всегда верит мне именно тогда, когда я валяю дурака... Ага, вот для начала хорошие пики... Скажи-ка, Романо, как тебе кажется, ты способен заговорить, если тебя прижмут покрепче? Я-то уверена, что тут же выложила бы все.

Романо расхохотался.

— Вы правы. Не стоит слишком доверять себе.

В этот день Романо, который ни разу в жизни никому не проигрывал в карты, в течение часа продул четыре партии подряд, из них две блиц-игры. Наконец он сообразил, что Ванда плутует, сделал то же самое и полностью отыгрался. Они развлекались вовсю, пока их не встревожило отсутствие Константина. Вот уже полтора часа, как он уехал в Вассье.

Глава 7

Стремительно покинув площадку, чтобы продемонстрировать свое возмущение, Константин фон Мекк затем понемногу сбавил скорость, чтобы выглядеть солиднее; он вел машину все медленнее, то и дело чихая от пыли на крутой горной дороге, ведущей к Вассье — деревушке, стоявшей, согласно путеводителю «Мишлен», «над пропастью», каковое обстоятельство явно не способно было заинтересовать туристов; с самого утра там, наверху, горели какие-то костры, неустанно выдыхавшие в небо густые клубы дыма. Дорога круто пошла в гору, потом сузилась до тропинки, и Константину пришлось затормозить и выйти из машины. Солнце пекло нещадно, подъем не сулил ничего приятного, и он подумал, не вернуться ли назад. Он так и поступил бы, если бы его не привлек непонятный запах — запах, который по мере приближения все усиливался и определялся: то был запах пожара, вот только в памяти Константина он ассоциировался не с мертвой тишиной, которая свинцово лежала на всем окружающем, а с возбужденными голосами, шумом хлещущей воды, топотом бегущих ног. Здесь же царил только запах, и он плохо сочетался с этой тишиной. Их странное несоответствие смутно тревожило Константина, побуждая двигаться вперед. Его влекло туда не любопытство и не проснувшееся воображение, а раздраженный дискомфорт памяти, который настойчиво подталкивал вперед, веля одолевать крутой подъем.

Табличка с надписью «Вассье» на гребне горы ярко блестела под солнцем; пройдя мимо нее, Константин сразу же очутился в самой деревне, то есть посреди десятка ферм, на крошечной площади с подобием бакалейной лавки, высоким домом мэра слева и общественным амбаром справа; но он стоял посреди того, что вчера еще было деревней, а нынче превратилось в густо чадящие, кое-где еще тлеющие развалины. На минуту Константин окаменел, словно перед ним разверзся ад, потом шагнул к маленькой школе, сверху донизу забитой досками, явно более новыми, чем само здание. И, только подойдя поближе, он увидел, что странные черные свертки, разложенные рядком, точно бусины диковинных четок, были трупами; двенадцать или более расстрелянных людей лежали головами к стене, и их кровь уже еле сочилась сквозь обугленные лохмотья одежды. Десять из них были расположены так аккуратно, что сперва показались режиссеру фон Мекку десятком плохих статистов или, вернее, десятком статистов, уложенных так по вине плохого режиссера, который вдобавок упустил из виду остальных двух, ибо два трупа, нарушая эту кошмарную симметрию, лежали вне ряда, — похоже, люди ползли к дому, надеясь спрятаться. По крайней мере именно об этом думал Константин, пока не заметил торчащую между приколоченными досками руку — до странности маленькую. Подойдя вплотную, он пнул ногой обгоревшие теснины, и они тотчас обрушились, рассыпались в черный прах. Солнце залило светом пробоину, а в ней — скрюченные обугленные тела, среди них много детских.

И по-прежнему ни звука вокруг, исчез даже запах гари. Птицы и дым пожарища улетели вместе с ветром, покинули Вассье. Константин отвернулся, и его вырвало прямо на то, что лишь отдаленно напоминало человеческое тело; он отшатнулся, и его вырвало опять — теперь уже на черную, еще горячую доску; он попятился назад, словно обгорелые трупы на земле угрожали ему. Он отступал все дальше и дальше, так медленно, что чуть ли не целый час преодолевал десять метров, отделявшие его от поворота, за которым, слава богу, уже ничего не было видно; и тут он сел, почти рухнул на низенький белый бортик дороги, не тронутый огнем, но горячий от зноя. Рядом с ним, прикрыв глаза, мирно дремала ящерица и покачивала из стороны в сторону зеленой головкой; Константин был рад, что она живая, что она шевелится. Его сотрясала ледяная дрожь, и одновременно он задыхался от жары в этом пекле; теперь он знал, теперь он понял, отчего солдаты, нынче утром спускавшиеся из Вассье, не пели гимнов родине-матери[1].

---

[1] Деревня Вассье-ан-Веркор с ее 76 жителями действительно была сожжена гитлеровцами в 1944 г.

Он встал и глянул сквозь листву вниз, в долину, туда, где ждала его группа: крошечные человечки в белых, красных, синих, зеленых нарядах проворно бегали взад-вперед среди повозок; лошади — обе принадлежащие «Фабрицио» — горячились и гарцевали на залитом солнцем лугу. Вот только бойня у него за спиной... эти две картины никак не укладывались рядом в его сознании. Константин опять присел на камень, трясущиеся ноги не держали его. Ящерка ускользнула, пока он вставал, и теперь он чувствовал себя безумно одиноким. А главное, навсегда отрезанным от немецкой нации, от своей отчизны, от своего языка, от родных корней. Он ощутил себя вечным, безнадежным сиротой, но сиротой с ненавистью в душе — вот уж роль, которая подходила ему менее всего. И все это время, растянувшееся, чудилось ему, на долгие часы, он явственно слышал собственный голос, он громко твердил: «Нет, нет, нет, no, ne!..» — но ни разу не произнес «nein». Как беззаботно смешивал он прежде все на свете языки! Теперь никогда больше он не скажет ни «nein», ни «ja», никогда не потерпит, чтобы его величали Herr von Meck.

Константин услышал свое имя — кричали снизу, из долины, — взглянул на часы и ужаснулся: ему казалось, будто он ушел со съемки много дней назад. Он поднялся на ноги и, шатаясь, побрел на окликавший его голос — голос Романо; тот скакал к нему на лошади, загорелый, в рубашке с распахнутым воротом, с сияющими на солнце волосами; Романо мчался ему навстречу, улыбаясь, хотя не имел никакого права улыбаться, потому что здесь было безумием улыбаться, безумием и кощунством! Константин обхватил Романо поперек тела и буквально стащил его с седла. Улыбка Романо погасла, он увидал лицо Константина и теперь уже сам поддерживал его, чтобы тот не упал.

— Что с тобой? — спросил он. — Что случилось?

— Спускайся вниз, — выдохнул Константин, подавляя новый мучительный приступ рвоты, — спускайся, не ходи дальше, прошу тебя!

Романо закинул голову, он ловил воздух ноздрями, как охотничий пес; Константин ощутил, как тело его сжалось и напряглось.

— Я знаю этот запах, — ровным голосом сказал Романо.

Легко, словно играя, он извернулся и выскользнул из рук Константина, тщетно пытавшегося удержать юношу, вскочил на коня и погнал его в сторону Вассье. Уронив руки, застыв на месте, Константин глядел ему вслед, потом бросился к машине и поехал прочь.

Он больше не мог. Нужно было подобрать кинжал — немецкий кинжал, забытый немецким солдатом и блестевший свежей сталью среди почерневших тел, — подобрать и вонзить себе в горло. А вместо этого он мчался теперь навстречу жестокой гибели, навстречу неотвратимой и ужасной каре, ибо сегодня увидел наконец то, что нельзя было видеть, что он всегда отказывался видеть, что преступно и позорно соглашался не видеть.

Глава 8

Вернувшись с прогулки к обеденному перерыву, Константин фон Мекк объявил, что съемки на сегодня закончены: свет уже не тот, — и приказал сворачиваться. В самом деле, ветер, изменив направление, пригнал тяжелые, сумрачные тучи и вместе с ними странный, непонятный запах, взволновавший лошадей. Несколько догадок и предложений, высказанных Попеску, были встречены таким ледяным взглядом, что он тотчас прикусил язык.

Константин вновь сел за руль своего «Тальбота» и повез с собой тех актеров, которые оказались порасторопнее и переоделись быстрей других. Но Ванда, опять нарядившись в старинный кринолин, категорически отказалась ехать в его машине. Даже речи быть не может о том, чтобы она загубила такое великолепное платье на продавленном сиденье «Тальбота». Пусть в нем едут другие торопыги, она же вернется на виллу Бубу Браганс в кузове грузовика, вместе с юпитерами и операторскими кранами.

— Вы только поглядите! — воззвала она к развеселившейся группе. — Поглядите на меня в этом грузовике: можно подумать, везут статую в Рим, на конкурс скульптуры. Или Марию-Антуанетту — на эшафот.

То ли Константин не расслышал, то ли он еще сердился за утреннюю сцену, но он даже не улыбнулся. Он молча отъехал, посадив рядом с собой Мод, чрезвычайно довольную, как она заявила, брезгливо морща носик, тем, что избавляется от этого кошмарного запаха; ей все чудится, будто пахнет пожаром, твердила она с видом прорицательницы.

А Ванда тем временем ехала в кузове грузовика, перешучиваясь с двумя осветителями; вдруг их заставил оглянуться стук копыт. Им понадобилась чуть ли не целая минута, чтобы узнать всадника — всклокоченного и смертельно бледного. То был Романо, но Романо с безумными расширенными глазами и мокрый, как и его лошадь, блестящая от пота и вся в пене.

— Глядите-ка, а вот и синьор рыцарь Ферсен![1] — весело воскликнула Ванда.

Но эта шутка, брошенная из кузова, вызвала у Романо лишь мгновенный намек на улыбку. Он безжалостно натянул узду, и конь под ним захрипел и заметался, бешено выкатив глаза и испуганно прядая ушами.

— Ваша лошадь чего-то боится, — строго сказала Ванда. — Что

---

[1] Ханс Аксель граф де Ферсен (1755—1810) — шведский аристократ, влюбленный во французскую королеву Марию-Антуанетту и пытавшийся в 1791 г. организовать бегство королевской семьи из революционной Франции.

это с вами? А ну-ка, успокойте ее и погарцуйте, как положено элегантному кавалеру, вокруг грузовика и вашей дамы в прелестном кринолине. Когда мы будем проезжать по поселку, я при вас буду чувствовать себя не такой одинокой.

Но Романо не отвечал, он продолжал бороться с лошадью, усмиряя ее, вопреки своей привычке, силой; Ванда перегнулась к нему через борт машины.

— Да что случилось? — спросила она жестко, но даже и в жесткости этой прозвучала такая глубокая тревога за Романо, что оба осветителя разом отвернулись.

— Немцы сожгли деревню там, наверху, — ответил Романо, усмирив наконец лошадь. — Они сожгли детей и женщин всей коммуны, а мужчин расстреляли. Там все черное... — добавил он, как-то странно взмахнув рукой.

— Господи боже! — воскликнул старший осветитель, тот, что стоял рядом с Вандой. — Господи боже... вот суки, вот сучьи дети!.. Прошу прощения, — холодно извинился он, ища глазами немцев — членов группы, но таковых рядом не оказалось. — Сволочи! Вот, значит, откуда этот запах.

И он побледнел так же, как Романо, как побледнела и Ванда. Она стояла в кузове прямая, напряженная в своем лиловом кринолине; по бокам — двое мужчин в синих спецовках, позади машины — Романо, сдерживающий рвущуюся вперед лошадь. «Странно же мы, наверное, выглядим, — рассеянно подумала она, — дикая, нелепая картина на фоне пожара, всего этого ужаса». Но ей никак не удавалось поверить, представить себе весь кошмар случившегося. Она опять обернулась, нагнулась к Романо, увидела синюю жилку, судорожно бьющуюся на его виске, другую — у горла, и поняла, что Романо — на пределе. И ее охватила горячая нежность к нему, словно он был ее сыном или совсем юным любовником; ей захотелось стиснуть ладонями его лицо и медленно, печально поцеловать в губы, как бы прощаясь навсегда. Но она преодолела этот порыв.

— Встретимся в доме, — сказала она. — Вам нужно будет сейчас же уехать на «Тальботе». Я поговорю с Константином.

— Я его встретил там, наверху, — ответил Романо, — он это видел.

Ванда на миг прикрыла рукой глаза.

— Ох, — вздохнула она, — бедный, бедный Константин... И бедный мой Романо, — добавила она, взглянув на юношу так нежно, что тот отвернулся, ослабил поводья и, пустив лошадь в галоп, вскоре исчез из вида.

— Жалко парня, — сказал один из осветителей, — видели, он чуть не заплакал. Черт возьми, он ведь совсем еще мальчишка!

Ванда молча кивнула. Она смотрела на золотистые колосья в поле, которые ветер теребил и колыхал из стороны в сторону. Она видела фруктовые деревья, белую пыльную дорогу и мирные домики там, вдали, купающиеся в послеполуденном солнце и еще не застигнутые, не накрытые тенью облаков.

Константин пропадал где-то до самого ужина. Романо отбыл на «Тальботе» «искать другое место для съемок», а оставшиеся двое мужчин до самого вечера раскладывали пасьянсы, из которых, судя по их лицам, ни один не удался. Ванда рассеянно перебирала клавиши пианино, Бубу нервничала, а Мод без конца полировала ногти.

Дождя еще не было, но какие-то нервные, злые сполохи трепетали в небе, не то предвещая, не то накликая грозу, а пока что ввергнули обитателей виллы в угнетенное состояние духа, хотя никто из них — почти никто — не знал о судьбе Вассье.

Ужин показался Константину нескончаемым. Вопреки своей обычной учтивости, он слегка сцепился с Бубу и покинул столовую, ни с кем не попрощавшись на ночь.

Дверь его спальни чуточку приотворилась с противным скрипом, который, впрочем, тут же прекратился. Константин, страстно желавший, чтобы хоть кто-нибудь нарушил его одиночество и одновременно неспособный сейчас поддержать разговор с кем бы то ни было, насторожился и замер. Дверь приоткрылась пошире, все с тем же ужасным скрипом, и Константин невольно усмехнулся: если за ним шпионят, то это грубая работа. Но вдруг створки с треском распахнулись, и в комнату влетел мохнатый вихрь — Азор, домашний пес, питавший к Константину бурную любовь и неотступно ходивший за ним по пятам, когда тот бывал на вилле. Константину мгновенно вспомнились фотографии, заполонившие страницы германских газет: Гитлер, с ласковой улыбкой на устах сидящий между белокурой девочкой и немецкой овчаркой. Азор подбежал к Константину, облизал ему лицо и руки, потом, убедившись, что на сей раз в постели нет другого двуногого, одним прыжком взобрался туда и, нежно ворча от счастья, улегся прямо на грудь своего обожаемого друга. Да, только животные и умеют любить по-настоящему, машинально подумал Константин — именно в таких банальных выражениях, как и всякий раз, когда попадал в необычайную ситуацию; он рассеянно потрепал пса по голове.

Тот уже задремывал, прижавшись к Константину, который не решался двинуться, хотя надо было бы встать и скинуть одежду, все еще пропитанную, казалось ему, ужасным запахом Вассье, и вымыть лицо перед зеркалом. О, как хотелось ему увидеть в этом зеркале другой лик — молодого мужчины или просто лицо мужчины — настоящего! Боже, что он сотворил с самим собой! Он покрывал преступления. Он опозорил свое имя, свою репутацию и предал доверие, которое люди еще питали к его уму и порядочности, он послужил вывеской для этой бесчеловечной власти. Он обесчестил себя, как выражались в прошлом веке и как, вероятно, это будет называться всегда. И, может быть, где-то совсем еще молодые люди говорили себе: «Если даже фон Мекк, так ненавидящий несправедливость, так любящий независимость, сотрудничает с нацистами, значит, и мы можем последовать его примеру». Да пусть хоть один-единственный человек вступил в армию с такими мыслями — ответственность и вина за это лежат на нем, на фон Мекке, рыцаре свободы. О да, еще бы, он ведь так успешно играл в свободу и независимость — при благосклонной поддержке Геббельса! Он верно определил себя вчера в разговоре с Вандой: марионетка, паяц, набитый опилками; и только в самой глубине его души таились настоящие, человеческие кровь и слезы.

В любом случае он, Константин фон Мекк, теперь человек конченый — конченый, ибо он мошенник, лгун, даже если действовал не намеренно; он погиб, умер как в собственных глазах, так и в глазах всего мира. И внезапно Константин фон Мекк — двухметровый великан весом в восемьдесят пять килограммов, Константин фон Мекк с его казацкими усами, смеющимися глазами и рыжевато-белокурой растительностью на поджаром атлетическом теле, судорожно скрючился, свернулся в комочек, как зародыш, и разрыдался — бурно, совсем по-детски, уткнувшись в подушку. Он плакал, и слезы его, струясь из глаз, текли по щекам, пропитывали усы. Он плакал так, как никогда еще в жизни не плакал, как не помнил, чтобы ему приходилось плакать. Таких слез он не проливал даже по своему лучшему любимому другу — погибшему Майклу, даже по умершей матери, даже по Ванде, когда она покинула его всерьез и надолго, в последний раз... Он никогда и ни по ком еще так не плакал, а теперь оплакивал себя самого, свой образ, искаженный и померкший, и сознание того, что плачет он из-за себя, над собой и с такой невыносимой горечью, удваивало его стыд, его отчаяние и его рыдания.

А проснувшийся Азор лизал ему мокрые пальцы и пытался отыскать лицо, которое Константин прятал от него, стыдясь пса, словно человека.

И первым человеком, вошедшим в его спальню, оказалась Бубу Браганс. Бубу страдала массой недостатков, но имела и некоторые достоинства: одно из этих последних и побудило ее отступить в коридор, бесшумно прикрыв дверь; притом на лице ее не выразилось ни малейшего удивления. Второй к нему пришла Ванда.

Она легла рядом с Константином, она прижала его всклокоченную, вздрагивающую от рыданий голову к плечу и стала гладить ему лицо, нескончаемо долго обводя, словно вырисовывая, каждую черточку, по давней привычке, такой — она это знала — сладостной для него. Да и для нее тоже: ни у кого больше не встречала она такой кожи — гладкой, теплой, сухой. Ванде казалось, будто по этой коже она осязает биение крови в его венах так явственно, словно видит их голубые струйки своими глазами; повсюду, где бы ни скользили ее пальцы — по контуру губ, по краешкам век, по вискам, у основания шеи, — они находили, «видели» то, что было недоступно взгляду.

— Говори со мной, — просила она шепотом, в темноте. — Говори!

Но Константин молчал, молчал, погруженный в отчаяние; он лежал, откинув голову назад и время от времени сотрясаясь от конвульсивных всхлипов, и пугавших и восхищавших Ванду, никогда еще, с тех пор как они узнали и полюбили друг друга, она не видела его плачущим.

— Говори, — шептала она, — говори же...

— Это было невероятно, — с огромным усилием вымолвил он наконец надтреснутым, каким-то натужным голосом, хриплым и сорванным голосом человека, перенесшего неправдоподобный кошмар. — Это было невероятно — то, что я увидел, — повторил он, бросив на Ванду дикий, блуждающий взгляд, и снова уронил голову на ее плечо. Да, он плакал так впервые, но и Ванда в первый раз испытала материнское чувство защитницы, покровительницы, доселе неведомое ей в отношениях с Константином.

— Ну, успокойся, успокойся, — повторяла она, так же как он, понижая голос, — ведь не ты же сотворил все это. Ты никогда не был немцем, Константин, мой старый златогривый лев, мой бедный полукровка Константин!

И она ощутила, как вновь рождаются в ней, просятся наружу нежные и простые, детские прозвища начала их любви, их первых встреч. Ею завладели покой, и грусть, и смутная горечь счастья.

— Как это — не был немцем? — возразил Константин. — Я ведь с ними якшался. И, может быть, побудил надеть мундир других — совсем еще мальчиков. Меня должны всюду ненавидеть, и это будет справедливо, понимаешь? Справедливо!

— Но ты никому и никогда не причинял зла, ты многих спасал, — ответила Ванда. — Я уже говорила тебе, сколько людей осталось в живых благодаря твоей помощи. Ты делал добро, а не вредил!

— Нет, — твердил он, — нет! Я отказывался видеть, что они творят зло. Я лгал себе и другим, я всегда лгал. Я прикидывался добреньким, а им позволял убивать. Но я не должен был молчать, Ванда! Мне нужно было кричать во все горло, отречься от них, заставить их убить меня. Я сообщник моей родины и на сей раз обязан ответить за свои действия. Иначе нельзя, Ванда: слишком много мертвецов вокруг...

— Да какие действия?! — воскликнула она. — Это было ослепление, это было...

Но Константин не слушал ее. Наконец он говорил чистую правду, но слушал самого себя как со стороны — с интересом и любопытством, ибо правда, которую он высказывал, была не более правдивой, чем вся его остальная жизнь. Она — эта правда — вместе со всем остальным была всего лишь удобной для него частью истины, даже если в этот миг он мучительно пытался сделать ее непереносимо страшной. Он все еще силился вонзить нож поглубже, но черный ворон цинизма уже сел к нему на плечо и насмешливо каркнул над ухом.

— Я виновен в своем молчании. Все эти три года оно должно было набатом гудеть у меня в ушах, Ванда, ты же все понимаешь! Так зачем ты расписываешь мне будущее в радужных красках, когда я вот уже три года живу в черно-белом кошмаре? Я не могу даже представить себе это будущее. Оно устарело, вышло из моды!..

Он смолк, потому что Ванда плакала. Она горько, безутешно плакала, и Константину теперь нужно было только одно — утешить ее, ибо и она плакала очень редко, а вот теперь из глаз ее текли слезы — медленные, теплые, такие несоленые, такие восхитительные на вкус. И уже другой Константин — и тот прежний, и нынешний, и всегдашний — заключил ее в объятия, умолил простить его, развеселил и утешил любовью. Но позже рассказ Ванды выслушал еще один Константин — незнакомый, чужой.

Именно этому чужому Константину рассказала она и о своем долге — доставить в Лондон немецкого ученого, и об абсолютной необходимости побега для них, всех четверых, нынче же вечером. И новый, незнакомый ей Константин рассеянно согласился на все: он без капли сожаления расставался с Сансевериной, расставался с «Пармской обителью», расставался с Европой, расставался со своей двусмысленной ролью — со всем, что составляло здесь его жизнь. И увозил с собой лишь то, что любил и почитал, — готовый ко всему, согласный со всем, так показалось Ванде.

На какой-то краткий миг у нее возникло чувство впустую принесенной жертвы: сколько раз грезила она раньше о минуте, когда откроет Константину правду и увидит в его глазах изумление, потом испуг, потом нежность и восторг; как ей хотелось, чтобы он почитал ее наконец за что-нибудь иное, нежели за красоту или актерский талант! Но нынешней ночью Константину стало не до того, он утратил способность удивляться чему бы то ни было: хорошо уже, что он согласился уехать, забыть прошлое, эти годы, каждый из которых мог оказаться для него последним.

На самом же деле Константин в своем изнеможении, гневе и отвращении к жизни, мало-помалу уступавших место облегчению, тешился теперь лишь одним: неотвратимой опасностью предстоящего, хитроумием ходов этой запутанной игры, обманными маневрами, точно рассчитанным планом операции — словом, всем, что ему как режиссеру грело душу, погружало в знакомую атмосферу лицедейства. План Ванды и Романо был очень прост: она и Константин в присутствии членов группы как бы внезапно, по вдохновению решат отпраздновать вдвоем свое супружеское примирение, устроив «ужин влюбленных». Они уедут, встретятся с Оттингом и привезут его к посадочной площадке, где их будет ожидать Романо. После чего сядут в этот чертов самолет и — будь что будет! Расстреляют его в Лондоне или увенчают лаврами, Константину было совершенно безразлично. Он испытывал огромное облегчение от сознания того, что поручает свою жизнь другим, вернее, другому, неизвестному, но эта будущая жизнь сулила ему одну лишь бесконечную, невыносимую усталость. В любом случае он обманулся, пускай же теперь другие обманываются в нем. Так оно и положено.

Ну а пока что следовало выяснить отношения с этим цыганом, вернувшимся поздно вечером на его «Тальботе», с цыганом, который солгал ему, скрыл от него правду. Да, нужно было объясниться с Романо. Ванда уже крепко спала, измученная любовью, растрепанная и прекрасная. Константин размашистыми шагами дошел до комнаты Романо и широким драматическим жестом распахнул дверь, но увидел всего лишь полумрак, подслеповатую желтую лампочку — и в скудном ее свете — своего любимого, своего друга, распростертого на постели; полунагой, едва прикрытый углом простыни, он лежал в бессильной, почти непристойной позе, закинув голову так, словно уже был мертв. Под этой загорелой тугой юной кожей Константину почудилось начало разложения; безнадежное одиночество таилось в этой лучезарной красоте, нетронутая чистота сияла из бездны этого разврата. Невыносимо, мучительно было думать о том, что генерал Бремен в Париже сумел за двадцать тысяч франков обладать этим телом, что сам он, Константин, мог так или иначе посягнуть на непорочность этого лица. Константин склонился и медленно опустил голову на плечо Романо, потом лег рядом — спокойно, как лег бы брат. Он не испытывал желания, или, вернее, желание его было столь огромно, что потеряло остроту плотского влечения; сейчас он любил в Романо нечто иное, чем любовь, нечто иное, чем дружба, нечто иное, чем наслаждение; он любил кого-то, кто был им самим и кого он совсем не знал. И Константин медленно погрузился в волны сна, проникнутый благословенным забытьем и забвением всего, под сладостный благовест дремоты, который он и слышал и не слышал.

Эпилог

Рабочий день прошел весьма удачно — по крайней мере Попеску считал именно так. Тем сильнее он изумился, когда голос драгиньянского капитана грубо вывел его из эйфории.

— Вы что, совсем идиот? — орал немец на другом конце провода. — Куда? Когда? Почему вы не позвонили мне в ту же секунду? Надо же быть таким кретином!.. Я получил точные инструкции...

Он так оглушительно вопил в эбонитовую трубку, которую держал несчастный Попеску, зашедший позвонить в кафе, что тот прикрыл ее ладонью и испуганно оглянулся. Но страх его оказался напрасен: в зале не было ни души. Посетители выбежали за порог и глядели в сторону домика, затерянного среди виноградников, где только что прогремел выстрел. Говорили, что немцы запеленговали передатчик, и в дом ворвался взвод эсэсовцев. Попеску, разумеется, не дано было узнать, что радист работал на Ванду. В любом случае это ничего не меняло: она и Константин уже уехали ужинать в «Дворянскую усадьбу» — одну из типичных провинциальных подделок под старинную таверну не то для важных господ, не то для всякого сброда. Так или иначе, а радист пустил себе пулю в голову при первом же выстреле эсэсовцев.

Попеску со смесью ужаса, гордости и беспокойства услышал от капитана, что от его сведений зависят действия взвода СС, срочно вызванного из Вара. Ему было приказано следить за каждым шагом Романо, дождаться возвращения Константина и Ванды и незамедлительно донести о появлении любого нового лица в доме Бубу Браганс. Помимо этого, он должен был позвонить еще раз в девять часов и сообщить последние новости, приобретавшие, казалось, государственную важность.

Прибыв в таверну, расположенную при замке, Константин и Ванда уселись за стол, заказали аперитивы и стали увлеченно осушать бокал за бокалом, как вдруг Ванда капризно заявила, что здесь все отвратительно, что сам Константин отвратителен и что она не собирается проводить тут вечер, а Константин, если ему угодно, может оставаться. Она вихрем вылетела за дверь, провожаемая взглядами оторопевших посетителей и огорченных официантов; Константин последовал за ней (по крайней мере все это потом можно будет проверить). Они сели в машину и поехали на ферму, где скрывался Оттинг, который при виде их даже не раскрыл рта. Посадочная площадка находилась в нескольких километрах от фермы, и они беспрепятственно доехали до нее к десяти часам; самолет должен был прилететь максимум через час.

К несчастью, ужин в доме Бубу Браганс кончился уже в девять; трапеза эта, в отсутствие знаменитой пары, прошла более чем мрачно, хотя Мод пыталась оживить ее сладеньким щебетом; ей помогал Людвиг Ленц, который, на сей раз стряхнув с себя меланхолию, пустился в воспоминания о Лазурном береге, где его в семилетнем возрасте учили плавать брассом; зато фурункул злосчастного первого любовника оказался стойким, и Бубу Браганс начала подумывать, что поистине Константин капризный, но незаменимый в обществе гость. Ну а Попеску не спускал глаз с Романо, который заметил это и понял, что ему не ускользнуть от бдительного ока соглядатая, иначе он рискует привести гестаповцев прямо к своим друзьям. Впрочем, он всегда знал, что спастись ему не суждено. Значит, остается одно: как можно дольше отвлекать внимание Попеску и эсэсовцев, чтобы самолет успел сесть и взлететь. В десять часов он решил вызвать огонь на себя и подошел к Попеску, который, безмятежно глядя из окна в сад, размышлял, не предложить ли Романо партию в шахматы. Романо схватил его за локоть, развернул на сто восемьдесят градусов, дал жестокую пощечину и обозвал предателем, нацистом, фашистским прихвостнем, точно камнями побивая продюсера этими и прочими оскорблениями, вслед за чем подтащил его к телефону. И дрожащий Попеску, сам не зная, что делает и говорит, доложил в гестапо: Роман Вилленберг, работающий ассистентом у фон Мекка, действительно сражается в Сопротивлении, но он, Попеску, не выпустит его из рук; что же касается самого фон Мекка и Ванды, они недавно звонили и меньше чем через час собираются вернуться домой. Изумленная Бубу, ошеломленная Мод и оба потерявших дар речи актера смотрели на эту сцену так, словно им показывали плохой фильм — плохо задуманный, плохо смонтированный, с плохим сюжетом, с плохими актерами, с плохим сценарием. Да и Романо почудилось то же самое.

Эсэсовцы приехали десять минут спустя, и свет фар, безжалостно заливший дом и сад, утвердил Романо в его предчувствиях. Теперь нужно было продержаться час, самое большее полтора, и заговорить как можно позже, а там кончено. И Константина он больше не увидит, с этим тоже было кончено.

В десять вечера Ванда поняла, что Романо не придет, а в десять двадцать, когда английский самолет мягко сел на луг и два сигнальных костра, разведенных макизарами, уже агонизировали во тьме, понял это и Константин. Добежав до люка, он помог подняться в самолет Оттингу, затем Ванде, а сам остался снаружи, глядя на них снизу; вихрь, поднятый пропеллером, трепал ему гриву, глаза блестели, — как у дикого кота, подумала Ванда.

— Ну, иди же! — позвала она.

— А Романо?.. — И Константин указал назад, на перелесок за полем, откуда должен был появиться, но не появился Романо.

— Господин фон Мекк, — сказал Оттинг, высунувшись из люка, — господин фон Мекк, вы, надеюсь, не собираетесь остаться здесь из-за этого мелкого террориста, да вдобавок явного педераста, этого мальчишки с крашеными волосами? Или собираетесь?

Ванда поспешно тронула Оттинга за колено, но Константин уже вдвинулся в кабину и пристально глянул Оттингу в глаза.

— Этот мелкий террорист и вдобавок явный педераст, — ответил он, — даст себя убить, для того чтобы вы, вот вы смогли потом единым махом убить миллионы людей, вам понятно? Он очень скоро погибнет из-за вас, господин доктор Оттинг...

Наступила пауза — если можно так выразиться, пронзительная пауза, настолько стремительно и оглушающе громко вращались пропеллеры, настолько сильно пилоту хотелось взлететь, настолько всем не терпелось увидеть, как он взлетит, настолько явственно ощущал Константин, что он словно врастает в землю, теряя способность двинуться и уйти и даже не зная, не понимая почему.

— Константин, — сказала Ванда, — умоляю тебя, поднимайся. Поднимайся же! Я не смогу жить без тебя, Константин... Иди сюда!

Но Константин качнул головой.

— Не могу, — сказал он. И тогда Оттинг, которого слова Константина ожгли, как пощечина, заставили отшатнуться, опять наклонился к нему. У него было лицо аскета, некрасивое, почти уродливое лицо альбиноса, но в этот миг оно осветилось благородным сочувствием.

— Я прошу у вас прощения, господин фон Мекк, — сказал он. — Я не знал, что это был такой близкий друг...

— Я тоже, — ответил Константин. И, сделав шаг назад, он махнул рукой. Самолет словно ждал именно этого жеста: он помчался вперед, оторвался от земли и, взмыв над лесом, исчез в ночном небе. В последнее мгновение Константину почудилось, будто он видит слезы, залившие лицо Ванды, как дождь, как ливневый дождь, как ливень слез, и безумное, острое сожаление о ее теле, голосе, глазах, нежности больно пронзило его с головы до ног. Шатаясь, побрел он к лесу, забрался в свой «Тальбот», поехал. Он ничего больше не понимал, не помнил, не видел — разве что эту нескончаемую дорогу, по которой, слегка виляя, мчалась его машина; он спешил, он торопился вернуться... к чему?.. неизвестно, но неостановимо рвался выполнить свой долг. Хотя бы теперь Константин фон Мекк знал наконец, что ему нужно свершить, пусть впереди его ждало самое худшее.

Он пронесся по засыпанной гравием аллее, громко хлопнул дверцей машины и сам же непроизвольно вытянулся по стойке «смирно», глядя на суету ординарцев, солдат, эсэсовцев и на блестящие дула винтовок в темноте сада. «Бедняжка Бубу!» — подумал он машинально и быстрым, упругим, четким шагом военного взошел по ступеням крыльца, куда сотни раз взбегал весело, как мальчишка, — взбегал вместе с Романо. Распахнув дверь, он одним движением руки отстранил скрещенные перед ним штыки часовых, подчинившихся этому повелительному жесту, которому добавили внушительности его огненная грива, рыжие усы и зеленые глаза. Пересекая просторный салон, он краем глаза заметил растерянную, растерзанную, растрепанную, всю в синяках Бубу Браганс: брошенная в кресло, в бесстыдной позе — на сей раз не по своей воле, — она тем не менее с бесстрашной дерзостью подмигнула ему и хрипло, как старая ворона, выкрикнула: «Хелло, Константин!» Не остановившись, Константин стремительно дошел до кабинета, где — он знал — творилось самое страшное. Он толкнул дверь, и солдаты, охраняющие ее, невольно расступились при виде его рыжеволосой грозной головы.

Константин гаркнул: «Хайль Гитлер!», вошел и, задвинув дверной засов, прислонился спиной к створке. Кабинет был погружен в полумрак; одна лишь настольная лампа на кронштейне, направленная в центр комнаты, безжалостным светом заливала стул, к которому было привязано то, что осталось от Романо. Он сидел, уронив голову на грудь, и Константин сперва увидел только белокурые крашеные пряди с явственно черными корнями — казалось, они успели отрасти с утра на добрый сантиметр. Рядом стояли двое немецких солдат в уже забрызганных кровью рубашках; дальше, у стола, расположились двое офицеров в безупречных мундирах — улыбающиеся, с сигаретами в зубах; фуражки их лежали на столе, по другую сторону которого жалкий, нелепый, как заблудившийся турист, в своих шортах и сандалиях дрожал зеленый от страха Попеску. Заслышав шум в дверях, один из офицеров схватился было за кобуру, но Константин шагнул в конус света, и под дулом его большого черного пистолета немец так и замер с протянутой рукой. Константин глядел на бессильно сникшие плечи и спину Романо. Тот чуть приподнял голову, и Константин увидел неописуемо страшное лицо; мутный, бессмысленный от боли взгляд с трудом нашел его, узнал — и в нем слабо блеснуло что-то похожее на любовь, великую и вечную, бессмертную любовь; в этих глазах светились мольба и благодарность, немой приказ, и нежность, и еще что-то такое, что Константин всю жизнь жаждал увидеть в чьем-нибудь обращенном к нему взоре. И тогда он направил дуло пистолета на шею Романо — юную, гладкую, смуглую шею, к которой накануне лишь на миг прижался губами, не зная, что ему следовало бы ночь за ночью бодрствовать, любуясь, наслаждаясь, упиваясь этой нежной кожей, отыскивая жадным ртом и находя под ней неровный пульс самой любви. Константин выстрелил в самую середину шеи, в сонную артерию; брызнувшая фонтаном кровь залила обезображенное побоями лицо, голова медленно опустилась на грудь, свесились вниз белокурые пряди с черными корнями. Взвыли офицеры и солдаты, выкрикивая хриплые ругательства, но весь этот шум перекрыл нечеловеческий, заячий крик Попеску, простершего вперед руки, как будто он надеялся ладонями отгородиться от мстительных пуль Константина, словно у него еще осталось время и желание мстить, словно он еще помнил, что такое месть, словно он еще не забыл, кто такой Попеску.

За спиной Константина рухнула дверь, сорванная с петель; он испугался, что его опередят, и так резко сунул дуло пистолета в рот, что мушкой больно расцарапал себе верхнюю губу. Ощущение было неприятное. «И черт с ним!..» — еще успел он подумать, но тут оглушительный взрыв вдребезги разнес его череп; эха от него он уже не услышал.

Страницы моей жизни

Перевод В. Жуковой

«ЗДРАВСТВУЙ, ГРУСТЬ»

У меня никогда не возникало желания написать историю своей жизни. Прежде всего потому, что она связана с живыми — к счастью, живыми — людьми, и, кроме того, память моя стала абсолютно ненадежной: то здесь провал в пять лет, то там, так что создается впечатление, будто за этими провалами скрыты какие-то секреты, тайны, хотя ни того, ни другого просто не существует. Если задуматься, единственными хронологическими вехами моей биографии являются даты выхода моих романов, они одни — подлинные, точные и, можно сказать, ощутимые межевые столбы моей жизни.

К тому же, верите или нет, но я никогда не перечитывала своих произведений, за исключением романа «Через месяц, через год», подвернувшегося мне как-то в самолете, на борту которого не оказалось других книг. И с тех пор ничего своего я не читала. Так что порой не кому-нибудь, а мне рассказывают о каком-то герое, обрушивая на голову автора имена, сцены, давно забытые поучительные сентенции.

Однако мое столь пренебрежительное отношение к собственному творчеству не связано с качеством принадлежащих мне произведений, просто меня преследует мысль о том, что огромное число томов все еще дожидается меня на книжных полках и множество неизвестных книг я наверняка не успею прочитать до конца своих дней. Следовательно, перечитывать свою собственную книгу (да еще зная, чем она закончится) — поистине напрасная трата времени!

Итак, начнем с романа «Здравствуй, грусть», который я перечитала вчера. Эта искренняя и откровенная в описании безнравственности книга в равной степени проникнута чувственностью и чистотой, той взрывоопасной смесью, что сегодня волнует так же, как вчера... Да, пожалуй, и позавчера, если верить очень старым дамам, которых в детстве жестоко пороли за те грехи, что и меня. Как бы то ни было, от этого романа веет непринужденной естественностью, той совершенно бессознательной жизненной энергией, которыми нас одаривают уходящее детство и первые жгучие ощущения отрочества; книга легко читается, живо и добротно написана.

Ее успех стал для меня благословением. Прежде всего потому, что однажды ранним утром я поклялась, — в тот момент в парижском монастыре, моем пристанище на время учебы, я шла к причастию, — итак, я поклялась победить этот открытый город и искупаться здесь в лучах славы. Обычная для юного возраста честолюбивая мечта, вынуждающая забыть о безумии и банальности подобного желания.

Но, заслуженно или нет, слава, удача, успех очень скоро избавили меня от честолюбивых грез о славе, удаче и успехе, грез, что могли бы остаться грезами, если бы я, пытаясь превратить их в реальность, столкнулась лишь с чередой неудач: не уверена, что моя гордость долго противостояла бы таким испытаниям.

Прекрасно. Я в Париже. Август. В те времена мне еще приходилось проводить лето таким образом. Безлюдный и прекрасный Париж перечерчен пыльными опустевшими улицами, укутанными яблочной или темно-зеленой листвой, точнее сказать — каникулярной зеленью деревьев... Я в халатике иду в булочную, что на углу улицы Жуффруа, и покупаю два круассана. По пути домой покусываю свой круассан, а навстречу — никого, лишь пустой, как бульвар, автобус проехал мимо да прошел плохо выбритый холостяк. Вручив отцу его круассан, доедаю свой под пристальным и нарочито строгим взглядом родителя. Строгим, но предвкушающим наслаждение от тирании, которой он в течение двух недель сможет подвергать меня.

Завалив июльские экзамены, я заслужила лишь двухнедельные каникулы, после чего должна была вернуться в поджидавшую меня «тюрьму бакалавров». «И поделом!» — заявит моя мать во время истошной проповеди о нравственности и справедливости, которую ей приходится произносить каждые полгода. Вот почему в конце июля я нахожусь здесь и готова отбывать наказание, вот почему я проведу август месяц в упомянутой «тюрьме», жестоком и благочестивом заведении, под присмотром нескольких наставниц, якобы способных за один месяц обучить нас тому, что не было усвоено за год. Если не считать уик-эндов, наше житье в пансионе с прогулками строем по улицам Пасси (в нашем-то возрасте!) — ужасно; единственная забава — чей-нибудь ухажер, следующий за нами на мопеде. И поскольку я уже переживала все это в предыдущем году — пришлось и тогда все лето учиться, пожиная плоды своих трудов, — то наизусть знала все пути, ведущие нас от Пасси к Ля Мюэтт, от стыда к отчаянию, от шага к галопу, ибо следила за своей группой с расстояния, как можно бо́льшего расстояния. Но воспитательница свистком уже подгоняла меня; пришлось бежать вприпрыжку, подобно овце, догоняющей стадо.

В работе некоторых писателей, как мне кажется, порой наступает момент, когда некая фраза, некий термин придает вдруг музыкальную тональность и смысл истории, изложенной в книге. Во всяком случае, каждый мой сюжет в той или иной степени связан с таким мгновением. В ключевом эпизоде романа *Здравствуй, грусть* Анна узнает о присутствии прежней любовницы на вилле человека, которого любит: в такой миг вместе с героиней осознаешь, что ей трудно будет выпутаться из этой истории. Точно так же в другой книге я, одновременно с читателем, поняла, что встреча с любовником станет роковой для героини, и вдруг обнаружила под своим пером неожиданную для самой себя фразу: «Что касается Натали Сильвенер, то она с первого взгляда полюбила его». Такого рода формулировки предвещают резкие повороты сюжета, а такие вспышки любви — немало бед.

Я легко, хотя и в октябре месяце, сдала экзамен за второе полугодие и стала посещать спонтанные вечеринки — с одобрения, а иногда и вопреки ничем не обоснованному запрету родителей. (Помню одного молодого человека, впрочем, довольно занудного, которого прогнал от дверей нашей квартиры мой отец, выступивший вдруг в роли аятоллы, или персонажа Фейдо; в то же время моя мать весело согласилась провести вечер у ее одноклассницы, и весь этот вечер нам пришлось отбиваться от рук отца этой подруги и ее друзей.)

Днем вместе с шестьюстами другими студентами Сорбонны я добросовестно пыталась протиснуться в забитую до отказа — если такой-то читал лекцию — или заглянуть в полупустую — если читал другой — аудиторию. В оставшееся время в театре Вье-Коломбье я слушала игру Сидне Бишета и Ревейоти на кларнетах, убаюкивающих или взбадривающих нас после полудня. По вечерам в том же зале я частенько стояла, подпирая стену, а когда везло — танцевала; затем, если карманные деньги были истрачены, возвращалась домой пешком. Чтобы поспеть к ужину, я бежала изнуряющим галопом, позволявшим преодолеть расстояние от Сен-Жермен до площади Ваграм и прибыть домой без кровинки в лице, но вовремя. И все это ради того, чтобы «утоптать несколько виноградин», как говорил мой отец, описывая джиттербаг[1]. Во время этих ночных скачек я наверняка побила немало рекордов по бегу.

Когда выдавалась минута, свободная от кларнета и интеллектуальных споров с Флоранс Мальро, моей сокурсницей по Сорбонне (споров, которые мы вели постоянно), я отправлялась в бистро, где

---

[1] Быстрый танец под джазовую музыку.

добродушный хозяин то и дело подливал мне отвратительного кофе, которым я упивалась. Праздная, но возбужденная, я без конца писала и переписывала всякую чепуху. По ходу дела в маленькой голубой тетрадке стали появляться вполне достойные прочтения страницы, которые я очень хотела бы сейчас восстановить. В упомянутой тетрадке, три года спустя отданной на хранение абсолютно надежной подруге, боявшейся, что я потеряю свои черновики, был записан текст романа «*Здравствуй, грусть*». Вскоре подруга тяжело заболела, и я не осмелилась потребовать тетрадь обратно. После ее смерти я все же обратилась по этому поводу к родственникам умершей, но тетрадь исчезла. Я сама видела, как подруга прятала мои записи в свой несгораемый шкаф, но знала, что мать покойной, само воплощение зла, способна на все. Тетрадь с набросками — лишь одна из многих моих потерь, но ощущение, что я оставила ребенка у людей, не умеющих любить, не покидает меня до сих пор.

Короче, «*Здравствуй, грусть*» — книга, чтение которой не вызывает скуки и не отупляет. Но и на этот раз должна отметить, что, хотя мастерство изложения в какой-то мере и поражает меня, восторженное отношение к роману со стороны современных молодых людей, совсем юных и постарше, по крайней мере тех, кто обсуждает его со мной, представляется мне скорее преувеличенным, нежели оправданным. По-видимому, люди, знакомые с моими произведениями, сначала прочли «*Здравствуй, грусть*», а потом — иногда — читали и другие мои книги; тем не менее этот роман по-прежнему живет во мне в виде личного или литературного воспоминания, и, подобно ребенку, отучившемуся в Высшей коммерческой, административной, политехнической или горной школе, он возвращается вдруг, чтобы положить свой последний диплом мне на колени, совсем как охотничий пес, оставшийся не у дел.

Что еще сказать о «*Здравствуй, грусть*», кроме того, что лучи славы иногда оборачивались довольно гнусными комментариями, которыми увлекались некоторые критики, раздраженные моим успехом и тем, что этот успех не покалечил, не сломал, не раздавил меня. Итак, купаясь в «лучах славы», я, например, узнала из некоторых газет, что эту книгу написала не я, а мой отец или Аннабель, или некий старый писатель, которому заплатили за молчание. Я не слишком страдала от подобных сплетен, но все же они достаточно сильно задевали меня, задевали настолько, что я даже пыталась опровергать их, доказывать, что пишу свои книги сама и что в них нет автобиографической подоплеки. В то время как одни газеты подсчитывали размеры моих авторских гонораров, а другие — мои легкомысленные траты, я злилась, но *про себя*. Как бы то ни было, романом «*Здравствуй, грусть*» был оплачен мой первый автомобиль «Ягуар XK-140», хотя и подержанный, но великолепный, и я им немало гордилась. Мои родители в какой-то мере делили со мной бремя моей славы, наблюдая, как этот снежный ком превращается в лавину, избежать которой, как мне казалось, я никак не могла. Прекрасно помню свое первое интервью. Тогда еще я жила у моих родителей. Журналист оказался заикой и тотчас же пробудил во мне дремлющее, но легко проявляющееся заикание. И вот в маленькой гостиной мы приступили к ритуалу интервью; за приоткрытой дверью большой гостиной — я знала это — моя мать примеряла шляпки. «Так что же подтолкнуло вас к лит-лит-литературному творчеству?» — с любопытством спросил меня мой собеседник. Ответ: «Честно говоря, я-я-я н-н-не знаю, ч-ч-что...» Когда он ушел, измотав меня донельзя, я вошла в большую гостиную и увидела, что моя мать просто рыдает от смеха, избавившись наконец от мучительной необходимости сдерживать приступы хохота. «О!.. — сказала мне она. — Очень сожалею, я хотела уйти сразу после его появления, но первый же вопрос пригвоздил меня к месту... Я знала, что ты автоматически начнешь подражать ему. Занятный человек, т-т-ты не находишь?» Я с усталым видом пожала плечами, но, вспомнив недавнюю сцену, расхохоталась вместе с ней.

Однако самое худшее — это читать приписанные мне высказывания, превосходящие все пределы глупости и даже при добром ко мне отношении заставляющие отмахнуться от них. Пример: «Худенькая Саган, улыбаясь, сама открывает мне дверь и сама же с лукавством бросает в мой адрес: «Так вы хотите, чтобы я поговорила с вами о любви? Но мой женишок рассердится, он не выносит рекламы...» Этот жалкий и оскорбительный, на мой взгляд, текст, выделенный к тому же курсивом, будто то были мои слова, вовсе не шокировал Жюльяра, он лишь пожал плечами. «Ну что вы, ничего здесь страшного нет, звучит просто глупо, и все!» — сказал мне этот человек, изъяснявшийся, кстати, по-французски — вещь ныне редкостная в издательской сфере на всех уровнях; что ж, коль скоро глупость стала не позорной, добавить к этому мне было нечего.

Но если я и сожалею о чем-то по-настоящему, то только о том безумном счастье, которое испытала после издания первой книги! Мне, разумеется, не удалось избежать ряда тяжелых, хотя и случайно возникавших моментов; однажды, например, меня угораздило сесть в автобусе напротив дамы, углубившейся в чтение. Увидев на четвертой странице обложки себя, свою мышиную мордашку, я, признаюсь, пришла в восторг. На лице упомянутой восхитительной особы было написано такое внимание, какого в мечтах я ожидала от всех моих читателей. Но увы… очень скоро я увидела, как дама зевнула и погрузила мое произведение во мрак своей сумки. Я вышла на следующей остановке с разбитым сердцем.

Когда я делала первые шаги на поприще литературы, влиятельные критики, такие, как Эмиль Анрио, Робер Камп, Андре Руссо, Робер Кантер, писали статьи о какой-нибудь книге, но о себе не говорили. Нельзя было угадать, в каком настроении они взяли в руки книгу, при каких обстоятельствах прочли, но они давали ей объективную оценку. То есть излагали сюжет, обсуждали героев, нравственную идею, стиль произведения. *Здравствуй, грусть* они сочли книгой увлекательной, живо и хорошо написанной и даже обнаружили в ней оценку современной эпохи, хотя и покоробившую их, но все же интересную.

Действие романа разворачивалось на Юге Франции, в курортном доме, где героиня и ее отец впервые проводили месяц вместе. Рано потеряв мать, девушка выросла в монастыре, который не слишком сильно — и это еще слабо сказано — повлиял на нее; теперь же она познавала жизнь. Отец приехал на виллу со своей молодой любовницей, но появление более зрелой, более изысканной и утонченной женщины по имени Анна помешало отдыху этих баловней судьбы. Влюбившись в упомянутую Анну, отец даже собрался жениться на ней. Но его дочь Сесиль, испугавшись, что ее капризы и безнравственное поведение встретят отпор, ухитряется сорвать этот план, доводит Анну до отчаяния, вынудившего ее совершить роковой вираж и покончить с собой. Заодно уничтожив машину и душевное спокойствие Сесиль, испытавшей наконец-то неведомое ей чувство, о котором она упоминает в начале книги.

Стиль

N.B. Разумеется, я не смогла отыскать критических статей того времени, и приведенные мной цитаты в кавычках передают лишь тональность или основной смысл критических оценок, сохранившихся в моей памяти.

«Книга блещет талантом с первых страниц», — именно так выразился Франсуа Мориак в передовой статье газеты «Фигаро», сразу проложив дорогу роману *Здравствуй, грусть*. «Эта книга», по мнению упомянутых выше критиков, обладала «всей непринужденностью, смелостью молодости и была лишена малейшего налета вульгарности. Совершенно очевидно, что мадемуазель Саган ни в коей мере не несет ответственности за тот шум, который вызвала, и можно утверждать, — если только вторая книга не опровергнет сказанного, — можно утверждать, что у нас появился новый автор».

Вот такие примерно слова произносили серьезные критики романа «Здравствуй, грусть», и я считаю, что о нем больше нечего сказать, кроме того, что, как ни странно, эта книга по-прежнему интересна молодому поколению. Я никогда не задумывалась ни о моде, ни о современном звучании, ни о непреходящей популярности моих книг. Но, по правде говоря, мне очень приятно на протяжении стольких лет встречать повсюду доброжелательных людей: на улицах, в бистро… Меня часто, очень часто останавливают, чтобы сказать: «Вы мне нравитесь. Я никогда не читал ваших книг, но вы действительно нравитесь мне». И всякий раз я прихожу в восторг от таких слов. Уже давно я спрашиваю себя, не связано ли столь доброе отношение ко мне с краткостью моих высказываний по поводу собственных книг. На телевидении прежде всего, когда из-за моей манеры говорить эти самые высказывания не слышны и кажутся бессвязными. Затем становится ясно, что я не разыгрываю комедию, не рассказываю сказок о себе и даже порой скучаю на передаче. Во всяком случае, именно с этим я связываю мой «капитал симпатии», как говорят телевизионщики (ибо слова «капитал», «доход», «баланс», как и другие финансовые термины, постоянно звучат в языке «масс-медиа»).

Оторвемся же от книги «Здравствуй, грусть». Я нервно смеюсь, когда со мной заговаривают о ней, и меняю тему. По сути, после появления романа главным был вопрос: «Подлог это или нет?» — и сегодня о той прежней популярной Саган я немногое помню. Знаю только, что результатом лавины, повлекшей меня за собой с самого начала, явилась некоторая усталость от себя самой и от прессы. С тех пор я уже не разглядываю себя, и от этого мне легче. Перейдем же к роману «Смутная улыбка», укрепившему мою известность.

«СМУТНАЯ УЛЫБКА»

«В очередной раз мадемуазель Саган озадачивает нас. Мы, безусловно, с нетерпением — и многие с нацеленными ружьями — ждали появления нового романа после книги «Здравствуй, грусть», но большинство ружей опустилось перед этой простой новинкой, по-прежнему переполненной чувствами, но теснее связанной с обычной жизнью, нежели «Здравствуй, грусть». Любопытно, что «Смут-

ная улыбка» описывает наивность, уязвимость героев, чего нельзя было ожидать от автора, судя по первой книге. Новый роман местами нарочито сентиментален, рассказывает о трогательном и неусыпном поиске большой любви, поиске, продолжающемся до того утра, когда героиня просыпается под убаюкивающую музыку Моцарта, которая возвращает ей вкус к жизни. Это состояние она передает такими спокойными словами: «Я — женщина, любившая мужчину. Это так просто: не из-за чего тут меняться в лице». Несмотря на нравы, изображенные в книге, нравы, которые нельзя приписать целому поколению, есть в этой книге нечто трогательное, внушающее надежду. Стиль энергичный, но отточенный, хотя и не такой, быть может, удачный, как в романе *«Здравствуй, грусть»*, поскольку мадемуазель Саган пишет слишком быстро. Тем не менее ее чудовищно банальные герои запомнятся благодаря их абсолютной естественности и точности диалога».

Разумеется, я цитирую по памяти наиболее благоприятные отзывы. (Неужели я ударилась в нарциссизм, да так рано?) Отзывы зачастую были ужасны, но из них, как нарочно, моя память ничего не воспроизводит. Четыре главных критика того времени — Камп, Анрио, Кантер и Руссо, представлявшие «Фигаро», «Монд», «Нувель литтерер», защищали меня почти инстинктивно — настолько свирепо нападали на меня другие. Следует, конечно, сказать, что этих всемогущих критиков сегодня обвинили бы в конформизме, резонерстве и буржуазности. Но их статьи были очень полезны писателям. Они придавали уверенности и иногда помогали по-новому взглянуть на свой стиль, на воздействие, оказываемое вашими книгами, на возможные их слабости, бессодержательность персонажа и т. д. Более того, названные мной критики объективность ставили выше приятельских отношений или самолюбования. Короче, они прочитывали книги и говорили о них достаточно, чтобы аудитория знала, что ей предстоит прочесть, а также учитывала их мнение. Как ни странно, эти люди, что были на тридцать, сорок лет старше меня, исповедовали те же ценности: всепоглощающую любовь к литературе и отвращение к тому, как ее начинали использовать...

Итак, я была объявлена истинной матерью двух моих книг. Да, именно я написала эти удручающе скандальные голубые томики, эти нелепые гимны эротизму и т. д. В других газетах — другие песни, но должна сказать: я смеялась над ними от души. У меня было полно друзей, настоящих или мнимых (во всяком случае, некоторые из них сохранились до сих пор). Я по-новому открыла для себя Средиземное море, пустынное побережье Сен-Тропе, где было два ресторана, один старьевщик, один продавец чипсов и один булочник, да еще бар «Ла Понш», убежище, предлагавшее приезжим три комнаты и чудесный вид на рыбачий порт. Вся остальная деревня была также в нашем распоряжении. Как мы были счастливы там! Вспоминать об этом так сладостно... Между тем, словно для создания сентиментального противовеса подобным развлечениям, после *Смутной улыбки* в моей жизни началась долгая полоса совпадений, о которых я расскажу позже. Литература и жизнь постепенно смешивались. Именно после выхода этой книги, например, я встретила Ги Шёллера, издателя, который, помимо чувства юмора, обладал «серыми глазами, выглядел усталым, почти печальным». И я не думала тогда, что мне надо быть настороже.

Не из-за чего тут было меняться в лице, что не помешало мне сделать это шесть месяцев спустя при появлении новой книги и по воле мужчины с грустными глазами.

«ЧЕРЕЗ МЕСЯЦ, ЧЕРЕЗ ГОД»

Чтобы объяснить дальнейшие события, я вынуждена обратиться к моей личной жизни, хотя, как правило, я этого тщательно избегаю. Однако некоторые книги требуют пояснений, в частности *Через месяц, через год*, третий по счету роман в нескончаемом списке моих творений. О Ги Шёллере я немногое добавлю. И не вернусь больше к *Смутной улыбке*, хотя наша встреча с Шёллером в некоторых отношениях была подобна звукам виолончели на заднем плане моей жизни, мелодии, которую он полностью и долгое время проигрывал, сам не очень это сознавая. Чтобы избавиться от нее, я сбежала в Милли-Ля-Форс, укрылась в очаровательном домике с мельницей, который арендовал Кристиан Диор, и провела там зиму с моей лучшей подругой детства и одноклассницей Вероникой. Нас навещали разные люди, но добирались они к нам с трудом из-за проблем с бензином. Однажды прекрасным утром я, напевая, отправилась с моей прекрасной мельницы навстречу Жюлю Дассену и Мелине Меркури, приезжавшим к обеду, и на обратном пути, попав в канаву, ставшую позднее причиной гибели десятка человек, я потеряла управление; моя машина врезалась в откос, к счастью, выбросив моих пассажиров, но зато придавив мне шею. Жюль Дассен, ехавший сзади, притормозил, бросился ко мне; и пока Мелина, совсем обезумев, бежала по полю, взывая к Аиду, владыке царства мертвых, он пытался оживить меня дыханием рот в рот. Я — единственная женщина, которую Жюль Дассен, неотразимый Дассен, в течение получаса целовал в губы на глазах у Мелины. Но я находилась в коме, увы...

То была моя первая смерть. Меня соборовали (ко мне, «Ангелы небесные»...) и, хотя я была на волосок от смерти, повезли в Париж на «Скорой помощи», впереди которой, развив предельную скорость, со слезами на глазах и в полном отчаянии мчался мой брат. Я любила его. Около трех лет мы прожили вместе на улице Гренель, на первом этаже дома, расположенного рядом с русским посольством; вполне любезные полицейские, охранявшие это посольство, с готовностью помогали нам отгонять подальше наши нелепые драндулеты — чтобы наши моторы не будили каждую ночь посла. Потому что мы часто заводили их рано утром, устраивая нашим развалюхам, слегка помятому гоночному «Гордини», например, пробежку по шоссе, во время которой шум, ветер, встряски отрезвляли того из нас двоих, кто в этом нуждался. Те быстро промелькнувшие годы оказались одними из самых счастливых в моей жизни, и, хотя мой брат покинул меня, я не могу удержаться от смеха, вспоминая наше жилище, состоявшее из ненужной нам кухни, гостиной с пианино, софы, обитой искусственным леопардовым мехом, и двух спален с ванными комнатами. Может быть, в той «Скорой помощи», когда мое сердце остановилось на какое-то время, а потом забилось вновь, я выбрала жизнь ради брата. В Париже меня ожидало немало людей, и среди них — хирург Лебо, который отказался делать операцию и тем самым спас мне жизнь.

Через месяц, наряду с другими посетителями, в клинике появился Ги Шёллер. После двух лет сложных эмоциональных переживаний и месяца размышлений наедине с собой он, несмотря на мои бинты и синяки вокруг глаз, явился просить моей руки. Я вручила ее ему больше чем на год — на то время, что мы были женаты и жили вместе: он — удивляясь мне, я — восторгаясь им, жили и были счастливы, но вместе с тем и несчастны. Я слишком боялась разонравиться ему и просто не могла ни писать, ни смеяться. А поскольку нравилась другим, случилось то, что должно было случиться. В результате как-то вечером, придя к ужину домой, я схватила свою собачку Юки, дорожную сумку, халат и, с трудом пробормотав несколько фраз, безо всяких объяснений развернулась на 180 градусов. В кафе «Флор» я встретилась с человеком, который днем часто поджидал меня там, и мы втроем — Жан-Поль, Юки и я — уехали на Юг. Каким ласковым оказалось Средиземное море для разбитых сердец...

Я рассказываю все это лишь для того, чтобы объяснить, откуда взялся такой «лилипутский» текст, как *«Через месяц, через год»* — всего 185 страниц и с десяток основных персонажей. Правда, двадцать страниц из него улетели в окно отеля «Лютиция», что на бульваре Распай, и я должна была к понедельнику переписать их и вручить Жульяру, чьи печатные станки уже стучали. К несчастью, именно в то воскресенье к обеду пришли супруги Дассен...

Роман «*Через месяц, через год*» вышел поэтому худеньким, как недоношенный ребенок, и выглядел таким же слабеньким. Критики набросились на меня: «Это же просто черновик! Мадам Саган, по всей видимости, утратила достоинство, выражавшееся в ясности стиля и лаконичности, которые составляли очарование ее книг. Стоит заинтересоваться героем, как он исчезает со сцены, а вместо него появляется другой, но он не запоминается...» и т. д. Тем не менее за два дня было продано более двухсот пятидесяти тысяч экземпляров книги, ибо читатели решили, что она у меня последняя. Журналисты же написали мою короткую, с их точки зрения, безнадежно короткую биографию.

Добавлю, что критики и часть читателей, изо всех сил нападавших на эту книгу, без сомнения, были правы. Чтобы утешить меня, кто-то сказал, что Сартру роман понравился, и это очень помогло мне. (Я относилась к этому человеку с огромным восхищением и бесспорной симпатией.) В том году мы оба посещали один и тот же бордель на улице Бреа и, сталкиваясь там, церемонно раскланивались друг с другом. Однажды вечером я ужинала с Ги, Сартром и Симоной де Бовуар, и она вдруг говорит нам: «Представляете, Сартр каждый день работает у матери, он никогда не расслабляется». Мне, встретившей его в тот самый день в доме, где как раз и расслабляются, ситуация показалась комичной. Я понимающе улыбнулась ей, с мягким упреком взглянула на Сартра и наклонилась под стол, якобы для того чтобы поднять салфетку. Впоследствии мы с Сартром никогда не вспоминали этот эпизод, даже оставаясь наедине.

Если я так свободно рассказываю о своей личной жизни, то вовсе не потому, что упомянутая история, к примеру, кажется мне увлекательной, скорее она нужна мне для того, чтобы хоть как-то объяснить безалаберность романа «*Через месяц, через год*» и небрежность в работе над корректурой текста, обычно мне несвойственную. Никогда не поздно повиниться — скажут мне и будут правы. Эта книга, нечто вроде гадкого утенка из сказки, позабавила меня больше всех остальных. Она до предела напичкана нравоучительными сентенциями такого рода: «Та страшная самоуверенность, которую порождает честолюбие». Или: «Малиграссы любили молодежь... Им действительно с молодежью было интересно. Интерес этот, как только представлялся случай, у каждого из них легко конкретизировался, вкус к молодости всегда сопровождался естественной нежной страстью к юной плоти». И откуда я выкопала эту интонацию циничной старухи? До сих пор не понимаю. Однако подобные безапелляционные изречения и фальшивая смелость под соусом мудрости выглядят чрезвычайно смешно, и я готова признать: чем беспорядочнее жизнь писателя, тем более склонен он к нравоучениям.

Серьезные критики — Руссо, Анрио, Камп, Кантер — независимо от их симпатии или антипатии ко мне отреагировали на книгу со свойственной им объективностью: «Мадемуазель Саган выводит на сцену (место действия — Париж и отдельные провинции) череду героев и героинь и «по косточкам» разбирает характер их взаимоотношений на протяжении десяти глав объемом чуть более десятка страниц каждая. В этих 185 страницах практически невозможно разобраться, и их вполне хватило для того, чтобы превратить сюжет в противоречивую путаницу. Нельзя сказать, что герои совсем уж безынтересны, у них просто не хватает времени пробудить интерес к себе. Чтобы справиться с этой задачей, им понадобилось бы страниц пятьсот».

«Разумеется, мы желаем скорейшего выздоровления мадемуазель Саган, но вернется ли она к нам в качестве истинного писателя или останется блестящей литературной дебютанткой? Такой вопрос, естественно, возникает. Ей удалось написать два интересных и местами волнующих романа в неподражаемом стиле, и мы поверили в чудо. Но третья попытка вызывает у нас тревогу. «Через месяц, через год»... Сумеет ли автор избежать легковесности в будущем, вот что нас интересует».

В газетах появлялись материалы и похлеще. Поэтому я решила читать только хвалебные отзывы, но это оказалось делом затруднительным. А при моем любопытстве и редкости последних — даже невозможным. И все же кое-что в предыдущих статьях, в письмах читателей подсказывало мне, что я была писателем, и настоящим. Но более всего в этом убеждало странное, захватывающее и безудержное счастье писать и быть прочитанной, этого-то никто не мог у меня отнять!

Поддержка со стороны моего тогдашнего супруга, споры с ним во многом помогли мне. В конце концов, он был издателем и при этом никогда не пытался влиять на меня. Во всяком случае, не в Сен-Тропе, где мы, приехавшие каждый со своим партнером, встречались тайком в укромных местечках, предоставляемых нам смирившимися с ситуацией друзьями. Дворики, маленькие улочки, быстрые объятия в ночных кабачках или на пляжах, служивших нам укрытием... Хотя перед лицом Закона мы все еще оставались супругами, и любовнику я изменяла с мужем. Происходящее напоминало пьесу Ануя, но не такую увлекательную, как у него, и скорее жестокую, нежели забавную. На террасе кафе в Гассене, прижавшись к Жану-Полю, который нравился мне, как и многим другим женщинам, я постепенно забыла Ги. Но Сен-Тропе превращался в ад. Магазины, бары, торговцы — всего этого становилось слишком много, и если в июне здесь еще можно было жить, в июле — уже нет.

«ЛЮБИТЕ ЛИ ВЫ БРАМСА?»

В компании друзей я совершила поездку в Нормандию, где хотела снять дом на следующий месяц. Выбирать пришлось между большим обветшалым и уединенным домом, окруженным полями и рощами, и комфортабельной виллой на пляже, оснащенной современным оборудованием. Разумеется, выбор пал на первый вариант. Я уже неоднократно, раз двадцать, наверное, рассказывала, как в последний день перед наймом дома выиграла его в карты. Он до сих пор принадлежит мне, это единственная реальная собственность, которой я владею на Земле (так же, как «Мерседесом» семнадцатилетней давности); и несмотря на бесчисленные залоговые обязательства, которые мне достались вместе с домом и до сих пор еще не погашены, я очень надеюсь дожить до конца дней, не потеряв его[1].

Так на чем же я остановилась? Судя по хронологическому перечню моих книг, представленному на авантитуле моего последнего романа, мы добрались до «*Любите ли вы Брамса?*».

Критика

«На этот раз мадам Саган, судя по всему, услышала наши упреки. Книга «*Через месяц, через год*» отличалась нестройностью и небрежностью, которые были нами отмечены. В романе «*Любите ли вы Брамса?*» — мадам Саган, впрочем, как и мы, определенно любит красивые названия — с первых страниц представлены все герои, их встречи неизбежны и вполне мотивированы: тридцатидевятилетняя Поль, — по-видимому, таков возрастной предел неотразимости, с точки зрения мадам Саган, — двадцатипятилетний Симон, красивый

---

[1] Этот текст написан в начале 1998 г.

молодой человек, влюбленный в Поль, и Роже, неверный любовник Поль, которую он мучает своими вечными обманами и беспорядочной жизнью. Впрочем, Роже — наименее удавшийся герой из этого трио. Успех мадам Саган объясним с первой главы. Интрижка, которая завязывается между зрелой женщиной и незрелым молодым человеком, оказывается историей любви, далекой от порока, более того, она убедительна и волнующа. Короче говоря, большая удача. Остается лишь поздравить мадам Саган и помолиться за ее творческое исцеление (которого многие после неудачи с предыдущей книгой уже не ожидали, а другие, напротив, втайне на него надеялись)».

«Прелесть этой книги объясняется тем, что сюжет строится вокруг трех персонажей, заставляющих друг друга страдать, но не теряющих обаяния. И хотя возраст Поль, об этом уже было сказано, представлен в романе как обстоятельство, чреватое неизбежной катастрофой (при том, что терзания героини могли бы показаться несовременными даже самой мадам Саган), хотя страсть, поражающая героев, как гром небесный, — вещь сегодня редкая, а Роже с его романами-однодневками наводит скуку, само описание героев — абсолютно классическое и вместе с тем захватывающее. Короче говоря, мадам Саган рассказывает нам об одиночестве в любви с искренностью и целомудрием, которыми пренебрегает большинство ее собратьев по перу. А мы этими качествами восхищаемся».

Неудача романа «*Через месяц, через год*» в какой-то мере выбила меня из седла, тем более что она усугублялась сочувственными минами моих собеседников и шепотком: «Как жаль» — за моей спиной. А иногда приходилось слышать и такие высказывания: «Клянусь вам, я залпом проглотил *Здравствуй, грусть*», но тут, конечно... О, я уверен, что вы воспрянете в следующей книге, во всяком случае, когда-нибудь... Видите ли, подобное происходит так часто, фейерверки гаснут сами собой...» Я улыбалась, шутила, но была вне себя от злости, и это задевало мое самолюбие, подрывало душевное спокойствие.

Помню, как однажды в Гассене под вечер или после бурной ночи я проснулась — голова на столе, волосы свисают на глаза, так что в первую секунду не могла даже понять, кто я такая. И мне пришлось читать и перечитывать последнюю страницу рукописи, чтобы добраться до слова «Конец». Я поднялась, затем присела на ступеньку. Рядом не оказалось никого, с кем можно было поделиться моим счастьем, и, чтобы утешиться, я стала смотреть на виноградники и безлюдную площадку для игры в шары; а где-то вдали — совсем серое, уже сбросившее свой повседневный синий наряд — море. Его мне как раз и не хватало, но до моря было слишком далеко, чтобы я могла слышать ритмичное и радостное его дыхание, подобное урчанию огромного кота, лижущего своим шершавым языком песок на пляже. Друзья куда-то разошлись, оставив меня одну, — я успела лишь сказать им, изобразив из себя вдохновенный, но опечаленный неизбежным одиночеством «синий чулок»: «Предстоящее вам освежающее купанье очень соблазнительно, но я подошла к самому концу книги. Сегодня вечером она наверняка будет завершена». — «Ах, ах! — ответили мне. — Не так уж и быстро ты ее написала! Верно? Я даже подумал, не отказалась ли ты от своих прелестных коротких романов ради длинной и нудной трилогии...» — «Нет, будьте спокойны, — ответила я сухо. — Чтение моей книги займет не более полутора часов вашего времени». Короче, я почувствовала себя очень одинокой, один на один со своим ненужным талантом и ежедневными усилиями заработать на жизнь себе и нескольким бездушным эгоистам. У меня даже слезы навернулись на глаза, когда я описывала для вас такую свою судьбу, а ведь некоторые читатели так завидуют мне! Если бы они видели, как я, проработав три или шесть месяцев над книгой, пишу слово «Конец», и это абсолютно неинтересно, безразлично моим лучшим друзьям... Да, воистину «слава — это сверкающий траур по счастью», как писал... кто же это написал? Мадам де Сталь или Шатобриан?

Во всяком случае, если призадуматься, то вовсе не слава угнетала меня, а скорее работа, которой она требовала... и если мои друзья казались безразличными, почти жестокими, значит, им надо было за что-то отомстить мне.

И действительно, совсем недавно, прекрасным ранним утром я, проработав всю ночь, примерно в семь часов утра обошла дом и перевела часы Боба, Софи Литвак и Бернара Франка на пять часов вперед. То же самое я проделала со стенными часами, поставив стрелки на полдень. Затем весело обежала их спальни, восклицая: «Завтрак! Завтрак готов! Уже полдень! Пора на пляж!» И, дрожа от радости, прислушивалась к их комментариям: «Господи... какая я усталая...» — говорили они. «Я тоже, а мы ведь вернулись не так уж поздно...», «Небо какое-то белое...», «Да, странная атмосфера. Тишина... Ни одного звука...» и т. д. В конце концов мы уселись в машину и, резвясь, высыпали на пляж (владелец которого только начинал раскладывать матрацы на песке). В этот момент я без лишних слов улизнула, так как оторопевшая хозяйка прокричала нам с южным акцентом: «Да как же это... Вы что, с постели свалились, бедняги... Что тут делать в такой час?.. Даже море не прогрелось...» Мои глупые шутки, беспорядочная натура, страсть к детским забавам — все это обсуждалось и осуждалось после моего возвращения. И хотя ряд загорелых спин демонстрировал мне свою обиду, я не могла удержаться от смеха. У меня в ушах все еще звучало: «Небо какое-то белое... Да, странная атмосфера...»; и эти простофили постукивали по своим часам, будто они были виноваты в их легковерии.

Я только что назвала как нечто само собой разумеющееся имя Бернара Франка — читатель, конечно же, узнал журналиста из «Обсерватер» (работавшего прежде в «Монд» и многих других изданиях) — и сделала это потому, что после нашего знакомства мы редко расставались. Флоранс представила мне его на одном из коктейлей в год выхода романа «*Здравствуй, грусть*». Это был неприветливый молодой человек с густыми бровями, приятным голосом, красивыми руками; в обращении с малышкой Саган он всегда был ироничен, но с первого дня — несколько любовных приключений не в счет — не покидал ее, так же как она его. Он уже написал потрясающую «Всемирную географию», был близко знаком с Сартром, а для меня явился самим воплощением интеллектуала. Мы часто жили вместе, насколько позволяли наши дома, наши разные браки, и разошлись лишь по вине быстротекущего времени — других причин не было. Конечно, у него на сей счет могло быть иное мнение, мне кажется, он скорее упомянул бы о своем долготерпении, о моих дурацких книжонках (в то время как я, нисколько не насилуя себя, относилась с неизменным уважением к его книгам). Флоранс, Бернар и я колесили на моих красивых машинах по улицам Парижа, по дорогам Юга и заснеженным шоссе, и все трое были счастливы и веселы. После некоторых перипетий, о которых мы никогда не говорим, потому что по-прежнему встречаемся так, будто познакомились лишь накануне, мы оказались в одинаковом душевном состоянии... все трое развелись и, будто странные раки, навсегда прицепились к одному и тому же утесу литературы.

Если говорить о дружбе, следует вспомнить, что в 54—55-м годах я познакомилась с танцовщиком Жаком Шазо, самым смешным человеком в Париже. Мы с ним не расставались вплоть до его смерти, очень любили друг друга и вместе много смеялись. Нет, я не смогу долго рассказывать о нем. Даже о живых друзьях говорить трудно — из деликатности, но о покойных вспоминать в десять раз тяжелее и, на мой взгляд, в десять раз бестактнее. В душе я говорю себе: «Как бы это понравилось Х! Как бы У над этим посмеялся...» Я не верю ни в вечную жизнь, ни в реинкарнацию, я атеистка с четырнадцати лет, но все равно не могу смириться с тем, что никогда их не увижу, потому что воспоминания неожиданно сдавливают вам горло, вы упираетесь в стену, закрыв глаза, и произносите то или иное имя. Какого жестокого и бесчувственного бога можно упрекнуть в этом?

«ВОЛШЕБНЫЕ ОБЛАКА»

Итак, восстановив добрые отношения с читателем, недовольство которого я так и не заметила, поскольку на улицах меня останавливала — как, впрочем, и теперь останавливает — самая разношерстная публика: студенты, торговцы, старые женщины, выражающие мне свою симпатию («Продолжайте... пишите! Мы с вами!»), — я уже не воспринимала провал романа *Через месяц, через год* как тяжелый удар. К тому же *Любите ли вы Брамса?* и критические статьи об этой книге доставили мне огромное удовольствие.

Между тем я написала книгу о ревности и о Флориде. Я не помню, как восприняла ее критика, но это само по себе доказывает, что отзывы не были благоприятными. Позавчера я перечитала книгу, и, признаюсь, критики не ошиблись. Ревность и снисходительность изображены в ней крупными мазками, а герои настолько неестественны, насколько это возможно. Да и сюжет довольно скучен; короче, плохой роман, и, перечитывая его, я испытывала стыд. Не будем больше говорить о нем! Это значит, что, по моему мнению, «Волшебные облака» проплыли, не слишком пострадав от нападок. Журналисты всех мастей признали, с трудом, но признали, что не только реклама сотворила меня, что я как писатель достойна их внимания. И если они продолжали третировать меня, если нападали слишком яростно, реакция читателей, как говорится, не заставляла себя ждать: ко мне — и, думается, к руководству периодических изданий — приходили возмущенные письма. За моей спиной уже стояла небольшая армия защитников, что, с одной стороны, успокаивало, а с другой — огорчало меня, вплоть до того, что я испытывала чувство вины, которого прежде не знала. Мне никак не удавалось ответить на письма, которые присылали читатели, письма, зачастую прелестные, умные, подчас наивные, но доброжелательные. Я сочиняла ответы в кровати по вечерам, но, когда просыпалась, вихрь повседневных забот закручивал меня. Я отбирала самые приятные или волнующие письма. Но на следующий день теряла их. Если кто-то из моих корреспондентов сердится на меня за молчание, пусть они знают, что я сделала это не нарочно.

После всего вышеизложенного на меня, разумеется, обрушилось налоговое бремя, и я старательно разбиралась с ним, точнее, поручила моим банкирам и издателям заниматься налогами вместо меня: и никогда ни о чем не спорила, что должно было успокоить их совесть налогоплательщиков. В результате из месяца в месяц, в зависимости от тиражей моих книг за границей и во Франции, я постоянно должна была выплачивать значительные суммы, но так и не получила возможности (несмотря на возникавшее иногда желание) купить себе жилье. Судьба решила все по-своему. Я превратилась в завзятого арендатора-переселенца и так вошла в эту роль, что двадцать лет спустя посвятила «арендованным домам» стихотворение и опубликовала его в «Эгоисте».

> В доме, что ты снимаешь,
> После тебя остаются
> Два-три года жизни
> И эхо твоего голоса...[1]

Тем, кто по досадной случайности не знаком с журналом «Эгоист», сообщаю, что это самое эстетическое, самое многоплановое и самое свободное периодическое издание нашей эпохи. Тот факт, что Николь Висняк является одной из ближайших моих подруг, обладает самым живым и самым взбалмошным из известных мне умов, никак не влияет на мое суждение. Отметим лишь, что она — единственная из всех издателей журналов — заставила меня четыре раза переписать статью, и ее требовательность была справедлива.

Впрочем, не единственная, поскольку был и второй, столь же непримиримый редактор моих произведений. Я говорю о Филиппе Грумбаке, возглавлявшем журнал «Экспресс», блиставший, судя по всему, благодаря ему; именно этому человеку я позвонила, когда молодчики из ОАС совершили покушение на меня в доме моих родителей. Мой рассказ поразил его так же мало, как и моего отца, скептически настроенного свидетеля происшествия. Я оказалась не способной описать драму, а мое «красноречие» лишь окончательно все запутало. В результате комментарии этих двух собеседников успокоили меня окончательно.

Я сейчас скажу и больше говорить об этом не буду: с детства больше всего на свете я мечтала писать стихи в каком-нибудь хорошо знакомом мне месте (в Ло, Париже, Нормандии), и еще я мечтала,

---

[1] *Пер. Г. Калашникова.*

чтобы не гасили во мне всепоглощающего и чрезвычайно устойчивого душевного порыва, того порыва, что опирается исключительно на чувства, непроизвольную память и гармонию, короче, на лирический отзвук в душе. «Лиризм, — говорил, по-моему, Валери (я даже уверена, что он), — это высшая степень восклицания». И если к двадцати-тридцати годам я обрела циничный и разочарованный (как мне казалось) вид, тем не менее восклицать продолжала по многим поводам. Лежа в траве на лугу или у камина, извлекая из авторучки чудесную гармонию слов, слагающихся в некое единство только раз в жизни... Или еще раз перечитывая Рембо: *«с тех пор я был омыт поэзией морей»*[1]. Если повседневная жизнь не нарушала моего покоя в течение полугода, я была уверена, что сумею написать два-три неплохих, то есть восторженно-возвышенных стихотворения. Способность поэтов жить своей поэзией и потрясать возгласами любви или самой неуемной ненависти широкую публику долгое время вызывала во мне зависть. Точно так же я завидовала образному мышлению и словарному богатству Элюара и Арагона. А в настоящее время — особенно Арагону, его удивительному умению использовать самые простые, самые обычные слова для написания самых душераздирающих строк:

Еще один миг
Меня бы настиг —
И смерть бы пришла.
Но чья-то рука
Явилась издалека
И руку мою взяла[2].

Или Элюар:

...В мерцающем небе текут тихие реки,
Отражая лица влюбленных,
Рассвет, словно звонкая раковина,
Объявляет рождение дня.
Ночь любви подходит к концу —
Поцелуи сомкнутых и приоткрытых губ...[3]

Конечно, не только поэты слагают стихи, однако редкие прозаики, соблазненные самой трудной, самой взыскательной, самой точной и самой откровенной стилистической формой французского языка, знают, что в один прекрасный день им придется возмещать расходы издателю. Одному лишь Преверу удалось тридцать с лишним лет назад облегчить и обогатить — в буквальном смысле — жизнь поэта.

---

[1] *Пер. Д. Самойлова.*
[2] *Пер. М. Алигер.*
[3] *Пер. Г. Калашникова.*

Тем не менее строки из его сборника «Слова» однажды причинили мне неприятности. Чтение вслух одного из стихотворений Превера в утонченном парижском монастыре послужило причиной моего изгнания из него. Признаться, читать эти стихи в обители Господа было не очень прилично:

> О, Отец наш Небесный,
> Оставайся в своих чертогах,
> Мы ж на земле пребудем,
> Прекрасной порою земле...[1]

Земля всегда прекрасна, хотя ее обитатели плохо обращаются с ней и, кажется, обрекают на гибель. Земля... каких-нибудь сто лет назад о ней говорили со страхом, боялись коварной и властной водной стихии, холодных зимних ночей, раскатов грома, немыслимых расстояний, летнего ненастья и суховеев, непредсказуемых болезней, чумы, холеры... — кто знает, чего еще! — боялись всего, что отталкивало людей по причине их слабости. Теперь со всем этим покончено, Земля почти укрощена, ее воздух отравлен, природная среда с ее естественными средствами защиты навсегда разрушена, в десятке тысяч точек планеты дремлет смерть, подрывница и отравительница. И поэтому мне так жаль наших потомков — тех веточек, что вырастут из нас, деревьев, — ведь они ничего не узнают о щедрости и очаровании Земли. Жаль мне и Парижа, чудесного города, пропитавшегося вдруг воздухом, вызывающим у нас кашель, щиплющим глаза, воздухом, вынуждающим бежать из этого города тех, кто его когда-то любил. Кстати, об успехах книготорговли также принято говорить в прошедшем времени. Но пока еще ни один роман о любви не уступил своего места, своего первенства роману о СПИДе.

Я только что перечитала последние страницы о Земле, Париже, отравлении среды и т. д. и в очередной раз убедилась, что сюжеты общего характера мне не удаются. Я присоединяю свой слабенький голос к мощному гимну возмущенных защитников природы, людей молодых и последовательных, но мой голос — не знаю, почему — никогда не звучал особенно внушительно, во всяком случае в общем хоре. И тем не менее я подписала манифест «421» — простите, я хотела сказать «121» — и ОАС устроила на меня покушение, я подписала документ в защиту женщин, сделавших аборт, и увидела свою фамилию под устрашающе крупным заголовком в «Нувель обсерватер»: «Женщины, ваш живот принадлежит вам!» Что касается этой проблемы, то клянусь, я никогда не поставила бы свою подпись, если

---

[1] *Пер. Г. Калашникова.*

бы знала, в какую формулу облекут мою общественную активность; к тому же моя мать десять дней не разговаривала со мной, оскорбленная не моим отказом родить ей энного внука, а тем, что я позволила писать о моей утробе в печатном издании, какого бы толка оно ни было.

В конце концов я сделала, что могла, что считала правильным. И на этот раз сумела четко выступить на телевидении, поскольку гнев почти всегда делал мою речь безупречной. Уверена ли я сейчас в том, что тогда отстаивала? Я вдруг стала сомневаться во всем, что говорю сама и что говорят другие. Работая над настоящим эссе (жанр, к которому я, кажется, никогда раньше не обращалась), я все время спрашиваю себя, существует ли серьезная причина для его написания. Зачем я делаю это? Не для того ли, чтобы убедить самое себя в значимости своих произведений и в том, что меня понимают читатели, или же я ступаю на зыбкую почву, каковой, судя по всему, является моя проза, исключительно ради удовольствия писать: писать между встречами — когда я думаю об этой книге, — разговорами когда я думаю об этой книге, — диалогами — когда я думаю об этой книге... И испытываю столь же эгоистичные чувства облегчения и счастья, когда пишу для вас, дорогие читатели, дорогие сограждане, дорогие мои сторонники... Литературное творчество — это долгий и беспокойный синкоп. Однажды я очнусь в холодном поту рядом с теми, кого люблю, не в ладу сама с собой, но раскрепощенная, успокоенная, будто после кровопускания, освобождающего меня от тяжелой примеси в крови. Никакие прелести досуга не смогли бы ничего поделать с этим бесценным даром, с возможностью в любую минуту излить душу, с этой постоянно волнующей жаждой, дарующей свободу; в этом и состоит наслаждение писать. Мне кажется, я могла бы завидовать, даже ненавидеть человека, которому удалось «то» и «это», а мне — нет. Вот почему я так долго извинялась перед читателем, никогда не забывая о том, насколько незаслужен мой успех (и, как знамя, несла свою скромность на вытянутой руке). Как бы то ни было, но всегда наступает момент, когда, медленно покидая берега подлинной жизни, я устремляюсь на бескрайние — для меня — просторы литературы.

«СИГНАЛ К КАПИТУЛЯЦИИ»

Вернемся же к нашим баранам. Во всяком случае, к тому из них, что стоит следующим по порядку вышедших книг и называется «Сигнал к капитуляции». «Барабанный бой, объявляющий о начале капитуляции в осажденном городе», — сказано в «Ларуссе» и, мгновенно, в моем мозгу, — потеря свободы, капитуляция души и сердца перед новым чувством, более сильным, чем воля. В этом романе, имевшем большой успех, особенно после выхода на экраны быстро снятого хорошего фильма Алена Кавалье, героиня по имени Люсиль поддается желанию, своему собственному желанию и уступает любви — если это не слишком сумбурно сказано, — а затем предпочитает этой любви роскошь, свободу и легкость определенной жизни. Но критики стали строже, хотя не так придирчивы, как прежде были «Дядюшка Кантер», «Дядюшка Камп», «Дядюшка Руссо», «Дядюшка Анрио», и они спрашивали: «Сигнал к капитуляции» — это история печальной любви или, напротив, нечто вроде кредо писательницы Саган?»

«Даже когда она цитирует некоторые фразы Фолкнера, будто прячась за ними, не звучат ли они как признание?» *Я тут понял, что только беспечности мы обязаны лучшим, что в нас есть... Нет в жизни большей радости, чем знать, что свободно дышишь и живешь в тот краткий срок, что отпущен нам на земле...* «Сигнал к капитуляции» — это не просто рассказ о молодой, слегка вероломной женщине, которая, следуя своей природной склонности, покидает любимого человека, чтобы нравиться всем, отказывается от жизни вдвоем ради жизни в обществе. Ее выбор продиктован трезвым, циничным отношением к самой себе, человеку, осознающему и принимающему свое одиночество, то самое одиночество, от которого страдают в зрелом возрасте, но сознательно выбирают в тридцать лет. Эта книга — не только роман, это свидетельство, и возникает вопрос, не отражает ли оно точку зрения самого автора. Нам следует вспомнить нежную любовь Люсиль, ранимость Поля в романе «*Любите ли вы Брамса?*», чтобы и на сей раз почувствовать определенное доверие и симпатию к героине «*Сигнала к капитуляции*». Фильм также удался, ведь Катрин Денев и Мишель Пикколи великолепно подошли на главные роли. Я работала над сценарием в Сен-Тропе в июне и, как обычно, сняла однокомнатный номер в отеле «Ла Понш», который делила с Жаком Шазо. Мы спали на двух больших кроватях, и было условлено, что каждый может приводить на свою кровать очередное увлечение, но занимать номер можно было только до ужина. После десяти вечера мы становились двумя примерными постояльцами и, как самые целомудренные брат и сестра, отправлялись в свой номер спать. Разумеется, случалось, что мы возвращались в отель ночью, в одно и то же время, и, слушая рассказы Шазо о проведенном им вечере, я корчилась от смеха, притулившись к краешку ванны. Мне до безумия не хотелось раздеваться и напяливать на себя ночную рубашку из бумазеи, купленную на всякий случай в одной из немногочисленных галантерейных лавок Сен-Тропе. Послеобеденное время, напротив, распределялось по желанию. Я говорила Шазо: «Если ты не вернешься до пяти часов, то я до этого времени буду работать с Аленом». Но по воле богов и велению инстинкта нередко в разгар работы к нам являлся Шазо в сопровождении своей последней пассии. Он смотрел, как мы поспешно сгребаем наши бумаги и карандаши и отправляемся работать на террасу, открытую всем ветрам, — при этом я ворчу, а Шазо теряет терпение, я подбираю издевательские фразы в его адрес, а он готовит на них ответы. В конце концов мы с Аленом (он — оторопев, но проявив понимание, я — извиняясь и выражая признательность за его доброту) уходим.

И действительно, когда перечитываешь «*Сигнал к капитуляции*», то обнаруживаешь в романе некий вызов, апологию одиночества, преходящего мгновения, чувственности, которая могла показаться вызывающей. Интересно, могла ли я поступить, как Люсиль? Нет, я в этом не уверена. Я бы попросила денег у Шарля, но потом осталась бы с ним. (Я не люблю такого рода долги.) И главное, бросила бы Антуана значительно раньше, поскольку не могла бы рассказать ему, что делала целый день, не попав впросак. Потому что суть любви — в стремлении соучаствовать во всем, что происходит с близким тебе человеком, в желании посвятить ему свою жизнь и, если надо, изменить ее. Меня захлестнула бы волна смутных, сдавливающих горло переживаний, но той силы, той веры в себя, которые отличают Люсиль, во мне бы не нашлось, хотя сомнения моей героини мне иногда понятны. Когда я писала эту книгу, мне было тридцать лет; но, кроме этого, — ничего общего с женщиной того же, бальзаковского, возраста. Итак, роман «*Сигнал к капитуляции*» показался мне более многоплановым, зрелым, более глубоким и увлекательным, чем предыдущие книги.

С 1965 по 1968 г. я, по-видимому, ничего не написала. Полагаю, что это был бурный период, как в моей личной, так и в писательской жизни. К моему глубокому сожалению, Жюльяр скончался в тот день, когда родился мой сын. Впоследствии мне пришлось плыть по течению в компании издателя по имени Нильсен; он возглавлял издательство «Пресс де ла Сите» и к литературе был совершенно равнодушен. Мы поссорились из-за этого, и я решила объявить забастовку, не участвовать в рекламной кампании вокруг моей следующей книги, не давать интервью, забыв при этом, что, если издатель зарабатывает тридцать франков на каждом экземпляре книги, я сама зарабатываю двадцать. Итак, я уехала в деревню, а тираж моей книги составил лишь четвертую часть от обычных моих тиражей. Что явилось для меня прекрасной демонстрацией могущества прессы, если я его недооценивала.

В дальнейшем я не смогу упоминать критиков, следивших за моими первыми шагами в литературе: Руссо, Анрио, Кампа, Кантера не стало, а те, кто пришел им на смену, были больше склонны к самолюбованию, нежели к чему-то другому, они предпочитали подробно рассказывать о своем восприятии книги, а не о ее сюжете. Перемены часто оборачивались потерей для меня. Мне казалось, что мои просвещенные и мудрые «старые дядюшки» посредством своего буржуазного здравомыслия и учености дали мне больше, чем категоричные молодые критики моего поколения. Хотя, по сути, их оценки в какой-то мере совпадали: «Очаровательно, но могла бы писать и лучше. Добротные персонажи, но стиль халтурный» и т. д, — и, по правде говоря, нередко были справедливы.

Откуда вдруг взялось определение «мудрые и просвещенные старые дядюшки», о которых я говорю? Один из моих двоюродных дедушек жил в деревне, у него был кабан, которого он приручил и хотел научить танцевальному па «кейк-уок». Этот дедушка всю свою жизнь провел в Коссе, волочась за женщинами трех поколений. Что, разумеется, не свидетельствует о склонности к размышлению. Что же касается моих родных дядюшек, то они отдали дань благоразумию лишь после сорока лет, когда семья уже не ожидала этого от них...

У моего отца не было брата, но были две сестры, одаренные и чувствительные натуры, которых мне не довелось застать в живых. Одна из них покончила с собой. Другая умерла слишком молодой. Мой отец, воспитанный исключительно женщинами, терпеть не мог мужчин, тем более своих зятьев, этих воров. Когда мои мужья или мужья моей сестры приходили к нему обедать — отдельно, разумеется, — он бросал на них презрительные и унылые взгляды, говорил с подчеркнутым и явно наигранным высокомерием, а если был в плохом настроении — со столь откровенным раздражением, какого никто не мог ожидать. Он смотрел на них, как на пятна на скатерти, как на внезапно явившихся слуг, которых моя мать должна была заметить и прогнать от его стола. Но поскольку она этого не делала, он бросал на нее злые и гневные взгляды, которые поначалу она пыталась разгадать, а затем совсем перестала ими интересоваться. Нужно сказать, что и его отец, мой дед по отцовской линии, которого я никогда не видела, был таким же раздражительным, как его сын.

В течение тридцати лет, например, он сидел в своем любимом кресле, которое было ничем не лучше других, и, чтобы в его отсутствие это кресло никто не посмел осквернить, решил подвешивать его к потолку при помощи особой системы блоков, замка и ключа, с которыми никогда не расставался. Уходя на завод — рано утром и сразу пополудни, — он поднимал свое кресло к потолку и там закреплял его. А по возвращении опускал и наслаждался им от души. Моя бедная бабушка принимала своих близких друзей и просто знакомых под этим «дамокловым креслом» и давала самые сумбурные объяснения. Десять лет спустя она произносила лишь одно: «Это Нестор... когда он... возвращается...», как будто речь шла о чем-то вполне естественном. Короче, подобная наследственность вряд ли научила бы меня понимать, что такое настоящая жизнь и настоящая мудрость. Но пора кончать с семейными преданиями, пока, увлекшись, я не открыла читателю ужасных тайн семейств Лобар и Куарез, моих предков по прямой линии.

«АНГЕЛ-ХРАНИТЕЛЬ»

Должно быть, я не очень осознавала обличительную подоплеку романа «*Сигнал к капитуляции*», восхвалявшего легкие отношения и лень, ибо мне самой понадобилось три года, чтобы после выхода книги восстановить силы, три года, в течение которых я, видимо, резвилась, попусту, как обычно говорят, теряя время. Роман «*Сигнал к капитуляции*» вышел в 1965 году. А продолжение — в хронологическом порядке — в 1968-м. Это был «*Ангел-хранитель*», роман, который я предоставила его судьбе, подобно тому, как пустили колыбель Моисея по течению Нила. Итак, «*Ангел-хранитель*» появился почти незаметно, без поддержки прессы и службы прессы (церемония, которая заключается в следующем: автор пишет дружеское посвящение на ста-двухстах экземплярах своего произведения, и их посылают непосредственно критикам, важным персонам и т. д.). «*Ангела-хранителя*» я вновь открыла для себя в последние дни. Эту книгу до сих пор все еще покупают люди, не знавшие прежде о ее существовании, путешественники, обнаруживающие ее в вокзальных киосках, подростки — у Жибера, в карманном издании, или в магазине «Книги», где продается великолепный сборник, совсем недавно выпущенный моим бывшим мужем Ги Шёллером. Зато люди кино — от Симоны Синьоре до Элизабет Тейлор, от Клода Шаброля до Джозефа Лузи и т. д. — мечтали о фильме по этому роману. Увы, мой тогдашний агент сразу продал права на экранизацию кинокомпании «Фокс» на таких абсурдных условиях, что для отзыва их пришлось — или пришлось бы — заплатить упомянутой «Фокс» в три раза больше, хотя за тридцать лет эта кинокомпания так ничего и не сделала для осуществления проекта.

Короче говоря, это история хрупкой женщины, оберегающей свою свободу, но нуждающейся в поддержке мужчины, она работает в Голливуде, пишет сценарии к пышным кинопостановкам, над которыми сама и смеется. Однажды вечером в сопровождении поклонника по имени Поль она возвращается домой на машине и совершает наезд на красивого молодого человека, который теряет сознание. Она привозит его к себе домой, где он, несмотря на протесты Поля, и поселяется безо всяких задних мыслей. Чтобы развлечь жильца, хозяйка рассказывает ему о своей жизни и поначалу не замечает связи между своими рассказами и последующим исчезновением людей, причинивших ей боль. Когда она поймет, будет уже поздно выдавать его. И вместе с тем невозможно выгнать, поскольку он делает все это для того, чтобы понравиться ей и отомстить за нее.

Конец романа довольно смехотворен, впрочем, как и вся книга, действие которой происходит в сверкающем и беспощадном сердце Голливуда. Эту книгу я писала в неотапливаемой столовой родного дома, где провела детство, в департаменте Ло, писала, попивая вместе с сестрой Сюзанной ореховую настойку. Я прочитала ей первую главу, и она ей так понравилась, что Сюзанна заставила меня каждый день писать продолжение и каждый вечер читать его ей, поэтому я вынуждена была работать. Книга была написана за один месяц, восхитительный месяц, который мы провели под холодным осенним солнцем, собирая грибы; сестра стряпала изысканные блюда, а я в это время изобретала отвратительные убийства. Это был прекрасный месяц, и читатели книги, судя по всему, пришли от нее в восторг.

Ну вот я и замурлыкала от удовольствия, хотя должна была бы возмутиться: маленький детектив, написанный за месяц «спустя рукава», оказался предпочтительнее романов, над которыми я билась месяцами! Но уже давно я не верю ни в заслуги, ни в усилия, по крайней мере, в сфере искусства. Ведь всегда в качестве поразительного примера можно привести Стендаля, за три недели написавшего в одном итальянском городке *Пармскую обитель*, — такой пример собьет спесь с кого угодно.

Отдав должное сказанному выше, отметим, что *Ангел-хранитель* — самый увлекательный роман из тех, что можно перечитать. Какой-то автор или оскорбленный критик однажды упрекнул меня в том, что я осмеливаюсь писать развлекательные книги, «что это позор» и т. д. У меня возникло желание противопоставить этому утверждению Диккенса, Олдоса Хаксли, Ивлина Во, Вольтера и других писателей, но, к несчастью, эта идея посетила меня лишь три дня спустя — я всегда была сильна задним умом. Но как вынести жизнь и смириться с перспективой смерти, не прибегая к юмору? Юмор — единственная защита человека от его жестоких богов и бесцельности его пути. Юмор, обращенный на самого себя, позволяет вам увидеть со стороны то человеческое существо, каким вы были вначале и которое вы пытаетесь уберечь и поддержать всю оставшуюся жизнь...

«НЕМНОГО СОЛНЦА В ХОЛОДНОЙ ВОДЕ»

В 1969 году — по возвращении из Индии, подобно английским писателям XIX века, — я опубликовала роман *«Немного солнца в холодной воде»* — название, заимствованное, как и многие другие, у Элюара. Я написала эту книгу в Ирландии, самой приятной и самой свободной европейской стране, — я, Боб и мой сын Дени сняли там дом на месяц, как было в предыдущие годы и как будет в следующем. В одном из больших полуразвалившихся и почти пустых домов, любимых ирландцами, мы, не защищенные от дождя и солнца, проводили дни, слушая завывания ветра. Мы сами готовили еду, а вечером в пабе пели хором, как и все остальные посетители, «Жизнь в розовом свете». Из Парижа приезжали озабоченные или опечаленные друзья, а через два дня их охватывало всеобщее беззаботное настроение. Кажется, мы были там очень счастливы. Боб ходил удить рыбу, а я писала *«Немного солнца в холодной воде»* — название, ничего особенно не означавшее, но прекрасно определяющее — я понимаю это сегодня — атмосферные и душевные волнения, происходившие в то время. По вечерам красные затухающие огоньки торфа вынуждали нас проводить бесконечные часы, уставившись в потолок, с ледяными ногами и пылающим носом. Уж не суровый ли и изменчивый климат подсказал мне фразу, относящуюся к разочарованному в жизни молодому человеку: «Что касается Натали Сильвенер, то она с первого взгляда полюбила его»?

Таким образом, после романа *«Здравствуй, грусть»* тема смерти вновь, но на сей раз по-иному, зазвучала на страницах моих книг, зазвучала как бы поневоле; это произошло в тот момент, когда одна мелодраматичная и невообразимая фраза (родившаяся из риторических восклицаний, отступлений и попыток представить моих героев и героинь во всем их непостоянстве) уступила место другой — напыщенной и категоричной: «Она с первого взгляда полюбила его». И эта фраза, разумеется, предопределила самоубийство героини. Сказать: «изменила все мои планы» — было бы неточно, потому что я не планирую сюжет и никогда не делала этого. А если и были такие попытки, то они заканчивались неудачей, что вполне естественно. Я вывожу моих героев на сцену в начале моих книг, определяю их взаимоотношения и довольно долго позволяю им разбираться между собой без меня. Я хочу сказать, что их речи или поступки, на которые они толкают друг друга, проясняют качества той или иной, поначалу смутно проявлявшейся личности, и, чтобы характеры устоялись, достаточно подождать. Мне довелось наблюдать, как первоначальные образы многих героев кардинально меняются, хотя вначале характеры практически ничем не были обусловлены. В частности, в романе «*Женщина в гриме*» жиголо оказывается способным на чувство, непробиваемый продюсер — чрезвычайно уязвим, сварливая женщина — сверхделикатна... Они изменились лишь после того, как судно вышло в море, изменились, к моей величайшей радости, потому что я никогда не злоупотребляла своей властью автора, и, кроме того, подобные превращения мне нравятся. Писать книгу в таком ключе очень приятно и чрезвычайно любопытно, может быть, любопытней, чем читать ее.

«*Немного солнца в холодной воде*» — это история молодого журналиста, находящегося на грани депрессии из отвращения ко всему, даже к самому себе; в этом состоянии он решает отдохнуть на лоне природы. В деревне герой знакомится с замужней женщиной — Натали Сильвенер, которая влюбляется в него и тут же бросает мужа, отказываясь от обеспеченной жизни. Влюбленные возвращаются в Париж, но очень скоро прежняя жизнь захватывает героя, он сожалеет об утраченной свободе, и она узнает об этом. Потеряв возлюбленного, оставшись без друга, Натали сводит счеты с жизнью, а Жиль слишком поздно понимает, что потерял.

Музыку к фильму должен был написать Мишель Легран. Я ужинала с ним, по-моему, у продюсера; после ужина он сел за фортепьяно и стал наигрывать мелодию. Я взяла карандаш и написала песню «Скажи мне» на музыку, которую он проиграл несколько раз, музыку, печальную до слез. Жак Дерэ снял прекрасный фильм на этот сюжет. Клодин Оже сыграла в нем великолепно, да и бедняжка Марк Порель, хотя был слишком молод для своей роли, сделал все, что мог. А провинция Лимузен — особенно если смотришь фильм в Непале или Ирландии — настоящее чудо. Здесь у меня начинается путаница в датах. Поскольку я не могу утверждать, что эти два путешествия следовали одно за другим именно в таком порядке. В этой книге нет ничего, что вызывало бы у меня сомнения с точки зрения точности, но все же возможно, что ошибки кое-где попадаются. Память — столь же обманчива, сколь воображение, и, пожалуй, более коварна, поскольку прикидывается правдивой.

Если фраза «Она с первого взгляда полюбила его» так меня удивляет, то только потому, что я запомнила и удержала в уме наставление Кокто (которого считала в большей степени поэтом, нежели моралистом). Цитирую по памяти: «Шедевр — это общеизвестная истина, достигшая высшей выразительности», или нечто подобное, хотя я не могу привести точно его высказывание. Но знаю, что в те счастливые времена, когда я записывала мудрые изречения (в основном циничные или хлесткие) в школьные тетради, эта фраза там фигурировала. Помещать необыкновенных героев в необыкновенные условия казалось мне удручающе простым делом; прием, позволяющий скрыться за декорациями, вместо того чтобы остаться на сцене. Однажды мне пришлось участвовать в телепередаче Бернара Пиво, которому пришла в голову странная мысль пригласить на свою знаменитую программу «Апострофы» Анну Голон, создательницу «Анжелики», Ролана Барта и меня. Предполагалось, что мы будем говорить о любви. Все были вежливы, и я еле сдержала неуместный смех, когда Анна Голон, превозносившая захватывающие сюжеты и приключения, задала мне вопрос по поводу романа «Смятая постель» (один из проклятущих романов, который мне еще предстоит перечитывать), так вот, она спросила меня, какой, в сущности, была моя героиня Беатрис: «Что сделала бы она, появись гестапо в ее спальне?» Барт удивился, кажется, не меньше меня и также с восторгом слушал, как я, запинаясь от смеха, отвечала, что Беатрис, вероятно, прочитала бы им что-то из Корнеля, ибо героиня была актрисой в моей книге.

Чтобы покончить с упомянутой холодной водой и солнцем, я должна признать, что эта моя книга — прежде всего добротный диагноз нервной депрессии. Описание ее очень верное, очень точное, хотя я могу поклясться, что лишь значительно позже ощутила, что собой представляет этот бич современности. Депрессию так же глубоко, как и мы, должно быть, переживали и наши предки, но классики ничего не говорят о ней. Это нечто не проявлялось физически, не имело названия, не убивало, а значит, не существовало. В XIX и в предыдущие века людей, переживающих депрессию, в лучшем случае отправляли на лоно природы. Наиболее достоверно это состояние описано, пожалуй, Вальмоном во время его пребывания у тетушки, то состояние, которым он бравирует, пытаясь вызвать сочувствие мадам де Турвель. Других примеров, как я уже говорила, нигде не прослеживается, за исключением злополучного детства Шатобриана (при этом создается впечатление, что в депрессию впадет скорее его отец или Люсиль). На самом деле мы чаще всего сталкиваемся с героем, который рассказывает о своих порывах, страстном желании жить, о своем честолюбии и жажде быть любимым. Но в том ли причина столь расплывчатого описания депрессии, что в ту эпоху болезнь не была «названа». Не казалась ли она позорной, как это было всего лишь сто лет назад, когда живому человеку в добром здравии, обладающему приятной внешностью и некоторым количеством золотых монет, было стыдно иметь какие-то другие заботы, помимо любви и жажды успеха. «Как прекрасна жизнь, — говорил Паскаль, — начинающаяся с любви и заканчивающаяся честолюбивыми устремлениями». То, что эта жизнь может быть невыносимым бременем для здоровых людей, выглядело если не постыдным, то по меньшей мере смешным. Кто превратил ее в болезнь, подстерегающую каждого, болезнь, что поражает вашего лучшего друга или знакомого булочника, заслуживающего внимания и сочувствия? Нет ни одного человека старше тридцати лет, кого не коснулось бы такое состояние, и я не верю, что столь распространенное в наши дни заболевание на протяжении девятнадцати веков щадило наших предков. А потому описание Жиля, охваченного приступами депрессии, вовсе недурно.

Выше я говорила о романе «*Немного солнца в холодной воде*» довольно равнодушно. Но сегодня, перечитав его, я впервые, с первых страниц книги, не испытала, как при прочтении других романов, чувства пренебрежения, раздражения или смутного удовлетворения (разумеется, я не стала бы переделывать эту книгу, если не считать стиля и грамматики, так как мое восприятие хорошо, если можно так выразиться, лишь по горячим следам). Однако в романе «*Немного солнца в холодной воде*» есть нечто, внушающее мне — впервые — уважение к самой себе. Форма и суть происходящего правдивы и точны, чувства обнажены, они тонки и грубы одновременно. Ибо это — история страсти со всеми перехлестами, ей свойственными. Страсть зреет и поражает, но зреет постепенно и наносит волнующий удар. Как же рассказать об этом всерьез? Я не вспоминала об этой книге. Но теперь «*Немного солнца в холодной воде*» считаю самым волнующим и самым увлекательным из всех моих романов. Я просто в восторге оттого, что вновь открыла его для себя и полюбила после того недовольства и смутного разочарования, которые испытала при чтении ряда предыдущих моих книг. Может быть, именно это ощущение удачи и заставило меня написать позднее, в конце 1972 года, роман «*Синяки на душе*».

Около двух миллионов экземпляров романа «*Здравствуй, грусть*» (все того же романа) было уже продано, таким образом, ежегодные продажи моих книг приблизились к двумстам тысячам экземпляров и долгое время оставались на этом уровне; а сегодня эта цифра составляет сто — сто пятьдесят тысяч, и так продолжается последние пятнадцать лет. И потому я представляю себе моих читателей людьми моего возраста, начавшими жить одновременно со мной в XX веке и так же, как я, подошедшими к его концу, а с другой стороны, я мысленно вижу менее понятных, но столь же дорогих мне молодых — лет двадцати — читателей, что пишут мне письма. И, по правде говоря, маленький прыжок с этажерки родителей на этажерку детей, который совершили мои книги, мне очень нравится. Не то чтобы я верила в непреходящую ценность моего творчества, но желание заинтересовать последующие поколения считаю вполне человеческим чувством. И все же я его не испытываю, может быть, потому, что в основном живу одним мгновением или не верю в долговечный успех моих книг, к тому же рождение сына удовлетворило, наверное, это абстрактное стремление продолжиться в будущем, о котором я просто не думаю. Не считая, разумеется, опасных тенденций, определяющих это будущее и волнующих меня.

Бесспорно, во все века люди полагали, что скоро наступит последний час — для них и для окружающего мира. Только до сего дня возможности уничтожить жизнь на Земле не было ни у кого. Понадобились самые изощренные достижения прогресса, чтобы Саддам Хусейн или кто-то другой овладел рычагами, способными отравить или уничтожить нас с помощью ветра. И это произошло совсем недавно, ибо даже Гитлер в своем озлоблении не мог погубить Землю. Но я слишком отвлеклась от моих маленьких безобидных романов и на склоне лет не хотела бы видеть, как вокруг них разгораются страсти. Когда я пишу «безобидных», я думаю о матерях, которые на протяжении стольких лет упрекали меня в том, что я слишком сильно повлияла на их детей, и они покинули семейный очаг ради какого-то бородача или растрепы. Впрочем, число таких детей постепенно уменьшается. К тому же, чтобы я ими заинтересовалась, хотя бы кому-то из них надо было бы захлопнуть мою книгу на слове «Конец» и, вскочив, крикнуть своим родителям: «Франсуаза Саган права, я уезжаю с Артуром!» В любом случае плотские связи, независимость необходимы для развития сюжета моих книг, и потому их влияние на подростков мне абсолютно безразлично. Между прочим, если бы меня это и волновало, я бы все равно ничего не могла поделать; и мне трудно себе представить, какие письма получал Андре Жид — хотя и не сравниваю себя с ним — после публикации книги «Яства земные».

Итак, я написала голливудский роман «*Ангел-хранитель*» в Ло, а «*Немного солнца в холодной воде*» — на севере Индии в 1980-м. Мы с братом провели месяц в Индии, из них три недели — в Сринагаре (Кашмир), где чуть не остались насовсем. Тем не менее мы побывали и в Катманду (Непал) в отеле знаменитого Игоря, известного авантюриста и хозяина очаровательного дома. Его бар был излюбленным местом встреч других авантюристов подозрительного вида, хотя они таковыми уже не были и потому старались вести себя как сыщики или осведомители. В огромных комнатах этого отеля с их непривычной обстановкой, в окружении странных статуй, рогов и шкур неизвестных животных, вызывающих тревогу, как некоторые непонятные мелодии, я мысленно возвращалась в Косс и провинцию Лимузен, заново открывая их для себя, вспоминая стада обезумевших овец, невозмутимых пастухов или пологие склоны молчаливых холмов, освещенных лучами заходящего солнца и пахнущих дымом горящих листьев. Эти провинции были похожи лишь в одном — и там, и здесь росли тополя, завезенные сюда одним могольским императором и десятками высаженные у подножия Гималаев. Я, между прочим, понимаю императора, ведь тополь — мое любимое дерево.

Возвращаясь к Ло и Кашмиру (не знаю, почему эти годы — с 1967 по 1972-й — так запечатлелись в моей памяти), скажу, что 1968-й оказался для меня одним из самых интересных, и, может быть, именно в этот период я раскрепостилась больше, чем сама того желала. В меня бросили слезоточивую бомбу у Режин, и целыми днями я колесила по Парижу, изображая такси и направляясь туда, куда желали ехать самые разные пассажиры, передвигающиеся автостопом. Некоторые из них, храбро противостоявшие полиции, оказавшись в моей машине, не могли иногда скрыть своего страха. Я управляла автомобилем очень свободно, но однажды вечером в «Одеоне» меня упрекнули за мои любимые забавы; там собралась веселая и крикливая молодежь, которая под аплодисменты или свист передавала из рук в руки микрофон, чтобы поговорить о свободе, цареубийствах, ценах на картофель и немом кино. Среди них нашелся один человек, который, перекинув микрофон в другой конец зала, воскликнул: «Мадам Саган приехала сюда в своем «Феррари», конечно же, для того, чтобы оценить бунт товарищей студентов!» Раздались вопли, смысла которых я не уловила. Мне передали микрофон, но, чтобы дотянуть его до меня, понадобилось две минуты — время, достаточное, чтобы найти уничтожающий ответ (который не приходил мне в голо-

микрофон: «Неправда! Это — «Мазерати»!» Как известно, смех — сильнейший из аргументов, по крайней мере, во Франции.

«Синяки на душе»

На днях я перечитала книгу, которая называется *«Синяки на ду-ше»;* само ее название уже красиво, да и некоторые эпизоды написаны совсем неплохо. И поскольку старой гвардии, которая могла бы ее раскритиковать или, может быть, похвалить, к тому времени уже не существовало, а мнение пришедших им на смену новых критиков я не совсем уяснила, хвалить и ругать свой текст придется мне самой. По примеру французского правосудия я начну с нападок. Ибо обвинение всегда представляет недовольную публику, а защита — заинтересованную.

Прокурор: *Судя по этой книге, автор не то чтобы не умеет писать, увы, он не может писать долго. Очевидно, мадам Саган отказалась от своей обычной сдержанности, неожиданно отдав предпочтение занудному лиризму в рассуждениях о войне, литературе, любви и т. д. — проблемах, уже затронутых другими, более яркими и информированными писателями. Мы вновь встречаемся с героями «Замка в Швеции», но уже поблекшими и превратившимися в самодовольных паразитов.*

Защита: *На сей раз мадам Саган выпустила оригинальную книгу, написанную в особом, свойственном ей одной ключе. Она предстает в ней как автор, которого задевают и занимают многие проблемы, которые, как нам казалось, ее не волнуют, и она рассуждает о них от своего имени и от лица своих обворожительных героев. Что же касается языка книги, то он лиричен, поэтичен, и это, повторяю я, приятно отличает новый роман от предыдущих ее произведений. Тем более что автор не пренебрегает иронией...*

В действительности эта книга, если добросовестно вчитаться в нее, написана подкупающе непринужденно, и, в сущности, в ней более определенно выражено то, что я хотела сказать, в отличие от предыдущих моих книг. Помню, как благодаря этому роману я перешла от почти мрачного состояния в начале работы к радостному спокойствию — в конце.

Как бы то ни было, но, чтобы предоставить слово самой себе и так надолго, мне надо было быть довольно подавленной в тот момент, когда я приступила к написанию романа. «*Синяки на душе*» я закончила на улице Гинемер, неподалеку от Люксембургского сада, и я очень хорошо помню развороченные деревья с чистой листвой, где обитали воробьи, помню их так же, как тополя в Ланкре, в Нормандии. И если в романе «*Синяки на душе*», помимо собственных ощущений, я описывала лишь реакции сумасбродных героев моего театра, Элеоноры и Себастьяна Ван Милема, то только потому, что немного устала от феномена отождествления, проявляющегося в поведении моих друзей или родственников, ибо чаще всего мои книги служили поводом для смехотворных диалогов такого рода:

Она (родственница):

«Дорогая Франсуаза... — Да, я слушаю... — Скажите, как вы узнали, что было со мной!.. Ведь это я и моя жизнь!.. Полное описание, я только что прочитала его в вашем романе... Аб-со-лютно!.. Именно так... Я своим глазам не поверила!.. Как это у вас и в мыслях не было! Вы об этом и не думали, правда?.. Может быть, но это меня не удивляет, наверняка вы описываете меня неосознанно. Кто-то поражает ваше воображение, и вы используете это в своих книгах. Неосознанно, вероятно... Забавно, что вы попадаете в точку...»

Или же они узнают другого, менее симпатичного человека:

«Знаешь, Франсуаза, я узнала всех в твоей книге! Но в первую очередь Артура! Он так похож, просто умора!.. Да, да, я тебя уверяю. Не говори мне, что ты не его имела в виду, я не поверю!.. О, послушай, только не пиши обо мне!» и т. д.

Хотя я, сознательно или нет, никогда и никого не использовала в качестве прототипа. Из щепетильности прежде всего (мне самой было бы неприятно узнать себя в романе) и затем из-за творческого подхода. Люди, которых я придумываю, олицетворяют определенное чувство. Это живые символы. Описания в книге зачастую схематичны, необходимые детали отсутствуют. Как Люк водит машину? Как в «*Сигнале к капитуляции*» причесывается или смеется Люсиль? Подобные уточнения не нужны в моем романе, но в нем встречается немало характеристик, позволяющих распознать в герое кого-то из окружающих.

Письма, которые я получаю, — иного рода:

«Я только что прочитала «*Любите ли вы Брамса?*». Вы меня не знаете, но эта история в точности обо мне и моем служащем. Я очень молода и не думала, что увижу себя в книге. Мне это доставило удовольствие и избавило от угрызений совести».

Или более приятные и менее определенные письма:

«Я переживала жгучую тоску. Прочитала «*Сигнал к капитуляции*» и почувствовала себя намного лучше...»

«Мне сорок лет. Я замужем, мой муж — тренер по теннису, и часто жизнь кажется мне пустой. Но всякий раз, когда я перечитываю одну из ваших книг, это поднимает мне настроение!»

И, наконец, письма, которые особенно дороги мне:

«Мне восемнадцать лет. Жизнь так осточертела мне, что я чуть не наделала глупостей. Но прочитала «*Синяки на душе*», и это помогло мне обрести равновесие».

Два последних примера — чудесный подарок автору. Люди, пишущие подобные вещи, наверняка устыдились своей тоски (и, может быть, впоследствии будут стыдиться, что испытывали ее). Кстати, они чаще всего подписываются лишь словом «Читатель» или «Друг», но их благодарность создает ощущение полезности, не часто посещающее меня, и даже внушает уважение к собственной прозе, которое я также редко испытываю. Но особенно вдохновляет меня мысль об иностранце или иностранке, которые где-то далеко года через четыре после выхода моей книги взяли ее в руки, и это чтение подбодрило их. Эти люди из числа тех, что говорят вам: «Вы мне действительно нравитесь, продолжайте писать». А иногда: «Я ничего не читала из написанного вами, но вы мне нравитесь». Загадка, но тем не менее она приводит меня в восторг. И мне необыкновенно приятно! Я, конечно, знаю, что на улице столбенею и произношу банальные слова благодарности, но при этом ощущаю согласие и единение с пешеходами, парижанами, читателями всего мира.

В завершение разговора о романе «*Синяки на душе*», которому я уделила мало внимания, отмечу тем не менее, что, может быть, это единственная книга, которую я могла бы противопоставить хулителям моего творчества. У этого романа много недостатков, но в нем есть непринужденность и местами поэзия — черты, определяющие подлинного писателя или, во всяком случае, человека, призванного писать. Есть в нем и серьезные недоработки, как, например, навязчивое употребление прилагательного «веселый», которое, даже при том эйфорическом настроении, которое тогда я переживала, не должно было до такой степени перегружать мою прозу. Но описания природы, чувств, рассуждения о будущем, о том о сем, присутствующие в книге, позволяют быстро и плавно переходить от развлекательного чтения к эмоциональному, и происходит это с такой легкостью, которой я от себя не ожидала. И еще: людям, желающим узнать меня поглубже, эта книга расскажет, пожалуй, больше других. Вот уже лет сорок меня убеждают, точнее, просят рассказать о себе, вывести на сцену самое себя, раскрыться; короче, написать мемуары, что для меня, как уже было сказано, невозможно. Проще говоря, меня уговаривают сбросить маску, показать истинное лицо, которое в течение этих сорока лет якобы тщательно скрывалось. Я не верю, что так долго можно демонстрировать лживую личину, потому что и в самом деле я очень похожа на человека, слегка переменчивого, несдержанного и противоречивого, я такая, какой меня частенько и справедливо описывали. И, честно говоря, у меня нет никакого желания рассказывать о себе и о своей прежней жизни. Известность одаривает вас величайшим преимуществом, оборачивается огромной пользой: благодаря ей вы устаете от себя. Когда вам представят пять или целую дюжину ваших образов, правдивых или ложных, в конце концов вам становится противно, и вы отворачиваетесь от них: ибо не следует искать в глазах окружающих отражение того прежнего подростка, каким был когда-то каждый из нас, того, кто продолжает существовать лишь под грустным именем — притязание.

Я знаю, что такое жажда славы, точнее, я испытывала ее до восемнадцати лет. Но тысячи отражений в льстивых, а порой и относительно правдивых зеркалах, в которые я заглянула с того времени, внушили мне абсолютное безразличие к самой себе. Моя правда, — если допустить, что человеческое существо может жить по законам незамутненной и непреходящей истины, — моя правда, без сомнения, заключена в моих книгах, какими бы примитивными они ни казались иногда по сравнению с моим эмоциональным или интеллектуальным миром. Писать — не значит раскрывать свою душу, писатель стремится создать такой свой образ, который запомнился бы читателям настолько, что каждый пытался бы открыть в нем нечто главное. Подобные рассуждения выглядят, наверное, запутанными и малопонятными, но тот, кто трезво и строго рассматривает или оценивает себя, кто в тот или иной момент видит свое отражение в зеркале, сопровождающем его по жизни, как и любого другого человека, непременно поймет меня очень хорошо.

«Неясный профиль»

Вернемся к списку моих произведений. Я подошла к роману «*Неясный профиль*», прочитала несколько страниц, перелистала остальное, заглянула в конец, и чтение этой книги показалось мне настоящей мукой. Сюжет не выдерживает никакой критики, скучнейшая история двух героев, также не представляющих никакого интереса. Не понимаю, как я могла писать это в течение нескольких месяцев и почему мой издатель — в данном случае Фламмарион — не указал мне на недостатки романа. Следует думать, что тиражи моих книг оказывали на издателей (в данном случае можно сказать — на торговцев) большее влияние, нежели литературное качество произведений. Сегодня мне было бы, пожалуй, стыдно заработать хотя бы су на этом тексте. Пять-шесть удачных фраз не оправдывают окружающий их контекст: плоский, надуманный и смехотворный. Пусть нынешний читатель не сердится на меня за то, что я не разбираю в деталях подробной дребедени, от одной мысли об этом перо падает у меня из рук.

> Поскольку проходит все,
> Проходим и мы, уходим...
> И поминутно я оглядываюсь назад[1].

Нет, на этот раз я не оглянусь. Напротив, после такого неприятного чтения я сразу перейду к следующему из тех романов, который, я надеюсь, не окажется халтурой, — ведь я начинаю относиться с сомнением ко всему своему творчеству. Следующая книга называется *«Смятая постель»*. Я возлагаю на нее больше надежд, потому что *«Смятая постель»* напоминает мне о счастливом лете, проведенном на улице Алезиа, о безлюдном доме и тротуаре, усыпанном цветами акаций. Я снова ощущаю их аромат и воскрешаю в памяти мост Толбиак, куда, проработав до рассвета, я отправлялась гулять, а примерно в пять утра вдыхала запах Сены, речной запах; стоя на мосту, я смотрела, как дымятся вдали предприятия, разбросанные по берегу реки, глядела на пока еще спящие баржи и встречала восход солнца. Та работа и душевный покой слились в моем сознании, и потому у меня сохранилось очень, очень хорошее воспоминание о *«Смятой постели»*, а если этот роман так же «хорош», как *«Неясный профиль»*, мне будет очень обидно за себя и свою память.

Чтобы покончить с *«Неясным профилем»*, скажу: мне нередко кажется, что было бы любопытно написать целую книгу на плохой сюжет, посвятив ей время и часть того, что снисходительные люди называют талантом. Это было бы похоже на долгую, нудную и неинтересную работу, которую взваливают на себя ради достижения душевного и финансового равновесия. Что касается *«Неясного профиля»*, то, я надеюсь, главными здесь были финансовые соображения. Тем не менее для того, кто себя перечитывает, подобная слепота по отношению к собственному тексту, ежедневное напряжение перед листом белой бумаги, который надо заполнить, свидетельствуют о тревожном разладе с самим собой и с литературой. Но если у вас нет более захватывающей темы, если вы устали от всего и ваше перо бежит по бумаге независимо от ваших размышлений или критического чувства, если правда действительно ускользает и уступает место привыч-

---

[1] *Пер. Г. Калашникова.*

ке, усилию, которого от вас требуют, обещанному вами усилию, тогда вы делаете уступку посредственности и худшему, что в вас есть: лени, болтовне, скуке. Издатели прошлого, как мне кажется, реагировали на это более строго, выполняя таким образом свою особую миссию. И потому я с огромной осторожностью приступаю к упомянутой «*Постели*», вокруг которой, после прочтения предыдущей книги, я кручусь с некоторым страхом и недоверием.

Но в моей голове все же застрял вопрос: как можно в течение шести месяцев писать о неинтересных людях? Об этом я спрашивала себя часто, даже размышляя о других авторах, но теперь эта проблема встала передо мной. Роман «*Здравствуй, грусть*» пробудил в массе юных, ничем не занятых или работающих девушек порыв, заставивший их взяться за перо с благородной целью, заслужить, подобно мне, лавры и миллионы. Многие издатели, забыв, что должны делать отбор, публиковали их произведения — по крайней мере в первые годы после выхода романа «*Здравствуй, грусть*» — с ленточкой, опоясывающей книгу, где было написано: «Новая Саган», как будто меня не было в живых, что я считала бестактным и преждевременным в мои двадцать пять или тридцать лет. К тому же, когда меня спрашивали: «Как вы написали эту книгу?» — на этот глупый вопрос я неосторожно давала глупый ответ: «Берете тетрадь, карандаш и начинаете писать». Скромный, конечно, ответ, но он запутал многих молодых девушек. Мне следовало ввести понятие таланта в эту фразу и подчеркнуть его необходимость, но я не представляла себе, что можно писать, не имея таланта. Увы, сложившаяся ситуация убедила меня в обратном. Некоторые издатели даже просили меня написать предисловие к этим подражательным романам... Почему я не написала для них свой некролог, если на то пошло?

Внимательный читатель, прочитав эту книгу, конечно, заметит, что главы, где я говорю о своих неудачах или моих недостатках, значительно короче глав, где я более благосклонна к себе. Он заметит это, посмеется, а может быть, рассердится на меня, но мне это безразлично. Я не стану дальше делать упор на критические суждения, ибо очень скоро это обернулось бы мазохизмом. А я не мазохистка, кто угодно, только не мазохистка. Чувства вины я не испытываю и не думаю, что оно хоть когда-то было мне свойственно. Может быть, именно в этом истоки того порыва и восторженности, которые позволили мне промчаться по собственной жизни подобно урагану, пролетевшему над сожалениями, осознанием своей ответственности, завоеванными позициями и т. д., хотя любая формулировка ставит вас вдруг перед лицом проблем, в сущности не существовавших или, точнее, существовавших, но только в вашем сознании. Стоит человеку прекратить движение вперед, как он теряет устойчивость и падает. А мы живем не в такое время, когда можно лечь на землю и спокойно наблюдать, как встает или заходит солнце, словно это зрелище вечно и неизменно. Впервые мы не уверены в нашем солнце, его покровы рвутся, и облако Чернобыля не сможет без конца проплывать мимо него, не заслоняя солнечного света и не калеча наши жизни, пока те, кто призван защищать нас и служить нам, направляют свой несчастный бюджет, наш, кстати, бюджет, на другие цели, ставшие со всех точек зрения смехотворными в сравнении с угрозами, нависшими над нашим существованием. Возникает вопрос, не стоит ли через повешение, гильотину или расстрел казнить чиновников ООН (наряду с другими официальными лицами), поскольку эти люди, услышав, что половина племени хуту будет истреблена в понедельник, на вторник назначают встречу для того, чтобы выразить свои сожаления; а субботу или воскресенье они, вероятно, проведут, бросая хлеб животным в зоопарке. Та мера жестокости и несправедливости, которую может вынести дух одного народа, — ничто в сравнении с тем, сколько может выдержать, соприкоснувшись с жестокостью и несправедливостью, дух нескольких народов.

И как все писатели, я, естественно, хочу, чтобы моя книга появилась до нового Чернобыля, что вызовет улыбку или насмешку у моих читателей. Если среди них останется достаточно здоровых людей, еще способных смеяться.

«Смятая постель»

Перейдем к менее тягостной теме: перевоплощению героев. Уже в романе «*Через месяц, через год*» появилась Жозе, неуловимая Жозе, оставившая своего любовника-интеллектуала по имени Бернар (с тех пор Бернар Франк постоянно жаловался на это совпадение — хотя тут не было никакого намека с моей стороны, но омонимия раздражала и раздражает его, поскольку до сих пор мы разбираемся с этим). Итак, Жозе предпочла тому самому Бернару более примитивного любовника Жака. Жозе, которую пять лет спустя мы встретили в романе «*Волшебные облака*», а затем в треклятом «*Неясном профиле*», исчезла из моих произведений, вероятно, устав от вышеупомянутого персонажа. Чета Ван Милем, напротив, исчезла со сцены «*Замка в Швеции*» и оказалась в романе «*Синяки на душе*», где обрела большую глубину и человечность, прежде чем навсегда отправиться в Швецию.

«Смятая постель», в сущности, хорошая книга, в ней есть довольно хитроумные и тонкие суждения о проблемах любви, одиночества, литературного творчества и смерти. Я искала сложные ходы, чтобы постепенно вернуть Беатрис и Эдуара в мои произведения, но с первой страницы обнаружила их в постели, и опять они были вместе после долгой разлуки, случившейся по воле Беатрис. Эдуар сразу же окунулся в мир, населенный образами этой женщины, и его страсть из-за страха вновь потерять ее ожила с новой силой, став его единственной заботой. Обнимая его, она видела перед собой молодого писателя, кем он теперь стал, и вспоминала пылкого любовника, которого целовала пять лет назад. Историю их связи, перемежающуюся предательствами Беатрис, превратностями сценической жизни и горькими переживаниями Эдуара, я и рассказывала педантично и довольно умело. В этой книге занятно описана также среда, внутри которой разворачивается действие: Андре Жолье, директор театра и в прошлом счастливый соперник Эдуара, — третий герой романа. В самый разгар интриги он, заболев раком, кончает жизнь самоубийством почти незаметно, и потому его уход очень волнует: в литературе, как и в жизни, молчание драматичнее слов. К удивлению читателя, да и моему собственному, влюбленная пара не распадается к концу романа, а продолжает играть ту трогательную комедию, те двойственные роли, что позволили им существовать рядом.

С определенной точки зрения эта книга достаточно жизненна, ведь если Эдуара страсть припирает к стене, превращая его в вещь, покорную игрушку Беатрис, то и ее самое, женщину от природы жестокую и непостоянную, его безумная любовь все же будоражит, поражает настолько, что она забывает о себе, так что до конца романа остается неясным, кто палач, а кто жертва. Написано хорошо, с напряжением, местами весело, местами трогательно, но, пожалуй, особенно достоверны бурные сцены, происходящие между героями. Короче, если эта книга и не слишком удалась, то, во всяком случае, я отношу ее к числу тех произведений, писать которые было чрезвычайно приятно. В процессе работы над ней я сломала локоть, случайно выпав из окна собственного дома. И поскольку печатать могла лишь тремя пальцами правой руки, постепенно привыкла диктовать Изабель (единственному человеку, которому могла диктовать что бы то ни было) упомянутую книгу. Ведь очень трудно произносить вслух, в присутствии кого-то такие, например, фразы: «Он стал целовать ее в уголки губ» или «Я и забыла, какой ты прекрасный любовник». Слава богу, безучастная и молчаливая Изабель, прикрываясь стеклами солнечных очков, не мешала мне. Но совместная работа требовала большого хладнокровия с обеих сторон, а с моей особенно, ибо всегда существовала опасность задетого самолюбия. Даже теперь меня не покидает страх, что Изабель зевнет перед моим носом, и он вытянется еще больше, хотя и без того, говорят, мой нос очень длинный.

Я не знаю, откуда появляется желание, склонность изображать одних и тех же героев в иной ситуации и с новыми партнерами. То, что имена нравятся редко или отсутствует воображение, здесь ни при чем. Два персонажа, например, Эдуар и Беатрис, были прописаны крупными (если не сказать грубыми) мазками в моей третьей книге и окружены мишурой легковесности и блеска, прикрывающей досадную нехватку страниц в книге, о которой я уже упоминала. Эти наброски поселили, так сказать, смутное сожаление в моей душе, главное — ощущение чего-то упущенного. Одним словом, герои продолжали жить во мне, и, продержав их под спудом двадцать лет, я захотела вызволить их оттуда и вновь заставить жить. Что и происходит в романе «Смятая постель» прекрасное название, оно мне нравится все больше и больше, название, которое на этот раз я намеренно приписала Элюару. Я восхищаюсь присутствием одного и того же героя в романах Пруста и зеваю, когда те же самые персонажи появляются в книгах Жюля Ромена. Хотя прием один и тот же, но в определенном возрасте создание семьи на бумаге смешно и многое говорит об авторе.

Итак, Ван Милемы вышли из «Замка в Швеции», чтобы перейти в «Синяки на душе». Они покинули меня, увенчанные лаврами. А здесь, в «Смятой постели», кто же вновь явился мне, в свою очередь выскользнув из романа «Через месяц, через год»? Молодая пара, пережившая в нем невероятную связь: честолюбивая актриса по имени Беатрис и Эдуар, обезумевший от любви молодой человек, которого она бросила тогда ради предприимчивого и циничного директора театра Андре Жолье. «А Жолье?» — спросят меня. («Спросят» — какая ненавязчивая форма глагола, позволяющая обозначить интерес к тому, что я делаю, и как удобно прибегать к ней в случае крайней необходимости и забывать, если она окажется ненужной.) «Но что же происходит с Жолье?» Так вот, он умирает. Не из отвращения к жизни вообще, а вследствие возвышенного отношения к собственному существованию. Оно было достаточно полноценным, чтобы этот человек не допустил медленного разложения своего тела и прогрессивной деградации. Он слишком привязан к жизни и не может допустить, чтобы она свелась к отдельным жестам, диктуемым другими (врачом, медсестрами, медициной, наконец). Этот мужчина жил сообразно удовольствию и в жизни, подчиненной боли, не видит никакого смысла. Как и многие сибариты, Жолье не слишком озабочен состоянием своего тела, оно его интересует меньше всего. Он знает одно: у него достанет мужества определить судьбу, ускорить свою смерть, во всяком случае, избавиться от криков и судорог, сотрясающих тело, переставшее вдруг слушаться его после долгих лет абсолютного подчинения. Больной не допускает к своей постели никого, кроме Беатрис, и она, несмотря на свой эгоизм и нежелание сталкиваться со смертью, захвачена этой битвой между тем, кого она очень хорошо знала, и неизвестной смертью. На этот раз Беатрис — на стороне жертвы, обреченной на проигрыш, на стороне Жолье, борющегося с раком. И, вопреки своему врожденному равнодушию, Беатрис ежедневно навещает больного. А в ящичке ночного столика у Жолье дремлют десять необходимых ампул морфия.

В книге «*Через месяц, через год*» образ Беатрис был едва намечен, для «*Смятой постели*» я его практически создала заново. У Эдуара не было никаких других черт, помимо его страсти того времени. Именно эти три персонажа на протяжении целого ряда страниц несут бремя прежних страстей, самоубийства, светских интриг и театральной суеты. Такому человеку, как я, надо было запастись смелостью, чтобы затронуть сразу четыре упомянутые темы, ведь достаточно и одной для удовлетворения амбиций многих авторов. По-видимому, когда я пишу книгу, в меня вселяется странное простодушие или неувядающая молодость, простодушие, позволяющее мне начать книгу, а молодость — продолжить ее.

Вместе с Беатрис я без лишних иллюзий и с избитыми понятиями (заимствованными у кого? почему?) отправилась к Жолье. Странно, но, войдя в его спальню, я оказалась на его стороне, перед лицом Беатрис, не способной понять и справиться с мыслью о таком выборе легкой смерти. Я вдруг оказалась рядом с ним и, воспользовавшись отсутствием свидетеля, вместе с ним открыла ящик ночного столика, достала оттуда десять ампул морфия, добавила к ним одну ампулу противорвотного средства, чтобы не стошнило, и вколола все это в бедро — уже обтянутое кожей и на вид неприятное для человека, привыкшего к маникюру и кремам после бритья. Вот так мгновенно я перенеслась вместе с ним в прошлое, очень далекое прошлое, в поля, которых не было в моем детстве и не было потом, в поля странные, с шелковой травой, а позади остались лица, также мне неизвестные и не вызывающие никакого желания узнать их. «Погиб, погиб, плыву без мачт, и не видать мне плодородных островов». Короче, я окунулась в неизвестность, не похожую ни на одну из картин, всплывавших порой в моем воображении в те моменты, когда я желала смерти. Пришла Беатрис, села и, не произнося ни слова, смотрела, как я умираю. Лишь несколько слезинок скатилось, возможно, по ее щекам к уголкам сжатых прекрасных губ. Затем она ушла, за что я была ей благодарна. А Жолье уже плыл среди облаков.

Да, я определенно любила тротуар, пахнущий акацией, на той улице, где прожила пять лет, любила цветы и листья, покрывающие летом землю. Некоторые книги вначале вызывают восторг, а в конце — тоску, другие — наоборот. «*Смятая постель*» с начала до конца доставляла мне искреннее наслаждение. Я управляла моими героями и не бросала их, так как все в этой книге сводилось к ним, к ним одним, и к их страсти. В романе нет третьих лиц, путешествий и настоящих разлук, нет и малейшей тайны. С самого начала герои, «разъяренные драчуны», как поет Барбара, поставлены друг против друга и такими же, лишь немного подуставшими, они остаются в конце книги. Дописывая последнюю строку, я ощутила потребность поблагодарить их за красивую борьбу, как благодарят боксеров — жестоких и холодных, — часами причинявших себе боль на наших глазах.

«Приблуда»

Прежде чем я начну говорить о «*Приблуде*», считаю нужным упомянуть о моем золотом мирке, той среде, которую ставили мне в вину с давних пор: «Все герои мадам Саган принадлежат к той роскошной узкой среде, которая избавляет их от любых повседневных забот...» Подобные утверждения поначалу удивляли меня, потом наводили тоску и наконец стали раздражать, пока я не перестала обращать на них внимание. Напрасно я подбирала для моих героев обычную и подходящую им профессию — всех их зачисляли в богачи, как будто безденежье не являлось скрытым героем драмы, одержавшим победу в романе «*Сигнал к капитуляции*», как будто в «*Ангеле-хранителе*», «*Смятой постели*» и других действуют люди, не имеющие занятий, набитые деньгами и безразличные к окружающим. Действительно, треволнения страсти были для меня важнее экономических тревог. Но кто из писателей говорил об экономических проблемах? Не Расин, не Пруст, разумеется, так же как не Робб-Грийе и не Моран. Вот я и решила идти по этому же пути. И только в романе «*Приблуда*» я, если хотите, изменила среду и ввела бухгалтера и хозяйку гостиницы в мою историю любви.

Я хотела бы сразу покончить с темной историей о плагиате, которую благодаря уловкам неких адвокатов, издателя и автора мне пришлось расхлебывать более года. Если рассказать коротко, то меня обвинили в плагиате, и лживость этого обвинения я не могла доказать, поскольку текста так называемого «заимствованного романа», как оказалось, найти не удалось, хотя для издателя было бы логичнее и выгоднее представить его в столь подходящий момент.

Но несмотря на то, что дело выглядело сомнительным, все поверили в плагиат или сделали вид, что верят, за исключением газеты «Матен де Пари», на страницах которой журналист по имени Морель — я помню его имя, как имя героя, — защищал меня до конца. Нужно сказать, что газета «Матен де Пари» была на грани краха, остановки издания и шантаж, то есть угроза отзыва всей рекламы, которой пугал ее и другие газеты издательский дом «Фламмарион», уже ничего для нее не значил. Несмотря на все усилия мадам Розес, которая действительно пеклась о справедливости и отказывалась узаконить направленные против меня решения моего издателя, один судья вынес постановление о разделе авторских гонораров между мною и автором скопированного якобы романа: Жаном Угроном. Судья приказал также разбить матрицы книги кувалдой. Бальзаковская окраска этого сговора — ведь мой издатель выступил против меня (впервые в истории литературы издатель нападал на книгу одного из своих авторов после того, как опубликовал ее), — средневековые методы (кувалды и т. д.) заставили нас обратиться в апелляционный суд, где мои противники были осуждены за необоснованные обвинения и вынуждены были оплатить судебные издержки. Но понадобилось два или около того года, чтобы разоблачить эту жалкую махинацию. Вышедший между тем в ореоле скандала роман *Приблуда* продавался плохо, ведь, к счастью, французы намного требовательнее относятся к вопросам морали, нежели спекулянты или политики.

Сюжет «*Приблуды*» — смешной и печальный, в нем такое множество поворотов, что они не позволяют мне изложить здесь всю историю и рассказать о развязке. Отметим лишь, что книга совсем не скучная, а местами даже волнующая. Можно было бы снять великолепный фильм по этому роману. Это одна из тех редких книг, которую, несмотря на мой, не всегда вдохновляющий, опыт в этой области, я хотела бы увидеть на экране.

Но если вновь обратиться к жизни, реальной жизни, забавной стороной этого жуткого дела, — я говорю «жуткого», потому что обвинение в воровстве чего бы то ни было у кого бы то ни было вызывало у меня тяжелые приступы гнева, — итак, забавной стороной этой истории была реакция критики. После того как меня упрекали в приверженности золотой среде, на фоне которой звучит тихая мелодия моих книг, критики, столкнувшись с героями «*Приблуды*», занимающими скромное положение в обществе, начали хором придираться ко мне: «Во что она вмешивается? Пусть остается в мирке, который ей знаком, что ей делать на этом «дне»?» и т. д. Они ополчились на мой простонародный словарь и обнаружили, что вместо слов «породные отвалы» я должна была употребить словосочетание «шахтерский поселок». Конечно, критика незначительная, но эти «отвалы» мне долго ставили в упрек в прессе и на телевидении, подчеркивая мое преступное незнание нашего доброго народа (который сами критики, судя по их высказываниям, знают великолепно).

«ЖЕНЩИНА В ГРИМЕ»

В этот беспечный и безденежный период — поскольку мой издатель лишил меня доходов — я поехала на скачки в Отей, где разыгрывался Большой приз, чтобы посмотреть, как пробежит моя лошадь Хэсти Флэг (до того времени просто кляча); приз в 250 000 франков, завоеванный Хэсти Флэг, ее поднимавшимися до ноздрей копытами, позволил мне нанять и оплатить адвоката, защищаться, а значит, выжить — мне и моим близким. Я ушла от Фламмариона к Жан-Жаку Поверу, который оказался подлинно хорошим издателем (пока не последовал худому примеру и не вообразил, подобно своему предшественнику, что я могу писать под угрозой — что для меня невозможно). Тем не менее по его совету я написала самую занятную и самую непохожую на все мои произведения книгу, которая называется «*Женщина в гриме*». К тому же она оказалась одной из самых толстых (560 страниц вместо обычных 200). После того как я попробовала силы в легком и даже легчайшем весе, я перешла к тяжелому.

Книга «*Женщина в гриме*» явилась доказательством — ранее мною не осознанным — того факта, что литература, или лучше сказать вдохновение, отрывает нас и отвлекает от всего, ставит над схваткой, ибо схваток в то время у меня было предостаточно: история с плагиатом, козни моего издателя, отсутствие средств и кредиторы — разбуженные не знаю каким набатом, они с тревогой просыпались и с рассветом бросались к телефону, чтобы позвонить мне, — не считая катастроф материального плана, различных операций и т. д. Итак, этот роман, над которым я работала по пять-шесть часов в день, превращал в нечто нереальное восемнадцать предыдущих книг. У меня сложилось ложное, но устойчивое ощущение, что моя жизнь проходит там, на большом и выдуманном мною корабле, рядом с героями романа, и что прочее мое существование не в счет или больше не в счет. Я ложилась в постель в восторге от дня, который показался бы тоскливым любому другому. Я и в самом деле была очарована или, точнее, оказалась во власти очарования, которым обязана была только себе, и ничего не могла с этим сделать. Долги, решения суда, заказные письма, газеты — все это обрушивалось на меня каждое утро и слишком быстро проскальзывало перед моими глазами, чтобы вызвать интерес. Впервые я оценила силу вымысла, воображения, или, обобщая эти понятия, силу вдохновения.

«Женщина в гриме» была задумана во время обеда несколькими месяцами ранее. На том обеде я услышала рассказ элегантной женщины, которую считали, да и она сама себя считала, меломанкой. Она только что вернулась из «музыкального» круиза; на том же корабле плыли сверхзнаменитый виолончелист и столь же известный тенор. Маршрут корабля пролегал по Средиземноморью, от порта к порту, от музея к музею, дни были посвящены изобразительному искусству, а вечера — музыке, и по вечерам обе знаменитости исполняли для пассажиров лучшие произведения из их репертуара. К тому же отличная кухня, великолепные пейзажи, и, если отвлечься от стоимости путешествия («Такое безумие, — говорила меломанка, — просто недоступная цена»), она всем советовала бы совершить его. Я тут же начала мечтать и до конца обеда представляла себе Равиоли, Капри, Верди, Скарлатти, стала придумывать уморительные программы и решила, что это прекрасная почва для творческого поиска.

Я преклоняюсь перед Сомерсетом Моэмом, Олдосом Хаксли, Ивлином Во, долгое время находилась под обаянием героев одного из них, интонации другого. Но странно было бы видеть, как снобы или бездельники на протяжении двух недель послушно приходят слушать музыку, Музыку с большой буквы «М». Половина подобных героев была бы обаятельна, другая — неприятна, многие из них — просто смешны, между ними происходили бы бурные сцены, стычки, они попадали бы в исключительные обстоятельства с неожиданными порой развязками.

Я не видела необходимости копаться в психологии или изменять характер моих героев, точнее, отказываться от стереотипов. В моем романе должна быть эксцентричная и капризная дива, жиголо, надеющийся удачно пристроиться, проходимец, пытающийся провернуть свои делишки, отвратительная светская дама, тупой продюсер, молодая звезда-интеллектуалка и т. д. И всех их надо представить в ироническом ключе.

Разумеется, этим застывшим схемам суждено было исчезнуть. К концу книги проходимец становится романтичным мужчиной, жиголо влюбляется в диву, а та оказывается взбалмошной, конечно, но трогательной женщиной. Светская львица проявляет себя как человек достойный и проницательный, продюсер же — чуток и обаятелен и т. д. Оставалось разобраться лишь с тремя противными упрямцами: издателем газеты, пианистом, восходящей звездой. И что же! Еще тридцать страниц — и я всех их оправдала. Может быть, потому, что сама оптимист от природы или у меня снисходительное воображение. Что ни говори, а мне всегда было безумно трудно включать в свои произведения злых героев, которые таковыми и остаются, точнее, меня они не привлекали. Сартр сказал мне однажды, что очень умные люди не бывают злыми, злость предполагает ограниченность, априорную глупость, и, к моему изумлению, время лишь подтвердило правоту этих слов. С учетом вышесказанного, оценки такого рода, как «развлекательная терпимость», возмущают меня особенно.

На этом и остановимся. Я не хочу, не могу изложить на двух страницах злоключения двенадцати героев, пережитые во время двухнедельного круиза. Время таких романов, как «*Через месяц, через год*», прошло. На сей раз, чтобы развлечься, моим героям понадобилось 560 страниц. Что определило ясность изложения; я строго прослеживала сюжетные линии, связанные с моими двенадцатью персонажами, и наконец-то, для того чтобы не путать их, у меня в запасе оказалось достаточно страниц. Двенадцать раз я переписывала начало, каждый раз — по сто страниц, и эти наброски, к сожалению, сохранил Жан-Жак Повер. Всего 1100 страниц, и всегда роман начинался одинаково: «Наступили последние летние дни... Желтое беспощадно палящее солнце, как в детстве...» — 1100 страниц, и я не уверена, что оставила в книге лучшие из них.

Но критикам книга понравилась, у «*Женщины в гриме*» появились и до сих пор остались свои поклонники. Я сама слышала, как многие из них умирали со смеху во время чтения романа, и была в восторге, радовалась этому как награде за мое упорство и творческую увлеченность. Я столько работала над романом «*Женщина в гриме*» с его кипой страниц, что для меня (так же как для Изабель, одурманенной книгой не меньше меня) оказалось мукой написать слово «Конец». Точнее, я снова принималась за дело, хотя все было уже написано и пора было ставить точку, возвращалась к середине книги из-за пришедшей в голову фразы, которая потом всплывет на первой странице «*Застывшей грозы*» (в моем перечне — следующий роман). Я жила тогда на улице Алезиа у Орлеанских ворот в небольшом обветшалом доме и арендовала нижний этаж в другом совсем уж смешном домике в Сите Флореаль, где жила упомянутая Изабель со своими блестящими солнечными очками и трескучей пишущей машинкой.

Именно там я не смогла написать слово «Конец», завершающее роман *Женщина в гриме*. И это удивительно, ведь в отличие от других книг, о которых я вспоминаю с тоской, *Женщина в гриме*, несмотря на похвалы и критические отзывы, сопровождавшие ее появление, повисла на мне потом как бродячая собака, которую не удается прогнать. К счастью, круиз был рассчитан всего на две недели: продлись он три месяца, я до сих пор распутывала бы нити интриг на борту «Нарцисса»!

Впрочем, я чуть было не занялась этим, преисполненная благодарности к героям, отвлекшим меня от истории с плагиатом и оградившим от моральных переживаний по поводу грязных и дурно пахнущих аспектов этого процесса. Мне никак не удавалось освободиться ни от женщины в гриме, ни от других персонажей: я хотела бы последовать за Дориаччи в Нью-Йорк, в «Метрополитен», с удовольствием посмотрела бы, как выглядит моя женщина в гриме без косметики, как она красива и как идет под руку с проходимцем и насмешником, преобразившимся в трепетного влюбленного. Я хотела бы увидеть, как мою эгоистку-звезду прогоняет продюсер, очарованный светской дамой Эммой, которую он поведет в роскошный, но пользующийся дурной славой парижский притон, и у его порога Эмма скажет: «Какое забавное заведение, не так ли?» — после чего, как юная девушка, спрячется за шкаф, и тогда он, продюсер, растроганный и пораженный, с уважением отнесется к ее стыдливости.

Да, все это было возможно и даже соблазнительно. Некоторые читатели, завороженные «Нарциссом», уговаривали меня написать продолжение. По сути, я несла моральную ответственность за случившееся на корабле. И в следующей книге должна была бы отправиться вслед за одними героями в Париж, за другими — в Нью-Йорк или в Канны... Но как сделать это? У меня уже не было ни моего корабля, ни его пассажиров, ни фона, необходимого для их перемещений и поступков. Читатели запутались бы, а моим героям не дано было бы пережить восторга встречи — перед тем как ближе узнать друг друга — или радости уединения в море — перед тем как влюбиться. По логике вещей, все они попытались бы переосмыслить свое поведение во время круиза, вспоминая при этом лишь отдельные эпизоды. Перед ними уже не стояло бы выбора, они не были бы пленниками моря и музыки, как в «*Женщине в гриме*». Да и зачем снова выводить на сцену героев без загадки, без тайны или описывать уже сложившиеся отношения?.. Такая игра — не на равных. Это была бы уже не моя история. Меня прельщали мои герои, с которыми я не могла расстаться, и если бы я продолжила писать, если бы пошла дальше за ними, то обнаружила бы рядом с собой, в траве, бедных трепещущих рыбок, которых никакая струя воображения не смогла бы оживить.

Чтобы закончить рассказ об этой разношерстной и преданной друг другу группе пассажиров с «*Нарцисса*», спасшей меня от горечи и злости, тоски и презрения, страха и мизантропии, я должна попрощаться с ними. Сказать «прощай» Жюльену, Симону и старине Боте-Лебрешу, а также их спутницам, не позабыв о персонажах, которых мне пришлось придумать и воссоздать в романе, чтобы у Дориаччи появился мужчина, поскольку ее возлюбленный умер. И все же впервые, расставаясь со своими героями, я испытывала такой внутренний протест.

Фильм, снятый по моему роману Робером Энрико, был довольно приятен для души и, на мой взгляд, очень увлекателен, но его оценили так несправедливо, что это огорчило меня до крайности. Впервые я столкнулась и с тем, как холодно написал в «Либерасьон»[1] некий критик: «Я не видел этот фильм, но мне интересно знать, зачем такие прекрасные актеры поднялись на эту галеру?» — или нечто подобное. Я сочла этот выпад отвратительным по отношению к режиссеру, к затраченному им времени, его надеждам, работе всей группы на съемочной площадке, где снимался этот фильм, по отношению к таланту актеров, судя по всему искренне выкладывавшихся и на три месяца собравшихся вместе лишь для того, чтобы бездарный журналист-параноик облил их наглым презрением. И вовсе не «Либерасьон» держала я в руках, а «Претансьон»[2]. Добавлю, что я ни одной секунды не потратила на создание фильма, но он показался мне как зрительнице не только удачным, но и веселым, а местами волнующим. А это самое главное. Я не люблю, когда сбирам дают в руки оружие, чтобы они наугад отстреливали связанных врагов.

---

[1] Освобождение.
[2] Претенциозность.

«НАВИСШАЯ ГРОЗА»

Название *«Нависшая гроза»* также заимствовано у Элюара. Как всегда, отдав дань легкому цинизму и откровенной безнравственности героев в *«Женщине в гриме»*, я должна была и хотела изменить тональность в новой книге, тональность и все остальное. Наша эпоха не очень-то настраивает на романтический лад, но я не собиралась прятаться в башне из слоновой кости или в глухой деревне, чтобы излить свою душу в лирическом жанре, о котором начинала тосковать. Пришлось лишь решительно изменить время действия романа.

Поскольку моим прежним издателям было отказано в иске и они ничего не добились своими кознями, я, обретя полную независимость, снова стала искать издателя и с подачи Жан-Жака Повера отправилась с моим прекрасным кораблем к Рамсе, а он в качестве рекламы предложил мне и моей *«Женщине в гриме»* лишь полполосы в «Монд», и точка.

Немного удивившись, конечно, я доверила *«Нависшую грозу»* Бернару де Фаллуа, соиздателю все того же Жульяра, но он так же мало помог продвижению этого романа, как Рамсе. Я должна была поддерживать рекламную кампанию своим присутствием, действовать, как говорится, на свой страх и риск, давая интервью, от которых при иных условиях отказалась бы. По неизвестным мне причинам Рамсе и Бернар де Фаллуа не проявляли особого интереса к женской литературе или же к тому, что написала именно я, как знать! В дальнейшем я не соглашалась подписывать договор больше чем на одну книгу ни с кем из издателей, оставляя за собой право публиковать следующие произведения у того, кто вел себя прилично. В этом, как и во многом другом, издание книги похоже на заключение брака. Во всяком случае, так легче объяснить мои скачки из одного издательства в другое. Ибо в наше время таких издателей, как Пуле-Маласси, не так уж много. Да и Бодлеры, надо сказать, попадаются не часто. И все же поэзия — самый прекрасный... Впрочем, я это уже говорила.

Все это происходило в 1981 году, когда мною овладело отвращение к жизни, о котором поет Барбара, и жестокое, как все виды депрессий, оно не отпускало меня на протяжении трех лет или около того; все это время я таскала свою тень, и только тень, по улицам и клиникам. Это слишком распространенное и слишком тяжелое заболевание, чтобы задерживаться на нем. *«Нависшая гроза»*, написанная, если можно так сказать, заранее, обеспечила мое существование на три следующих года, и, справедливости ради, я должна защитить эту книгу. Поскольку сам факт ее быстрого появления вслед за другим романом как бы в качестве эрзаца, играющего роль затычки на период полного творческого бессилия, не позволяет ожидать чего-то потрясающего. А именно таковым следовало быть сюжету книги, чтобы она не оказалась безвкусной. Однако эти особенности едва не погубили роман, тем более что я для описания событий, происходящих в 1830 году, решила придерживаться стилистики того времени (самой подходящей с художественной точки зрения). Что ж, придется опубликовать эту книгу под псевдонимом. Пусть моя *Гроза* мечет молнии и вызывает достаточно вопросов, чтобы читающая публика набросилась на роман, подписанный именем Дюпон. Я отчетливо представляла себе — и этому «помогала» депрессия — возвраты книг издателю, огорченных книготорговцев и мое потрясение, когда обнаружилось бы, что для читателей имя мое дороже написанной мною прозы.

Чтобы уберечь меня от новой неудачи, мой издатель, я думаю — то есть хочу так думать, — воспротивился эксперименту, казавшемуся мне изысканным и отважным, а ему — смехотворным и опасным с финансовой точки зрения. В результате я опять повесила на шею моей *Грозы* шарфик с именем Саган и до сих пор не знаю, ожидал ли искусно загримированную Дюпон такой же успех, как Саган.

Итак, в 1981 году вышла «*Женщина в гриме*». Но во Франции в то время происходили другие события, в большей степени привлекавшие внимание людей, нежели мои шедевры. Однажды, в дождливое июньское воскресенье, на выборах победили левые.

Я познакомилась с Франсуа Миттераном намного раньше у Пьера Лазарефа, когда была еще замужем за Ги Шёллером. Тогда мы едва обменялись несколькими словами. В 1980 году я снова столкнулась с ним на юго-западе страны в здании аэропорта (мы оба родом из тех мест); это был маленький аэропорт Тарба или Байонны, не помню точно. В 1980 году, во всяком случае, Миттеран находился в полном одиночестве. Моруа и Рокар в касках и сапогах объезжали шахты без него, а коммунисты свирепо рычали ему вслед, почти так же свирепо, как правые. Короче, Миттеран был один в том аэропорту, и, поздоровавшись на земле, мы сели рядом в самолете. Я совершила очаровательное путешествие с умным, обладающим прекрасным чувством юмора человеком, которого во время полета я пригласила к себе на чай, если у него найдется время. Он не показался мне ни одиноким, ни разочарованным, ни удрученным происходящими событиями, и это мне понравилось. Я всегда любила людей, которые хорошо держатся в стане врагов.

Итак, он навестил меня, и мы пили чай. Я жила тогда на улице Алезиа в доме, где сдавались студии, моя огромная и ласковая овчарка встретила его радостно, что свидетельствовало в пользу гостя. Мы говорили обо всем, кроме политики, и такая форма общения вскоре стала привычной. Речь зашла о смерти — мы оба знали, что такое быть на волоске от нее: он целую ночь ожидал, что его расстреляют на рассвете, а я — более прозаично — всю ночь в больнице была убеждена, что больна неизлечимым раком и на следующее утро меня будут оперировать! Следовательно, каждый из нас прожил целую ночь в полной уверенности, что смерть неминуема, и у нас обоих сохранилось одинаковое воспоминание о животном страхе в бунтующем теле и о любопытстве, смешанном с удивлением в душе. А также о новом ощущении собственной кожи, голубизны своих вен и ровного, безостановочного и обманчивого пульсирования крови у запястья. Реакции наши были почти сходными, и в какой-то мере мы почувствовали себя людьми одной породы, ведь не так часто нам встречались те, кто близко видел смерть, свою безучастную смерть.

Как и все его сторонники, я помню 1981 год, улицы под проливным дождем и крики «браво», а также лица людей, сияющие от радости. Помню и скорбные, злые мины на некоторых светских приемах. Помню первый телефонный звонок из канцелярии президента и его появление в моем доме, — как всегда, он был один, в легком сером костюме, поскольку погода стояла прекрасная. Вспоминаю наш первый завтрак и то, как это событие взбудоражило и привело в восторг моих домочадцев, как соседи были ошеломлены, столкнувшись с ним в холле, и как полицейские выстроились у его машины, когда он вышел. Он был единственным президентом республики, — единственным из тех, кого я знала лично (хотя таковых было мало, очень мало, но все же... мелкие сошки о таком и не мечтали), — итак, единственным государственным деятелем, кто не требовал уступить ему дорогу по сигналу клаксона и обгонял другие машины лишь в случае крайней необходимости. Обычно он говорил: «Не было причины выбираться из пробки». Я помню завтраки, во время которых мы говорили обо всем. Помню о поездке в Колумбию, где мне пришлось бы умереть из-за разорванной плевры, если бы он немедленно не отправил меня самолетом на родину. Помню, как моя собака опрокинула бокал с красным вином ему на галстук в тот день, когда он собирался на заседание Совета министров, и как я окунула этот галстук в белое вино, чтобы через полчаса вынуть его безупречным Что и получилось — к моему великому облегчению и огромному удивлению президента. Я вспоминаю о стольких вещах... и, несмотря на гадости и мерзости, написанные о Миттеране после его смерти, я, безоглядно смелая, по-прежнему вижу его — в сером костюме, улыбающегося — на пороге своего дома. Вижу также и лица французов на улицах или на дорогах в день его похорон. Он был государственным деятелем, истинно государственным человеком, сильным и таинственным, внушающим доверие и недоступным. Это была замечательная личность, откликающаяся к тому же на несчастье или счастье ближнего. Я бесконечно грущу о нем и никогда не переставала грустить. Что бы ни говорили те, кто покинул его после многих лет сотрудничества.

Помимо прочего, у нас была общая черта: непостоянство, со временем переходящее в преданность; и если этот парадокс кому-то покажется надуманным, найдутся все же люди, которые поймут его.

Вернемся же к моей *«Грозе»*. Историю рассказывает в 1875 году глубокий старик, стоящий на краю могилы и вспоминающий свою жизнь. В 1834 году он, нотариус, был безумно влюблен в прекрасную Флору де Маргеласс, вернувшуюся из Англии, куда ее сослали во время революции. Белокурой красавице было тридцать лет, и одновременно с нотариусом в нее влюбился красивый молодой человек из тех мест, крестьянин и поэт по имени Жильдас; она очень скоро ответила на его чувство на глазах ужаснувшегося поклонника-нотариуса. Влюбленные поженились в Париже и вернулись обратно в деревню, куда привезли горничную Флоры (по имени Марта), взбудоражившую весь город и одновременно всех именитых горожан, которым она отдавалась с неистовой страстью. До того момента, пока красивый муж Флоры, в свою очередь, не поддался ей и правда не выплыла наружу во время бала, завершившегося дуэлью. Я не буду рассказывать — как же! как же! — ни продолжения истории, ни ее конца моим уже заинтригованным читателям.

Я шучу, но эта книга романтична и трогательна, если кому-то нравится стиль рассказчика, сочетающий разум и чувство. Судьба довлеет над всем происходящим так же, как мое перо, и вся история залита дождем и слезами. Добавьте несколько описаний природы, которых давно не было в моих произведениях (с точки зрения Бернара Франка, единственное описание природы в этой книге взято из романа *«Через месяц, через год»*, а в нем в общем и целом есть одна лирическая фраза: «Стояла багряная осень»).

Я рассказывала раньше и более подробно о моей любви к природе. И не буду делать этого снова, ведь мне порой действительно трудно говорить о ней, словно это слишком личная тема. Я могу описывать природу лишь издалека. Кстати, у меня больше нет особого желания рассказывать и о своем псе или его предшественниках, о ряде людей, с которыми меня связывают или связывали прочные узы. Все это — часть меня, часть особого существа, и говорить о них значило бы обратить их в камень, лепить что-то из живого материала, остановить дыхание времени и полет звезд. Не понимаю, почему я способна подвергнуть этой стерилизующей обработке чувства и порывы, которые напрямую не касаются никого, кроме тех, кто их спровоцировал. Но я всегда думала, что на земле существуют разные союзы и что, помимо семей, объединенных по принципу крови и воспитания, существуют семьи случайные — это люди, в которых смутно узнаешь своего родственника, ровню, друга, любовника, словно их в ходе веков несправедливо разлучили с вами, хотя вы и жили одновременно, только не узнавали друг друга. Это не то, что называют родством душ или тел, это родство, состоящее из молчания, взглядов, жестов, смеха и сдержанного гнева, такие люди задевают друг друга или веселятся по тому же поводу, что и вы. Вопреки распространенному мнению, их встречают не в молодости, а чаще всего позднее, когда на смену желанию нравиться приходит желание понять. Когда не стремятся одержать блестящую победу над другим, а скорее ищут достойного покоя, и главное — когда не надеются разгадать характер кого-то, поняв, что нельзя «по-настоящему» познать никого. И в этих моих рассуждениях нет никакого пессимизма, а есть нечто противоположное.

Итак, я находилась в полной депрессии, как уже было сказано, когда вышел роман «*Нависшая гроза*», и мне не очень нравилось говорить заинтересованным, оживленным голосом о книге, которая была за тысячу верст от моих ежедневных забот, точнее, моего повседневного безразличия. Я испытывала неистовое желание убежать, когда со мной заговаривали о моих прежних или будущих романах и о моей любви к литературе. В тот момент я ею совсем не интересовалась, и предположение о том, что я сяду писать, казалось мне беспочвенным и невероятным. Пришлось дожидаться более позднего момента, — кажется, выхода романа «*И переполнилась чаша*» четыре года спустя, — чтобы вновь обрести интерес к работе, радость и блаженство творчества. «*Нависшая гроза*» позволила мне постепенно забыть роман «*Женщина в гриме*», к тому же его герои не слишком сильно увлекли меня. В прозе многих писателей той эпохи (1870) неизменно присутствует здравый смысл, приличия и нравственность, и о своих персонажах авторы судят по их поступкам или высказываниям. Этот подход я назвала бы «вторым глазом». Такие писатели, как Джейн Остин или Теккерей, взывают к богу, подчеркивая одновременно, что Он не вмешивается в дела людей, и сожалеют об этом. Но что на самом деле думала Джейн Остин о своих героях? Не питала ли она слабости к презренному соблазнителю, разъезжавшему по Брайтону в тильбюри[1] и на красивых лошадях? А если он оказывался циничным или трусливым и соблазнял даже вверенных его покровительству девушек, учил их дурному, как на самом деле относилась к нему Джейн Остин? Иногда в творчестве Эдит Уортон, да и во всей литературе «комильфо», относящейся к XIX веку, отчетливо прослеживается преступное удовольствие, с которым автор изображает очень красивых и очень подлых героев.

«Второй глаз», к которому прибегали также Бальзак, Шатобриан, Барбе д'Оревильи, тот самый глаз, лицемерие которого в те времена воспринималось снисходительно, исчез вместе с XIX веком, когда престиж веры заметно угас. Отсюда, наверное, и возникло представление об относительном бесстыдстве современной литературы. Мои обожаемые английские или американские писатели, от Дороти Паркер до Барбары Пим, в том числе Дэвид Лодж и Элисон Лури, прекрасно обходятся без бога, тем более что английские священники охотно позволяют увлечь себя бурными и страстными переживаниями прихожан. Несомненно, именно отсутствие мистицизма, во всяком случае религиозного чувства, позволило мне написать столь романтическую книгу, как *Нависшая гроза*, — с балами, дуэлями, любовными связями, жестокостью, тайнами и сладострастием. И все это было изложено без упоминания карающего за циничную мораль бога или краснеющих ангелов прошлого века. Им, между прочим, пришлось бы нелегко, хотя рассказчик и был человеком, вполне достойно пережившим свое несчастье, человеком, для которого самым мучительным наказанием оказалась жизнь без любви... А также жестокая перспектива старости, стремительно приближающей его к смерти, и при этом нет руки, сжимающей руку умирающего... и нет другого сердца, бьющегося в такт с его сердцем.

Велико значение ближнего в жизни человека — таково мое убеждение, я редко и так безоговорочно верю во что-то, а строки, которые привожу, очень точно иллюстрируют сказанное:

...Его поцелуи и дружеские объятия были истинным небом, моим мрачным небом, на которое я возносилась и где хотела бы остаться — нищей, глухой, немой и слепой.

---

[1] Легкий двухместный экипаж.

...Но, нежно меня приласкав, он вдруг говорил: «Все то, что ты испытала, каким нелепым тебе будет это казаться, когда меня здесь больше не будет. Когда не будет руки, обнимавшей тебя, ни сердца, на котором покоилась твоя голова, ни этих губ, целовавших твои глаза...»[1]

Ведь даже неистовый, неуловимый, непримиримый Артюр Рембо прекрасно знал, чтó такое простые и безумные слова любви и жажда быть любимым, знал слишком хорошо, чтобы не устоять перед ней однажды, в тот момент, который не удалось вычислить и самым дотошным из его биографов.

«И ПЕРЕПОЛНИЛАСЬ ЧАША»

Вернувшись к Галлимару, я долго не решалась приступить к работе над романом *И переполнилась чаша*. До той поры я избегала значительных сюжетов. Никогда не допускала, чтобы в любовные истории, помимо тех препятствий, что связаны с силой или слабостью героев, вмешивались какие-либо внешние факторы. Таким образом, по-своему я пыталась следовать логике экзистенциализма (если уж разыгрывать из себя философа), позволяя своим героям действовать абсолютно свободно, проявлять себя только в поступках. Но в романе *И переполнилась чаша* я вводила посторонний и тем не менее всемогущий фактор, определяющий всю их жизнь и лишь позднее — характер; этим фактором была война. Я очень смутно помнила нашу войну, мало что в ней понимала, но довольно четко представляла себе, какое воздействие могут оказать сила, угроза, страх и жестокость, пришедшие извне, на сознание человека, беззаботного или нет.

Естественно, героем книги я сделала Шарля, который мог бы сыграть свою роль в предыдущей моей книге и быть частью того «мирка». Затем я столкнула его с двумя другими персонажами: Пьером[2], одним из его лучших друзей, и возлюбленной последнего, скажем, Нини, — их обоих разыскивало гестапо. Герой, то есть Шарль, был обаятелен и ветрен, любовница друга — красива и объята страхом. Между ними произошло нечто более романтичное, нежели солидарность. Когда старый друг уехал, они отдались друг другу и даже совершили поездку в Париж, которая сблизила их еще больше. В конце романа Пьер и Нини, спасаясь от преследования, исчезли, а Шарль, проникнувшись наконец их убеждениями, вступил в ряды

---

[1] А. Рембо «Одно лето в аду» (*пер. М. Кудинова*).
[2] В опубликованном тексте романа Пьера и Нини зовут Жером и Алиса.

Сопротивления, поскольку: «чаша переполнилась и мучает жажда любви». В сущности, речь идет о приятии судьбы свободным и счастливым человеком, о его согласии рискнуть всем, в том числе и жизнью, ради неизвестных людей. Я слегка плыву наугад, рассуждая об этих героях, потому что из-за моей несобранности книги нет у меня под рукой, и я рассказываю о ней по памяти, а это трудно.

Экземпляры романа «И переполнилась чаша» всегда исчезали «по-английски». Помню, как я сама, за отсутствием обычного издания, отдала сигнал книги недоверчивой консьержке, горевшей желанием не столько прочитать ее, сколько показать знакомой консьержке из дома напротив. Другие издания, выпущенные на голландской, японской бумаге и т. д., разошлись по родственникам, друзьям и различным организациям, представителям которых, на свою беду, я сама открывала дверь. Не говоря уж о периодах, когда исчезают ваши издания в «Плеяде», а на поверхность выплывают старые альманахи. Короче... Короче, надо бы избавиться от всех этих «короче», набрасывающихся на мою прозу, как мильдью[1] на виноград.

Роман «И переполнилась чаша» во многом обязан своим существованием Франсуазе Верни, которая легко убедила меня в том, что все сюжеты хороши и что одинаково трудно создать строгий стиль, описывая сложные события, и достичь лиризма в изображении повседневности. В результате я включила в эту книгу войну, гестапо, допросы, опасность и одновременно ряд общих размышлений о трусости, безразличии, эгоизме и т. д.

По этой книге был поставлен фильм с хорошими актерами, талантливым режиссером и интересными идеями, но картина не пользовалась успехом, за отсутствием чего-то такого, о чем я не имею понятия. Это умный и достоверный фильм, но в нем без причины и без конца все замедлялось, и так он воспринимается по сей день.

«В ПАМЯТЬ О ЛУЧШЕМ»

После романа «И переполнилась чаша» я написала «В память о лучшем». «Во всяком случае, это оригинально! — сказала мне Франсуаза Верни. — В Париже, говоря друг о друге, люди лишь сводят счеты». А я написала книгу о моих встречах с людьми, и восхище-

---

[1] Болезнь винограда.

ние стояло в ней во главе угла. Не знаю, было ли это открытием, но мои «лучшие воспоминания» заинтересовали многих читателей. Мне даже пришлось прочесть книгу в микрофон для «Эдисьон де Фам», и я вынуждена была приспособить свою речь к 33 оборотам, хотя обычно говорю на 45.

Это происходило на Елисейских Полях, точнее, на улице Понтье, там на первом этаже после полудня происходит запись. Окна студии, расположенной в провинциального вида домике, в ста метрах от Елисейских Полей, выходили во дворик, напоминающий картину Утрилло, и в этом дворике попеременно появлялись то ребенок, то кошка. Вопреки пессимистическим предсказаниям звукоинженера, а также помощницы, очаровательной Антуанетты Фульк, я довольно успешно справилась с задачей, не заикалась и за три дня, как профессионал, записала свой голос на диск. Во время перерывов, подтерев нос ребенку и поласкав кошку (или наоборот), я отправлялась выпить стакан яблочного или грейпфрутового сока в Галери де Лидо, находившуюся совсем рядом. Кажется, все это происходило летом, и, не знаю почему, в памяти моей эти три дня связаны с ощущением расслабленности и удачи: порой делаешь очень важные, блестящие вещи, требующие высочайшего напряжения, но они забываются, не оставляя никакого следа. А тут проводишь три дня после полудня в маленькой, слегка поблекшей студии и помнишь все до мельчайшей детали... дворик, пыль, кошку и вкус яблочного сока. Страшно сказать, но самые яркие и самые сладостные воспоминания всегда связаны с одиночеством. Моменты, проведенные вдвоем, скажут мне, по-своему удивительны, они настолько переполнены, что стираются самим мгновением, яркостью этого мгновения, ощущением быстротечности времени, небытия, внушаемым страстью. При этом замечаешь, видишь только то, что нравится. Находясь вдвоем, видишь лишь того, кто рядом.

Книга *«В память о лучшем»* очень понравилась. Немало людей распознали в ней знакомые им ощущения в описании скорости движения, игры и других, хотя и субъективных, событий; многие написали мне письма. Реакция читателей, конечно, доставила мне удовольствие, но вместе с тем вызвала раздражение. В этой книге воображение не играло никакой роли, только память. Памятью может воспользоваться кто угодно. Но воображение — вещь независимая, и оно бывает непокорным. Я могла бы в какой-то мере гордиться своей интуицией, проявившейся во время некоторых встреч, могла «мурлыкать» в привычном стиле, но все это было бы так далеко от «домашней сумасбродки», что моя интуиция, мое «сумасбродство» оказались как бы отвергнутыми, отброшенными, бесполезными. Эта книга, — впрочем, как и та, что я сейчас пишу, — опиралась лишь на искренность, и недостаток искренности оказался бы самоубийственным для автора. Я, разумеется, получила удовольствие от работы над этим эссе, но уже пришло время оживить мое воображение, позволить ему разыграться и вновь приступить к моим привычным играм с участием головы и тетради.

По правде говоря, я немного устала от самой себя. Я перечитала подряд пятнадцать своих романов, и не взбунтоваться слегка после такой работы было невозможно. Нельзя в течение двух месяцев читать романы одного и того же автора, даже если это ваши книги. Особенно если ваши...

«РЫБЬЯ КРОВЬ»

Я не собиралась останавливаться на одном героическом сюжете. Мой следующий герой, Константин фон Мекк, был известнейшим немецким режиссером, а его женой (и любовью) — знаменитая американская звезда. Они поженились в 1925 году, а действие происходит в 1939-м; в это время Константин работал в Париже на немецкой киностудии УФА и скрывал от немцев красивого молодого цыгана. Я не смогу рассказать здесь обо всех неожиданных поворотах и безрассудстве этой истории, отмечу только, что она — вовсе не смешна, несмотря на необузданный романтизм и беспутство героев; на трех страницах действует даже Геббельс. Крайне неуместная беззаботность, чрезвычайно нежная педерастия, самые гнусные угрозы позволили воцариться в романе стихии, которую я не смогла бы назвать исторической, скорее это стихия интриги и иронии. В этой книге можно увидеть, как на смену любви приходит угроза, на смену удовольствию — долг, страх уступает чувственности, что и является прелестью авантюрных романов. В основе книги лежала безнравственность, но на фоне нацистских ужасов возмущаться этим было трудно. Я включила в роман смешные и непристойные сцены, чтобы дать передышку моим героям и — верх тщеславия — развлечь моих читателей. Странно, как из одного страха перед мелодрамой можно наброситься на удовольствия. Мелодрама отступает перед распутством и развлечением, перед всем, что, в сущности, связано с обычной жизнью.

Добавим, что именно герой книги Константин фон Мекк — виновник многих бед, он — ловелас, талантливый режиссер и предатель — пока не стал героем. Читатель блуждает среди бесконечных поворотов сюжета и случайных, иногда неплохих изречений. Отметим все же, что «*Рыбья кровь*» — книга, наполненная страстью, кое в чем наивная, несмотря на внешнюю бесчувственность героя. Мне надоело отмечать по ходу дела, как много оказалось книг — из числа написанных мною, — где цинизм не приводит к оптимистическому или сентиментальному выводу.

Однако «*Рыбья кровь*», что текла по жилам главного героя Константина фон Мекка, была достаточно красной и бурлящей: он ошибался, обманывал окружающих, был любим, любил сам, его ловили, он ловил, и, как правило, поступки этого человека далеко не всегда соответствовали его натуре, а чувства — тому, что он хотел бы чувствовать. И тем не менее он выглядел человеком порядочным, хотя достоинством не отличался. Важный, расхлябанный, неотразимый Константин фон Мекк, привилегированный кинорежиссер Голливуда, не станет героем, но совершит недвусмысленные героические поступки, которые приведут его к гибели. А он ведь любил эту жизнь, и она отвечала ему тем же. На сей раз отождествление с героями исключаю. Никто не узнавал себя, да и не мог узнать, в кинозвезде, обреченном цыгане, а тем более в запутавшемся режиссере. Никто не дошел до такой крайности.

И хотя в этой книге я описываю крайности или излишества, неправдоподобия все же не допускаю. Если оно ощущается в романе, это убивает меня: я никогда не любила сказок и, возможно, приобрету тысячу врагов, написав, что «*Маленький принц*» всегда наводил на меня смертельную скуку! Я наблюдаю достаточно безумств, жестокости и самопожертвования в реальной жизни, чтобы невозможное прельстило меня! О, эти кролики-болтуны, лисы-шептуньи, совы-философы... Я бегу от них с детства!.. Их нравоучительные и псевдопоэтические фразочки невыносимы. Возьмем, к примеру, ребенка и медведя.

Р е б е н о к: Это ты, непослушный медведь, сеющий ужас в лесах? И при этом ты хочешь, чтобы тебя любили звери?

М е д в е д ь: Да, это я и не я. Просто я слишком силен и, когда обнимаю кого-то, не могу не раздавить его... А потом я бегу по равнинам, лесам и вызываю страх, но и сам себя пугаю!..

Р е б е н о к: Потому что бежишь, пытаясь обогнать самого себя. Знаешь ли ты об этом?

М е д в е д ь: Знаю с раннего детства.

Р е б е н о к: Бедный мишка... Мне жаль тебя!..

И та-та-та, та-та-та! Как будто нет людей, готовых произнести «та-та-та-та» по серьезному поводу. Я спокойно признаюсь: читать *«Алису в стране чудес»* мне всегда было чудовищно скучно! И пусть не морочат мне голову, заявляя, что у меня не было детства и я лишена детской наивности! На самом деле детство мое длилось так долго, что я не уверена, рассталась ли с ним, как и всякий, впрочем, чувствительный человек! Просто еще маленькой девочкой я мечтала о том, что может случиться со мной и моими близкими. И никто больше политиков, как всем прекрасно известно, не увлекается пустяшными фразочками, якобы подходящими к той или иной ситуации, короткими и неряшливыми высказываниями, похожими на «изречения», сжатость которых отражает узость мышления.

«Поводок»

На этой поразительной и полной приключений книге завершился период моего увлечения военной тематикой. Я вновь обратилась к моим парижским историям, где единственным конфликтом была «игра в любовь, нежная война».

Я долго не могла установить, кому принадлежат эти слова. В конце концов я обнаружила их в песне Марселя Ашара:

> В игру любви, коль хочешь, я сыграю,
> В нежнейшую из войн, чьи правила строги.
> Не спрашивай меня — я сам причин не знаю,
> Но в ней партнеры бьются, как враги...[1]

Читатель уже понял, что в этой книге я не пишу ни о своих пьесах, ни о рассказах, ни об эссе. Опускаю в основном *«В память о лучшем»* и *«Музыку к сценам»*, не считая *«Скрипок, поющих иногда»* и *«Лошади в обмороке»*. Ограничусь одними романами. Иначе я не закончу книгу и возненавижу собственные тексты, поскольку ощущаю безотчетную скуку, хочу чего-то другого, того, что почти помешало бы мне говорить о моих книгах с желательными интересом и уважением. Не падай духом, бедный читатель, смелей! Осталось всего два-три романа, и некоторые из них так недавно были написаны, что я не знаю, что сказать о них нового. Смелей! Вот уже и *«Поводок»* перед нами, легонький сюжет, хотя история опять заканчивается самоубийством, но самоубийством желанным, я надеюсь, для оп-

---

[1] *Пер. Г. Калашникова.*

ределенного числа моих читателей, похожих на измученного и без-
деятельного Венсана, героя *«Поводка».*

Венсана очень давно «купила» для себя его жена, надеявшаяся,
что он станет виртуозом и сделает большую карьеру. Увы, он не стал
великим музыкантом, не стал в основном из-за лени; но у него есть
жилье, его кормит и одевает важная дама, которая обращается с ним,
как с большим талантливым младенцем. Ревнивая собственница Лоранс превращает своего супруга в затравленное и одинокое существо. И когда он наконец создает «шлягер», его милая женушка делает
все, чтобы ее муж ничего не получил за это — ни денег, ни славы, и
главное, свободы. Саркастический тон рассказчика звучит как приятное сопровождение к поэтическим сценам (описаниям дождя в Париже или рассуждениям о живописи).

К тому же герой демонстрирует такое безразличие к самому себе
и мнению о нем окружающих, что выглядит чрезвычайно странным.
Бывают ситуации, поступки, слова, невыносимые для любого человека, но Венсан воспринимает их с абсолютным спокойствием. В сущности, этот мужчина женат на мегере, но при этом не вызывает ни
жалости, ни осуждения — не так уж плохо для супружеской пары!
Что же касается описаний в романе, то сцена на бегах и лирична, и
точна в деталях. В ней более или менее достоверно рассказано о том,
что может почувствовать или увидеть человек, обожающий лошадей;
дробь неистового галопа, сотрясение земли и дрожь в спине, наклон
вперед, машинально повторяющий наклон жокея, — все в этой сцене точно учтено.

Мне хотелось бы процитировать весь кусок целиком, но я отказалась от столь приятной возможности с самого начала этой книги. Хотя цитирование текста великолепно выполнило бы мою задачу, а мне
не пришлось бы трудиться — о чем я, как многие литераторы, меч-
таю иногда.

О романе *«Поводок»* после его появления говорили мало. Может быть, потому, что герой, Венсан, все время преуменьшает значение вещей, пытается облегчить жизнь, которая, между прочим, была
бы легкой, если бы жена, подобно грифу, не парила бы в его небе.
Венсан все время стремится изгнать романтику из своего существования, и для автора это не совсем удобная позиция. Ставя героя в ситуации, которые мне самой показались бы невыносимыми, я испытывала смутное и, может быть, порочное желание показать, как можно
с максимальным цинизмом и равнодушием заглушить любой взрыв
возмущения и любое чувство справедливости. А Венсан блестяще с
этим справляется: все моменты, редкие моменты, когда он вроде бы

уступает чувству, очень скоро оказываются испорчены или обращены в ничто его рассуждениями.

В сущности, я впервые написала книгу о простачке, проявляющем чрезвычайную изворотливость как в финансовой области, когда он с рассеянным видом отбирает все, что ему принадлежит, так и в области чувств, когда спокойно выходит из игры. В нем есть что-то от русского. На протяжении семи лет он был безоружен перед женой, но случайный успех дает ему в руки оружие, и он пользуется им сначала для защиты, затем, столкнувшись с агрессивной и громогласной реакцией противной стороны, — для нападения. Без удовольствия и без досады он смотрит, как сгибается перед ним его «благодетельница-мачеха».

Действительно, он очень часто выглядит наиболее невинным и нормальным из этих двоих, тогда как только в нем, в нем одном есть то дикое и холодное безразличие, которое вынуждает его жену совершать смехотворные, а порой отвратительные поступки. Перечитывая роман, я отмечала про себя то одно, то другое, сначала думала: «Что за дерьмо этот парень!» — а потом: «Какая гадкая женщина!» Говорят, что применение определенного оружия может лишь навредить владельцу, поскольку при использовании этого оружия неизбежны ранения с обеих сторон. Мне, конечно, скажут, что Лоранс дороговато расплатилась за первоначальную ошибку и что она просто не успела перейти в наступление, поскольку умерла. Только таким ударом можно было потрясти Венсана.

Конец книги, последние, только последние, ее страницы слегка проникнуты лиризмом (по правде говоря, не последние, а верхняя часть последней). В заключение скажем, что это беспокойная книга, в основу которой положены непроизвольные поступки и размышления, иногда жестокие, иногда занимательные. Книга идеальна для чтения в поезде — такое определение обычно считается оскорбительным для автора, если, в отличие от меня, он не воспринимает поезд, сиденья, стук колес по рельсам, стук одиночества как благоприятную возможность взять в руки книгу и погрузиться в нее. А домашнее ее чтение, в промежутке между телепередачами, для меня было бы, наверное, более оскорбительным — в самом деле оскорбительным.

Работа, в которую я сейчас погружена, интересна тем, что это мой первый и последний опыт такого рода. Не представляю себе, как буду перечитывать (а если и придется, то только ради грамматики), да, не представляю себе, как буду перечитывать эту книгу, да и следующую тоже, если таковая появится. Думаю, что она все же появится, потому что держу в голове сюжет, который будоражит мое воображение все чаще и чаще. Речь идет о пятерых детях, трех мальчиках и двух девочках, от десяти до двенадцати лет. Они собрались вместе в один и тот же день по случаю общего траура. Во время зимних каникул, под Рождество, родители приехали навестить их, но подвесная кабина, в которой находились отцы и матери Тома, Полины, Ж.-П., его сестры Мириам и последнего из них — Кристиана, рухнула. Действие романа начинается десять лет спустя; сироты уже повзрослели, они в течение этих десяти лет жили вместе. Один из них, репортер Том, возвращается из Ирака, где восемнадцать месяцев находился в тюрьме, и т. д.

Я не стану рассказывать, что было дальше, потому что мне самой еще не совсем ясно, как будет развиваться сюжет. Я знаю только, что написала три варианта начала этой истории и, признаться, измучилась, работая над ним; знаю, что три раза подряд отвергала его, настолько плохо оно было написано, — отсутствие музыкального ритма или гармонии превращало мое вступление в нечто сбивчивое и запутанное.

И никакого поворота, позволяющего оборвать мои фразы, никакого толчка, чтобы выстроить их. Моим дорогим коллегам по литературе все это известно так же, как мне: эти бесплодные головоломки, эти булыжники, которые выдергиваешь из песка, скопившегося в твоей голове, и глаза, прозревшие вдруг на фразах, бездарность которых, конечно же, была ощутима и во время их написания, но теперь ты вдруг замечаешь обоснованность первоначального ощущения. И остаешься один на один с этим лепетом больного, наедине с собой и без таланта. Слова уже не более чем слова, а литература — времяпрепровождение, уготованное другим.

Невозможно передать словами ужас, который испытываешь, будучи не в силах делать то, что любишь больше всего на свете, особенно если составленный план, придуманные персонажи (хотя и знаешь, что они сами по себе будут меняться на протяжении романа) представляются тебе в десять раз менее интересными и в десять раз более далекими от того, что всегда мечтал сделать. Литература — женщина столь же торопливая, сколь терпеливая. Поистине жестока необходимость вновь начинать работу над книгой, первую главу которой ты оказалась неспособной написать в течение нескольких недель. Чувствуешь себя всемогущей и уязвимой, виновницей и жертвой этой ужасной и чреватой рецидивами болезни: беспомощность —

оборотная сторона писательского ремесла, а в моем случае — оборотная сторона легкости, которая, как я считала, будет присуща мне всегда.

> Не властен человек ни в чем: не властен в силе,
> Ни в слабости, ни в сердце...[1]

Опять Аргон, всегда Аргон.

В конце романа «*Поводок*» на шоссе под Парижем Венсан узнает о самоубийстве жены. А когда кто-то убивает себя ради вас или из-за вас, тот, кто каждый день на ваших глазах страдал по вашей вине, потому что видел в вас — заблуждаясь — другого человека, а вы позволяли ему верить, что таковы и есть, тогда поневоле почувствуете себя виноватым. Даже если он целиком придумал вас (потому что от «вас» хотел получить только «вас»), даже если вы никогда ему не лгали, если предупреждали и искренне стремились раскрыть глаза на то, что «вы» есть и что есть в «вас», и признать, что больше ничего собой не представляете.

Быть может, будь вы потверже или, наоборот, не таким твердым... как знать! Возможно, вы, как говорится, здесь ни при чем, но из-за вас другое существо находится сейчас под землей, вместо того чтобы разгуливать под солнцем. И вам самим теперь не с кем поговорить, потому что нет больше рядом с вами не кого-то конкретно, а той чувствительной эмоциональной части вас самих, мирившихся с милым и беззаботным лицом, взирающим на вас из каждого зеркала. Нет целой части вас, ненавидевшего, к примеру, даже саму мысль о простуде, но при первом кашле получавшего порцию аспирина и сразу выздоравливавшего благодаря этим заботам... Нет той безразличной и обаятельной вашей части, что лишилась теперь надоедливого партнера, который убивал и спасал вас; в конце концов, нет той до настоящего времени беззаботной части, которая отныне и всегда будет искать того, кто больше не существует.

«Окольные пути»

Я, как и многие другие, могла бы и дальше отклоняться от темы. Но продолжим, как начали! В 1990 году я в очередной раз свернула себе шею и, уже опираясь на трость, поехала к своему другу на Ла-

---

[1] *Пер. М. Кудинова.*

зурный Берег. Мы роскошно разместились на итальянском судне и к началу фестиваля прибыли в Канны. Мне — и это было очень любезно — прислали пригласительные билеты. Однако я не хотела появляться на людях с тростью и тем более пятьдесят раз рассказывать о произошедшем со мной несчастном случае. Поэтому я отдала билеты моему другу, который был безмерно этому рад и отправился на фестиваль, у хозяина же нашего были свои приглашения. Все это блестящее общество в два часа дня собралось на дневной сеанс, а я смотрела, как они весело садятся в лодку, высаживаются на берег и с тем же ликованием присоединяются к толпе. Когда лодка вернулась, я в свою очередь села в нее, но одна. Незадолго до этого мне рассказали о новых игорных залах, открывшихся в отеле «Карлтон», и до конца фестиваля я понемногу играла там, но задерживалась не настолько долго, чтобы пропустить возвращение на судно веселой компании любителей кино. Так продолжалось целую неделю, и эти дни могли бы стать очень размеренными и спокойными, если бы в голове моей уже не сложился окончательно некий текст, как это однажды было с *«Нависшей грозой»*. История начиналась с описания бегства от немцев четырех представителей светского общества; их «Роллс-Ройс» обстреляли, они заблудились и вынуждены были на долгое время поселиться на ферме, из-за войны лишившейся работников. Передряги, выпавшие на долю этих людей, и их диалоги сами ложились под моим пером на бумагу, и в итоге я забросила казино, чтобы иметь возможность исполнять роль секретаря, ибо никем иным себя не ощущала. У меня в голове рождались ритмически выстроенные фразы, и оставалось лишь записать их с помощью руки; кстати, меня это очень забавляло, потому что я писала веселую книгу или предполагала, что она получится веселой. Во всяком случае, меня она веселила.

Желая убедиться, что для этого веселья есть все основания, я попросила с десяток любезных, но критически мыслящих знакомых поочередно читать ее вслух. Усадив их в комнате с моей рукописью в руках, я уходила в соседнее помещение и слушала. Если они смеялись, я чувствовала, что спасена, а если долго молчали, я перечеркивала страницу и переписывала ее заново.

Наконец, повеселив и рассмешив большинство моих друзей, я опубликовала *«Окольные пути»*; моя веселая книга заинтересовала англичан, и они первыми пожелали снять фильм на этот сюжет. Люди, прочитавшие *«Окольные пути»*, как правило, выглядят благодарными, поскольку чтение развеселило их, и в этом они сильно отличаются от читателей, рассерженных тем, что их заставили плакать, даже если в конечном счете и те и другие очень доброжелательны. Но все же... откуда взялись эти чужаки, эти абсолютно незнакомые мне герои, ведь я о них никогда особенно не думала и не собиралась их описывать? Смешно это или нет, но, я считаю, было не совсем честно с их стороны использовать меня как магнитофон.

«Прощай, печаль»

Чего не скажешь о романе «*Прощай, печаль*» (принадлежащем тому же автору, изданном в том же издательстве). Написав довольно длинный первый вариант, я, в минуту замешательства, немного поспешно отправила его в свою любимую корзину. Потому что у меня дома есть ряд вещей, которые в совокупности полностью выполняют все функции компьютера: письменный стол, корзина для бумаг, пишущая машинка и т. д. То, что на этой машинке нельзя перенести параграф с одного места на другое, мне не мешает, вопреки утверждениям моих более продвинутых собратьев. Если я перемещаю целый параграф в любой из моих книг, то распадается весь текст, поскольку в основном я пишу в хронологическом порядке. Иными словами, мне очень нравятся эти большие машины, которые, кажется, олицетворяют собой будущее, — а в чем можно упрекнуть будущее, помимо того, что оно выглядит слегка угрожающим? — да, мне они нравятся, я бы сказала: с точки зрения рисунка, цвета... легко возникает ощущение, что ты — гениальный график, а искаженные цвета зачаровывают мой глаз. Прекрасно. Итак, роман «*Прощай, печаль*» полетел в корзину, но осталось еще несколько черновых вариантов книги. Их я тоже забросила, но два года спустя обнаружила один набросок и почти против воли вновь взялась за перо. Я прекрасно понимала, что не успокоюсь до тех пор, пока не разделаюсь с этим романом, как не могу успокоиться сейчас, пока не избавлюсь от моих сирот в снегах, которые мучают меня.

Хотя сюжет романа был вполне обыкновенный, писать его было неприятно, как и перечитывать. Однажды утром некий мужчина узнает, что он обречен, — рак, которым он болен, неизлечим, короче, жить ему осталось полгода. Я хотела описать один день из жизни этого человека, приятного мужчины, который нравился женщинам, а теперь столкнулся с перспективой самой отвратительной смерти. В этом наброске я сразу вспомнила окружавших моего героя персонажей, о которых, казалось, забыла, вспомнила с первой фразы, оставленной без изменений в новом варианте: «И давно вы курите?» — мои герои вновь овладели мной целиком, и набросок не понадобился. Итак, я рассказывала об обычном существовании счастливого и привыкшего быть счастливым человека, осознавшего вдруг, какой горький и драгоценный период жизни остается ему прожить, и потерявшего почву под ногами.

И в это же время, тяжелейшее в моей жизни, я открыла для себя Шумана. Сама переживая ад, я слово за слово рассказывала историю другого человека, ожидавшего своего конца. Говорят, что писатели описывают противоположное тому, что сами переживают, но я всегда писала веселые книги, когда была весела, и наоборот. Эта книга, разумеется, была грустной, с отступлениями, переоценкой прошлого и вариациями на тему. Трудно и на первый взгляд непозволительно описывать смерть другого человека. Однако роман «*Прощай, печаль*» вполне хорош, серьезен и смешон, горек и достоверен, эмоционален и чист. Между прочим, любопытно, насколько мои книги (если перечитать их подряд, как я это сделала) могут быть непохожими друг на друга, — это бесспорно, — но при этом все они чисты. Прочитав их, не испытываешь подавленности или отвращения, как иногда бывает; по крайней мере, такая литература не угнетает меня, не наводит уныния, хотя далеко не всегда приводит в восхищение.

После таких приятных похвал в собственный адрес я возвращаюсь к моему дорогому Матье и к тому, что он считает концом своей жизни. После выхода романа «*Прощай, печаль*» я получала письма, на которые мне нечего было ответить, впрочем, ответа никто не просил. Люди, ожидающие смерти, плевать хотели на автографы или банальные утешения. Они ограничивались тем, что признавали точность моих описаний и посылали мне письма, даже если им не нравился конец книги, этот «хитрый ход» автора. Я бы, пожалуй, предпочла, чтобы они не хвалили меня за точность описания, потому что у меня складывается впечатление, будто я использовала их болезнь в качестве материала для книги. Один из корреспондентов поблагодарил меня за то, что «почувствовал себя менее одиноким», но он не указал обратного адреса. И это доказывает, что смерть воспринимается как постыдная вещь не только теми, кто болен СПИДом. По правде говоря, я, как ни странно, не предполагала, что эту книгу будут читать больные. Не думала, что они, возможно, купят роман, предположив, что в нем, как и в других книгах, будет рассказана одна из обычных моих любовных историй, способных развлечь читателя в первую очередь. Сюжет романа «*Прощай, печаль*» накрепко привязан к смерти, а конец слишком легковесен, несомненно, по моей вине: мне всегда нравилось изобретать банальные развязки драм, я всегда любила смешивать сладкое с соленым, холодное с горячим и т. д.

Но, признаваясь в этом, я испытываю бесконечное и безграничное сочувствие к некоторым моим читателям, и особенно к тем безнадежно чуждым мне людям, что присылают мне такие письма:

Уважаемая госпожа Саган!

Я читал Ваши книги всегда. И отношусь к Вам с большой теплотой и уважением. Вот почему считаю, что должен рассказать Вам о фантастическом — для Вас и для меня — проекте. Видите ли, я прожил бурную жизнь, настолько бурную, что Вы и представить себе не можете, как, впрочем, не сможет и никто другой. Я хотел рассказать о ней Вам непосредственно или записать этот рассказ на магнитофон, поскольку у меня не было времени научиться печатать на машинке. Вы же это умеете, и если поможете мне оформить мою историю и опубликуете ее (поскольку у Вас есть связи в литературном мире), мы разделим гонорар пополам. Мы даже можем поделиться славой, если Вам это важно (а если действительно захотите поставить на обложке только свое имя, мы всегда сможем об этом договориться: я человек честный, Вам это каждый подтвердит).

Жду с нетерпением ответа на мое послание.

С дружескими чувствами
и наилучшими пожеланиями,
Ваш преданный и верный читатель,
а в скором времени, может быть, и коллеги
Жан-Пьер Дюбуа, Невер.

Я не отвечаю на такого рода письма. В них изначально заложена самоуверенность, которая мне претит. Но иногда я все же пишу горе-писателям, переживающим отчаяние оттого, что они действительно верили в свой талант и проработали над книгой полгода или больше.

Эти достойные люди увлечены литературой в большей степени, чем можно себе представить, и, не имея ни малейшего таланта или шанса на успех, страстно желают, чтобы их книги были опубликованы и прочитаны. Они живут этой мечтой и, витая в облаках, рано или поздно наталкиваются на рекламное объявление в какой-нибудь газетенке, одно из тысяч объявлений, единственная цель которых — польстить людям, жаждущим писать, и признать их право на существование; так, под заголовками типа: «Вы должны писать!» или «Почему не вы?» — рекламирует себя издательство «Ля плюм франсез». Бедняги сохраняют рекламу с адресом. И в конце концов, уступив соблазну, посылают в указанное «издательство» накопленные посредством жестокой экономии двадцать-тридцать тысяч франков, востребованных «издательством»: 1 — для издания книги; 2 — для оплаты услуг знаменитого писателя, который, прочитав ее, даст начинающему автору настолько ценные советы, что его гадкий утенок превратится в лебедя. После чего утенок ждет месяц, два, иногда больше, редко — меньше, во всяком случае, достаточно долго, чтобы при получении восторженного отзыва большого писателя кричать от радости, тем более что ему обещана встреча с ним во время предстоящего визита знаменитости в столицу. К сожалению, на организацию этой встречи и пребывание молодого человека в столице именно в тот период времени, что ему обещан, потребуется дополнительная сумма в двадцать тысяч франков. Наш уже разоренный герой разбивается в лепешку, но ухитряется собрать необходимую сумму, после чего взирает на своих скептически настроенных друзей с таким загадочным и торжествующим видом, что те просто поражены. Он ничего не рассказывает друзьям, потому что они высмеяли бы его и вновь попытались бы разрушить его мечту. Итак, в издательство «Ля плюм франсез» отправлен новый чек, и через две недели наш мечтатель получает по почте двадцать пять «еще горяченьких» экземпляров своей книги, размноженной, естественно, на ротаторе. А вот об этих двадцати страницах в газете «Эко дю Керси», например, была написана восторженная статья, копию которой ему пришлют отдельно. Наш герой ликует. Ему понадобится месяц, чтобы найти, заработать или занять необходимую сумму для поездки в Париж, где он встретит своего писателя-наставника, а также издателя, которому он должен оплатить две трети стоимости билета по маршруту Париж — Марсель, туда и обратно. Ну разве он не безумец? О чем размечтался! И все-таки страсть побеждает, он находит еще три тысячи франков. Но тем не менее встревожен. И не без оснований.

Ведь в течение этих трех, а может быть, и шести месяцев наш бесталанный писатель будет верить в свое призвание. Будет верить и следовать дьявольскому и вместе с тем творческому предназначению, соответствующему его подлинному «я». И кто мне докажет, что, любя или думая, что любимы, мы испытываем разные чувства? Наш герой искренен, но обречен; и тем не менее он испытает счастье борьбы с чистой страницей, смятение перед последним листом рукописи, скрип пера по бумаге, шорох перевернутой страницы, запах чернил и т. д. Будет работать ночами, узнает, что такое предрассветная усталость, и, счастливый, вытянется на еще не разобранной постели и пр. Он заснет, повторяя фразу, написанную ночью, и тут же подумает, что надо будет заменить в ней одно прилагательное. Затем десять раз встанет и ляжет опять, вылизывая написанное; эта ночь измотает его, но принесет удовлетворение и восторг, он так будет доволен собой... Вот оно, блаженство!

И какое счастье противопоставишь этому его блаженству? Как убедишь человека не верить в него? Это невозможно, если только вместе с похвалами от «Ля плюм франсез» он не получит хотя бы денежный чек, вместо того презрительного молчания, которым его «одаривают» сегодня. И я со слезами на глазах отворачиваю взгляд от этих сентиментальных неофитов, которых, между прочим, так часто, но безуспешно предостерегали от всякого рода «Плюм франсез», где иногда случайно попадается такой мошенник от литературы, умеющий подстегнуть энтузиазм одних и удвоить цинизм других.

Увы, помимо афер с мечтой, немало других бед подстерегает писателя-неофита. Например, проблема пунктуации, в которой все как будто разбираются, но это большая ошибка. Я прочитала немало книг на эту тему, написанных специалистами, страстно, безумно влюбленными в запятую и настроенными резко против точки, восклицательного и вопросительного знаков или нарочито присоединенных к ним других знаков препинания.

К точке относятся плохо, но все же уважают ее больше, чем точку с запятой, этот половинчатый знак, способный сделать все, что угодно, с вышеупомянутой запятой, подлинным знаком препинания. Я уверена, что серьезные люди в цилиндрах и со словарями дрались из-за изменений смысла, связанных с пунктуацией. Вы берете два, три милых слова, меняете их местами, и — гоп! — начинается война. Я уж не говорю о двусмысленности знака трема[1], о рассеянности скобки, лживости многоточия, развязности крышечки (ˆ), знака (´) или (`) над гласными, которые можно ставить везде, и тех двух точках (двоеточие), что являются близнецами в литературе. Просто воздадим хвалу непоколебимым защитникам пунктуации, людям чаще всего скромным, посвятившим себя любимому делу, и чаще всего — хочется отметить — проявляющим активность весной. Без сомнения, тем из моих читателей, что надеются узнать обо мне больше того, что мне обычно удается рассказать, это перечисление откроет нечто такое, чего нет во множестве моих книг.

Неужели я закончила эту изнурительную, увлекательную, но временами тяжкую работу? Достаточно ли внимательно я прочитала мои прежние сочинения? Вполне ли искренне говорила о них, чтобы это эссе чего-то стоило?.. Не знаю. Перечитывая свои книги, я то погружалась в трясину самоуничижения, то парила в облаках самодовольства. Два непроизвольных движения души, которые, к счастью, не превратились в ту или иную позицию. Надо сказать, что когда я писа-

---

[1] Две точки над буквой, обозначающей гласный звук, который следует произносить отдельно от предшествующего гласного звука.

ла эту книгу здесь, сейчас, то испытывала вполне ощутимое счастье: в деревне, расположенной в департаменте Ло, стояла прекрасная холодная погода, и всю ночь в изножье моей кровати потрескивали дрова. Надо также добавить, что из-за сломанной ноги я три месяца принимала лекарства, ходила на приемы к врачу, делала рентген, сканирование и, измучившись, очутилась наконец в краю моего детства, гостеприимном или не очень — в зависимости от настроения, которое приносишь с собой. Там все нравилось мне, все согревало душу. И я вновь открывала этот край для себя. Возраст не имеет значения, если учишься жить. Может быть, всю свою жизнь мы только это и делаем.

Снова отправляемся в путь, начинаем все сначала, дышим полной грудью: как будто никогда и ничего не узнавали о нашем существовании и лишь изредка обнаруживали в себе черту, неизвестную самим себе и нашим друзьям: выдержку, мужество, тонкость, нечто такое, что высвечивается в тяжелейшие минуты и чего мы от себя не ожидали... Когда этого не случается, увы, обнаруживаются, конечно, бессилие, трусость, бегство от всего.

И вот я возвращаюсь домой с книгой под мышкой, уложенной в красивую красную папку, с книгой, которую мне теперь предстояло препарировать, расширять или ужимать, словом — удовлетворять с ее помощью свою мазохистскую страсть к правке. Точно так же, как очень скоро, но несколько позже, я займусь своим новым романом и его новыми героями. Они ждали меня, нуждались во мне, чтобы начать жить, как, впрочем, и я нуждалась в них... Мне кажется, мои герои нужны были мне всю мою жизнь, о чем свидетельствуют названия книг, которые я теперь перечитала.

Перечитала в первый и, без сомнения, в последний раз.

Саган Ф.

С 12   Я — женщина, любившая мужчину: Романы / Ф. Саган; [пер. с фр.]. — М.: Эксмо, 2006. — 800 с. — (Большая книга).

ISBN 5-699-18446-5

Франсуаза Саган (1935—2004) в девятнадцать лет написала свой первый роман «Здравствуй, грусть» — и прославилась. Ее книги вошли в канон современной мировой литературы; после появления Саган на французской литературной сцене жанр психологического романа изменился навсегда. Ее романы переведены на десятки языков и давно признаны классикой.

В ее романах любовь — персонаж, а не обстоятельство, любовь — главный герой, и участь ее темна, как хрустальный шар, и хрупка, как человеческая жизнь. Перед вами сборник лучших романов великой французской писательницы — голоса каждого нового поколения, которое с разочарованием смотрит в прошлое и с несмелой надеждой — в будущее.

УДК 82(1-87)
ББК 84(4Фра)

ISBN 5-699-18446-5

Перевод с французского

Оформление серии *А. Ходаковского*

Оформление переплета *Е. Парфенова*

Литературно-художественное издание

Франсуаза Саган

Я — ЖЕНЩИНА, ЛЮБИВШАЯ МУЖЧИНУ

Редактор *А. Грызунова*
Художественный редактор *М. Суворова*
Технический редактор *О. Куликова*
Компьютерная верстка *Е. Кумшаева*
Корректоры *Г. Титова, З. Харитонова*

ООО «Издательство «Эксмо»
127299, Москва, ул. Клары Цеткин, д. 18/5. Тел.: 411-68-86, 956-39-21.
Home page: **www.eksmo.ru** E-mail: **info@eksmo.ru**

Оптовая торговля книгами «Эксмо» и товарами «Эксмо-канц»:
ООО «ТД «Эксмо». 142700, Московская обл., Ленинский р-н, г. Видное,
Белокаменное ш., д. 1, многоканальный тел. 411-50-74.
E-mail: **reception@eksmo-sale.ru**

Полный ассортимент книг издательства «Эксмо» для оптовых покупателей:
В Санкт-Петербурге: ООО СЗКО, пр-т Обуховской Обороны, д. 84Е.
Тел. отдела реализации (812) 365-46-03/04.
В Нижнем Новгороде: ООО ТД «Эксмо НН», ул. Маршала Воронова, д. 3.
Тел. (8312) 72-36-70.
В Казани: ООО «НКП Казань», ул. Фрезерная, д. 5. Тел. (8435) 70-40-45/46.
В Самаре: ООО «РДЦ-Самара», пр-т Кирова, д. 75/1, литера «Е». Тел. (846) 269-66-70.
В Екатеринбурге: ООО «РДЦ-Екатеринбург», ул. Прибалтийская, д. 24а.
Тел. (343) 378-49-45.
В Киеве: ООО ДЦ «Эксмо-Украина», ул. Луговая, д. 9. Тел./факс: (044) 537-35-52.
Во Львове: Торговое Представительство ООО ДЦ «Эксмо-Украина», ул. Бузкова, д. 2.
Тел./факс (032) 245-00-19.

Мелкооптовая торговля книгами «Эксмо» и товарами «Эксмо-канц»:
117192, Москва, Мичуринский пр-т, д. 12/1. Тел./факс (495) 411-50-76.
127254, Москва, ул. Добролюбова, д. 2. Тел.: (495) 745-89-15, 780-58-34.
Информация по канцтоварам: **www.eksmo-kanc.ru** e-mail: **kanc@eksmo-sale.ru**

Полный ассортимент продукции издательства «Эксмо»:
В Москве в сети магазинов «Новый книжный»:
Центральный магазин — Москва, Сухаревская пл., 12 . Тел. 937-85-81.
Волгоградский пр-т, д. 78, тел. 177-22-11; ул. Братиславская, д. 12, тел. 346-99-95.
Информация о магазинах «Новый книжный» по тел. 780-58-81.
В Санкт-Петербурге в сети магазинов «Буквоед»:
«Магазин на Невском», д. 13. Тел. (812) 310-22-44.

*По вопросам размещения рекламы в книгах издательства «Эксмо»
обращаться в рекламный отдел. Тел. 411-68-74.*

Подписано в печать 24.10.2006.
Формат 60x90 $^1/_{16}$. Гарнитура «Таймс». Печать офсетная.
Бумага тип. Усл. печ. л. 50,0.
Тираж 5000 экз. Заказ № 4602583

Отпечатано на ОАО "Нижполиграф".
603006, Нижний Новгород, ул. Варварская, 32.